This is (Spike's) DICTIONARY

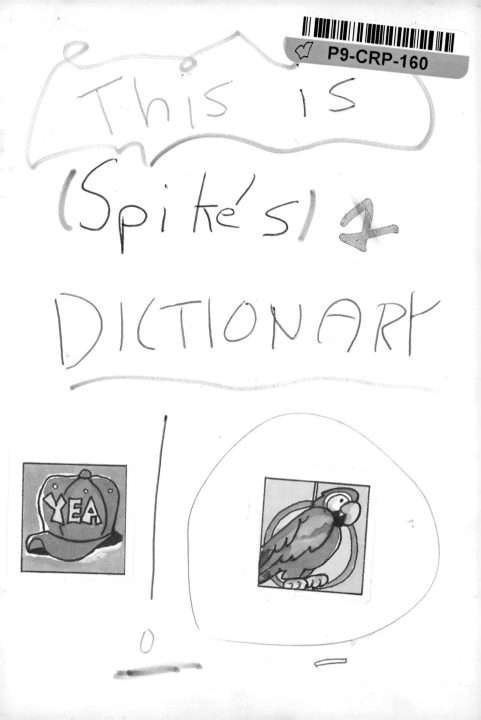

Liste des planches

maxi
débutants

édition canadienne

20000 MOTS

Larousse

les éditions françaises

distributeurs exclusifs au Canada
1411, rue Ampère, C.P. 395, Boucherville, Qué (J4B 5W2)

Direction de René LAGANE

Rédaction Jean-Pierre MÉVEL
Micheline DAUMAS
Christine EYROLLES-OUVRARD

Dessins de Danièle SCHULTHESS
Ginette HOFFMANN-MEYER
Catherine NOUVELLE

Correction-révision Bernard DAUPHIN
Pierre ARISTIDE

Maquette Studio Larousse

Révision des **textes et illustrations**
pour le Canada
Librairie LAROUSSE (Canada) ltée
en collaboration avec
LES ÉDITIONS FRANÇAISES INC.

ISBN 2-03-320007-8

Découvre la richesse du Maxi-Débutants

En plus du dictionnaire proprement dit, des illustrations et des tableaux, tu trouveras ici en annexe :

La **note** des pages 932-933 s'adresse surtout aux **maîtres** et aux **parents**.

L'ALPHABET

caractères d'imprimerie majuscules

A B C D E F G H I J K L M
N O P Q R S T U V W X Y Z

caractères d'imprimerie minuscules

a b c d e f g h i j k l m
n o p q r s t u v w x y z

caractères manuscrits majuscules

A B C D E F G H I J K L M
N O P Q R S T U V W X Y Z

caractères manuscrits minuscules

a b c d e f g h i j k l m
n o p q r s t u v w x y z

Les signes phonétiques, les sons correspondants, les principales écritures des sons

[A]	[a]	papa, à, haricot, femme	[ɥ]	lui, huit
	[ɑ]	bâton, hâte	[w]	oui, oiseau, western
[E]	[e]	bébé, hérisson, nez	[p]	père, apporter
	[ɛ]	sel, mère, clair, herbe, être, neige, maître	[b]	banc, abbé
			[d]	dans, addition, adhésif
	[i]	il, île, lys, hiver, hygiène	[t]	train, attention, thé
[O]	[o]	aube, peau, rose, pôle, zoo, hôtel, haute	[k]	coq, que, kilo, accourir, chorale, stock, acquitter, cueillir
	[ɔ]	robe, homme	[g]	gare, guérir, agglomération
	[u]	mou, goûter, où, houle	[f]	fable, affreux, phare
	[y]	mur, mûr, hutte	[v]	vie, wagon
[Œ]	[ø]	peu, vœu, heureuse	[s]	sur, casser, cire, ça, action, ascenseur, six, isthme
	[œ]	jeune, œuvre, œil, heure		
	[ə]	me, remède	[z]	zéro, cousin, deuxième
[Ẽ]	[ɛ̃]	brin, bain, faim, plein, chien, thym, synthèse	[ʒ]	jour, gigot, flageolet
	[œ̃]	brun, parfum	[ʃ]	chou, schéma, short
			[l]	calcul, million
	[ɑ̃]	plante, fente, hangar, paon	[r]	finir, arriver, rhume
	[ɔ̃]	mon, tomber, honteux	[m]	mer, nommer
	[j]	panier, payer, soleil, tailler, hier, faïence	[n]	nage, bonnet, damner
			[ɲ]	agneau, oignon
			[ŋ]	camping, bowling

Note. — Il arrive souvent qu'on ne distingue pas nettement la différence entre deux voyelles qui se ressemblent : dans ce cas, on utilise un seul signe [A] pour [a] et [ɑ], [E] pour [e] et [ɛ], [O] pour [o] et [ɔ], [Œ] pour [ø] et [œ], [Ẽ] pour [œ̃] et [ɛ̃].

Pour chercher un mot dans le dictionnaire

La première lettre d'un mot ne correspond pas toujours au premier son que l'on entend : le son [O] s'écrit o dans *orage*, au dans *aube*, ho dans *homme*, eau dans *eau-de-vie*. Ce tableau aide à trouver les mots d'après le premier son qu'on entend.

LE PREMIER SON DU MOT EST UNE VOYELLE

on entend	on cherche (dans l'ordre)					mots qui s'écrivent d'une façon particulière
	1	*2*	*3*	*4*	*5*	
[A]	a ou â	ha				à, le hâle, la hâte, tu as, ah !
[Œ]	eu	œ ou œu	heu			euh...
[E]	é ou e	hé ou he	ai			l'ère, être, la haie, la haine, le hêtre, l'aîné, et, eh !, tu es, il est, que j'aie, qu'il ait
[i] ou [j]	i	hi	hy	y		une île, un îlot
[O]	o	au	ho ou hô	hau		ôter, l'eau, aux, haut, oh !, le hall, les os, le heaume
[y] ou [ɥ]	u	hu				j'ai eu, il eut, qu'il eût
[u] ou [w]	ou	hou	w	o(i)		août, où, le houx
[ã]	en	em	an	am	han	la hampe
[Ɛ̃]	in	im				un, ainsi, hindou, humble, hein ?
[ɔ̃]	on	om	hon			ils ont

LE PREMIER SON DU MOT EST UNE CONSONNE

la première lettre correspond au son		*la première lettre peut être différente*	
on entend	on cherche	on entend	on cherche
[b]	b	[f]	f, ph
[d]	d	[v]	v, w
[l]	l	[s]	s, c, ç (ça)
[m]	m	[ʃ]	ch, sh, sch
[n]	n	[ʒ]	j, g, ge (geôle)
[p]	p	[k]	c, qu, k, ch, cu (cueillir)
[z]	z		
[t]	t, th		
[r]	r, rh		
[g]	g, gu, gh (ghetto)		

Conseils pratiques pour l'emploi du dictionnaire

1. Tu sais bien que les mots ont souvent plusieurs sens ; les principaux sens sont donnés par ton dictionnaire. Choisis, parmi les exemples en *italique,* celui qui se rapproche le plus de la phrase où tu as rencontré un mot que tu ne comprends pas bien (ce mot figure en ***italique gras*** dans l'exemple). Lis ensuite l'explication donnée.

2. Souvent, tu trouveras, entre parenthèses, des *synonymes,* c'est-à-dire des mots de sens équivalent, précédés du signe =, ou des mots de sens *contraire,* précédés du signe ≠. Par exemple, au mot **obscur**, tu trouveras :

*Cette rue est très **obscure**,*   il n'y a pas de lumière   (= sombre ; ≠ éclairé).

exemple   explication   synonyme   contraire

Ces mots synonymes ou contraires sont toujours donnés à l'infinitif s'il s'agit de verbes, au masculin singulier s'il s'agit d'adjectifs. Parfois le synonyme ou le mot contraire suffisent à faire comprendre le sens, sans qu'une explication soit nécessaire.

3. Si tu vois un ou plusieurs chiffres dans la marge, cela signifie que dans les pages en couleurs qui correspondent à ces chiffres, tu trouveras une illustration du mot (à toi de chercher dans la page). Parfois l'illustration est à elle seule une explication suffisante.

4. Les mots sont souvent regroupés par familles, à la suite d'un mot (l'**entrée**) qui joue le rôle de chef de famille. Pour bien comprendre le sens d'un mot ainsi **regroupé**, il faut en principe se reporter au sens correspondant de l'entrée, signalé par un numéro. Regarde, par exemple, le mot **arrêt,** qui est placé à la suite d'**arrêter**. Ce mot a trois sens, qui correspondent aux sens 1, 2 et 4 d'**arrêter** ; **arrestation** n'a qu'un sens, qui correspond au sens 3 d'**arrêter**.

Si le regroupement rattache à la famille un mot qui en serait séparé alphabétiquement par d'autres, un renvoi figure à sa place alphabétique normale. Ce n'est pas le cas pour la famille d'**arrêter**, mais il y a par exemple un renvoi de **abriter** à *abri* (**abriter** → *abri*) car entre les deux, il y a *abricot*.

Liste des abréviations et des signes

adj.	adjectif : *abominable, abondant* sont des adjectifs
adv.	adverbe : *d'abord, abondamment* sont des adverbes
art.	article : *le, une* sont des articles
conj.	conjonction : *car, donc* sont des conjonctions
conj. n°...	conjugaison numéro ... : se reporter à la liste des conjugaisons irrégulières pages 925 à 931
fam., très fam.	familier : le mot appartient à la langue familière ou très familière ; en principe, **tu ne dois pas l'employer quand tu écris ou quand tu surveilles ton langage**
interj.	interjection : *aïe !, ah !* sont des interjections
inv.	invariable : *abat-jour* est un mot invariable
n.	nom : *adversaire* peut s'employer aussi bien comme nom masculin que comme nom féminin
n. f.	nom féminin : *abbaye, abeille* sont des noms féminins
n. m.	nom masculin : *abbé, abcès* sont des noms masculins
pers.	personnel : *je, il* sont des pronoms personnels
pl. ou plur.	pluriel : *abats, abattis* sont des noms qui ne s'emploient qu'au pluriel
prép.	préposition : *à, de, vers* sont des prépositions
pron.	pronom : *je, ce, mien* sont des pronoms
R.	remarque (de prononciation, d'orthographe, de grammaire)
v.	verbe : *abandonner, abasourdir* sont des verbes
→	voir : se reporter à la remarque **R.** du mot indiqué.

Liste des tableaux

a

à prép. joue un rôle grammatical très important, dans des emplois très divers : *Reste à ta place. Je viendrai à 3 heures. J'écris une lettre à ma cousine. Elle a gagné la côte à la nage. Voici une machine à coudre. Je commence à m'ennuyer.*
R. *À* se distingue par l'accent grave de [*il*] *a* (du v. *avoir*). Suivi de *le* ou de *les*, *à* devient *au* ou *aux* : *Je vais au lit. Elle est allée aux États-Unis.*

abaissement, abaisser → *bas* 1.

abandonner v. 1. *Les propriétaires ont abandonné la maison*, ils l'ont quittée définitivement. 2. *Il a abandonné son meilleur ami*, il l'a délaissé. 3. *Le boxeur a abandonné au troisième round*, il a renoncé à continuer. 4. *Ne vous abandonnez pas au désespoir*, ne vous y laissez pas aller.
■ **abandon** n.m. SENS 1 *La guerre a provoqué l'abandon de ces villages* (= désertion). SENS 2 *Ce jardin est laissé à l'abandon*, on ne s'en occupe pas. SENS 3 *Il y a eu dix abandons dans cette étape*, dix concurrents qui ont abandonné.

abasourdir v. 1. *Ce vacarme m'abasourdit*, il me casse les oreilles. 2. *Marie est abasourdie par une telle nouvelle*, elle est stupéfiée.
R. On prononce [abazurdir].

s'abâtardir → *bâtard*.

abat-jour n.m.inv. *L'abat-jour rabat la lumière de la lampe.*

abats n.m.pl. *Les pieds, les rognons, le cœur, les poumons des animaux de boucherie sont des abats.* | 222
■ **abattis** n.m.pl. *Les pattes, la tête, le cou d'une volaille sont des abattis.*

abat-son n.m.inv. *Les abat-son d'un clocher sont les lames qui renvoient le son des cloches vers le bas.* | 148

abattis → *abats*.

abattre v. 1. *Le vent a abattu un arbre*, il l'a fait tomber par terre (= renverser). 2. *Le boucher a abattu dix veaux*, il les a tués. 3. *Les policiers ont abattu un gangster*, ils l'ont tué. 4. *Elle a été très abattue par cette nouvelle* (= décourager, démoraliser). 5. *La grêle s'est abattue sur les récoltes*, elle y est tombée avec violence.
■ **abattage** n.m. SENS 1 *Les bûcherons sont chargés de l'abattage des arbres.* SENS 2 *L'abattage des bœufs est réglementé.*
■ **abattant** n.m. SENS 1 *Un meuble à abattant a un panneau qu'on peut abaisser ou relever.* | 77
■ **abattement** n.m. 1. SENS 4 *Lucie est dans un profond abattement* (= découragement). 2. *Les familles nombreuses ont droit à des abattements d'impôts* (= réduction, déduction).
■ **abattoir** n.m. SENS 2 *On mène les moutons à l'abattoir*, l'endroit où on les abat.
R. → Conj. n° 56.

abbaye n.f. Une *abbaye* est un bâtiment habité par des moines ou des religieuses (= monastère).
R. On prononce [abei].

abbé n.m. *L'abbé Dubois a dit sa messe,* le prêtre catholique. *Bonjour monsieur l'abbé.*

abc n.m. *Préparer du ciment, pour un maçon c'est l'abc du métier,* c'est une des premières choses à savoir faire, c'est très simple.

abcès n.m. *Je souffre d'un abcès dentaire,* d'un amas de pus.

abdiquer v. *Napoléon dut abdiquer en 1814,* renoncer au pouvoir.
■**abdication** n.f. *On avait annoncé l'abdication du couple royal.*

294, 33 **abdomen** n.m. *L'intestin est contenu dans l'abdomen* (= ventre).
■**abdominal** adj. *Il souffre de douleurs abdominales.*
■**abdominaux** n.m.pl. *Maman fait de la gymnastique pour développer ses abdominaux,* les muscles de l'abdomen.
R. On prononce [abdɔmɛn].

362 **abeille** n.f. *On élève les abeilles dans des ruches ; elles produisent le miel et la cire.*

abêtir → *bête.*

abîme n.m. *Une équipe de spéléologues a exploré un nouvel abîme souterrain* (= gouffre).

abîmer v. *Qui a abîmé tous ces jouets ?,* qui les a mis en mauvais état (= détériorer, endommager). *Ne regarde pas de trop près la télévision, tu vas t'abîmer les yeux,* les mettre en mauvais état.

abject adj. *Ce film est abject* (= répugnant, ignoble).

abjurer v. *Henri IV abjura le protestantisme en 1593,* il renonça à cette religion.

ablation n.f. *La malade a subi l'ablation d'un rein,* on lui a ôté un rein.

ablette n.f. *Une ablette est un petit poisson d'eau douce.*

ablutions n.f.pl. *Faire ses ablutions,* c'est faire sa toilette, se laver.

abnégation n.f. *Elle se consacre à cette œuvre avec une abnégation totale,* en renonçant à tout intérêt personnel (= dévouement).

aboiement → *aboyer.*

abois n.m.pl. *Elle n'a plus de quoi vivre, elle est aux abois,* dans une situation désespérée.

abolir v. *L'esclavage est aboli depuis longtemps,* il est légalement supprimé.
■**abolition** n.f. *Les députés ont voté l'abolition de la peine de mort* (= suppression).

abominable adj. *Quel crime abominable !* (= affreux).
■**abominablement** adv. *Cette chorale chante abominablement faux* (= affreusement).

abondant adj. *La récolte a été abondante,* très importante (≠ insuffisant).
■**abondance** n.f. *Nous avions des provisions en abondance,* en grande quantité. *Il y a abondance de fruits cette année.*
■**abondamment** adv. *Il pleut abondamment* (= beaucoup).
■**abonder** v. *Le gibier abonde dans cette région,* il y en a beaucoup (= foisonner, pulluler).
■**surabondant** adj., **surabondance** n.f., **surabondamment** adv., **surabonder** v. indiquent une quantité encore plus grande.

abonnement n.m. *On prend un abonnement à un journal quand on paie d'avance pour le recevoir régulièrement par la poste. La facture du* *téléphone comprend l'abonnement et les communications,* la somme à payer pour avoir le téléphone chez soi.

■ **abonné** n. *Ce journal a 15 000 abonnés. Le nom des abonnés est dans l'annuaire du téléphone.*

■ **abonner** v. *On s'est abonné à plusieurs revues.*

d'abord adv. *On sert d'abord les hors-d'œuvre, puis la viande,* pour commencer, en premier lieu (≠ ensuite, après).

aborder v. **1.** *Le bateau a abordé dans une petite île,* il est arrivé à la côte. **2.** *Les deux navires se sont abordés,* ils se sont heurtés. **3.** *Marie m'a abordé dans la rue,* elle s'est approchée de moi pour me parler (= accoster). **4.** *Nous avons abordé ce problème difficile,* nous avons commencé à nous en occuper.

■ **abord** n.m. **1.** SENS 3 *Cette personne est d'un abord facile,* il est facile de l'aborder. **2.** *Au premier abord, cela paraît possible,* selon la première impression, à première vue. **3.** (au plur.) *La police surveille les abords de l'immeuble,* les environs immédiats.

■ **abordage** n.m. SENS 1 *La tempête rendait l'abordage difficile.* SENS 2 *Le bateau a coulé à la suite d'un abordage.*

■ **abordable** adj. *Un prix abordable* n'est pas excessif.

■ **inabordable** adj. *La viande atteignait des prix inabordables.*

s'aboucher v. *Pour faire ce mauvais coup, il s'était abouché avec un repris de justice,* il s'était entendu avec lui (= s'acoquiner).

aboutir v. **1.** *Cette rue aboutit à la gare,* elle s'y termine. **2.** *La discussion a abouti à un accord,* elle a eu ce résultat.

■ **aboutissement** n.m. SENS 2 *Cette découverte est l'aboutissement de mes recherches* (= résultat).

aboyer v. *Les chiens aboient,* ils poussent leur cri à eux.

■ **aboiement** n.m. *L'aboiement* est le cri du chien.

abracadabrant adj. *Pour s'excuser, Julie a inventé une excuse abracadabrante* (= invraisemblable, extraordinaire).

abréger v. *J'ai dû abréger mon voyage,* le raccourcir.

■ **abrégé** n.m. **1.** *Un abrégé* est un texte qui ne dit que l'essentiel (= résumé). **2.** *« Madame » s'écrit Mme en abrégé,* en employant une forme du mot plus courte.

s'abreuver v. *Les lions s'abreuvent à la mare,* ils y boivent.

■ **abreuvoir** n.m. *Dans un abreuvoir, on fait boire le bétail.* 363

abréviation n.f. *« Car », « c.-à-d. »* sont des *abréviations* pour *« autocar », « c'est-à-dire »,* des mots raccourcis.

abri n.m. **1.** *Une grotte peut servir d'abri contre la pluie,* de protection. **2.** *Elle est à l'abri de la misère,* elle n'a pas à la craindre. 435, 509

■ **abriter** v. SENS 1 *Un store nous abrite du soleil* (= protéger).

■ **sans-abri** n.inv. SENS 1 *Le tremblement de terre a fait mille sans-abri,* mille personnes sans logement.

abricot n.m. *L'abricot* est un fruit jaune produit par un *abricotier.*

abriter → abri.

abroger v. *Abroger une loi, un décret,* c'est l'annuler, le supprimer.

■ **abrogation** n.f. *Le Parlement a voté l'abrogation de cette loi.*

abrupt adj. *Une falaise abrupte* est presque verticale (= escarpé).

abrutir v. *Il est abruti par l'alcool,* il est rendu stupide.
■ **abrutissant** adj. *Il fait une chaleur abrutissante,* qui rend incapable de réagir, de penser (= accablant).
■ **abrutissement** n.m. *Cet ivrogne est tombé dans l'abrutissement.*

absent adj. et n. *Deux élèves sont absents,* ils ne sont pas là (≠ présent). *On a relevé le nom des absents.*
■ **absence** n.f. *Son absence a été involontaire* (≠ présence). *Elle se plaint de l'absence de renseignements* (= manque).
■ **s'absenter** v. *Je m'absenterai de Paris au mois d'août,* je partirai momentanément.

148 **abside** n.f. *L'abside d'une église est située derrière le chœur.*

absolu adj. *Ici, on exige une obéissance absolue,* totale, complète.
■ **absolument** adv. *C'est absolument faux* (= complètement).
■ **absolutisme** n.m. *Des opposants luttaient contre l'absolutisme du pouvoir* (= totalitarisme).

absolution → absoudre.

absorber v. **1.** *Le buvard absorbe l'encre,* il s'en imbibe, s'en imprègne. **2.** *Depuis hier, je n'ai rien pu absorber,* boire ou manger (= avaler). **3.** *Son travail l'absorbe,* l'occupe entièrement. *Elle est très absorbée par son travail.*
■ **absorbant** adj. SENS 1 *Ces serviettes sont en tissu très absorbant.* SENS 3 *La comptabilité est une occupation absorbante.*

absoudre v. *Absoudre une faute,* c'est la pardonner.
■ **absolution** n.f. *Le prêtre donne l'absolution aux fidèles.*

s'abstenir v. **1.** *Je m'abstiens de critiquer cela,* j'évite de le faire. **2.** *De*

nombreux électeurs se sont abstenus, ils n'ont pas pris part au vote.
■ **abstention** n.f. SENS 2 *Il n'y a eu que quelques abstentions.*
■ **abstentionniste** n. SENS 2 *On ne tient pas compte des abstentionnistes.*
R. → Conj. n° 22.

abstrait adj. *« Bonté », « sagesse », « repos » sont des noms abstraits,* ils ne désignent pas des êtres ou des objets matériels (≠ concret).

absurde adj. *Cette explication est absurde,* car elle ne tient pas compte de la réalité (= déraisonnable, stupide).
■ **absurdité** n.f. *C'est une absurdité de vouloir faire de l'alpinisme sans préparation* (= stupidité).

abus n.m. *L'abus du tabac nuit à la santé,* l'usage excessif.
■ **abuser** v. **1.** *Tu abuses de tes droits,* tu en fais un usage excessif, injuste. **2.** *Ne vous laissez pas abuser par cette ressemblance* (= tromper).
■ **abusif** adj. **1.** *L'emploi abusif de médicaments peut nuire à la santé* (= excessif, exagéré). **2.** *L'emploi de ce mot est abusif,* on l'emploie dans un sens qui n'est pas le sens habituel.

acabit n.m. *Quel personnage bizarre ! je n'ai jamais vu une personne de cet acabit,* de ce genre.

acacia n.m. *L'acacia est un arbre qui a des fleurs jaunes ou blanches.*

académie n.f. *L'Académie française est une société d'écrivains.*
■ **académicien** n. *Les académiciens ont un habit vert pour les cérémonies.*

acajou n.m. *Ce coffret est en acajou,* en un bois rougeâtre.

acariâtre adj. *Cette personne a un caractère acariâtre* (= désagréable, revêche).

accabler v. *Elle est accablée de travail* (= surcharger, écraser).

■**accablant** adj. *En août, la chaleur a été accablante* (= insupportable).

■**accablement** n.m. *Cette mauvaise nouvelle l'a jeté dans un profond accablement* (= abattement).

accalmie → *calme*.

accaparer v. *Un incident a accaparé l'attention générale, il l'a entièrement retenue. Tu accapares la conversation, tu parles tellement que les autres ne peuvent pas parler.*

accéder → *accès*.

accélérer v. **1.** *Le conducteur accélère dans la ligne droite, il va plus vite* (≠ ralentir). **2.** *Accélérez vos préparatifs !* (= hâter).

■**accélération** n.f. *L'accélération du progrès est continue.*

■**accélérateur** n.m. SENS 1 *Appuie sur l'accélérateur !, sur le mécanisme qui fait aller plus vite.*

accent n.m. **1.** *Mireille a l'accent marseillais, elle prononce le français comme les Marseillais.* **2.** *L'accent est aigu dans « pré », grave dans « près », circonflexe dans « prêt », le signe placé sur la voyelle.* **3.** *On a mis l'accent sur son rôle, on a insisté.*

■**accentuer** v. SENS 2 *Ce texte est mal accentué, les accents ne sont pas correctement mis.* SENS 3 *La hausse des prix s'accentue, elle devient plus forte* (= s'intensifier, s'accroître).

■**accentuation** n.f. SENS 2 *Tu as oublié l'accent de « âme » : c'est une faute d'accentuation.* SENS 3 *On note une accentuation du froid* (= accroissement).

accepter v. *J'accepte votre aide, je veux bien la recevoir* (≠ refuser).

■**acceptable** adj. *Ce devoir est acceptable* (= convenable).

■**acceptation** n.f. *Je me réjouis de son acceptation* (≠ refus).

■**inacceptable** adj. *Vos conditions son inacceptables : je refuse.*

accès n.m. **1.** *L'accès de ce sommet est difficile, le fait d'y arriver, de l'atteindre.* **2.** *L'enfant a eu un accès de fièvre, une brusque poussée.*

■**accessible** adj. SENS 1 *Un lieu très accessible est facile à atteindre.*

■**accession** n.f. SENS 1 *Depuis son accession à la présidence, la situation s'est améliorée* (= arrivée).

■**accéder** v. SENS 1 *Rachid a accédé à une situation importante, il y est parvenu.*

■**inaccessible** adj. SENS 1 *Ce pic est inaccessible.*

accessoire **1.** adj. *Je ferai une remarque accessoire, qui s'ajoute* (= secondaire ; ≠ essentiel). **2.** n.m. *Le cric est un accessoire d'automobile, un objet dont on peut avoir besoin pour utiliser l'automobile.*

accident n.m. **1.** *Elle a été victime d'un accident de la circulation, d'un choc causant des dommages, parfois des blessures ou la mort.* **2.** *J'ai appris cela par accident, par hasard.* **3.** *Un accident du terrain est une inégalité du sol.*

■**accidenté** adj. SENS 1 *Une voiture accidentée est celle qui a subi un accident.* SENS 3 *Un terrain accidenté a un relief inégal.*

■**accidentel** adj. SENS 1 *Sa mort a été accidentelle.* SENS 2 *Une rencontre accidentelle est due au hasard.*

■**accidentellement** adv. SENS 2 *Un trésor a été découvert accidentellement* (= par hasard).

acclamer v. *La foule acclame la championne, elle la salue par des cris d'enthousiasme.*

■**acclamation** n.f. *Les spectateurs poussent des acclamations de joie* (= cri).

acclimatation, acclimater → *climat.*

accolade n.f. **1.** Une *accolade* ({) sert à réunir plusieurs lignes . **2.** *Le président donne l'accolade à celui qu'il décore,* il le tient entre ses bras et place sa tête contre la sienne.

accoler v. *Leurs deux noms sont accolés sur l'affiche,* ils sont mis côte à côte.

accommoder v. **1.** *Accommoder des aliments,* c'est les apprêter. **2.** *S'accommoder de quelque chose,* c'est s'en contenter.

■ **accommodant** adj. SENS 2 *Elle est d'un caractère accommodant* (= conciliant, arrangeant).

■ **accommodement** n.m. SENS 2 *On a trouvé un accommodement pour les mettre d'accord* (= arrangement).

R. Attention à l'orthographe : deux *c* et deux *m*.

accompagner v. **1.** *J'accompagne un ami à la gare,* j'y vais avec lui. **2.** *L'orchestre accompagne la chanteuse,* il joue une musique s'adaptant à l'air qu'elle chante.

■ **accompagnement** n.m. SENS 2 *Linda chante avec accompagnement de guitare.*

■ **accompagnateur** n. SENS 1 *L'accompagnateur d'un groupe d'enfants voyage avec eux.* SENS 2 *Cette pianiste est l'accompagnatrice du chanteur.*

■ **raccompagner** v. SENS 1 *Je vais vous raccompagner chez vous.*

accomplir v. *Les éclaireurs ont accompli leur mission,* ils l'ont réalisée complètement (= exécuter). *Un changement total s'est accompli* (= se réaliser).

■ **accompli** adj. *C'est une escrimeuse accomplie,* parfaite. *On m'a mis devant le fait accompli,* devant une situation sur laquelle je ne peux plus rien faire.

■ **accomplissement** n.m. *Maria se consacre à l'accomplissement de sa tâche.*

accord → *accorder.*

accordéon n.m. *On danse au son de l'accordéon,* un instrument à soufflet et à touches.

accorder v. **1.** *Les deux adversaires se sont enfin accordés,* ils ont été du même avis (= s'entendre). **2.** *Les musiciens accordent leurs instruments,* ils les règlent pour jouer juste. **3.** *L'adjectif s'accorde avec le nom,* il se met au même genre (masculin ou féminin) et au même nombre (singulier ou pluriel). **4.** *Je vous accorde cette autorisation,* j'accepte de vous la donner (≠ refuser).

■ **accord** n.m. SENS 1 *L'accord règne entre nous,* la bonne entente, la concorde. *Nous sommes d'accord,* nous sommes du même avis. *Un accord commercial* est une convention, un traité. SENS 2 *Faire un accord au piano,* c'est jouer plusieurs notes ensemble. SENS 3 *L'accord du verbe se fait avec le sujet.* SENS 4 *Je donne mon accord à ce projet,* je l'accepte.

■ **accordeur** n.m. SENS 2 *Ce piano est faux, il faut faire venir l'accordeur.*

■ **désaccord** n.m. SENS 1 *Un désaccord subsiste entre eux* (= divergence, différend).

accorte adj.f. *Une jeune fille accorte* est aimable et d'une vivacité agréable.

accoster v. **1.** *Le bateau accoste,* il se range le long du quai. **2.** *Accoster un passant,* c'est s'approcher pour lui parler (= aborder).

■ **accostage** n.m. SENS 1 *La houle rendait l'accostage difficile.*

438

506 **accotement** n.m. *Défense de stationner sur l'accotement,* le bord de la route (= bas-côté).

accoucher v. *Cette femme va bientôt accoucher,* elle va mettre un enfant au monde.

■ **accouchement** n.m. *Mme Dupont est partie dans une clinique d'accouchement.*

■ **accoucheur** adj. et n. *Un (médecin) accoucheur est spécialisé dans les accouchements.*

s'accouder → *coude.*

s'accoupler → *couple.*

accourir → *courir.*

accoutrer v. *Tu es bizarrement accoutré aujourd'hui !,* tu es habillé d'une drôle de façon (= affubler).

■ **accoutrement** n.m. *Quel accoutrement grotesque !*

accoutumer → *coutume.*

accréditer v. *L'absence du président a accrédité la rumeur de sa maladie,* elle l'a rendue plus digne de foi.

accrocher v. 1. *On a accroché le tableau au mur,* on l'y a attaché au moyen d'un clou, d'un crochet, etc. 2. *Édith a accroché sa chemise au fil de fer barbelé,* elle l'a déchirée. 3. *Le chauffeur a accroché l'aile d'une voiture,* il l'a heurtée, cabossée. 4. *S'accrocher aux branches,* c'est s'y cramponner, s'y agripper. 5. *S'accrocher à un travail,* c'est s'y obstiner.

■ **accroc** n.m. SENS 2 *J'ai fait un accroc à ma veste,* une déchirure.

■ **accrochage** n.m. SENS 1 *L'accrochage des wagons à la locomotive est bruyant.* SENS 3 *Il y a eu un accrochage entre deux camionnettes* (= collision).

■ **accrocheur** adj. SENS 5 *Un garçon accrocheur est tenace, actif.*

■ **décrocher** v. 1. SENS 1 *Décroche la carte murale !* 2. *J'ai décroché le téléphone, mais il n'y avait personne au bout du fil,* j'ai soulevé la poignée.

■ **raccrocher** v. 1. SENS 1 *Elle a raccroché sa veste au portemanteau.* 2. *Allô ! ne raccrochez pas,* ne reposez pas la poignée sur le socle du téléphone pour couper la communication.

accroire v. *Tu as voulu m'en faire accroire, mais je ne suis pas dupe,* me tromper, me berner.

accroissement, accroître → *croître.*

s'accroupir v. *Les enfants s'accroupissent pour jouer,* ils s'assoient sur leurs talons.

accu → *accumuler.*

accueillir v. *Mehdi accueille chaleureusement son amie,* il la reçoit.

■ **accueil** n.m. *Jean nous a fait un accueil amical.*

■ **accueillant** adj. *Cette personne est accueillante,* elle vous reçoit bien.
R. → Conj. n° 24.

acculer v. *Certains commerçants sont acculés à la faillite,* ils n'ont plus d'autre possibilité.

accumuler v. *Elle a accumulé les preuves,* elle en a rassemblé beaucoup.

■ **accumulation** n.f. *L'accumulation des preuves se poursuit.*

■ **accumulateur** ou **accu** n.m. **505** *Un accumulateur est un appareil qui emmagasine l'électricité* (= batterie).

accuser v. 1. *On accusait le gardien de négligence,* on disait qu'il était coupable. 2. *La comparaison entre vous accuse vos différences,* elle les souligne, les fait apparaître. *Leurs divergences se sont accusées avec le temps,* elles sont devenues plus sensibles. 3. *J'accuse réception de votre envoi,* je déclare l'avoir reçu.

■**accusation** n.f. SENS 1 *Ton accusation est injuste* (= reproche).

■**accusateur** adj. et n. SENS 1 *Je répondrai à mes accusateurs,* à ceux qui m'accusent.

■**accusé** 1. n. et adj. SENS 1 *L'accusé affirmait son innocence.* 2. adj. SENS 2 *Des traits accusés* sont très visibles. 3. n.m. SENS 3 *Un accusé de réception* est un papier par lequel on reconnaît qu'on a reçu un envoi.

acéré adj. *Mon couteau a une lame acérée,* très tranchante.

achalandé adj. *Ce magasin est bien achalandé,* il a beaucoup de marchandises (= fourni, approvisionné).

s'acharner v. *S'acharner contre* (ou *sur) un adversaire,* c'est l'attaquer avec obstination et violence.
■**acharné** adj. *Les deux lionnes ont livré un combat acharné* (= furieux).
■**acharnement** n.m. *Nadia travaille avec acharnement* (= obstination, ténacité).

achat → acheter.

acheminer → chemin.

acheter v. *On achète le pain à la boulangerie,* on se le procure en payant.
■**achat** n.m. 1. *Ils envisagent l'achat d'une maison* (= acquisition). 2. *Emportez vos achats* (= emplette).
■**acheteur** n. *L'acheteuse a payé comptant* (= acquéreur, client).
■**racheter** v. 1. *Il n'y a plus de sucre, il faut en racheter. Si tu veux vendre ta voiture, je te la rachète.* 2. *Elle était en retard au rendez-vous, mais elle s'est rachetée en apportant des fleurs,* elle s'est fait pardonner.
■**rachat** n.m. SENS 1 *Elle lui a proposé le rachat de sa voiture.* SENS 2 *Il s'est consacré au rachat de ses fautes passées* (= réparation).
R. → Conj. n° 7.

achever v. 1. *Je n'ai pas achevé la lecture de ce livre,* je ne l'ai pas finie. 2. *Achever un animal blessé,* c'est lui donner le coup qui le tue.
■**achèvement** n.m. SENS 1 *L'achèvement des travaux est proche* (= fin).
■**inachevé** adj. SENS 1 *J'ai remis un devoir inachevé* (= incomplet).
■**parachever** v. SENS 1 *J'ai encore besoin de quelques jours pour parachever mon travail,* pour finir de l'exécuter très soigneusement (= parfaire).

achigan n.m. *J'ai pêché un achigan dans le lac,* une perche noire.

acide adj. *Ces pommes ont un goût acide,* piquant à la langue.
■**acide** n.m. *Les acides* sont des corps chimiques particuliers.
■**acidité** n.f. *Je n'aime pas l'acidité du citron,* sa saveur acide.
■**acidulé** adj. *Les bonbons acidulés* sont légèrement acides.

acier n.m. *La lame de ton couteau est en acier,* une sorte de fer très dur.
■**aciérie** n.f. *Dans les aciéries,* on transforme la fonte en acier.

acompte n.m. *Verser un acompte sur une commande,* c'est payer d'avance une partie du prix.

s'acoquiner v. Fam. *Il a eu tort de s'acoquiner avec ces mauvais garçons,* de se lier avec eux en devenant leur complice (= s'aboucher).

à-côté n.m. *Ces inconvénients font partie des à-côtés du métier,* de ce qui est accessoire, qui vient en supplément.

à-coup n.m. *C'est un métier irrégulier, on ne travaille que par à-coups,* par intermittence, irrégulièrement.

acoustique n.f. *Cette salle a une bonne acoustique,* on y entend bien.

acquérir v. 1. *Acquérir une voiture,* c'est en devenir le propriétaire (=

721

acheter). **2.** *Acquérir une preuve, une certitude, etc.,* c'est les obtenir.

■ **acquéreur** n.m. SENS 1 *Cette maison n'a pas trouvé d'acquéreur* (= acheteur).

■ **acquisition** n.f. SENS 1 *Line a fait l'acquisition d'un piano* (= achat). **R.** → Conj. n° 21.

acquiescer v. *J'acquiesce à cette proposition,* je donne mon accord.

■ **acquiescement** n.m. *Elle a fait connaître son acquiescement* (= accord, acceptation).

acquisition → *acquérir.*

acquit n.m. *J'ai vérifié l'adresse par acquit de conscience,* par scrupule, pour éviter tout risque de remords.

acquitter v. **1.** *Le tribunal l'a acquitté,* il l'a déclaré innocent (≠ condamner). **2.** *J'ai acquitté une facture* (= payer). **3.** *Le messager s'est acquitté de sa mission,* il l'a remplie, il a fait ce qu'il devait.

■ **acquittement** n.m. SENS 1 *Le tribunal a prononcé l'acquittement de l'accusé.*

acre n.m. *L'acre* est une ancienne mesure de surface valant environ 4 000 m².

âcre adj. *Ce fromage de chèvre a un goût âcre* (= piquant).

■ **âcreté** n.f. *L'âcreté du médicament lui fait faire la grimace.*

acrobate n. *Au cirque, des acrobates font des sauts périlleux,* des gymnastes très agiles.

■ **acrobatie** n.f. *Nous avons applaudi les acrobaties du trapéziste.*

■ **acrobatique** adj. *Les trapézistes font un numéro acrobatique.* **R.** *Acrobatie* se prononce [akrɔbasi].

acte n.m. **1.** *Vous êtes responsables de vos actes,* de ce que vous faites (= action). **2.** *Une tragédie en cinq*

actes est en cinq parties. **3.** *Un acte de naissance* est un écrit officiel.

acteur n. *Quelle est l'actrice qui joue dans ce film ?* (= interprète). 440

actif → *agir.*

1. action n.f. *Mme Bailly possède des actions d'une société,* des parts du capital de cette société.

■ **actionnaire** n. *Les actionnaires ont touché des revenus importants,* les possesseurs d'actions.

2. action, actionner, activement, activer, activité → *agir.*

actuel adj. *Les événements actuels sont ceux qui ont lieu maintenant* (= présent).

■ **actuellement** adv. *Nous sommes actuellement en vacances* (= pour le moment). 835

■ **actualité** n.f. **1.** *On se tient au courant de l'actualité,* de ce qui se passe maintenant. **2.** (au plur.) *C'est l'heure des actualités à la télévision,* du journal filmé d'information.

■ **actualiser** v. *Il faut actualiser les prix,* les adapter à la période actuelle.

adapter v. **1.** *Adapter une poignée à un récipient,* c'est l'y fixer, l'y ajuster. **2.** *Adapter un roman à l'écran,* c'est en faire un film. **3.** *Il a bien fallu s'adapter aux circonstances,* s'y plier, s'y conformer.

■ **adaptation** n.f. SENS 2 *Ce film est une adaptation d'un roman.* SENS 3 *Ce travail demande une période d'adaptation* (= apprentissage, mise au courant).

■ **inadapté** adj. SENS 3 *Cette décision est inadaptée à la situation,* elle ne convient pas.

■ **inadaptation** n.f. SENS 3 *Cet enfant a souffert de son inadaptation au milieu scolaire.*

■**réadapter** v. SENS 3 *Après vingt ans passés à l'étranger, elle se réadapte difficilement dans son pays.*

addition n.f. **1.** *Quand on ajoute un nombre à un autre, on fait une addition.* **2.** *Ajouter de l'eau à une pâte, c'est faire une addition d'eau.* **3.** *Payer l'addition au restaurant,* c'est payer le montant total de la dépense (= note).

■**additionner** v. SENS 1 *Il faut additionner ces nombres pour obtenir le total* (= ajouter). SENS 2 *Elle boit du vin additionné d'eau* (= mêler, étendre).

adepte n. *Nous sommes des adeptes de la musique moderne,* cette musique nous plaît (= partisan).

adhérer v. **1.** *Le timbre adhère à l'enveloppe,* il y colle. **2.** *Adhérer à un parti,* c'est en devenir membre.

■**adhérent 1.** adj. SENS 1 *Le goudron est une matière très adhérente* (= collant). **2.** n. SENS 2 *De nouveaux adhérents se sont inscrits au syndicat* (= membre).

■**adhérence** n.f. SENS 1 *Ce pneu a une bonne adhérence,* il ne dérape pas.

■**adhésion** n.f. SENS 2 *J'ai toujours refusé mon adhésion à un parti* (= inscription).

■**adhésif** adj. SENS 1 *Tu fermeras le paquet avec du ruban adhésif. J'ai mis un pansement adhésif sur ma blessure.*

adieu interj. et n.m. *On dit adieu à quelqu'un qu'on quitte pour longtemps. Je pars demain, je viens vous faire mes adieux.*

adjectif n.m. *« Grand », « beau » sont des adjectifs,* des mots qui accompagnent un nom.

adjoint n. *Mme Dubois est adjointe au maire,* elle l'aide et quelquefois le remplace.

adjudant n.m. *Un adjudant est un sous-officier immédiatement supérieur au sergent.*

adjuger v. **1.** *Le premier prix a été adjugé à Lise,* il lui a été attribué, donné. **2.** *Il s'est adjugé le meilleur morceau,* il l'a pris.

adjurer v. *Je l'ai adjuré de se taire* (= supplier).

admettre v. **1.** *Aline a été admise dans la classe supérieure,* elle a pu y entrer (= recevoir). **2.** *J'admets vos explications,* je reconnais qu'elles sont valables (= accepter).

■**admission** n.f. SENS 1 *Le jury a décidé l'admission de cette candidate.*

■**admissible** adj. SENS 1 *Un candidat admissible est autorisé à passer l'oral de l'examen.* SENS 2 *Une telle erreur n'est pas admissible* (= acceptable).

■**inadmissible** adj. SENS 2 *Une chose inadmissible est inacceptable,* intolérable.

R. → Conj. n° 57.

administrer v. **1.** *Le conseil municipal administre la commune,* il la dirige (= gérer). **2.** *On a administré au malade un remède énergique,* on le lui a donné, appliqué.

■**administrateur** n. SENS 1 *Les administrateurs de la société se sont réunis.*

■**administratif** adj. SENS 1 *Une décision administrative* est prise par l'Administration.

■**administration** n.f. **1.** SENS 1 *Qui est responsable de l'administration de l'usine ?* (= gestion). **2.** SENS 1 *J'ai des démêlés avec l'Administration,* avec les services publics.

admirer v. **1.** *Nous avons admiré le paysage,* nous l'avons trouvé très beau. **2.** *J'admire cette actrice,* je trouve qu'elle a de très grandes qualités.

■**admirable** adj. *Ce film est admirable* (= superbe, merveilleux, magnifique).

■**admirablement** adv. *Linda chante*

293,
39

763,
394

admirablement (= merveilleuse-ment).

■ **admirateur** n. *La chanteuse était entourée d'une foule d'admiratrices.*

■ **admiratif** adj. *Un regard admiratif exprime l'admiration.*

■ **admiration** n.f. *Ce spectacle est digne d'admiration. Je suis plein d'admiration pour un tel exploit.*

admissible, admission → admettre.

adolescent n. *Un adolescent n'est plus un enfant et n'est pas encore un adulte.*

■ **adolescence** n.f. *L'adolescence est la période pendant laquelle on est adolescent (entre 14 et 18 ans environ).*

s'adonner v. *S'adonner au sport, à la lecture,* c'est en faire beaucoup (= se consacrer).

adopter v. **1.** *Ils ont adopté un enfant,* ils le traitent légalement comme leur fils (ou leur fille). **2.** *Antonio a adopté un air d'indifférence,* il a pris cet air. **3.** *Adopter un projet,* c'est l'approuver.

■ **adoptif** adj. SENS 1 *Des parents adoptifs* sont ceux qui adoptent un enfant. *Une fille adoptive* est celle qui est adoptée.

■ **adoption** n.f. SENS 1 *L'adoption d'un orphelin est étroitement réglementée.* SENS 3 *L'adoption du projet est décidée.*

adorer v. **1.** *Adorer Dieu,* c'est le prier avec respect. **2.** *Elle adore son chien, les gâteaux, le cinéma,* elle les aime extrêmement (≠ détester).

■ **adorable** adj. SENS 2 *Cet enfant est adorable* (= charmant).

■ **adorateur** n. SENS 1 *Les Incas étaient des adorateurs du Soleil.* SENS 2 *Cette chanteuse a beaucoup d'adorateurs* (= admirateur).

■ **adoration** n.f. SENS 1 *Des religieux étaient prosternés en adoration de-vant l'autel.* SENS 2 *Ils ont une adoration pour leur fils.*

adosser → dos.

adoucir, adoucissement → doux.

1. adresse → adroit.

2. adresse n.f. **1.** *Quelle est ton adresse ?,* l'endroit où tu habites. **2.** *Il a lancé des injures à l'adresse de ses adversaires,* à leur intention.

■ **adresser** v. SENS 1 *Adresser une lettre à quelqu'un,* c'est la lui envoyer. SENS 2 *Adresser la parole à quelqu'un,* c'est lui parler.

adroit adj. *Un ouvrier adroit* est celui qui sait s'y prendre (= habile).

■ **adroitement** adv. *La cycliste a évité adroitement l'obstacle* (= habilement).

■ **adresse** n.f. *Marie conduit sa voiture avec adresse* (= habileté, dextérité).

■ **maladroit** adj. *Il a eu un geste maladroit* (= gauche).

■ **maladroitement** adv. *Jean dessine maladroitement.*

■ **maladresse** n.f. *J'ai cassé ce vase par maladresse.*

adulte adj. et n. *Mon chat n'a pas encore sa taille adulte,* la taille de son plein développement. *Un adulte* est quelqu'un qui n'est plus dans l'enfance ou dans l'adolescence (= une grande personne).

advenir v. *Quoi qu'il advienne,* il faut continuer, quoi qu'il se produise.

adverbe n.m. *« Maintenant », « bien », « très » sont des adverbes,* des mots invariables.

adversaire n. *Elle a répondu aux attaques de ses adversaires,* des gens qui s'opposent à elle.

■ **adverse** adj. *C'est l'équipe adverse qui a gagné* (= opposé).

768

adversité n.f. *Elle a été courageuse dans l'adversité* (= malheur).

aération, aéré, aérer, aérien → *air.*

803 **aérodrome** n.m. *Un aérodrome est un terrain aménagé pour le décollage et l'atterrissage des avions.*

219 ■ **aéro-club** n.m. *Dans les aéro-clubs, les pilotes d'avion et les parachutistes apprennent et s'entraînent.*

■ **aérodynamique** adj. *Cette voiture est plus rapide que l'autre grâce à sa forme aérodynamique, qui offre moins de résistance à l'air.*

510 ■ **aérogare** n.f. *Je dois être à 8 heures à l'aérogare,* une gare où on prend l'avion.

■ **aéromodélisme** n.m. *Papa fait de l'aéromodélisme,* il construit des modèles réduits d'avions ou de planeurs.

■ **aéronautique** adj. et n.f. *L'industrie aéronautique est celle qui concerne les avions. L'aéronautique est la fabrication des avions.*

511 ■ **aéroport** n.m. *Un aéroport est l'ensemble formé par un aérodrome et par les bâtiments administratifs correspondants.*

■ **aéroporté** adj. *Des troupes aéroportées sont transportées par avion.*

aérosol n.m. *Marie soigne son rhume avec un aérosol,* un flacon qui permet de pulvériser un liquide sous pression.

affable adj. *La gérante a un air affable* (= aimable, accueillant).

■ **affabilité** n.f. *Elle a répondu avec affabilité* (= amabilité).

s'affadir → *fade.*

affaiblir, affaiblissement → *faible.*

affaire n.f. **1.** *Nous avons discuté de cette affaire,* de cette question. **2.** *Avoir affaire à quelqu'un,* c'est être mis en rapport avec lui. *C'est*

mon affaire, cela ne regarde que moi. **3.** *Quand René tricote, il est à son affaire,* cela lui plaît. **4.** *Ce morceau de bois fera l'affaire,* il conviendra. **5.** *Cette voiture est excellente : j'ai fait une bonne affaire,* un marché avantageux. **6.** *Mme Boies est dans les affaires,* elle est dans le commerce ou l'industrie. **7.** *Range tes affaires !,* tes vêtements, tes objets personnels.

■ **affairé** adj. SENS 1 *Tu es une personne très affairée* (= occupé).

■ **s'affairer** v. *Le cuisinier s'affaire à ses fourneaux,* il s'en occupe activement.

s'affaisser v. **1.** *Le lièvre blessé s'est affaissé,* il est tombé sous son propre poids. **2.** *Le sol s'est affaissé,* il s'est enfoncé.

■ **affaissement** n.m. SENS 2 *Cet affaissement de terrain est dû aux pluies.*

s'affaler v. *Épuisé par cette longue marche, il s'est affalé sur un lit,* il s'y est laissé tomber.

affamé → *faim.*

affecter v. **1.** *On m'a affecté à ce poste* (= nommer). **2.** *Affecter une somme à quelque chose,* c'est l'y employer. **3.** *Affecter la joie, la tristesse, etc.,* c'est faire semblant de l'éprouver (= feindre, simuler). **4.** *Elle a été très affectée par la mort de son amie,* très émue, attristée.

■ **affecté** adj. SENS 3 *Son insouciance est affectée,* il fait semblant d'être insouciant.

■ **affectation** n.f. SENS 1 *J'ai reçu un changement d'affectation* (= fonctions, emploi, poste). SENS 3 *Une affectation d'insouciance est un air d'insouciance qu'on se donne.*

■ **désaffecté** adj. SENS 2 *La colonie de vacances est installée dans une caserne désaffectée,* qui ne sert plus de caserne.

affection n.f. **1.** *Jean a pour moi une affection fraternelle*, il m'aime comme un frère (= tendresse). **2.** *Une affection de la peau* est une maladie de la peau.

■ **affectif** adj. SENS 1 *Une réaction affective* est inspirée par un sentiment et non par la raison.

■ **affectionner**. v. SENS 1 *J'affectionne la musique*, je l'aime beaucoup.

■ **affectueux** adj. SENS 1 *Jean est un enfant affectueux* (= tendre, aimant).

■ **affectueusement** adv. SENS 1 *Dominique parle affectueusement à son petit frère.*

affermir → *ferme* 2.

afficher v. **1.** *On a affiché un concert*, on l'a annoncé par des affiches. **2.** *Elle affiche son mépris*, elle le montre ouvertement.

■ **affiche** n.f. SENS 1 *Le mur est couvert d'affiches publicitaires*, de grandes feuilles portant des inscriptions.

■ **affichage** n.m. SENS 1 *Un panneau d'affichage* est un panneau où l'on pose les affiches.

■ **affichette** n.f. SENS 1 *Une affichette* est une petite affiche.

affilé adj. *Une lame affilée* est coupante, aiguisée.

d'affilée adv. *Nous avons travaillé cinq heures d'affilée*, sans interruption (= à la file).

s'affilier v. *Notre club s'est affilié à la fédération*, il y a adhéré.

■ **affiliation** n.f. *La fédération a enregistré l'affiliation de notre club.*

affinité n.f. *Il y a entre eux des affinités qui les rapprochent*, des goûts semblables.

affirmer v. *J'affirme que c'est vrai*, je le déclare fermement (= soutenir, certifier).

■ **affirmation** n.f. *Cette affirmation est inexacte* (= déclaration).

■ **affirmatif** adj. et n.f. *On m'a donné une réponse affirmative*, on m'a dit oui (≠ négatif). *On a répondu par l'affirmative* (≠ la négative).

affleurer → *fleur*.

affligé adj. *Être affligé d'une maladie*, c'est en souffrir.

■ **affligeant** adj. *Ce film est d'une bêtise affligeante*, navrante, désolante, consternante.

affluer v. *Les vacanciers affluent sur cette plage*, ils y arrivent en grand nombre.

■ **affluence** n.f. *L'affluence des touristes commence fin juin.*

■ **affluent** n.m. *L'Outaouais est un affluent du Saint-Laurent*, un cours d'eau qui se jette dans le Saint-Laurent.

721

■ **afflux** n.m. *Aujourd'hui, il y a eu un afflux de visiteurs au musée* (= affluence).

affoler v. *Son imprudence m'affole*, elle m'effraie (≠ calmer). *Ne vous affolez pas, gardez votre calme*, ne perdez votre sang-froid.

■ **affolant** adj. *Ces maisons atteignent un prix affolant* (= effrayant).

■ **affolement** n.m. *On entendait des cris d'affolement* (= terreur).

affranchir, affranchissement → *franc* 2.

affreux adj. **1.** *Elle a une robe affreuse*, très laide (= hideux, horrible). **2.** *Quel temps affreux !*, très désagréable, très pénible.

■ **affreusement** adv. *Elle est affreusement inquiète* (= terriblement, horriblement).

affront n.m. *Il lui a fait un affront en refusant de lui serrer la main*, une insulte en public (= offense).

affronter v. *Affronter un adversaire*, c'est ne pas craindre de lutter contre lui.

■**affrontement** n.m. *L'affrontement a été violent.*

affubler v. *Sa mère l'***affuble** *de vêtements trop grands,* elle l'habille de manière ridicule (= accoutrer).

affût n.m. **1.** *La journaliste est à l'***affût** *des nouvelles,* elle les guette. **2.** *L'***affût** *d'un canon,* c'est ce qui sert à le déplacer et à le diriger.

affûter v. *Le menuisier* **affûte** *ses outils,* il les aiguise.

afin que conj. *Elle crie* **afin qu'***on l'entende,* pour que. ■**afin de** prép. *Elle crie* **afin d'***être entendue,* pour être entendue.

agacer v. *Tu m'***agaces** *avec tes questions,* tu m'énerves. ■**agaçant** adj. *Ce petit bruit est* **agaçant** (= énervant). ■**agacement** n.m. *J'ai eu un geste d'***agacement** (= impatience).

agate n.f. *L'***agate** *est une pierre aux couleurs variées dont on fait des bijoux, des bibelots, etc.

âge n.m. **1.** *Quel* **âge** *avez-vous ?,* depuis combien de temps êtes-vous né ? **2.** *Dans son* **jeune âge,** *dans l'***âge mûr,** *dans un* **âge avancé,** *dans sa jeunesse, sa maturité, sa vieillesse.* **3.** *M. et Mme Dupont fréquentent un club du* **troisième âge,** *de gens qui ont entre 60 et 75 ans.* **4.** *L'***âge du bronze** *est l'époque préhistorique où les hommes fabriquaient beaucoup d'objets en bronze.* ■**âgé** adj. **1.** SENS 1 *Pierre est* **âgé** *de douze ans,* il a cet âge. **2.** *Sa grand-mère est* **âgée,** *elle est vieille.*

agence n.f. *Une* **agence** *de voyages, de publicité, etc.,* est une entreprise commerciale qui s'occupe de ces affaires.

agencer v. *Cet appartement* **est agencé,** *bien disposé.*

■**agencement** n.m. *L'***agencement** *d'un spectacle,* c'est son organisation.

agenda n.m. *J'inscris mes rendez-vous sur mon* **agenda** (= carnet). **R.** On prononce [aʒɛ̃da].

s'agenouiller → *genou.*

agent n.m. **1.** *Un* **agent** *commercial, publicitaire, etc.,* est chargé de traiter des affaires commerciales, publicitaires, etc. **2.** *L'***agent de bord** *s'occupe des passagers dans l'avion* (= steward). **3.** *Dans la phrase «J'ai été aidé par mes amis», «mes amis» est le* **complément d'agent,** *il indique l'auteur de l'action.*

s'agglomérer v. *La farine mal délayée* **s'agglomère** *en grumeaux,* elle se rassemble en masses. ■**agglomération** n.f. *Une* **agglomération** *est un groupe d'habitations formant un village ou une ville et sa banlieue.*

s'agglutiner v. *Les bonbons* **se sont agglutinés** *dans le paquet,* ils se sont collés ensemble.

aggravant, aggravation, aggraver → *grave.*

agile adj. *Cet enfant est* **agile** *comme un singe* (= leste). ■**agilité** n.f. *Il court avec* **agilité** (= légèreté).

agir v. **1.** *Il faut* **agir,** *au lieu de vous lamenter,* faire quelque chose. **2.** **Agir** *auprès d'un ministre,* c'est faire une démarche auprès de lui. **3.** *Vous* **avez agi** *sagement en appelant le médecin,* vous vous êtes conduit sagement. **4.** *Ce médicament* **agit** *sur les nerfs,* produit un effet. **5.** *Dans ce roman, il* **s'agit** *d'espionnage,* il en est question. **6.** *Maintenant, il* **s'agit de** *se dépêcher,* il faut le faire. ■**agissements** n.m.pl. SENS 3 *Ses* **agissements** *m'inquiètent,* ses manières d'agir blâmables.

■**actif** adj. **1.** SENS 1 *Une personne active* est quelqu'un qui travaille beaucoup, qui agit (= travailleur, énergique). SENS 4 *Un médicament actif* produit un effet (= efficace). **2.** *Dans « le chat attrape la souris », le verbe est à la voix active* (≠ passif).

■**activement** adv. SENS 1 *Elle prépare activement son départ.*

■**activer** v. SENS 1 *Activez les travaux* (= hâter). *On s'active autour des blessés* (= s'affairer, s'empresser).

■**activité** n.f. SENS 1 *À plus de quatre-vingts ans, elle est encore d'une grande activité. Ne négligez pas vos activités professionnelles* (= occupation).

■**action** n.f. **1.** SENS 1 *L'action de cet homme politique a été importante,* ce qu'il a fait. *Nous allons passer à l'action,* agir. *Ses actions sont désintéressées* (= acte). SENS 4 *L'action de ce médicament est lente* (= effet). **2.** *Mettre en action un appareil,* c'est le faire fonctionner.

■**actionner** v. *Actionner le signal d'alarme,* c'est s'en servir, le faire fonctionner.

■**inactif** adj. SENS 1 *Ne restez pas inactif* (= désœuvré, oisif).

■**inactivité** n.f. SENS 1 *Sa maladie lui impose des semaines d'inactivité.*

■**inaction** n.f. SENS 1 *Vous n'allez pas vivre dans l'inaction,* sans rien faire (= désœuvrement, oisiveté).

agiter v. **1.** *Le vent agite les branches,* il les fait remuer. **2.** *Cet enfant s'agite nerveusement* (= gigoter). **3.** *Les ouvriers s'agitent,* ils manifestent leur mécontentement.

■**agitation** n.f. SENS 1 *L'agitation des vagues est perpétuelle.* SENS 2 *Une agitation fiévreuse précède le départ* (= excitation). SENS 3 *L'agitation sociale se développe* (= troubles).

■**agitateur** n.m. SENS 3 *Les agitateurs* sont ceux qui causent volontairement des incidents politiques ou sociaux.

agneau n.m. *Les brebis sont au pré avec leurs agneaux,* les jeunes moutons.　　361

agonie n.f. *L'agonie,* ce sont les derniers moments d'un mourant.

■**agoniser** v. *Le blessé agonise,* il est mourant.

agrafe n.f. **1.** Une *agrafe* est un petit crochet servant à fermer un vêtement.　　296 **2.** Une *agrafe* est une attache métallique servant à fixer des feuilles de papier. **3.** Une *agrafe* est une sorte de crochet qui sert à suspendre un stylo　　292 à une poche de vêtement.

■**agrafer** v. SENS 1 *Cette robe s'agrafe au col* (= fermer). SENS 2 *Agrafez ces feuilles ensemble* (= attacher).

■**agrafeuse** n.f. SENS 2 *Avec une　　293 agrafeuse,* on agrafe ensemble des feuilles de papier.

■**dégrafer** v. SENS 1 *Dégrafe ton manteau* (= ouvrir).

agrandir, agrandissement → **grand.**

agréable adj. *L'odeur des roses est agréable,* elle plaît.

■**agréablement** adv. *Les vacances se passent agréablement.*

■**agrément** n.m. *Cette ville est pleine d'agrément,* de charme.

■**agrémenter** v. *Elle a agrémenté sa réponse d'un sourire,* elle y a ajouté quelque chose d'agréable.

■**désagréable** adj. *Ce temps brumeux est désagréable.*

■**désagréablement** adv. *Son échec a désagréablement surpris la candidate.*

■**désagrément** n.m. *Les désagréments de la vieillesse* sont les ennuis qui la rendent désagréable.

agréer v. **1.** *Veuillez agréer mes salutations respectueuses,* les accepter (formule de politesse). **2.** *Un modèle* **agréé** est un modèle officiellement admis.

■ **agrément** n.m. SENS 1 *Tu as agi sans mon* **agrément,** sans que je l'accepte (= accord, autorisation).

agrégation n.f. L'*agrégation* est un concours très difficile servant à recruter des professeurs.

s'agréger v. *Des passants* **s'étaient agrégés** *au groupe des manifestants,* ils s'y étaient joints (= s'intégrer).

agrément → *agréable* et *agréer.*

agrémenter → *agréable.*

agrès n.m.pl. *La barre fixe, les barres parallèles, les anneaux sont des* **agrès,** des instruments servant à faire de la gymnastique.

agression n.f. *Une* **agression** *à main armée* est une attaque violente.

■ **agresser** v. *Les malfaiteurs* **ont agressé** *un pompiste* (= attaquer).

■ **agresseur** n.m. *Des* **agresseurs** *masqués ont assommé la caissière.*

■ **agressif** adj. *Tu as pris un air* **agressif,** celui d'une personne qui va attaquer.

■ **agressivité** n.f. *J'ai répondu calmement, sans* **agressivité.**

■ **non-agression** n.f. *Un pacte de* **non-agression** *entre deux États* est un engagement de ne pas s'attaquer l'un l'autre.

agriculture n.f. L'*agriculture* est la culture de la terre.

■ **agriculteur** n. *Les* **agriculteurs** *se plaignent de la sécheresse,* ceux qui cultivent la terre (= cultivateur).

■ **agricole** adj. *Les tracteurs sont des machines* **agricoles,** servant à l'agriculture.

agripper v. *L'homme a réussi à* **agripper** *la rampe et n'est pas tombé,* à l'attraper vite en la serrant (= saisir).

Agrippe-toi *au rocher* (= s'accrocher, se cramponner).

agrume n.m. *Les citrons, les oranges, les mandarines, les pamplemousses sont des* **agrumes.**

s'aguerrir v. *S'aguerrir contre le froid, la douleur,* c'est s'accoutumer à les endurer (= s'endurcir).

aguets n.m.pl. *Le renard est* **aux aguets,** il surveille tout attentivement.

ah !, ah ? interj. exprime la satisfaction, la douleur, la surprise, etc. : *Ah ! quel plaisir ! Ah ! comme c'est dommage ! Ah ? Pourquoi dites-vous cela ?*

ahurir v. *Je* **suis ahuri** *par cette nouvelle,* extrêmement étonné.

■ **ahurissant** adj. *Une invention* **ahurissante** est stupéfiante.

■ **ahurissement** n.m. *Son visage exprimait l'*ahurissement (= stupéfaction).

aider v. **1.** *Nous l'*avons aidé *dans ses recherches,* nous avons participé à son effort (= seconder). **2.** *On* **s'aide** *d'un levier pour déplacer un objet trop lourd,* on s'en sert.

■ **aide** n.f. SENS 1 *Nous comptons sur l'*aide *de nos amis* (= appui, soutien). SENS 2 *La prisonnière s'est évadée* **à** *l'*aide *d'une corde* (= au moyen de).

■ **aide** n. SENS 1 *Une* **aide** *familiale* est une personne qui aide une mère de famille.

■ **s'entraider** v. SENS 1 *Entre voisins, il faut* **s'entraider,** s'aider l'un l'autre.

■ **entraide** n.f. SENS 1 *Un comité d'*entraide *a été créé* (= secours, assistance mutuelle).

aïe ! interj. exprime la douleur : *Aïe ! tu me fais mal !*

aïeux n.m.pl. *Nos* **aïeux,** ce sont ceux qui ont vécu longtemps avant nous (= ancêtres).

R. Le singulier *aïeul, aïeule* s'emploie rarement pour désigner le grand-père ou la

361

361,
365

grand-mère, ou chacun des arrière-grands-parents.

aigle n.m. *Un aigle plane dans le ciel,* un grand oiseau de proie.
■ **aiglon** n.m. *L'aiglon est le petit de l'aigle.*

aigre adj. **1.** *Un fruit aigre a une saveur piquante* (= acide). **2.** *Une voix aigre est désagréable, criarde.*
■ **aigrelet** adj. SENS 1 *Des cerises aigrelettes sont légèrement aigres.*
■ **aigrement** adv. SENS 2 *J'ai répondu aigrement.*
■ **aigreur** n.f. SENS 1 *L'aigreur de ce vin le rend imbuvable.* SENS 2 *L'aigreur de ses répliques montre sa colère.*
■ **aigrir** v. SENS 1 *Ce vin commence à aigrir,* à devenir mauvais (= surir). SENS 2 *Elle est aigrie par ses échecs.*

aigrette n.f. *L'aigrette est un petit bouquet de plumes sur la tête de certains oiseaux.*

aigu adj. **1.** *Le dard aigu d'une guêpe est terminé en fine pointe* (= piquant). **2.** *Un angle aigu est un angle inférieur à l'angle droit* (≠ obtus). **3.** *Une douleur aiguë est une douleur vive, intense.* **4.** *Un son aigu est un son émis fortement sur une note élevée* (≠ grave). **5.** *Sur le « é » de « aimé », il y a un accent aigu.*
■ **suraigu** adj. SENS 4 *Elle poussait des cris suraigus* (= perçant, strident).

aiguillage n.m. *Un aiguillage est un dispositif permettant de faire changer un train de voie.*
■ **aiguilleur** n. **1.** *Un aiguilleur manœuvre l'aiguillage.* **2.** *Les aiguilleurs du ciel contrôlent le vol des avions.*

aiguille n.f. **1.** *On coud avec une aiguille et du fil.* **2.** *À midi, les deux aiguilles de la montre sont sur le chiffre 12.* **3.** *L'aiguille de la seringue s'est cassée.* **4.** *Les feuilles des pins et des sapins s'appellent des aiguilles.*

5. *Le sommet très pointu d'une montagne s'appelle une aiguille.*　651
■ **aiguillon** n.m. *Les guêpes et les abeilles piquent avec leur aiguillon* (= dard).

aiguiller v. *L'enquête s'aiguille vers une nouvelle piste* (= s'orienter).

aiguillon → *aiguille.*

aiguiser v. *La bouchère aiguise ses couteaux,* elle les rend plus coupants. **R.** On prononce [egize].

aïkido n.m. *L'aïkido est un sport de combat d'origine japonaise.*

ail n.m. *As-tu mis de l'ail dans la salade ?,* une plante qui a une odeur forte et sert d'assaisonnement.　367

aile n.f. **1.** *Cet oiseau est blessé à une aile,* il ne peut plus voler. **2.** *Les réacteurs sont sous les ailes de l'avion.* **3.** *Un camion a accroché l'aile gauche de ma voiture.* **4.** *Une aile de bâtiment est la partie qui s'étend sur le côté.*　651　511　505
■ **ailé** adj. SENS 1 *Les mouches sont des insectes ailés.*
■ **aileron** n.m. SENS 1 *Un aileron de poulet est l'extrémité d'une aile.*

ailleurs adv. **1.** *Ne reste pas ici, va jouer ailleurs,* à un autre endroit. **2.** *Il faut rentrer, d'ailleurs il pleut,* de plus, de toute façon.

aimable adj. *Une personne aimable cherche à faire plaisir, accueille bien les gens* (= gentil, accueillant).
■ **aimablement** adv. *Elle m'a aimablement proposé de m'aider.*
■ **amabilité** n.f. *Nous avons reçu un accueil plein d'amabilité.*

aimant n.m. *Un aimant est un morceau d'acier qui attire le fer.*
■ **aimanter** v. *L'aiguille aimantée de la boussole s'oriente vers le nord.*

aimer v. **1.** *Jean aime sa femme et ses enfants,* il se sent attiré vers eux, heureux de vivre avec eux. **2.** *J'aime la musique, le sport,* j'y prends plaisir. **3.** *J'aime mieux le théâtre que le cinéma* (= préférer). ■ **bien-aimé** adj. et n. SENS 1 *Il embrasse sa fille bien-aimée* (= chéri).

33 **aine** n.f. *L'aine est la partie du ventre où les cuisses se rejoignent.*

aîné adj. et n. *Le fils aîné est celui qui est né le premier.*

ainsi adv. **1.** *Pourquoi me regardez-vous ainsi ?,* de cette façon (= comme ça). **2.** *Il n'y avait pour ainsi dire personne à la réunion,* presque personne. **3.** *Il est venu ainsi que je le lui avais demandé,* comme je le lui avais demandé. **4.** *Il avait invité ses proches parents, ainsi que quelques amis,* et aussi quelques amis. **5.** *Ainsi, vous ne vous souvenez de rien ?,* alors, en fin de compte.

air n.m. **1.** *Annie respire à pleins poumons le bon air de la campagne. La fête a lieu en plein air,* dehors et non dans une salle. *Je vais prendre l'air,* je sors pour me détendre. **2.** *Regardez en l'air,* vers le haut. **3.** *Tu nous regardes avec un drôle d'air* (= expression). **4.** *Elle a l'air heureuse,* elle semble heureuse. *Cette histoire a l'air d'une plaisanterie.* **5.** *L'air de cette chanson s'adapte bien aux paroles,* la musique. ■ **aérer** v. SENS 1 *Aérer une pièce,* c'est en renouveler l'air. ■ **aération** n.f. SENS 1 *Un trou d'aération permet à l'air de pénétrer.* ■ **aéré** adj. SENS 1 *Un centre aéré est un lieu de vacances pour de jeunes enfants.* ■ **aérien** adj. **1.** SENS 2 *Un câble aérien est tendu dans l'air.* **2.** *Le transport aérien se fait par avion ou par hélicoptère.* ■ **antiaérien** adj. *Un abri antiaérien protège des attaques de l'aviation.*

aire n.f. **1.** *L'avion vient d'arriver sur l'aire d'atterrissage,* le terrain plat. **2.** *Peux-tu calculer l'aire de ce carré ?* (= surface).

aisance n.f. **1.** *Je soulève avec aisance une grosse pierre,* avec facilité. **2.** *Ces gens vivent dans l'aisance,* ils ont de l'argent. ■ **aisé** adj. SENS 1 *Un travail aisé ne demande pas d'effort* (= facile, simple). SENS 2 *Une personne aisée est celle qui a de quoi vivre largement.* ■ **aisément** adv. SENS 1 *Ce problème se résout aisément* (= facilement). ■ **malaisé** adj. SENS 1 *Voilà un exercice malaisé* (= difficile). ■ **malaisément** adv. SENS 1 *On retrouve malaisément son chemin* (= difficilement).

aise n.f. **1.** *Je suis à l'aise dans ces chaussures,* elles ne me gênent pas. *Mettez-vous à l'aise,* installez-vous confortablement, ôtez ce qui vous gêne. **2.** (au plur.) *Luce aime ses aises,* son confort. **3.** *Jean n'est pas très scrupuleux, il en prend à son aise avec le règlement,* il ne le respecte guère.

aisé, aisément → aisance.

aisselle n.f. *L'aisselle est le creux du bras sous l'épaule.*

ajonc n.m. *La lande est couverte d'ajoncs,* d'arbrisseaux épineux à fleurs jaunes.

ajourner v. **1.** *Ajourner un rendez-vous,* c'est le renvoyer à plus tard. **2.** *Un candidat ajourné est refusé.* ■ **ajournement** n.m. SENS 1 *La présidente a décidé l'ajournement de la réunion* (= renvoi).

ajouter v. *Je voudrais ajouter quelques lignes à cette lettre,* les mettre en plus (≠ retrancher, ôter, enlever). ■ **ajout** n.m. *Il y a un ajout au bas de la page,* un mot ou une ligne ajoutés.

■ **rajouter** v. *Rajoute un peu de sel !* ajoutes-en encore.

■ **surajouter** v. *Diverses taxes se surajoutent au prix,* elles viennent en supplément.

ajuster v. **1.** *Ajustez bien le couvercle !,* appliquez-le exactement (= adapter). **2.** *Je dois ajuster mes dépenses à mes revenus,* les faire correspondre.

■ **ajustage** n.m. SENS 1 *L'ajustage de ce mécanisme est délicat* (= mise au point).

■ **ajustement** n.m. SENS 2 *L'assemblée a apporté un dernier ajustement au projet* (= retouche).

■ **ajusteur** n.m. SENS 1 *Un ajusteur est un ouvrier qui exécute des pièces mécaniques.*

■ **rajuster** ou **réajuster** v. SENS 2 *Rajuster les prix,* c'est les modifier en tenant compte du coût de la vie.

■ **réajustement** n.m. SENS 2 *Les syndicats réclament un réajustement des salaires.*

alambic n.m. *Un alambic sert à fabriquer de l'alcool.*

alambiqué adj. *Cette auteure a un style trop alambiqué pour mon goût,* trop recherché (≠ simple, naturel).

alanguir v. *La chaleur nous alanguit,* elle nous ôte toute énergie (= amollir).

alarme n.f. *Dès le début de l'incendie, un locataire a donné l'alarme,* il a prévenu du danger (= alerte).

■ **alarmer** v. *Vous vous alarmez sans raison,* vous vous inquiétez.

■ **alarmant** adj. *L'état du malade est alarmant* (= inquiétant ; ≠ rassurant).

album n.m. **1.** *Aline classe ses timbres dans un album,* un livre dont les feuilles sont à remplir. *Maman colle ses photos sur son album.* **2.** *Un album est un livre d'images.* **R.** On prononce [albɔm].

alchimiste n.m. *Les alchimistes du Moyen Âge cherchaient à fabriquer de l'or,* des sortes de magiciens.

alcool n.m. **1.** *On désinfecte la plaie avec de l'alcool à 90°,* avec un liquide extrait de certains corps végétaux. **2.** *L'alcool, nuit à la santé,* les boissons fortes faites de certains de ces liquides.

■ **alcoolique** adj. et n. SENS 2 *Quand on boit trop d'alcool, on peut devenir alcoolique.*

■ **alcoolisme** n.m. SENS 2 *L'accident est dû à l'alcoolisme,* à l'abus de l'alcool.

■ **alcoolisé** adj. SENS 2 *Le vin, la bière sont des boissons alcoolisées,* contenant de l'alcool.

■ **alcootest** n.m. SENS 2 *Les policiers l'ont fait souffler dans l'alcootest,* une sorte de ballon qui permet de voir si quelqu'un a bu de l'alcool.

aléa n.m. *Cet incident est un aléa du métier,* un risque. *On doit tenir compte des aléas de la situation,* des événements imprévus.

■ **aléatoire** adj. *Nous travaillons pour un résultat aléatoire* (= incertain, hasardeux ; ≠ sûr).

alentour adv. *Vous verrez une maison avec des arbres alentour,* tout autour.

■ **alentours** n.m.pl. *Les alentours de la ville sont pittoresques,* les lieux voisins (= environs).

1. alerte adj. *Marie marchait d'un pas alerte,* vif, agile, leste.

2. alerte n.f. *Les sirènes sonnent l'alerte,* elles avertissent d'un danger (= alarme).

■ **alerter** v. *On a alerté la police aussitôt après l'accident,* on l'a prévenue.

alevin n.m. *On a jeté 100 kg d'alevins dans l'étang,* de tout jeunes poissons destinés à le repeupler.

alexandrin n.m. *Un alexandrin est un vers de 12 syllabes.*

algarade n.f. *J'ai eu une algarade avec un de mes voisins,* un échange de mots violents (= querelle).

algèbre n.f. *L'algèbre* est une méthode particulière de calcul où certains nombres sont remplacés par des lettres de valeur plus générale.
■ **algébrique** adj. *Son cahier est plein de calculs algébriques.*

723 **algue** n.f. *Les algues* sont des plantes qui vivent dans l'eau.

alibi n.m. *L'accusée a fourni un alibi,* une preuve qu'elle n'est pas coupable.

aliéné adj. et n. *Un aliéné est un ma-lade mental (= fou).*
■ **aliénation** n.f. *L'aliénation mentale,* c'est la folie.

aliéner v. *J'ai toujours refusé d'aliéner mon indépendance,* d'y renoncer, de l'abandonner.

alignement, aligner → *ligne.*

aliment n.m. *Les légumes verts sont des aliments sains* (= nourriture).
■ **alimentaire** adj. *Les produits alimentaires* servent à se nourrir.
■ **alimentation** n.f. *Nous avons une alimentation variée* (= nourriture).
■ **alimenter** v. *On alimente les bébés avec des farines et du lait* (= nourrir).
■ **sous-alimenté** adj. *Être sous-alimenté,* c'est être insuffisamment nourri.
■ **sous-alimentation** n.f. *Certaines populations souffrent de sous-alimentation.*
■ **suralimentation** n.f. *Le médecin a prescrit la suralimentation,* une alimentation très nourrissante.

alinéa n.m. *Va à la ligne et commence un nouvel alinéa* (= paragraphe).

s'aliter → *lit.*

allaiter → *lait.*

allécher v. *J'ai été alléché par ces belles promesses,* j'ai été attiré, séduit.
■ **alléchant** adj. *Un plat alléchant est appétissant,* il fait envie.

allée n.f. **1.** *Les allées d'un parc* sont des chemins bordés d'arbres, de haies, etc. **2.** *Les allées et venues des voyageurs dans un hall de gare* sont leurs trajets en tous sens.

allégation → *alléguer.*

alléger → *léger.*

allègre adj. *Maria marche d'un pas allègre,* vif et joyeux.
■ **allégresse** n.f. *Myriam a accepté avec allégresse,* avec une grande joie.

alléguer v. *Pour excuser cet oubli, Sophie a allégué sa fatigue* (= faire valoir, prétexter).
■ **allégation** n.f. *On vérifiera les allégations de l'accusé* (= déclaration, affirmation).

aller v. **1.** *Pierre va chaque jour à l'école* (= se rendre). **2.** *Cette route va à la mer* (= mener, conduire). **3.** *Comment allez-vous ?* (= se porter). **4.** *Les affaires vont mal,* elles sont en mauvais état (= marcher). **5.** *Cette robe vous va bien,* elle fait un bel effet sur vous (= convenir). **6.** *Je vais partir, il va être 3 heures,* je partirai dans un instant, il sera bientôt 3 heures. **7.** *Je veux m'en aller, allons-nous-en* (= partir).
■ **aller** n.m. SENS 1 *À l'aller, nous avons voyagé en voiture* (≠ retour).
R. → Conj. n° 12. *Aller se conjugue avec l'auxiliaire être.*

allergie n.f. *Marie a une allergie au poisson,* elle le supporte mal, il lui donne des malaises. *Certains ont une* *allergie aux westerns,* ils ne les supportent pas.

■ **allergique** adj. *Je suis allergique aux westerns, mais non au poisson.*

alliage n.m. *Le laiton est un alliage de cuivre et de zinc,* un métal obtenu en fondant ensemble ces métaux.

alliance n.f. **1.** *Un traité d'alliance a été conclu,* un traité qui établit une union. **2.** *Son alliance est en or,* l'anneau qu'il porte à l'annulaire, comme beaucoup de gens mariés.

■ **allier** v. SENS 1 *Ces deux pays se sont alliés pour se défendre en commun* (= unir, associer).

alligator n.m. *Un alligator est un crocodile d'Amérique.*

allô ! interj. marque le début d'une conversation téléphonique : *Allô ! Qui est à l'appareil ?*

allocation → *allouer.*

allocution n.f. *La directrice a prononcé une allocution de bienvenue,* un petit discours sans solennité.

allongement, allonger → *long.*

allouer v. *Une indemnité a été allouée aux sinistrés,* elle leur a été attribuée.

■ **allocation** n.f. *Les allocations familiales* sont des sommes versées par l'État aux familles ayant des enfants. **R.** Ne pas confondre *allocation* et *allocution.*

allumer v. **1.** *On a allumé le feu avec du papier* (= enflammer ; ≠ éteindre). **2.** *Allume la lampe électrique !,* mets le contact (≠ éteindre).

■ **allumage** n.m. SENS 1 *Line est chargée de l'allumage du feu.* SENS 2 *Nous avons eu une panne d'allumage,* du dispositif qui produit les étincelles électriques du moteur.

■ **allumette** n.f. SENS 1 *Frotte une allumette !,* une petite tige de bois produisant du feu.

■ **rallumer** v. *Albert rallume sa pipe éteinte.*

allure n.f. **1.** *La voiture roule à toute allure,* très vite (= vitesse). **2.** *Cette personne a une drôle d'allure* (= air, aspect).

allusion n.f. *Sa lettre fait allusion à ses projets,* elle y fait penser sans les indiquer clairement.

■ **allusif** adj. *Son discours contient de nombreuses phrases allusives,* comportant des allusions.

alluvions n.f.pl. *Des alluvions sont un dépôt boueux laissé par un cours d'eau.*

almanach n.m. *Un almanach est un calendrier contenant des renseignements divers.* **R.** On prononce [almana].

aloès n.m. *Ce sirop à l'aloès est amer,* un médicament extrait des feuilles d'une plante des pays chauds.

aloi n.m. *Une gaieté de bon aloi est une gaieté de bon goût (≠ de mauvais aloi).*

alors adv. **1.** *J'étais alors un enfant,* à ce moment-là. **2.** *Vous êtes content ? alors tant mieux,* dans ce cas, dans ces conditions. **3.** *Elle perd son temps, alors que son travail n'est pas fait,* tandis que, et cependant.

alouette n.f. *Les alouettes sont des petits oiseaux très répandus dans les campagnes.*

alourdir, alourdissement → *lourd.*

alpage n.m. *Les alpages sont des prairies de haute montagne.*

alphabet n.m. *L'alphabet est l'ensemble des lettres de A à Z.*

■ **alphabétique** adj. *Les noms des élèves sont classés par ordre alphabétique,* dans l'ordre de l'alphabet.

578

650

■ **alphabétiser** v. *Alphabétiser des travailleurs immigrés,* c'est leur apprendre à lire et à écrire.

■ **analphabète** adj. et n. *Une personne analphabète* ne sait ni lire ni écrire.

649 **alpinisme** n.m. L'*alpinisme* est un sport consistant en excursions et en ascensions en haute montagne.

■ **alpiniste** n. *Trois alpinistes ont été bloqués par la tempête,* trois personnes pratiquant l'alpinisme.

altercation n.f. *Une altercation* est une querelle violente.

altérer v. **1.** *Le soleil altère les couleurs,* il les rend moins belles (= abîmer). **2.** *Cette longue promenade m'a altéré,* elle m'a donné soif.

■ **altération** n.f. SENS 1 *C'est une altération de la vérité,* une déformation (= c'est un mensonge).

■ **désaltérer** v. SENS 2 *Une boisson qui désaltère* apaise la soif.

■ **inaltérable** adj. SENS 1 *Un métal inaltérable* ne rouille pas, ne se ternit pas.

alterner v. *Les jours et les nuits alternent régulièrement,* ils se succèdent à tour de rôle.

■ **alternance** n.f. *Nous travaillons tous les deux en alternance,* chacun notre tour.

801 ■ **alternateur** n.m. *Un alternateur est un appareil qui produit du courant alternatif.*

■ **alternatif** adj. *Un mouvement alternatif* va d'abord dans un sens, puis dans un autre. *Un courant électrique alternatif* change périodiquement de sens (≠ continu).

■ **alternative** n.f. L'*alternative est simple : obéir ou démissionner,* le choix à faire.

■ **alternativement** adv. *On stationne alternativement de chaque côté de la rue,* tour à tour.

altesse n.f. *Son Altesse* est un titre donné à un prince ou à une princesse.

altier adj. *Un ton altier* est un ton hautain (≠ modeste).

altimètre n.m. *Un altimètre* sert à mesurer l'altitude.

altitude n.f. *Un sommet de 3 000 mètres d'altitude* s'élève à 3 000 mètres au-dessus du niveau de la mer (= hauteur).

alto n.m. *Un alto* est un violon au son grave.

aluminium n.m. *Ce tube de comprimés est en aluminium,* un métal très léger.

alunir, alunissage → lune.

alvéole n.f. ou n.m. **1.** *Un gâteau de miel est formé d'alvéoles,* de petites cases. **2.** Les *alvéoles* du poumon sont des sortes de petits sacs à parois minces, entre lesquels circulent les vaisseaux.

amabilité → aimable.

amadouer v. *Le prisonnier a amadoué ses gardiens,* il les a rendus plus doux par des paroles flatteuses, aimables.

amaigrir, amaigrissant, amaigrissement → maigre.

amalgame n.m. *Ce roman est un amalgame de plusieurs histoires vécues,* un mélange, une fusion.

■ **s'amalgamer** v. *Ces populations se sont amalgamées en un peuple,* elles se sont fondues.

amande n.f. *Nous avons mangé un gâteau aux amandes,* des fruits à coque dure de l'amandier.

■ **amandier** n.m. *Regarde les amandiers en fleurs.*

R. *Amande* se prononce [amɑ̃d] comme *amende.*

amanite n.f. *Certaines amanites sont très dangereuses,* des champignons.

amant n.m. *L'amant d'une femme, c'est l'homme avec qui elle a des relations amoureuses, bien qu'elle ne soit pas mariée avec lui.*

amarre n.f. *Les amarres d'un bateau sont les câbles servant à l'attacher.*

■ **amarrer** v. *Amarrer une barque, un paquet,* c'est l'attacher solidement.

amas n.m. *Le tremblement de terre n'a laissé qu'un amas de ruines,* un tas, un monceau.

■ **amasser** v. *Elle a amassé une fortune colossale* (= réunir, entasser).

amateur adj. et n. **1.** *Jean est (un) amateur de musique,* il l'aime. **2.** *Un photographe amateur, un cycliste amateur* pratiquent la photographie, le cyclisme sans en faire profession.

amazone n.f. Selon la légende, les *amazones* étaient des femmes qui combattaient à cheval avec un arc.

sans **ambages** adv. *Elle m'a envoyé promener sans ambages,* sans façons.

ambassadeur n. *Un ambassadeur* ou une *ambassadrice* représente officiellement son pays à l'étranger.

■ **ambassade** n.f. **1.** *Elle est partie en ambassade,* avec une mission d'ambassadrice. **2.** *La foule a manifesté devant l'ambassade,* les locaux où est installé l'ambassadeur.

ambiance n.f. **1.** *Il règne ici une ambiance* sympathique (= atmosphère, climat). **2.** *À la réunion, il y avait de l'ambiance* (= gaieté, animation).

■ **ambiant** adj. *La température ambiante* est celle qui règne là où on se trouve.

ambigu adj. *Une réponse ambiguë* peut être interprétée de plusieurs façons.

■ **ambiguïté** n.f. *Explique-toi sans ambiguïté* (= équivoque).

ambition n.f. **1.** *Elle est rongée d'ambition,* du désir de réussite, de gloire.

2. *Son ambition est d'être élu député* (= rêve).

■ **ambitionner** v. SENS 2 *Elle ambitionne de faire du cinéma,* elle désire cela ardemment.

■ **ambitieux** adj. SENS 1 *J'ai des projets ambitieux* (≠ modeste).

ambulance n.f. *Une ambulance* est une voiture aménagée pour le transport des malades et des blessés.

■ **ambulancier** n. *Un ambulancier* est un conducteur d'ambulance.

ambulant adj. *Une marchande ambulante* transporte avec elle sa marchandise pour la vendre de place en place.

âme n.f. **1.** *L'âme* est le principe de la vie, de la conscience (par opposition au corps). **2.** *Il lui est dévoué corps et âme,* totalement. **3.** *Rendre l'âme,* c'est mourir. **4.** *J'ai agi en mon âme et conscience,* en toute honnêteté. **5.** *Cet homme est une âme noble,* une personne noble. **6.** *L'âme d'un instrument de musique,* c'est une pièce qui sert à régler sa qualité sonore.

amélioration, améliorer → meilleur.

amen n.m.inv. Fam. *C'est un garçon docile, qui dit amen à tout ce qu'on lui propose,* qui accepte.
R. On prononce [amɛn].

aménager v. *On a aménagé le grenier en salle de jeu,* on l'a disposé, organisé convenablement.

■ **aménagement** n.m. *J'ai fait des aménagements dans la maison* (= modification, transformation).

amende n.f. **1.** *Défense de stationner sous peine d'amende,* sous peine d'être obligé à payer une certaine somme en punition (= contravention). **2.** *Faire amende honorable,* c'est reconnaître ses torts.
R. → amande.

39,
37

223

438

amener v. *J'ai amené un ami à la maison*, je l'ai fait venir avec moi.
■**ramener** v. *Marie m'a ramené en voiture*, elle m'a fait revenir avec elle.

aménité n.f. *On l'a mis dehors sans aménité*, sans douceur, avec énergie.

s'amenuiser v. *Nos ressources s'amenuisent*, elles diminuent.

amer adj. 1. *Le café sans sucre est amer*, il a un goût rude que la plupart des gens trouvent désagréable. 2. *Son échec a été une amère déception* (= pénible).
■**amèrement** adv. SENS 2 *Je regrette amèrement mon erreur.*
■**amertume** n.f. SENS 2 *Je leur ai exprimé mon amertume* (= déception).

amerrir → mer.

650 **améthyste** n.f. *L'améthyste est une pierre précieuse violette.*

ameublement → meuble 1.

ameublir → meuble 2.

ameuter v. *Ses cris ameutèrent les voisins*, ils les firent s'attrouper autour de lui, ils les firent accourir.

ami n. *Mehdi a réuni chez lui quelques amis*, des personnes qu'il aime bien et avec lesquelles il reste en relation.
■**amical** adj. *Un salut amical est un salut d'ami.*
■**amicalement** adv. *Nous avons bavardé amicalement.*
■**amitié** n.f. 1. *L'amitié est plus profonde que la camaraderie.* 2. (au plur.) *Faites-lui mes amitiés*, donnez-lui mon souvenir amical.
■**inamical** adj. *Tu as fait un geste inamical* (= hostile).

à l'amiable adv. *Un arrangement à l'amiable* se fait par accord direct, sans contestation devant des juges.

amiante n.f. *L'amiante est une matière qui peut servir de protection contre le feu.*

amical, amicalement → ami.

amincir → mince.

amiral n.m. *Le grade d'amiral est le plus haut dans la marine militaire.*

amitié → ami.

amnésie n.f. *À la suite d'un accident, Mme Dubois a été frappée d'amnésie*, elle a perdu la mémoire.
■**amnésique** adj. et n. *Mme Dubois est devenue amnésique.*

amnistie n.f. *Une amnistie est un pardon général prononcé officiellement en faveur de personnes condamnées.*

amoindrir, amoindrissement → moindre.

amollir → mou.

amoncellement, amonceler → monceau.

amont n.m. *Le lac est en amont du barrage*, plus près de la source. *Le bateau va vers l'amont* (≠ aval).

amorce n.f. 1. *Ce pêcheur utilise des vers comme amorce*, comme moyen d'attirer le poisson. 2. *L'amorce d'un projectile* est le petit détonateur qui le fait exploser. 3. *Un pistolet à amorces* est un jouet qui fait éclater de petites charges de poudre contenues dans du papier. 4. *On entrevoit l'amorce d'une solution*, le début.
■**amorcer** v. SENS 1 *Ce pêcheur amorce au blé cuit.* SENS 4 *On a amorcé une discussion* (= commencer, entamer, ouvrir).
■**désamorcer** v. SENS 2 *Désamorcer une bombe*, c'est en ôter l'amorce pour l'empêcher d'exploser.

amorphe adj. *Judith n'a pas réagi, c'est une fille amorphe* (= mou, indolent, apathique).

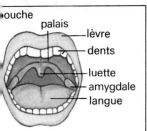

ouche
palais
lèvre
dents
luette
amygdale
langue

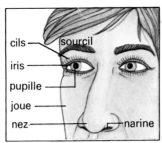

cils
sourcil
iris
pupille
joue
nez
narine

visage
(face)

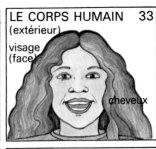

cheveux

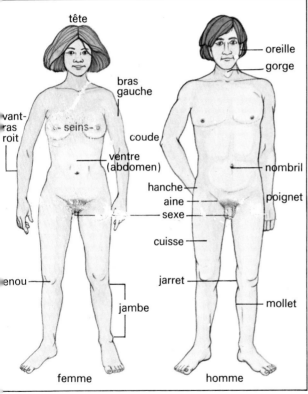

tête

bras
gauche

vant-
ras
roit

seins

coude

ventre
(abdomen)

hanche
aine
sexe

cuisse

enou

jarret

jambe

mollet

femme

oreille
gorge

nombril

poignet

homme

visage (profil)

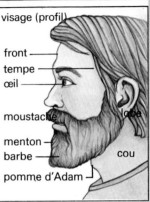

front
tempe
œil

moustache

menton
barbe

pomme d'Adam

lobe

cou

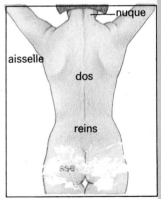

nuque

aisselle

dos

reins

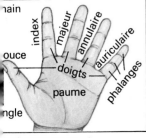

hain

index
majeur
annulaire
auriculaire

ouce

doigts

phalanges

paume

ngle

orteils

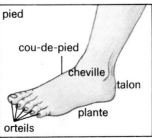

pied

cou-de-pied

cheville

talon

plante

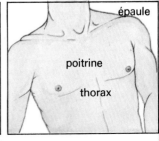

épaule

poitrine

thorax

34

gymnastique
poutre

athlétisme
110 m haies

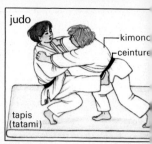
judo
kimono
ceinture
tapis (tatami)

saut à la perche
barre
perche

saut en longueur

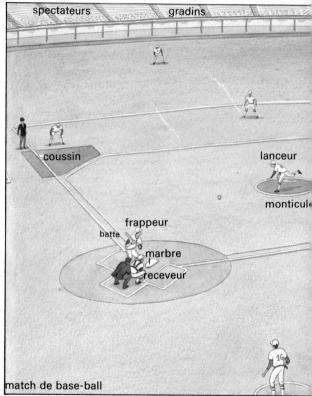
spectateurs   gradins
coussin
lanceur
monticule
frappeur
batte
marbre
receveur
match de base-ball

lancement du poids

lancement du disque

haltères

tennis
balle
court
raquette
filet

piste
départ
course de vitesse (sprint)

tableau d'affichage
arbitre

basket-ball
panier
ballon

gardien de but
handball
cage
filets

ootball
poteaux
ligne
de but
errain

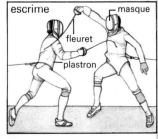
escrime
masque
fleuret
plastron

36

col roulé

chandail

capuchon

cardigan

tricot

pull-over

ceinture

revers

blue-jean

pantalon

mécanicien

badauds

toque

gilet

salopette

costume de ville

cuisinier

boucher

attroupement

imperméable

pyjama

chemise de nuit

jupe

soutien-gorge

collants

cintre

écharpe

tee-shirt

slip

chaussettes

franges

RESTAURANT

chemise

blouson

manche

veston

revers

manteau

robe

tailleur

tablier

blouse

uniforme

témoin

agent
de police

civière

motocycliste

ambulance

blouse

accident

infirmier

casque

béret

visière

gant

sandale

talon

fermoir

casquette

pantoufle

botte

sac à main

courroie

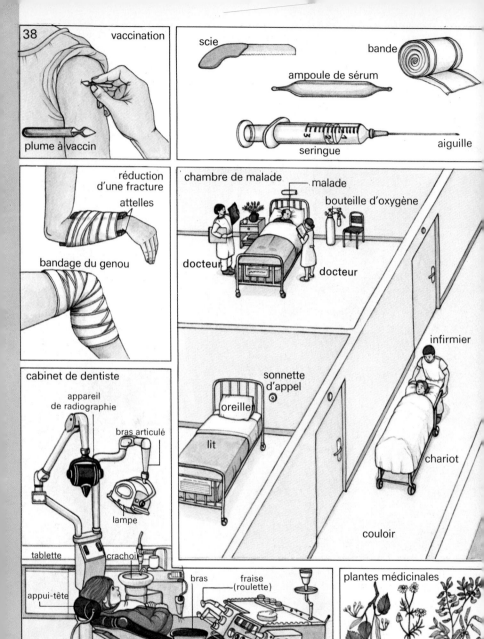

38 vaccination

plume à vaccin

scie

bande

ampoule de sérum

seringue

aiguille

réduction d'une fracture

attelles

bandage du genou

chambre de malade

malade

bouteille d'oxygène

docteur

docteur

infirmier

cabinet de dentiste

appareil de radiographie

bras articulé

sonnette d'appel

oreiller

lit

chariot

lampe

tablette

crachoir

couloir

appui-tête

bras

fraise (roulette)

plantes médicinales

fauteuil

tilleul   camomille   réglisse

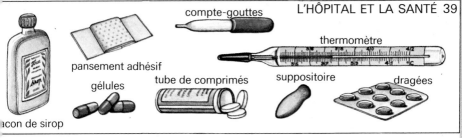

compte-gouttes

thermomètre

pansement adhésif

gélules

tube de comprimés

suppositoire

dragées

flacon de sirop

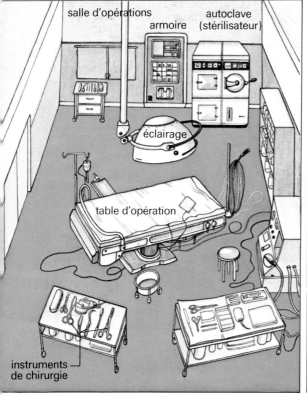

salle d'opérations

armoire

autoclave (stérilisateur)

éclairage

table d'opération

instruments de chirurgie

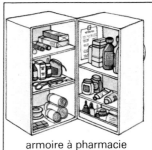

armoire à pharmacie

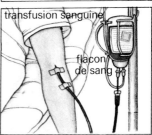

transfusion sanguine

flacon de sang

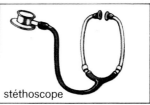

stéthoscope

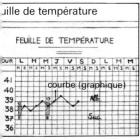

feuille de température

FEUILLE DE TEMPÉRATURE

courbe (graphique)

41
40
39
38
37
36

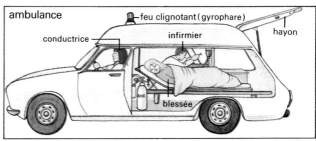

ambulance

feu clignotant (gyrophare)

conductrice

infirmier

hayon

blessée

40 LE CORPS HUMAIN
(intérieur)

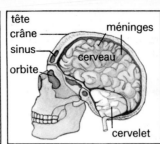

- artère pulmonaire
- cœur
- veine cave
- aorte

tête

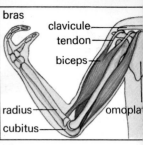

- crâne
- sinus
- orbite
- méninges
- cerveau
- cervelet

bras

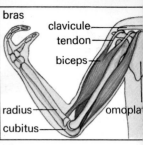

- clavicule
- tendon
- biceps
- radius
- cubitus
- omoplate

poumons

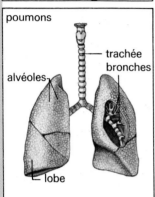

- trachée
- bronches
- alvéoles
- lobe

squelette

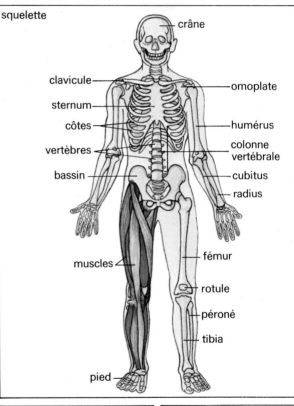

- crâne
- clavicule
- sternum
- côtes
- vertèbres
- bassin
- omoplate
- humérus
- colonne vertébrale
- cubitus
- radius
- muscles
- fémur
- rotule
- péroné
- tibia
- pied

circulation sanguine

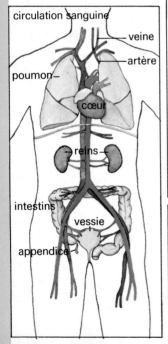

- veine
- artère
- poumon
- cœur
- reins
- intestins
- vessie
- appendice

foie

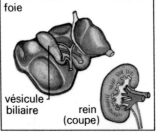

- vésicule biliaire
- rein (coupe)

dent (coupe)

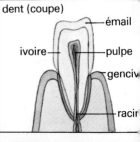

- émail
- ivoire
- pulpe
- genciv
- racin

amortir v. *Le tapis a amorti sa chute, il l'a rendue moins violente* (= atténuer).

■ **amortisseur** n.m. *Les amortisseurs atténuent les secousses de la voiture.*

amour n.m. **1.** *Il s'est marié par amour,* par attirance pour sa femme. **2.** *L'amour de la liberté, du sport, de la littérature* est un goût vif pour ces choses.

■ **amoureux** adj. et n. SENS 1 *Il est amoureux de sa voisine,* il l'aime. *Les amoureux s'embrassent.*

amour-propre n.m. *Marie a trop d'amour-propre pour accepter cet échec,* elle est trop consciente de sa valeur (= fierté).

amovible adj. *Les sièges de la voiture sont amovibles,* on peut les enlever.

■ **inamovible** adj. *Certains juges sont inamovibles,* on ne peut pas les obliger à partir ailleurs.

amphibie adj. *La grenouille est amphibie,* elle vit à l'air et dans l'eau.

amphithéâtre n.m. **1.** Dans l'Antiquité, un *amphithéâtre* était un théâtre en demi-cercle et à gradins. **2.** *Les cours ont lieu dans un amphithéâtre,* dans une grande salle disposée en gradins.

amphore n.f. Dans l'Antiquité, une *amphore* était un grand récipient.

ample adj. *Un manteau ample* est large.

■ **amplement** adv. *C'est amplement suffisant* (= largement).

■ **ampleur** n.f. *Il faut donner de l'ampleur à cette jupe. On a constaté l'ampleur du désastre* (= étendue).

■ **amplifier** v. *Le micro amplifie le son* (= augmenter).

■ **amplificateur** ou **ampli** n.m. *Sa guitare électrique est branchée sur un amplificateur,* un appareil qui amplifie le son.

ampoule n.f. **1.** *L'ampoule de la lampe est cassée, il faut la changer,* un petit globe de verre qui contient un filament électrique. **2.** *Ce médicament se vend en ampoule,* un petit tube de verre dont on casse les bouts pour faire sortir le liquide. **3.** *J'ai des ampoules aux pieds à force de marcher* (= cloque). 76 · 38

amputer v. *On a amputé le malade d'une jambe,* on la lui a coupée.

■ **amputation** n.f. *Le médecin a décidé l'amputation d'un doigt.*

amuser v. **1.** *Les clowns amusent les enfants* (= distraire, divertir). **2.** *Les enfants s'amusent dans la cour* (= jouer).

■ **amusant** adj. SENS 1 *Cette histoire est amusante* (= drôle).

■ **amusement** n.m. SENS 2 *Le jeu de boules est son amusement favori* (= distraction, passe-temps).

amygdale n.f. *Les amygdales* sont de petits organes situés de chaque côté de la gorge.
R. On prononce [amidal].

an n.m. *Sa maladie a duré un an,* douze mois (= année). *Le jour de l'an, le premier de l'an,* c'est le 1er janvier. 125, 871

anachronique adj. *Cette voiture a une ligne anachronique,* démodée, désuète.

■ **anachronisme** n.m. *Le film commet un anachronisme en présentant Louis XIV en pantalon,* il ne respecte pas la réalité de l'époque.

anagramme n.f. *« Rage »* est une *anagramme de « gare »,* un mot formé en changeant l'ordre des lettres d'un autre mot.

analogie n.f. *Il y a une analogie d'aspect entre le loup et le chien,* une ressemblance générale.

■**analogue** adj. *Ces deux projets sont analogues* (= voisin, comparable ; ≠ différent).

analphabète → *alphabet.*

analyse n.f. **1.** *L'analyse du sang est l'examen détaillé de ce qui le compose. Faire l'analyse d'un discours,* c'est en examiner les différents points. **2.** En grammaire, l'*analyse* est l'étude de la nature et de la fonction des mots ou des propositions. ■**analyser** v. SENS 1 *On a fait analyser l'eau du puits.* SENS 2 *Analysez cette phrase !*

ananas n.m. L'*ananas* est un fruit des pays chauds. **R.** On prononce [anana] ou [ananas].

anarchie n.f. *Chacun n'en fait qu'à sa tête, c'est l'anarchie,* c'est un grand désordre dû à l'absence d'autorité. ■**anarchiste** n. Les *anarchistes* rejettent toute autorité.

728, 294 **anatomie** n.f. L'*anatomie* est l'étude scientifique du corps des êtres vivants. ■**anatomique** adj. *Ce livre contient des dessins anatomiques.*

ancêtre n.m. Nos *ancêtres* sont ceux qui ont vécu avant nous, dont nous sommes les descendants.

579 **anchois** n.m. Les *anchois* sont des petits poissons de mer.

ancien adj. **1.** *Une église ancienne* existe depuis longtemps (≠ récent, neuf). **2.** *Aline est ancienne dans l'entreprise,* elle y travaille depuis longtemps (≠ nouveau). **3.** *Ce musée est installé dans une ancienne église,* c'était autrefois une église. ■**anciennement** adv. SENS 3 *Paris s'appelait anciennement Lutèce* (= autrefois). ■**ancienneté** n.f. SENS 2 *Aline a vingt ans d'ancienneté.*

ancre n.f. *Le bateau a jeté l'ancre,* une lourde pièce métallique qui s'accroche au fond de l'eau. **R.** *Ancre* se prononce [ãkr] comme *encre.*

ancrer v. *Qui t'a ancré cette idée dans la tête ?,* qui te l'a mise, enfoncée (= inculquer).

andouille n.f. *La charcutière vend de l'andouille,* du boyau de porc rempli de morceaux de tripes. ■**andouillette** n.f. Une *andouillette* est une petite andouille qu'on mange grillée.

âne n.m. **1.** L'*âne* est un animal domestique voisin du cheval. **2.** *Cet âne-là n'a rien compris !,* cette personne stupide. ■**ânesse** n.f. SENS 1 L'*ânesse* est la femelle de l'âne. ■**ânerie** n.f. SENS 2 Fam. *Tu as dit une ânerie,* une chose stupide. ■**ânon** n.m. SENS 1 L'*ânon* est le petit de l'âne.

anéantir v. **1.** *Le village a été anéanti par un tremblement de terre,* il a été totalement détruit. **2.** *Nous sommes anéantis par cette nouvelle,* nous sommes moralement abattus. ■**anéantissement** n.m. SENS 1 *C'est l'anéantissement de tous ses espoirs* (= ruine).

anecdote n.f. *Tu sais raconter des anecdotes amusantes,* des faits curieux mais non essentiels (= historiette). ■**anecdotique** adj. *Un récit anecdotique* consiste en anecdotes.

anémie n.f. *Je prends des fortifiants contre l'anémie,* une faiblesse maladive. ■**anémier** v. *Elle est anémiée par la fièvre* (= affaiblir). ■**anémique** adj. *Cet enfant est anémique.*

anémone n.f. **1.** Les *anémones* sont des fleurs à large corolle. **2.** L'*ané-*

mone de mer est un animal marin qui vit fixé aux rochers et qui est muni de tentacules.

ânerie, ânesse → âne.

anesthésie n.f. *L'anesthésie* est la suppression de la douleur par l'emploi d'un produit appelé **anesthésique**.
■ **anesthésier** v. *Anesthésier un malade,* c'est le rendre insensible à la douleur avant une opération (= endormir, insensibiliser).

anfractuosité n.f. *Les anfractuosités du rocher,* ce sont ses creux.

ange n.m. **1.** Un *ange* est un être surnaturel, selon certaines religions (≠ diable). **2.** *Cette personne est un ange,* elle est douce, bonne, gentille. **3.** *Cette infirmière a une patience d'ange,* une patience extraordinaire. **4.** *Quand il a fini son biberon, le bébé est aux anges,* il est heureux et satisfait.
■ **angélique** adj. SENS 2 *Un sourire angélique* est très doux.

angine n.f. *Marie souffre d'une angine,* d'une maladie de la gorge.

angle n.m. **1.** *Deux lignes qui se coupent forment quatre angles.* **2.** *Le mur forme un angle,* un coin (= arête, encoignure). **3.** *Arrondir les angles,* c'est rechercher la conciliation. **4.** *Vue sous cet angle, la question paraît simple,* sous cet aspect.
■ **anguleux** adj. SENS 2 *Un visage anguleux* est maigre et forme des sortes d'angles.

angoisse n.f. *L'angoisse lui serrait la gorge,* une inquiétude extrême (= anxiété).
■ **angoissant** adj. *La situation est angoissante* (= tragique).
■ **angoissé** adj. *Sa voix est angoissée* (= anxieux, affolé).

angora adj. *Marie a un chat angora,* à poils longs et doux.

anguille n.f. *L'anguille* est un poisson allongé comme un serpent.

anguleux → angle.

animal n.m. **1.** *L'homme est un animal raisonnable,* un être vivant capable de sensibilité et de mouvement. **2.** *Françoise aime les animaux,* les êtres vivants autres que l'homme. **3.** Fam. *Cet animal-là m'a menti,* cet individu.
■ **animal** adj. SENS 1 *La chaleur animale* est celle des êtres animés.

animer v. **1.** *Animer un débat, une discussion,* c'est y mettre de la vie. **2.** *Une chose animée d'un mouvement* est une chose qui bouge. **3.** *Elle est animée par des intentions louables,* celles-ci la poussent à agir (= diriger). **4.** *L'été, ce village s'anime,* il devient vivant, actif.
■ **animé** adj. SENS 2 *Les êtres animés* sont les êtres vivants. *Un dessin animé* est un film dont les images ont été dessinées. SENS 4 *Une rue animée, une conversation animée* sont pleines d'activité, de vie.
■ **animateur** n. SENS 1 *L'animateur ou l'animatrice d'une réunion* est la personne qui la dirige.
■ **animation** n.f. SENS 1 *Ils discutent avec animation* (= vivacité). SENS 4 *Ce quartier est plein d'animation* (= vie).
■ **inanimé** adj. SENS 2 *Il est resté inanimé sur le sol* (= évanoui, inerte).
■ **ranimer** ou **réanimer** v. SENS 2 *On a ranimé la noyée par la respiration artificielle. L'incendie s'est ranimé* (= se rallumer).
■ **réanimation** n.f. SENS 2 *Le blessé est dans la salle de réanimation.*

animosité n.f. *Il a de l'animosité envers moi* (= malveillance, hostilité).

anis n.m. *J'aime les bonbons à l'anis,* parfumés avec cette plante.
R. On prononce [ani].

ankylose n.f. *Au bout de cette longue période d'immobilité, elle a un début d'ankylose,* ses membres ont perdu de leur liberté de mouvement.
■ **s'ankyloser** v. *La malade commence à s'ankyloser.*

anneau n.m. **1.** *Un anneau de rideau* est un cercle de métal, de bois, etc. **2.** *Elle porte un anneau au doigt,* une bague ou une alliance. **3.** (au plur.) *Sur le portique, il y a des anneaux pour faire de la gymnastique,* deux cercles de métal fixés chacun au bout d'une corde.
■ **annulaire** n.m. SENS 2 *L'annulaire* est le quatrième doigt, où l'on porte souvent un anneau.

année n.f. **1.** *Il y a beaucoup de fruits cette année,* dans la période actuelle de douze mois, comptée du 1er janvier au 31 décembre. **2.** *C'était au début de la deuxième année de guerre,* de la période de douze mois comptée à partir d'un moment particulier. *L'année scolaire* est la période qui va de la rentrée d'automne aux grandes vacances.
■ **annuel** adj. *Une fête annuelle* revient chaque année.
■ **annuellement** adv. *Combien dépensez-vous annuellement pour le chauffage ?,* chaque année.

annexe adj. *Des dépenses annexes* s'ajoutent aux dépenses principales.
■ **annexe** n.f. *Une annexe* est un bâtiment qui s'ajoute au bâtiment principal.
■ **annexer** v. *Ce quartier fut annexé à la ville il y a deux ans,* il lui fut rattaché.
■ **annexion** n.f. *On projette l'annexion de cette banlieue à la ville* (= rattachement).

annihiler v. *L'ouragan a annihilé le travail de plusieurs années,* il l'a anéanti, ruiné.

anniversaire n.m. **1.** *Ils fêtent le dixième anniversaire de leur mariage,* le souvenir de cet événement qui s'est passé à la même date. **2.** *C'est aujourd'hui mon anniversaire,* la date (jour et mois) de ma naissance.

annoncer v. **1.** *Jean a annoncé son mariage à ses amis,* il le leur a fait savoir (= apprendre, informer de). **2.** *Les hirondelles annoncent le printemps,* elles en sont le signe. **3.** *La journée s'annonce bien,* elle commence bien.
■ **annonce** n.f. SENS 1 *Zoé a été bouleversée à l'annonce de cet accident* (= nouvelle). *Elle lit les annonces des journaux pour trouver un emploi* (= avis, information).
■ **annonciateur** adj. SENS 2 *Ces nuages sont annonciateurs de pluie.*

annotation, annoter → *note.*

annuaire n.m. *L'annuaire du téléphone* est un livre contenant un ensemble de renseignements et publié chaque année.

annuel, annuellement → *année.*

annulaire → *anneau.*

annuler → *nul.*

anoblir → *noble.*

anodin adj. *Sa blessure n'est qu'une écorchure anodine,* sans gravité (= bénin).

anomalie n.f. *Cette chaleur en plein hiver est une anomalie,* une particularité anormale (= bizarrerie).

ânon → *âne.*

ânonner v. *Cet enfant ânonne sa récitation,* il la dit avec peine et en hésitant sur les mots.

anonyme adj. *Une lettre anonyme, un don anonyme* proviennent de quelqu'un qui n'a pas dit son nom.

■ **anonymat** n.m. *Garder l'anonymat, c'est ne pas se faire connaître comme l'auteur de quelque chose.*

anorak n.m. *Un anorak est une veste imperméable et chaude, à capuchon.*

anormal, anormalement → *normal.*

anse n.f. **1.** *Elle a passé son bras dans l'anse du panier, dans la partie courbe par laquelle on le tient.* **2.** *Le bateau a jeté l'ancre dans une anse abritée,* une petite baie.

antagonisme n.m. *Un antagonisme entre deux partis politiques est un état d'opposition, de rivalité.*
■ **antagoniste** n. *Les deux antagonistes s'affrontent* (= adversaire).

d'antan adv. s'emploie rarement pour *d'autrefois, de jadis : Oublions les querelles d'antan.*

antarctique → *arctique.*

antécédent n.m. **1.** *L'antécédent d'un pronom relatif est le nom ou le pronom représenté par ce relatif.* **2.** *Cet accusé a de mauvais antécédents,* sa conduite passée a été mauvaise.

antenne n.f. **1.** *Une antenne est un dispositif métallique permettant de diffuser ou de recevoir les émissions de radio, de télévision.* **2.** *Les papillons ont deux antennes,* des sortes de cornes mobiles.

antérieur adj. **1.** *La période antérieure à la guerre est celle qui l'a précédée.* **2.** *Les pattes antérieures d'un chat sont ses pattes avant* (≠ postérieur).
■ **antérieurement** adv. SENS 1 *Je formais ce projet antérieurement à mon accident* (= avant ; ≠ postérieurement).

anthropophage adj. et n. *Des peuplades anthropophages mangeaient de la chair humaine* (= cannibale).

anti- indique, au début d'un mot, l'opposition, la défense contre quelque chose : *un antivol protège contre le vol, un canon antichar est destiné à combattre les chars,* etc.

antiaérien → *air.*

antibiotique n.m. *La doctoresse a prescrit un antibiotique, un médicament qui empêche la multiplication de certains microbes.*

antichambre n.f. *Une visiteuse attend dans l'antichambre,* dans la pièce qui sert de salle d'attente (= vestibule).

anticiper v. *Vous anticipez en faisant comme si vous aviez déjà réussi, vous agissez avant le moment normal.*
■ **anticipation** n.f. *J'ai payé mes dettes par anticipation, avant la date prévue. Un roman d'anticipation se situe dans un futur imaginaire.*

anticlérical → *clergé.*

anticyclone → *cyclone.*

antidater → *date.*

antidote n.m. *Un antidote est un remède contre un poison.*

antigel → *geler.*

antilope n.f. *Les antilopes courent très vite, des animaux sauvages d'Afrique et d'Asie.* 580

antimilitariste → *militaire.*

antimite → *mite.*

antipathie n.f. *Cet individu louche m'inspire une profonde antipathie, un sentiment qui me détourne de lui* (= aversion ; ≠ sympathie).
■ **antipathique** adj. *Quel visage antipathique !* (≠ sympathique).

antipodes n.m.pl. *Cette supposition est aux antipodes de la réalité,* totalement à l'opposé.

antiquité n.f. **1.** *L'antiquité d'un monument,* c'est sa grande ancienneté. **2.** Une *antiquité* est un objet datant d'une époque ancienne. **3.** L'*Antiquité,* ce sont les civilisations qui datent d'avant l'ère chrétienne.

■ **antique** adj. SENS 3 *Il y a dans ce musée beaucoup de statues antiques,* qui datent de l'Antiquité.

■ **antiquaire** n. SENS 2 *J'ai acheté un vase ancien chez un antiquaire,* un marchand d'antiquités.

antiraciste → *race.*

antireligieux → *religion.*

antisémite adj. et n. *Une politique antisémite* est hostile aux Juifs.

antisepsie n.f. L'*antisepsie* est la lutte contre les microbes.

■ **antiseptique** adj. *Une pommade antiseptique* arrête l'infection.

antitétanique → *tétanos.*

antituberculeux → *tuberculose.*

antivol → *vol* 2.

antre n.m. *Le lion dort dans son antre,* le creux qui lui sert de refuge.

anxieux adj. *Nous étions anxieux sur le sort des sinistrés,* extrêmement inquiets (= angoissé).

■ **anxieusement** adv. *Les naufragés guettaient anxieusement l'arrivée des sauveteurs.*

■ **anxiété** n.f. *À la nouvelle de la catastrophe aérienne, beaucoup de familles étaient dans l'anxiété.*

aorte n.f. L'*aorte* est l'artère principale qui part du cœur.

août n.m. *Il a fait très chaud au mois d'août.*
R. On prononce [u] ou [ut].

apaisement, apaiser → *paix.*

apanage n.m. *Le bon sens n'est pas l'apanage des gens instruits,* un avantage propre à ces gens.

aparté n.m. *Je te ferai part de mes projets en aparté,* en confidence.

apatride → *patrie.*

apathie n.f. *Secouez votre apathie !* votre manque de réaction (= mollesse, indolence).

■ **apathique** adj. *Tu es une personne apathique, tout t'est indifférent* (= mou, indolent).

apercevoir v. **1.** *Quelqu'un a aperçu la voleuse qui s'enfuyait,* quelqu'un l'a vue peu distinctement (= entrevoir). **2.** *J'aperçois un ami dans la foule,* je le distingue soudain (= remarquer, discerner). **3.** *Il s'est aperçu de son erreur,* il s'en est rendu compte.

■ **aperçu** n.m. SENS 1 *Elle nous a donné un aperçu de ses projets,* une idée superficielle.

■ **inaperçu** adj. SENS 2 *Ce détail est resté inaperçu* (= caché).
R. → Conj. n° 34.

apéritif n.m. *Prendrez-vous un apéritif avant de dîner ?,* une boisson souvent alcoolisée.

apesanteur → *peser.*

apeuré → *peur.*

aphte n.m. *J'ai des aphtes,* des petites plaies dans la bouche.

apiculture n.f. L'*apiculture,* c'est l'élevage des abeilles.

■ **apiculteur** n. *Nous avons acheté du miel chez un apiculteur.*

apitoiement, apitoyer → *pitié.*

aplanir → *plan.*

aplatir → *plat.*

aplomb n.m. **1.** *Cette chaise est branlante, elle n'est pas d'aplomb,* en équilibre (= stable). **2.** *Tu oses me dire ça !, quel aplomb* (= audace, fam. toupet).

apocalypse n.f. *La ville bombardée offrait un spectacle d'apocalypse,* de catastrophe épouvantable.

■ **apocalyptique** adj. *Ce film présente des images apocalyptiques, d'épouvante.*

apogée n.m. *La cantatrice était alors à l'apogée de sa gloire,* au plus haut point, au sommet.

apolitique → *politique.*

apologie n.f. *Un journaliste a été accusé de faire l'apologie du crime,* d'en dire du bien, d'en faire l'éloge.

apologue n.m. est un équivalent de *fable.*

apoplexie n.f. *Une crise d'apoplexie* est une perte soudaine de connaissance due à des troubles circulatoires.

apostolat → *apôtre.*

apostrophe n.f. **1.** *Le chauffeur m'a lancé une apostrophe injurieuse,* une parole vive d'interpellation. **2.** *On indique l'élision d'une voyelle par une apostrophe,* un signe d'écriture (′). **3.** *Dans la phrase « Elise, approche-toi », « Elise » est mis en apostrophe.*
■ **apostropher** v. SENS 1 *Elle s'est fait apostropher par la monitrice,* interpeller brusquement.

apothéose n.f. *La championne olympique a connu son apothéose à l'arrivée,* des honneurs extraordinaires (= triomphe).

apôtre n.m. **1.** *Pierre était le chef des Apôtres,* des douze disciples que Jésus envoya prêcher l'Évangile. **2.** *Gandhi s'était fait l'apôtre de la non-violence,* il s'était consacré à la diffusion de cette doctrine.
■ **apostolat** n.m. SENS 2 *Adeline considère son métier d'enseignante comme un apostolat,* une mission qui demande un grand dévouement.

apparaître v. **1.** *Une image apparaît sur l'écran,* elle se montre soudain

(≠ disparaître). **2.** *Tout ce travail apparaît inutile,* il a l'air inutile (= paraître, sembler).
■ **apparence** n.f. SENS 2 *Cette maison a une belle apparence* (= aspect). *Elle n'est douce qu'en apparence,* en réalité elle est très exigeante. (au plur.) *Ne vous fiez pas aux apparences.*
■ **apparent** adj. SENS 1 *Une tache très apparente* est très visible. SENS 2 *Ce calme apparent cache une vive émotion* (= trompeur, extérieur).
■ **apparemment** adv. SENS 2 *Il ne répond pas au téléphone, il est apparemment absent,* à ce qu'il semble (= vraisemblablement).
■ **apparition** n.f. SENS 1 *L'apparition de la vedette fut saluée d'applaudissements* (≠ disparition). *La neige a fait son apparition,* il a commencé à neiger.
■ **réapparaître** v. SENS 1 *La tache réapparaît* malgré le nettoyage.
■ **réapparition** n.f. SENS 1 *On attend la réapparition du soleil après l'orage.*
R. → Conj. n° 64. *Apparaître* se conjugue avec l'auxiliaire *être ; réapparaître* se conjugue avec l'auxiliaire *être* ou l'auxiliaire *avoir.*

apparat n.m. *Un costume d'apparat, un discours d'apparat* conviennent à une cérémonie très solennelle.

appareil n.m. **1.** *Un aspirateur, un moulin à café sont des appareils ménagers.* **2.** *Qui est à l'appareil ?,* au téléphone. **3.** *Un appareil s'est écrasé au décollage,* un avion.
■ **appareillage** n.m. SENS 1 *L'appareillage électrique* est l'ensemble des appareils d'une installation.

appareiller v. *Le bateau va appareiller,* se préparer au départ.

apparemment, apparence, apparent → *apparaître.*

apparenté → *parent.*

apparition → *apparaître.*

appartement n.m. *Mon immeuble a deux appartements par étage,* deux logements de plusieurs pièces.

appartenir v. **1.** *Cette voiture lui appartient,* elle est sa propriété. **2.** *La baleine appartient à la classe des mammifères,* elle en fait partie.
■ **appartenance** n.f. SENS 2 *L'appartenance d'une personne à un groupe, à un syndicat,* c'est le fait qu'elle en fait partie.
R. → Conj. n° 22.

appât n.m. **1.** *Le pêcheur a mis un ver comme appât,* comme moyen d'attirer le poisson (= amorce). **2.** *L'appât du gain,* c'est le désir, l'attrait du gain.
■ **appâter** v. SENS 1 *Pour le concours de pêche, j'ai appâté au ver.* SENS 2 *Ta proposition l'a appâté* (= attirer).

appauvrir, appauvrissement → *pauvre.*

appeler v. **1.** *On a appelé les enfants à table,* on leur a dit de venir. *Il y a le feu, il faut appeler les pompiers,* les avertir, les prévenir par téléphone. **2.** *Cela appelle une explication,* cela a besoin d'être expliqué (= demander, nécessiter). **3.** *Comment appelle-t-on cet outil ?,* quel nom lui donne-t-on ? (= nommer). *Ce chien s'appelle Dick,* son nom est Dick.
■ **appel** n.m. **1.** SENS 1 *La naufragée lançait des appels désespérés* (= cri). **2.** SENS 1 *Il y a eu trois appels pour toi,* trois coups de téléphone. *La maîtresse fait l'appel,* elle appelle les enfants par leur nom pour savoir qui est présent. **3.** *Son discours est un appel à la révolte* (= incitation). **4.** *Faire appel à quelqu'un,* c'est lui demander son aide. **5.** *Le condamné fait appel,* il demande à un tribunal spécial de corriger le jugement qui le condamne.

■ **appellation** n.f. SENS 3 *C'est le même produit sous une appellation différente* (= nom, dénomination).
R. → Conj. n° 6.

appendice n.m. **1.** *Des notes figurent en appendice à la fin du livre,* comme élément ajouté. **2.** *L'appendice est un petit prolongement du gros intestin.*
■ **appendicite** n. f. SENS 2 *Line a une crise d'appendicite,* une inflammation de l'appendice.
R. On prononce [apɛ̃dis, apɛ̃disit].

appentis n.m. *Les outils de jardin sont rangés dans l'appentis,* un petit bâtiment adossé à un mur.
R. On prononce [apɑ̃ti].

appesantir → *peser.*

appétit n.m. *Le convalescent retrouve l'appétit,* le désir de manger.
■ **appétissant** adj. *Un plat appétissant met en appétit* (= alléchant).

applaudir v. *Applaudir un artiste, un discours,* c'est battre des mains pour marquer son approbation.
■ **applaudissements** n.m.pl. *Son discours a soulevé des applaudissements.*

applicable, application → *appliquer.*

applique n.f. *L'éclairage du couloir est réalisé par deux appliques,* des supports de lampes fixés au mur.

appliquer v. **1.** *Appliquer une couche de vernis,* c'est l'étendre sur une surface. **2.** *Appliquer une règle,* c'est la mettre en pratique. **3.** *Les élèves s'appliquent,* ils travaillent avec soin.
■ **applicable** adj. SENS 2 *Le nouveau règlement est applicable,* il doit être appliqué.
■ **appliqué** adj. SENS 3 *Zoé est une élève appliquée* (= travailleur, soigneux).

■ **application** n.f. SENS 1 *Il faut laisser sécher la première couche de peinture avant l'application de la seconde.* SENS 2 *Les clients protestent contre l'application des nouveaux tarifs* (= entrée en vigueur). SENS 3 *On l'a félicité pour son application.*
■ **inapplicable** adj. SENS 2 *Cette décision est inapplicable,* on ne peut pas l'appliquer.

appoint n.m. *On est prié de faire l'appoint,* de payer en fournissant la petite monnaie pour arriver à la somme juste.

appointer v. *Les employés sont appointés au mois,* ils sont payés.
■ **appointements** n.m.pl. *Ses appointements sont médiocres,* ce qu'il gagne régulièrement par son travail (= salaire, traitement).

appontement n.m. *Pour charger et décharger leurs marchandises, les bateaux vont à l'appontement,* une construction fixe au bord de l'eau.

apporter v. 1. *Le facteur nous apporte le courrier,* il le porte jusqu'à nous. 2. *Apportez tous vos soins à ce travail* (= mettre, donner).
■ **apport** n.m. *L'apport de quelqu'un,* c'est ce qu'il apporte.

apposer v. *Tu dois apposer ta signature au bas du texte,* la mettre.

apposition n.f. *Dans « Ottawa, capitale du Canada », le mot « capitale » est en apposition au mot « Ottawa »,* il le précise sans lui être relié par un verbe.

apprécier v. 1. *J'apprécie ce gâteau,* je le trouve bon. 2. *Apprécier une distance à vue d'œil,* c'est l'évaluer.
■ **appréciable** adj. SENS 1 *Son aide a été appréciable* (= utile). SENS 2 *Il n'y a aucune différence appréciable* (= sensible, notable).
■ **appréciation** n.f. SENS 1 *J'ai porté une appréciation favorable* (= jugement). SENS 2 *J'ai commis une*

erreur *d'appréciation* (= évaluation, estimation).
■ **inappréciable** adj. SENS 2 *Tu nous as rendu un service inappréciable,* très précieux (= inestimable).

appréhender v. 1. *Les policiers ont appréhendé un malfaiteur,* ils l'ont arrêté. 2. *J'appréhende un accident,* je le crains.
■ **appréhension** n.f. SENS 2 *Il s'est présenté à l'examen avec appréhension* (= crainte).

apprendre v. 1. *J'ai appris cette nouvelle par la radio,* j'en ai été informé. 2. *Ma sœur apprend l'anglais,* elle l'étudie pour le savoir. 3. *Il m'a appris son mariage,* il me l'a annoncé. 4. *Le professeur apprend l'anglais aux élèves,* il le leur enseigne.
■ **apprenti** n. SENS 2 *Un apprenti, une apprentie* est celui ou celle qui apprend un métier par la pratique.
■ **apprentissage** n.m. SENS 2 *Annabelle est en apprentissage chez un mécanicien,* elle y apprend le métier par la pratique.
R. → Conj. n° 54.

apprêter v. 1. *Apprêter un repas,* c'est le préparer. 2. *Je m'apprête à partir* (= se préparer, se disposer).

apprivoiser v. *Pierre a apprivoisé un corbeau,* il l'a habitué à vivre avec les hommes (= domestiquer).

approbateur, approbation → approuver.

approchant, approche, approcher → proche.

approfondir, approfondissement → profond.

approprié adj. *Chaque objet est à la place appropriée,* qui convient.

s'approprier v. *Elle s'est appropriée la part qui restait,* elle l'a prise pour elle (= s'emparer de, s'adjuger).

approuver v. *Je vous approuve d'être venu,* je suis d'accord avec vous (≠ blâmer, critiquer, désapprouver).

■ **approbateur** n. et adj. *Ce projet n'a pas que des approbateurs,* des gens qui l'approuvent. *Elle a fait un geste approbateur,* d'approbation (≠ désapprobateur).

■ **approbation** n.f. *Il a manifesté son approbation par un signe de tête* (= accord ; ≠ condamnation, désapprobation).

■ **désapprouver** v., **désapprobateur** n. et adj., **désapprobation** n.f. expriment des idées contraires.

approvisionnement, approvisionner → *provision.*

approximation n.f. *Une rapide approximation permet de chiffrer la dépense à un millier de francs environ,* un calcul qui donne à peu près la valeur réelle (= évaluation).

■ **approximatif** adj. *Ce paquet a une masse approximative de 5 kg,* il pèse à peu près 5 kilogrammes.

■ **approximativement** adv. *La séance durera approximativement deux heures* (= environ, à peu près).

appuyer v. **1.** *Les maçons ont appuyé une échelle contre le mur,* ils l'ont fait reposer sur le mur. **2.** *Jean s'est appuyé sur un meuble,* il s'en est servi comme soutien. **3.** *Ne craignez rien, je vous appuierai,* je vous procurerai mon aide, mon secours. **4.** *Appuyez sur ce bouton !,* exercez une pression dessus (= presser). **5.** *Elle a beaucoup appuyé sur cette recommandation* (= insister).

■ **appui** n.m. SENS 1 ET 2 *Le blessé prend appui sur une canne,* il se soutient. SENS 3 *J'ai réussi grâce à l'appui d'un ami* (= aide, soutien). *J'ai des preuves à l'appui de mes accusations,* pour les confirmer.

■ **appui-tête** n.m. *Les sièges avant de ma voiture sont munis d'appuis-tête,* de coussins placés derrière la tête.

âpre adj. **1.** *Cette poire n'est pas mûre, elle est âpre* (= âcre). **2.** *Une lutte âpre est violente. Noémie est âpre au gain,* elle veut gagner de plus en plus d'argent.

■ **âprement** adv. SENS 2 *On combattit âprement* (= farouchement).

■ **âpreté** n.f. SENS 2 *Ils discutent avec âpreté.*

après prép. ou adv. **1.** *On se reposera après le travail,* plus tard (≠ avant). **2.** *La gare est après le carrefour,* plus loin (≠ avant). **3.** *Le chien court après le lièvre,* en le poursuivant. **4.** *Dessiner d'après un modèle,* c'est imiter ce modèle. **5.** *D'après nous, tout cela est faux,* selon nos paroles, de notre point de vue.

après-demain → *demain.*

après-midi → *midi.*

âpreté → *âpre.*

a priori adv. *A priori, je suis favorable à ce projet,* en principe, avant un examen plus approfondi.

à propos adv. **1.** *Vous arrivez à propos,* au moment qui convient. **2.** *J'ignore tout à propos de cette affaire,* en ce qui la concerne (= au sujet de).

■ **à-propos** n.m. SENS 1 *Agir avec à-propos,* c'est agir comme le demandent les circonstances.

apte adj. *Line est apte à cet emploi,* elle est capable de l'exercer (= propre).

■ **aptitude** n.f. *Travaillez selon vos aptitudes* (= capacité).

■ **inapte** adj. *C'est encore une enfant, elle est inapte aux travaux de force.*

■ **inaptitude** n.f. *Tu as fait preuve d'inaptitude* (= incapacité).

aquarelle n.f. Une *aquarelle* est une peinture avec des couleurs délayées dans l'eau.

aquarium n.m. *Les poissons nagent dans l'aquarium,* une boîte de verre. **R.** On prononce [akwarjɔm].

aquatique adj. *Une plante aquatique* vit dans l'eau. **R.** On prononce [akwatik].

aqueduc n.m. *Un aqueduc* est un canal pour amener l'eau.

aquilin adj. *Un nez aquilin* est recourbé et assez fin.

arabesque n.f. Une *arabesque* est une ligne sinueuse de caractère décoratif.

arachide n.f. *Marie met de l'huile d'arachide dans la salade,* une plante.

araignée n.f. *L'araignée tisse sa toile au plafond,* un petit animal.

arbalète n.f. Au Moyen Âge, une *arbalète* était un arc d'acier monté sur un support.

arbitrage → *arbitre.*

arbitraire adj. *Un acte arbitraire* est accompli par quelqu'un qui ne tient pas compte de la justice, de la raison (= injustifié). ■**arbitrairement** adv. *On l'a emprisonné arbitrairement* (= illégalement).

arbitre n. **1.** *L'arbitre a sifflé la mi-temps,* celui qui est responsable du déroulement régulier du match. **2.** *Un expert a été désigné comme arbitre,* pour régler le désaccord. ■**arbitrer** v. SENS 1 *Qui arbitrera ce match ?* SENS 2 *La directrice a essayé d'arbitrer leur querelle.* ■**arbitrage** n.m. SENS 1 ET 2 *On souhaite un arbitrage impartial.*

arborer v. *Arborer un drapeau,* c'est le déployer, le montrer fièrement.

arbre n.m. **1.** *Un arbre a des feuilles, des branches, un tronc, des racines.* **2.** *L'arbre de sa voiture est cassé,* l'axe transmettant le mouvement aux roues. **3.** *Grand-père a dessiné l'arbre généalogique de la famille,* une sorte d'arbre qui montre les liens de parenté entre les membres d'une famille. ■**arbuste** ou **arbrisseau** n.m. SENS 1 *Le lilas est un arbuste,* un petit arbre. ■**arborescent** adj. SENS 1 *Une fougère arborescente* est grande comme un petit arbre. ■**arboriculteur** n. SENS 1 *Nous avons acheté des petits pommiers chez un arboriculteur,* quelqu'un qui cultive des arbres.

arc n.m. **1.** *Certaines peuplades primitives chassent avec des arcs,* des armes qui lancent des flèches. **2.** *Un arc de cercle* est une portion de cercle. **3.** *L'arc d'une voûte* est sa courbure. **4.** *Un arc de triomphe* est un monument voûté. ■**arcade** n.f. SENS 3. *L'arcade sourcilière* est l'endroit où poussent les sourcils. ■**arcades** n.f.pl. SENS 3 *On se promène sous les arcades,* dans la galerie dont les piliers sont reliés par des arcs. ■**arc-boutant** n.m. SENS 3 *Beaucoup de cathédrales ont des arcs-boutants,* des maçonneries en forme d'arc soutenant de l'extérieur un mur. ■**s'arc-bouter** v. *Ils s'arc-boutent pour pousser la voiture,* ils exercent une forte poussée de tout le corps. ■**arceau** n.m. SENS 3 *L'allée est bordée par des arceaux de fer,* de tiges courbées en demi-cercle. ■**arc-en-ciel** n.m. SENS 3 *Après l'orage, un arc-en-ciel est apparu,* une bande lumineuse multicolore en forme d'arc. ■**arche** n.f. SENS 3 Une *arche* est une voûte qui relie les piles d'un pont.

366, 362 — 147 — 579 — 579 — 149 — 721

■**archer** n.m. SENS 1 Un *archer* est un tireur à l'arc.
R. Noter le pluriel : des *arcs-en-ciel*.

archaïque adj. *Cette voiture est d'un modèle* **archaïque,** très vieux (≠ moderne).
R. On prononce [arkaik].

arche → *arc.*

archéologie n.f. L'*archéologie* est l'étude des civilisations anciennes.
■**archéologique** adj. *On a entrepris ici des fouilles* **archéologiques.**
■**archéologue** n. *Béatrice est* **archéologue,** spécialiste d'archéologie.
R. On prononce [arkeɔlɔʒi, arkeɔlɔg].

archer → *arc.*

438 **archet** n.m. *On joue du violon avec un* **archet,** une baguette tendue de crins pour faire vibrer les cordes.

archevêché, archevêque → *évêque.*

archi- indique, au début d'un mot, un degré supérieur : *archifou, archiconnu,* etc. (= très fou, très connu).

725 **archipel** n.m. Un *archipel* est un groupe d'îles.

145 **architecte** n. L'*architecte dessine des plans de bâtiments et en dirige l'exécution.*
■**architecture** n.f. **1.** *Sophie fait des études d'***architecture,** elle étudie l'art de construire. **2.** *Ce château a une* **architecture** *imposante* (= forme).
■**architectural** adj. *On admire la beauté* **architecturale** *de ce château.*

archives n.f.pl. *Les historiens consultent les* **archives,** les documents anciens conservés ensemble.

arctique adj. *Une expédition* **arctique** a lieu au pôle Nord.
■**antarctique** adj. *Les régions* **antarctiques** sont celles du pôle Sud.

ardent adj. *Une lutte* **ardente** est très vive.
■**ardemment** adv. *Nous souhaitons* **ardemment** *la paix* (= vivement).
■**ardeur** n.f. *Travaillons avec* **ardeur !** (= entrain, énergie).

ardoise n.f. **1.** *Les* **ardoises** *d'un toit sont des plaques de pierre gris foncé qui le couvrent.* **2.** *Julie écrit avec une craie sur une* **ardoise,** une plaque sur laquelle on peut facilement effacer.

ardu adj. *Ce problème est* **ardu,** très difficile.

are n.m. Un *are* est une unité de mesure française valant 100 mètres carrés. ⑧
■**hectare** n.m. *Ce champ mesure un* **hectare,** 100 ares ou 10 000 mètres carrés. ⑧
R. *Are* se prononce [ar] comme *art* et *arrhes.*

arène n.f. **1.** *Les gladiateurs se battaient dans l'***arène,** dans la partie centrale d'un amphithéâtre. **2.** (au plur.) *Nous sommes allés voir une corrida aux* **arènes** *de Bayonne,* dans l'amphithéâtre qui contient l'arène et les gradins.

arête n.f. **1.** *Une* **arête** *de poisson lui a* ⑦ *piqué le gosier.* **2.** *L'***arête** *d'un mur,* ⑥ c'est l'angle extérieur que forment deux faces du mur.

argent n.m. **1.** *Un bijou d'***argent** est fait d'un métal précieux blanc. **2.** *Je n'ai pas d'***argent** *sur moi,* des billets, des pièces servant à payer. *Avoir de l'***argent,** c'est être riche.
■**argenté** adj. SENS 1 *Du métal* **argenté** est recouvert d'argent. *Un reflet* **argenté** a l'éclat de l'argent.
■**argenterie** n.f. SENS 1 *Pour ce grand dîner, on avait sorti toute l'***argenterie,** la vaisselle d'argent.
■**argentin** adj. SENS 1 *Un son* **argentin** est un son clair comme celui des pièces d'argent qu'on faisait sonner.

■ **désargenté** adj. SENS 1 *Ce plat est désargenté.* SENS 2 *Maria est désargentée,* sans argent.

argile n.f. *Un vase d'argile est fait d'une terre molle et grasse utilisée en poterie et appelée aussi terre glaise.* ■ **argileux** adj. *On s'enfonce dans les terrains argileux.*

argot n.m. *L'argot est un ensemble de mots ou d'expressions qui n'appartiennent pas à la langue courante et qu'on emploie parfois par goût du pittoresque : une godasse* (= une chaussure), *se faire la malle* (= partir). ■ **argotique** adj. *Une expression argotique appartient à l'argot.*

argument n.m. *J'ai trouvé un argument convaincant,* un raisonnement à l'appui d'une affirmation (= démonstration, preuve). ■ **argumentation** n.f. *Son argumentation est faible,* l'ensemble de ses arguments.

aride adj. *Un sol aride est sec et ne produit rien.* ■ **aridité** n.f. *L'aridité d'un terrain est défavorable à la culture* (= sécheresse).

aristocrate n. *Autrefois, les aristocrates jouissaient d'importants privilèges,* les nobles. ■ **aristocratie** n.f. *L'aristocratie est l'ensemble des nobles* (= noblesse). ■ **aristocratique** adj. *Cette actrice a une aisance aristocratique* (= distingué, raffiné). **R.** *Aristocratie se prononce* [aristɔkrasi].

arithmétique n.f. *Un problème d'arithmétique se résout par le calcul.*

armateur → *armer 2.*

armature n.f. *L'armature métallique d'une tente est l'ensemble des éléments rigides qui la soutiennent.*

arme n.f. **1.** *Avec une arme, on peut tuer ou blesser ;* une *arme à feu* est un fusil, un pistolet, etc. ; une *arme blanche* est un poignard, un sabre, etc. **2.** *En lui répondant, tu lui fournis des armes contre toi,* des moyens, des arguments. ■ **armer** v. SENS 1 *Armer des soldats,* c'est les munir d'armes. SENS 2 *S'armer de patience, de courage,* c'est se préparer à être très patient, très courageux. ■ **armé** adj. SENS 1 *Il y a eu une attaque à main armée,* faite par des personnes armées. ■ **armement** n.m. SENS 1 *Cette troupe est dotée d'un armement moderne,* d'un ensemble d'armes. ■ **armure** n.f. SENS 1 *Les chevaliers du Moyen Âge étaient protégés par une armure,* un habillement métallique. ■ **armurerie** n.f. SENS 1 *Une armurerie est un magasin où l'on vend des armes.* ■ **armurier** n. SENS 1 *L'armurier vend ou fabrique des armes.* ■ **désarmer** v. SENS 1 *Le malfaiteur a été désarmé,* dépouillé de ses armes. ■ **désarmant** adj. SENS 2 *Une réponse, une naïveté désarmante,* vous laisse sans moyen de répondre, sans réaction (= déconcertant). ■ **désarmement** n.m. SENS 1 *La conférence a discuté du désarmement,* de la réduction ou de la suppression des moyens militaires.

armée n.f. **1.** *Une armée est l'ensemble des soldats d'un pays.* **2.** *Une armée d'employés,* c'est une foule d'employés.

1. armer → *arme.*

2. armer v. *Armer un bateau,* c'est l'équiper, le mettre en état de naviguer. ■ **armateur** n.m. *Un armateur est celui qui se charge d'équiper et d'exploiter un navire.*

■ **armement** n.m. *L'armement d'un navire,* c'est son matériel et son équipage.

■ **désarmer** v. *On a désarmé ce navire,* on a retiré le matériel et l'équipage.

■ **désarmement** n.m. *On va effectuer le désarmement des navires mis au rebut.*

armes n.f.pl. *Les armes d'une famille, d'une ville,* c'est leur emblème (=armoiries).

802, 147

■ **armoiries** n.f.pl. *Quelles sont les armoiries de cette famille noble ?*

armistice n.m. *Les combattants ont signé un armistice,* un accord pour cesser le combat.

294, 79, 77, 39

armoire n.f. *Le linge est rangé dans une armoire,* un grand meuble. *Le peigne, le rasoir sont dans l'armoire de toilette,* une petite armoire à étagères.

armoiries → *armes.*

armure, armurerie, armurier → *arme.*

arôme n.m. *L'arôme d'un vin, du café* est l'odeur agréable qui s'en dégage.

■ **aromate** n.m. *Le poivre, la cannelle, le thym sont des aromates,* des substances végétales ayant un parfum caractéristique.

■ **aromatique** adj. *Le laurier est une plante aromatique.*

■ **aromatiser** v. *Cette crème est aromatisée à la vanille,* parfumée.

arpent n.m. **1.** *Un arpent* est une ancienne mesure de longueur valant 58 mètres. **2.** *Un arpent* est une ancienne mesure de surface valant 3424 mètres carrés.

■ **arpenter** v. *Aline arpente sa chambre en réfléchissant,* elle la parcourt en divers sens et à grands pas.

arqué adj. *Des sourcils arqués* sont recourbés.

arracher v. **1.** *Le jardinier arrache les pommes de terres,* il les enlève de terre en les tirant. **2.** *Elle m'a arraché la promesse de venir,* elle l'a obtenue avec peine (= soutirer). **3.** *Je n'ai pu l'arracher à son travail,* l'en éloigner (= séparer).

■ **arrachage** n.m. SENS 1 *L'arrachage des pommes de terre se fait souvent à la machine.*

■ **arracheur** n.m. SENS 1 *Il ment comme un arracheur de dents,* il fait de gros mensonges.

arraisonner v. *Arraisonner un navire,* c'est le contraindre à s'arrêter pour contrôler sa nationalité, sa cargaison, etc.

■ **arraisonnement** n.m. *En temps de guerre, des arraisonnements de navires ont lieu.*

R. Attention à l'orthographe : deux *r* et deux *n.*

arranger v. **1.** *Arrange les meubles dans la pièce,* mets-les dans un certain ordre (= disposer). **2.** *J'ai arrangé le jouet cassé,* je l'ai réparé. **3.** *Arranger une affaire, une difficulté,* c'est la régler. **4.** *Cette date ne m'arrange pas,* elle ne me convient pas. **5.** *Ils se sont arrangés à l'amiable,* ils se sont mis d'accord. **6.** *Je m'arrangerai pour venir* (= se débrouiller).

■ **arrangeant** adj. SENS 5 *La directrice est très arrangeante,* facilement d'accord (= conciliant ; ≠ intraitable).

■ **arrangement** n.m. SENS 1 *On a changé l'arrangement de la salle* (= disposition). SENS 5 *Concluons un arrangement* (= accord, convention).

arrêter v. **1.** *L'agent arrête les voitures,* il les empêche d'avancer. *Les voitures s'arrêtent* (= stopper). **2.** *L'arbitre arrête le combat de boxe,* il l'empêche de continuer. *Arrête de pleurer !* (= cesser ; ≠ continuer). **3.** *Les policiers ont arrêté un malfaiteur,* ils se sont

emparés de lui (= appréhender).
4. *On a arrêté la date de la réunion*
(= décider, fixer).

■ **arrêt** n.m. SENS 1 *Ne pas descendre*
avant l'arrêt complet du train. J'aper-
çois Cléa à l'arrêt de l'autobus (=
station). SENS 2 *Il pleut sans arrêt* (=
continuellement). SENS 4 *Le tribunal a*
rendu son arrêt (= décision).

■ **arrêté** adj. SENS 4 *Paul a des idées*
bien arrêtées sur la question, nettes,
précises.

■ **arrêté** n.m. SENS 4 *Un arrêté ministé-*
riel est une décision du ministre.

■ **arrestation** n.f. SENS 3 *On a annoncé*
l'arrestation du coupable.

arrhes n.f.pl. *On a versé des arrhes au*
moment de la commande, on a payé
une partie du prix.
R. *Arrhes se prononce* [ar] *comme are et*
art.

arrière adv., n.m. et adj.inv. **1.** *Aline*
a fait un pas en arrière, elle a reculé
(≠ en avant). **2.** *L'arrière du bateau*
est trop chargé (= derrière ; ≠ avant,
devant). **3.** *Le feu arrière de la voiture*
est cassé.
R. *Arrière s'emploie au début de certains*
mots pour indiquer ce qui est derrière *(ar-*
rière-boutique) ou ce qui vient après
(arrière-saison).

arriéré 1. adj. *Des idées arriérées* sont
très démodées. **2.** adj. et n. *Une per-*
sonne arriérée a un développement
intellectuel insuffisant. **3.** n.m. *Il a payé*
l'arriéré, ce qui restait dû.

arrière-boutique → *boutique.*

arrière-garde → *garder.*

arrière-goût → *goût.*

arrière-grand-mère, arrière-
grands-parents, arrière-
grand-père → *grand-père.*

arrière-pensée → *penser.*

arrière-petite-fille, arrière-pe-
tit-fils, arrière-petits-enfants
→ *petit-fils.*

arrière-plan → *plan.*

arrière-saison → *saison.*

arrimer v. *Il faut arrimer les valises*
sur le toit de la voiture, les fixer solidement.

■ **arrimage** n.m. *L'arrimage est as-*
suré par des cordes.

arriver v. *Nous arrivons au but* (=
parvenir ; ≠ partir). **2.** *Elle est arrivée*
à faire ce travail (= réussir). **3.** *Cela*
arrive, cela se produit.

■ **arrivage** n.m. SENS 1 *L'épicier attend*
un arrivage de légumes (= livraison).

■ **arrivée** n.f. SENS 1 *J'attends l'arri-*
vée du facteur. Une concurrente a
abandonné à quelques kilomètres de
l'arrivée (= but ; ≠ départ).

■ **arriviste** n. SENS 2 *Cet individu n'a*
aucun scrupule, c'est un arriviste, il
veut à tout prix arriver à avoir une
bonne place.
R. *Arriver se conjugue avec l'auxiliaire être.*

arrogant adj. *Un ton arrogant* est orgueilleux et méprisant.

■ **arrogance** n.f. *Le chef de service*
est plein d'arrogance.

arrondir → *rond.*

arrondissement n.m. *L'île d'Orléans*
est un arrondissement historique, une
division administrative d'un territoire.

arroser v. *Arrose les fleurs !*, répands
de l'eau sur elles.

■ **arrosage** n.m. *Le tuyau d'arrosage*
est crevé.

■ **arroseuse** n.f. *L'arroseuse sert à ar-*
roser les rues.

■ **arrosoir** n. m. *Cet arrosoir contient*
6 litres, ce récipient destiné à arroser.

arsenal n.m. **1.** *L'arsenal de Toulon*
est un lieu spécialement aménagé

512

367,
73

218

366

pour équiper les navires de guerre. **2.** *La police a découvert tout un **arsenal** à son domicile,* une accumulation d'armes.

arsenic n.m. *On empoisonne les rats avec de l'**arsenic**,* un poison.

art n.m. **1.** *Ce bracelet est ciselé avec **art**,* d'une manière qui le rend beau. *Les tableaux, les statues, les bijoux sont des **œuvres d'art**,* de belles choses. **2.** *L'**art** culinaire* est un ensemble de connaissances concernant la cuisine.

■ **artiste** n. SENS 1 *Un **artiste** peintre peint des tableaux. Une **artiste** dramatique* est une actrice.

■ **artistique** adj. *Une photographie **artistique*** est agréable à regarder.

■ **beaux-arts** n.m.pl. SENS 1 *La peinture, la sculpture, la musique, l'architecture sont les **beaux-arts**.*
R. → *are* et *arrhes*.

40 **artère** n.f. **1.** *Le sang qui vient du cœur circule dans les **artères**. **2.** *Cette avenue est la principale **artère** de la ville* (= rue, voie).

■ **artériel** adj. SENS 1 *Mon grand-père a une maladie **artérielle**.*

367 **artichaut** n.m. *J'ai mangé des **artichauts** à la vinaigrette,* un légume.

article n.m. **1.** *Un **article** du Code de la route* est une division de ce texte.
807 **2.** *Le journal publie un **article** important de politique étrangère,* un écrit. **3.** *Ce magasin vend des **articles** de sport,* des objets. **4.** *« Le », « un » sont des **articles**,* des mots placés devant les noms.

articuler v. **1.** *Ces noms étrangers sont difficiles à **articuler**,* à prononcer distinctement. **2.** *La main s'**articule** à l'avant-bras,* elle est unie à lui par une jointure mobile, le poignet.

■ **articulation** n.f. SENS 1 *Katia a un défaut d'**articulation*** (= prononcia-

tion). SENS 2 *J'ai une douleur à l'**articulation** du coude* (= jointure).

■ **articulaire** adj. SENS 2 *Des douleurs **articulaires*** se manifestent aux articulations.

■ **désarticuler** v. SENS 2 *Le choc a **désarticulé** le mécanisme* (= démolir).

■ **inarticulé** adj. SENS 1 *Des mots **inarticulés*** sont incompréhensibles.

1. artifice n.m. *On a recouru à un **artifice** pour résoudre cette difficulté,* à un moyen habile (= ruse).

2. artifice n.m. *Un feu d'**artifice*** est une série de fusées lumineuses, de feux colorés, etc.

■ **artificier** n.m. *Les **artificiers** sont les gens qui tirent les feux d'artifice.

artificiel adj. **1.** *Un lac **artificiel** est fait par l'homme* (≠ naturel). **2.** *Les personnages de ce roman sont très **artificiels**,* ils ne sont pas conformes à ceux de la vie réelle (= factice).

■ **artificiellement** adv. SENS 1 *Ces pommes sont mûries **artificiellement*** (≠ naturellement).

artillerie n.f. **1.** *Les canons d'une armée constituent son **artillerie**. **2.** *M. Durand a fait son service militaire dans l'**artillerie**,* dans les troupes chargées des canons.

■ **artilleur** n.m. SENS 2 *M. Durand était **artilleur**,* soldat dans l'artillerie.

artimon n.m. *Dans un voilier, le mât d'**artimon*** est celui qui est situé à l'arrière.

artisan n. *J'ai fait relier mes livres par une **artisane**,* quelqu'un qui travaille de ses mains pour son propre compte.

■ **artisanal** adj. *La poterie **artisanale*** est plus recherchée que la poterie industrielle.

■ **artisanat** n.m. *Dans certaines régions touristiques, l'**artisanat** est développé,* le travail des artisans.

artiste, artistique → *art.*

as n.m. **1.** L'*as* d'un jeu de cartes porte un seul signe. **2.** Aux dés, l'*as* est la face à un seul point. **3.** Fam. *Saïd est un* ***as*** *en mécanique, il est très fort dans ce domaine.*

ascendant 1. adj. *Un mouvement as-cendant est un mouvement de bas en haut.* **2.** n.m.pl. Les ***ascendants*** sont les parents et les ancêtres (≠ descen-dants). **3.** n.m. *Anne a de l'*****ascendant***** *sur ses camarades,* de l'influence.

■ **ascendance** n.f. SENS 2 *Jean a une* ***ascendance*** *bretonne,* ses ascendants étaient bretons.

■ **ascenseur** n.m. SENS 1 *Un* ***ascen-seur*** *transporte les personnes d'un étage à l'autre d'un immeuble.*

■ **ascension** n.f. SENS 1 *Nous avons fait une* ***ascension*** *en haute montagne* (= escalade, course).

ascète n. *Mener une vie d'*****ascète***** *(ou une vie* **ascétique**)*, c'est s'imposer des privations et vivre dans l'austérité.*

aseptique adj. *Un pansement* ***asepti-que*** *ne contient pas de microbes.*

asile n.m. **1.** *On appelait autrefois* ***asile*** *un établissement accueillant des vieil-lards sans ressources.* (= hospice). **2.** *La fugitive cherchait un* ***asile,*** *un lieu pour être à l'abri du danger* (= refuge).

aspect n.m. *Cette femme a un* ***aspect*** *sévère* (= allure, air).

asperge n.f. *Comme légume, il y avait des* ***asperges,*** *de jeunes pousses d'une plante.*

asperger v. *Une voiture m'a aspergé,* elle a projeté de l'eau sur moi.

aspérité n.f. *On s'écorche les doigts aux* ***aspérités*** *du rocher,* aux parties pointues.

asphalte n.m. *Les trottoirs sont recou-verts d'*****asphalte***** (= bitume).

asphyxie n.f. *Les mineurs accidentés sont morts par* ***asphyxie,*** parce qu'ils ne pouvaient pas respirer.

■ **asphyxier** v. *Deux personnes sont mortes* ***asphyxiées*** *par une fuite de gaz.*

aspirant n.m. *Un* ***aspirant*** *est un élève officier.*

aspirer v. **1.** *Aspirer l'air,* c'est l'attirer, et spécialement le faire pénétrer dans la poitrine. *Aspirer une boisson avec une paille,* c'est l'attirer dans la bou-che. **2.** *Aspirer au calme, à la célébrité,* c'est en avoir un désir profond.

■ **aspirateur** n.m. SENS 1 *Un* ***aspira-teur*** *est un appareil de nettoyage qui aspire les poussières.*

■ **aspiré** adj. *Un « h »* ***aspiré*** *empêche les élisions et les liaisons au début d'un mot, comme dans : le hérisson* [ləerisɔ̃], *les haltes* [lehalt] (≠ muet).

assagir → *sage.*

assaillir v. *Elle a été assaillie par deux individus masqués,* elle a été attaquée soudain.

■ **assaillant** n. *Les* ***assaillants*** *ont subi de lourdes pertes* (= attaquant).

■ **assaut** n.m. **1.** *Nos troupes ont re-poussé un* ***assaut,*** *une vive attaque d'ensemble.* **2.** *Deux personnes* ***font*** ***assaut*** *d'amabilité quand chacune s'efforce d'être plus aimable que l'autre.*

R. → Conj. n° 23.

assainir, assainissement → *sain.*

assaisonner v. *Assaisonner la nour-riture,* c'est lui donner du goût en ajoutant du sel, des épices, etc.

■ **assaisonnement** n.m. *Cette cui-sine est riche en* ***assaisonnements*** (= condiment).

assassin n.m. *Celui qui tue un être humain volontairement est un* ***assas-sin*** (= meurtrier, criminel).

■ **assassinat** n.m. *Ce sauvage assassinat est une vengeance* (= crime).

■ **assassiner** v. *Ce dictateur a fait assassiner ses adversaires* (= massacrer, tuer).

assaut → *assaillir.*

assécher → *sec.*

assembler v. **1.** *Martine assemble les pièces de son jeu de construction,* elle les réunit en les adaptant les unes aux autres. **2.** *La foule s'est assemblée sur la place,* elle s'est réunie, groupée.

■ **assemblage** n.m. SENS 1 *Un moteur est un assemblage de nombreuses pièces.*

■ **assemblée** n.f. SENS 2 *L'oratrice s'adresse à l'assemblée* (= foule, auditoire).

■ **rassembler** v. SENS 2 *Il faudrait rassembler tous ces papiers* (= réunir, recueillir, assembler).

■ **rassemblement** n.m. SENS 2 *L'accident a provoqué un rassemblement,* des gens se sont groupés (= attroupement).

assener v. *Assener un coup,* c'est frapper violemment.
R. On prononce [asene].

assentiment n.m. *Tu as mon assentiment* (= consentement, accord).

asseoir v. **1.** *On assoit le bébé sur sa chaise haute. Quand on s'assoit sur une chaise, on y pose ses fesses* (≠ se lever). **2.** *Il faut asseoir son jugement sur des preuves* (= fonder, établir).

■ **se rasseoir** v. SENS 1 *Vous pouvez vous rasseoir.*

■ **assis** adj. SENS 2 *Sa fortune est solidement assise,* établie.
R. → Conj. n° 44.

asservir v. *Ce journal a toujours refusé de se laisser asservir* (= soumettre, assujettir).

■ **asservissement** n.m. *Dans le pays envahi, des résistants s'opposaient à l'asservissement.*

assez adv. **1.** *J'ai assez mangé,* en quantité suffisante (= suffisamment). **2.** *Je suis assez surpris,* plus qu'un peu et moins que beaucoup (= passablement).

assidu adj. *Un travail assidu* est fait de manière régulière.

■ **assiduité** n.f. *Il travaille avec assiduité* (= persévérance, régularité).

■ **assidûment** adv. *Je m'occupe assidûment de cela* (= sans relâche).

assiégeant, assiéger → *siège.*

assiette n.f. *Nous mangeons dans des assiettes de porcelaine.*

■ **assiettée** n.f. *Tu vas bien avaler une autre assiettée de potage ?*

assigner v. *Attendez qu'on vous assigne une place,* qu'on vous l'attribue (= fixer, désigner).

assimiler v. **1.** *On peut assimiler un vélomoteur à une bicyclette,* le ranger dans une même catégorie. **2.** *Assimiler un aliment,* c'est bien le digérer. **3.** *Assimiler ce qu'on apprend,* c'est bien le comprendre et le retenir. **4.** *Katia s'est bien assimilée au groupe,* elle s'y est bien mêlée, intégrée.

■ **assimilation** n.f. SENS 2 *L'assimilation des aliments se fait dans l'estomac et dans l'intestin.* SENS 4 *L'assimilation des travailleurs immigrés est un problème national.*

■ **assimilable** adj. SENS 1, 2, 3, 4.

assis → *asseoir.*

1. assise n.f. *Votre raisonnement n'a pas une assise très solide* (= base, fondement).

2. assises n.f.pl. *La cour d'assises est un tribunal qui juge les crimes.*

assister v. **1.** *J'ai assisté à la réunion,*

j'y ai été présent. **2.** *La Croix-Rouge* **assiste** *les sinistrés* (= secourir, aider). **3.** *Le maire* **est assisté** *de ses adjoints* (= aider, seconder).
■ **assistant** n. SENS 1 *Les* **assistants** *ont longuement applaudi.* SENS 2 *Les* **assistantes sociales** *aident les gens qui en ont besoin.* SENS 3 *Le médecin était accompagné de ses* **assistants.**
■ **assistance** n.f. SENS 1 *L'* **assistance** *à cette séance est obligatoire. Le conférencier parle devant une nombreuse* **assistance** (= public). SENS 2 *On a créé une organisation d'* **assistance** *aux réfugiés.*

associer v. *M. Dupont* **a associé** *sa fille à la direction de l'usine,* il lui a donné un rôle, il l'a fait participer.
■ **association** n.f. *La commune possède une* **association** *sportive* (= groupe, union).
■ **associé** n. *Il lui faut l'accord de son* **associée,** *celle qui travaille avec lui.*
■ **dissocier** v. *Des disputes* **ont dissocié** *le groupe,* elles ont fait cesser l'association.
■ **dissociation** n.f. *Les disputes ont entraîné la* **dissociation** *du groupe* (= séparation).
■ **indissociable** adj. *Ces deux questions sont* **indissociables** (= inséparable, conjoint).

assoiffé → *soif.*

assombrir → *sombre.*

assommer v. **1.** *Julie* **a été assommée** *par la chute d'une branche,* elle a été étourdie par un coup sur la tête. **2.** Fam. *Tu nous* **assommes** *avec tes discours* (= ennuyer, fatiguer).
■ **assommant** adj. SENS 2 *Ce roman est* **assommant** (= ennuyeux).

assortir v. *Voilà un bouquet de fleurs bien* **assorties,** qui vont bien ensemble.

■ **assortiment** n.m. *On nous a présenté un* **assortiment** *de hors-d'œuvre,* un ensemble varié.

s'assoupir v. *Grand-père* **s'assoupit** *après les repas,* il s'endort doucement.

assouplir → *souple.*

assourdir, assourdissant → *sourd.*

assouvir v. **Assouvir** *sa faim,* c'est se rassasier (= calmer). **Assouvir** *sa vengeance,* c'est se venger (= satisfaire).
■ **assouvissement** n.m. *Il a longtemps préparé l'* **assouvissement** *de sa vengeance.*
■ **inassouvi** adj. *Son cœur était plein de désirs* **inassouvis** (= insatisfait).

assujettir v. **1.** *Nous sommes* **assujettis** *à l'impôt,* nous y sommes soumis. **2.** *Le couvercle* **est** *mal* **assujetti,** il est mal fixé.

assumer v. *Je vais* **assumer** *mes responsabilités,* m'en charger, y faire face.

assurer v. **1.** *Je vous* **assure** *que je n'exagère pas* (= affirmer, garantir). **2.** *Il faut* **assurer** *votre maison contre l'incendie,* la garantir par contrat contre ce risque. **3.** *Le bateau* **assure** *la liaison entre l'île et le continent,* il la réalise avec régularité.
■ **assurance** n.f. **1.** SENS 1 *Nous avons l'* **assurance** *de sa participation* (= garantie). **2.** SENS 2 *Adressez-vous à une compagnie d'* **assurances. 3.** *L'avocate parle avec* **assurance,** avec confiance en soi (= aisance, aplomb).
■ **assuré** adj. *Anne parle d'un ton* **assuré** (= ferme, décidé).
■ **assurément** adv. SENS 1 *Elle viendra* **assurément** (= certainement, sûrement).

aster n.m. *Dans le jardin, on planté des* **asters,** *des fleurs en forme d'étoiles.*

astérisque n.m. Un *astérisque* est un signe en forme d'étoile dans un texte écrit(*).

asthme n.m. *Mme Dubois a une crise d'asthme,* un accès de suffocation.
■ **asthmatique** adj. *Mme Dubois est asthmatique.*
R. On prononce [asm, asmatik].

asticot n.m. *On pêche souvent avec des asticots comme appât,* des larves de mouches qui ressemblent à des vers.

asticoter v. Fam. *Si tu continues à m'asticoter, je vais me fâcher* (= agacer, irriter).

astiquer v. *Astique tes chaussures !,* fais-les briller en frottant.

astre n.m. *Les étoiles, les planètes sont des astres.*
■ **astrologie** n.f. L'*astrologie* prétend deviner l'avenir en étudiant la position des astres.
■ **astrologique** adj. *Crois-tu aux prédictions astrologiques ?*
■ **astrologue** n. *On représente les anciens astrologues avec de grands chapeaux pointus.*
■ **astronaute** n. *Des astronautes ont marché sur la Lune* (= cosmonaute).
■ **astronautique** n.f. L'*astronautique fait des progrès rapides,* la science des voyages dans l'espace.
■ **astronome** n. *Les astronomes ont découvert une nouvelle étoile.*
■ **astronomie** n.f. L'*astronomie* est l'étude scientifique de l'univers.
■ **astronomique** adj. **1.** *Une lunette astronomique permet d'observer les astres.* **2.** Fam. *Une quantité astronomique* est très grande.

astreindre v. *Le médecin l'a astreinte à un régime sévère,* il l'a obligée, forcée.
■ **astreignant** adj. *Son travail est*

astreignant, il lui laisse peu de loisirs.
R. → Conj. n° 55.

astrologie, astrologique, astrologue, astronaute, astronautique, astronome, astronomie, astronomique → astre.

astuce n.f. **1.** *J'ai trouvé une astuce pour résoudre ce problème,* une manière ingénieuse d'agir (= truc). **2.** Fam. *Tu fais tout le temps des astuces,* des plaisanteries.
■ **astucieux** adj. SENS 1 *Voilà un procédé astucieux !* (= ingénieux).
■ **astucieusement** adv. SENS 1 *J'ai résolu astucieusement le problème.*

asymétrique → symétrique.

atelier n.m. *Le menuisier travaille dans son atelier,* son lieu de travail.

atermoyer v. *Il n'est plus temps d'atermoyer, il faut se décider,* de traîner en longueur, de gagner du temps.
■ **atermoiement** n.m. *Assez d'atermoiements, il faut agir.*

athée n. et adj. *Les athées ne croient pas en Dieu* (= incroyant).

athlète n. *Un coureur à pied, une lanceuse de poids, une escrimeuse sont des athlètes.*
■ **athlétique** adj. *Un déménageur athlétique est puissamment musclé.*
■ **athlétisme** n.m. L'*athlétisme* est la pratique des sports individuels.

atlas n.m. *Un atlas* est un recueil de cartes géographiques.

atmosphère n.f. **1.** *La planète Mars a une atmosphère,* une couche de gaz qui l'entoure. **2.** *Il règne ici une atmosphère de sympathie* (= ambiance, climat).
■ **atmosphérique** adj. SENS 1 *La pression atmosphérique est le poids de l'air.*

atoca n.m. *On sert de la confiture d'atoca avec la dinde,* une petite baie rouge et acide (= airelle canneberge).

atoll n.m. *Un atoll est une île des mers tropicales formée de récifs de corail.*

atome n.m. *L'atome est la plus petite particule de matière.*

■ **atomique** adj. *Une pile atomique utilise l'énergie des atomes.*

atomiseur n.m. *Elle s'est acheté un insecticide en atomiseur* (= vaporisateur).

atone adj. *Un regard atone est sans énergie* (= terne, éteint).

atours n.m.pl. *La gravure représente une duchesse dans ses plus beaux atours* (= ornements, parure).

atout n.m. **1.** *Atout trèfle !,* le trèfle est la couleur de carte choisie comme la plus forte. **2.** *Sa connaissance de l'anglais est un bon atout,* un bon moyen de réussir.

âtre n.m. *Le feu brûle dans l'âtre* (= cheminée, foyer).

atroce adj. *Une douleur atroce est très cruelle.*

■ **atrocement** adv. *Le blessé souffre atrocement* (= terriblement).

■ **atrocité** n.f. *Ce film montre les atrocités de la guerre* (= horreur).

s'attabler → table.

attacher v. **1.** *Le chien est attaché à sa niche par une chaîne* (= lier, enchaîner ; ≠ libérer). **2.** *Attachez vos ceintures !* (= boucler, agrafer). **3.** *Elle s'est attachée à ce chien perdu,* elle l'a pris en affection. **4.** *Attacher de l'importance à une chose,* c'est la juger importante.

■ **attachant** adj. SENS 3 *Une personne attachante est sympathique, aimable.*

■ **attache** n.f. SENS 1 *On peut réunir des feuilles avec une attache* (= agrafe). SENS 3 *Avoir des attaches*

avec quelqu'un, c'est lui être lié par la parenté ou l'amitié.

■ **attachement** n.m. SENS 3 *Nous proclamons notre attachement à la liberté* (= amour).

■ **détacher** v. **1.** SENS 1 *Le chien hurle, il faut le détacher* (= délier). SENS 2 *On détache ses lacets avant d'enlever ses chaussures* (= dénouer). SENS 3 *Sa femme s'est détachée de lui,* elle a cessé de l'aimer. **2.** *Des arbres se détachent sur l'horizon,* ils apparaissent nettement (= se découper). **3.** *Ce fonctionnaire a été détaché à Ottawa,* ses supérieurs l'y ont envoyé.

■ **détachable** adj. SENS 1 *J'ai fait un croquis sur un cahier à feuilles détachables.*

■ **détachement** n.m. **1.** SENS 3 *Tu parles de tes amis avec détachement* (= indifférence). **2.** *Le général a envoyé un détachement pour surveiller l'ennemi,* un groupe de soldats.

■ **rattacher** v. **1.** SENS 1 *Rattache le chien !* **2.** *Cette commune est rattachée à la ville voisine,* elle en dépend.

■ **rattachement** n.m. *Le rattachement de Terre-Neuve au Canada date de 1949.*

attaquer v. **1.** *L'ennemi nous a attaqués par surprise,* il s'est élancé contre nous. **2.** *Ce journal attaque le gouvernement* (ou *s'attaque au gouvernement*), il le critique. **3.** *Attaquer un travail* (ou *s'attaquer à un travail*), c'est l'entreprendre. **4.** *La rouille attaque le fer,* elle l'abîme (= ronger).

■ **attaquant** n.m. SENS 1 *Repoussons les attaquants !* (= assaillant, agresseurs).

■ **attaque** n.f. **1.** SENS 1 *L'infanterie a lancé une violente attaque* (= assaut, offensive). SENS 2 *La députée a répondu aux attaques de ses adversaires* (= critique, accusation). **2.** *Cette per-*

*sonne a parfois des **attaques** d'épilepsie*, des accès violents (= crise).
■ **contre-attaquer** v. SENS 1 ET 2 *Nos troupes se sont d'abord repliées, puis ont contre-attaqué.*
■ **contre-attaque** n.f. SENS 1 ET 2 *La contre-attaque a été victorieuse* (= riposte).
■ **inattaquable** adj. SENS 2 *Sa réputation est inattaquable* (= irréprochable).

s'attarder → *tard.*

atteindre v. 1. *Essaie d'atteindre les bonbons sur l'étagère,* de parvenir à les toucher (= attraper). 2. *Le chevreuil a été atteint d'une balle à l'épaule,* il a été blessé.
■ **atteinte** n.f. SENS 1 *Une chose hors d'atteinte* ne peut pas être touchée (= hors de portée). SENS 2 *Porter atteinte à la réputation de quelqu'un,* c'est nuire à cette réputation.
R. → Conj. n° 55.

atteler v. *Le cultivateur avait attelé ses bœufs,* il les avait attachés à la charrue. *On a attelé la remorque au tracteur,* on l'y a accrochée.
■ **attelage** n.m. *L'attelage était fatigué,* les animaux attelés.
■ **dételer** v. *Dételle les chevaux !,* détache-les de la voiture.
R. → Conj. n° 6.

attelle n.f. *Une attelle* est une planchette pour maintenir des os fracturés.

attendre v. 1. *Attendez un instant !,* restez là sans changer d'occupation (= patienter). 2. *Je vous attendrai à la gare,* je serai là pour vous accueillir. 3. *On attend beaucoup de ces recherches* (= espérer). 4. *On s'attend à des encombrements sur les routes* (= prévoir).
■ **attente** n.f. SENS 1 ET 2 *Ces heures d'attente paraissent interminables.* SENS 3 ET 4 *Le résultat répond à l'attente de tous* (= espoir, prévision).

■ **inattendu** adj. SENS 4 *Un événement inattendu* est imprévu (= inopiné).
R. → Conj. n° 50.

attendrir v. *Ses paroles pleines de douceur ont attendri les auditeurs* (= émouvoir, apitoyer).
■ **attendrissant** adj. *Voilà un spectacle attendrissant* (= émouvant).
■ **attendrissement** n.m. *Plusieurs personnes pleuraient d'attendrissement* (= émotion).

attendu que conj. *On ne peut pas m'accuser, attendu que j'étais absent,* puisque j'étais absent (= étant donné que).

attentat n.m. *La reine a échappé à un attentat,* on a essayé de l'assassiner (= agression).

attente → *attendre.*

attention n.f. 1. *Chacun écoute avec attention,* concentration d'esprit. *Faites attention à l'obstacle* (= prendre garde). 2. (au plur.) *Tu as des attentions pour moi,* tu es aimable avec moi (= prévenances, égards).
■ **attentif** adj. SENS 1 *Les spectateurs sont attentifs* (≠ distrait).
■ **attentivement** adv. SENS 1 *Lisez attentivement la notice.*
■ **attentionné** adj. SENS 2 *Une amie attentionnée* est prévenante, dévouée, empressée.
■ **inattention** n.f. SENS 1 *J'ai commis cette erreur par inattention* (= distraction, étourderie).
■ **inattentif** adj. SENS 1 *Paul est un élève inattentif* (= distrait).

atténuer v. *L'emballage a atténué la violence du choc,* il l'a rendue moins forte (= adoucir ; ≠ aggraver).
■ **atténuant** adj. *Les circonstances atténuantes diminuent la responsabilité d'un coupable* (≠ aggravant).
■ **atténuation** n.f. *On annonce une*

584,
802

38

atténuation du froid (= diminution ; ≠ augmentation).

atterrer v. Je **suis atterré** par cette nouvelle (= accabler, abattre). **R.** Attention à l'orthographe : deux t et deux r.

atterrir, atterrissage → terre.

attester v. Ce fait **est attesté** par de nombreuses preuves (= certifier, établir, confirmer, prouver). ■**attestation** n.f. On lui a remis une **attestation** de bonne conduite (= certificat).

attirail n.m. Maria range son **attirail** de pêcheur, l'ensemble des objets qu'elle utilise pour la pêche.

attirer v. 1. L'aimant **attire** le fer, il le fait venir à lui (≠ éloigner, repousser). 2. Jean **est attiré** par la musique classique, elle lui plaît. ■**attirant** adj. SENS 2 Son projet est **attirant** (= attrayant). ■**attirance** n.f. SENS 2 Marie éprouve de l'**attirance** pour Jacques, il lui plaît. ■**attraction** n.f. SENS 1 Le satellite a échappé à l'**attraction** terrestre, à la force qui l'attire. SENS 2 Les **attractions** d'une fête foraine sont les tirs, les manèges. ■**attrait** n.m. SENS 2 L'**attrait** de l'aventure est grand chez les jeunes (= attirance, goût). ■**attrayant** adj. SENS 2 Cette lecture est **attrayante**, intéressante, amusante.

attiser v. **Attise** le feu !, fais-le brûler plus vivement (= aviver).

attitré → titre.

attitude n.f. 1. Quelle **attitude** nonchalante !, quelle manière de se tenir (= maintien). 2. Mon adversaire a eu une **attitude** conciliante, une manière de se conduire.

attraction, attrait → attirer.

attraper v. 1. Luce **attrape** des papillons (= prendre). 2. Tu **as été** bien **attrapé**, surpris ou trompé. 3. J'ai **attrapé** la grippe, cette maladie m'a atteint (= prendre). 4. Fam. Les élèves peu soigneux se font **attraper** (= réprimander). ■**attrape** n.f. SENS 2 Une **attrape** est une petite farce. ■**attrape-nigaud** n.m. SENS 2 Cette publicité n'est qu'un **attrape-nigaud**, une ruse pour tromper les gens naïfs. **R.** Noter le pluriel : des attrape-nigauds.

attrayant → attirer.

attribuer v. 1. Le premier prix **a été attribué** à Mehdina (= donner, décerner). 2. On **attribue** ce tableau à Rembrandt, on suppose qu'il en est l'auteur. ■**attribution** n.f. 1. SENS 1 Le gouvernement a décidé l'**attribution** de secours aux sinistrés. 2. (au plur.) Les **attributions** de quelqu'un, c'est ce qu'il est chargé de faire (= fonctions).

attribut adj. et n.m. Dans « le chat est noir », l'adjectif « noir » est **attribut** du nom « chat », il est relié au nom par le verbe « être ».

attribution → attribuer.

attrister → triste.

attroupement, attrouper → troupe.

au → à.

aubade n.f. Les musiciens **ont donné** l'**aubade** aux jeunes mariés, ils ont joué à l'aube sous leurs fenêtres.

aubaine n.f. On m'a offert une place dans la voiture : j'ai profité de l'**aubaine**, de cette chance inattendue.

1. aube n.f. Nous nous lèverons à l'**aube**, au début du jour.

2. aube n.f. *Le prêtre revêt une aube pour dire la messe,* une robe blanche.

721, 803 **3. aube** n.f. *C'est une roue à aubes qui actionnait ce vieux moulin,* une roue avec des pales.

651 **aubépine** n.f. *L'aubépine est en fleurs,* un arbuste épineux.

auberge n.f. *Nous avons dîné dans une petite auberge,* un hôtel-restaurant à la campagne.

802 ■ **aubergiste** n. *L'aubergiste accueille ses clients.*

aubergine n.f. *Nous avons mangé des aubergines farcies,* des légumes violets ayant la forme de concombres.

aubergiste → *auberge.*

aubier n.m. *L'aubier est la partie la plus tendre du bois,* sous l'écorce.

aucun adj. et pron. **1.** *Il n'y a aucun risque,* pas un seul. **2.** *Aucune d'entre elles n'est au courant* (= nul).

audace n.f. *Ce défi est plein d'audace,* d'une grande hardiesse (≠ timidité). ■ **audacieux** adj. *Elle a fait un pari audacieux* (= risqué).

audible → *auditeur.*

audience n.f. **1.** *J'ai obtenu une audience du président,* un entretien. **2.** *Le procès a duré plus de dix audiences,* dix séances du tribunal.

audiovisuel adj. *Les moyens audiovisuels* sont ceux qui utilisent les sons et les images pour l'enseignement ou l'information.

auditeur n. *Les auditeurs de la radio* sont ceux et celles qui écoutent. ■ **audition** n.f. **1.** *Bruno a des troubles de l'audition,* il entend mal (= ouïe). **2.** *La pianiste est dans le studio pour une audition,* pour l'exécution d'une œuvre musicale. ■ **auditif** adj. *Bruno a des troubles auditifs,* de l'audition.

■ **auditoire** n.m. *L'auditoire applaudit,* l'ensemble des auditeurs.

■ **auditorium** n.m. *Un auditorium est une salle spécialement aménagée* pour entendre de la musique dans les meilleures conditions.

■ **audible** adj. *L'émission est à peine audible,* on peut à peine l'entendre. ■ **inaudible** adj. *À cette distance, l'émission est inaudible,* on ne peut pas l'entendre.

auge n.f. *Le cochon mange dans son auge,* un grand récipient.

1 3

augmenter v. **1.** *Vous augmentez vos chances en prenant plusieurs billets de loterie* (= accroître ; ≠ diminuer). **2.** *On va augmenter l'essence,* la rendre plus chère. *L'essence va augmenter,* devenir plus chère. ■ **augmentation** n.f. SENS 1 *On note une augmentation de la circulation* (= accroissement). SENS 2 *Nathalie a demandé une augmentation à son employeur,* une hausse de salaire.

augure n.m. *La directrice est de bonne humeur, c'est de bon augure,* c'est bon signe.

aujourd'hui adv. **1.** *C'est aujourd'hui lundi,* le jour où nous sommes. **2.** *L'homme est aujourd'hui capable d'aller sur la Lune,* à notre époque.

aumône n.f. *Faire l'aumône à quelqu'un,* c'est lui donner un peu d'argent pour l'aider.

aumônier n.m. *Un aumônier est un prêtre exerçant son ministère dans un établissement public* (lycée, hôpital, prison, etc.).

aumônière n.f. *Les jeunes filles du cortège portaient une aumônière à la taille,* une bourse en tissu.

auparavant adv. *Je vais venir, mais auparavant j'ai quelques affaires à régler,* d'abord, avant cela.

auprès de prép. **1.** *Je reste auprès de vous.* **2.** *Cet appartement paraît luxueux auprès du précédent,* en comparaison.

auquel → *lequel.*

auréole n.f. *Une auréole est un cercle lumineux que les artistes mettent souvent autour de la tête des saints.*

auriculaire n.m. *L'auriculaire est le petit doigt de la main.*

aurore n.f. **1.** *Je me suis levé à l'aurore,* au lever du soleil (= aube). **2.** *Une aurore boréale est une lumière particulière qui apparaît parfois dans le ciel des régions polaires.*

ausculter v. *La doctoresse ausculte ses malades,* elle écoute les bruits de la respiration et du cœur.

auspices n.m.pl. *L'entreprise a commencé sous d'heureux auspices,* avec de bonnes chances de réussite.

aussi adv. **1.** *Cette voiture est aussi chère que l'autre,* elle est d'un prix égal. **2.** *Elle part et moi aussi,* je pars comme elle. **3.** *J'étais loin, aussi j'ai mal entendu,* c'est pourquoi j'ai mal entendu.

aussitôt adv. **1.** *J'ai approché une allumette : aussitôt tout s'est enflammé,* tout de suite, immédiatement. **2.** *Je vous rejoindrai aussitôt que je le pourrai* (= dès que).

austère adj. *Une personne austère ne rit pas, elle est grave.*
■ **austérité** n.f. *Cette existence solitaire est pleine d'austérité.*

austral adj. *L'Argentine est dans l'hémisphère austral* (= Sud ; ≠ boréal).

autant adv. **1.** *Cette voiture coûte autant que l'autre,* elle est d'un prix égal. **2.** *Je suis d'autant plus heureux que*

je ne m'y attendais pas, encore plus heureux.

autel n.m. *Le calice est sur l'autel,* sur la table qui sert aux cérémonies du culte.
R. *Autel* se prononce [otɛl] comme *hôtel.* | 148, 149

auteur n. **1.** *On a arrêté l'auteur de l'attentat,* celui qui l'a commis (= responsable). **2.** *George Sand est l'auteure de « la Mare au diable »,* elle a écrit ce livre.

authentique adj. *Une chose authentique n'est pas une imitation, une reproduction.*
■ **authentiquement** adv. *Ces meubles sont authentiquement anciens* (= véritablement).
■ **authenticité** n.f. *On discute sur l'authenticité de ces documents.*
■ **authentifier** v. *Les experts ont authentifié le tableau,* ils l'ont déclaré authentique.

auto-, au début d'un mot, indique souvent une action faite sur soi-même ou de soi-même : une *autocritique* est une critique de ses propres actes, une enveloppe *autocollante* se colle d'elle-même, sans qu'on la mouille.

auto ou **automobile** n.f. *L'auto est au garage* (= voiture). | 505
■ **automobile** adj. *Nous avons fait un rallye automobile.*
■ **automobiliste** n. *Mme Boies est une automobiliste expérimentée* (= conducteur, chauffeur).
■ **autobus** n.m. *Un autobus assure un service régulier de transport en commun dans une ville.* | 217
■ **autocar** ou **car** n.m. *Un autocar est destiné aux transports collectifs hors des villes.* | 506
■ **auto-école** n.f. *Les auto-écoles sont des établissements préparant les candidats au permis de conduire.*

■**autoradio** n.m. *Cette voiture est équipée d'un **autoradio**,* d'un poste de radio spécial pour voiture.

507,
511,
582

■**autoroute** n.f. *Nous sommes allés à Toronto par l'**autoroute**,* une route sans croisement et à deux sens de circulation séparés.

■**autoroutier** adj. *Le trafic **autoroutier** est dense à chaque week-end.*

■**auto-stop** ou **stop** n.m. *Des jeunes gens font de l'**auto-stop** (ou du **stop**) au bord de la route,* ils font signe aux automobilistes de les prendre à leur bord.

■**auto-stoppeur** n. *Nous avons embarqué des **auto-stoppeurs**.*

39 **autoclave** n.m. Un *autoclave* est un récipient hermétique qui permet de cuire ou de stériliser sous pression.

autocollant → *colle.*

autographe n.m. *L'écrivain distribue des **autographes**,* des signatures.

automate n.m. *Tu marchais comme un **automate**,* une machine qui imite les mouvements d'un être vivant.

automatique adj. *La fermeture des portes est **automatique**,* elle se fait par des moyens mécaniques sans que quelqu'un intervienne.

■**automatiquement** adv. *Ce tourne-disque s'arrête **automatiquement**.*

125 **automne** n.m. *Les feuilles tombent, c'est l'**automne**.*

automobile, automobiliste → *auto.*

automoteur → *moteur.*

autonome adj. *Un territoire **autonome** s'administre librement.*

■**autonomie** n.f. *Certaines régions réclament leur **autonomie**.*

■**autonomiste** adj. et n. *Certains mouvements **autonomistes** recourent à des méthodes violentes.*

autopsie n.f. *Pour déterminer les causes de la mort, on procède à l'**autopsie** du cadavre,* à l'examen médical.

autoradio → *auto.*

autorail n.m. Un *autorail* est un véhicule circulant sur rails et muni d'un moteur à huile lourde.

autoriser v. *Le médecin a **autorisé** la malade à se lever,* il lui en a donné la permission (= permettre ; ≠ interdire).

■**autorisation** n.f. *Vous devez demander une **autorisation** d'absence.*

autorité n.f. **1.** *Ces employés sont sous l'**autorité** d'une directrice,* soumis à ses ordres. **2.** *Sylvie a de l'**autorité** sur ses camarades* (= influence, poids). **3.** (au plur.) *Les **autorités** sont les représentants de l'État.*

■**autoritaire** adj. SENS 1 *Une personne **autoritaire** impose avec force son autorité.*

■**autoritarisme** n.m. *Suzan a démissionné parce qu'elle ne pouvait plus supporter l'**autoritarisme** de sa patronne* (= absolutisme).

autoroute, autoroutier, auto-stop, auto-stoppeur → *auto.*

autour de prép. **1.** *Marie a une écharpe **autour du** cou,* qui entoure son cou. **2.** *Il a **autour de** cinquante ans* (= environ).

■**autour** adv. SENS 1 *Le paquet s'est ouvert, mets une ficelle **autour**.*

autre adj. ou pron. *Montre-moi ton **autre** main. Ce n'est pas le même, c'est un **autre**. Il faut agir d'une **autre** façon* (= différent).

■**autrement** adv. **1.** *Il faut s'y prendre **autrement*** (= différemment). **2.** *Dépêchez-vous, **autrement** vous serez en retard* (= sinon).

autrefois adv. *Autrefois, Paris s'appelait Lutèce,* il y a longtemps.

autrement → autre.

autruche n.f. L'autruche court très vite, un très grand oiseau d'Afrique.

autrui pron. Ne convoite pas le bien d'autrui, celui des autres.

auvent n.m. Un auvent nous protège du soleil, un petit toit au-dessus d'une porte.

aux → à.

auxiliaire 1. n. Sa secrétaire est pour elle une auxiliaire précieuse (= aide, assistant). 2. n.m. Les verbes « être » et « avoir » sont des auxiliaires de conjugaison.
■ **auxiliaire** adj. SENS 1 Des troupes auxiliaires sont venues à notre secours, des troupes chargées d'aider, de secourir.

avachir v. 1. Avachir un vêtement, des chaussures, c'est les déformer. 2. Paul s'avachit dans l'inaction, il se laisse aller, s'amollit.

aval n.m. Montréal est en aval de Québec sur le Saint-Laurent, plus loin de la source. Le bateau va vers l'aval (≠ amont).

avalanche n.f. Une avalanche a emporté le chalet, une masse de neige qui s'est détachée du flanc d'une montagne.

avaler v. 1. J'ai avalé un verre d'eau pour me désaltérer. 2. Fam. Tu ne me feras pas avaler cette blague (= croire).

avancer v. 1. Avancez cette chaise !, déplacez-la vers l'avant. La troupe avance ou s'avance (= approcher ; ≠ reculer). 2. Mehdina a avancé en grade, elle a atteint un grade plus élevé (= monter). 3. As-tu avancé ton travail ?, l'as-tu fait progresser ? Le travail n'avance pas (= s'accomplir). 4. J'ai avancé mon départ, je l'ai effectué plus tôt que prévu (≠ reculer, retarder).

5. Cette montre avance de cinq minutes : elle marque midi un quart et il n'est que midi dix (≠ retarder). 6. Je peux vous avancer de l'argent (= prêter).
■ **avance** n.f. 1. SENS 1 On n'a pas pu s'opposer à l'avance de l'armée (= progression ; ≠ recul). SENS 5 Tu es en avance d'une heure, tu arrives une heure plus tôt que prévu (≠ retard). J'ai su sa décision longtemps à l'avance, avant le moment fixé. SENS 6 Pouvez-vous me faire une avance de vingt dollars ? (= prêt). 2. (au plur.) M. Martin nous a fait des avances, il a cherché à entrer en relations avec nous.
■ **avancement** n.m. SENS 2 Mehdina a eu de l'avancement, elle a monté en grade. SENS 3 Où en est l'avancement de ton travail ? (= progrès, progression).

avant prép., adv., n.m. et adj.inv. 1. Elle est arrivée avant moi, plus tôt (≠ après). Réfléchissez avant d'agir. Rentrons avant qu'il ne fasse nuit. 2. Il est tombé en avant. 3. Les vagues fouettent l'avant du bateau. 4. La roue avant de ma bicyclette est voilée (≠ arrière). R. Avant s'emploie au début de certains mots pour indiquer ce qui est devant (avant-bras) ou ce qui se passe avant (avant-hier).   835 727, 505

avantage n.m. 1. Ce métier présente l'avantage d'une vie en plein air (= agrément, intérêt ; ≠ inconvénient). 2. Cette concurrente a pris l'avantage sur ses adversaires, elle leur a été supérieure (= le dessus).
■ **avantager** v. SENS 2 L'équipe adverse a été avantagée par le vent, le vent l'a aidée.
■ **avantageux** adj. SENS 1 Il a fait un échange avantageux (= intéressant, profitable).
■ **avantageusement** adv. SENS 1 Les livres ont remplacé avantageusement les parchemins.

■ **désavantage** n.m. SENS 1 ET 2 *La discussion a tourné à son désavantage, il a eu le dessous.*

■ **désavantager** v. SENS 2 *Notre équipe a été désavantagée par la blessure d'une joueuse* (= défavoriser, handicaper).

■ **désavantageux** adj. SENS 2 *Il se plaint que le partage soit désavantageux pour lui* (= défavorable).

avant-bras → *bras.*

avant-coureur adj.m. *On observe déjà les signes avant-coureurs du printemps,* les signes qui le précèdent et l'annoncent (= annonciateur).

avant-dernier → *dernier.*

avant-garde → *garde.*

avant-goût → *goût.*

avant-hier → *hier.*

avant-port → *port.*

avant-propos n.m. *L'auteure a expliqué ses intentions dans l'avant-propos* (= introduction, préface).

avant-veille → *veille.*

avare adj et n. **1.** *Cet homme n'est pas seulement économe, il est avare,* il aime amasser de l'argent et le conserver* (≠ généreux, large, prodigue). *C'est un vieil avare.* **2.** *Aline est avare de ses paroles,* elle parle peu.

■ **avarice** n.f. SENS 1 *Par avarice, tu te prives même du nécessaire.*

avarie n.f. *La tempête a causé des avaries au bateau,* elle l'a endommagé.

■ **avarié** adj. *Des fruits avariés sont abîmés,* pourris.

avatar n.m. *Ce projet a connu bien des avatars avant d'être adopté,* bien des remaniements, des bouleversements.

avec prép. **1.** *Luce se promène avec un ami,* en sa compagnie. **2.** *Avec quoi fait-on la bière ?,* au moyen de quoi ?

3. *Mme Dubois conduit avec prudence,* d'une manière prudente.

aven n.m. *Un aven est un gouffre dans des régions calcaires.*
R. On prononce [avɛn].

avenant adj. *Aïcha a un air avenant* (= aimable, accueillant).

à l'avenant adv. *M. Dupont a une voiture toute rouillée, un jardin à l'abandon, et tout à l'avenant,* du même genre.

avènement n.m. *À son avènement, Henri IV avait trente-six ans,* à son arrivée au pouvoir.

avenir n.m. **1.** *Il est difficile de prévoir l'avenir,* ce qui arrivera (= futur). **2.** *Ce garçon songe à son avenir,* à sa situation future. **3.** *À l'avenir, soyez plus prudents,* désormais, dorénavant.

aventure n.f. **1.** *Je me suis perdu : quelle aventure !,* quel événement important et imprévu !. **2.** *Les explorateurs ont le goût de l'aventure,* des entreprises qui comportent des risques.

■ **s'aventurer** v. SENS 2 *Peu de bateaux se sont aventurés en mer par ce mauvais temps,* se sont risqués (= hasarder).

■ **aventureux** adj. SENS 2 *Ce projet est aventureux,* peu sûr (= risqué).

■ **aventurier** n. SENS 2 *Certains soldats mercenaires sont des aventuriers,* des gens qui ont le goût des entreprises audacieuses, même malhonnêtes.

■ **mésaventure** n.f. SENS 1 *Tomber en panne la nuit est une mésaventure* (= malchance, accident).

avenue n.f. *Une avenue est une large rue plantée d'arbres.*

s'avérer v. *Tous les efforts se sont avérés inutiles,* ils sont apparus inutiles (= se révéler).

averse n.f. *Une averse nous a surpris, une pluie soudaine et courte.*

aversion n.f. *Marie a de l'aversion pour ce travail,* elle ne l'aime pas du tout (= répugnance, répulsion).

avertir v. *Il faut l'avertir du danger,* le prévenir, l'informer.
■ **avertissement** n.m. *Tu as eu tort de ne pas tenir compte de mes avertissements* (= avis, mise en garde).
■ **avertisseur** n.m. *Un avertisseur de voiture* est un appareil sonore pour avertir (= klaxon). *On peut appeler les pompiers en cassant la glace de l'avertisseur d'incendie.*

aveu → avouer.

aveugle adj. et n. **1.** *Ce musicien est aveugle,* il est privé de la vue. **2.** *Tu es aveugle sur les défauts de tes amis,* tu ne les remarques pas. **3.** *Pierre a en elle une confiance aveugle,* totale, inébranlable.
■ **aveugler** v. SENS 1 *Le soleil m'aveugle,* il m'empêche de voir (= éblouir).
■ **aveuglement** n.m. SENS 2 *Certains s'obstinent par aveuglement dans l'erreur,* par manque total de jugement.
■ **aveuglément** adv. SENS 2 *Obéir aveuglément,* c'est obéir sans réfléchir, sans discuter.
■ **à l'aveuglette** adv. SENS 1 *Nous avancions à l'aveuglette dans la nuit,* sans voir où nous allions (= à tâtons).

aviateur, aviation → avion.

avide adj. *Je suis avide de connaître la vérité,* je le désire avec passion.
■ **avidement** adv. *J'ai lu avidement ce roman passionnant.*
■ **avidité** n.f. *Cette personne est d'une avidité insatiable en affaires* (= cupidité).

avilir → vil.

aviné → vin.

avion n.m. *Les avions atterrissent et décollent sur l'aérodrome. Un avion-cargo transporte uniquement des marchandises.*
■ **aviation** n.f. **1.** *L'aviation a commencé vers 1900,* la navigation aérienne. **2.** *Une partie de l'aviation ennemie avait été détruite,* des avions.
■ **aviateur** n. *Un aviateur, une aviatrice* est la personne qui pilote un avion.
■ **porte-avions** n.m.inv. *La piste d'envol de ce porte-avions mesure 80 mètres de long,* de ce navire de guerre aménagé pour transporter des avions.

aviron n.m. *Les rameurs tirent sur les avirons* (= rame).

avis n.m. **1.** *Je vous donne mon avis sur cette question* (= opinion, point de vue). **2.** *On a affiché un avis à la population,* une note d'information (= avertissement).
■ **aviser** v. **1.** SENS 2 *Elle ne t'a pas avisé de sa décision ?* (= informer) **2.** *Je ne m'étais pas avisé de ce détail,* je ne l'avais pas remarqué (= s'apercevoir). **3.** *Ne vous avisez pas de le contredire,* ne vous y risquez pas.
■ **préavis** n.m. SENS 2 *On est partis sans préavis,* sans avertir personne.

avisé adj. *En personne avisée, tu aurais pu prendre tes précautions,* comme quelqu'un qui a du jugement.

aviser → avis.

aviso n.m. *Un aviso est un petit navire d'escorte.*

aviver → vif.

1. avocat n. *Un avocat est chargé de défendre l'accusé dans un procès.*

2. avocat n.m. *En hors-d'œuvre, on a mangé un avocat,* un fruit en forme de poire, de couleur vert foncé, qui contient un gros noyau.

803, 766

767, 511, 219

764

437

764

364 **avoine** n.f. *Les chevaux mangent de l'avoine,* une céréale.

avoir v. **1.** *J'ai un stylo* (= posséder). **2.** *Avoir du courage, avoir faim,* c'est être courageux, être affamé. **3.** *Ce couloir a 10 mètres de long* (= mesurer). **4.** *Tu as onze ans,* c'est ton âge. **5.** *J'ai quelque chose à faire,* je dois le faire. **6.** *Il y a des gens dehors,* des gens sont là. *Il y a longtemps,* cela fait longtemps. ■ **avoir** n.m. SENS 1 *Je te confie tout mon avoir,* tout ce que je possède (= bien). **R.** *Avoir* sert d'auxiliaire de conjugaison : *j'ai vu.* → Conj. p. 12.

avoisinant → voisin.

avorter v. **1.** *Une femme qui avorte* ne met pas vivant au monde l'enfant formé en elle. **2.** *Un projet qui avorte* échoue avant sa réalisation. ■ **avortement** n.m. SENS 1 *Une loi sur l'avortement a été votée.* SENS 2 *L'avortement du projet est regrettable.*

avouer v. *Avoue tes torts !* (= reconnaître ; ≠ nier). ■ **aveu** n.m. *Le juge a entendu les aveux de l'accusé,* ce qu'il a avoué. ■ **inavouable** adj. *Un acte inavouable est un acte honteux, déshonorant.*

avril n.m. *Cette année, Pâques tombe au mois d'avril.*

axe n.m. **1.** *L'axe d'une roue* est la ligne ou la tige centrale autour de laquelle elle peut tourner. **2.** *L'axe d'une rue* est la ligne qui passe au milieu de cette rue.

azalée n.f. *Mme Vandervelde cultive des azalées dans sa serre,* des arbustes à belles fleurs.

azimut n.m. Fam. *Les projectiles sont partis dans tous les azimuts,* dans toutes les directions. **R.** On prononce le *t* : [azimyt].

azote n.m. *L'air est formé d'oxygène et d'azote,* un gaz.

azur n.m. *L'azur* est le bleu du ciel.

b

baba n.m. *Nous avons savouré un* **baba,** un gâteau arrosé de rhum.

babiller v. *On entend le bébé* **babiller** *dans son berceau* (= gazouiller).
■ **babillage** n.m. *Elles perdent leur temps en* **babillages** (= bavardage).

babines n.f.pl. **1.** *Inquiet, le chien retrousse ses* **babines,** *ses lèvres.* **2.** *Que cette glace a l'air bonne, je m'en lèche les* **babines** *d'avance !,* je me régale.

babiole n.f. **1.** *Offrons-lui une* **babiole,** un petit objet de peu de valeur. **2.** *Tu t'inquiètes pour des* **babioles,** *des choses sans importance* (= bagatelles).

bâbord n.m. *Le bateau a tourné à* **bâbord,** à sa gauche (≠ tribord).

babouche n.f. *Dans les pays arabes, on porte des* **babouches,** *des pantoufles en cuir sans talon.*

babouin n.m. Le **babouin** est un singe d'Afrique au museau allongé comme celui du chien.

baby-sitter n.f. *Ce soir, je fais la* **baby-sitter,** *je vais surveiller des enfants pendant l'absence de leurs parents* (= gardienne).
R. On prononce [bebisitœr]. Noter le pluriel : des *baby-sitters.*

1. bac n.m. **1.** *La viande est conservée dans un* **bac** *de matière plastique* (= récipient). **2.** *On passe le fleuve sur un* **bac,** un bateau qui peut contenir des voitures.

2. bac ou **baccalauréat** n.m. *On passe l'examen du* **baccalauréat** *à la fin des études secondaires.* (On dit aussi **bachot.**)
■ **bachelier** n. *Ma sœur a obtenu son baccalauréat, la voilà* **bachelière.**

bâche n.f. *On a recouvert la voiture d'une* **bâche,** d'une toile imperméable.
■ **bâcher** v. *On a* **bâché** *la voiture.*

bachelier, bachot → **bac** 2.

bacille n.m. *La tuberculose est provoquée par un* **bacille,** un microbe.

bâcler v. Fam. *Ce travail* **est bâclé,** on l'a fait trop vite, sans soin.

bactérie n.f. *Sa maladie est causée par des* **bactéries,** *certains microbes.*

badaud n.m. *L'accident a attiré une foule de* **badauds** (= curieux).

badge n.m. *Pour se reconnaître, les enfants de la colonie portent un* **badge** *sur leur blouson* (= insigne).

badigeon n.m. *Le peintre a passé une couche de* **badigeon** *sur la façade,* un enduit léger.
■ **badigeonner** v. *Le pêcheur* **badigeonne** *son bateau de goudron.*

badine n.f. *Une* **badine** *est une baguette flexible.*

badiner v. *Le professeur ne* **badine** *pas sur l'exactitude,* il est très exigeant (= plaisanter).

222

■ **badinage** n.m. *Le badinage a assez duré, passons aux choses sérieuses* (=plaisanterie).

bafouer v. **1.** *Nous ne nous laisserons pas bafouer,* tourner en ridicule. **2.** *On a bafoué le règlement,* on s'en est moqué (≠ respecter).

bafouiller v. Fam. *Tu as bafouillé quelques excuses,* tu les a dites de manière peu distincte (= bredouiller).
■ **bafouillage** n.m. *Ton bafouillage est incompréhensible.*
■ **bafouilleur** n. *Personne n'écoutait plus ce bafouilleur.*

bagage n.m. **1.** *Nous avons entassé les bagages dans la voiture,* les sacs, les valises, les paquets. **2.** *Il va falloir plier bagages,* partir rapidement. **3.** *Cette femme a un important bagage scientifique* (= connaissances).
■ **porte-bagages** n.m.inv. SENS 1 *J'ai attaché mes livres sur le porte-bagages de ma bicyclette.*

bagarre n.f. *Au cours du bal, une bagarre a éclaté,* des gens se sont battus (= rixe).
■ **se bagarrer** v. Fam. *Les manifestants se sont bagarrés avec la police* (= se battre, lutter).
■ **bagarreur** adj. et n. Fam. *Paul et Zoé sont très bagarreurs* (= batailleur).

bagatelle n.f. *Ils se sont fâchés pour une bagatelle,* pour une chose sans importance (= futilité, babiole).

bagne n.m. *Certains condamnés étaient envoyés au bagne,* une sorte de prison (= pénitencier, travaux forcés).
■ **bagnard** n.m. *Un bagnard était un forçat.*

bagnole n.f. Très fam. *J'ai acheté une nouvelle bagnole* (= voiture).

bagout ou **bagou** n.m. Fam. *Pour être un bon vendeur, il faut avoir du bagout,* parler avec facilité (= avoir la langue bien pendue).

bague n.f. *Tu as une bien grosse bague au doigt !,* un bijou (= anneau).

baguette n.f. **1.** *Le chef d'orchestre dirige les musiciens avec une baguette,* un bâton mince. **2.** *Va à la boulangerie acheter une baguette,* un pain long et mince. **3.** *Elle élève ses enfants à la baguette,* d'une façon dure et autoritaire.

bah ! interj. exprime l'indifférence, l'insouciance : *Bah ! Tout s'arrangera.*

bahut n.m. *L'antiquaire nous a vendu un bahut breton,* un buffet bas.

baie n.f. **1.** *Les mûres, les groseilles sont des baies,* de petits fruits à pépins. **2.** *Le soleil entre à flots par la baie vitrée,* la grande fenêtre. **3.** *Ici, la côte se creuse, formant une baie,* un petit golfe (= anse).

baigner v. **1.** *Nous nous sommes baignés dans la rivière,* nous nous sommes plongés dans l'eau. **2.** *J'ai le visage baigné de sueur* (= mouiller, inonder). **3.** *Les cornichons baignent dans le vinaigre* (= tremper).
■ **baignade** n.f. SENS 1 *C'est l'heure de la baignade,* de se baigner. *Dans la rivière, on a aménagé une baignade,* un endroit pour se baigner.
■ **baigneur** **1.** n. SENS 1 *Le beau temps a attiré sur la plage une foule de baigneurs.* **2.** n.m. *Marie joue avec son baigneur,* une poupée nue qui ressemble à un bébé.
■ **baignoire** n.f. **1.** SENS 1 *Fais-toi couler un bain dans la baignoire,* le récipient pour se baigner. **2.** Au théâtre, *une baignoire est une sorte de loge.*
■ **bain** n.m. **1.** SENS 1 *J'ai pris un bain,* je me suis baigné. **2.** *Jeanne prend un*

→ p. 81

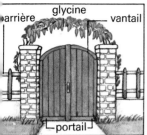

arrière · glycine · vantail

portail

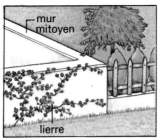

mur mitoyen

lierre

haie de troènes

vigne vierge

saule pleureur

portique

tonnelle

bordure

anneaux

allée

pelouse

balançoire

corde à nœuds

tuyau d'arrosage

jet d'eau

tondeuse à gazon

nénuphar

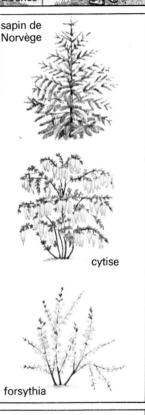

sapin de Norvège

cytise

forsythia

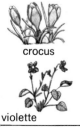

crocus

violette

tulipe

jacinthe

chèvrefeuille

clématite

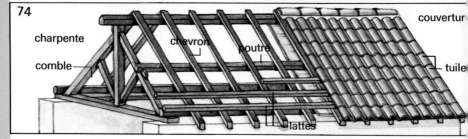

charpente

comble

chevron

poutre

lattes

couverture

tuile

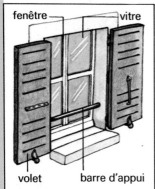

fenêtre

vitre

volet

barre d'appui

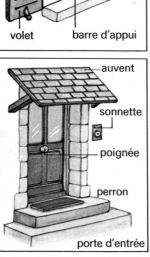

auvent

sonnette

poignée

perron

porte d'entrée

antenne de télévision

cheminée

toit

mansarde

porte vitrée

banc

persiennes

dallage

grille

boîte à lettres

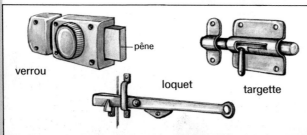

pêne

verrou

loquet

targette

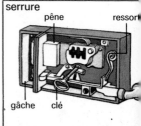

serrure

pêne

ressort

gâche

clé

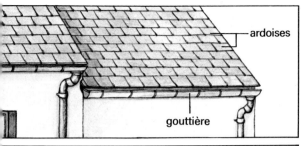
ardoises

gouttière

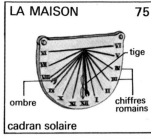
tige

ombre

chiffres romains

cadran solaire

lucarne faîte girouette

pignon

œil-de-bœuf

store

jardinière lanterne

terrasse

balustrade

façade

pilier

seuil

garage

soupirail

pelouse (gazon)

dalles

porte-fenêtre

rambarde

balcon

escalier

palier

rampe

marche

contremarche

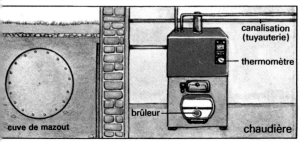
cuve de mazout

canalisation (tuyauterie)

thermomètre

brûleur

chaudière

niche

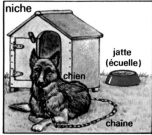
jatte (écuelle)

chien

chaîne

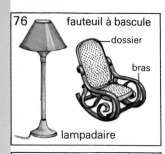

76

fauteuil à bascule

dossier

bras

lampadaire

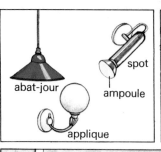

abat-jour

spot

ampoule

applique

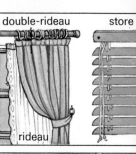

double-rideau

store

rideau

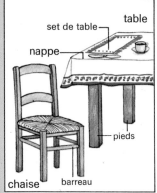

table

set de table

nappe

pieds

chaise

barreau

cheminée

bibliothèque

canapé

pouf

radiateur

fauteuil

table basse

tapis

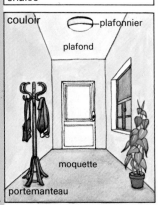

couloir

plafonnier

plafond

moquette

portemanteau

transistor

téléviseur

écran

poupée

haut-parleur

micro

magnétophone

chaîne haute fidélité

tourne-disque

discothèque

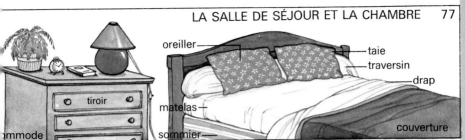

oreiller
taie
traversin
drap
tiroir
matelas
mmode
sommier
couverture

armoire
lingerie

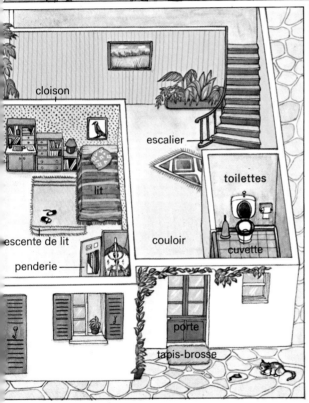

cloison

escalier

toilettes

étagères
penderie

lit

escente de lit

penderie

couloir

cuvette

secrétaire

casier

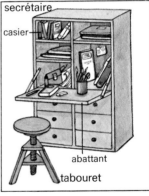

porte

tapis-brosse

abattant

tabouret

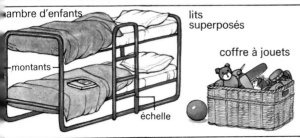

ambre d'enfants

lits
superposés

coffre à jouets

montants

échelle

coiffeuse
miroir

78 LA CUISINE

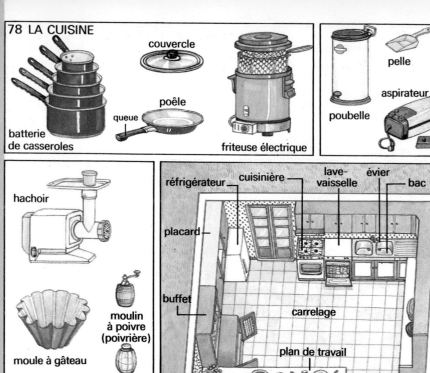

couvercle

poêle

queue

batterie de casseroles

friteuse électrique

pelle

aspirateur

poubelle

hachoir

moule à gâteau

moulin à poivre (poivrière)

salière

louche

écumoire

passoire

couteau à découper

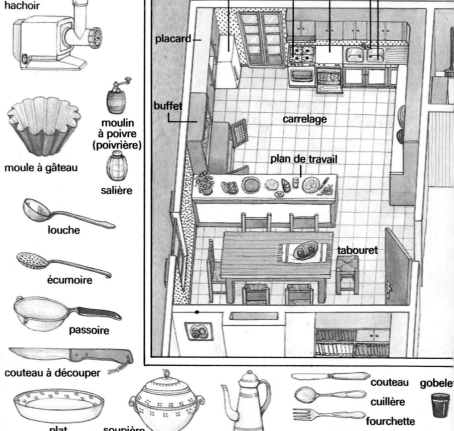

réfrigérateur   cuisinière   lave-vaisselle   évier   bac

placard

buffet

carrelage

plan de travail

tabouret

plat   soupière

assiette

cafetière

couverts à salade

saladier

couteau   gobelet

cuillère

fourchette

dessous-de-plat

verre à pied

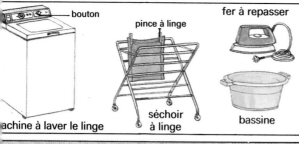

bouton

pince à linge

fer à repasser

machine à laver le linge

séchoir à linge

bassine

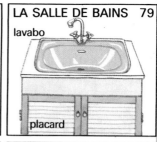

lavabo

placard

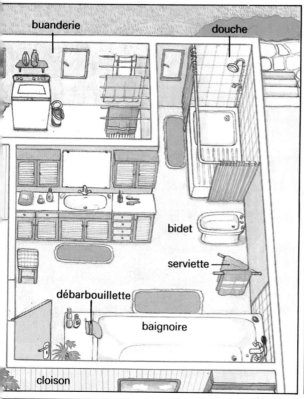

buanderie

douche

bidet

serviette

débarbouillette

baignoire

cloison

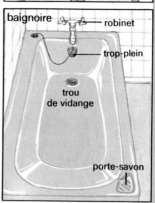

baignoire

robinet

trop-plein

trou de vidange

porte-savon

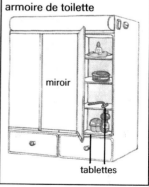

armoire de toilette

miroir

tablettes

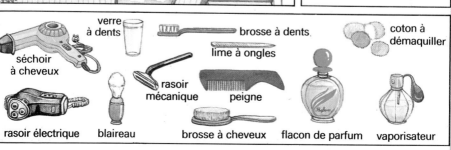

séchoir à cheveux

verre à dents

brosse à dents

lime à ongles

coton à démaquiller

rasoir mécanique

peigne

rasoir électrique

blaireau

brosse à cheveux

flacon de parfum

vaporisateur

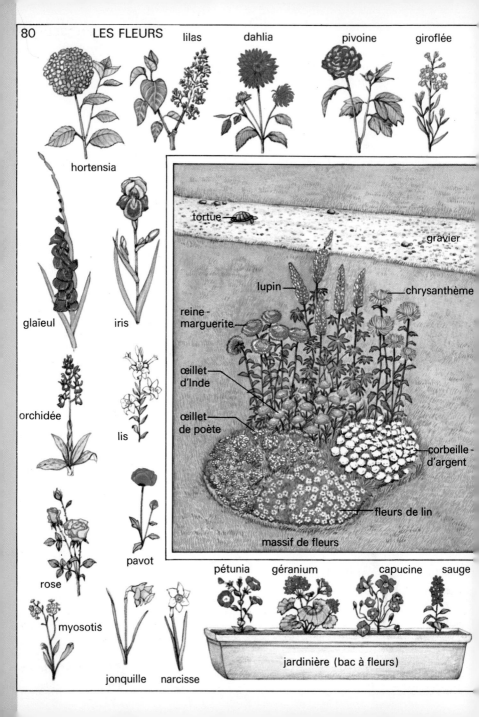

lilas

dahlia

pivoine

giroflée

hortensia

tortue

gravier

lupin

chrysanthème

reine-marguerite

œillet d'Inde

œillet de poète

corbeille-d'argent

fleurs de lin

massif de fleurs

glaïeul

iris

orchidée

lis

rose

pavot

myosotis

jonquille

narcisse

pétunia

géranium

capucine

sauge

jardinière (bac à fleurs)

bain de soleil *sur la terrasse,* elle expose son corps au soleil. *Le président prend un **bain de foule**,* il se mêle à la foule.

■ **bain-marie** n.m. SENS 3 *Des entremets cuisent au **bain-marie**,* dans un récipient qui baigne dans une casserole d'eau bouillante.

■ **balnéaire** adj. SENS 1 *Ses belles plages font de cette ville une station **balnéaire** réputée,* une station pour les baigneurs.

R. Noter le pluriel : des *bains-marie.*

bail n.m. *J'ai signé le **bail** de l'appartement,* le contrat fixant le prix et la durée de la location.

R. Le pluriel est *baux,* qui se prononce [bo] comme *beau.*

bâiller v. *Jeanne **bâille** de fatigue,* elle ouvre la bouche toute grande.

■ **bâillement** n.m. *Jeanne a étouffé un **bâillement** derrière la main.*

bâillon n.m. *Le gangster a mis un **bâillon** à sa victime,* un bandeau sur la bouche.

■ **bâillonner** v. *Le caissier a été retrouvé **bâillonné**.*

bain, bain-marie → *baigner.*

baïonnette n.f. *On peut mettre une **baïonnette** au bout d'un fusil de guerre,* un long couteau.

baiser n.m. *Donner un **baiser** à quelqu'un,* c'est l'embrasser.

■ **baiser** v. *Ce vieux monsieur **baise** la main des dames pour les saluer,* il la touche de ses lèvres.

baisse, baisser → *bas* 1.

bajoues n.f.pl. *Ce vieux chien a de grandes **bajoues**,* ses joues pendent.

bal n.m. *Selim et Yasmina sont allés au **bal**,* ils sont allés danser.

R. *Bal* se prononce [bal] comme *balle.* Noter le pluriel : des *bals.*

balade n.f. Fam. *On est partis en **balade**,* en promenade.

■ **se balader** v. Fam. *Allons **nous balader**,* nous promener.

R. → *ballade.*

balafre n.f. *Son accident lui a fait une **balafre** à la joue,* une longue entaille.

■ **balafré** adj. *Un visage **balafré** est marqué d'une longue cicatrice.*

balai n.m. *Donne un coup de **balai** dans la cuisine !,* nettoie le sol avec une sorte de brosse fixée au bout d'un long manche.

■ **balayer** v. **1.** *Le concierge **balaie** l'escalier,* il le nettoie avec un balai. **2.** *Le vent **balaie** les nuages,* il les pousse devant lui (= chasser).

■ **balayage** n.m. *Le **balayage** de la chambre est terminé.*

■ **balayeur** n. *Les **balayeurs** municipaux ramassent les feuilles mortes.*

■ **balayette** n.f. *Une **balayette** est un petit balai.*

■ **balayure** n.f. *On ramasse les **balayures** avec une pelle,* les saletés poussées par le balai.

R. *Balai* se prononce [balɛ] comme *ballet.*

balance n.f. *L'épicière m'a pesé un kilogramme d'oranges sur sa **balance**.*

balancer v. **1.** *Le vent **balance** la cime des arbres,* il la fait bouger d'un côté et de l'autre. **2.** *Les enfants se **balancent** dans le jardin,* ils jouent à la balançoire.

■ **balancelle** n.f. SENS 2 *Les soirs d'été, nous nous asseyons dans la **balancelle**,* le siège de jardin dans lequel on peut se balancer à plusieurs.

■ **balancement** n.m. SENS 1 *Le **balancement** du bateau m'a donné le mal de mer* (= mouvement, oscillation).

■ **balancier** n.m. **1.** SENS 1 *Le **balancier** de l'horloge est immobile, elle est arrêtée,* la pièce qui se balance, qui oscille. **2.** *Sur le fil, la funambule se tient en*

652, 223

223, 222

220

433

*équilibre grâce à un **balancier**, une longue perche.*

437,
73

■ **balançoire** n.f. SENS 2 *Les enfants jouent à la **balançoire**, sur un siège qui les fait monter et descendre.*

balayage, balayer, balayette, balayeur, balayure → *balai.*

balbutier v. *L'homme, embarrassé, **a balbutié** une excuse, il l'a prononcée confusément (= bredouiller).*
■ **balbutiement** n.m. *Sa réponse n'a été qu'un **balbutiement** (= bredouillement).*
R. On prononce [balbysje, balbysimã].

75 **balcon** n.m. **1.** *Les gens étaient sur leur **balcon** pour voir passer le défilé.* **2.** *Les*
440 *places de **balcon** dans un théâtre sont situées en hauteur.*

baldaquin n.m. *Dans la chambre royale, il y avait un **lit à baldaquin**, un lit surmonté d'une tenture.*

584 **baleine** n.f. **1.** *Une **baleine** peut peser 150 tonnes, un animal marin.* **2.** *Les **baleines** du parapluie sont les tiges de fer qui tendent le tissu.*
584 ■ **baleinier** n.m. SENS 1 *Les **baleiniers** étaient des bateaux équipés pour la chasse à la baleine.*

baleinière n.f. *À bord du paquebot, il y a plusieurs **baleinières** (= canot, chaloupe).*

727, **balise** n.f. *Ce rocher isolé est signalé*
511 *aux navigateurs par une **balise**, un repère visible de loin.*
■ **baliser** v. *La piste d'atterrissage **est balisée**, signalée par des balises.*
■ **balisage** n.m. *Le **balisage** des routes est réalisé par des panneaux.*

balistique adj. *Un engin **balistique** est destiné à être lancé. Une étude **balistique** concerne la trajectoire d'un projectile.*

balivernes n.f.pl. *Ne la crois pas, elle raconte des **balivernes**, des*
choses sans intérêt (= sornettes, sottises).

ballade n.f. *Une **ballade** est un poème à plusieurs strophes.*
R. *Ballade* se prononce [balad] comme *balade.*

ballant adj. *Il reste immobile, les bras **ballants**, ses bras pendent.*

ballast n.m. **1.** *La voie ferrée est posée sur le **ballast**, sur un lit de pierres cassées.* **2.** *Le sous-marin ouvre ses **ballasts** pour plonger, ses compartiments de remplissage.*

balle n.f. **1.** *La **balle** de tennis a frôlé le filet.* **2.** *Le malfaiteur a été atteint de trois **balles** de revolver, un projectile d'arme à feu.*
■ **ballon** n.m. **1.** SENS 1 *Un **ballon** de basket est rond, un **ballon** de football est ovale.* **2.** *Il y a encore des amateurs de voyages en **ballon**, au moyen d'un appareil gonflé d'un gaz léger ou d'air chaud.*
■ **ballonné** adj. *Le malade a le ventre **ballonné**, gonflé comme un ballon.*
R. → *bal.*

ballet n.m. *L'Opéra donne un spectacle de **ballet**, de danse.*
■ **ballerine** n.f. **1.** *Marie voudrait être **ballerine**, danseuse de ballet.* **2.** *Nadia a mis des **ballerines**, des chaussures qui ressemblent à des chaussons de danse.*
R. → *balai.*

ballon, ballonné → *balle.*

ballot n.m. *Voilà un **ballot** de linge sale (= paquet).*

ballottage n.m. *L'élection a abouti à un **ballottage**, aucun candidat n'a eu assez de voix pour être élu.*

ballotter v. *Le canot **est ballotté** par les vagues, il est secoué en tous sens.*

ball-trap n.m. Un *ball-trap* est un appareil qui lance des cibles pour permettre l'entraînement à la chasse.
R. Noter le pluriel : des *ball-traps*.

balluchon ou **baluchon** n.m. Fam. *J'ai pris mon balluchon et je suis parti,* un petit paquet d'effets personnels.

balnéaire → *baigner.*

balourd adj. *Un individu balourd* manque de finesse d'esprit (= lourd).
■ **balourdise** n.f. *Ses balourdises l'ont ridiculisé* (= sottise).

balsa n.m. Le *balsa* est un bois très léger utilisé pour fabriquer des modèles réduits.

balustrade n.f. *La promeneuse s'appuie à la balustrade du pont,* la rampe supportée par des piliers (= parapet).

bambin n.m. Un *bambin* est un petit enfant.

bambou n.m. *Ma canne à pêche est en bambou,* une sorte de roseau très dur.

ban n.m. **1.** *Il y a eu un ban en l'honneur de l'orchestre,* on a applaudi en cadence. **2.** (au plur.) *Les bans de mariage sont publiés,* une affiche qui annonce le mariage à la mairie.
R. → *banc.*

banal adj. *Ce roman raconte une histoire banale,* sans originalité (= commun, ordinaire ; ≠ nouveau, remarquable).
■ **banalisé** adj. *Ces policiers circulent dans des voitures banalisées,* que rien ne permet de reconnaître.
■ **banalité** n.f. *La conversation n'a été qu'un échange de banalités,* de propos sans intérêt (= platitude).

banane n.f. *Mange ta banane !,* un fruit allongé à grosse peau jaune.
■ **bananier** n.m. **1.** *La banane est le fruit du bananier.* **2.** *Les bananes sont*

transportées dans des navires appelés *bananiers.* 726

banc n.m. **1.** *Asseyons-nous sur un banc du parc !,* un siège allongé. 74, 219 **2.** *Un banc de sable barre l'entrée du port à marée basse,* une masse de 721 sable accumulé. **3.** *Un banc de neige* 652 est un amas de neige entassée par le vent. **4.** *Les sardines se déplacent par bancs,* par troupes très nombreuses.
R. *Banc* se prononce [bã] comme *ban.*

bancaire → *banque.*

bancal adj. **1.** *Une table bancale* a des pieds de longueurs inégales (= boiteux). **2.** *Ton raisonnement est bancal,* il manque de cohérence.

bande n.f. **1.** *Une bande de tissu* est 38 mince et allongée (= ruban, lanière). **2.** *On peut enregistrer de la musique* 808, 806 *sur une bande magnétique.* **3.** *Une bande dessinée* est une suite de dessins illustrant une histoire. **4.** *Une bande de loups a attaqué des moutons* (= troupe, meute, groupe).
■ **bandeau** n.m. SENS 1 *Ses cheveux sont tenus par un bandeau,* une sorte de ruban.
■ **bander** v. **1.** SENS 1 *Bander un poignet,* c'est l'entourer d'une bande de tissu. **2.** *Bander un arc,* c'est le tendre.
■ **bandage** n.m. SENS 1 *Le bandage* 38 *s'est desserré, la cheville n'est plus maintenue* (= pansement).
■ **banderole** n.f. SENS 1 *Des bande-* 512, 361 *roles sont tendues dans les rues pendant les fêtes,* des bandes de tissu avec des inscriptions.

bandit n.m. *Le caissier a été attaqué par deux bandits* (= malfaiteur, gangster, truand).

bandoulière n.f. *Jean porte un sac en* 37 *bandoulière,* avec une courroie passant sur une épaule et barrant le corps en biais.

banjo n.m. *Dans ce western, on voit une fermière jouer du banjo,* une sorte de guitare ronde avec une peau tendue.

banlieue n.f. *J'habite en banlieue,* dans une commune près d'une grande ville.

■ **banlieusard** n. *Beaucoup de banlieusards viennent travailler en ville,* des habitants de la banlieue.

438, **bannière** n.f. *La société sportive défile, bannière en tête* (= drapeau).
147

bannir v. *Le congrès a banni le recours à la violence* (= rejeter, proscrire, condamner).

■ **bannissement** n.m. *Après dix ans de bannissement, elle est rentrée dans son pays* (= exil, interdiction de séjour).

banque n.f. *J'ai retiré de l'argent à la banque,* à l'établissement qui gère mon argent.

■ **bancaire** adj. *J'ai payé mes achats avec un chèque bancaire,* un chèque que le commerçant pourra toucher dans une banque.

■ **banquier** n. *Cette banquière est une femme très riche,* la personne qui dirige une banque.

banqueroute n.f. *Une entreprise fait banqueroute quand elle ne peut plus assurer ses paiements* (= faillite).

banquet n.m. *Après la cérémonie, un banquet réunira les invités,* un grand repas (= festin).

508 **banquette** n.f. *Cette voiture a une banquette à l'avant,* un siège pour plusieurs personnes.

banquier → *banque.*

584 **banquise** n.f. *Près des pôles, les navires sont parfois prisonniers de la banquise,* de la mer gelée.

580 **baobab** n.m. *Le baobab est un grand arbre d'Afrique au tronc énorme.*

baptiser v. **1.** *Le prêtre verse l'eau sur le front de l'enfant qu'il baptise,* à qui il administre le baptême. **2.** *Comment as-tu baptisé ton chien ?,* quel nom lui as-tu donné ?

■ **baptisé** n. SENS 1 *La nouvelle baptisée est entourée de son parrain et de sa marraine,* celle qui a reçu le baptême.   **1**

■ **baptême** n.m. SENS 1 *L'enfant est appelé par son prénom au moment du baptême,* du sacrement par lequel on devient chrétien.   **1**

■ **débaptiser** v. SENS 2 *On a débaptisé cette rue,* on a changé son nom.
R. On ne prononce pas le *p* : [batize, batɛm].

baquet n.m. *L'eau de la gouttière tombe dans un baquet,* un récipient .

1. bar n.m. **1.** *Allons boire un verre dans un bar* (= café). **2.** *L'ivrogne a passé son après-midi devant le bar,* devant le comptoir où l'on sert des boissons.

■ **barman** n.m. *Le barman sert les consommations* (= garçon).
R. *Barman* se prononce [barman]. Pour une femme, on dit *barmaid.*

2. bar n.m. *Le bar est un très bon poisson de mer* (= loup).
R. *Bar* se prononce [bar] comme *barre.*

baragouiner v. Fam. *Suzan baragouine le français,* elle le parle mal.

baraque n.f. *Les outils de jardin sont rangés dans une baraque,* une petite cabane en planches.

■ **baraquement** n.m. *Les réfugiés étaient logés dans des baraquements,* des constructions provisoires.

baratin n.m. Très fam. *La vendeuse nous a garanti la qualité extra de l'article, mais, tout ça, c'est du baratin,* ce sont de belles paroles, on ne peut pas s'y fier.

■ **baratiner** v. Très fam. *Arrête de ba-ratiner et viens nous aider*, de raconter des boniments.

■ **baratineur** n. Très fam. *C'est une baratineuse intarissable.*

baratte n.f. *On fait le beurre dans une baratte.*

barbare 1. adj. et n. *Ce chef d'État barbare a fait fusiller des innocents* (= cruel, féroce, sauvage). **2.** adj. *Cette notice est pleine de mots bar-bares,* bizarres ou incorrects.

■ **barbarie** n.f. SENS 1 *Cette exécution est un acte de barbarie* (= cruauté, férocité, sauvagerie).

■ **barbarisme** n.m. SENS 2 *En écrivant « je chanta » au lieu de « je chantai » tu as fait un barbarisme,* une grosse faute.

barbe n.f. *Mon frère ne se rase plus, il se laisse pousser la barbe.*

■ **barbiche** n.f. *La chèvre a une barbi-che au menton,* une touffe de poils.

■ **barbier** n.m. *Autrefois les hommes se faisaient raser chez le barbier.*

■ **barbu** adj. et n. *Pierre est barbu,* il a une barbe.

■ **imberbe** adj. *Être imberbe,* c'est ne pas avoir de barbe.

barbecue n.m. *On a fait griller des saucisses sur le barbecue,* un petit fourneau fonctionnant en plein air au charbon de bois.
R. On prononce [barbəkju].

barbelé adj. *Le fil de fer barbelé est* hérissé de pointes.

barbiche, barbier → barbe.

barbillon n.m. *Les carpes ont des bar-billons,* des petits filaments de chaque côté de la bouche.

barboter v. *Les canards barbotent dans la mare,* ils s'agitent dans l'eau.

barbouiller v. **1.** *Son visage est bar-bouillé de chocolat,* il en est sali.

2. *Avoir le cœur ou l'estomac bar-bouillé,* c'est avoir mal au cœur, avoir envie de vomir.

■ **barbouillage** n.m. SENS 1 *Ce n'est pas de la peinture, c'est du barbouil-lage !*

■ **débarbouiller** v. SENS 1 *Va te débar-bouiller* (= se laver).

■ **débarbouillette** n.f. SENS 1 *Prends la débarbouillette pour te laver,* un carré de tissu-éponge.

barbu → barbe.

barbue n.f. *La barbue est un poisson de mer qui ressemble au turbot.*

barda n.m. Fam. *Les campeurs ont ra-massé leur barda,* leur chargement, leur matériel.

1. barder v. **1.** *Barder une volaille,* c'est l'entourer d'une barde. **2.** *Ce général a la poitrine bardée de décora-tions,* couverte de décorations.

■ **barde** n.f. SENS 1 *La bouchère met une barde autour du rôti,* une mince tranche de lard.

2. barder v. Très fam. *Ça va barder,* ça va être très animé, ou dangereux.

barème n.m. *Pour calculer ses prix, la commerçante consulte son barème,* une liste de calculs tout faits.

barge n.f. *Il y a des barges sur le Saint-Laurent,* des grands bateaux à fonds plats qui transportent des marchan-dises.

baril n.m. *On a acheté un baril de les-sive,* une boîte en forme de petit tonneau.

bariolé adj. *Marie a une robe bariolée,* avec des dessins de couleurs vives et variées.

barman → bar 1.

baromètre n.m. *La navigatrice sur-veille le baromètre,* un appareil servant à prévoir le temps en indiquant la pression atmosphérique.

baron n.m., **baronne** n.f. *Baron, duc, comte sont des titres de noblesse. La femme d'un baron est une **baronne**.*

baroque adj. **1.** *Une sculpture, un tableau de style **baroque** se caractérisent par une surabondance d'ornements.* **2.** *Tu as des idées **baroques**, qui choquent par leur étrangeté (= bizarre, extravagant).*

baroud n.m. *Un **baroud** d'honneur, c'est un combat, une compétition qu'on livre pour l'honneur, bien qu'on se sache déjà vaincu.*

721, 437 **barque** n.f. *Pour se promener sur le lac, on peut louer des **barques**, des petits bateaux à rames.*

■ **barquette** n.f. *Des **barquettes** aux fraises sont des petits gâteaux en forme de barque.*

barrage → *barrière.*

74, 34 **barre** n.f. **1.** *Une **barre** de fer est un morceau de fer allongé.* **2.** *Une **barre** de mesure est en musique un trait vertical séparant deux mesures.* **3.** *La **barre** de ton « t » est mal faite,* le trait de plume droit. **4.** *Le témoin est appelé à la **barre**,* il se présente devant les juges. **5.** *Les bateaux ne peuvent pas franchir la **barre**,* la ligne de hautes **765, 726** vagues près du rivage. **6.** *La pilote tient la **barre** du bateau,* elle la dirige en actionnant le gouvernail.

76 ■ **barreau** n.m. SENS 1 *Un **barreau** de l'échelle est cassé,* une petite barre (= échelon). SENS 4 *Entrer au **barreau**, c'est devenir avocat ou avocate.*

■ **barrer** v. **1.** SENS 2 *Son devoir est plein de mots **barrés**,* rayés d'un trait (= biffer). **2.** SENS 6 *Aline **barre** le voilier,* elle tient la barre.

■ **barreur** n.m. SENS 6 *Le bateau a gagné la course grâce à son excellent **barreur**.*

barrer → *barre* et *barrière.*

barrette n.f. *Marie retient ses cheveux à l'aide d'une **barrette**,* une petite pince allongée.

barreur → *barre.*

barrière n.f. *La **barrière** du passage à niveau empêche les voitures de passer,* la clôture qui barre la route. **7** **5**

■ **barrer** v. *Pendant les travaux, la rue est **barrée** (= boucher ; ≠ ouvrir).*

■ **barrage** n.m. **1.** *Les policiers ont installé un **barrage** sur la route,* ils l'ont barrée. **2.** *On a construit un **barrage** sur le fleuve,* un grand mur pour retenir l'eau. **8** **6**

■ **barricade** n.f. *Les manifestants élèvent une **barricade**,* ils entassent des objets pour barrer le passage.

■ **barricader** v. *Barricader une porte,* c'est la fermer solidement.

barrique n.f. *Une **barrique** est un grand tonneau.* **5**

barrir v. *L'éléphant **barrit**,* il crie.

■ **barrissement** n.m. *Le **barrissement** est le cri de l'éléphant.*

baryton n.m. *Ce chanteur est un **baryton**,* sa voix se situe entre celles du ténor et de la basse.

1. bas adj. **1.** *Dans le salon, il y a une table **basse** (≠ haut).* **2.** *Chut ! il dort, parlez à voix **basse** !,* doucement (≠ fort). **3.** *Il a acheté sa voiture à **bas** prix,* peu cher (≠ élevé). **4.** *Les Dubois ont un enfant en **bas** âge,* très jeune. **5.** *La manière dont tu te venges est **basse** (= méprisable, infâme, odieux ; ≠ noble).*

■ **bas** n.m. SENS 1 *Signez au **bas** de la page,* dans la partie inférieure (≠ haut).

■ **bas** adv. SENS 1 *Le temps est orageux, les hirondelles volent **bas** (≠ haut).* **2.** *La malade est au plus **bas**,* en mauvais état, mal en point. **3.** *La chatte a mis **bas** cette nuit,* elle a eu ses petits. **4.** *À bas la dictature !,* il faut la renverser (≠ vive).

■ **basse** n.f. *Ce chanteur est une basse,* il a une voix grave.

■ **bassement** adv. SENS 5 *En vous vengeant ainsi, vous vous êtes conduits bassement,* très mal.

■ **bassesse** n.f. SENS 5 *En le dénonçant, tu as commis une bassesse,* un acte infâme.

■ **basset** n.m. SENS 1 *Le basset est un chien bas sur pattes.*

■ **baisser** v. SENS 1 *Baisse la vitre de la voiture !,* mets-la plus bas (= abaisser ; ≠ relever). *La mer baisse* (= descendre ; ≠ monter). *Elle s'est baissée pour ramasser son crayon* (≠ se lever). SENS 2 *Baisse le son du poste de radio !,* mets-le moins fort (= diminuer). SENS 3 *Le prix des légumes a baissé* (= diminuer ; ≠ s'élever, augmenter). *Sa vue baisse* (= s'affaiblir). SENS 5 *Vous baissez dans mon estime,* je vous estime moins qu'avant.

■ **baisse** n.f. SENS 3 *Il faut profiter de la baisse des prix pour acheter* (= diminution ; ≠ hausse).

■ **abaisser** v. SENS 1 *On a abaissé le mur du jardin* (= baisser ; ≠ surélever). SENS 5 *Je ne m'abaisserai pas à le supplier,* je ne manquerai pas de dignité (= s'avilir).

■ **abaissement** n.m. SENS 2 *On note un abaissement de la température* (= baisse, diminution).

■ **rabaisser** v. SENS 5 *Ses adversaires cherchent à le rabaisser* (= abaisser, déprécier).

■ **rabais** n.m. SENS 3 *La vendeuse m'a fait un rabais,* un prix plus bas (= remise, réduction).

2. bas n.m. *Ma sœur a retiré ses bas en nylon : elle a les jambes nues.*

basalte n.m. *Le basalte est une roche volcanique qui forme parfois des colonnes appelées orgues basaltiques.*

basané adj. *Ces paysans ont la peau basanée,* brune, bronzée.

bas-côté → *côté.*

bascule n.f. **1.** *Papa se balance sur son fauteuil à bascule,* qui oscille d'avant en arrière. **2.** *On pèse des camions sur cette bascule,* une balance pour peser des objets très lourds.

■ **basculer** v. SENS 1 *La voiture a basculé dans le fossé,* elle s'est renversée (= culbuter).

base n.f. **1.** *La base de la montagne est sa partie inférieure* (≠ sommet). **2.** *La base du triangle est le côté opposé au sommet.* **3.** *Après l'exercice, les militaires sont rentrés à leur base,* là où ils sont installés. **4.** *Les dirigeants des syndicats ont consulté la base,* l'ensemble des adhérents. **5.** *Ce projet est à la base de notre désaccord* (= origine). *L'accord s'est fait sur la base des dernières propositions patronales,* en partant de ces propositions.

■ **baser** v. SENS 3 *Des troupes sont basées dans la ville,* elles y ont leur base. SENS 5 *Son raisonnement est basé sur une erreur* (= établir, fonder).

base-ball n.m. *Il faut deux équipes de 9 joueurs pour jouer au base-ball,* un jeu de balle.

bas-fond n.m. **1.** *La barque passe sans danger sur les bas-fonds,* les endroits où l'eau est très peu profonde* (≠ haut-fond). **2.** *Les bas-fonds de la société,* c'est la partie de la société qui vit dans la misère et la délinquance.

basilic n.m. *On a mangé une salade de tomates au basilic,* une plante aromatique.

basilique n.f. *L'église de Sainte-Anne-de-Beaupré est une basilique,* elle a reçu ce titre du pape.

76

361

34

basket-ball ou **basket** n.m. *Luce est grande, elle joue bien au basket-ball, un sport de ballon.*
■ **basketteur** n. *Notre équipe de basketteurs a gagné le championnat.*
R. On prononce [basketbol, basket].

bas-relief → *relief.*

basse → *bas* 1.

basse-cour n.f. *On élève les poules et les canards dans la basse-cour.*

bassement, bassesse, basset → *bas* 1.

bassin n.m. **1.** *Dans le parc, il y a un bassin plein de poissons rouges* (= pièce d'eau). **2.** *Nous avons amarré notre bateau dans le bassin, dans la partie la plus abritée du port.* **3.** *Le Bassin parisien est une vaste région en forme de cuvette.* **4.** *Un bassin houiller est une région contenant des gisements de houille.* **5.** *Dans l'accident, elle a eu une fracture du bassin, des os de la base du tronc.*
■ **bassine** n.f. *Je lave mon linge dans une bassine, un récipient en métal ou en matière plastique.*

bassinoire n.f. *Autrefois, on chauffait les draps avec une bassinoire, un récipient où l'on mettait de la braise.*

basson n.m. *Un basson est un instrument à vent en bois.*

bastingage n.m. *Les matelots étaient accoudés au bastingage, à la paroi ou la rampe qui borde le pont du bateau.*

bastion n.m. *Les fortifications comportaient des parties en saillie appelées bastions.*

bastonnade → *bâton.*

bastringue n.m. Fam. *Le bastringue de la fête foraine nous casse les oreilles,* la musique criarde.

bât n.m. *L'âne porte deux gros ballots fixés à un bât,* une sorte de selle.

bataclan n.m. Fam. *Les photographes sont arrivés avec tout leur bataclan, leur matériel, leur attirail.*

bataille, batailler, batailleur → *battre.*

bataillon n.m. *Un commandant est à la tête d'un bataillon,* une unité militaire.

bâtard **1.** adj. et n. *Un chien bâtard n'est pas de race pure.* **2.** n.m. *Un bâtard est une variété de pain.*
■ **s'abâtardir** v. SENS 1 *Cette race d'animaux s'est abâtardie,* elle a perdu ses anciennes qualités (= dégénérer).

batavia n.f. *Une batavia est une salade proche de la laitue.*

bateau n.m. **1.** *Dans le port il y a toutes sortes de bateaux :* des barques, des navires, des voiliers, des paquebots, etc. **2.** Fam. *C'est un sujet bateau,* un sujet qu'on connaît déjà, banal.
■ **bateau-mouche** n.m. SENS 1 *Les touristes peuvent visiter Paris en bateaux-mouches,* des bateaux de promenade sur la Seine.
■ **batelier** n. SENS 1 *Les bateliers ont amarré leurs péniches devant l'écluse* (= marinier).

bateleur n.m. *Le bateleur est un clown qui dans les foires amuse le public par ses acrobaties, ses tours.*

batelier → *bateau.*

bat-flanc n.m.inv. *Dans l'écurie, les chevaux sont séparés par des bat-flanc,* des cloisons.

bâti → *bâtir.*

batifoler v. *Les chiots batifolent dans le jardin* (= jouer, folâtrer).

bâtir v. **1.** *Le maçon bâtit une maison, il la fait en assemblant les matériaux* (= construire). **2.** *La couturière bâtit une jupe,* elle assemble les morceaux de tissu.

■ **bâti** adj. *Cette athlète est **bien bâtie**, solide et bien faite.*

■ **bâtiment** n.m. **1.** SENS 1 *Ce groupe d'immeubles comprend six **bâtiments** (= construction). Les maçons, les couvreurs, les peintres, les menuisiers sont des ouvriers du **bâtiment**,* qui travaillent dans l'industrie de la construction. **2.** *Un **bâtiment** de guerre est un navire de guerre.*

■ **bâtisse** n.f. SENS 1 *Ils habitent une grande **bâtisse**, une grande maison sans caractère.*

bâton n.m. **1.** *Le voyageur marchait en s'appuyant sur un **bâton** taillé dans une branche, un bout de bois.* **2.** *Un **bâton** de craie, de rouge à lèvres a la forme allongée d'un bâton.* **3.** *On a parlé **à bâtons rompus** de nos vacances, sans qu'il y ait un ordre précis dans la conversation, au fur et à mesure que les idées venaient.* **4.** *Ne t'attaque pas à eux, ils te **mettront des bâtons dans les roues**,* ils créeront des obstacles pour t'empêcher de faire ce que tu veux.

■ **bâtonnet** n.m. SENS 2 *Pendant la leçon de calcul, les petits comptent des **bâtonnets**,* des petits bâtons.

■ **bastonnade** n.f. SENS 1 *Une **bastonnade** est une volée de coups de bâton.*

batracien n.m. *La grenouille, le crapaud sont des **batraciens**, des animaux dont la larve (têtard) vit dans l'eau.*

battage, battant, battement → battre.

batterie n.f. **1.** *La voiture ne démarre pas, la **batterie** est à plat, les accus.* **2.** *Anaïs est à la **batterie** dans un orchestre de jazz,* elle joue d'un instrument de percussion. **3.** *Une **batterie** est un ensemble de casseroles, de plats utilisés pour la cuisine.*

■ **batteur** n.m. SENS 2 *Anaïs est le **batteur** de l'orchestre.*

batteur → batterie et battre.

battre v. **1.** *Le chien hurle parce que quelqu'un l'a **battu**,* lui a donné des coups (= frapper). *Cet enfant **se bat** souvent avec ses camarades.* **2.** *Je l'ai **battu** aux échecs,* j'ai gagné la partie (= vaincre). **3.** *Je **bats** des blancs d'œufs en neige* (= fouetter). *On **bat** le blé pour séparer le grain de la paille.* **4.** *La chienne a eu peur, son cœur **bat**,* il est animé de mouvements répétés (= palpiter). **5.** *Ferme la porte : elle **bat*** (= taper). **6.** *Les promeneurs ont **battu** la forêt en tous sens* (= parcourir, explorer). **7.** *L'armée a **battu en retraite**,* elle a reculé.

■ **bataille** n.f. SENS 1 *Les deux armées se sont livré **bataille**,* elles se sont battues.

■ **batailler** v. SENS 1 *Les syndicats ont longtemps **bataillé** pour obtenir ce droit* (= combattre).

■ **batailleur** adj. SENS 1 *Une fille **batailleuse** aime se battre* (= bagarreur).

■ **battage** n.m. **1.** SENS 3 *Après la moisson, le **battage** du blé commence,* on bat le blé pour en récolter les grains. **2.** Fam. *Quel **battage** autour de la sortie de ce film !,* quelle publicité.

■ **battant** n.m. SENS 5 *Le **battant** de la cloche est sa partie mobile.*

■ **battant** adj. **1.** SENS 4 *Laure avait le cœur **battant** à l'annonce des résultats,* son cœur battait fort. **2.** *Une pluie **battante** est une forte pluie.*

■ **battement** n.m. **1.** SENS 4 *Écoute les **battements** de mon cœur.* **2.** *Il y a cinq minutes de **battement** entre les séances,* d'intervalle.

■ **batteur** n.m. SENS 3 *La cuisinière bat la crème avec un **batteur** électrique.*

■ **batteuse** n.f. SENS 3 *Les agriculteurs ont loué une **batteuse**,* une machine qui bat le blé.

■ **battu** adj. **1.** *Le sol de cette ferme est en terre **battue**,* en terre durcie. **2.** *Des*

148

*yeux **battus*** sont des yeux cernés par la fatigue.

■ **battue** n.f. SENS 6 *Les chasseurs organisent une **battue**, ils parcourent la forêt pour rabattre le gibier.*

■ **batture** n.f. *Les **battures** sont les parties du rivage laissées à découvert par la marée basse.*

■ **imbattable** adj. SENS 2 *Cette concurrente est **imbattable**, on ne peut pas la battre.* **R.** → Conj. n° 56.

baudet n.m. *On appelle parfois un âne un **baudet**.*

baudruche n.f. *Les enfants gonflent des ballons de **baudruche**, de caoutchouc très fin.*

bauge n.f. *Le sanglier est dans sa **bauge**, le lieu boueux où il se vautre.*

baume n.m. *On a soigné sa brûlure avec un **baume**, une pommade.*

bavard adj. et n. *Vous êtes **bavarde**, vous parlez trop.*

■ **bavarder** v. *En attendant d'entrer au cinéma, les spectateurs **bavardent** (= causer).*

■ **bavardage** n.m. *Ne perdez pas votre temps en **bavardages** (= parlote).*

bave n.f. *Le chien a sali le parquet avec sa **bave**, avec la salive qui coule de sa gueule.*

■ **baver** v. *Les bébés **bavent**.*

■ **baveux** adj. *Une omelette **baveuse** est un peu liquide à l'intérieur.*

■ **bavoir** n.m. *Bébé porte un **bavoir**, une petite serviette.*

■ **bavure** n.f. **1.** *Ce coloriage est plein de **bavures**, les couleurs dépassent le contour du dessin.* **2.** Fam. *Une **bavure** policière est une erreur ou une faute commise au cours d'une opération de police.*

bazar n.m. *Les **bazars** sont des magasins où l'on vend un peu de tout.*

béant adj. *Un sac **béant** est largement ouvert.*

béat adj. *Il sourit d'un air **béat**, à la fois satisfait et un peu niais.*

■ **béatement** adv. *Quand on le complimente, il sourit **béatement**.*

■ **béatitude** n.f. *Son visage rayonnait de **béatitude*** (= satisfaction).

beau adj. **1.** *Tu as fait un **beau** dessin* (≠ laid). **2.** *Nous avons vu un **beau** match à la télé* (= réussi). **3.** *Ce n'est pas **beau** de mentir !* (= bien). **4.** *Mon grand-père a laissé un **bel** héritage* (= gros, considérable). **5.** *En voilà une **belle** excuse !,* c'est une mauvaise excuse. **6.** *Cette aventure lui arriva un **beau** matin,* un certain matin, alors qu'il ne s'y attendait pas.

■ **beau** n.m. SENS 1 *Le chien fait le **beau**,* il se dresse sur ses pattes de derrière.

■ **beau** adv. *Il a **beau** pleuvoir, je sors,* bien qu'il pleuve.

■ **de plus belle** adv. *Il pleure de plus **belle**,* plus fort qu'avant.

■ **beauté** n.f. SENS 1 *Je suis émerveillé par la **beauté** de ce paysage* (≠ laideur). *Cette statue est une **beauté**.*

■ **embellir** v. SENS 1 *Le papier peint **embellit** la pièce,* il la rend plus belle. *Cette enfant **embellit**,* elle devient plus belle.

R. L'adjectif *beau* devient *bel* devant une voyelle ou un « h » muet : *un **bel** arbre, un **bel** homme.* → *bail* et *bot*.

beaucoup adv. **1.** *Il mange **beaucoup**,* en grande quantité. *Elle a **beaucoup** d'amis,* un grand nombre d'amis (≠ peu). **2.** *Son frère est de **beaucoup** le plus âgé* (= de loin ; ≠ de peu).

beau-fils n.m. **1.** *M. Dupont a épousé une veuve qui avait deux fils : ce sont ses **beaux-fils**.* **2.** *Le mari de sa fille, c'est son gendre, qu'on appelle parfois aussi son **beau-fils**.*

■ **belle-fille** n.f. 1. *Sa belle-fille est la femme de son fils* (on dit moins souvent sa *bru*). 2. *L'homme que Françoise a épousé avait déjà une fille : c'est la belle-fille de Françoise.*

■ **beau-frère** n.m., **belle-sœur** n.f. 1. *Les sœurs de ma femme sont mes belles-sœurs.* 2. *L'épouse de mon frère est ma belle-sœur.*

■ **beau-père** n.m., **belle-mère** n.f., **beaux-parents** n.m.pl. 1. *Mon beau-père, ma belle-mère sont les parents de mon conjoint ; ce sont mes beaux-parents.* 2. *Le beau-père de Pierre est le second mari de sa mère. La belle-mère de Jacques est la seconde femme de son père.*

beaujolais n.m. *Le beaujolais est un vin d'une région voisine de la Bourgogne.*

beaupré n.m. *Le beaupré est un mât oblique à l'avant d'un voilier.*

beauté → *beau.*

beaux-arts → *art.*

bébé n.m. 1. *Le bébé est dans son berceau,* le tout petit enfant. 2. Un *bébé singe* est un très jeune singe.

bec n.m. 1. *Les oiseaux ont un bec dur et pointu.* 2. *J'ai tordu le bec de ma plume,* son extrémité. 3. *Le paquet de sucre en poudre est muni d'un bec verseur,* d'une partie en pointe que l'on sort pour verser.

■ **becquée** n.f. SENS 1 *L'oiseau donne la becquée aux oisillons,* il leur met de la nourriture dans le bec.

■ **becqueter** v. SENS 1 *Les oiseaux commencent à becqueter les cerises,* à les piquer de leur bec.
R. *Becqueter* → conj. n° 8.

bécarre n.m. *Le bécarre ramène à son ton naturel une note de musique.*

bécasse n.f. *Anne a abattu une bécasse à la chasse,* un oiseau à long bec.

■ **bécassine** n.f. *La bécassine est plus petite que la bécasse.*

bec-de-lièvre n.m. *Cet enfant a un bec-de-lièvre,* sa lèvre supérieure est fendue.

béchamel n.f. *La béchamel est une sorte de sauce blanche.*

bêche n.f. *Avant de planter, on retourne la terre avec une bêche,* une pelle droite.   366
■ **bêcher** v. *Bêcher son jardin,* c'est en retourner la terre avec une bêche.

becquée, becqueter → *bec.*

bédane n.m. *Le bédane est une sorte de ciseau utilisé par les menuisiers.*   291

bedeau n.m. *Le bedeau est l'employé qui s'occupe du matériel de l'église.*

bedonnant adj. *Une personne bedonnante a un gros ventre* (= ventru).

bée adj.f. *Les enfants contemplent bouche bée ce spectacle,* ils ont la bouche ouverte d'étonnement.

beffroi n.m. *Il y a une horloge sur le beffroi de l'hôtel de ville,* sur la tour qui le surmonte.

bégayer v. *Quand il est intimidé, André bégaie,* il parle avec difficulté, en répétant des syllabes.
■ **bégaiement** n.m. *Son bégaiement est pénible.*
■ **bègue** adj. et n. *Doris est bègue,* elle bégaie.

bégonia n.m. *Le balcon est garni de pots de bégonias,* des plantes dont les fleurs ont des couleurs vives.

bègue → *bégayer.*

1. béguin n.m. *Le béguin était une sorte de bonnet.*   805

2. béguin n.m. Fam. *Oncle Paul dit qu'il a le béguin pour cette femme,* il dit qu'elle lui plaît beaucoup.

296 **beige** adj. *Le sable est de couleur beige,* brun clair.

beignet n.m. *Un beignet,* c'est de la pâte cuite dans la friture.

bel → *beau.*

bêler v. *Le mouton bêle,* il pousse son cri.

■**bêlement** n.m. *On entend les bêlements de la brebis,* ses cris.

656 **belette** n.f. *La belette est un petit animal au corps allongé.*

361 **bélier** n.m. 1. *Le bélier est un mouton mâle.* 2. *Autrefois, on défonçait les*
146 *portes des forteresses avec un bélier,* une longue poutre de bois.

belle → *beau.*

belle-fille, belle-mère, belle-sœur → *beau-fils.*

649 **belligérant** n.m. *Un armistice a été signé entre les belligérants,* ceux qui étaient en guerre.

■**belligérance** n.f. *La belligérance,* c'est l'état de guerre.

belliqueux adj. *Une personne belliqueuse* aime les querelles (= agressif ; ≠ pacifique).

belote n.f. *Sais-tu jouer à la belote ?,* un jeu de cartes.

belvédère n.m. *Du belvédère, on a une vue superbe sur la vallée,* du lieu aménagé pour l'observation.

438 **bémol** n.m. *Le bémol abaisse une note de musique d'un demi-ton.*

bénédictin n. 1. *Les bénédictins sont des religieux vivant dans des couvents.* 2. *Un travail de bénédictin est long et minutieux.*

bénédiction → *bénir.*

bénéfice n.m. *En vendant 10 $ un objet qui a coûté 6 $, on fait un bénéfice de 4 $, on gagne 4 $ (= profit ; ≠ perte).*

■**bénéficier** v. *L'acheteur bénéficie d'une réduction sur le prix,* il en profite.

bénéfique adj. est un équivalent de *bienfaisant, avantageux.*

benêt adj. et n.m. *Il a un air benêt. Il se dandinait comme un grand benêt* (= niais, nigaud).

bénévole 1. adj. et n. *Y a-t-il des bénévoles pour nous aider ?,* des volontaires. 2. adj. *Un travail bénévole est fait sans intention d'être payé.*

bénin adj. *Une maladie bénigne est sans gravité.*

bénir v. 1. *Le pape bénit la foule,* il appelle sur elle la protection de Dieu. 2. *Je bénis cette rencontre,* j'en suis très heureux (≠ maudire).

■**bénédiction** n.f. SENS 1 *Le prêtre donne sa bénédiction aux mariés,* il les bénit.

■**bénit** adj. SENS 1 *L'eau bénite est de l'eau consacrée par une cérémonie religieuse.*

■**bénitier** n.m. SENS 1 *Un bénitier est un petit bassin, souvent en pierre, contenant de l'eau bénite.*
R. On distingue dans l'orthographe *bénit,* adjectif, et *béni,* participe passé.

benjamin n. *Nicole est la benjamine du groupe,* la plus jeune (≠ aîné).
R. On prononce [bɛ̃ʒamɛ̃].

benne n.f. *Le camion transporte du sable dans sa benne,* dans la grande caisse qu'il a à l'arrière.

béquille n.f. *Depuis sa chute, elle marche avec des béquilles,* des sortes de bâtons sur lesquels elle s'appuie.

bercail n.m. *Anne est revenue au bercail,* chez elle.

bercer v. *Bercer un enfant,* c'est le balancer doucement.

■**berceau** n.m. *Le nouveau-né est dans un berceau,* un lit que l'on peut balancer.

■ **bercement** n.m. *Le bercement de la voiture l'avait endormi.*

■ **berceuse** n.f. *La cantatrice chante une berceuse, une chanson pour endormir les enfants.*

béret n.m. *Les marins sont coiffés d'un béret bleu.*

berge n.f. *Le pêcheur est installé sur la berge,* sur le bord de la rivière.

berger n. *La bergère garde ses moutons,* la personne qui veille sur le troupeau.
■ **bergerie** n.f. *Les moutons sont enfermés dans la bergerie,* dans un local de la ferme.

bergère n.f. *Une bergère est un type de fauteuil large et profond.*

berlingot n.m. 1. *Les enfants se partagent un paquet de berlingots,* une sorte de bonbons. 2. *Caroline a acheté un berlingot de lait,* du lait dans une boîte de carton.

berlue n.f. *C'est bien ta sœur qui arrive, je n'ai pas la berlue ?,* mes yeux ne me trompent pas ?

bermuda n.m. *Un bermuda est un short s'arrêtant aux genoux.*

bernard-l'ermite n.m.inv. *Les bernard-l'ermite sont des petits crustacés qui se logent dans des coquilles vides.*

berne n.f. *Les drapeaux sont en berne,* enroulés en signe de deuil.

berner v. *Ce marchand nous a bernés,* il nous a trompés, dupés.

bernique n.f. *La bernique est un coquillage en forme de cône qu'on trouve sur les rochers de la mer.*

besogne n.f. *On l'emploie à toutes sortes de besognes* (= travail, tâche).

besoin n.m. 1. *J'ai besoin de repos,* le repos m'est nécessaire. 2. *Ce malheureux est dans le besoin,* il est très pauvre (= misère). 3. *Les bébés font leurs besoins dans leurs couches* (= excréments).

bestial, bestiaux, bestiole → **bête.**

best-seller n.m. *Un best-seller est un livre qui a un très grand succès.*
R. On prononce [bɛstsɛlœr]. Noter le pluriel : des *best-sellers.*

bête 1. n.f. *Ce taureau est une belle bête* (= animal). 2. adj. *Ce chien est bête,* il n'est pas intelligent (= sot, stupide).
■ **bestial** adj. SENS 1 *Cet homme a un visage bestial,* il ressemble à une bête.
■ **bestiaux** n.m.pl. SENS 1 *Dans un marché aux bestiaux, on vend des bœufs, des moutons, des porcs.*
■ **bestiole** n.f. SENS 1 *Il y a une bestiole sur le rideau,* une petite bête.
■ **bétail** n.m. SENS 1 *Le bétail est l'ensemble des bestiaux.*
■ **bêtement** adv. SENS 2 *Cet accident est arrivé bêtement,* à cause d'une bêtise.
■ **bêtise** n.f. SENS 2 *Tu as montré ta bêtise* (= sottise, stupidité). *Les enfants ont fait des bêtises* (= sottise).
■ **abêtir** v. SENS 2 *En lisant ces niaiseries, tu vas t'abêtir,* devenir bête.

béton n.m. *Ce mur est en béton,* en un mélange de ciment, de gravier, de sable et d'eau.
■ **bétonnière** n.f. *La bétonnière est une cuve tournante qui sert à faire le béton.*

bette ou **blette** n.f. *La bette est un légume.*

betterave n.f. *Dans cette région, on cultive la betterave à sucre,* une plante dont la racine fournit du sucre. *La betterave rouge se mange en salade.*

beugler v. *La vache beugle sans arrêt,* elle crie (= mugir).

■ **beuglement** n.m. *On entend les beuglements du taureau* (= mugissement).

222   **beurre** n.m. *On fait du beurre avec la crème du lait.*

■ **beurrer** v. *Beurrer un moule à gâteau,* c'est l'enduire de beurre.

■ **beurrier** n.m. *Le beurre est servi à table dans un beurrier,* un récipient spécial.

beuverie n.f. *La fête s'est terminée en beuverie,* on a bu jusqu'à l'ivresse.

bévue n.f. *Une bévue est une grosse erreur.*

bi- au début d'un mot indique l'idée de *deux* : un *bimoteur* a deux moteurs, etc.

biais n.m. **1.** *La poule a traversé la route en biais,* en oblique, en diagonale. **2.** *Tu as trouvé un biais pour ne pas répondre à ma question,* un moyen habile.

■ **biaiser** v. SENS 2 *Quand on lui pose une question précise, elle biaise toujours,* elle ne répond jamais directement.

bibelot n.m. *L'étagère est garnie de bibelots,* de petits objets décoratifs.

biberon n.m. *Mme Dupont fait chauffer le biberon de lait de son bébé,* un flacon muni d'une tétine. *Bébé a bu tout son biberon,* le contenu du flacon.

bible n.f. **1.** *Le christianisme est fondé sur la Bible,* un recueil de textes religieux* (= Écriture sainte). **2.** *Ce vieux livre de cuisine est ma bible,* j'applique soigneusement les indications qu'il me donne.

■ **biblique** adj. SENS 1 *Moïse est un personnage biblique,* de la Bible.

bibliothèque n.f. **1.** *Luce se constitue une bibliothèque,* une collection de livres. **2.** *J'emprunte des livres à la bibliothèque municipale,* un orga-

nisme qui prête des livres. **3.** *On range les livres dans une bibliothèque,* un meuble spécial.

■ **bibliothécaire** n. SENS 2 *La bibliothécaire s'occupe du classement et du prêt des livres par la bibliothèque.*

biblique → *bible.*

bicentenaire → *cent.*

biceps n.m. *L'athlète plie son avant-bras pour gonfler ses biceps.*

biche n.f. *La biche est la femelle du cerf.*

bichonner v. *Elle bichonne sa voiture,* elle est aux petits soins pour elle.

bicoque n.f. *Ils se sont acheté une bicoque à la campagne,* une petite maison sans grande valeur.

bicorne n.m. *Un bicorne est un chapeau à deux pointes.*

bicyclette → *cycle.*

bidet n.m. *Le bidet est à côté de la baignoire,* une cuvette allongée.

1. bidon n.m. *L'huile pour moteur est vendue en bidons,* dans des récipients de métal ou de plastique.

2. bidon adj.inv. Fam. *Cette histoire est complètement bidon* (= faux, truqué).

bidonville n.m. *Des malheureux vivent dans des bidonvilles,* des quartiers de cabanes en matériaux divers (planches, plaques de tôles, etc.).

bief n.m. *Un bief est un petit canal.*

bielle n.f. *Dans un moteur, le va-et-vient des pistons est transformé en mouvement rotatif par des bielles,* des barres métalliques mobiles.

bien adv. **1.** *Il a bien chanté* (≠ mal). **2.** *J'aime bien les gâteaux* (= beaucoup). **3.** *Elle est bien contente* (= très). **4.** *J'ai bien essayé d'entrer,* mais la porte était fermée (= certes, sans doute).

■ **bien** adj.inv. **1.** *Elle est* **bien,** *elle est belle.* **2.** *Un homme* **bien** *est un homme estimable* (= *sérieux*). **3.** *Nous sommes* **bien,** *dans des conditions confortables.*

■ **bien** n.m. **1.** *Tu ne distingues pas le bien du mal,* ce qui est moral, convenable. **2.** *Ce médicament m'a fait du bien,* il m'a soulagé. **3.** *Cette famille possède des biens,* de la fortune et des propriétés.

■ **bien-être** n.m. **1.** *Après le bain on éprouve une sensation de* **bien-être,** *on se sent bien* (≠ *malaise*). **2.** *Vivre dans le* **bien-être,** *c'est vivre dans l'aisance et le confort.*

■ **bien que** conj. *Elle sort sans parapluie* **bien que** *le ciel soit menaçant* (= *quoique*).

■ **bien du, de la, des** adj. indéfinis *Bien des personnes m'approuvent,* beaucoup de personnes. *Ça m'a donné bien du mal* (= *beaucoup de* ; ≠ *peu de*).

bien-aimé → *aimer.*

bienfait n.m. *Je ressens les* **bienfaits** *de ce médicament,* je sens qu'il m'a fait du bien.

■ **bienfaiteur** n. *Elle a été sa* **bienfaitrice,** *elle l'a secouru.*

■ **bienfaisant** adj. *À la sécheresse a succédé une pluie* **bienfaisante,** *qui a fait du bien* (= *bénéfique*).

■ **bienfaisance** n.f. *Une œuvre de* **bienfaisance** *a pour but de soulager des misères.*

R. On prononce [bjɛ̃fəzã, bjɛ̃fəzãs].

bien-fondé n.m. *Nous examinerons le* **bien-fondé** *de votre réclamation,* si elle est justifiée (= *légitimité*).

bienheureux → *heureux.*

bien-pensant n. et adj. *Ces déclarations ont scandalisé les bien-pen-*

sants, les gens qui se conforment aux traditions (= *conformiste*).

bienséant adj. *Il serait* **bienséant** *de vous excuser de votre absence,* convenable, poli, bien élevé (≠ *malséant*).

■ **bienséance** n.f. *La* **bienséance** *interdit ici les mots grossiers,* la bonne éducation.

bientôt adv. *Nous serons* **bientôt** *prêts,* dans peu de temps.

bienveillant adj. *Des paroles* **bienveillantes** *indiquent qu'on est bien disposé envers quelqu'un.*

■ **bienveillance** n.f. *Ses parents sont d'une grande* **bienveillance** (= compréhension, indulgence ; ≠ *malveillance*).

bienvenu adj. *Cette somme d'argent est* **bienvenue,** *elle vient à point.*

■ **bienvenue** n.f. *Mme Durand a souhaité la* **bienvenue** *à ses invités,* elle les a accueillis avec des paroles aimables.

1. bière n.f. *Nous buvons de la* **bière,** *une boisson fermentée, blonde ou brune, faite avec de l'orge et du houblon.*

2. bière n.f. *On a mis le corps en* **bière,** *dans un cercueil.*

biffer v. *Biffer un mot dans une phrase,* c'est le rayer.

bifteck ou **steak** n.m. *Au déjeuner, j'ai mangé un* **bifteck,** *une tranche de bœuf grillée.*

bifurquer v. **1.** *Ici, la route* **bifurque,** *elle se divise en deux branches.* **2.** *La voiture* **a bifurqué** *au carrefour,* elle a changé de direction.

■ **bifurcation** n.f. SENS 1 *Prenez à gauche à la* **bifurcation** *!,* à l'endroit où la route bifurque (= croisement, embranchement).

bigame, bigamie → *monogamie.*

835

bigarré adj. *Une étoffe bigarrée a des couleurs vives et contrastées* (= bariolé).
■ **bigarrure** n.f. *Sa robe a des bigarrures.*

bigarreau n.m. *Les bigarreaux sont des cerises à chair ferme.*

722 **bigorneau** n.m. *Les bigorneaux sont de petits coquillages marins comestibles ressemblant à des escargots.*

bigot adj. et n. *Cette personne est un peu bigote,* elle a une façon mesquine de pratiquer la religion.
■ **bigoterie** n.f. *La bigoterie est une déformation de la piété.*

bigoudi n.m. *Pour friser une mèche de cheveux, on l'enroule mouillée sur un bigoudi,* un petit rouleau.

bigre ! interj. marque une certaine surprise : *Bigre ! quel froid, ce matin !*
■ **bigrement** adv. *Ce travail est bigrement difficile !* (= très, fameusement).

220 **bijou** n.m. **1.** *Aimez-vous porter des bijoux ?,* des colliers, des bagues, etc. **2.** *Ce meuble est un vrai bijou,* il est finement travaillé.

220 ■ **bijouterie** n.f. SENS 1 *La vitrine de la bijouterie a été cassée,* du magasin où l'on vend des bijoux.
■ **bijoutier** n. SENS 1 *La bijoutière vient de fermer son magasin.*

bilan n.m. **1.** *Le commerçant fait son bilan annuel,* il fait ses comptes de l'année. **2.** *Le bilan d'une journée de travail,* c'est son résultat ; *le bilan d'un accident,* ce sont ses conséquences.

bilatéral → *latéral.*

bile n.f. **1.** *Le foie sécrète la bile,* un suc digestif jaunâtre et amer. **2.** Fam. *Tu te fais trop de bile,* du souci.
■ **se biler** v. SENS 2 Fam. *Ne te bile pas,* ça s'arrangera, ne te fais pas de souci.

■ **bileux** adj. et n. SENS 2 Fam. *Pierre n'est pas bileux,* il n'est pas d'un tempérament inquiet.

■ **biliaire** adj. SENS 1 *La vésicule biliaire* est une petite poche qui contient la bile.

■ **bilieux** adj. SENS 1 *Caroline a un teint bilieux,* jaunâtre.

bilingue adj. *Une personne bilingue* parle deux langues.

bille n.f. **1.** *Ces enfants jouent avec des billes,* des petites boules servant à divers jeux. **2.** *Le camion transporte des billes de bois,* des grands morceaux de troncs d'arbres.
■ **billard** n.m. SENS 1 *Nous avons joué au billard,* un jeu où l'on pousse des grosses billes avec un bâton appelé queue.
■ **billot** n.m. SENS 2 *Pour fendre une bûche, on la pose sur un billot,* un gros morceau de bois.

billet n.m. **1.** *J'ai payé mes achats avec un billet de 20 $* (= billet de banque). **2.** *Le voyageur montre son billet de chemin de fer au contrôleur* (= ticket).

billot → *bille.*

bimensuel → *mois.*

bimoteur → *moteur.*

binaire adj. *Un rythme binaire* est un rythme à deux temps.

biner v. *Le jardinier bine les haricots,* il retourne la terre en surface autour des pieds.
■ **binette** n.f. *Pour biner on se sert d'une binette.*

biniou n.m. *Les Bretons et les Bretonnes dansent au son du biniou,* une sorte de cornemuse.

binocle n.m. *Autrefois, certains hommes portaient des binocles,* des lunettes sans branches pinçant le nez.

biographie n.f. *La biographie d'un écrivain* est l'histoire de sa vie.

■ **biographique** adj. *Une notice biographique* résume la vie de quelqu'un.

biologie n.f. *Catherine se passionne pour la biologie,* l'étude scientifique des êtres vivants.

bipède n. et adj. *L'être humain est un bipède,* il a deux pieds.

biplan n.m. *Les biplans étaient des avions qui avaient deux paires d'ailes superposées.*

bique n.f. *Fam. Une bique,* c'est une chèvre.

biréacteur → *réaction.*

1. bis adv. *Ma maison porte le numéro 6 bis car la maison voisine porte déjà le numéro 6.*
■ **bis !** interj. *Les spectateurs crient : « Bis ! bis ! »,* ils veulent que l'artiste fasse son numéro une deuxième fois.
■ **bisser** v. *La pianiste a été bissée,* on lui a crié *« bis » !*
R. On prononce le s : [bis].

2. bis adj. *J'aime le pain bis,* un pain de couleur grise.
R. On prononce [bi, biz].

bisbille n.f. *Fam. Être en bisbille avec quelqu'un,* c'est avoir une petite querelle, une dispute peu grave avec quelqu'un.

biscornu adj. **1.** *Un objet biscornu a une forme étrange, irrégulière.* **2.** *Une idée biscornue est bizarre.*

biscotte n.f. *À la place du pain, elle achète des biscottes,* des tranches de pain brioché séchées.

biscuit n.m. *Conchita grignote des biscuits,* des gâteaux secs.

1. bise n.f. *La bise souffle du nord,* un vent glacé.

2. bise n.f. *Fam. Marie nous a fait la bise,* elle nous a embrassés.
■ **bisou** n.m. est un équivalent fam. de *bise, baiser.*

biseau n.m. *Cette glace est taillée en biseau,* le bord est coupé en oblique.
■ **biseauté** adj. *Cette glace est biseautée.*

bison n.m. *L'Amérique du Nord avait autrefois d'immenses troupeaux de bisons,* de grands bœufs sauvages. 583, 802

bissectrice n.f. *La bissectrice d'un angle partage celui-ci en deux angles égaux.* 385

bisser → *bis* 1.

bissextile adj. *Tous les quatre ans, l'année est bissextile,* elle dure 366 jours et février a 29 jours au lieu de 28.

bistouri n.m. *Le chirurgien opère avec un bistouri,* un petit couteau.

bistre adj.inv. *La moquette est bistre,* d'un brun jaunâtre.

bistrot ou **bistro** n.m. *On va boire un verre au bistrot,* au débit de boissons (= café, bar).

bitume n.m. *Les trottoirs sont revêtus de bitume* (= goudron, asphalte).

bivouac n.m. *Les alpinistes installent un bivouac au pied de la montagne,* un campement pour la nuit.
■ **bivouaquer** v. *Nous bivouaquerons à 2 000 mètres d'altitude* (= camper).

bizarre adj. *Une idée bizarre, un objet bizarre* surprennent, étonnent (= étrange, curieux, extravagant ; ≠ ordinaire).
■ **bizarrement** adv. *Elle gesticulait bizarrement* (= étrangement, curieusement).
■ **bizarrerie** n.f. *Les bizarreries de l'orthographe française sont nombreuses.*

blablabla n.m. *Fam. Tout ça, c'est du blablabla,* de vaines paroles (= verbiage).

blafard adj. *Une lumière blafarde* est pâle et triste.

1. blague n.f. *Mon père prend sa pipe et sa blague à tabac,* un petit sac destiné à contenir du tabac.

2. blague n.f. Fam. 1. *Tu passes ton temps à dire des blagues,* des plaisanteries. 2. *On m'a fait une blague,* une farce. 3. *J'ai fait une grosse blague,* une grosse bêtise.
■ **blaguer** v. SENS 1 *Tu as dit ça pour blaguer* (= plaisanter).

blaireau n.m. 1. *Le blaireau* est un petit animal sauvage au poil raide. 2. *On fait mousser le savon à barbe avec un blaireau,* un gros pinceau.

blâme n.m. *On lui a infligé un blâme,* on l'a réprimandé pour une faute qu'il avait commise.
■ **blâmer** v. *Elle nous a blâmés d'avoir menti* (= désapprouver, critiquer).

blanc adj. 1. *La neige est blanche.* 2. *Les Européens sont de race blanche.* 3. *Tu m'accuses à tort, je suis blanc comme neige,* je suis innocent. 4. *Un examen blanc* ne compte pas. 5. *Une nuit blanche* est une nuit sans sommeil.
■ **blanc** n.m. SENS 1 *Ma boîte de gouache contient un gros tube de blanc,* de peinture blanche. *Elle est vêtue de blanc,* de vêtements blancs. *Quand on écrit, on laisse des blancs entre les mots* (= espace). *Le blanc d'œuf, le blanc de l'œil* sont de couleur blanche. SENS 4 *Dans mon fusil il y a une cartouche à blanc,* sans projectile. SENS 2 *L'Europe est habitée par des Blancs,* des gens de race blanche.
■ **blanchâtre** adj. SENS 1 *À force d'être lavé, son jean a pris une teinte blanchâtre,* vaguement blanche.
■ **blanche** n.f. *Une blanche* est une note de musique.

■ **blancheur** n.f. SENS 1 *Nous étions éblouis par la blancheur de la neige.*
■ **blanchir** v. SENS 1 *Le peintre blanchit la façade de la maison,* il y met de la peinture blanche. *Quand on vieillit, les cheveux blanchissent,* ils deviennent blancs. SENS 3 *L'accusée a été blanchie,* on a démontré son innocence.
■ **blanchissage** n.m. SENS 1 *Cette lessive est très bonne pour le blanchissage du linge* (= lavage).
■ **blanchisserie** n.f. SENS 1 *Elle donne son linge à laver et à repasser dans une blanchisserie* (= laverie).
■ **blanchisseur** n. SENS 1 *La blanchisseuse est en train de repasser les draps de ses clients.*

blanc-bec n.m. Fam. *Ce n'est pas un blanc-bec comme lui qui va m'apprendre mon métier !,* un jeune homme sans expérience.
R. Noter le pluriel : *des blancs-becs.*

blanquette n.f. *La blanquette,* c'est de la viande de veau en ragoût.

blasé adj. *Elle a lu tellement de romans policiers qu'elle en est blasée,* ils ne l'intéressent plus.

blason n.m. *Les villes, les pays, les familles nobles ont chacun leur blason,* un dessin qui leur est particulier (= armoiries).

blasphème n.m. *Il a proféré des blasphèmes,* il a dit des paroles qui offensent la religion.
■ **blasphémer** v. *La colère le fait blasphémer,* lui fait dire des blasphèmes.
■ **blasphémateur** adj. et n. *On a accusé cet écrivain d'être un blasphémateur.*
■ **blasphématoire** adj. *Tu as prononcé des paroles blasphématoires.*

blatte n.f. est un équivalent de *cafard* au sens 1.

blazer n.m. Un *blazer* est une veste croisée en tissu bleu marine ou en flanelle.
R. On prononce [blazεr].

blé n.m. *Avec les grains de blé transformés en farine, on fait le pain.*

blême adj. *Après l'accident, son visage était blême* (= pâle, livide).
■ **blêmir** v. *Elle blêmit de rage,* elle devint blême.

blesser v. 1. *D'un coup de patte, le lion a blessé le dompteur,* il lui a déchiré la chair. 2. *J'ai été blessé par tes paroles désagréables,* j'ai été vexé (= froisser, peiner, offenser).
■ **blessure** n.f. SENS 1 *Une plaie, une fracture, une morsure, une brûlure sont des blessures.* SENS 2 *Je n'ai pas oublié cette blessure d'amour-propre.*
■ **blessant** adj. SENS 2 *Tu m'as dit des paroles blessantes* (= vexant).
■ **blessé** n. SENS 1 *L'accident a fait un mort et deux blessés.*

blet adj. *Une poire blette est trop mûre, molle.*
■ **blettir** v. *Les poires commencent à blettir,* à devenir blettes.

blette → *bette* et *blet*.

bleu adj. 1. *Un ciel sans nuages est bleu.* 2. *J'ai eu une peur bleue,* très peur.
■ **bleu** n.m. SENS 1 1. *Le bleu va très bien à votre teint.* 2. *En me cognant, je me suis fait un bleu,* une marque bleue sur la peau. 3. *Le mécanicien porte un bleu de travail,* un vêtement en toile bleue.
■ **bleuâtre** adj. SENS 1 *Elle porte un pantalon délavé, bleuâtre,* vaguement bleu.
■ **bleuet** n.m. SENS 1 *Au bord du champ, on cueille des bleuets,* les baies bleues de la myrtille.

■ **bleuir** v. SENS 1 *Ses mains sont bleuies par le froid,* elles sont devenues bleues.
■ **bleuté** adj. SENS 1 *Le pied de cette lampe est bleuté,* légèrement coloré de bleu.

blinder v. *Une porte blindée est doublée de métal pour résister aux chocs.*
■ **blindé** n.m. *Un groupe de blindés a attaqué l'ennemi* (= char, tank).
■ **blindage** n.m. *Le blindage du char a résisté aux obus.*

blizzard n.m. *Le blizzard est un vent violent, souvent accompagné de neige.*

bloc n.m. 1. *D'énormes blocs de pierre se sont détachés de la falaise* (= masse). 2. *Les pays de l'Est forment un bloc,* un groupe uni (= union). 3. *Un bloc de papier à lettres est un ensemble de feuilles collées par le haut.* 4. Fam. *Il a passé la nuit au bloc,* en prison, ou au commissariat de police. 5. *Les élèves ont refusé en bloc le projet de leur camarade,* ils l'ont tous refusé. 6. *Serrez cette vis à bloc !,* le plus possible (= à fond).
■ **bloc-notes** n.m. SENS 3 *La secrétaire a inscrit les renseignements sur son bloc-notes,* un bloc à feuilles détachables.

blocage, blocus → *bloquer*.

blond adj. et n. *Martine a les cheveux blonds comme les blés* (= clair ; ≠ noir). *C'est une blonde* (≠ brun).
■ **blondinet** n. *Son fils est un joli blondinet,* un petit enfant blond.

bloquer v. 1. *L'autoroute est bloquée par un accident,* les voitures ne peuvent plus avancer (= boucher). 2. *L'automobiliste a bloqué le frein à main,* elle l'a serré à fond. 3. *Le gouvernement a décidé de bloquer les prix,* de les empêcher de monter. **4.** *Le gardien* **a bloqué** *le ballon* (= arrêter).

■ **blocage** n.m. SENS 3 *Le* **blocage** *des prix s'accompagne du* **blocage** *des salaires.*

■ **blocus** n.m. SENS 1 *Les ennemis ont fait le* **blocus** *de la ville, on ne peut plus y rentrer ni en sortir* (= siège).

■ **débloquer** v. SENS 2 *Peux-tu* **débloquer** *cette vis ?,* réussir à la desserrer. SENS 3 *Des crédits* **ont été débloqués** *pour financer l'opération,* ils ont été rendus disponibles.

■ **déblocage** n.m. SENS 3 *Le* **déblocage** *des crédits permet d'effectuer les travaux.*

se blottir v. *L'enfant apeuré* **se blottit** *dans les bras de son père,* il se serre contre lui (= se pelotonner).

37 | **blouse** n.f. **1.** *Pour ne pas salir leurs vêtements, beaucoup de travailleurs portent une* **blouse,** *un long vêtement de toile* (= tablier). **2.** *Mme Duval a mis une* **blouse** *en soie,* un type de corsage.

37, 765 | **blouson** n.m. *Hiver comme été, je porte un* **blouson,** *une veste courte.*

blue-jean → *jean.*

bluff n.m. *Cette publicité pour un produit qui nettoie tout seul est du* **bluff,** *elle trompe les gens en exagérant.*

■ **bluffer** v. *Tu* **bluffes** *quand tu affirmes savoir plonger, tu ne sais pas* (= se vanter).
R. On prononce [blœf, blœfe].

434 | **boa** n.m. *Le* **boa** *est un gros serpent d'Amérique.*

bob → *bobsleigh.*

bobard n.m. Fam. *On a raconté ça, mais c'est un* **bobard,** *une fausse nouvelle.*

296, 440, 807 | **bobine** n.f. *Le fil à coudre, les films sont enroulés sur des* **bobines,** *des cylindres spéciaux.*

■ **débobiner** v. *Tout le fil est* **débobiné,** *déroulé de la bobine.*

■ **embobiner** v. **1.** *Embobiner du fil,* c'est l'enrouler sur une bobine. **2.** Fam. *Tu t'es laissé* **embobiner,** séduire par de belles paroles, duper.

bobo n.m. Fam. *J'ai un* **bobo** *au doigt,* une petite blessure sans gravité.

bobsleigh ou **bob** n.m. *Les compétitions de* **bobsleigh** *ont lieu sur des pistes de glace,* un sport pratiqué sur un traîneau.
R. On prononce [bɔbslɛg].

bocage n.m. *La Bretagne est une région de* **bocage,** les champs sont fermés par des haies.

bocal n.m. **1.** *Certaines conserves de légumes, de fruits sont en* **bocaux,** *dans des récipients de verre.* **2.** *Un poisson rouge tourne dans son* **bocal,** *dans son aquarium en forme de globe.*

bœuf n.m. *On élève les* **bœufs** *pour se nourrir de leur viande.*

■ **bovin** adj. *Des yeux* **bovins** *sont inexpressifs comme ceux d'un bœuf.*

■ **bovins** n.m.pl. *Les vaches, les taureaux, les bisons sont des* **bovins.**
R. Le pluriel *bœufs* se prononce [bø].

bohème 1. n.f. *Mener une vie de* **bohème,** *c'est ne jamais rester longtemps au même endroit.* **2.** adj. et n. *Anne est très* **bohème,** *elle mène une existence désordonnée et insouciante.*

■ **bohémien** n. *Un groupe de* **bohémiens** *campe à l'entrée de la ville* (= nomade, gitan, romanichel).

boire v. **1.** *Quand j'ai soif, je* **bois** *de l'eau* (= avaler). **2.** *Cet individu* **boit,** *il absorbe trop d'alcool* (= s'enivrer). **3.** *La terre* **a bu** *l'eau de pluie,* elle l'a absorbée. **4.** *Tu* **bois les paroles** *de ta sœur,* tu les écoutes avec admiration.

■ **boisson** n. f. SENS 1 *Le jus de fruits est une* **boisson,** un liquide que l'on peut boire. SENS 2 *Cette personne s'adonne à la boisson* (= alcool).

■ **buvable** adj. SENS 1 *Ce médicament existe en ampoules buvables, que l'on peut boire.*

■ **buvard** adj. et n.m. SENS 3 *Le (papier) buvard boit l'encre.*

■ **buvette** n.f. SENS 1 *À l'entrée de la plage il y a une buvette, un petit débit de boissons.*

■ **buveur** n. SENS 1 *C'est un buveur de bière,* il aime en boire.

■ **imbuvable** adj. SENS 1 *Ce vin est imbuvable* (= mauvais, infect).

R. → Conj. n° 75.

bois n.m. **1.** *Ici, la route traverse un bois,* un groupement d'arbres plus petit qu'une forêt. **2.** *Pour faire du feu dans la cheminée, on met du bois,* la matière dure tirée du tronc ou des branches des arbres. *Cette vieille armoire est en bois de pommier.* **3.** *Les bois du cerf sont ses cornes.*

■ **boisé** adj. SENS 1 *L'Abitibi est une région boisée,* couverte de bois.

■ **boiserie** n.f. SENS 2 *Les murs de la salle sont revêtus de boiseries,* de panneaux décoratifs en bois.

■ **bosquet** n.m. SENS 1 *Le champ est bordé par un bosquet,* un petit groupe d'arbres.

■ **déboiser** v. SENS 1 *On a déboisé une partie de la forêt,* on a coupé des arbres.

■ **déboisement** n.m. SENS 1 *Le déboisement excessif risque de modifier le climat.*

■ **reboiser** v. SENS 1 *On a reboisé cette région,* on y a replanté des arbres.

■ **reboisement** n.m. SENS 1 *Le reboisement de la région est en cours.*

■ **sous-bois** n.m. SENS 1 *Nous nous promenons dans un sous-bois,* sous les arbres d'un bois.

boisseau n.m. Le *boisseau* est une ancienne mesure pour les grains qui valait 8 gallons.

boisson → *boire.*

boîte n.f. **1.** *Une boîte à outils est un récipient dans lequel on met les outils.* **2.** *Ils ont mangé une boîte entière de chocolats,* les chocolats contenus dans une boîte. **3.** *Une boîte de nuit est un cabaret.*   295, 289

■ **boîtier** n.m. SENS 1 *Le mécanisme de la montre est enfermé dans un boîtier d'acier.*   220

R. *Boîte* se prononce [bwat] comme [*je*] *boite* (de *boiter*).

boiter v. *Sa blessure au genou la fait boiter,* elle marche en penchant d'un côté.

■ **boiteux** adj. et n. **1.** *Après son accident, Pierre est resté boiteux,* il boite. **2.** *Une explication boiteuse ne tient pas debout.*

boîtier → *boîte.*

bol n.m. **1.** *Verse le lait dans un bol,* un petit récipient rond. **2.** *J'ai bu un bol de café,* le café contenu dans un bol.

boléro n.m. Un *boléro* est une veste de femme courte et sans manches.

bolet n.m. *Nous avons mangé une omelette aux bolets,* de très bons champignons (= cèpe).   656

bolide n.m. *Cette voiture est un vrai bolide,* elle est très rapide.

bombance n.f. *À ce banquet, on a fait bombance,* on a mangé et bu abondamment.

bombe n.f. **1.** *Les avions ont lâché des bombes,* des engins de guerre qui explosent. **2.** *J'ai acheté une bombe d'insecticide,* un récipient qui vaporise ce liquide.   221

3. *Quand on monte à cheval, on se protège la tête avec une bombe,* une sorte de chapeau rond et   437 dur. **4.** *Ce fait divers a fait l'effet d'une bombe,* il a provoqué la stupeur.

■ **bombarder** v. **1.** SENS 1 *Les avions ont bombardé un pont,* ils l'ont détruit avec des bombes. **2.** *Les journalistes l'ont bombardée de questions,* ils lui en ont posé sans arrêt.

■ **bombardement** n.m. SENS 1 *Le bombardement a détruit un quartier de la ville.*

767 ■ **bombardier** n.m. SENS 1 *Les bombes sont transportées par des bombardiers,* des avions spéciaux.

bombé adj. *La route est bombée,* elle est renflée, arrondie au milieu.

726 **bôme** n.f. *La bôme est la barre horizontale au bas de la grande voile d'un bateau.*

bon adj. **1.** *Ce gâteau est bon,* il a un goût agréable (≠ mauvais). **2.** *Une bonne actrice est une actrice qui joue bien. Une bonne voiture est une voiture de qualité.* **3.** *Ce meuble est bon marché,* il n'est pas cher. **4.** *La gare est à une bonne distance d'ici,* à une distance considérable. **5.** *Ce médicament est bon pour le foie,* il soigne le foie. **6.** *Ce ticket est bon à jeter,* il n'y a rien à en faire que de le jeter. **7.** *Cet homme est bon* (= généreux, bienveillant ; ≠ méchant). *C'est une bonne fille,* elle est bien gentille (= brave).

■ **bon** n.m. **1.** SENS 5 *Cette solution a du bon,* elle a des avantages. **2.** *Un bon de réduction sur un paquet de lessive est un papier donnant droit à une réduction.*

■ **bon** adv. SENS 1 **1.** *Aujourd'hui, il fait bon,* le temps est doux. **2.** *Les roses sentent bon,* elles ont une odeur agréable. **3.** *Tiens bon !,* résiste.

■ **bon !** interj. *Ah bon ! je suis rassuré.*

■ **bonifier** v. SENS 1 *En vieillissant, le vin se bonifie,* il devient meilleur (= s'améliorer).

■ **bonté** n.f. SENS 7 *La bonté de cette femme se lit dans ses yeux* (= générosité, bienveillance). *Auriez-vous la bonté de m'aider ?* (= obligeance, gentillesse).

■ **bonnement** adv. *Il est tout bonnement charmant.* (= vraiment, réellement).

R. *Bon* se prononce [bɔ̃] comme *bond.*

bonbon n.m. *Annie suce un bonbon,* une friandise à base de sucre.

■ **bonbonnière** n.f. *L'antiquaire vend une bonbonnière en porcelaine,* une jolie boîte à bonbons.

bonbonne n.f. *J'ai acheté une bonbonne de vin,* une très grosse bouteille.

bond n.m. **1.** *Le kangourou avance par bonds* (= saut). **2.** *Les prix ont fait un bond,* ils ont brusquement augmenté.

■ **bondir** v. SENS 1 *Le chat bondit sur le bouchon,* il saute.

■ **rebondir** v. SENS 1 *La balle rebondit,* elle fait un nouveau bond après avoir heurté un obstacle. SENS 2 *La discussion rebondit,* elle reprend sur un autre sujet.

■ **rebond** n.m. SENS 1 *Attention au rebond de la balle !*

■ **rebondissement** n.m. SENS 2 *L'enquête connaît un rebondissement* (= développement).

R. → *bon.*

bonde n.f. *On remplit le tonneau par la bonde,* par un trou rond.

bondé adj. *Le train est bondé,* il est rempli de voyageurs.

bondir → *bond.*

bonheur n.m. **1.** *Je vous souhaite beaucoup de bonheur,* d'être heureux (= malheur). **2.** *Elle a eu le bonheur de voir ses enfants réussir,* la chance.

■ **porte-bonheur** n.m.inv. SENS 2 *Jean a trouvé un trèfle à quatre feuilles, il dit* que c'est un **porte-bonheur,** que ça lui portera chance.

bonhomme n.m., **bonne femme** n.f. **1.** Fam. *M. Duval est un drôle de* **bonhomme,** *d'homme. C'est une sale* **bonne femme,** *une femme désagréable.* **2.** *Les enfants ont fabriqué un* **bonhomme** *de neige.* **R.** Remarquer le pluriel *bonshommes* [bɔ̃zɔm].

bonifier → *bon.*

boniment n.m. *Le vendeur nous raconte des* **boniments** *pour nous convaincre d'acheter,* il nous tient des propos habiles et trompeurs.

bonjour n.m. *Quand je rencontre quelqu'un dans la journée, je lui dis* **bonjour** (≠ au revoir).

■ **bonsoir** n.m. *Si je rencontre ou si je quitte quelqu'un le soir, je lui dis* **bonsoir.**

bonne n.f. *Nous avons engagé une* **bonne,** une employée logée qui fait les travaux ménagers.

bonnement → *bon.*

bonnet n.m. *Marie porte un* **bonnet** *de laine qui lui cache les oreilles* (= tuque).

■ **bonneterie** n.f. *Les chaussettes, les bonnets, les tricots sont des articles de* **bonneterie.**

bonsoir → *bonjour.*

bonté → *bon.*

bonze n.m. *Un* **bonze** est un religieux bouddhiste.

boom n.m. *Cette entreprise a connu un* **boom** *important cette année,* une prospérité soudaine (= expansion). **R.** On prononce [bum].

boomerang n.m. *Un* **boomerang** est une lame courbe qui revient à son point de départ quand on la lance d'une certaine façon. **R.** On prononce [bumrɑ̃g].

boqueteau n.m. *Un* **boqueteau** *est un petit bois.* 365

bord n.m. **1.** *Ton verre est trop près du* **bord** *de la table, il va tomber* (= côté). **2.** *J'étais* **au bord des** *larmes,* sur le point de pleurer. **3.** *Nous sommes montés* **à bord** *du bateau,* nous avons embarqué.

■ **border** v. **1.** SENS 1 *La route* **est bordée** *d'arbres,* les arbres sont alignés au bord de la route. **2.** *Borde le lit !,* rentre les draps et les couvertures sous le matelas.

■ **bordure** n.f. SENS 1 *Une* **bordure** *de fleurs entoure la plate-bande,* des fleurs la bordent. *Une maison* **en bordure de** *mer* est bâtie au bord de la mer. 73

■ **déborder** v. **1.** SENS 1 *L'eau* **déborde,** *l'évier* **déborde,** *l'eau passe par-dessus le bord.* **2.** *Cécile* **est débordée** *de travail,* elle en a énormément, elle en est surchargée.

■ **débordement** n.m. SENS 1 *Les pluies ont provoqué le* **débordement** *de la rivière.*

■ **rebord** n.m. SENS 1 *Il s'est assis sur le* **rebord** *de la fenêtre* (= bord).

bordeaux **1.** n.m. *Le* **bordeaux** est un vin réputé. **2.** adj.inv. *Une robe* **bordeaux** *est d'un rouge violacé.*

bordée n.f. Fam. *Il est tombé une* **bordée** *de neige,* une chute de neige abondante.

border, bordure → *bord.*

boréal adj. *L'hémisphère* **boréal** est la moitié de la Terre située au nord de l'équateur (≠ austral).

borgne n. et adj. *Une personne* **borgne** ne voit que d'un œil.

■ **éborgner** v. *Tu vas m'***éborgner** *avec ta baguette !,* me crever un œil.

borne n.f. **1.** *La limite de la propriété est marquée par une* **borne,** un bloc de ciment ou un piquet métallique. **2.** (au 145 plur.) *Tu dépasses les **bornes** de la politesse* (= limite).

■ **borner** v. SENS 1 *Borner un champ,* c'est mettre des repères qui en fixent les limites. SENS 2 *Bornons-nous à étudier la première question du problème* (= se limiter).

■ **borné** adj. SENS 2 *Un individu **borné** a une intelligence faible* (= bouché, obtus).

bosquet → *bois.*

577 **bosse** n.f. 1. *Le dos du chameau a deux bosses* (= protubérance). 2. *La route est pleine de **bosses,** de parties bombées. 3. En tombant, elle s'est fait une **bosse** au front,* son front a enflé. 4. Fam. *Jean a la **bosse** des maths,* il est très bon en cette matière.

■ **bosselé** adj. SENS 2 *Une casserole **bosselée** est pleine de bosses.*

■ **bossu** adj. et n. SENS 1 *Polichinelle est **bossu,*** il a une bosse dans le dos.

bot adj. m. *Cet homme a un **pied bot,*** un pied difforme.

R. *Bot* se prononce [bo] comme *beau.*

botanique n.f. *Anne étudie la **botanique,*** la science des végétaux.

365 **botte** n.f. 1. *M. Durand a acheté une botte de poireaux,* des poireaux liés ensemble. 2. *Luce a des **bottes** de cuir,* 805, 584, 37 des chaussures montantes couvrant la jambe. 3. *Porter une **botte,*** en escrime, c'est donner un coup de la pointe du fleuret.

■ **botté** adj. SENS 2 *Être **botté,*** c'est porter des bottes.

■ **bottillon** n.m. SENS 2 *Marie a des bottillons fourrés,* des petites bottes.

804, 224 ■ **bottine** n.f. SENS 2 *Vers 1920, on portait des **bottines,*** des chaussures montantes.

36 **bouc** n.m. 1. *Le **bouc** est le mâle de la chèvre. 2. M. Durand a un **bouc** au menton,* une petite barbe.

boucan n.m. Fam. *Vous faites trop de **boucan,** les enfants ne peuvent pas s'endormir* (= bruit, vacarme).

bouche n.f. 1. *La maman met une cuillerée de bouillie dans la **bouche** de son bébé. 2. Sur le trottoir, il y a une **bouche** d'égout,* un trou communiquant avec les égouts.

■ **bouchée** n.f. 1. SENS 1 *Elle refuse de manger une **bouchée** de viande,* un morceau. 2. *Une **bouchée** au chocolat* est un bonbon fourré au chocolat. 3. *Ils ont acheté cette maison pour une **bouchée** de pain,* pour très peu d'argent. 4. *Il va falloir **mettre les bouchées doubles** pour finir à temps,* aller beaucoup plus vite.

■ **buccal** adj. SENS 1 *Ce médicament se prend par la **voie buccale,*** par la bouche.

1. boucher v. 1. *Le cantonnier **bouche** les trous du chemin,* il les remplit (= combler). 2. *Bouche la bouteille !,* ferme-la. 3. *Le lavabo **est bouché,*** l'eau ne coule plus (= obstruer). 4. *Cet immeuble nous **bouche** la vue,* il nous empêche de voir au loin (= cacher).

■ **bouchon** n.m. SENS 2 *Ces bouteilles de vin sont bouchées avec des **bouchons** de liège.* SENS 3 *Il y a un **bouchon** sur l'autoroute,* une accumulation de voitures bloquant la circulation (= embouteillage).

■ **déboucher** v. 1. SENS 2 ET 3 *Mon nez est **débouché,*** l'air passe à nouveau dans mes narines. 2. *Cette rue **débouche** sur une grande place,* elle y aboutit.

■ **débouché** n.m. *Cette usine cherche de nouveaux **débouchés,*** des endroits pour vendre ses produits.

■ **reboucher** v. SENS 1 ET 2 *Rebouche la bouteille !*

2. boucher n. *Les **bouchers** vendent du bœuf, du veau et du mouton.*

■ **boucherie** n.f. **1.** *Le lundi, la bou-cherie est fermée,* le magasin du bou-cher. **2.** *Cette bataille fut une bouche-rie* (= tuerie, massacre).

bouchon → *boucher* 1.

boucle n.f. **1.** *La plupart des ceintures s'attachent à l'aide d'une boucle.* **2.** *Marie a de belles boucles,* ses che-veux ne sont pas raides. **3.** *Je porte des boucles d'oreilles,* une sorte de bijou.

■ **boucler** v. **1.** SENS 1 *Je boucle les valises* (= fermer). *Il faut boucler sa ceinture en automobile* (= attacher). SENS 2 *Fatima a les cheveux bouclés* (= frisé ; ≠ plat). **2.** *Les policiers ont bouclé le quartier pour rechercher les voleurs* (= encercler).

■ **bouclage** n.m. *Malgré le bouclage du quartier, on n'a pas retrouvé les malfaiteurs.*

bouclier n.m. *Autrefois, les guerriers tenaient un bouclier,* une plaque pour se protéger.

bouddhisme n.m. *Le bouddhisme est une religion de l'Asie orientale,* fondée par Bouddha.

■ **bouddhiste** adj. et n. *En Inde, en Chine, au Japon, il y a beaucoup de bouddhistes.*

bouder v. *Elle boude dans son coin,* elle est fâchée et refuse de parler.

■ **bouderie** n.f. *Sa petite bouderie n'a pas duré.*

■ **boudeur** adj. et n. *Il a un air bou-deur* (= renfrogné, grognon).

boudin n.m. **1.** *Le charcutier fait du boudin en mettant du sang de cochon dans un boyau.* **2.** *Le bateau pneumati-que est composé de deux boudins gonflables,* de deux longs cylindres gonflables.

■ **boudiné** adj. Fam. *Depuis que Jean a grossi, il est boudiné dans sa veste,* il est serré, à l'étroit.

boue n.f. *Attention, tu marches dans la boue !,* dans la terre détrempée par la pluie.

■ **boueux** adj. *N'entre pas ici avec tes chaussures boueuses,* pleines de boue.

■ **boueux** ou **éboueur** n.m. *Les éboueurs vident les poubelles dans leur camion,* les employés chargés de la propreté des rues.
R. *Boue* se prononce [bu] comme *bout* et [il] *bout* (de *bouillir*). 217

bouée n.f. **1.** *L'entrée du port est signa-lée par une bouée,* un objet flottant. **2.** *Les naufragés se cramponnaient à leur bouée de sauvetage,* une sorte d'anneau flottant. 727, 764 / 723

boueux → *boue.*

bouffant adj. *Cette robe a des man-ches bouffantes* (≠ collant).

bouffée n.f. *Une bouffée d'air frais entre dans la pièce* (= souffle).

bouffer v. Très fam. *J'ai faim : il n'y a rien à bouffer ?,* à manger.
R. On n'emploie pas ce mot quand on surveille sa façon de parler.

bouffi adj. *Henri a le visage bouffi* (= gros, gonflé ; ≠ maigre).

bouffon 1. n.m. *J'aime faire le bouffon en société,* je veux faire rire les autres (= clown). **2.** adj. *Cette scène est bouffonne* (= drôle, comique).

■ **bouffonnerie** n.f. SENS 2 *L'imitateur dit des bouffonneries,* de grosses plaisanteries.

bouge n.m. *Ces malheureux vivent dans un bouge,* un local malpropre, sordide.

bougeoir → *bougie.*

bouger v. *Je prends une photo, ne bouge pas !* (= remuer, se déplacer).

bougie n.f. **1.** *Pendant les pannes d'électricité, on s'éclaire à l'aide de*

bougies, de cylindres de cire ou de paraffine munis d'une mèche qu'on allume. **2.** *Les bougies d'un moteur produisent des étincelles qui font exploser le mélange d'essence et d'air.* ■ **bougeoir** n.m. SENS 1 *Un bougeoir est un support pour bougie.*

bougon adj. et n. *Tu m'as répondu d'un air bougon,* peu aimable. ■ **bougonner** v. *Mécontent, il s'est mis à bougonner,* à marmonner des paroles de protestation (= grogner, ronchonner).

bouillabaisse n.f. *À Marseille, j'ai mangé une bouillabaisse,* des poissons servis avec une soupe.

bouillant → *bouillir.*

bouillie n.f. *Bébé mange sa bouillie,* un aliment à demi liquide fait de farine et de lait.

bouillir v. **1.** *À 100 degrés, l'eau bout,* il s'y forme de grosses bulles. **2.** *Fais bouillir les légumes,* fais-les cuire dans de l'eau bouillante. **3.** *Je bouillais de colère,* j'avais du mal à contenir ma colère. ■ **bouillant** adj. SENS 1 *De l'eau bouillante est de l'eau en train de bouillir. J'aime boire mon café bouillant,* très chaud. SENS 3 *Un garçon bouillant est vif,* emporté. ■ **bouilloire** n.f. SENS 1 *Fais chauffer de l'eau dans la bouilloire.* ■ **bouillon** n.m. SENS 1 *Ma sauce doit bouillir à gros bouillons,* en faisant de grosses bulles. SENS 2 *Le bouillon de légumes,* c'est le jus de cuisson de légumes. ■ **bouillonner** v. SENS 1 *Le torrent bouillonne,* il fait des bulles, des remous. ■ **bouillonnement** n.m. SENS 1 *Le bouillonnement du torrent est impressionnant.* SENS 3 *Pendant les révolu-*

tions, il se produit des bouillonnements d'idées. ■ **bouillotte** n.f. SENS 1 *Pour chauffer son lit, on y met une bouillotte,* un récipient plein d'eau bouillante. ■ **court-bouillon** n.m. SENS 2 *Nous avons mangé un court-bouillon de poisson,* du poisson cuit dans du bouillon. ■ **ébouillanter** v. SENS 1 *On ébouillante des légumes en les plongeant quelques instants dans l'eau bouillante. Elle s'est ébouillanté la main,* elle s'est brûlée avec du liquide bouillant. ■ **ébullition** n.f. SENS 1 *Dix minutes d'ébullition suffisent,* il suffit de faire bouillir dix minutes. SENS 3 *Cet incident a mis tout le quartier en ébullition* (= effervescence). **R.** *Bouillir* → conj. n° 31. → *boue.*

boulanger n. *Le boulanger et la boulangère fabriquent et vendent le pain.* ■ **boulangerie** n.f. *On achète du pain à la boulangerie.*

boule n.f. *Une boule est un objet tout rond.* ■ **boulet** n.m. *Autrefois, les canons lançaient des boulets,* des projectiles en forme de grosse boule. ■ **boulette** n.f. *Ils se lancent des boulettes de papier,* des petites boules. ■ **boulier** n.m. *J'ai appris à compter avec un boulier,* un appareil formé de tringles sur lesquelles glissent des boules. ■ **boulot** adj. *C'est une personne boulotte,* petite et grosse. **R.** *Boulot* se prononce [bulo] comme *bouleau.*

bouleau n.m. *Le bouleau est un arbre à l'écorce blanche.* **R.** → *boulot.*

bouledogue n.m. *La villa est gardée par un bouledogue,* un gros chien.

boulet, boulette → *boule.*

boulevard n.m. *La ville est entourée d'un boulevard, une rue très large* (= *avenue*).

bouleverser v. **1.** *Je suis bouleversé par cette histoire, très ému* (= retourner). **2.** *Tu as bouleversé ma chambre, tu y as mis du désordre* (= déranger).
■ **bouleversant** adj. SENS 1 *Elle vient d'apprendre la nouvelle bouleversante de l'accident.*
■ **bouleversement** n.m. SENS 2 *La guerre a causé un bouleversement économique* (= désordre).

boulier → *boule.*

boulon n.m. *Ces deux pièces sont assemblées à l'aide d'un boulon, d'une tige de métal sur laquelle se visse un écrou.*

1. boulot → *boule.*

2. boulot n.m. Très fam. *On va partir au boulot, au travail.*

bouquet n.m. **1.** *Jean a offert un bouquet de fleurs à Marie, des fleurs réunies ensemble.* **2.** *Ce vin a du bouquet, du parfum.* **3.** *Le bouquet d'un feu d'artifice, c'est la gerbe de fusées qu'on tire à la fin.* **4.** Fam. *Ça, c'est le bouquet !, c'est le plus fort, c'est le comble.*

bouquetin n.m. *Le bouquetin est une chèvre sauvage à longues cornes, qui vit dans les montagnes.*

bouquin n.m. Fam. *Mehdi lit un bouquin, un livre.*
■ **bouquiner** v. Fam. *J'aime bouquiner* (= lire).
■ **bouquiniste** n. *Un bouquiniste est un marchand de livres d'occasion.*

bourbier n.m. *Ce chemin est un véritable bourbier, il est plein de boue.*
■ **bourbeux** adj. *Une eau bourbeuse est boueuse.*
■ **s'embourber** v. *Dans un chemin fo-*

restier, la voiture s'est embourbée, elle s'est immobilisée dans la boue (= s'enliser).

bourdon n.m. *Un bourdon est une grosse abeille velue.*
■ **bourdonner** v. *Beaucoup d'insectes bourdonnent en volant, ils font un bruit sourd.*
■ **bourdonnement** n.m. *On entend le bourdonnement des hannetons.*

bourg n.m. *Les habitants des hameaux vont faire leurs courses au bourg, dans le gros village.*
■ **bourgade** n.f. *Nathalie habite une bourgade, un petit bourg* (= village).

bourgeois n. **1.** *Autrefois, le bourgeois était celui qui habitait la ville* (≠ noble et paysan). **2.** *Les banquiers, les industriels sont des grands bourgeois ; les commerçants, les employés sont des petits bourgeois* (≠ ouvrier et paysan).
■ **bourgeois** adj. SENS 2 *Ils habitent un quartier bourgeois* (= riche ; ≠ populaire).
■ **bourgeoisie** n.f. SENS 2 *La Révolution française de 1789 a donné le pouvoir à la bourgeoisie, à la classe moyenne.*
■ **s'embourgeoiser** v. SENS 2 *Les Durand se sont embourgeoisés, ils sont devenus plus riches et ont pris des habitudes de confort.*

bourgeon n.m. *Au printemps, les bourgeons grossissent et s'ouvrent, donnant les feuilles et les fleurs.*
■ **bourgeonner** v. *Les arbres bourgeonnent, les bourgeons se forment.*

bourgmestre n.m. *En Belgique, en Suisse, un bourgmestre, c'est comme un maire ici.*
R. On prononce [burgmɛstr].

bourgogne n.m. *On a servi la viande avec un vieux bourgogne, un vin réputé de la région de Bourgogne.*

655

bourrade n.f. *On m'a poussé d'une bourrade,* d'un coup brusque.

bourrage → *bourrer.*

bourrasque n.f. *La tente a été arrachée par une bourrasque,* un coup de vent bref mais violent.

bourratif → *bourrer.*

bourre n.f. *Ce coussin est rempli de bourre,* de poils ou de déchets de laine et de tissu.

■ **rembourrer** v. *Les sièges de la voiture sont bien rembourrés,* ils sont remplis de bourre.

bourreau n.m. **1.** *Le bourreau exécute les condamnés à mort.* **2.** *On a arrêté un bourreau d'enfants,* une personne qui martyrisait les enfants.

bourrée n.f. *La bourrée est une danse d'Auvergne.*

bourrelet n.m. *On a mis un bourrelet au bas de la porte,* une bande de feutre, de papier, de caoutchouc qui empêche l'air de passer.

bourrer v. **1.** *Bourrer une pipe,* c'est la remplir jusqu'au bord en tassant. *Le train est bourré de voyageurs,* il est bondé. **2.** *Ne te bourre pas de pain !,* n'en mange pas trop (= se gaver). **3.** Fam. *On nous avait bourré le crâne avec toutes ces histoires,* on nous avait trompés.

■ **bourrage** n.m. SENS 3 Fam. *Toute cette publicité, c'est du bourrage de crâne !*

■ **bourratif** adj. SENS 2 Fam. *Ce gâteau est bourratif,* il alourdit l'estomac.

bourriche n.f. *Pour Noël, on a acheté une bourriche d'huîtres,* une sorte de panier sans anse dans lequel on expédie les huîtres.

bourrique n.f. ou **bourricot** n.m. Fam. *Michel est têtu comme une bourrique,* comme un âne.

bourru adj. *C'est une personne sympathique, malgré son air bourru,* peu aimable (= renfrogné, dur).

bourse n.f. **1.** *Autrefois, on mettait son argent dans une bourse,* un petit sac de cuir. **2.** *Alice a une bourse d'études,* l'État lui verse de l'argent pour l'aider à payer ses études. **3.** *C'est à la Bourse que les financiers achètent et vendent leurs valeurs mobilières :* actions, titres, etc.

■ **boursier** n. et adj. SENS 2 *Alice est une élève boursière.* SENS 3 *Nous avons effectué une transaction boursière,* une vente ou un achat en Bourse.

■ **débourser** v. SENS 1 *J'ai déboursé cent dollars* (= dépenser).

■ **débours** n.m. SENS 1 *Voilà un achat qui n'entraîne pas un gros débours* (= dépense).

■ **rembourser** v. SENS 1 *On m'a remboursé le billet que je n'avais pas utilisé,* on m'a rendu l'argent que j'avais donné pour le payer. *Je vais rembourser mon prêt,* rendre l'argent que j'ai emprunté à la banque.

■ **remboursement** n.m. SENS 1 *Le remboursement du prêt se fera en douze mois.*

boursoufler v. *Jean a le visage boursouflé* (= enflé, gonglé).

■ **boursouflure** n.f. *La croûte du gâteau présente des boursouflures,* des parties enflées.

bousculer v. **1.** *En courant, tu as bousculé le vase de fleurs,* tu l'as heurté violemment. **2.** *Cet enfant est sensible, il ne faut pas le bousculer,* lui parler rudement. **3.** *J'ai été bousculé ces jours-ci,* j'ai eu trop de travail.

■ **bousculade** n.f. SENS 1 *Une brève bousculade a eu lieu entre les policiers et les manifestants,* ils se sont heurtés.

bouse n.f. *Le chemin est plein de bouses de vache,* d'excréments.

bousiller v. Fam. *Si tu laisses tomber ton stylo, tu risques de **bousiller** la plume* (= endommager, abîmer).

boussole n.f. *Les marins se dirigent avec une **boussole**, dont l'aiguille aimantée indique le nord.*

bout n.m. **1.** *Attends-moi au **bout** de la rue !,* à son extrémité (≠ milieu et début). **2.** *J'arrive au **bout** de mon travail,* à la fin. **3.** *Un **bout** de pain,* c'est un morceau de pain, *un **bout** de bois,* c'est un morceau de bois. **4.** *Elle est à bout,* elle est excédée. **5.** Fam. *On ne gagne pas beaucoup, on a du mal à **joindre les deux bouts**,* à assurer toutes les dépenses nécessaires. **6.** *Au **bout** de deux jours, je suis parti,* après deux jours.
R. → *boue.*

boutade n.f. *Ne vous fâchez pas : ce que je vous dis est une **boutade**,* ce n'est pas sérieux (= plaisanterie).

boute-en-train n.m.inv. *Jacqueline est un **boute-en-train**, elle met de la gaieté partout où elle est.*

bouteille n.f. **1.** *On a mis le vin en **bouteilles**,* dans des récipients de verre ayant un goulot. **2.** *Nous avons bu une **bouteille** de bière,* le contenu de la bouteille. **3.** *Achète une **bouteille** de gaz,* du gaz dans un récipient métallique.

boutique n.f. *La **boutique** du fleuriste,* c'est son magasin.
■ **arrière-boutique** n.f. *L'épicière est allée dans son **arrière-boutique**,* la pièce qui est derrière sa boutique.

bouton n.m. **1.** *Les fleurs sont en **bouton**,* elles ne sont pas ouvertes. **2.** *Jacques a un **bouton** sur le nez,* une petite enflure. **3.** *Mon manteau est fermé par quatre **boutons** dorés.* **4.** *Je tourne les **boutons** du poste de radio pour le régler.*

■ **boutonner** v. SENS 3 *Boutonne ton manteau !,* ferme-le.
■ **boutonneux** adj. SENS 2 *Un visage **boutonneux** est plein de boutons.*
■ **boutonnière** n.f. SENS 3 *Le tailleur a fait les **boutonnières** de ma veste,* les fentes dans lesquelles passent les boutons.
■ **déboutonner** v. SENS 3 *J'ai **déboutonné** ma veste* (= ouvrir).

bouton-d'or n.m. *Les **boutons-d'or** sont des plantes à fleurs jaunes.* 363

bouture n.f. *Mes **boutures** de géranium ont pris,* les pousses mises en terre pour qu'elles prennent racine.

bouvreuil n.m. *Le **bouvreuil** s'est posé sur la branche,* un petit oiseau.

bovin → *bœuf.*

bowling n.m. *J'ai rencontré Aline au **bowling**,* à la salle où l'on joue aux quilles avec une grosse boule.
R. On prononce [buliŋ].

box n.m. **1.** *Elle cherche à louer un **box** pour sa voiture,* un garage particulier. **2.** *Le **box** des accusés est la partie de la salle du tribunal où se tient l'accusé pendant le procès.*
R. Noter le pluriel : des *boxes.* → *boxe.*

boxe n.f. *Sur le ring, se déroule un match de **boxe**,* un sport de combat où les deux adversaires se battent avec des gants aux poings.
■ **boxer** v. *Tu **boxes** dans la catégorie poids lourd.*
■ **boxeur** n.m. *Après le combat, les deux **boxeurs** se serrent la main.*
R. *Boxe* se prononce [bɔks] comme *box.*

boxer n.m. *Un **boxer** est un chien voisin du bouledogue.*
R. On prononce [bɔksɛr].

boxeur → *boxe.*

boyau n.m. **1.** *Le charcutier fait de la saucisse avec les **boyaux** du cochon,*

512 les intestins. **2.** *La cycliste a crevé un de ses **boyaux** pendant la course,* un pneu de vélo. **3.** *Ce couloir est un vrai **boyau**,* il est étroit.

boycotter v. *Boycotter un commerçant,* c'est refuser d'acheter chez lui.

220 **bracelet** n.m. *Elle a un **bracelet** en or,* un anneau autour du poignet.

braconner v. *Braconner,* c'est chasser ou pêcher sans en avoir le droit.
■ **braconnage** n.m. *Le **braconnage** est puni par la loi.*
■ **braconnier** n.m. *Le garde-chasse arrête le **braconnier**,* celui qui braconne.

brader v. *Elle a **bradé** ses livres,* elle les a vendus à bas prix (= liquider).
■ **braderie** n.f. *Les commerçants organisent deux jours de **braderie**.*

braguette n.f. *La **braguette** de son pantalon est mal fermée,* la fente verticale sur le devant.

804 **braies** n.f.pl. *Les Gaulois portaient des **braies**,* des sortes de pantalons.

brailler v. Fam. *Un ivrogne **braillait** une chanson,* il chantait très fort (= hurler).
■ **braillard** adj. et n. *Un enfant **braillard** crie beaucoup.*

braire v. *L'âne **brait**,* il pousse son cri.
■ **braiment** n.m. *On entend les **braiments** de l'âne.*
R. → Conj. n° 79.

braise n.f. *On grille la viande sur la **braise**,* sur des charbons brûlant sans flamme.
■ **braisé** adj. *Du bœuf **braisé** a été cuit doucement.*

bramer v. *Le cerf et le daim **brament**,* ils poussent leur cri.

brancard n.m. **1.** *On transporte un blessé étendu sur un **brancard**,* une sorte de lit de toile tendue entre deux

morceaux de bois (= civière). **2.** *On attelle le cheval entre les **brancards** de la charrette,* entre les deux pièces de bois qui la prolongent.
■ **brancardier** n. SENS 1 *Les deux **brancardiers** mettent la civière dans l'ambulance.*

branche n.f. **1.** *Les **branches** des arbres portent les feuilles, les fleurs et les fruits.* **2.** *Ici, l'autoroute se divise en deux **branches** correspondant à deux directions différentes.*
■ **branchages** n.m.pl. SENS 1 *On a brûlé un tas de **branchages**,* de branches coupées.
■ **embranchement** n.m. SENS 2 *À l'embranchement des deux routes, tu tournes à droite* (= croisement, carrefour).

brancher v. *Brancher un appareil électrique,* c'est le raccorder sur l'installation électrique pour le faire fonctionner.
■ **branchement** n.m. *Faire le **branchement** d'une canalisation d'eau,* c'est la raccorder à une autre canalisation.
■ **débrancher** v. *Débranche le fer à repasser !,* enlève sa prise de courant de la prise murale.

branchies n.f.pl. *Les poissons respirent avec leurs **branchies**.*

brandebourg n.m. *Certains uniformes anciens avaient des **brandebourgs**,* des galons d'ornement horizontaux.

brandir v. *Les enfants **brandissent** des drapeaux,* ils les agitent en l'air.

branler v. *La table **branle**,* elle n'est pas stable.
■ **branlant** adj. *Une dent **branlante** est une dent qui bouge.*
■ **branle** n.m. *Pour chercher ce document, elle a **mis en branle** tous les*

employés du bureau, elle les a obligés à courir de tous côtés.

■ **branle-bas** n.m.inv. *La veille du départ en vacances, la maison est en* **branle-bas,** il y règne une grande agitation.

braquer v. **1.** *Elle* **braque** *ses jumelles sur nous,* elle les dirige vers nous pour nous regarder. **2.** **Braque** *à droite !,* dirige les roues du véhicule vers la droite pour tourner. **3.** *Elle* **est braquée** *contre ce projet,* elle s'y oppose résolument.

■ **braquage** n.m. SENS 2 *Cette voiture a un faible rayon de* **braquage,** elle tourne en décrivant un cercle assez petit.

braquet n.m. *Les cyclistes mettent le grand* **braquet** *dans le sprint,* ils mettent le dérailleur sur la vitesse rapide, qui fait faire le plus de chemin en un tour de pédalier.

bras n.m. **1.** *La monitrice tient le débutant par le* **bras. 2.** *Il tapait* **à tour de bras, à bras raccourcis,** avec violence. **3.** *Le policier saisit la manifestante* **à bras-le-corps,** par le milieu du corps. **4.** *On a besoin de* **bras,** d'aides, de travailleurs. **5.** *Un* **bras** *du fauteuil est cassé,* un accoudoir. **6.** *On a traversé le* **bras** *de mer en planche à voile,* une partie de mer serrée entre deux terres.

■ **brassée** n.f. SENS 1 *Marie a ramassé une* **brassée** *de foin,* autant que ses deux bras peuvent en tenir.

■ **brassard** n.m. SENS 1 *Les membres du service d'ordre portent un* **brassard,** un morceau de tissu entourant le bras.

■ **avant-bras** n.m. SENS 1 *L'*avant-bras* est la partie qui va du poignet au coude.

brasero n.m. *Les terrassiers se réchauffent autour d'un* **brasero,** un ré-

cipient percé de trous et contenant de la braise.

R. On prononce [brazero].

brasier n.m. *La maison n'était plus qu'un immense* **brasier,** elle était entièrement en feu.

brassard → *bras.*

brasse n.f. **1.** *J'ai appris à nager la* **brasse,** une nage à plat sur le ventre. **2.** *Nous sommes à dix* **brasses** *du rivage,* à une distance du rivage qu'on peut parcourir en dix mouvements de brasse.

brassée → *bras.*

brasser v. **1.** *Brasser le linge dans l'eau de lessive,* c'est le remuer. **2.** *Brasser la bière,* c'est préparer le mélange de malt et d'eau pour le fabriquer. **3.** *Cette industrielle* **brasse** *beaucoup d'argent,* il lui passe beaucoup d'argent entre les mains.

■ **brassage** n.m. SENS 1 *Certaines régions ont connu de grands* **brassages** *de populations* (= mélange, fusion).

■ **brasseur** n.m. SENS 2 *Le* **brasseur** fabrique de la bière.

■ **brasserie** n.f. **1.** SENS 2 *La bière est fabriquée dans des* **brasseries. 2.** *Allons déjeuner dans une* **brasserie,** dans une sorte de restaurant.

brassière n.f. *Une* **brassière** *est un vêtement à manches pour les bébés.*

brave adj. et n. **1.** *C'est un* **brave** *homme,* il est bon, honnête, serviable. **2.** *C'est une personne* **brave** (= courageux ; ≠ lâche).

■ **bravement** adv. SENS 2 *Elle défend* **bravement** *son petit frère* (= courageusement).

■ **braver** v. SENS 2 *Braver un danger,* c'est l'affronter sans peur. *Braver quelqu'un,* c'est s'opposer hardiment à lui (= défier, provoquer).

■ **bravoure** n.f. SENS 2 *Nos troupes ont*

761

fait preuve de **bravoure,** elles se sont montrées braves (= courage).

■ **bravade** n.f. SENS 2 *Par* **bravade,** *je m'approchai du précipice,* pour paraître brave.

bravo n.m. et interj. *Des* **bravos** *montent de la salle,* les spectateurs enthousiastes crient « bravo ! ». *Bravo, Cléa, tu as gagné !*

bravoure → brave.

break n.m. *Pour transporter son matériel, il a acheté un* **break,** *une voiture dont l'arrière s'ouvre par une grande porte.*
R. On prononce [brɛk].

361 **brebis** n.f. *Les agneaux accompagnent la* **brebis,** la femelle du mouton.

brèche n.f. *Les ouvriers font une* **brèche** *dans le mur, ils démolissent une partie du mur* (= ouverture, trou).

■ **ébrécher** v. *L'assiette est* **ébréchée,** il y a une petite cassure sur le bord.

bréchet n.m. *Les oiseaux ont sur la poitrine un os appelé le* **bréchet.**

bredouille adj. *Le pêcheur est rentré* **bredouille,** il n'a rien pêché.

bredouiller v. *L'acteur, saisi par le trac, s'est mis à* **bredouiller,** à parler d'une façon incompréhensible (= bafouiller).

■ **bredouillement** n.m. *La récitation du poème s'acheva en* **bredouillement** (= bafouillage).

bref adj. *Faites-nous un* **bref** *exposé des faits* (= court). *Une réponse* **brève** *est demandée.*

■ **bref** adv. *Il y avait des pommes, des poires, des pêches, des oranges,* **bref** *toutes sortes de fruits,* en un mot.

■ **brièvement** adv. *Répondez* **brièvement,** en peu de mots (≠ longuement).

■ **brièveté** n.f. *Excusez la* **brièveté** *de notre visite* (≠ longueur, durée).

breloque n.f. *Tu portes un bracelet plein de* **breloques,** de petits bijoux qui y sont pendus.

bretelle n.f. **1.** *La* **bretelle** *d'un fusil est une courroie qui sert à le porter.* **2.** (au plur.) *Son pantalon tient avec des* **bretelles,** des bandes passant sur les épaules. **3.** *On entre sur l'autoroute par une* **bretelle,** par un tronçon de raccordement.

breuvage n.m. *Un* **breuvage** *est une boisson au goût bizarre.*

brevet n.m. **1.** *Lise a passé un* **brevet** *de pilotage,* un examen. **2.** *Un* **brevet** *d'invention* est un papier officiel garantissant que personne n'a le droit de copier une invention.

■ **breveter** v. SENS 2 *Breveter une invention,* c'est la protéger par un brevet.

bréviaire n.m. *Le prêtre lisait son* **bréviaire,** un livre contenant des prières à lire chaque jour.

bribe n.f. *On ne saisit que des* **bribes** *de conversation,* des petits bouts (= fragment).

bric-à-brac n.m.inv. *Le brocanteur a étalé son* **bric-à-brac,** un ensemble d'objets de toutes sortes.

de bric et de broc adv. Fam. *Elle a constitué sa collection avec des objets rassemblés* **de bric et de broc,** de tous côtés, au hasard.

bricoler v. **1.** *Ma mère adore* **bricoler,** faire des petits travaux manuels chez nous. **2.** *Bricoler un appareil,* c'est le transformer ou le réparer soi-même.

■ **bricolage** n.m. SENS 1 *Le* **bricolage** *est un passe-temps agréable.*

■ **bricole** n.f. Fam. *C'est une* **bricole,** une chose sans importance ou sans valeur (= babiole, bagatelle).

■ **bricoleur** n. et adj. SENS 1 *Être* **bricoleur,** c'est aimer bricoler.

bride n.f. **1.** *La cavalière retient son cheval en tirant sur la* **bride,** la courroie attachée au mors. **2.** *La* **bride** *d'un torchon est le petit anneau de tissu qui sert à l'accrocher.*

■ **brider** v. **1.** SENS 1 *Brider un cheval,* c'est lui mettre sa bride. **2.** *Ce vêtement me* **bride,** il me serre.

■ **bridé** adj. *Les Asiatiques ont les yeux* **bridés,** leurs paupières sont étirées sur les côtés.

■ **débridé** adj. *Cette romancière fait preuve d'une imagination* **débridée,** sans contrainte.

bridge n.m. **1.** *Les Durand et les Dupont font un* **bridge,** une sorte de jeu de cartes. **2.** *Le dentiste m'a fait un* **bridge,** un appareil fixe pour remplacer des dents absentes.

■ **bridger** v. SENS 1 *Chez nos amis, on* **bridge** *chaque samedi,* on joue au bridge.

■ **bridgeur** n. SENS 1 *Les* **bridgeurs** *n'ont pas fini leur partie.*

brie n.m. *Le* **brie** *est un fromage à pâte molle.*

brièvement, brièveté → *bref.*

brigade n.f. *Une* **brigade** *de police est un groupe de policiers.*

■ **brigadier** n.m. *Dans l'armée, le* **brigadier** *général est supérieur au colonel.*

brigand n.m. *Autrefois, les* **brigands** *attaquaient les voyageurs* (= bandit).

■ **brigandage** n.m. *Ils furent emprisonnés pour* **brigandage.**

briguer v. *Briguer un emploi,* c'est chercher à l'obtenir (= solliciter).

briller v. **1.** *Le ciel est clair, le soleil* **brille,** il émet une lumière éclatante. **2.** *Ce meuble* **brille** *comme un miroir,* sa surface lisse réfléchit la lumière. **3.** *Tu* **as brillé** *à ton examen,* tu as réussi remarquablement.

■ **brillant** adj. SENS 1 ET 2 *La peinture de la salle de bains est* **brillante** (≠ mat, terne). SENS 3 *Alice a fait un exposé* **brillant** (= remarquable).

■ **brillant** n.m. SENS 2 *Je porte un* **brillant** *au doigt,* un diamant.

■ **brillamment** adv. SENS 3 *Alice a réussi* **brillamment.**

brimer v. *Dans cette pension, les enfants* **sont brimés,** ils sont maltraités (= persécuter).

■ **brimade** n.f. *On a eu à subir les* **brimades** *d'un chef,* les vexations inutiles et injustes (= tracasserie).

brin n.m. **1.** *Un* **brin** *d'herbe, de muguet est une tige fine et allongée.* **2.** *Une ficelle est formée de plusieurs* **brins** (= filament). **3.** *Je prendrais bien* **un brin** *de café,* un tout petit peu.

■ **brindille** n.f. SENS 1 *On allume le feu avec des* **brindilles,** de toutes petites branches.

bringue n.f. Très fam. *Une* **grande bringue** *est une femme de haute taille,* peu élégante.

bringuebaler ou **brinquebaler** v. *Le matériel* **bringuebale** *dans la camionnette,* il va et vient un peu dans tous les sens.

brio n.m. *La soliste joue avec* **brio,** elle joue brillamment (= virtuosité).

brioche n.f. *La boulangère fait des* **brioches,** des pâtisseries légères en forme de boule surmontée d'une autre boule plus petite. | 220

brique n.f. *Le maçon construit une cloison avec des* **briques,** des matériaux de terre cuite rouge. | 150

■ **briqueterie** n.f. *Les briques sont fabriquées dans des* **briqueteries.**

briquer v. *Le parquet* **est** *bien* **briqué,** il est nettoyé, on l'a frotté vigoureusement (= astiquer).

briquet n.m. *J'allume ma cigarette avec mon **briquet,** un appareil qui produit une flamme.*

briqueterie → *brique.*

bris, brisant → *briser.*

brise n.f. *Une **brise** agréable souffle de la mer,* un vent léger.
R. Ne pas confondre la *brise* et la *bise.*

briser v. **1.** *Le choc **a brisé** le vase,* il l'a cassé. **2.** *Son accident au bras **a brisé** sa carrière de pianiste,* sa carrière a été interrompue définitivement. **3.** *Les vagues **se brisent** sur les rochers,* leur sommet se recourbe puis s'écroule (= déferler).
■ **brisé** adj. *Une **ligne brisée** forme des zigzags* (≠ droite ou courbe).
■ **bris** n.m. SENS 1 *Il y a eu **bris** de vitrines,* des vitrines ont été brisées.
■ **brisant** n.m. SENS 3 *Près de cette côte, il y a des **brisants,*** des rochers sur lesquels les vagues se brisent.
■ **brise-glace** n.m.inv. SENS 1 *Les **brise-glace** ouvrent un chemin aux bateaux dans la banquise.*
■ **brise-lames** n.m.inv. SENS 3 *Le port est protégé des vagues par un **brise-lames,*** une digue de protection.
■ **brise-mottes** n.m.inv. SENS 1 *Le **brise-mottes** est un rouleau qui écrase les mottes de terre.*

bristol n.m. *Les cartes de visite sont en **bristol,*** en papier fort et lisse.

broc n.m. *Un **broc** est un récipient muni d'un bec évasé et d'une anse.*
R. On prononce [bro].

brocanteur n.m. *J'ai vendu ces vieux meubles à un **brocanteur,*** à un commerçant qui achète et vend des objets d'occasion.
■ **brocante** n.f. *Nous allons à la foire à la **brocante,*** où les brocanteurs vendent leurs objets.

broche n. f. **1.** *Une **broche** orne le col de sa veste,* un petit bijou qu'on épingle sur un vêtement. **2.** *Ce poulet est cuit à la **broche,*** on l'a traversé d'une tige de fer et fait tourner près du feu.
■ **brochette** n.f. SENS 2 *On a mangé des **brochettes,*** des petits morceaux de viande rôtis sur une tige de fer appelée aussi **brochette.**
■ **embrocher** v. SENS 2 *Embrocher un poulet,* c'est le traverser d'une broche.

brocher v. *Brocher un livre,* c'est en assembler les feuilles par des fils et les coller dans une couverture légère (≠ relier).
■ **brochure** n.f. *Lisez cette **brochure,*** ce petit livre broché.

brochet n.m. *Le **brochet** est un poisson d'eau douce très vorace.*

brochette → *broche.*

brochure → *brocher.*

brodequin n.m. *Les militaires portent des **brodequins,*** des grosses chaussures montantes.

broder v. *Un mouchoir **brodé** est orné de motifs exécutés avec une aiguille et du fil.*
■ **broderie** n.f. *Jean et Marie font de la **broderie,*** ils brodent.

bronche n.f. *L'air est amené aux poumons par les **bronches,*** deux gros conduits qui partent du fond de la bouche.
■ **bronchite** n.f. *Jean tousse, il a une **bronchite,*** une maladie des bronches.

broncher v. *Personne n'a osé **broncher** devant elle,* manifester un désaccord, s'agiter. *Tous ont obéi sans **broncher,*** sans protester.

725

584,
764

726

364

224

bronze n.m. *Une statue de bronze est d'un métal brun fait d'un alliage de cuivre et d'étain.*

bronzer v. *Mon visage est bronzé par le soleil* (= brunir, hâler).
■ **bronzage** n.m. *Quel magnifique bronzage ! Tu rentres de vacances ?* (= hâle).

brosse n.f. *Les brosses à dents, à cheveux, à habits sont faites de poils montés sur un support.*
■ **brosser** v. **1.** *Brosser ses chaussures,* c'est les nettoyer avec une brosse. **2.** *Brosser un tableau de la situation politique,* c'est la décrire.

brou n.m. *Ce meuble est teinté au brou de noix,* avec un liquide brun qu'on retire de l'enveloppe verte de la noix.

brouette n.f. *Le jardinier transporte de la terre dans sa brouette,* un petit chariot à une roue que l'on pousse devant soi.

brouhaha n.m. *On entend de loin le brouhaha des conversations,* le bruit confus des voix.

brouillard n.m. *Un brouillard épais recouvre toute la région,* des gouttelettes d'eau en suspension dans l'air qui empêchent de voir (= brume).

brouiller v. **1.** *Le temps se brouille,* des nuages apparaissent (= se gâter). **2.** *Ma vue se brouille,* je vois trouble. **3.** *Les deux amies se sont brouillées,* elles se sont fâchées (≠ se réconcilier).
■ **brouille** n.f. SENS 3 *Leur brouille n'a pas duré* (= dispute).

brouillon n.m. *Voici le brouillon de ma lettre,* le premier texte destiné à être corrigé et recopié.
■ **brouillon** adj. et n. *Elle est brouillonne,* elle est désordonnée.

broussaille n.f. **1.** *Le jardin est envahi de broussailles,* de touffes de plantes épineuses. **2.** *Des cheveux en broussaille* sont mal peignés.
■ **broussailleux** adj. SENS 2 *Une barbe broussailleuse* est épaisse et en désordre.
■ **débroussailler** v. SENS 1 *On a débroussaillé le talus à la serpe.*

brousse n.f. *Dans les zones tropicales sèches, la forêt est remplacée par la brousse,* une étendue couverte de buissons épars et de petis arbres.

brouter v. **1.** *Les vaches broutent l'herbe,* elles l'arrachent avec leur langue et leurs dents pour la manger. **2.** *L'embrayage de ma voiture broute,* il fonctionne par à-coups.

broutille n.f. *Il y a quelques erreurs dans ce rapport, mais ce sont des broutilles,* de menus détails sans importance.

broyer v. **1.** *Broyer des pierres,* c'est les écraser pour les réduire en petits morceaux. **2.** *Broyer du noir,* c'est être triste.

bru n. f. *Elle téléphone à sa bru,* la femme de son fils (= belle-fille).

603

brugnon n.m. *Un brugnon est une pêche à peau lisse.*

bruine n.f. *Il tombe de la bruine,* une pluie fine.
■ **bruiner** v. *Il bruine,* la bruine tombe.

bruissement n.m. *Le bruissement des feuilles est le bruit léger qu'elles font quand le vent les agite.*
■ **bruire** v. *On entend le vent bruire dans les branches,* faire un bruit léger.
R. On n'emploie que l'infinitif de ce verbe et l'imparfait : *il bruissait.*

bruit n.m. **1.** *J'entends le bruit d'un avion* (= son). **2.** *Qui a fait courir ce* *bruit ?,* cette nouvelle peu sûre (= rumeur).

■ **bruitage** n.m. SENS 1 *Réaliser le bruitage d'une émission de radio,* c'est produire artificiellement les bruits qui accompagnent l'action.

■ **bruyant** adj. SENS 1 *Nos voisins sont bruyants,* ils font du bruit.

■ **bruyamment** adv. SENS 1 *Il rit bruyamment,* très fort.

■ **ébruiter** v. SENS 2 *N'ébruitez pas la nouvelle,* ne la faites pas connaître (= répandre, divulguer).

brûlant, brûlé → *brûler.*

à brûle-pourpoint adv. *On m'a interrogé à brûle-pourpoint,* de façon inattendue et brusque.

brûler v. 1. *La voisine brûle des herbes sèches,* elle en fait un feu. 2. *La forêt brûle* (= flamber). 3. *Un invité a brûlé la nappe avec une cigarette,* il y a fait un trou. 4. *Je me suis brûlé le doigt,* j'ai senti une vive douleur au contact d'une flamme ou d'un objet très chaud. 5. *Ces projecteurs brûlent beaucoup d'électricité,* ils en consomment. 6. *La voiture a brûlé le feu rouge,* elle ne s'est pas arrêtée. 7. *Elle brûle de partir,* elle est impatiente de partir.

■ **brûlant** adj. SENS 4 *Une soupe brûlante* est très chaude.

■ **brûlé** n.m. SENS 1, 2 ET 3 *On sent une odeur de brûlé,* de quelque chose qui brûle ou qui a brûlé.

■ **brûleur** n.m. SENS 2 *Les brûleurs d'une cuisinière à gaz* sont les pièces percées de petits trous où le gaz brûle.

■ **brûlot** n.m. SENS 4 *Le brûlot* est un moustique dont la piqûre provoque une sensation de brûlure.

■ **brûlure** n.f. SENS 3 ET 4 *J'ai une brûlure à la main,* je me suis brûlé la main et j'en porte la marque.

brume n.f. *Le navire est dans la brume* (= brouillard).

■ **brumeux** adj. *Le temps est brumeux,* il y a de la brume.

brun adj. et n. *Mario a les cheveux bruns* (= foncé, noir). *C'est un brun* (≠ blond).

■ **brunante** n.f. *On a rendez-vous à la brunante,* à la tombée de la nuit.

■ **brunâtre** adj. *Il y a des taches brunâtres sur le mur,* d'un brun sale.

■ **brunir** v. *Son visage a bruni au soleil,* il a pris une couleur brune (= bronzer, hâler).

■ **brunissement** n.m. *Cette crème accélère le brunissement de la peau* (= bronzage).

brusque adj. 1. *Cet homme a des manières un peu brusques,* il a un caractère vif (= rude, brutal ; ≠ doux). 2. *Elle fit un mouvement brusque,* soudain et vif. *Il s'est produit un changement brusque de température* (= subit, brutal).

■ **brusquement** adv. SENS 2 *Le train s'arrêta brusquement* (= subitement, brutalement).

■ **brusquer** v. SENS 1 *Ne me brusque pas !,* ne me traite pas durement (= malmener, bousculer). SENS 2 *Elle a brusqué son départ,* elle est partie plus tôt que prévu (= précipiter, hâter).

■ **brusquerie** n.f. SENS 1 *Traiter quelqu'un avec brusquerie,* c'est le traiter durement.

brut adj. 1. *Une matière brute,* comme le *pétrole brut,* le *sucre brut,* n'a pas encore subi de transformations (≠ raffiné). 2. *Le poids brut d'un paquet,* c'est la masse de la marchandise et de l'emballage (≠ net).

brutal adj. 1. *Il est brutal avec les animaux,* il ne maîtrise pas ses mouvements de colère et ses gestes brusques (= dur, violent). 2. *Un événement brutal* est inattendu et provoque une forte émotion (= brusque).

■ **brutalement** adv. SENS 1 *Il a fermé la porte* **brutalement** (= violemment). SENS 2 *Elle s'est retrouvée* **brutalement** *dans la misère* (= brusquement, subitement).

■ **brutaliser** v. SENS 1 *Brutaliser un animal*, c'est le maltraiter.

■ **brutalité** n.f. SENS 1 *On s'est plaint des* **brutalités** *des policiers* (= violence).

■ **brute** n.f. SENS 1 *Tu es une* **brute** *!*, tu es violent, brutal.

bruyamment, bruyant → *bruit*.

bruyère n.f. 1. *Les landes bretonnes sont couvertes de* **bruyères**, *de plantes à petites fleurs violettes ou roses.* 2. *Une pipe de* **bruyère** *est taillée dans la racine de certaines bruyères.*

buanderie n.f. *Une* **buanderie** *est un local où l'on fait la lessive.*

buccal → *bouche*.

bûche n.f. 1. *Une* **bûche** *flambe dans la cheminée*, un gros morceau de bois. 2. *Le jour de Noël, nous avons mangé une* **bûche**, un gâteau en forme de bûche.

■ **bûcher** n.m. SENS 1 *Le* **bûcher** *de Jeanne d'Arc est la pile de bois sur laquelle elle a été brûlée.*

■ **bûcheron** n.m. SENS 1 *Le* **bûcheron** *abat les arbres.*

bûcher v. Fam. *Pierre et Aline* **bûchent** *beaucoup pour préparer leur examen*, ils travaillent.

■ **bûcheur** adj. et. n. Fam. *Pierre et Aline sont des* **bûcheurs**.

bucolique adj. *Une poésie* **bucolique** *évoque la vie agréable à la campagne.*

budget n.m. *Le* **budget** *de la famille* est l'ensemble de ses dépenses par rapport à ses recettes.

■ **budgétaire** adj. *Le gouvernement a décidé de faire des économies* **budgétaires**, qui concernent le budget.

buée n.f. *Il y a de la* **buée** *sur les vitres*, une couche de fines gouttelettes d'eau s'est déposée sur les vitres froides.

buffet n.m. 1. *Un* **buffet** *de salle à manger* est un meuble où on range la vaisselle. 2. *Les invités se pressent autour du* **buffet**, des tables où sont disposés les mets et les boissons. 3. *J'ai déjeuné au* **buffet** *de la gare* (= restaurant). 79 508

buffle n.m. *Le* **buffle** *est une sorte de bœuf vivant surtout en Asie et en Afrique.* 581

building n.m. *Il y a des* **buildings** *au centre de la ville*, des immeubles modernes très hauts. 582
R. On prononce [bildiŋ].

buis n.m. *Les allées du jardin ont des bordures de* **buis**, un arbrisseau qui ne perd jamais ses feuilles.

buisson n.m. *Les enfants se sont cachés derrière un* **buisson**, une touffe d'arbustes (= fourré, bosquet).

buissonnière adj. *Jean a fait l'école* **buissonnière**, il est allé se promener au lieu d'aller en classe.

bulbe n.m. *Lorsqu'on met en terre un* **bulbe** *de tulipe, il se forme une fleur* (= oignon).

bulldozer n.m. *Pour niveler un terrain, on utilise des* **bulldozers**, *des gros engins à chenilles munis d'une lame d'acier sur l'avant.* 152
R. On prononce [byldɔzɛr] ou [byldozœr].

bulle n.f. *Quand on verse de l'eau gazeuse dans un verre, il se forme des* **bulles**, *des petites boules remplies de gaz qui montent à la surface.*

bulletin n.m. **1.** *Le jour des élections, les gens déposent leur* **bulletin** *de vote dans l'urne,* un papier sur lequel est inscrit le nom du candidat choisi. **2.** *La radio diffuse le* **bulletin** *de la météorologie,* les informations périodiques sur le temps. **3.** *As-tu de bonnes notes sur ton* **bulletin** *?,* le papier que tu rapportes de l'école pour informer tes parents.

bungalow n.m. *Nous avons loué un* **bungalow** *dans un camp de vacances,* une petite habitation très simple. **R.** On prononce [bɛ̃galo].

292 **bureau** n.m. **1.** *Je m'installe à mon* **bureau,** *devant ma table à écrire.* **2.** *La directrice est dans son* **bureau** *,* dans la pièce où se trouve son bureau. **3.**
768 *Allez au* **bureau** *de poste,* dans le lieu où sont installés les services de la
293 poste. **4.** *C'est une employée de* **bureau,** elle travaille dans un service administratif. **5.** *Un* **bureau** *de tabac* est une boutique où l'on vend du tabac. **6.** *On a élu le* **bureau** *de l'assemblée,* les personnes qui vont la diriger.
■ **buraliste** n. SENS 5 *En France, on peut acheter des timbres à la* **buraliste,** la personne qui tient un bureau de tabac.

burette n.f. **1.** *Pour graisser ma machine à coudre, j'utilise une* **burette,** une petit boîte pour l'huile de graissage. **2.** *L'eau et le vin utilisés pour la messe sont dans des* **burettes,** des petites fioles.

150, **burin** n.m. *Le* **burin** est un ciseau
291 d'acier pour entailler ou couper la pierre ou les métaux.
■ **buriner** v. *Le vent et la mer ont* **buriné** *le visage du marin,* ils l'ont marqué de profondes rides.

burlesque adj. *Il m'est arrivé une aventure* **burlesque,** à la fois extravagante et comique.

burnous n.m. *Bébé est enveloppé dans son* **burnous,** une grande cape de laine à capuchon, comme en portent les Arabes.

buse n.f. *La* **buse** est un oiseau de proie.

busqué adj. *Un nez* **busqué** est un nez courbe.

buste n.m. **1.** *Le* **buste** est la partie du corps qui va de la tête à la taille (= tronc, torse). **2.** *Au musée, j'ai vu un* **buste** *de Jules César,* une sculpture représentant sa tête et une partie de sa poitrine.

but n.m. **1.** *Paris est le* **but** *de notre voyage,* le point que nous voulons atteindre (= objectif). **2.** *Son* **but** *est de te faire peur,* il essaie de te faire peur (= intention, dessein). **3.** *Le ballon est entré dans les* **buts,** dans le cadre où il doit pénétrer pour que l'équipe marque un point. **4.** *Notre équipe a marqué un* **but,** un point.
■ **buteur** n.m. SENS 4 *Notre équipe a un bon* **buteur,** un joueur habile à marquer des buts.

butane n.m. *Cette cuisinière fonctionne au* **butane,** un gaz vendu en grosses bouteilles de métal.

de but en blanc adv. *De but en blanc, il a décidé de partir,* soudain, sans l'avoir laissé prévoir.

buter v. **1.** *J'ai* **buté** *contre une pierre,* je l'ai heurtée (= trébucher). **2.** *Buter sur une difficulté,* c'est ne pas savoir la résoudre. **3.** *Tu* **te butes** *souvent,* tu t'entêtes (= s'obstiner).
■ **buté** adj. SENS 3. *Tu m'as regardé d'un air* **buté** *sans rien dire* (= fermé, obstiné).
■ **butoir** n.m. SENS 1 *Le train s'arrête au ras du* **butoir,** de l'obstacle placé à l'extrémité de la voie ferrée.

buteur → *but.*

butin n.m. *Les voleurs ont caché leur butin,* ce qu'ils ont emporté.

■ **butiner** v. *L'abeille butine,* elle récolte le pollen des fleurs.

butoir → *buter.*

butte n.f. **1.** *Sur cette butte, on découvre tout le village,* sur cette élévation de terrain (= monticule, colline). **2.** *Être en butte aux moqueries,* c'est y être exposé.

buvable, buvard, buvette, buveur → *boire.*

C

c', ça → *ce*.

çà adv. *Les habits sont dispersés çà et là,* n'importe où, en désordre.

cabale n.f. *Monter une cabale contre quelqu'un,* c'est organiser en secret un complot contre lui.

cabalistique adj. *Des signes cabalistiques* sont mystérieux, difficiles à comprendre (= secret).

765   **caban** n.m. *Un caban est une longue veste, comme en portent les matelots.*

367, 583   **cabane** n.f. **1.** *On range les outils dans une cabane au fond du jardin,* une petite maison (= baraque). **2.** *Au printemps, on vient déguster de la tire à la cabane à sucre,* le bâtiment où l'on fabrique le sirop d'érable, dans une érablière.

cabaret n.m. *On va ce soir dans un cabaret pour voir un spectacle de chants et de danses.*

222   **cabas** n.m. *Je fais mon marché avec un cabas,* un grand sac à provisions.

764   **cabestan** n.m. *Un cabestan sert à tirer de lourdes charges* (= treuil).

cabillaud n.m. *Un cabillaud est une morue fraîche.*

768   **cabine** n.f. **1.** *Dans la rue, on peut téléphoner d'une cabine (téléphoni-*
722   *que).* **2.** *Sur la plage, on se déshabille dans une cabine.* **3.** *À bord d'un na-*
803   *vire, les voyageurs dorment dans leur cabine.* **4.** *Dans un avion, les passa-*

gers ne peuvent pas aller dans la *cabine* de pilotage.

cabinet n.m. **1.** *On se lave dans le cabinet de toilette,* la pièce qui contient un lavabo et parfois un bidet. **2.** (au plur.) *Est-ce que je peux aller aux cabinets ?* (= toilettes). **3.** *Les médecins, les dentistes, les avocats reçoivent leurs clients dans leur cabinet,* le local, la pièce où ils travaillent. **4.** *Le cabinet a été renversé par l'Assemblée* (= ministère, gouvernement).

câble n.m. **1.** *Le bateau est attaché au quai par des câbles d'acier* (= cordage). **2.** *Des câbles sous-marins servent aux liaisons téléphoniques entre l'Europe et l'Amérique.*
■ **câbler** v. **1.** SENS 2 *La technicienne a câblé le poste,* elle a établi les liaisons électriques nécessaires. **2.** *Le radio a câblé un message,* il l'a transmis.

caboche n.f. Fam. *Tu as dû recevoir un coup sur la caboche !* (= tête).
■ **cabochard** adj. et n. Fam. *Pierre est un garçon très cabochard* (= entêté, ≠ docile).

cabosser v. *Elle a cabossé sa voiture contre un arbre,* elle l'a abîmée.

cabot n.m. Fam. *Ce sale cabot est encore en train d'aboyer* (= chien).

cabotage n.m. *Quand un navire de commerce fait du cabotage, il ne* *s'éloigne pas beaucoup des côtes* (≠ navigation au long cours).

■ **caboteur** n.m. Un *caboteur* est un bateau qui fait du cabotage.

cabotin n. et adj. Un *cabotin* est un acteur médiocre qui fait l'important. *À quatre ans, Marie était très cabotine,* elle cherchait à se faire remarquer en faisant des manières (= comédien).

■ **cabotinage** n.m. *Ton cabotinage m'agace* (≠ simplicité, naturel).

se cabrer v. *Le cheval s'est cabré devant la barrière,* il s'est dressé sur ses pattes de derrière.

cabri n.m. *La chèvre est suivie de ses cabris,* ses petits (= chevreau).

cabriole n.f. *Les enfants font des cabrioles sur la plage,* ils sautent, se roulent par terre (= galipette).

cabriolet n.m. Un *cabriolet* est une voiture légère décapotable.

caca n.m. Fam. *Bébé a fait caca dans son pot,* il a fait ses besoins.

cacahouète ou **cacahuète** n.f. *Jean s'est acheté un paquet de cacahouètes grillées,* de graines d'arachide.

cacao n.m. 1. *Le cacao est une graine qui sert à fabriquer le chocolat.* 2. *J'ai bu ce matin une tasse de cacao* (= chocolat).

■ **cacaoyer** n.m. *Le cacaoyer est l'arbre qui produit le cacao.*

cacatoès n.m. Un *cacatoès* est un perroquet.

cachalot n.m. Un *cachalot pèse plusieurs tonnes,* une sorte de baleine.

cache-cache → *cacher.*

cachemire n.m. *Tu portes une belle écharpe en cachemire,* en tissu de poil de chèvre du Cachemire.

cache-nez n.m.inv. *Il fait froid, prends ton cache-nez !* (= écharpe).

cacher v. 1. *Tu as caché mon stylo ?,* tu l'as mis dans un endroit secret (= dissimuler). *La souris s'est cachée derrière l'armoire.* 2. *Ce mur nous cache la mer,* il nous empêche de la voir (= masquer). 3. *Essayons de cacher notre inquiétude,* de ne pas la montrer (≠ exprimer, avouer).

■ **cache-cache** n.m.inv. SENS 1 *Les enfants ont passé l'après-midi à jouer à cache-cache,* à essayer de retrouver celui qui se cache.

■ **cachette** n.f. SENS 1 *Il a mis son argent dans une cachette,* un endroit secret. SENS 3 *Il agit en cachette,* secrètement (≠ ouvertement).

■ **cachottier** adj. et n. SENS 3 *Marie est très cachottière,* elle ne dit pas ce qu'elle pense.

■ **cachotterie** n.f. SENS 3 *Marie n'avait rien dit : elle nous fait des cachotteries.*

cachet n.m. 1. *Cette lettre porte le cachet de la poste,* la date et le lieu de départ imprimés sur l'enveloppe. 2. *L'argent que touchent les acteurs et les actrices s'appelle un cachet.* 3. *Un cachet d'aspirine est un médicament* (= comprimé).

cacheter v. *Il faut cacheter une lettre avant de la mettre à la poste,* il faut la fermer en la collant.

■ **décacheter** v. *Peux-tu me décacheter cette lettre ?* (= ouvrir). **R.** → Conj. n° 8.

cachette → *cacher.*

cachot n.m. *On mettait autrefois les prisonniers au cachot,* dans une cellule obscure et étroite.

cachotterie, cachottier → *cacher.*

cachou n.m. En France, les *cachous* sont des petites pastilles parfumées.

cacophonie n.f. *Cette cacophonie nous casse les oreilles,* ce mélange désagréable de sons (= tintamarre).

577 **cactus** n.m. *Les cactus poussent dans les pays chauds,* des plantes grasses à piquants.

c.-à-d. → *c'est-à-dire.*

cadastre n.m. *On peut consulter le cadastre à la mairie,* le registre qui contient le plan des propriétés de la commune.
■ **cadastral** adj. *On révise périodiquement le plan cadastral.*

cadavre n.m. *On a retiré plusieurs cadavres de la voiture accidentée* (= mort).
■ **cadavérique** adj. *Il a un teint cadavérique,* aussi pâle que celui d'un mort.

cadeau n.m. *Pour mon anniversaire, on m'a fait cadeau d'une montre,* on me l'a offerte (= présent).

cadenas n.m. Un *cadenas* est un mécanisme servant à fermer une porte qui n'a pas de serrure, à attacher une chaîne, etc.
■ **cadenasser** v. *Il a cadenassé son vélomoteur,* il l'a attaché avec un cadenas.

cadence n.f. **1.** *Accélérez la cadence !,* agissez plus rapidement (= rythme). **2.** *Les soldats marchent en cadence* (= régulièrement).
■ **cadencé** adj. SENS 2 *Marchez au pas cadencé !,* en posant tous le pied ensemble.

cadet **1.** adj. et n. *Jean est le cadet de la famille,* le plus jeune des enfants (= benjamin ; ≠ aîné). **2.** n. *Ma cousine Jeanne est ma cadette de deux ans,* elle a deux ans de moins que moi.

220 **cadran** n.m. **1.** *Le cadran d'une horloge,* c'est la surface sur laquelle se déplacent les aiguilles. **2.** *Un cadran solaire* indique l'heure grâce à une tige dont l'ombre tourne avec le soleil.

cadre n.m. **1.** *Le cadre de ce tableau est en bois doré* (= bordure, encadrement). **2.** *Cela n'entre pas dans le cadre de mon travail,* cela n'a pas de rapport avec lui (= limites). **3.** *Mme Durand fait partie des cadres de son entreprise,* de ceux qui ont des fonctions de direction (≠ employé). **4.** *Le cadre d'une bicyclette,* c'est l'ensemble des tubes qui en constituent l'armature.
■ **cadrer** v. **1.** SENS 2 *Ton récit ne cadre pas avec ce que je sais* (= concorder). **2.** *Cadrer une photo,* c'est présenter l'appareil de façon que le sujet soit bien dans le champ.
■ **cadreur** n.m. *Dans une prise de vues, le cadreur manie la caméra.*
■ **encadrer** v. SENS 1 *Encadrer un tableau,* c'est le mettre dans un cadre. SENS 3 *Les officiers encadrent les soldats* (= commander).
■ **encadrement** n.m. SENS 1 *L'encadrement d'une photo,* c'est son cadre. SENS 3 *L'encadrement d'un régiment,* c'est l'ensemble des officiers.

caduc adj. *Le chêne a des feuilles caduques,* qui tombent chaque année.

cafard n.m. **1.** *Il y a des cafards dans la cuisine,* des petits insectes (= blatte). **2.** *Marie a le cafard,* elle est triste.
■ **cafardeux** adj. SENS 2 *Marie est cafardeuse* (= triste, mélancolique).

café n.m. **1.** *M. Durand a acheté un paquet de café,* de graines grillées que l'on moud pour faire une boisson appelée elle aussi *café : J'ai bu une tasse de café.* **2.** *Nous sommes entrées dans un café,* dans un lieu où l'on peut consommer des boissons diverses.

■ **caféier** n.m. SENS 1 *Le caféier est l'arbre qui produit le café.*

■ **cafétéria** n.f. SENS 2 *Dans la cafétéria, il y a des distributeurs de café, de thé, de chocolat, de sandwiches, etc.*

■ **cafetière** n.f. SENS 1 *Une cafetière est un appareil pour faire le café (boisson).*

cafouiller v. Fam. 1. *Le moteur cafouille,* il fonctionne irrégulièrement. 2. *Il a cafouillé dans ses calculs* (= s'emmêler, se tromper).

■ **cafouillage** n.m. Fam. SENS 2 *Il y a eu du cafouillage dans les calculs* (= désordre, pagaille).

cage n.f. 1. *Les lions vont et viennent dans leur cage,* l'endroit garni de barreaux où ils sont enfermés. 2. *La cage de l'escalier* est l'espace où il est disposé.

cageot n.m. *On transporte les fruits et les légumes dans des cageots,* de petites caisses.

cagibi n.m. *Les outils de jardin sont dans un cagibi,* un petit local (= remise, débarras).

cagnotte n.f. *Marie a mis de l'argent dans une cagnotte* (= tirelire).

cagoule n.f. 1. *Les gangsters portaient une cagoule,* un capuchon cachant toute la tête sauf les yeux. 2. *Il fait froid, mets ta cagoule!* (= passe-montagne).

cahier n.m. *Commence par écrire ton devoir sur ton cahier de brouillon.*
R. *Cahier* se prononce [kaje] comme *cailler.*

cahin-caha adv. *La voiture avance cahin-caha,* péniblement, irrégulièrement.

cahot n.m. *J'ai été réveillé par les cahots de la voiture* (= secousse).

■ **cahoter** v. *La voiture cahote sur le chemin.*

■ **cahotant** adj. *Cette vieille voiture est cahotante.*

■ **cahoteux** adj. *Ce chemin est cahoteux* (= cahotant).
R. *Cahot* se prononce [kao] comme *chaos.*

cahute n.f. *Ils habitent dans une cahute en planches,* une sorte de cabane.

caille n.f. *Émilie a tué une caille à la chasse,* un petit oiseau.

cailler v. *Le lait a caillé (s'est caillé),* il est devenu presque solide.

■ **caillot** n.m. *Un caillot de sang,* c'est du sang solidifié.

caillou n.m. *Jacques s'amuse à lancer des cailloux dans l'eau,* de petites pierres.

■ **caillouteux** adj. *Le chemin est caillouteux,* parsemé de cailloux.

caïman n.m. *L'antilope a été dévorée par des caïmans* (= crocodile).

caisse n.f. 1. *Nous avons mis les livres dans des caisses,* dans de grandes boîtes en bois (= coffre). 2. *L'épicier compte le contenu de sa caisse,* du tiroir où il met l'argent qu'il reçoit. 3. *Mme Durand est passée à la caisse de sa banque,* au bureau où se font les paiements (= guichet). 4. *Jean joue de la grosse caisse,* une sorte de tambour.

■ **caissette** n.f. ou **caisson** n.m. SENS 1 *Une caissette (un caisson) est une petite caisse.*

■ **caissier** n. SENS 2 ET 3 *La caissière d'un magasin reçoit l'argent.*

■ **encaisser** v. SENS 2 ET 3 *Le boulanger encaisse le prix du pain,* il met l'argent dans sa caisse (= toucher).

cajoler v. *La guenon cajole son petit,* elle est très affectueuse avec lui.

cake n.m. *Au dessert, nous avons mangé du cake,* une sorte de gâteau aux raisins secs et aux fruits confits. **R.** On prononce [kɛk].

calamité n.f. *La guerre est une calamité,* un grand malheur (= fléau, catastrophe).

505 **calandre** n.f. *La calandre d'une voiture* est la partie métallique ajourée devant le radiateur.

calcaire adj. et n.m. *La craie est une roche calcaire : c'est du calcaire. Une eau calcaire contient du calcaire dissous.*

calciner v. *Le rôti a été calciné,* complètement brûlé (= carboniser).

calcium n.m. *Le calcium est un constituant essentiel de nos os.*
■ **décalcifier** v. *Cette malade est décalcifiée,* ses os manquent de calcium. **R.** *Calcium* se prononce [kalsjɔm].

calcul n.m. **1.** *2+2=4, voilà un calcul simple* (= opération). *Marie est bonne en calcul* (= arithmétique). **2.** *Faire un mauvais calcul,* c'est faire une mauvaise prévision.
■ **calculer** v. SENS 1 *Peux-tu calculer la surface de ce carré ?,* la déterminer par un calcul. SENS 2 *La députée calcule toujours ses paroles,* elle les mesure, les arrange d'avance.

293 ■ **calculateur** n.m. ou **calculatrice** n.f. SENS 1 *Une calculatrice est une machine qui fait automatiquement des calculs.*
■ **incalculable** adj. SENS 1 *Le nombre des étoiles est incalculable.* SENS 2 *Cette décision est d'une portée incalculable* (= imprévisible).

cale n.f. **1.** *La table est branlante : mets une cale sous un pied,* un objet qui l'empêche de bouger. **2.** *On met les* 726 *marchandises dans la cale du navire,*

dans l'espace qui est sous le pont. **3.** *Le bateau est en cale sèche,* dans un bassin sans eau où on peut le réparer. 7
■ **caler** v. **1.** SENS 1 *Cale la voiture avec une pierre !* (= immobiliser). **2.** *Le moteur a calé,* il s'est arrêté.
■ **cale-pied** n.m. SENS 1 *Le coureur cycliste resserre ses cale-pieds,* les attaches qui fixent ses pieds aux pédales. 5

calé adj. **1.** Fam. *Marie est calée en histoire,* elle est savante (= fort). **2.** Fam. *Ce problème est très calé* (= difficile).

caleçon n.m. *Mon grand frère porte des caleçons à fleurs,* un sous-vêtement qui part de la taille et s'arrête à mi-cuisse. *Où est passé mon caleçon de bain ?* (= slip).

calembour n.m. *En sortant de la chambre du malade, j'ai fait un calembour en disant : « Je viens de voir une personne alitée »,* un jeu de mots [*personnalité*].

calendrier n.m. *Si tu ne sais pas la date, regarde sur le calendrier.* 1 2

cale-pied → cale.

calepin n.m. *On écrit ses rendez-vous sur son calepin,* un petit carnet.

caler → cale.

calfeutrer v. *On a calfeutré la porte,* on a bouché les fentes pour empêcher l'air de passer.

calibre n.m. *Le calibre de ce revolver est de 8 millimètres,* le diamètre intérieur du canon. 7

calice n.m. **1.** *Le prêtre verse le vin de messe dans le calice,* une sorte de vase. **2.** *Le calice d'une fleur,* c'est son enveloppe extérieure qui s'épanouit au moment de la floraison.

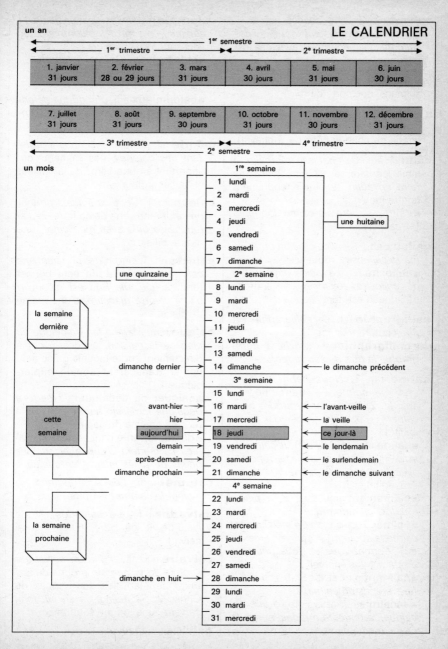

un an

LE CALENDRIER

1er semestre

1er trimestre | 2e trimestre

1. janvier 31 jours	2. février 28 ou 29 jours	3. mars 31 jours	4. avril 30 jours	5. mai 31 jours	6. juin 30 jours

7. juillet 31 jours	8. août 31 jours	9. septembre 30 jours	10. octobre 31 jours	11. novembre 30 jours	12. décembre 31 jours

3e trimestre | 4e trimestre

2e semestre

un mois

1re semaine

1 lundi
2 mardi
3 mercredi
4 jeudi   une huitaine
5 vendredi
6 samedi
7 dimanche

une quinzaine   2e semaine

la semaine dernière

8 lundi
9 mardi
10 mercredi
11 jeudi
12 vendredi
13 samedi
dimanche dernier → 14 dimanche ← le dimanche précédent

3e semaine

15 lundi
avant-hier → 16 mardi ← l'avant-veille
hier → 17 mercredi ← la veille
cette semaine   aujourd'hui → 18 jeudi ← ce jour-là
demain → 19 vendredi ← le lendemain
après-demain → 20 samedi ← le surlendemain
dimanche prochain → 21 dimanche ← le dimanche suivant

4e semaine

22 lundi
23 mardi
24 mercredi
la semaine prochaine   25 jeudi
26 vendredi
27 samedi
dimanche en huit → 28 dimanche

29 lundi
30 mardi
31 mercredi

calicot n.m. **1.** Le *calicot* est un tissu. **2.** *Les manifestants portaient des calicots,* des banderoles avec des inscriptions.

calife n.m. Un *calife* était, chez les musulmans, une sorte de roi.

à califourchon adv. *Katia est assise à califourchon sur une branche,* une jambe de chaque côté (= à cheval).

câlin 1. adj. *Ce chat est très câlin,* il aime les caresses. **2.** n.m. *Viens me faire un câlin,* te blottir tendrement contre moi.
■ **câliner** v. *Jérémie câline son lapin* (= cajoler).

calleux adj. *Ce vieux pêcheur a les mains calleuses,* rugueuses (≠ lisse).
■ **callosité** n.f. *La vieille paysanne a des callosités aux mains,* des endroits où la peau est dure.

calligraphie n.f. La *calligraphie* est une écriture très appliquée.
■ **calligraphier** v. *Marie a calligraphié le titre de son rapport.*

calme adj. **1.** *Nous habitons dans une rue calme* (= tranquille ; ≠ animé). **2.** *Nos voisins sont des gens calmes* (= paisible ; ≠ nerveux, agité, excité).
■ **calme** n.m. SENS 1 *J'aime le calme de la forêt* (≠ bruit). SENS 2 *Je t'ai répondu avec beaucoup de calme* (≠ nervosité, agitation).
■ **calmement** adv. SENS 2 *Tu parles toujours calmement.*
■ **calmer** v. SENS 1 ET 2 *Ce médicament calme la douleur* (= apaiser ; ≠ exciter). *Calmez-vous et nous pourrons discuter* (≠ s'énerver).
■ **calmant** n.m. SENS 2 *Si tu as mal à la tête, prends un calmant.*
■ **accalmie** n.f. SENS 1 *Après une accalmie, la tempête a repris,* après un calme momentané.

calomnie n.f. *Ne crois pas ce qu'on dit sur moi, ce sont des calomnies,* des accusations mensongères.
■ **calomnier** v. *On me calomnie en prétendant que j'ai triché.* (= dénigrer).
■ **calomnieux** adj. *J'ai dû me défendre contre des accusations calomnieuses.*

calorie n.f. *Les aliments nous fournissent des calories,* des éléments qui apportent à notre corps de la chaleur et de l'énergie.

calot n.m. **1.** *Certains soldats portent un calot,* une sorte de coiffure. **2.** *J'ai touché sa bille avec mon calot,* une grosse bille.

calotte n.f. **1.** *Les prêtres portaient une calotte sur la tête,* un petit bonnet rond. **2.** *Le pôle Sud est recouvert d'une calotte glaciaire,* d'une masse de glace.

calque n.m. *Marie a fait un calque du plan de la maison,* un dessin copié directement sur le modèle grâce à du papier transparent appelé **papier-calque.**
■ **calquer** ou **décalquer** v. *Pierre a décalqué le dessin d'un oiseau,* il l'a recopié grâce à du papier-calque.
■ **décalcomanie** n.f. *Les décalcomanies permettent d'appliquer sur des objets de jolies images en couleurs.*

calumet n.m. *Les Amérindiens fumaient le calumet* (= pipe).

calvados n.m. Le *calvados* est de l'eau-de-vie de cidre. (On dit aussi **calva.**)

calvaire n.m. **1.** *Il y a un calvaire à l'entrée du village,* un groupe de statues rappelant les souffrances du Christ. **2.** *Sa maladie a été un long calvaire,* une longue souffrance.

calvitie → *chauve.*

camarade n. *Yasmina a invité ses ca-marades de classe* (= ami, copain).
■ **camaraderie** n.f. *Il y a beaucoup de camaraderie entre Judith et Rachid, ils s'entendent bien* (= amitié).

cambouis n.m. *Tu as fait une tache de cambouis,* de graisse noire.

cambrer v. *Cambrez le corps !,* redressez-le jusqu'à le courber en arrière.

cambrioler v. *Des voleurs ont cam-briolé l'appartement* (= dévaliser).
■ **cambriolage** n.m. *On a été victime d'un cambriolage,* d'un vol dans la maison.
■ **cambrioleur** n. *La police a arrêté les cambrioleurs.*

caméléon n.m. *Les caméléons peuvent changer de couleur,* des petits reptiles d'Afrique.

camélia n.m. *Les camélias sont des arbustes qui donnent de belles fleurs.*

camelot n.m. **1.** *On aime écouter les camelots,* les marchands qui vendent des objets sur le trottoir. **2.** *Annie est camelot,* elle apporte le journal à ses abonnés.

camelote n.f. Fam. *Ce stylo ne marche plus, c'est de la camelote,* il est de mauvaise qualité.

camembert n.m. *Le camembert est un fromage rond à pâte molle.*

caméra n.f. *Caroline a acheté une caméra pour filmer sa famille,* un appareil de cinéma.

camion n.m. *Il y avait beaucoup de camions sur la route* (= poids lourd).
■ **camionnette** n.f. *Une camionnette est un petit camion.*
■ **camionneur** n.m. *Au restaurant de l'autoroute, j'ai rencontré des camion-neurs,* des conducteurs de camions (= routier).

camisole n.f. *Autrefois, on mettait aux fous furieux une camisole de force,* une chemise à longues manches qui se nouent par-derrière.

camomille n.f. *Marie boit une tisane de camomille,* faite avec les fleurs de cette plante.

camoufler v. *Les perdrix se camou-flent sous des branchages* (= cacher, dissimuler).

camouflet n.m. *Son échec aux élections a été pour lui un camouflet,* une humiliation publique (= affront, vexation).

camp n.m. **1.** *Les soldats ont installé un camp,* des tentes, des baraques. **2.** *Nous avons passé nos vacances dans un camp au bord de la mer,* un terrain de camping. **3.** *La classe est divisée en deux camps,* en deux partis opposés (= clan).
■ **camper** v. **1.** SENS 1 ET 2 *Nous avons campé au bord de la mer,* nous avons fait du camping. **2.** *Paul s'est campé devant la porte,* il s'y est installé avec assurance.
■ **campement** n.m. SENS 1 *Il y a un campement de nomades à l'entrée du village* (= camp).
■ **campeur** n. SENS 2 *Des campeuses ont mis leur tente près de la rivière.*
■ **camping** n.m. SENS 2 *Pendant les vacances nous avons fait du camping,* dormi sous la tente. *Nous étions dans un camping au bord de la mer,* un terrain réservé aux campeurs.
R. *Camp* se prononce [kã] comme *quand.*

campagne n.f. **1.** *La campagne est jolie au printemps,* les champs, les prés, les bois (≠ ville). **2.** *Napoléon a fait de nombreuses campagnes,* des expéditions militaires. **3.** *La cam-pagne électorale a commencé,* l'en-semble des opérations par lesquelles les candidats et les candidates aux

38

361 à 368

élections font connaître leur programme.

■ **campagnard** adj. SENS 1 *Tu as meublé ta maison en style campagnard* (= rustique).

campanile n.m. *Un campanile est un petit clocher au-dessus d'un édifice.*

651 **campanule** n.f. *Les campanules sont des fleurs mauves, blanches, roses en forme de clochettes.*

campement, camper, campeur, camping → camp.

canadienne n.f. *Il fait très froid, prends ta canadienne !, une grosse veste doublée de fourrure.*

canaille n.f. *Cette personne est une canaille, elle est malhonnête.*

218, 801 **canal** n.m. 1. *Le canal de Panama relie l'Atlantique au Pacifique, une voie d'eau navigable créée par l'homme.* 2. *Des canaux d'irrigation servent à amener de l'eau aux cultures.*

■ **canaliser** v. SENS 1 *On a canalisé la rivière, on l'a rendue navigable.*

■ **canalisation** n.f. SENS 1 *La canalisation du Saint-Laurent est terminée.*

75, 151 SENS 2 *La canalisation est bouchée, le tuyau dans lequel coule un liquide.*

77 **canapé** n.m. *Assieds-toi sur ce canapé !, ce fauteuil à plusieurs places.*

362 **canard** n.m. *Les canards domestiques volent moins bien que les canards sauvages.*

■ **cane** n.f. *La cane est la femelle du canard.*

■ **caneton** n.m. *Le caneton est le petit du canard.*

R. *Cane se prononce [kan] comme canne.*

canarder v. Fam. *L'ennemi nous a canardés, il nous a tiré dessus.*

canari n.m. *Le canari chante dans sa cage, un petit oiseau jaune* (= serin).

cancan n.m. *N'écoute pas ces cancans !, ces bavardages malveillants* (= commérages).

cancer n.m. *Cette personne est morte d'un cancer du foie* (= tumeur).

■ **cancéreux** adj. *Elle était cancéreuse, elle avait un cancer.*

■ **cancérigène** adj. *Le tabac est cancérigène, il provoque le cancer.*

cancre n.m. Fam. *Tu ne travailles pas en classe, tu es un cancre, un très mauvais élève.*

candélabre n.m. *Un candélabre est un grand chandelier où on peut mettre plusieurs bougies.* 14

candeur n.f. *Tu nous as regardés avec candeur, un air naïf et innocent.*

■ **candide** adj. *Tu as un regard candide, plein de candeur.*

candi adj.m.inv. *Le sucre candi est du sucre raffiné et cristallisé.*

candidat n. *M. Durand est candidat aux élections, il se présente. Marie est candidate au baccalauréat.*

■ **candidature** n.f. *Marion a posé sa candidature à un emploi.*

candide → candeur.

cane, caneton → canard.

canette n.f. 1. *Tu as encore cassé le fil de la canette, du petit cylindre autour duquel est enroulé le fil à l'intérieur de la machine à coudre.* 2. *Au café, j'ai bu une canette de bière, une petite bouteille.* 2

canevas n.m. 1. *On fait de la tapisserie sur un canevas, une toile spéciale.* 2. *Le canevas d'un roman, c'est son plan.* 2

caniche n.m. *Un caniche est un chien à poil frisé.*

canicule n.f. *On se rappelle la canicule de l'été dernier, la forte chaleur.*

■**caniculaire** adj. *Il fait une chaleur caniculaire* (= torride).

canif n.m. *Voilà un canif pour tailler tes crayons,* un petit couteau.

canin adj. *La race canine,* c'est la race des chiens.

canine n.f. *Le chat a des canines très pointues,* les dents qui se trouvent entre les incisives et les molaires.

caniveau n.m. *J'ai glissé dans le caniveau,* la rigole qui coule au bord du trottoir.

canne n.f. **1.** *Mon grand-père marche avec une canne,* un bâton pour s'appuyer. **2.** *La canne à sucre est une plante tropicale qui ressemble au bambou.* **3.** *Une canne à pêche est un bâton flexible au bout duquel on fixe une ligne* (= gaule). **R.** → *cane.*

canné adj. *Un siège canné est fait de rotin tressé.*
■**cannage** n.m. *Le cannage de la chaise est défoncé.*

cannelé → *cannelure.*

cannelle n.f. **1.** *On se sert de la cannelle pour parfumer certains gâteaux,* une poudre faite avec l'écorce aromatique d'un arbre. **2.** *La cannelle du tonneau est mal fermée,* le robinet de bois.

cannelure n.f. *Les cannelures d'une colonne sont des rainures verticales et parallèles.*
■**cannelé** adj. *Ce temple a des colonnes cannelées* (≠ lisse).

cannibale n. *La victime avait été mangée par des cannibales,* des gens qui mangeaient de la chair humaine (= anthropophage).

canoë n.m. *Pierre et Julie ont descendu la rivière en canoë,* une sorte de barque.

1. canon n.m. **1.** *Les canons ont bombardé les positions ennemies,* les pièces d'artillerie. **2.** *Le canon d'une arme à feu,* c'est le tube cylindrique par où sort la balle ou l'obus.
■**canonner** v. SENS 1 *Le bateau a canonné le port* (= bombarder).
■**canonnade** n.f. SENS 1 *À dix kilomètres, on entendait la canonnade,* les coups de canon.

2. canon n.m. *Les enfants chantent « Frère Jacques » en canon à quatre voix,* ils entonnent l'air successivement avec un décalage qui produit un effet harmonieux.

cañon n.m. *Un cañon est une vallée très profonde aux versants abrupts.* **R.** On prononce [kaɲɔn].

canoniser v. *L'Église a canonisé Jeanne d'Arc en 1920,* elle a déclaré que c'était une sainte.
■**canonisation** n.f. *La canonisation d'un saint est décidée à Rome.*

canonnade, canonner → *canon.*

canot n.m. *Monte dans le canot et prends les rames !,* le petit bateau.
■**canoter** v. *Nous avons canoté sur le lac,* nous nous sommes promenés en canot.
■**canotage** n.m. *Nous avons fait du canotage sur le lac.*

cantal n.m. *Le cantal est un fromage d'Auvergne.*

cantate n.f. *Une cantate est un morceau de musique chantée.*

cantatrice n.f. *Une cantatrice est une chanteuse d'opéra.*

cantine n.f. **1.** *Marie déjeune tous les jours à la cantine du collège,* la cafétéria, l'endroit réservé aux repas. **2.** *Mets tes affaires dans la cantine !* (= coffre, malle).

cantique n.m. *À l'église, on chante des cantiques,* des chants religieux.

803, 765

762, 763

583

726, 727

437

canton n.m. Au Canada, un *canton* était un territoire d'une superficie de 10 milles sur 10 milles environ.

cantonade n.f. *Parler à la cantonade,* c'est parler fort et pour toute l'assistance.

cantonal → *canton.*

cantonner v. 1. *Les soldats* **ont été** *cantonnés dans l'école,* on les y a installés provisoirement. 2. *Nous* **nous** *sommes cantonnés dans un prudent silence,* nous y sommes restés (= se tenir).
■ **cantonnement** n.m. SENS 1 *L'école a servi de* **cantonnement** *aux soldats.*

cantonnier n.m. *Le métier du* **cantonnier** *est d'entretenir les routes.*

caoutchouc n.m. *Les pneus de la voiture sont en* **caoutchouc,** en une matière résistante et élastique.
■ **caoutchouté** adj. *Un tissu* **caoutchouté** *est enduit de caoutchouc.*
R. Le *c* final de *caoutchouc* ne se prononce pas : [kautʃu].

cap n.m. 1. *Le bateau est passé au large d'un* **cap,** d'une pointe de terre. 2. *Le bateau* **a mis le cap** *sur l'Amérique,* il se dirige vers l'Amérique.
R. *Cap* se prononce [kap] comme *cape.*

capable adj. 1. *Tu es* **capable** *de faire ce problème,* tu peux le faire (= apte à). 2. *Tu es une personne* **capable** (= compétent).
■ **capacité** n.f. 1. SENS 2 *Vous avez de grandes* **capacités,** des aptitudes, des ressources. 2. *La* **capacité** *de cette bouteille est de 1 litre* (= contenance).
■ **incapable** 1. SENS 1 adj. *Marie est* **incapable** *de mentir* (≠ capable). 2. SENS 2 n. et adj. *Cet homme est un* **incapable** (= bon à rien).
■ **incapacité** n.f. SENS 1 *On est dans l'incapacité de travailler* (= impossi-

bilité). SENS 2 *Tu as montré ton* **incapacité** (= incompétence).

cape n.f. 1. *Une* **cape** *est une sorte de manteau sans manches.* 2. *Rire sous* **cape,** c'est rire en cachette.
R. → *cap.*

capeline n.f. *À ce mariage, les femmes portaient des* **capelines,** *des chapeaux à grands bords souples.*

capharnaüm n.m. *Cette boutique de brocanteur est un vrai* **capharnaüm,** un lieu plein d'objets en désordre.
R. On prononce [kafarnaɔm].

capillaire adj. 1. *Une lotion* **capillaire** *est destinée au soin des cheveux.* 2. *Les vaisseaux* **capillaires** *sont des vaisseaux sanguins fins comme des cheveux.*

capillarité n.f. *L'eau monte dans une éponge par* **capillarité,** en s'infiltrant dans les interstices.

capilotade n.f. Fam. *Après la grêle, les salades étaient* **en capilotade,** hachées, écrasées.

capitaine n.m. 1. *Le lieutenant a été promu* **capitaine,** un grade d'officier. 2. *Le* **capitaine** *du bateau a donné l'ordre de lever l'ancre,* celui qui commande.

1. capital adj. 1. *Elle a parlé d'un problème* **capital** (= essentiel ; ≠ secondaire, accessoire). 2. *L'assassin fut condamné à la* **peine capitale,** à mort.

2. capital n.m. *Mme Truong a placé des* **capitaux** *dans une entreprise,* de l'argent qui lui rapporte des intérêts.
■ **capitalisme** n.m. Le *capitalisme* est un système économique dans lequel les capitaux, les usines appartiennent à des particuliers et non à l'État (≠ socialisme ou communisme).
■ **capitaliste** adj. et n. *Les États-Unis sont un pays* **capitaliste.** *Mme Roy est une* **capitaliste.**

capitale n.f. **1.** *Paris est la* **capitale de** *la France,* la ville la plus importante. **2.** *Écrivez votre nom en* **capitales,** en lettres majuscules.

capitalisme, capitaliste → *capital* 2.

capiteux adj. *Un vin* **capiteux** monte à la tête et entraîne facilement l'ivresse.

capitonner v. *On a* **capitonné** *le fauteuil du salon* (= rembourrer).

capituler v. *Les soldats ont dû* **capituler,** cesser de résister (= se rendre). ■**capitulation** n.f. *On a annoncé la* **capitulation** *de l'ennemi.*

caporal n.m. *Un* **caporal** *est un gradé.*

capot n.m. *Soulève le* **capot** *de la voiture, je voudrais regarder le moteur.*

capote n.f. **1.** *La* **capote** *d'un soldat,* c'est son manteau d'uniforme. **2.** *Certaines voitures ont une* **capote,** une toiture pliante. ■**décapotable** adj. SENS 2 *Elle a acheté une voiture* **décapotable,** munie d'une capote que l'on peut relever.

capoter v. *La voiture* **a capoté** *dans un virage,* elle s'est retournée.

câpre n.m. *Les* **câpres** *sont des graines employées comme condiment.*

caprice n.m. *Tu veux toujours qu'on cède à tes* **caprices,** tes exigences, tes fantaisies. ■**capricieux** adj. *Tu es une personne* **capricieuse.**

capsule n.f. **1.** *La bouteille est bouchée avec une* **capsule,** une sorte de bouchon. **2.** *Les astronautes sont restés dans la* **capsule spatiale,** la partie habitable de la fusée. ■**décapsuler** v. SENS 1 *Voilà un instrument pour* **décapsuler** *la bouteille,* c'est un **décapsuleur.**

capter v. **1.** *Capter une émission de radio,* c'est la recevoir. **2.** *Capter une source,* c'est recueillir ses eaux. **3.** *Capter l'attention de quelqu'un,* c'est la retenir.

captif n. et adj. est un équivalent ancien de *prisonnier.* ■**captivité** n.f. *Elle a passé cinq ans en* **captivité,** comme prisonnière de guerre.

captiver v. *Suzy* **est captivée** *par son livre,* elle est très intéressée. ■**captivant** adj. *J'ai vu un film* **captivant** (= passionnant).

captivité → *captif.*

capturer v. *Les chasseurs* **ont capturé** *un lion,* ils l'ont pris vivant. ■**capture** n.f. *Les chasseurs ont ramené leur* **capture** (= prise).

capuchon n.m. **1.** *Le* **capuchon** *d'un manteau,* c'est la partie qui peut se rabattre sur la tête. **2.** *Où est le* **capuchon** *de mon stylo ?,* la partie qui protège la plume. ■**capuche** n.f. est un équivalent de *capuchon* au sens 1.　36　292

capucine n.f. *Les* **capucines** *sont des plantes à fleurs orangées.*　80

caqueter v. *Les poules* **caquettent** *dans le poulailler,* elles font entendre des séries de petits cris. ■**caquet** n.m. Fam. *Il faisait l'important, mais je lui* **ai rabaissé son caquet,** je l'ai rendu plus modeste en le vexant. **R.** → Conj. n° 8.

1. car conj. *Elle ne viendra pas,* **car** *elle est malade* (= parce que).

2. car n.m. *Nous avons fait une excursion en* **car** (= autocar).　506

carabine n.f. *Savez-vous tirer à la* **carabine ?,** un fusil léger.　436

carabiné adj. Fam. *J'ai eu un rhume carabiné*, très fort.

caracoler v. *Le cheval s'est mis à caracoler*, à faire des petits sauts.

290, 806

caractère n.m. **1.** *Écrivez votre nom en gros caractères*, en lettres d'imprimerie. **2.** *Le caractère d'une personne*, c'est sa manière de se comporter (= tempérament). *Que tu as mauvais caractère !*, tu te fâches facilement. **3.** *Ce cheval a du caractère*, il est énergique. **4.** *Cette maladie a les caractères d'une grippe*, elle en présente les signes distinctifs (= apparence).
■ **caractériser** v. SENS 4 *La grippe est caractérisée par une forte fièvre*, la fièvre en est un signe distinctif.
■ **caractéristique** adj. et n. f. SENS 4 *Les courbatures sont un signe caractéristique de la grippe* (= particulier, distinctif). *Quelles sont les caractéristiques de cette voiture ?* (= particularité).

carafe n.f. *Apporte une carafe d'eau sur la table !*, une sorte de bouteille.

carambolage n.m. *Il y a eu un carambolage sur l'autoroute*, un accident dans lequel plusieurs voitures se sont heurtées.

caramel n.m. *Fatima mange un caramel*, une sorte de bonbon.
■ **caraméliser** v. *Faire caraméliser du sucre*, c'est le transformer en caramel.

carapace n.f. *Les tortues ont le corps recouvert d'une carapace*, une enveloppe dure qui les protège.

512, 577, 802

507

caravane n.f. **1.** *Une caravane de voitures a traversé le Sahara*, des voitures voyageant ensemble. **2.** *Ils passent leurs vacances en caravane*, dans une roulotte tirée par une automobile.

caravelle n.f. *Le bateau de Christophe Colomb était une caravelle.*

carbone n.m. **1.** *Le charbon est constitué par du carbone.* **2.** *Un (papier) carbone permet d'obtenir le double d'un texte tapé à la machine.*
■ **carbonique** adj. SENS 1 *Si on fait brûler un corps, il se dégage du gaz carbonique.*
■ **carboniser** v. SENS 1 *Le rôti a été carbonisé*, il a été brûlé complètement, réduit à l'état de charbon.

carburant n.m. *Le moteur des automobiles fonctionne grâce à du carburant*, de l'essence ou du gasoil.
■ **carburateur** n.m. *Le carburateur est bouché*, l'appareil qui envoie dans le moteur de l'essence vaporisée.

carcasse n.f. *On a mangé tout le poulet, il ne reste que la carcasse*, les os du corps.

carcéral adj. *La vie carcérale*, c'est la vie en prison.

cardiaque adj. **1.** *Les muscles cardiaques*, ce sont les muscles du cœur. **2.** *Jocelyne est cardiaque*, elle a une maladie de cœur.
■ **cardiologue** n. *J'ai consulté un cardiologue*, un spécialiste des maladies du cœur.

cardigan n.m. Un *cardigan* est un lainage à manches longues se fermant sur le devant.

1. cardinal adj. **1.** *1, 20, 100 sont des nombres cardinaux* ($\neq$ ordinal). **2.** *Le nord, le sud, l'est et l'ouest sont les quatre points cardinaux.*

2. cardinal n.m. *Le pape est élu par les cardinaux*, des prélats d'un rang élevé.

cardiologue → cardiaque.

carême n.m. *Les catholiques jeûnaient pendant le carême*, la période de 40 jours qui précède Pâques.

■ **mi-carême** n.f. *Le jeudi de la mi-carême, les enfants se sont déguisés.*

carence n.f. *Maria souffre d'une carence de vitamines* (= insuffisance).

caresse n.f. *Jean m'a fait une caresse sur la joue,* il me l'a touchée gentiment.
■ **caresser** v. *Les chats aiment qu'on les caresse.*

cargaison n.f. *Le navire transporte une cargaison de charbon* (= chargement).

cargo n.m. *Un cargo est un navire qui ne transporte que des marchandises.*

caribou n.m. *Les caribous vivent dans les régions nordiques* (= renne).

caricature n.f. *Marie a fait une caricature de son professeur,* un dessin ressemblant mais comique.

carie n.f. *La dentiste m'a soigné une carie,* une maladie d'une dent.
■ **carié** adj. *J'ai plusieurs dents cariées,* gâtées.

carillon n.m. *Le carillon sonne 8 heures,* une horloge qui fait entendre un air pour marquer les heures.
■ **carillonner** v. *Les cloches de l'église carillonnent* (= sonner).

carlingue n.f. *La carlingue d'un avion,* c'est la partie où se trouvent le pilote et les passagers.

carmin n.m. *Le carmin est un rouge très vif.*

carnage n.m. *La bataille s'est terminée par un carnage* (= massacre).

carnassier → carnivore.

carnassière n.f. ou **carnier** n.m. *Le chasseur rapporte deux perdrix dans sa carnassière,* un sac spécial pour mettre le gibier (= gibecière).

carnaval n.m. *Les fêtes du carnaval se terminent le Mardi gras,* des réjouissances populaires avec défilés, chars, etc.

carnet n.m. **1.** *Je note mes rendez-vous sur un carnet,* un petit cahier de poche (= calepin). **2.** *J'ai acheté un carnet de tickets de métro,* un ensemble de tickets réunis. | 295

carnier → carnassière.

carnivore adj. et n. *L'homme, le tigre, le chat sont (des) carnivores,* ils mangent de la viande.
■ **carnassier** adj. et n.m. *Le tigre et le chat sont (des) carnassiers,* ils se nourrissent de la chair d'autres animaux.

carotide n.f. *Un éclat de verre lui a coupé la carotide,* l'artère du cou.

carotte n.f. *Comme hors-d'œuvre, nous avons mangé des carottes râpées,* des racines comestibles rouge-orangé. | 367

carpe n.f. *La carpe est un poisson d'eau douce.* | 721

carpette n.f. *Essuie-toi les pieds sur la carpette !,* le petit tapis.

carquois n.m. *L'archer a tiré une flèche de son carquois,* son étui. | 147

carre n.f. *Les carres d'un ski* sont les baguettes d'acier qui bordent sa semelle.

carré n.m. **1.** *Calculez la surface de ce carré,* cette figure qui a quatre côtés égaux et quatre angles droits. **2.** *4 est le carré de 2* (2×2), *9 est le carré de 3* (3×3). **3.** *M. et Mme Vandamme cultivent leur carré de choux,* une surface plantée (en choux). | 385
■ **carré** adj. SENS 1 *La salle à manger est carrée,* elle a la forme d'un carré. SENS 2 *Cette salle mesure un carré de 2 mètres sur 2,* elle mesure *4 mètres carrés.* | 871

carreau n.m. **1.** *Il y a un carreau cassé,* téléphone au vitrier (= vitre). **2.** *Le sol de la salle de bains est en carreaux de faïence,* des petites dalles. **3.** *Zoé a*

801 *une jupe à* **carreaux,** à petits dessins carrés. **4.** *Le* **carreau** *de la mine,* c'est le terrain où sont groupées toutes les installations de la mine, à la surface.

436 **5.** *Je joue l'as de* **carreau,** une des couleurs aux cartes.

■ **carreler** v. SENS 2 *Nous avons fait* **carreler** *la cuisine,* recouvrir le sol ou les murs de carreaux.

78 ■ **carrelage** n.m. SENS 2 *J'ai lavé le* **carrelage,** les carreaux du sol ou des murs. **R.** *Carreler* → conj. n° 6.

217 **carrefour** n.m. *Il y a un feu rouge au* **carrefour** (= croisement).

carrelage, carreler → *carreau.*

carrément adv. *Dis-moi* **carrément** *ce que tu penses* (= nettement).

se carrer v. *Le directeur se* **carre** *dans un large fauteuil,* il s'y installe bien à l'aise (= s'enfoncer, se caler).

carrière n.f. **1.** *Dans une* **carrière,** *on extrait des pierres, du sable.* **2.** *Suzy ne sait pas quelle* **carrière** *elle choisira* (= profession).

■ **carrier** n.m. SENS 1 *Un* **carrier** *travaille dans une carrière.*

363
652 **carriole** n.f. **1.** *L'âne tire la* **carriole,** *une petite charrette.* **2.** *Une* **carriole** *est un grand traîneau pour le transport des personnes.*

carrossable adj. *Arrête ! le chemin n'est plus* **carrossable,** *la voiture ne peut pas y passer.*

802 **carrosse** n.m. *Autrefois, les reines roulaient en* **carrosse,** *dans de luxueuses voitures à cheval.*

290 **carrosserie** n.f. *Il a abîmé la* **carrosserie** *dans un accident,* la partie extérieure de la voiture.

■ **carrossier** n.m. *Le* **carrossier** *a redressé l'aile de la voiture.*

carrure n.f. *Cette skieuse a une* **carrure** *d'athlète,* elle a le dos large et les épaules musclées.

cartable n.m. *As-tu mis tes livres et tes cahiers dans ton* **cartable** *?* (= serviette, sacoche).

carte n.f. **1.** *Hier nous avons joué aux* **cartes.** *L'as est la* **carte** *la plus forte.* **2.** *Montrez-moi votre* **carte d'identité,** le document prouvant qui vous êtes. *La* **carte d'enregistrement** *d'une voiture,* c'est le document où est inscrit le nom du propriétaire. **3.** *La* **carte de France** *ressemble à un hexagone,* sa représentation géographique. **4.** *L'agent d'assurance a laissé sa* **carte de visite,** un petit carton portant son nom et son adresse. **5.** *Pendant les vacances, écris-nous une* **carte postale,** un rectangle de carton illustré sur une face.

■ **cartographie** n.f. SENS 3 *La* **cartographie** *est l'art de dessiner des cartes de géographie.*

■ **cartomancienne** n.f. SENS 1 *Une* **cartomancienne** *est une femme qui prétend lire l'avenir grâce à un jeu de cartes.*

■ **porte-cartes** n.m.inv. SENS 2 *Dans son* **porte-cartes,** *on a sa carte d'identité, son permis de conduire, etc.*

cartilage n.m. *L'oreille est faite de* **cartilage,** *d'une sorte d'os assez mou.*

■ **cartilagineux** adj. *La raie est un poisson* **cartilagineux,** *elle n'a pas d'arêtes mais des cartilages.*

cartographie, cartomancienne → *carte.*

carton n.m. **1.** *La couverture de ce livre est en* **carton,** *en une sorte de papier très épais.* **2.** *Elle range sa collection de timbres dans un* **carton à chaussures** (= boîte).

■ **cartonnage** n.m. SENS 1 *L'appareil est expédié dans un* **cartonnage** *robuste,* un emballage en carton.

■ **cartonné** adj. SENS 1 *Les livres* **cartonnés** *sont plus solides,* les livres reliés en carton.

cartouche n.f. **1.** *Les chasseurs n'avaient plus de **cartouches*** (= munition, balle). **2.** *Amina s'est acheté un stylo à **cartouche**,* où l'encre est contenue dans un petit réservoir en plastique.
■**cartouchière** n.f. SENS 1 *Elle a sorti deux cartouches de sa **cartouchière**,* de la ceinture où elle les range.

cas n.m. **1.** *Il a neigé en mai : c'est un **cas** assez rare,* cela arrive rarement (= événement, circonstance). **2.** *Ne faire aucun **cas** de quelque chose,* c'est ne lui accorder aucune importance. **3.** *Je ne sais pas qui a fait ça, **en tout cas**, ce n'est pas moi* (= de toute façon). **4.** ***En cas de** malheur, prévenez-moi,* si un malheur arrive. **5.** ***Au cas où** vous passeriez par ici, venez me voir* (= si).

casanier adj. *Ma chienne est très **casanière**,* elle aime rester à la maison.

casaque n.f. *Le jockey a une **casaque** rouge* (= veste).

cascade n.f. **1.** *Le torrent fait une **cascade** de 10 mètres,* il tombe de cette hauteur (= chute d'eau). **2.** *Il s'est produit des incidents **en cascade**,* en série.

cascadeur n.m. *Pour cette scène dangereuse, l'acteur principal du film a été remplacé par un **cascadeur**,* un acrobate professionnel.

case n.f. **1.** *Ces villageois africains vivent dans des **cases*** (= hutte). **2.** *Un échiquier a 64 **cases**,* petits carrés. **3.** *Ce tiroir est divisé en trois **cases*** (= compartiment).
■**casier** n.m. **1.** SENS 3 *Un meuble divisé en cases est un **casier**. Dans un **casier** à bouteilles,* chaque bouteille occupe une case. **2.** *Le **casier** judiciaire est la liste des condamnations en justice prononcées contre quelqu'un.*

casemate n.f. *Les tirs de mitrailleuse venaient d'une **casemate**,* un ouvrage fortifié au ras du sol.

caser v. Fam. *Je ne pourrai pas **caser** tous ces livres dans ma bibliothèque* (= placer, mettre).

caserne n.f. *Les soldats vont à la **caserne**,* au bâtiment où ils logent. 762

casier → *case.*

casino n.m. *Ils ont perdu leur fortune au **casino** de Monaco,* dans un établissement où l'on joue de l'argent.

casoar n.m. *Le **casoar** est un grand oiseau d'Australie dont la tête est surmontée d'une sorte de casque osseux.* 435

casque n.m. *Les soldats et les pompiers portent un **casque**,* une coiffure rigide qui protège la tête. 763, 147, 37
■**casqué** adj. *La motocycliste est **casquée**.*

casquette n.f. *Luce porte une **casquette**,* une coiffure plate à visière. 763, 512, 37

casser v. **1.** *J'ai **cassé** une assiette,* je l'ai réduite en morceaux (= briser). *Jean s'est **cassé** la jambe au ski* (= fracturer). **2.** ***Casser** un fonctionnaire,* c'est le destituer. **3.** ***Casser** un jugement,* c'est le déclarer nul.
■**cassant** adj. SENS 1 *Attention ! cette branche est **cassante**,* elle casserait facilement.
■**cassation** n.f. SENS 3 *On attend la **cassation** du jugement. La **Cour de cassation** est le tribunal qui peut casser des jugements.*
■**casse** n.f. SENS 1 *Il y a eu de la **casse**,* des choses cassées.
■**casse-cou** n.inv. SENS 1 *Zoé est une **casse-cou*** (= imprudent).
■**casse-croûte** n.m.inv. *Pour le pique-nique, j'ai apporté un **casse-croûte**,* un repas léger.
■**casse-noix** n.m.inv. SENS 1 *Ne casse pas les noix avec tes dents, prends un **casse-noix**.*

■ **casse-tête** n.m.inv. *Ce problème de maths est un vrai* **casse-tête,** il est très difficile.

■ **cassure** n.f. SENS 1 *On voit sur ce vase la marque d'une* **cassure,** d'un endroit cassé.

■ **incassable** adj. SENS 1 *Ces lunettes sont en plastique* **incassable,** très solide.

78 **casserole** n.f. *Veux-tu mettre une* **casserole** *d'eau sur le feu ?*

808 **cassette** n.f. **1.** Une *cassette* est un étui contenant une bande magnétique sur laquelle on peut enregistrer de la musique, des films ou écouter de la musique, regarder des films déjà enregistrés. **2.** *Autrefois, on mettait ses bijoux dans une* **cassette,** un petit coffre.

367 **1. cassis** n.m. Le *cassis* est une sorte de groseille noire dont on fait une liqueur.
R. On prononce [kasis].

2. cassis n.m. *Ralentis, le panneau annonce un* **cassis,** une rigole en travers de la route.
R. On prononce [kasi].

cassoulet n.m. *Nous avons mangé un* **cassoulet,** un ragoût de haricots et de viande.

cassure → *casser.*

439 **castagnettes** n.f.pl. Les *castagnettes* sont deux plaquettes de bois qu'on entrechoque en mesure, en particulier pour accompagner certaines danses.

caste n.f. *Ces gens forment une* **caste** *privilégiée,* un groupe qui se juge supérieur aux autres.

582 **castor** n.m. Le *castor* est un petit animal à fourrure qui vit au bord des rivières.

cataclysme n.m. *Le tremblement de terre a provoqué un* **cataclysme,** une catastrophe naturelle.

catacombes n.f.pl. *Les premiers chrétiens enterraient leurs morts dans des* **catacombes,** des souterrains.

catafalque n.m. *Le cercueil était posé sur un* **catafalque,** un support pour les cérémonies funéraires.

catalogne n.f. La *catalogne* est une étoffe tissée avec des bandes de tissu de diverses couleurs.

catalogue n.m. *On a reçu le* **catalogue** *des grands magasins,* la liste des articles qu'ils vendent.

cataplasme n.m. *Autrefois, on soignait souvent les bronchites avec des* **cataplasmes,** des bouillies spéciales mises dans du linge et appliquées sur la peau.

catapulte n.f. Une *catapulte* était une machine de guerre pour lancer des projectiles (pierres, boulets, etc.).

cataracte n.f. *Les cataractes du Niagara ont 47 mètres de hauteur* (= chute d'eau).

catastrophe n.f. *Cinquante personnes sont mortes dans la* **catastrophe,** un grave accident (= désastre).
■ **catastrophé** adj. Fam. *Pourquoi me regardes-tu de cet air* **catastrophé ?** (= atterré, consterné).
■ **catastrophique** adj. *L'incendie a été* **catastrophique** (= désastreux).

catch n.m. Le *catch* est une sorte de lutte.
■ **catcheur** n. *On a vu des* **catcheurs** *hier soir à la télévision.*

catéchisme n.m. *Tu vas au* **catéchisme ?,** à l'instruction religieuse.
■ **catéchiste** n. *L'instruction religieuse est assurée dans la paroisse par plusieurs* **catéchistes.**

catégorie n.f. *La flûte fait partie de la* **catégorie** *des instruments à vent* (= classe, groupe, ensemble).

catégorique adj. *Il m'a donné une réponse catégorique,* sans réplique (= net ; ≠ équivoque, confus, évasif).
■ **catégoriquement** adv. *On a refusé catégoriquement.*

caténaire n.f. *Une caténaire est un câble électrique suspendu pour fournir du courant aux trains.*

cathédrale n.f. *Les touristes ont visité la cathédrale,* une grande et belle église.

catholique n. et adj. *Les catholiques vont à la messe le dimanche. Le pape est le chef de l'Église catholique.*
■ **catholicisme** n.m. *Le catholicisme, c'est la religion catholique.*

en catimini adv. *Marie s'est approchée de Jean en catimini,* sans se faire remarquer, en cachette.

catogan n.m. *Elle a les cheveux attachés sur la nuque par un catogan,* un gros nœud.

cauchemar n.m. *Cette nuit, j'ai fait un cauchemar,* un rêve pénible.

cause n.f. **1.** *Le travail est la cause de sa réussite* (= motif, raison ; ≠ conséquence, effet, résultat). **2.** *Je suis arrivé en retard à cause du brouillard,* parce qu'il y en avait (= en raison de). **3.** *La défense des faibles est une noble cause,* une chose à laquelle on peut se dévouer.
■ **causer** v. *C'est une imprudente qui a causé l'accident,* qui en est la cause (= provoquer).

1. causer v. *Pierre est en train de causer avec Marie* (= parler).
■ **causerie** n.f. *Une causerie est une conversation familière ou un exposé.*
■ **causette** n.f. Fam. *Pierre et Marie font la causette,* ils bavardent.
■ **causeur** n. *Aline est une brillante causeuse,* elle a le don de causer agréablement devant un auditoire.

2. causer → *cause.*

caustique adj. **1.** *Un produit caustique ronge la peau.* **2.** *Une remarque caustique est blessante, mordante.*

cauteleux adj. *Cette personne a des manières cauteleuses* (= hypocrite).

caution n.f. *Natacha a versé une caution au propriétaire de son logement,* une somme d'argent pour garantir qu'elle paiera son loyer.
■ **cautionner** v. *Je ne peux pas cautionner ce projet,* lui donner mon appui.

cavalcade n.f. *Une cavalcade, c'est la course bruyante de personnes ou d'animaux.*

1. cavalier n. **1.** *La cavalière a lancé son cheval au galop,* une personne qui va à cheval. **2.** *Il s'est incliné devant sa cavalière,* la femme avec qui il danse.
■ **cavalerie** n.f. SENS 1 *La cavalerie était formée des troupes à cheval.*

2. cavalier adj. *Vous m'avez regardé d'un air cavalier,* un peu insolent.
■ **cavalièrement** adv. *Tu m'as répondu bien cavalièrement* (≠ respectueusement).

cave n.f. *Qui veut descendre chercher du vin à la cave ?,* la pièce qui est sous le sol de la maison.

caveau n.m. *Dans un cimetière, un caveau est une construction qui sert de sépulture.*

caverne n.f. *L'ours est entré dans une caverne pour se mettre à l'abri,* un creux dans le rocher (= grotte).

caverneux adj. *Mon père a une voix caverneuse,* grave et sourde.

caviar n.m. *Au restaurant russe, on peut manger du caviar,* des œufs d'esturgeon.

cavité n.f. *La mer a creusé des cavités dans la falaise,* des trous.

74

ce, cet, cette, ces adj.démonstratifs, servent à montrer quelqu'un ou quelque chose : *Ce livre*, *cet animal*, *cette femme*, *ces enfants.* Ils peuvent être accompagnés de *-ci* et de *-là* : *Ce livre-ci* est plus proche que *ce livre-là.*
■ **ce, c', ceci, cela, ça, celui, celle(s), ceux** pron.démonstratifs servent à montrer : *C'est bien. Ce (ceci, cela) n'est pas bien. Ça va ? Je n'ai pas de livre, je prends celui de Pierre. Celui-ci est plus près que celui-là.*
R. Ne pas confondre *ce* et *se* [sə]. *Cet* et *cette* se prononcent [sɛt] comme *sept. Ces* se prononce [se] comme *ses* et *c'est. Celle* se prononce [sɛl] comme *sel* et *selle.*

cécité n.f. *Ce pauvre homme est frappé de cécité,* il est aveugle.

céder v. 1. *On lui a cédé la place* (= laisser). 2. *Paule a cédé à sa sœur,* elle a fait ce qu'elle voulait. 3. *Tu étais trop lourde, et la branche a cédé,* elle n'a pas résisté (= casser).
■ **cession** n.f. SENS 1 *Certains héritiers ont accepté une cession de leurs droits* (= abandon).

cédille n.f. *On met une cédille sous un c (ç) devant a, u, o pour indiquer le son* [s] : *façade, gerçure, leçon.*

cèdre n.m. 1. *Le cèdre est un grand arbre aux branches qui s'étalent horizontalement.* 2. *Au Canada, c'est le nom donné au thuya.*

34, 36

505

763

ceinture n.f. 1. *Resserre ta ceinture, ton pantalon tombe.* 2. *On avait de l'eau jusqu'à la ceinture* (= taille). 3. *En voiture, il faut attacher sa ceinture de sécurité,* une bande de tissu qui maintient le passager sur son siège.
■ **ceinturer** v. SENS 2 *Elle a ceinturé la voleuse,* elle l'a saisie par la taille.
■ **ceinturon** n.m. SENS 1 *Un ceinturon est une grosse ceinture.*

cela → *ce.*

célébration → *célébrer.*

célèbre adj. *Victor Hugo et George Sand sont des écrivains célèbres,* très connus.
■ **célébrité** n.f. *Cet artiste jouit d'une grande célébrité* (= renom).

célébrer v. 1. *On a célébré l'anniversaire de la victoire,* on l'a fêté par une cérémonie. 2. *Le prêtre célèbre la messe,* il la dit, il est le célébrant.
■ **célébration** n.f. SENS 1 ET 2 *Nous avons assisté à la célébration d'un mariage.*

célébrité → *célèbre.*

céleri n.m. *Nous avons mangé à midi une salade de céleri,* un légume.

célérité n.f. est un équivalent rare de *rapidité, vitesse.*

céleste → *ciel.*

célibataire adj. et n. *M. Dubois est célibataire,* il n'est pas marié.
■ **célibat** n.m. *Le mariage met fin au célibat,* à la situation de célibataire.

celle → *ce.*

cellier n.m. *On conserve les provisions dans le cellier,* un local frais.
R. *Cellier* se prononce [sɛlje] comme *sellier.*

cellule n.f. 1. *Le prisonnier a été enfermé dans une cellule,* une petite pièce. 2. *Les gâteaux de cire des abeilles sont divisés en cellules,* en petites cavités. 3. *La matière vivante est formée de cellules,* d'éléments très petits.
■ **cellulite** n.f. SENS 3 *Mme Durand a de la cellulite,* des cellules de graisse sous la peau.
■ **cellulose** n.f. SENS 3 *Les cellules des végétaux forment la cellulose.*

celui → *ce.*

cendre n.f. *La cendre,* c'est ce qui reste d'un corps qu'on a fait brûler.

■**cendrier** n.m. *Éteins ta cigarette dans le **cendrier**,* le récipient destiné aux cendres et aux mégots.

censé adj. *Nul n'est **censé** ignorer la loi,* on suppose que nul ne l'ignore. **R.** *Censé* se prononce [sãse] comme *sensé.*

censeur n.m. **1.** *Le **censeur** du lycée a réuni les élèves,* la personne qui fait régner l'ordre et la discipline. **2.** *Les **censeurs** sont des gens chargés par certains gouvernements d'examiner les livres, les films, etc.*

■**censure** n.f. SENS 2 *Le livre est passé devant la commission de **censure**.*

■**censurer** v. SENS 2 *Ce film **a été** censuré,* il a été interdit.

cent adj. *1877, c'était **cent** ans avant 1977. 10 × 10 = 100.*

■**centaine** n.f. **1.** *Dans 821, 8 est le chiffre des **centaines**.* **2.** *J'ai une **centaine** de billes dans mon sac,* environ cent billes.

■**centenaire** **1.** adj. et n. *Jean a un grand-père **centenaire**,* qui a cent ans ou plus. **2.** n.m. *On a fêté le **centenaire** de notre école,* le centième anniversaire.

■**centi-,** placé devant une unité, la divise par 100 : centigramme, centilitre, centimètre.

■**centième** adj. et n. *10 est la **centième** partie (le **centième**) de 1 000.*

■**centuple** n.m. *1 000 est le **centuple** de 10.*

■**centupler** v. *Elle **a centuplé** sa fortune,* elle l'a multipliée par 100.

■**bicentenaire** n.m. *1989 est l'année du **bicentenaire** de la Révolution française de 1789,* du 200e anniversaire. (Pour le 300e anniversaire, on dit le **tricentenaire**.)

■**pourcentage** n.m. *Voilà 100 élèves dont 40 sont blonds : le **pourcentage** de blonds est de 40 pour cent* (40 %). **R.** *Cent* se prononce [sã] comme *sans, sang,* [je] *sens* et [il] *sent* (de *sentir*).

Cent reste invariable s'il est suivi d'un autre nombre *(deux cent dix),* mais prend un *s* s'il ne l'est pas *(deux cents œufs* [døsãzø]).

centigramme, centilitre, centimètre → *gramme, litre, mètre.*

centre n.m. **1.** *Qui se place au **centre** du cercle ?,* au milieu. **2.** *Chicago est un **centre** industriel,* une ville importante. **3.** *Le **centre** est un parti politique entre la gauche et la droite.* **4.** *Le **centre** d'intérêt de la discussion a été le chômage,* le point essentiel. **5.** *Samedi, on est allés regarder les boutiques du **centre** commercial,* un endroit où sont regroupés de nombreux commerces. 221

■**central** adj. SENS 1 *Le Massif **central** se trouve au centre de la France.* 808, 35

■**centrale** n.f. SENS 1 *Une **centrale** électrique produit du courant et l'envoie dans toutes les directions.* 801

■**centraliser** v. SENS 2 *On a **centralisé** l'Administration,* on l'a groupée dans un grand centre.

■**centrer** v. SENS 4 *La discussion **a été** centrée sur le chômage,* elle s'est fixée sur ce point.

■**centriste** adj. SENS 3 *Une politique **centriste** n'est ni de gauche ni de droite.*

■**décentraliser** v. SENS 2 *Il faut **décentraliser** l'industrie,* ne pas la laisser seulement dans les grands centres.

■**excentrique** adj. **1.** SENS 1 *Nous habitons un quartier **excentrique**,* loin du centre. **2.** *Tu es une personne **excentrique**,* tu ne fais rien comme tout le monde (= original).

centuple, centupler → *cent.*

cep n.m. *Un **cep** est un pied de vigne.* **R.** *Cep* se prononce [sɛp] comme *cèpe.* 578

cèpe n.m. *Le **cèpe** est un champignon comestible* (= bolet). **R.** → *cep.* 656

cependant conj. marque une opposition plus forte que *mais* (= pourtant, toutefois).

437 **céramique** n.f. *Les potiers font de la céramique,* des poteries, des terres cuites, des faïences.

cerceau n.m. *Les enfants font rouler leur cerceau dans le jardin,* un cercle servant à jouer.

385
579 **cercle** n.m. **1.** *Tracez un cercle avec votre compas* (= rond). *On place des cercles métalliques autour des tonneaux.* **2.** *On s'est inscrit à un cercle d'échecs,* un lieu où se réunissent des joueurs d'échecs.
  ■ **circulaire** adj. SENS 1 *Une piste circulaire a la forme d'un cercle.*
  ■ **encercler** v. SENS 1 *Les soldats ont été encerclés par l'ennemi,* entourés de toutes parts (= cerner).
  ■ **encerclement** n.m. SENS 1 *Les soldats n'ont pas pu éviter l'encerclement.*

cercueil n.m. *Le cercueil a été descendu dans la tombe,* la caisse renfermant le cadavre.

364 **céréale** n.f. *Le blé, l'avoine, l'orge, le maïs, le riz sont des céréales.*

cérébral → *cerveau.*

cérémonie n.f. **1.** *La cérémonie du mariage aura lieu samedi,* l'acte solennel. **2.** *On m'a reçu avec cérémonie,* avec une politesse excessive.
  ■ **cérémonial** n.m. SENS 1 ET 2 *L'accueil d'un souverain étranger se fait selon un cérémonial précis,* un ensemble de règles, de cérémonies.
  ■ **cérémonieux** adj. SENS 2 *Elle est cérémonieuse,* même avec ses amis, trop polie (= solennel ; ≠ naturel, simple).
  R. Noter le pluriel : des *cérémonials.*

cerf n.m. *Les chasseurs ont tué un cerf,* un grand animal sauvage, qui a des cornes ramifiées appelées *bois.*
  R. *Cerf* se prononce [sɛr] comme *serre* et *sert* (de *servir*).

cerfeuil n.m. *Mets du cerfeuil dans la salade,* une plante aromatique.

cerf-volant n.m. *Les enfants s'amusent à faire voler leur cerf-volant.*
  R. Le *f* ne se prononce pas : [sɛrvɔlɑ̃]. Au pluriel : des *cerfs-volants.*

cerise n.f. *Nous cueillerons les cerises en juin,* des fruits généralement rouges.
  ■ **cerisier** n.m. *La voisine a des cerisiers dans son verger.*

cerne n.m. *Katia doit être fatiguée, elle a des cernes autour des yeux,* des cercles bleuâtres.
  ■ **cerné** adj. *Elle a les yeux cernés.*

cerner v. *Les gangsters étaient cernés par la police* (= encercler).

certain adj. **1.** *Ils menaient par 5 à 0 : la victoire était certaine* (= sûr, assuré, ≠ douteux). **2.** *Suzy est certaine de ce qu'elle dit* (= sûr, convaincu). **3.** adj.indéfini *Connaissez-vous un certain Dupont ?,* quelqu'un nommé Dupont. *Il a montré un certain courage,* du courage.
  ■ **certains** pron.indéfini SENS 3 *Certains pensent que tu as raison,* quelques-uns.
  ■ **certainement** adv. SENS 1 *Il viendra certainement* (= sûrement, assurément).
  ■ **certes** adv. SENS 1 sert à renforcer ce qu'on dit : *Tu viendras ? — Certes !* (= bien sûr, assurément). *La situation est certes délicate.*
  ■ **certifier** v. SENS 1 *Il m'a certifié qu'il viendrait,* il me l'a affirmé d'une manière certaine.
  ■ **certificat** n.m. SENS 1 *Un certificat* est un document officiel qui certifie quelque chose.

■**certitude** n.f. SENS 1 *C'est probable, mais ce n'est pas une* **certitude,** *une chose certaine.* SENS 2 *J'ai la* **certitude** *qu'elle viendra,* j'en suis certain.
■**incertain** adj. SENS 1 *Le résultat est* **incertain** (= douteux). SENS 2 *Elle est* **incertaine** (= hésitant).
■**incertitude** n.f. SENS 1 ET 2 *L'incertitude du résultat m'inquiète.*

cerveau n.m. *Le* **cerveau** *est logé dans le crâne,* l'organe de la pensée.
■**cervelet** n.m. Le **cervelet** *est un petit organe à l'arrière du cerveau.*
■**cervelle** n.f. *On a mangé de la* **cervelle** *de mouton,* le cerveau de cet animal.
■**cérébral** adj. *L'activité* **cérébrale,** c'est l'activité du cerveau.
■**écervelé** adj. et n. *Cette personne est (une)* **écervelée,** elle ne réfléchit pas (= étourdi).

ces → *ce.*

cesser v. *On n'a pas* **cessé** *de travailler depuis ce matin* (= arrêter).
■**cessation** n.f. *Les pourparlers ont abouti à la* **cessation** *des combats* (= arrêt, fin).
■**cesse** n.f. *Pourquoi ris-tu* **sans cesse** *?* (= continuellement).
■**cessez-le-feu** n.m.inv. Le **cessez-le-feu,** c'est l'arrêt des combats.
■**incessant** adj. *Nous faisons des efforts* **incessants** *pour réussir,* qui n'arrêtent pas (= continuel).

cession → *céder.*

c'est-à-dire adv. sert à expliquer ce qu'on vient de dire.
R. *C'est-à-dire* s'abrège en *c.-à-d.*

cet → *ce.*

cétacé n.m. *La baleine, le cachalot, le dauphin sont des* **cétacés.**

cette, ceux → *ce.*

chacal n.m. *Les* **chacals** *se nourrissent de cadavres,* des sortes de chiens sauvages d'Asie et d'Afrique.

chacun → *chaque.*

chafouin adj. *C'est un petit bonhomme au visage* **chafouin,** ratatiné et sournois.

chagrin n.m. *Tu es triste, tu as du* **chagrin** *?* (= peine, tristesse ; ≠ joie).
■**chagriner** v. *Cette nouvelle m'a beaucoup* **chagriné** (= peiner).

chahuter v. *Les élèves* **ont chahuté** *leur professeur,* ils ont fait du bruit en classe.
■**chahut** n.m. *Quel* **chahut** *dans cette classe !* (= vacarme).
■**chahuteur** adj. et n. *Les (élèves)* **chahuteurs** *ont été punis.*

chaîne n.f. **1.** *Le chien est attaché avec une* **chaîne,** *une suite d'anneaux métalliques entrelacés. La* **chaîne** *du vélo relie le pédalier au pignon.* **2.** *Dans cette usine, on travaille* **à la chaîne,** *selon une suite d'opérations dont chacun fait toujours la même.* **3.** *Les Pyrénées sont une* **chaîne** *de montagnes,* une suite de montagnes. **4.** *En France, il y a 6* **chaînes** *de télévision* (= réseau). **5.** *On s'est acheté une* **chaîne** *haute-fidélité,* un ensemble constitué par un tourne-disque, une radio, un magnétophone, un amplificateur et des enceintes.
■**chaînon** n.m. SENS 1 *Une chaîne est faite d'un ensemble de* **chaînons** (= maillon).
■**enchaîner** v. **1.** SENS 1 *On a* **enchaîné** *le chien,* on l'a attaché avec une chaîne. **2.** *Les événements* **s'enchaînent** *logiquement* (= se suivre).
■**enchaînement** n.m. *Il y a eu un* **enchaînement** *de circonstances* (= suite, succession).
R. *Chaîne* se prononce [ʃɛn] comme *chêne.*

581

75

512

290

652

806
76

chair n.f. **1.** *La chair du poulet est blanche,* la viande, les muscles. **2.** *Les pêches ont une chair parfumée,* la partie tendre sous la peau. **3.** *Dans le langage religieux, la chair,* c'est le corps par opposition à l'âme. **4.** *J'avais vu son portrait dans les journaux, mais là je l'ai vu en chair et en os,* en personne. **5.** *Cette personne est bien en chair,* elle est grassouillette. **6.** *Brrr ! Il fait froid, j'ai la chair de poule !,* les poils de la peau qui se hérissent.

■ **charnel** adj. SENS 3 *L'amour charnel s'oppose à l'amour spirituel.*

■ **charnu** adj. SENS 2 *La poire est un fruit charnu,* qui a beaucoup de chair.

■ **décharné** adj. SENS 1 *Cette malade a les doigts décharnés,* sans chair, très maigres.

R. *Chair* se prononce [ʃɛr] comme *chaire, cher* et *chère.*

chaire n.f. *Le curé a fait un sermon du haut de la chaire,* une sorte de tribune.

R. → *chair.*

76
723

chaise n.f. *Prends une chaise et assieds-toi !* (= siège). *J'aime me reposer sur une chaise longue,* un siège sur lequel on peut s'allonger et poser ses jambes.

chaland n.m. **1.** *Un chaland est une petite péniche.* **2.** *Autrefois, on appelait chaland le client d'un magasin.*

châle n.m. *Mets un châle sur tes épaules,* une grande pièce d'étoffe.

650
chalet n.m. *Les Durand ont loué un chalet pour les sports d'hiver,* une petite maison en montagne.

chaleur, chaleureusement, chaleureux → *chaud.*

challenge n.m. *Un challenge est une compétition sportive qui met en jeu un titre de champion.*

■ **challenger** n.m. *Un challenger est une équipe ou un athlète qui cherche à obtenir un titre de champion.*

R. *On prononce* [ʃalɛndʒœr].

chaloupe n.f. *Les chaloupes de sauvetage d'un navire* sont de grands canots que l'on tient prêts en cas de naufrage.

chalumeau n.m. *Saurais-tu faire une soudure au chalumeau ?,* avec un appareil à flamme très chaude.

chalut n.m. *Les pêcheurs ont jeté leur chalut,* une sorte de grand filet.

■ **chalutier** n.m. *Un chalutier est un bateau de pêche.*

se chamailler v. *Vous n'allez pas vous chamailler pour si peu !* (= se disputer, se quereller).

chamarrer v. *Le général avait un costume chamarré de décorations,* orné abondamment.

chambarder v. Fam. *On ne va pas chambarder tout le programme pour un détail* (= bouleverser).

■ **chambardement** n.m. Fam. *Les guerres provoquent de grands chambardements,* de grands bouleversements.

chambouler v. Fam. *Tous mes projets sont chamboulés avec cette pluie,* démolis, bouleversés.

chambranle n.m. *Le chambranle d'une porte,* c'est l'encadrement fixe où elle vient se loger.

chambre n.f. **1.** *Pierre est monté dans sa chambre se mettre au lit.* **2.** *Les élections à la Chambre des députés vont bientôt avoir lieu* (= Assemblée nationale). **3.** *L'accusée est passée devant la chambre d'accusation* (= tribunal). **4.** *La chambre à air de mon vélo est dégonflée,* le tube rempli d'air à l'intérieur du pneu.

■**chambrée** n.f. SENS 1 Une *chambrée* est une chambre où couchent des soldats.

chameau n.m. *Au zoo, on a vu des chameaux,* un animal du désert à deux bosses.

■**chamelier** n.m. *Dans le désert, le chamelier conduit la caravane des chameaux.*

chamois n.m. *Tu es agile comme un chamois,* un animal de la montagne.

champ n.m. **1.** *La paysanne est en train de labourer son champ* (= terrain cultivé). **2.** (au plur.) *Nous sommes allés nous promener dans les champs,* la campagne. **3.** *Un champ de bataille, un champ de courses, un champ de foire* sont de vastes espaces de terrain. **4.** *Cette entreprise a élargi son champ d'action,* le domaine où elle agit.

■**champêtre** adj. SENS 2 *J'aime la vie champêtre,* à la campagne (= rural, rustique).

R. *Champ se prononce* [ʃã] *comme chant.*

champagne n.m. *On a débouché une bouteille de champagne,* d'un vin blanc pétillant très apprécié.

champêtre → *champ.*

champignon n.m. *En automne on ramasse des champignons, mais attention aux champignons vénéneux !*

champion adj. et n. *Céline est championne du Canada en patinage,* elle est la meilleure.

■**championnat** n.m. *Céline a gagné le championnat* (= compétition).

chance n.f. **1.** *Marie a de la chance, elle a encore gagné,* elle est favorisée par le hasard (= veine). **2.** *Il y a peu de chances qu'il vienne demain,* cela est peu probable (= probabilité).

■**chanceux** adj. SENS 1 *Tu as été plus chanceux que moi,* tu as eu plus de chance.

■**malchance** n.f. SENS 1 *Vous avez eu un accident, quelle malchance !* (= malheur, déveine).

■**malchanceux** adj. SENS 1 *Ce joueur malchanceux a perdu beaucoup d'argent.*

chanceler v. *Luce a reçu un coup et a chancelé,* elle a failli tomber.

chandail n.m. *Maria a mis trois chandails, tellement elle avait froid,* des tricots de laine (= pull-over).

36

chandelle n.f. **1.** *Autrefois on s'éclairait avec des chandelles,* des bougies. **2.** *L'avion a fait une chandelle,* une figure d'acrobatie qui consiste à monter très vite à la verticale.

766

■**chandelier** n.m. SENS 1 *On a décoré la table avec deux beaux chandeliers,* des grands bougeoirs à pied.

149

changer v. **1.** *Le temps va changer,* devenir différent. **2.** *Cette nouvelle coiffure la change,* la rend différente. **3.** *Marie a changé de robe,* elle en a mis une autre. **4.** *Marie a changé de place avec moi,* nous avons échangé nos places. **5.** *À la banque, on a changé des francs en dollars,* on a donné une certaine monnaie et reçu une monnaie différente.

■**change** n.m. SENS 5 *Un bureau de change* est un endroit où l'on change de l'argent. SENS 4 *Perdre au change,* c'est faire un échange désavantageux.

■**changement** n.m. SENS 1 *Il va y avoir un changement de temps.* SENS 3 *Le levier de changement de vitesse d'une voiture permet de passer la vitesse supérieure ou inférieure.*

505

■**échanger** v. SENS 4 *On a échangé des timbres contre des billes,* on a donné des timbres et reçu des billes (= troquer).

507

■ **échange** n.m. SENS 4 *Pierre et Luce ont fait un échange de timbres.*

■ **échangeur** n.m. SENS 3 *Les voitures peuvent passer d'une autoroute à l'autre grâce à l'échangeur,* un carrefour à plusieurs niveaux.

■ **inchangé** adj. SENS 1 *La situation reste inchangée,* sans changement.

■ **interchangeable** adj. SENS 4 *J'ai deux paires de lunettes interchangeables,* je peux utiliser aussi bien l'une que l'autre.

■ **rechange** n.m. SENS 3 *La voiture a une roue de rechange,* qui permet d'en changer en cas de crevaison.

chanson n.f. *Je connais l'air et les paroles de cette chanson.*

■ **chansonnette** n.f. *Une chansonnette est une petite chanson.*

■ **chansonnier** n.m. *Un chansonnier chante des chansons satiriques.*

chant n.m. *Marie apprend le chant,* l'art de chanter. *J'aime écouter le chant des oiseaux,* les oiseaux chanter.

■ **chanter** v. *Marie nous a chanté une très jolie chanson.*

■ **chantant** adj. *Les gens du Midi ont un accent chantant* (= musical).

■ **chanteur** n. et adj. *J'ai entendu cette chanteuse à la radio. Quel est cet oiseau chanteur ?*

■ **chantonner** v. *Il chantonne en travaillant,* il chante à mi-voix (= fredonner).

chantage n.m. *Annie Durand a été victime d'un chantage,* quelqu'un l'a forcée à verser de l'argent en la menaçant d'un scandale.

■ **chanter** v. *Quelqu'un a fait chanter Annie Durand.*

■ **chanteur** n.m. *Un maître chanteur est un homme qui fait du chantage.*

chantant → *chant.*

chanter, chanteur → *chant* et *chantage.*

chantier n.m. *Le chantier est interdit au public,* l'endroit où des ouvriers travaillent à la construction de quelque chose.

chantonner → *chant.*

chantre n.m. *Le chantre est celui qui chante à l'Église.*

chanvre n.m. *Les fibres du chanvre servent à fabriquer des cordes,* une plante.

chaos n.m. *Le chaos règne dans le pays,* un grand désordre.

■ **chaotique** adj. *Il y a sur la table un entassement chaotique de livres* (= confus).

R. *Chaos* se prononce [kao] comme *cahot.*

chaparder v. Fam. *Quelqu'un a chapardé mon stylo* (= voler, chiper).

chapeau n.m. 1. *Il a gardé son chapeau sur la tête* (= coiffure). 2. *Le chapeau de ce cèpe est brun,* la partie supérieure du champignon.

■ **chapelier** n.m. SENS 1 *Un chapelier est un fabricant ou un marchand de chapeaux d'hommes.*

chapelain → *chapelle.*

chapelet n.m. *Elle récitait ses prières en faisant glisser entre ses doigts les grains d'un chapelet,* un objet de piété.

chapelier → *chapeau.*

chapelle n.f. *Une chapelle est une petite église, ou bien, dans une grande église, un coin pourvu d'un petit autel.*

■ **chapelain** n.m. *Autrefois, il y avait des chapelains dans certains châteaux,* des prêtres attachés à la chapelle de ces châteaux.

chapelure n.f. *La chapelure est formée de miettes de pain sec.*

chapiteau n.m. 1. *La partie supérieure d'une colonne s'appelle un chapiteau.*

→ p. 153

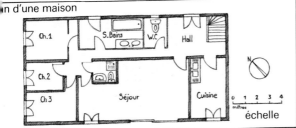

n d'une maison

Ch.1 | S.Bains | W.C | Hall
Ch.2
Ch.3 | Séjour | Cuisine

N

0 1 2 3 4
mètres
échelle

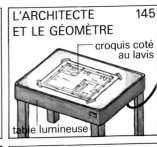

L'ARCHITECTE ET LE GÉOMÈTRE 145

croquis coté au lavis

table lumineuse

contrepoids — baie vitrée

lampe

table à dessin

ssinatrice

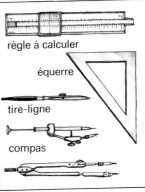

règle à calculer

équerre

tire-ligne

compas

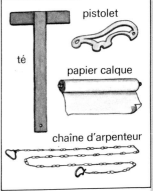

pistolet

té

papier calque

chaîne d'arpenteur

upe et maquette d'un bâtiment

4e étage
3e étage
2e étage
1er étage
z-de-chaussée
sous-sol

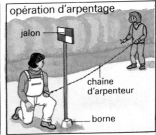

opération d'arpentage

jalon

chaîne d'arpenteur

borne

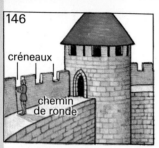

créneaux

chemin
de ronde

fenêtre
en ogive

candélabre

lutrin

tapisserie

tent

dallage

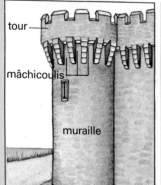

tour

mâchicoulis

muraille

tour d'angle

oriflamme

cour
d'honneur

pont-levis

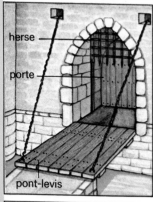

herse

porte

pont-levis

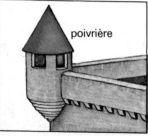

poivrière

bélier

catapulte

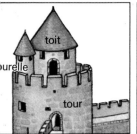

toit
tourelle
tour

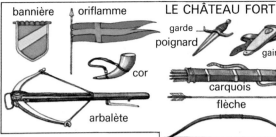

bannière
oriflamme
garde
poignard
gaine
cor
carquois
flèche
arbalète
arc

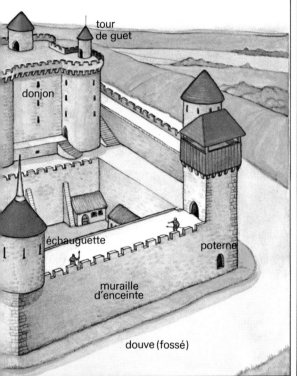

tour
de guet
donjon
échauguette
poterne
muraille
d'enceinte
douve (fossé)

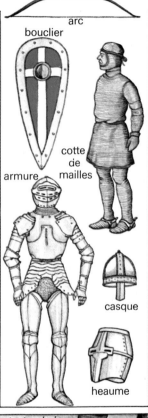

bouclier
armure
cotte
de
mailles
casque
heaume

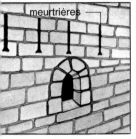

meurtrières

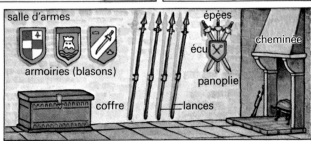

salle d'armes
épées
écu
cheminée
armoiries (blasons)
panoplie
coffre
lances

148

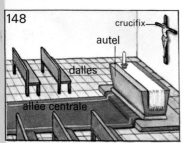

crucifix
autel
dalles
allée centrale

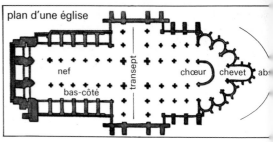

plan d'une église

nef
transept
chœur
chevet
abs
bas-côté

le baptême
parrain
marraine
prêtre
fonts baptismaux
baptisé (filleul)

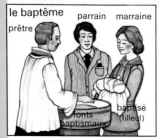

tympan
portail

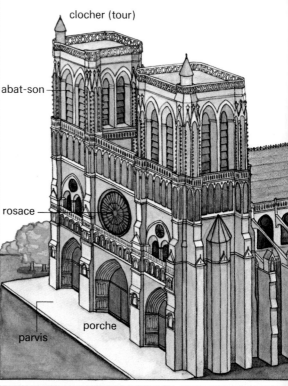

clocher (tour)
abat-son
rosace
parvis
porche

orgue
tuyaux
clavier
touches
pédales
organiste

ex-voto
niche
statue
tronc
bénitier

cloche
battant

objets du culte

chasuble

étole

ostensoir

goupillon

ciboire

calice

bénitier

encensoir

cierge

chandelier

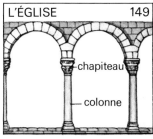

chapiteau

colonne

cathédrale gothique

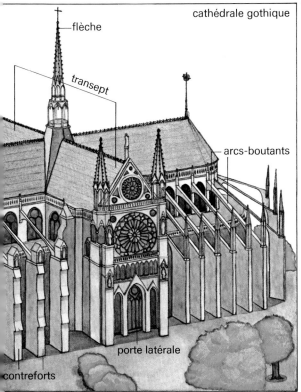

flèche

transept

arcs-boutants

porte latérale

contreforts

clé de voûte

croisée d'ogives

vitraux

chœur

pilier

nef d'une église

chapelle latérale

autel

prie-Dieu

confessionnal

gargouille

150

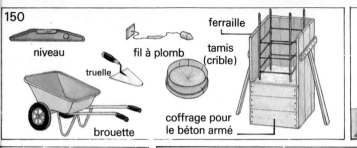

niveau

truelle

fil à plomb

ferraille

tamis
(crible)

coffrage pour
le béton armé

bétonnière

brouette

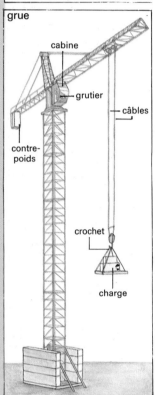

grue

cabine

grutier

câbles

contre-
poids

crochet

charge

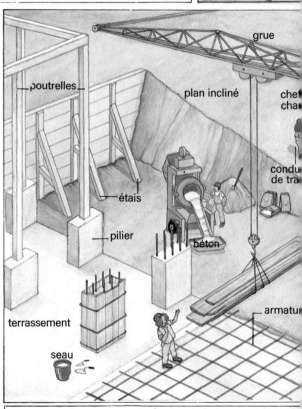

poutrelles

grue

plan incliné

che...
cha...

condu...
de tra...

étais

pilier

béton

terrassement

armatu...

seau

compresseur

pelle

marteau piqueur

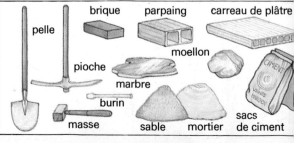

brique

parpaing

carreau de plâtre

moellon

pioche

marbre

burin

masse

sable

mortier

sacs
de ciment

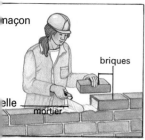

maçon

briques

elle

mortier

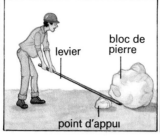

levier

bloc de pierre

point d'appui

camion

benne basculante

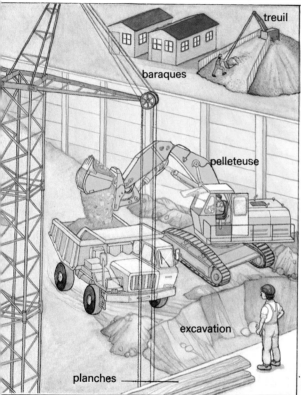

treuil

baraques

pelleteuse

excavation

planches

échafaudage

garde-fou

monte-charge

montant

échelle

échelon

manœuvre

plâtrier

taloche

ge

âtre

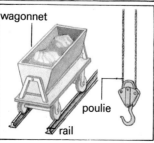

wagonnet

poulie

rail

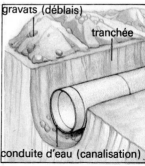

gravats (déblais)

tranchée

conduite d'eau (canalisation)

152 LES TRAVAUX PUBLICS

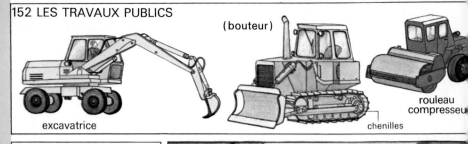

(bouteur)

excavatrice

chenilles

rouleau compresseur

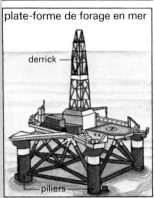

plate-forme de forage en mer

derrick

piliers

plongeur sous-marin

masque

bouteilles d'oxygène

combinaison

palmes

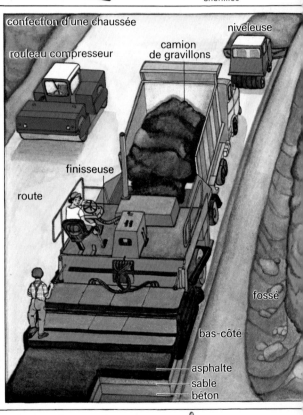

confection d'une chaussée

niveleuse

camion de gravillons

rouleau compresseur

finisseuse

route

fossé

bas-côté

asphalte

sable

béton

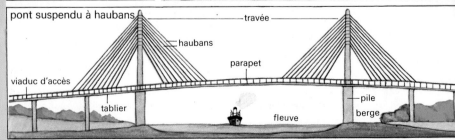

pont suspendu à haubans

travée

haubans

parapet

viaduc d'accès

tablier

pile

berge

fleuve

2. *Le chapiteau d'un cirque* est la tente sous laquelle a lieu le spectacle.

chapitre n.m. *Ce livre contient quinze chapitres* (= partie).

chapitrer v. *Chapitrer quelqu'un,* c'est le réprimander.

chapon n.m. Un *chapon* est un poulet bien gras.

chaque adj.indéfini indique que quelque chose ou quelqu'un est considéré séparément : *chaque objet, chaque personne* (= tout).
■ **chacun** pron.indéfini *Chacun des enfants a eu un cadeau,* chaque enfant, tous les enfants.

char n.m. **1.** *Les Romains aimaient les courses de chars,* de voitures à deux roues tirées par des chevaux. **2.** *Un char (d'assaut)* est un engin de guerre qui roule sur des chenilles (= tank). **3.** *Les chars du carnaval défilent,* les voitures décorées.
■ **chariot** n.m. Un *chariot* est une petite voiture à quatre roues pour transporter des colis.
■ **charrette** n.f. Une *charrette* est une voiture légère tirée par un cheval.
■ **charretier** n.m. *Le charretier conduit sa charrette.*
■ **charrier** v. *La paysanne charrie du fumier dans une remorque* (= transporter).
R. *Chariot* n'a qu'un *r, charrette* en a deux.

charabia n.m. Fam. *Je ne comprends rien à ton charabia,* à ton langage obscur (= jargon).

charade n.f. *« Mon premier miaule, mon second est devant le port, mon tout est une devinette »,* as-tu trouvé la solution de cette *charade ?*

charançon n.m. Les *charançons* sont des insectes qui rongent les grains, les fruits à l'aide d'une sorte de trompe.

charbon n.m. *Pour le chauffage, le charbon est souvent remplacé par le mazout ou l'électricité* (= houille). | 801
■ **charbonnier** n.m. Un *charbonnier* est un marchand de charbon.

charcutier n. *Va chez la charcutière acheter du jambon et du saucisson.* | 222
■ **charcuterie** n.f. **1.** *La charcuterie* est la boutique du charcutier et de la charcutière. **2.** *Nous avons mangé de la charcuterie,* des aliments à base de viande de porc.

chardon n.m. Un *chardon* est une plante à feuilles piquantes. | 651

chardonneret n.m. Le *chardonneret* est un petit oiseau chanteur.

charge n.f. **1.** *L'âne porte une lourde charge sur son dos* (= fardeau, poids). **2.** *Mme Durand a de grosses charges familiales,* des obligations coûteuses. **3.** *Pierre s'est bien acquitté de sa charge,* de ce qu'il devait faire (= fonction). **4.** *Il y a de lourdes charges contre l'accusée* (= accusation). **5.** *La bataille s'est terminée par une charge de cavalerie,* une attaque violente. **6.** *Chaque cartouche a une charge de poudre et une charge de plomb.* | 150
■ **charger** v. SENS 1 *La voiture est trop chargée,* le poids de sa charge est trop lourd. *Aide-moi à charger la voiture,* à y mettre des charges. SENS 3 *Jean m'a chargé d'acheter ce livre,* il m'a dit de le faire. *Ne vous inquiétez pas, je me charge de tout* (= s'occuper). SENS 5 *La police a chargé les manifestants* (= attaquer). SENS 6 *Attention, ce pistolet est chargé,* il contient une charge, on peut tirer une balle.
■ **chargement** n.m. SENS 1 *Il faut faire le chargement de la voiture,* la charger.
■ **chargeur** n.m. SENS 6 Un *chargeur* contient plusieurs cartouches. | 763

■ **décharge** n.f. SENS 1 *Une décharge publique* est un endroit où l'on décharge des ordures. SENS 4 *Un témoin à décharge* est venu innocenter l'accusé. SENS 6 *La caissière a reçu une décharge de plomb,* un coup tiré avec une arme à feu.

■ **décharger** v. SENS 1 *On a déchargé le bateau* (≠ charger). SENS 3 *On m'a déchargé de ce travail,* on m'en a enlevé la charge. SENS 6 *Décharger un revolver,* c'est en enlever la charge, ou bien lâcher la charge en tirant.

■ **déchargement** n.m. SENS 1 *Commençons le déchargement du camion,* à le décharger.

■ **recharger** v. SENS 1 ET 6 *Recharger une voiture, un fusil,* c'est les charger de nouveau.

■ **recharge** n.f. SENS 6 *Achète-moi une recharge de briquet,* de quoi l'approvisionner de nouveau.

■ **surcharger** v. SENS 1 *Ce camion est surchargé,* trop chargé. SENS 3 *Je suis surchargé de travail* (= accabler).

■ **surcharge** n.f. SENS 1 ET 3 *L'accident est dû à la surcharge du camion. Ce nouveau règlement nous impose une surcharge de travail* (= supplément, surcroît).

chariot → *char.*

charité n.f. 1. *La charité,* c'est l'amour pour les autres. 2. *Un mendiant m'a demandé la charité,* une aumône.

■ **charitable** adj. SENS 1 *Marie est très charitable,* elle est bonne, compatissante.

charivari n.m. *Un charivari,* ce sont des bruits forts et désagréables.

charlatan n.m. *Elle a été trompée par un charlatan,* un homme prétendant avoir des recettes miraculeuses (= escroc).

1. charme n.m. *Cette peinture est pleine de charme,* elle est séduisante, elle est agréable à regarder.

■ **charmant** adj. *Mme Dubois est une femme charmante,* très aimable.

■ **charmer** v. *Le film d'hier soir nous a charmés* (= plaire).

■ **charmeur** adj. *Tu as un sourire charmeur.*

2. charme n.m. Le *charme* est une sorte d'arbre.

■ **charmille** n.f. *Une charmille* est une allée bordée de charmes.

charnel → *chair.*

charnière n.f. *Les portes de la voiture sont attachées à la carrosserie par des charnières,* des parties mobiles (= gond).

charnu → *chair.*

charogne n.f. *Cette charogne répand une odeur infecte,* le cadavre d'un animal en train de pourrir.

charpente n.f. La *charpente* est l'ensemble des pièces de bois soutenant un toit.

■ **charpentier** n.m. *Un charpentier* fabrique et pose des charpentes.

charpie n.f. *Le chien a mis la couverture en charpie,* il l'a déchirée en petits morceaux, déchiquetée.

charretier, charrette, charrier → *char.*

charrue n.f. *On laboure avec une charrue tirée par un tracteur.*

charte n.f. *L'historienne étudie les chartes,* des documents anciens.

charter n.m. *Un charter* est un avion à tarif réduit.
R. On prononce [ʃartɛr].

chas n.m. *Le chas d'une aiguille,* c'est le trou par où passe le fil.
R. → *chat.*

châsse n.f. *Une châsse* est un coffret contenant des reliques d'un saint.

chasser v. **1.** *Je vais chasser tous les dimanches, essayer de tuer du gibier.* **2.** *Aline chasse les papillons,* elle les poursuit pour s'en emparer. **3.** *Cet employé malhonnête a été chassé de son poste* (= renvoyer).
■ **chasse** n.f. **1.** SENS 1 *Pierre accompagne sa mère à la chasse.* À *la chasse à courre, on poursuit le gibier à cheval avec l'aide de chiens.* SENS 2 *Les policiers ont donné la chasse aux gangsters,* ils les ont pourchassés. **2.** *Une chasse d'eau sert à évacuer les excréments de la cuvette des toilettes.*
■ **chasseur** n.m. **1.** SENS 1 *Les chasseurs ont rapporté beaucoup de gibier.* **2.** *Un chasseur est un avion de guerre léger et rapide.* **3.** *Le chasseur,* c'est aussi le pilote de l'avion.
■ **chasse-neige** n.m.inv. **1.** *Un chasse-neige sert à écarter la neige sur les côtés de la route.* **2.** *Au cours de ski, on apprend le chasse-neige,* une façon de freiner, de tourner ou de s'arrêter en écartant ses skis.
■ **pourchasser** v. SENS 2 *La police pourchasse les voleurs* (= poursuivre).

châssis n.m. **1.** *Le châssis de la voiture a été tordu dans l'accident,* l'armature rigide qui supporte la carrosserie. **2.** *Le châssis d'une porte, d'une fenêtre,* c'est le cadre qui le maintient. **3.** *La jardinière a mis les radis sous un châssis,* une sorte de serre.

chaste adj. *Une personne chaste s'abstient des plaisirs sexuels.*
■ **chasteté** n.f. *Les prêtres catholiques font vœu de chasteté.*

chasuble n.f. *La chasuble d'un prêtre,* c'est le manteau qu'il met pour dire la messe.

chat n.m., **chatte** n.f. *Le chat miaule devant la porte. La chatte attend des petits.*

■ **chaton** n.m. **1.** *Un chaton est un petit chat.* **2.** *Au printemps, les saules ont des chatons,* des bourgeons doux comme une queue de chat. **R.** *Chat* se prononce [ʃa] comme *chas.*

châtaigne n.f. *Nous avons mangé des châtaignes grillées* (= marron).
■ **châtaignier** n.m. *Les châtaigniers sont de beaux et grands arbres.*
■ **châtaigneraie** n.f. *Une châtaigneraie est un lieu planté de châtaigniers.*

châtain adj.m. *Marie a les cheveux châtains,* brun clair.

château n.m. **1.** *Il y a un château fort sur la colline,* une fortification du Moyen Âge. **2.** *Nous sommes allés visiter le château de Versailles* (= palais). **3.** *Le château d'eau se trouve à l'entrée du village,* le réservoir qui alimente le village.
■ **châtelain** n. SENS 1 *Les paysans saluaient le châtelain et la châtelaine,* les maîtres du château.

châtier v. est un équivalent rare de *punir.*
■ **châtiment** n.m. *Tu as reçu le châtiment de tes fautes* (= punition).

chatoiement ⇢ *chatoyer.*

chaton → *chat.*

chatouiller v. *Jean chatouille sa sœur,* il la fait rire en la touchant à certains endroits sensibles.
■ **chatouillement** ou **chatouillis** n.m. *Je sens des chatouillements sous la plante des pieds.*
■ **chatouilleux** adj. *Marie est très chatouilleuse,* très sensible quand on la chatouille.

chatoyer v. *Les diamants chatoient au soleil,* ils brillent d'éclats variés (= scintiller, étinceler).
■ **chatoiement** n.m. *Nous étions éblouis par le chatoiement des lustres.*

655
655
655

655
147
218, 801

châtrer v. *Le bœuf est un taureau châtré,* privé de ses organes sexuels.

chatterton n.m. *On isole le fil électrique avec du chatterton,* un ruban de toile adhésive.
R. On prononce [ʃatɛrtɔn].

chaud adj. **1.** *Attention ! l'eau est chaude,* presque brûlante (≠ tiède, froid, glacé). *Il gèle : mets des vêtements chauds,* qui conservent bien la chaleur du corps. **2.** *La dispute a été chaude,* vive, ardente.

■ **chaud** adv. SENS 1 *Il fait très chaud en août. J'ai trop chaud.*

■ **chaud** n.m. SENS 1 *J'aime rester au chaud dans mon lit.*

■ **chaleur** n.f. SENS 1 *En août, la chaleur était étouffante,* la température élevée. SENS 2 *On m'a approuvé avec chaleur* (= ardeur, empressement).

■ **chaleureux** adj. SENS 2 *Nous avons reçu un accueil chaleureux* (≠ froid).

■ **chaleureusement** adv. SENS 2 *Ils m'ont reçu chaleureusement* (≠ froidement).

■ **chaudement** adv. SENS 1 *Il neige, habille-toi chaudement.* SENS 2 *On l'a chaudement applaudi* (= vivement, chaleureusement).

■ **chaudière** n.f. SENS 1 *Nous nous chauffons avec une chaudière à mazout,* un appareil qui produit de la chaleur.

■ **chaudron** n.m. *Un chaudron est un grand récipient qui sert à faire chauffer de l'eau.*

■ **chauffer** v. SENS 1 *On chauffe la maison au gaz,* on la rend chaude. *L'eau chauffe sur le feu,* elle devient chaude (≠ refroidir). *Le chat se chauffe au soleil.*

■ **chauffage** n.m. SENS 1 *Il fait froid, mets le chauffage en marche,* l'appareil pour chauffer la maison.

■ **chauffe-eau** n.m.inv. SENS 1 *Un chauffe-eau sert à produire de l'eau chaude.*

■ **chaufferie** n.f. SENS 1 *La chaudière est installée dans la chaufferie.*

■ **échauffer** v. SENS 1 *Cette course m'a échauffé,* elle m'a donné chaud.

■ **échauffement** n.m. SENS 1 *On commence le cours de gymnastique par des mouvements d'échauffement.*

■ **réchauffer** v. SENS 1 *Veux-tu réchauffer le café ?,* le chauffer de nouveau.

■ **réchauffement** n.m. SENS 1 *Il y a eu un réchauffement de la température.*

■ **réchaud** n.m. SENS 1 *Un réchaud est un petit fourneau portatif.*

■ **surchauffer** v. SENS 1 *Cette maison est surchauffée,* trop chauffée.
R. *Chaud* se prononce [ʃo] comme *chaux.*

chauffeur n.m. *Nathalie est chauffeur de taxi,* son métier est de conduire un taxi.

■ **chauffard** n.m. *Un chauffard est un mauvais chauffeur.*

chaume n.m. *Après la moisson, il ne reste que les chaumes dans les champs* (= paille).

■ **chaumière** n.f. *Une chaumière est une petite maison couverte de chaume.*

chaussée n.f. *Attention, la chaussée est glissante,* la partie de la route où l'on roule.

chausser v. **1.** *Marie est en train de se chausser,* de mettre ses chaussures. **2.** *Marie a de grands pieds, elle chausse du 40,* c'est la taille de ses chaussures.

■ **chausse-pied** n.m. SENS 1 *On peut se servir d'un chausse-pied pour mettre ses chaussures,* une sorte de lame courbe.

■ **chausses** n f.pl. *Autrefois, les hommes portaient des chausses,* des bas en tissu.

■ **chaussette** n.f. *Tu auras chaud aux pieds si tu mets des* **chaussettes** *de laine.*

■ **chausson** n.m. **1.** SENS 1 *À la maison, je reste souvent en* **chaussons** (= pantoufle). **2.** *Un* **chausson** *aux pommes, c'est une pâtisserie renfermant de la compote de pommes.*

■ **chaussure** n.f. SENS 1 *Les souliers, les sandales, les bottes sont différentes sortes de* **chaussures.**

■ **déchausser** v. SENS 1 *Déchausse-toi avant d'entrer,* enlève tes chaussures.

R. Noter le pluriel : des *chausse-pieds.*

chauve adj. *À trente ans, M. Durand était déjà* **chauve,** *il n'avait plus de cheveux.*

■ **calvitie** n.f. *La* **calvitie** *de M. Durand a été précoce.*

R. *Calvitie* se prononce [kalvisi].

chauve-souris n.f. *Une* **chauve-souris** *est une petite bête nocturne possédant un corps de souris et de grandes ailes sans plumes.*

R. Noter le pluriel : des *chauves-souris.*

chauvin adj. et n. *Les gens* **chauvins** *ont une admiration exagérée et partiale pour leur pays.*

■ **chauvinisme** n.m. *Le* **chauvinisme** *est l'attitude des gens chauvins.*

chaux n.f. *La* **chaux** *est une matière minérale blanche utilisée dans la construction.*

R. → *chaud.*

chavirer v. **1.** *Le bateau a* **chaviré** *: Cléa est tombée à l'eau* (= se retourner). **2.** *Ce spectacle était horrible : j'en* **suis** *tout* **chaviré** (= bouleversé).

chef n.m. *Un* **chef** *est une personne qui commande, c'est un ou une responsable, un patron ou une patronne : une* **chef** *d'État, une* **chef** *d'entreprise, un* **chef** *de service.*

■ **cheftaine** n.f. *Une* **cheftaine** *est responsable d'un groupe de jeunes scouts, de louveteaux, etc.*

chef-d'œuvre n.m. *Ce tableau est un* **chef-d'œuvre,** *une chose admirable, remarquable.*

R. Noter la prononciation [ʃɛdœvr] et le pluriel : des *chefs-d'œuvre.*

chef-lieu n.m. *Le* **chef-lieu** *est la ville principale d'un département ou d'un canton.*

R. Noter le pluriel : des *chefs-lieux.*

cheftaine → *chef.*

cheikh n.m. *Un* **cheikh** *est un chef d'une tribu arabe.*

chemin n.m. **1.** *Un* **chemin** *traverse la forêt,* une petite route. **2.** *La ligne droite est le plus court* **chemin** *d'un point à un autre* (= parcours, trajet). **3.** *Le* **chemin de fer** *est le moyen de transport utilisant la voie ferrée* (= train).

■ **cheminer** v. SENS 1 se dit parfois pour *marcher.*

■ **chemineau** n.m. SENS 1 *On appelait* **chemineaux** *des mendiants qui erraient sur les chemins.*

■ **cheminot** n.m. SENS 3 *Un* **cheminot** *est un employé des chemins de fer.*

■ **acheminer** v. SENS 2 *La poste* **achemine** *le courrier,* elle le conduit vers son lieu de destination. *Nous* **nous acheminons** *vers la maison,* nous y allons.

R. Ne pas confondre *cheminot* et *chemineau* [ʃəmino].

cheminée n.f. **1.** *Nous avons fait du feu dans la* **cheminée** (= foyer). **2.** *Du clocher on voit toutes les* **cheminées** *du village,* la partie extérieure des conduits de fumée.

cheminer, cheminot → *chemin.*

chemise n.f. **1.** *Sous sa veste, il porte une* **chemise** *et une cravate.* **2.** *Marie*

36

292

a mis sa **chemise de nuit,** une sorte de robe qu'on met pour dormir. **3.** *Les papiers sont rangés dans une* **chemise** *jaune,* une feuille repliée de papier fort ou de carton.

■ **chemisette** n.f. SENS 1 Une *chemisette* est une chemise à manches courtes.

■ **chemisier** n.m. SENS 1 Un *chemisier* est une chemise de femme (= corsage).

chenal n.m. *Les* **chenaux** *du port se sont ensablés,* les passages permettant la navigation.

chenapan n.m. *Espèce de* **chenapan,** *arrête de voler des cerises!* (= vaurien, voyou).

654

chêne n.m. *Près du village, il y a une forêt de* **chênes.**
R. → *chaîne.*

224

chenet n.m. Les *chenets* sont des barres métalliques qui supportent le bois dans une cheminée.

chenil → *chien.*

294,
366

152,
762

chenille n.f. **1.** *Cette* **chenille** *deviendra un beau papillon* (= larve). **2.** *Les tanks roulent sur des* **chenilles,** des bandes métalliques articulées.

cheptel n.m. *Le* **cheptel** *de la ferme se compose de quarante vaches, vingt porcs et cinq chevaux,* l'ensemble des bestiaux.

chèque n.m. *Je n'ai pas d'argent sur moi, je vais vous signer un* **chèque,** un écrit ordonnant à ma banque de vous payer.

■ **chéquier** n.m. *Katherina a sorti son* **chéquier** *pour payer ses achats,* son carnet de chèques.

cher adj. **1.** *Aline est mon amie la plus* **chère,** celle que j'aime le plus. **2.** *Bonjour,* **cher** *monsieur* est une formule de politesse. **3.** *Ce costume est trop*

cher *pour moi,* il coûte trop d'argent (≠ bon marché).

■ **chérir** v. SENS 1 *Pierre* **chérit** *ses parents,* il les aime beaucoup.

■ **cherté** n.f. SENS 3 *On se plaint de la* **cherté** *de la vie,* qu'elle est trop chère (= coût).

R. *Cher, chère* se prononcent [ʃɛr] comme *chair* et *chaire.*

chercher v. *Je* **cherche** *partout mon stylo,* j'essaie de le trouver. *Je* **cherche** *à comprendre, mais je n'y arrive pas* (= essayer de, s'efforcer de).

■ **chercheur** n. **1.** Un *chercheur* est une personne dont le métier est de faire des recherches scientifiques. **2.** *Ce roman raconte une histoire de* **chercheurs** *d'or.*

■ **rechercher** v. *Cette aventurière est* **recherchée** *par la police,* elle est cherchée avec soin.

■ **recherche** n.f. **1.** *Je suis à la recherche de mon stylo,* je le cherche avec soin. **2.** *Je fais des* **recherches** *en physique,* des travaux pour trouver quelque chose de nouveau. **3.** *Jack s'habille avec* **recherche,** avec beaucoup de soin (≠ simplicité).

chère n.f. *On a l'habitude de* **faire bonne chère,** de bien manger.
R. Ne pas confondre *chère, chair* et *chaire.*

chérir, cherté → *cher.*

chérubin n.m. *La maman veille sur son* **chérubin,** son petit enfant mignon.

chétif adj. *À dix ans, Marie était* **chétive** (= maigre, faible ; ≠ robuste).

cheval n.m. **1.** *Dimanche nous avons vu une course de* **chevaux.** *Aline sait monter à* **cheval. 2.** *Ne t'assieds pas à* **cheval** *sur la chaise,* une jambe d'un côté, une jambe de l'autre (= à califourchon). **3.** (au plur.) *Autrefois, nous avions une* **deux-chevaux,** une auto d'une puissance de deux chevaux-vapeur.

■**chevalin** adj. SENS 1 *La race cheva-line,* c'est la race des chevaux.

■**chevaucher** v. SENS 1 *Les voyageurs chevauchèrent longtemps,* ils firent un long voyage à cheval. SENS 2 *Les tuiles du toit se chevauchent,* elles se recouvrent en partie l'une l'autre.

■**chevauchée** n.f. SENS 1 Une *che-vauchée* est une longue promenade à cheval.

■**chevauchement** n.m. SENS 2 *Le chevauchement des tuiles rondes est important. Il y a un chevauchement d'horaire entre ces deux séances.*

■**cheval-vapeur** n.m. SENS 3 *La puis-sance des autos se mesure en che-vaux-vapeur.* (On écrit souvent *CV.*)

chevalerie n.f. *Au Moyen Âge, la che-valerie était un ordre propre à la no-blesse qui imposait à ses membres des obligations morales et religieuses (loyauté, bravoure, fidélité, etc.)*

■**chevalier** n.m. Les *chevaliers* étaient des seigneurs qui juraient de défendre les faibles et les opprimés.

■**chevaleresque** adj. *Sa conduite a été très chevaleresque,* noble, géné-reuse.

chevalet n.m. *Pour peindre, elle s'est mise devant son chevalet,* le tréteau qui soutient sa toile.

chevalier → *chevalerie.*

chevalin, cheval-vapeur, che-vauchée, chevauchement, chevaucher → *cheval.*

chevelu, chevelure → *cheveu.*

chevet n.m. 1. *Le chevet d'un lit,* c'est la partie où l'on pose la tête. 2. *Le chevet d'une église,* c'est la partie qui est derrière le chœur.

cheveu n.m. *Pierre a de beaux che-veux blonds qui bouclent sur les oreilles.*

■**chevelu** adj. *Pierre est très chevelu,* il a beaucoup de cheveux.

■**chevelure** n.f. *Sonia peigne sa che-velure,* l'ensemble de ses cheveux.

■**échevelé** adj. *Sonia a couru, elle est tout échevelée,* ses cheveux sont en désordre.

cheville n.f. 1. *Les pieds de la table sont fixés par des chevilles,* de petites tiges de bois. 2. *Je me suis cassé la cheville,* l'articulation entre le pied et la jambe. | 33

■**chevillé** adj. 1. SENS 1 *Ce buffet an-cien est chevillé,* assemblé par des chevilles. 2. *Cet homme a survécu à ses blessures ; il a l'âme chevillée au corps,* il est très résistant (= avoir la vie dure).

chèvre n.f. *Ce fromage est fait avec du lait de chèvre,* un animal domestique. | 361, 650

■**chevreau** n.m. Le *chevreau* est le petit de la chèvre (= cabri). | 361

■**chevrotant** adj. *Cette personne a une voix chevrotante,* tremblotante comme le bêlement d'une chèvre.

chèvrefeuille n.m. Le *chèvrefeuille* est une plante grimpante qui a des fleurs parfumées. | 73

chevreuil n.m. Un *chevreuil* est un animal sauvage de la famille du cerf et qui est un gibier recherché.

chevron n.m. 1. *Les lattes et les tuiles du toit reposent sur des chevrons.* 2. *Un chevron est un signe en forme de* ∧. | 74

chevronné adj. *Un conducteur che-vronné a une longue expérience de la conduite.*

chevrotant → *chèvre.*

chewing-gum n.m. *Il mâche sans ar-rêt du chewing-gum,* une pâte parfu-mée. | 221
R. On prononce [ʃwingɔm].

chez prép. indique un lieu : *Je suis chez moi,* dans ma maison. *Il y a chez toi une grande bonté,* dans ton caractère.

chic adj.inv. en genre *Fam.* **1.** *Marie a une robe très chic* (= élégant). **2.** *Pierre est un garçon très chic* (= aimable, sympathique).

■ **chic 1.** n.m. SENS 1 *Pierre a beaucoup de chic dans son costume neuf* (= élégance). **2.** interj. SENS 2 *Chic ! nous partons en vacances,* nous sommes contents.

R. *Chic* se prononce [ʃik] comme *chique.*

chicane n.f. **1.** *Les policiers ont établi des chicanes sur la route,* des barrages. **2.** *Une chicane est une dispute portant sur des détails.*

■ **chicaner** v. SENS 2 *Elle m'a chicané sur mon retard,* elle m'a cherché querelle.

1. chiche adj. **1.** *Les invités n'ont pas été chiches de compliments,* ils ne les ont pas ménagés, ils en ont fait beaucoup (≠ avare). **2.** *À midi, on a mangé des pois chiches,* des gros pois gris.

■ **chichement** adv. SENS 1 *Nos voisins vivent très chichement,* en dépensant le moins possible.

2. chiche ! interj. *Fam.* exprime le défi : *Chiche que je saute !*

chicorée n.f. **1.** *La chicorée est une sorte de salade.* **2.** *La chicorée est une boisson ressemblant au café.*

chien n.m., **chienne** n.f. *M. Durand est allé chasser avec son chien. La chienne aboie quand on approche de ses petits.*

■ **chiot** n.m. *Un chiot est un jeune chien.*

■ **chenil** n.m. *Dans un chenil, on élève ou on dresse des chiens.*

chiendent n.m. *Le chiendent est une mauvaise herbe.*

chiffon n.m. *Essuie les meubles avec un chiffon,* un morceau de tissu sans valeur.

■ **chiffe** n.f. *Ce pantin est mou comme une chiffe,* un vieux chiffon. *Quelle chiffe molle !,* quelle personne sans énergie !

■ **chiffonner** v. *Marie a chiffonné ses habits* (= froisser).

■ **chiffonnier** n. **1.** *Le chiffonnier récupère, pour les revendre, les papiers et les chiffons.* **2.** *Ils se disputent comme des chiffonniers,* avec acharnement.

chiffre n.m. **1.** *1, 5 sont des chiffres arabes, I, V des chiffres romains,* des signes représentant les nombres. **2.** *Ses dépenses atteignent un chiffre élevé* (= montant, valeur). **3.** *Le chiffre d'un message secret,* c'est le code qui permet de le comprendre.

■ **chiffrer** v. SENS 2 *Votre dépense se chiffre à 100 $* (= atteindre, se monter à). SENS 3 *L'espionne a envoyé un message chiffré,* noté à l'aide d'un code secret.

■ **déchiffrer** v. SENS 3 *Champollion a déchiffré l'écriture égyptienne,* il a réussi à en comprendre les signes.

■ **indéchiffrable** adj. SENS 3 *Son écriture est indéchiffrable.*

chignole n.f. *Une chignole est un outil servant à percer des trous.*

chignon n.m. *Mme Ferreira a un chignon,* ses cheveux sont noués derrière la tête.

chimère n.f. *Ce projet est une chimère,* une idée irréalisable.

■ **chimérique** adj. *Tu as présenté un projet chimérique* (= fou).

chimie n.f. *La chimie est la science des corps naturels, de la matière.*

■ **chimique** adj. *L'analyse chimique de l'eau montre qu'elle est formée d'oxygène et d'hydrogène.*

■ **chimiste** n. *Esther est chimiste,* c'est son métier.

chimpanzé n.m. *Le chimpanzé est un grand singe d'Afrique.*

chinois adj. et n. Fam. *Tu es trop chinois : ne t'occupe pas de ces détails* (= tatillon, pointilleux).

■ **chinoiserie** n.f. Fam. *Je ne m'attarde pas à ces chinoiseries sans intérêt* (= vétille).

chiot → *chien*.

chiper v. Fam. *Marie m'a chipé mon stylo* (= prendre, voler).

chipie n.f. Fam. *Tu es une chipie, tu es désagréable, prétentieuse.*

chipoter v. Fam. *Je ne vais pas chipoter pour une si petite somme* (= discuter, ergoter).

■ **chipoteur** n. et adj. Fam. *On perd son temps avec ce chipoteur.*

chips n.f.pl. *Les chips sont des rondelles de pommes de terre frites.*

chique → *chiquer*.

chiquenaude n.f. *D'une chiquenaude, il a relevé sa casquette,* d'un léger coup de doigt (= pichenette).

chiquer v. *Le tabac à chiquer est un tabac spécial destiné à être mâché.*

■ **chique** n.f. *Le vieux matelot mâchait une chique,* un morceau de tabac.

R. → *chic*.

chiromancienne n.f. *Une chiromancienne lui a lu les lignes de la main et lui a prédit beaucoup de bonheur* (= diseuse de bonne aventure).

R. On prononce [kirɔmãsjɛn].

chirurgie n.f. *La chirurgie est la partie de la médecine qui s'occupe des opérations.*

■ **chirurgical** adj. *J'ai subi une opération chirurgicale.*

■ **chirurgien** n. *Le chirurgien m'a opéré de l'appendicite.*

chlorophylle n.f. *La couleur verte des végétaux est due à la chlorophylle qu'ils contiennent,* une substance.

R. On prononce [klɔrɔfil].

choc n.m. 1. *Le vase a reçu un choc et s'est cassé* (= coup). 2. *Quand j'ai vu l'accident, ça m'a fait un choc,* une grosse émotion.

■ **choquer** v. SENS 1 *Les deux voitures se sont choquées violemment* (= heurter). SENS 2 *J'ai été très choqué par son attitude* (= scandaliser).

■ **choquant** adj. SENS 2 *Il m'a dit des paroles choquantes,* blessantes.

■ **entrechoquer** v. SENS 1 *Ils ont entrechoqué leurs verres,* ils les ont choqués l'un contre l'autre.

chocolat n.m. 1. *Le chocolat est un mélange de cacao et de sucre.* 2. *Veux-tu une tasse de chocolat ?* (= cacao). 221

chœur n.m. 1. *Plusieurs personnes qui chantent ensemble forment un chœur.* 2. *Ils ont répondu tous en chœur,* ensemble. 3. *Nous nous promenons dans le chœur de l'église,* la partie où se trouve l'autel. 148 4. *Un enfant de chœur assiste le prêtre pendant la messe.*

■ **choral** adj. SENS 1 *Le chant choral est celui qui est pratiqué par un chœur.*

■ **chorale** n.f. SENS 1 *La chorale du lycée répète un chant,* un groupe de chanteurs. 294

■ **chorus** n.m. SENS 2 *Tout le monde a fait chorus,* a exprimé à haute voix le même avis.

■ **choriste** n. SENS 1 *Notre chorale comprend cinquante choristes* (= chanteur).

R. *Chœur* se prononce [kœr] comme *cœur.* *Choral, chorale, chorus, choriste* se prononcent [kɔral, kɔrys, kɔrist].

choir → *chute*.

choisir v. *Marie a choisi une robe verte,* elle l'a prise de préférence à d'autres.

■ **choix** n.m. *Je n'approuve pas ton choix,* ce que tu as choisi. *Il y a un grand choix de cravates,* un ensemble où l'on peut choisir. *Je n'ai pas eu le choix,* la possibilité de choisir.

choléra n.m. Le *choléra* est une maladie grave et contagieuse.
R. On prononce [kɔlera].

chômer v. *Les ouvriers chôment à cause de la crise économique,* ils manquent de travail.
■ **chômage** n.m. *La mère de Pierre est au chômage,* elle a perdu son travail.
■ **chômeur** n. *Le nombre des chômeurs a augmenté.*

224 | **chope** n.f. *On a bu une chope de bière,* un grand verre.

chopine n.f. La *chopine* est une ancienne mesure de capacité pour les liquides contenant une demi-pinte.

choquant, choquer → choc.

choral, chorale → chœur.

chorégraphie n.f. La *chorégraphie* est l'art de composer des danses et des ballets.
R. On prononce [kɔregrafi].

choriste, chorus → chœur.

chose n.f. **1.** *Quelle est cette chose qui traîne par terre ?,* cet objet (= machin, truc). **2.** *Il m'est arrivé une chose bizarre,* un événement.
R. *Chose* est un mot vague qui peut remplacer d'autres noms concrets (sens 1) ou abstraits (sens 2).

367 |
221 | **chou** n.m. **1.** *J'aime baucoup la soupe aux choux,* des légumes. **2.** *Un chou à la crème* est un gâteau arrondi rempli de crème.
■ **choucroute** n.f. SENS 1 La *choucroute* est un plat composé de chou fermenté et de charcuterie.
367 | ■ **chou-fleur** n.m. SENS 1 Le *chou-fleur* est une variété de chou.
R. Noter le pluriel : des *choux-fleurs.*

chouchou n. Fam. *Sonia est la chouchoute de la gardienne,* l'enfant qu'elle préfère.

■ **chouchouter** v. Fam. *Ses grands-parents le chouchoutent trop* (= gâter, dorloter, choyer).

choucroute → chou.

1. chouette n.f. La *chouette* est un oiseau rapace nocturne.

2. chouette interj. Fam. *Chouette ! il fait beau !,* je suis content.

chou-fleur → chou.

choyer v. *Aline est choyée par ses grands-parents,* ils l'entourent de soins affectueux (= dorloter).

chrétien n. et adj. *Les catholiques et les protestants sont des chrétiens,* leur religion est celle de Jésus-Christ. *L'ère chrétienne commence à la naissance du Christ.*
■ **chrétienté** n.f. La *chrétienté* est l'ensemble des chrétiens.
■ **christianisme** n.m. Le *christianisme* est la religion chrétienne.

chrome n.m. Le *chrome* est un métal dur et brillant.
■ **chromé** adj. *Les pare-chocs de la voiture sont chromés,* recouverts de chrome.

1. chronique n.f. *Maria lit la chronique sportive de son journal,* les articles sur le sport.
■ **chroniqueur** n.m. Le *chroniqueur* théâtral d'un journal écrit des articles sur le théâtre.

2. chronique adj. *Une maladie chronique* est une maladie qui dure longtemps sans guérir (≠ aigu).

chronologie n.f. *Je vais vous rappeler la chronologie des événements,* l'ordre dans lequel ils se sont produits.
■ **chronologique** adj. *1700, 1800, 1900 : ces trois dates sont dans l'ordre chronologique.*

chronomètre n.m. Un *chronomètre* est une montre d'une grande précision.

■ **chronométrer** v. *On a chronométré les coureurs,* on a mesuré le temps qu'ils ont mis.

chrysalide n.f. Une *chrysalide* est une chenille qui s'est enfermée dans un cocon avant de devenir papillon.

chrysanthème n.m. *On a mis sur la tombe un bouquet de chrysanthèmes,* des fleurs d'automne.

chuchoter v. *Marie m'a chuchoté quelques mots à l'oreille* (= murmurer).
■ **chuchotement** n.m. *On entend des chuchotements dans le fond de la classe,* des bruits de voix assourdis.

chut ! interj. sert à demander le silence : *Chut ! elle dort.*

chute n.f. 1. *Il a fait une chute de trois mètres,* il est tombé. 2. *Il y a eu des chutes de neige en montagne,* de la neige est tombée. 3. *1793 est la date de la chute de la royauté en France* (= renversement). 4. *Une cascade, une cataracte sont des chutes d'eau.*
■ **chuter** v. *La cote de popularité du président a brusquement chuté,* elle est tombée.
■ **choir** v. se disait pour *tomber.*

ci adv. sert à indiquer quelque chose de proche (≠ là), mais ne s'emploie qu'avec un trait d'union, après les démonstratifs *(celui-ci)* ou avant quelques adverbes *(ci-contre, ci-dessus, ci-dessous)* et quelques formules *(ci-joint, ci-gît).* [→ ces mots.]

cible n.f. *Elle a placé sa flèche au centre de la cible,* du but qu'elle visait.

ciboire n.m. Un *ciboire* est une coupe où l'on conserve les hosties consacrées.

ciboule, ciboulette n.f. La *ciboule* et la *ciboulette* sont des plantes à goût d'oignon (= fines herbes).

cicatrice n.f. *Depuis son opération, il lui reste une cicatrice,* une marque sur la peau.
■ **cicatriser** v. *La blessure a cicatrisé,* elle a guéri et il ne reste qu'une cicatrice.
■ **cicatrisation** n.f. *La cicatrisation de la plaie a été rapide.*

cidre n.m. Le *cidre* est fait de jus de pomme fermenté.

ciel n.m. 1. *Il fait beau, le ciel est bleu.* 2. *C'est le ciel qui l'envoie,* la Providence. 3. *Son âme est allée au ciel,* vers Dieu (≠ enfer). | 721
■ **céleste** adj. SENS 1 *J'aime regarder la voûte céleste,* le ciel. SENS 2 *La puissance céleste,* c'est la puissance divine.
R. Au sens 1, le pluriel est *ciels* ou *cieux ;* au sens 2, il est toujours *cieux.*

cierge n.m. *Un cierge brûle devant l'autel,* une grande bougie. | 149

cigale n.f. La *cigale* est un petit insecte au cri perçant.

cigare n.m. *M. Durand fume un gros cigare,* des feuilles de tabac roulées.
■ **cigarette** n.f. *C'est une cigarette mal éteinte qui a provoqué l'incendie,* du tabac haché enveloppé dans du papier pour être fumé.

ci-gît → *gésir.*

cigogne n.f. *Il n'y a plus beaucoup de cigognes en Alsace,* de grands oiseaux au long bec. | 435

ciguë n.f. La *ciguë* est une plante vénéneuse qui ressemble un peu au persil.

cil n.m. Les *cils* sont les poils au bord des paupières. | 33

cime n.f. *Regarde l'oiseau sur la cime de l'arbre,* sur le sommet.

ciment n.m. *Le maçon fait tenir les briques avec du ciment,* une pâte | 150 faite d'argile et de chaux, qui durcit en séchant.

■**cimenter** v. *On a cimenté le sol de la grange,* on l'a recouvert de ciment.

■**cimenterie** n.f. Une *cimenterie* est une fabrique de ciment.

219 **cimetière** n.m. *L'enterrement s'est terminé au cimetière.*

440 **cinéma** n.m. 1. *Le cinéma a été inventé par les frères Lumière,* l'art de

218 réaliser des films. 2. *Un nouveau cinéma s'est ouvert dans la rue,* une salle où l'on projette des films.

■**cinéaste** n. SENS 1 Un *cinéaste* est un réalisateur de films.

■**ciné-club** n.m. SENS 2 *Au ciné-club, on a projeté un vieux film muet,* un club qui s'intéresse à l'histoire du cinéma.

■**cinéphile** n. SENS 1 Les *cinéphiles* sont les amateurs de cinéma.

R. Noter le pluriel : des *ciné-clubs.*

1. **cingler** v. *Le voilier cingle vers le large,* il navigue dans cette direction.

2. **cingler** v. *Aïe ! Tu m'as cinglé les jambes avec ta ceinture,* tu me les as frappées d'un coup vif (= fouetter).

■**cinglant** adj. *Une réplique cinglante* est très vive, blessante.

563 **cinq** adj. *La main a cinq doigts. 3 + 2 = 5.*

563 ■**cinquième** adj. et n. *2 est la cinquième partie (le cinquième) de 10. Il est arrivé cinquième.*

563 **cinquante** adj. *Cinquante est la moitié de cent.*

■**cinquantaine** n.f. 1. *Il y avait une cinquantaine de personnes,* environ cinquante. 2. *Mme Durand approche de la cinquantaine,* de cinquante ans.

■**cinquantenaire** n.m. *On a célébré le cinquantenaire de la mort de cette auteure,* le cinquantième anniversaire.

■**cinquantième** adj. et n. *Le cinquantième de 100 est 2. Elle est arrivée (la) cinquantième.*

cinquième → *cinq.*

cintre n.m. *Suspends ta veste sur un cintre !,* un objet courbe muni d'un crochet.

cirage → *cire.*

circoncision n.f. La *circoncision* est une petite opération constituant un rite des religions mulsulmane et juive.

circonférence n.f. *La circonférence d'un cercle* est sa limite extérieure, son périmètre.

circonflexe adj. *Le « a » de « pâte » porte un accent circonflexe.*

circonscrire v. *Il faut circonscrire le domaine des recherches,* en fixer les limites (= délimiter).

circonscription n.f. *La commune, le canton, le département sont des circonscriptions,* des divisions administratives.

circonspect adj. *Tu es une personne très circonspecte* (= prudent).

■**circonspection** n.f. *Il faut prendre la décision avec circonspection.*

circonstance n.f. *En raison des circonstances, la séance n'aura pas lieu,* en raison des faits qui se sont produits (= situation).

■**circonstancié** adj. *Un compte-rendu circonstancié* expose les détails (= détaillé, précis).

■**circonstanciel** adj. *Un complément circonstanciel* indique les circonstances (temps, lieu, manière, etc.) d'une action.

circonvenir v. *Tu as cherché à me circonvenir par tes compliments,* à m'amener habilement à ton point de vue.

circuit n.m. **1.** *Nous avons fait un circuit en autocar*, un parcours qui nous a ramenés à notre point de départ. **2.** *Un circuit électrique*, c'est l'ensemble des fils où passe le courant.

■ **court-circuit** n.m. SENS 2 *Il peut se produire un court-circuit quand deux fils électriques se touchent.*

R. Noter le pluriel : des *courts-circuits*.

1. circulaire → *cercle.*

2. circulaire n.f. Une *circulaire* est une lettre adressée à plusieurs personnes pour les informer de quelque chose.

circuler v. *Les piétons circulent dans les rues* (= se déplacer). *Le sang circule à travers le corps.*

■ **circulation** n.f. *La circulation des voitures a beaucoup augmenté.*

■ **circulatoire** adj. *L'appareil circulatoire*, ce sont les veines et les artères.

cire n.f. *La cire, produite par les abeilles, sert à fabriquer la cire à parquet, le cirage, etc.*

■ **cirage** n.m. *Le cirage sert à entretenir les objets de cuir.*

■ **cirer** v. **1.** *On a ciré le parquet*, on l'a enduit de cire. **2.** *As-tu ciré tes chaussures ?*, y as-tu mis du cirage ?

■ **ciré** n.m. Un *ciré* est un vêtement enduit d'une cire qui le rend imperméable.

■ **cireuse** n.f. Une *cireuse* est un appareil pour cirer les parquets.

■ **cireux** adj. *Tu as le teint cireux*, jaune comme de la cire.

R. *Cire* se prononce [sir] comme *sire*.

cirque n.m. *Au cirque, nous avons vu des clowns, des acrobates.*

ciseau n.m. **1.** *Un ciseau est une lame d'acier servant à tailler le bois, le métal ou la pierre.* **2.** (au plur.) *Voilà des ciseaux pour découper du papier*, un instrument formé de deux lames.

■ **cisailles** n.f. SENS 2 *Les cisailles sont de gros ciseaux servant à couper le carton, le métal, les pousses des plantes.*

■ **cisailler** v. SENS 2 *Les fils de fer ont été cisaillés* (= couper).

■ **ciseler** v. SENS 1 *Ciseler un métal*, c'est le sculpter à l'aide d'un ciseau.

citadelle n.f. *Autrefois, certaines villes étaient protégées par une citadelle* (= forteresse).

citadin → *cité.*

citation → *citer.*

cité n.f. **1.** *Autrefois, une grande ville s'appelait une cité.* **2.** *Dans l'Antiquité, une cité était un État.* **3.** *J'habite dans une cité ouvrière*, un groupe d'immeubles de logement.

■ **citadin** n. SENS 1 *Un citadin est un habitant des villes.*

citer v. **1.** *On m'a cité une phrase de Victor Hugo*, on me l'a rapportée avec précision. **2.** *Le juge a cité de nombreux témoins*, il leur a ordonné de se présenter devant le tribunal.

■ **citation** n.f. SENS 1 *J'ai mis dans mon devoir une citation de Molière*, une phrase citée. SENS 2 *J'ai reçu une citation à comparaître en justice* (= ordre, convocation).

citerne n.f. *Une citerne est un grand réservoir destiné à contenir des liquides (de l'eau, du mazout, etc.).*

citoyen n. *Marie est citoyenne française*, elle est née en France.

■ **concitoyen** n. *Aline est ma concitoyenne*, elle est citoyenne du même pays que moi (= compatriote).

citron n.m. *Le citron est un fruit jaune à goût acide.*

■ **citronnade** n.f. *Une citronnade est faite de jus de citron, de sucre et d'eau.*

■ **citronnier** n.m. *Le citronnier est un arbre des pays chauds.*

citrouille n.f. *Nous avons mangé une soupe à la* **citrouille,** *un gros légume à chair jaune.*

civet n.m. *Tu as fait un* **civet** *de lièvre ?, un lièvre cuit au vin.*

37 **civière** n.f. *On a transporté le blessé sur une* **civière** (= brancard).

civil adj. **1.** *Les droits* **civils,** *ce sont les droits des citoyens. Une guerre* **civile** *est une guerre entre les citoyens d'un pays.* **2.** *Le mariage* **civil** *a lieu à la mairie* (≠ religieux).
■ **civil** n.m. *La religieuse s'était habillée* **en civil,** *comme tout le monde* (≠ en uniforme).

civilisation n.f. *Une* **civilisation,** *c'est la manière de vivre des gens d'une société, ainsi que l'ensemble des progrès scientifiques, techniques, culturels de cette société.*
■ **civiliser** v. *Les Romains* **ont été civilisés** *par les Grecs,* ceux-ci leur ont apporté leur civilisation.

civique adj. *Les devoirs* **civiques** *sont les devoirs du citoyen envers l'État.*

clafoutis n.m. *Un* **clafoutis** *est un gâteau dont la pâte contient des fruits* (cerises, prunes etc.).

claie n.f. *On a mis les fromages à sécher sur une* **claie,** *une sorte de grillage en osier ou en métal.*

clair adj. **1.** *Mon bureau est très* **clair** (= lumineux ; ≠ sombre). **2.** *En été, je porte des costumes* **clairs** (≠ foncé). **3.** *L'eau de cette source est très* **claire** (= limpide, transparent ; ≠ trouble). **4.** *Cette phrase est* **claire,** *facile à comprendre* (≠ obscur).
■ **clair** adv. SENS 1 *Il fait* **clair,** *il y a de la lumière* (≠ sombre).
■ **clair** n.m. SENS 1 *Le* **clair de lune** *est la lumière de la Lune.* SENS 4 *On va* **tirer** *cette affaire* **au clair,** *essayer de la comprendre.*

■ **clairement** adv. SENS 4 *Expliquez-vous plus* **clairement.**

■ **claire-voie** n.f. SENS 1 *Un volet à* **claire-voie** *laisse passer la lumière par les fentes.*

■ **clarifier** v. SENS 4 *Cela va* **clarifier** *la situation* (= éclaircir).

■ **clarté** n.f. SENS 1 *La lampe répand sa* **clarté** (= lumière). SENS 4 *Il m'a tout expliqué avec* **clarté** (= netteté ; ≠ confusion).

■ **éclaircir** v. SENS 1 *Le ciel s'est* **éclairci,** *il est devenu plus lumineux* (≠ assombrir). SENS 4 *Nous allons* **éclaircir** *ce problème,* le rendre plus compréhensible.

■ **éclaircie** n.f. SENS 1 *Une* **éclaircie** *est le moment où le ciel s'éclaircit et où la pluie cesse.*

■ **éclaircissement** n.m. SENS 4 *Je ne comprends pas, je te demande des* **éclaircissements** (= explication).

■ **éclairer** v. SENS 1 *Cette lampe n'*éclaire *pas bien,* elle donne peu de lumière. SENS 4 *Maintenant, tout* **s'éclaire,** *devient clair.*

■ **éclairage** n.m. SENS 1 *Nous avons eu une panne d'*éclairage, *de lumière.*
R. → **clerc.**

clairière n.f. *Dans une forêt, une* **clairière** *est un endroit sans arbres.*

clairon n.m. *Les soldats sont réveillés par le son du* **clairon.**

claironner v. *Ne lui confie pas de secret, il risque de le* **claironner** *partout* (= proclamer).

clairsemé adj. *M. Durand a les cheveux* **clairsemés,** *peu abondants* (≠ touffu, dense, dru).

clairvoyant adj. *Mme Dupont est une femme* **clairvoyante,** *prudente et intelligente.*

clamer v. *L'accusée* **clamait** *son innocence,* elle la disait avec force (= proclamer, crier).

■**clameur** n.f. *Une clameur vient de la rue,* de grands cris.

clan n.m. *La classe est divisée en deux clans,* en deux groupes opposés.

clandestin adj. *On a trouvé dans le bateau un passager clandestin,* qui avait embarqué illégalement.

■**clandestinement** adv. *Elle a passé la frontière clandestinement* (= en cachette).

■**clandestinité** n.f. *Pendant la guerre, les résistants étaient dans la clandestinité,* ils se cachaient.

clapier n.m. *Un clapier est une cabane à lapins.*

clapoter v. *On entend l'eau clapoter contre la barque,* produire de petits claquements.

■**clapotis** ou **clapotement** n.m. *Écoute le clapotis des vagues !,* le bruit qu'elles font en bougeant.

claque n.f. *Pierre a reçu une paire de claques* (= gifle).

claquer v. **1.** *Il y a un volet qui claque,* qui fait un bruit sec. **2.** *Ne claque pas la porte en partant,* ne la referme pas brutalement. **3.** *La cycliste s'est claqué un muscle,* elle l'a déchiré en faisant un mouvement trop violent.

■**claquage** n.m. SENS 3 *L'athlète s'est fait un claquage.*

■**claquement** n.m. SENS 1 *J'entends un claquement de portières,* un bruit.

■**claquettes** n.f.pl. SENS 1 *Isabelle fait des claquettes,* elle danse en faisant claquer au sol les talons et les pointes de ses chaussures.

clarifier → **clair.**

clarinette n.f. *On apprend à jouer de la clarinette,* d'un instrument de musique à vent.

clarté → **clair.**

classe n.f. **1.** *La société est divisée en classes,* en catégories de personnes ayant des intérêts communs. **2.** *Nous voyageons en première classe,* dans des compartiments de première catégorie. **3.** *Je vais en classe,* à l'école. **4.** *En quelle classe es-tu ?* — *en 6e,* en quelle année d'étude. **5.** *Les élèves ont décoré la classe,* la salle de leur école. **6.** *Le professeur fait la classe,* il enseigne (= faire cours).

■**interclasse** n.m. ou n.f. SENS 6 *Pendant l'interclasse, les professeurs échangent quelques mots,* l'intervalle qui sépare deux cours.

classer v. **1.** *Veux-tu m'aider à classer mes timbres ?,* à les mettre en ordre (= ranger). **2.** *Jean s'est classé premier en français,* il a obtenu le premier rang.

■**classement** n.m. SENS 1 *J'ai fait le classement de mes livres.* SENS 2 *Cléa a obtenu un bon classement.*

■**classeur** n.m. SENS 1 *Un classeur sert à ranger des papiers.*

■**déclasser** v. SENS 1 *Qui a déclassé mes papiers ?* (= déranger).

■**reclasser** v. SENS 1 *Il faut reclasser les livres.*

■**reclassement** n.m. SENS 1 *J'ai passé la journée au reclassement de ma bibliothèque.*

classique adj. **1.** *Racine est un écrivain classique,* un de ceux que l'on considère souvent comme des modèles, parce qu'ils ont, à une époque (en France, au XVIIe s.), atteint une certaine perfection. **2.** *Il m'a donné tous les arguments classiques* (= habituel).

■**classicisme** n.m. SENS 1 *Le classicisme est la période de l'histoire des arts et de la littérature française qui se situe au moment du règne de Louis XIV.* SENS 2 *Vous remarquerez le classicisme de ses arguments.*

claudication n.f. *Depuis son accident, elle garde une légère claudication,* elle boite un peu.

292

clause n.f. *j'ai fait ajouter une* **clause** *au contrat,* une disposition particulière.

439   **clavecin** n.m. *Le* **clavecin** *est un instrument de musique ancien à cordes.*

40   **clavicule** n.f. *La* **clavicule** *est un os long qui va du cou à l'épaule.*

808,
293,
148   **clavier** n.m. *Le* **clavier** *d'un piano, d'un clavecin, d'une machine à écrire,* c'est l'ensemble de ses touches.

74   **clef** ou **clé** n.f. 1. *Je ne peux pas ouvrir, j'ai perdu la* **clef** *de la porte d'entrée.*
505,
289   2. *Une* **clef** *à molette, une* **clef** *anglaise servent à desserrer les écrous.* 3. *On a trouvé la* **clef** *du mystère,* l'explication.
■ **porte-clefs** n.m.inv. SENS 1 *Toutes mes clefs sont attachées à mon* **porte-clefs.**

73   **clématite** n.f. *Le mur est couvert de* **clématite,** *une plante grimpante à fleurs bleues, roses, rouges, etc.*

clément adj. *Le jury s'est montré* **clément** *envers l'accusé* (= indulgent ; ≠ sévère).
■ **clémence** n.f. *Le jury a fait preuve d'une grande* **clémence.**

clémentine n.f. *La* **clémentine** *est une sorte de mandarine.*

clerc n.m. *Ma cousine est* **clerc** *de notaire,* elle est employée chez un notaire.
R. *Clerc se prononce* [klɛr] *comme* clair.

clergé n.m. *Les prêtres, les évêques, les moines forment le* **clergé.**
■ **cléricalisme** n.m. *Le* **cléricalisme** est la tendance reprochée au clergé à soutenir une politique conservatrice.
■ **anticlérical** adj. *Une campagne* **anticléricale** *s'oppose à l'influence du clergé dans les affaires publiques.*

cliché n.m. 1. *J'ai fait de beaux* **clichés** *pendant les vacances* (→ photo).

2. *Son discours était plein de* **clichés,** *d'expressions banales.*

client n. *La boutique était pleine de* **clients,** *de personnes venues pour acheter.*
■ **clientèle** n.f. *Ce médecin a une nombreuse* **clientèle,** *beaucoup de gens viennent le voir.*

cligner v. *Le soleil me fait* **cligner** *les yeux,* les fermer et les ouvrir rapidement.
■ **clin d'œil** n.m. 1. *Marie m'a fait un* **clin d'œil,** *un signe rapide.* 2. *On a fait cela* **en un clin d'œil,** *très vite.*
■ **clignoter** v. *Le feu orange* **clignote** *au carrefour,* il s'allume et s'éteint.
■ **clignotant** n.m. *Le* **clignotant** *d'une voiture est un signal qui clignote quand on change de direction.*
R. *Noter le pluriel :* des clins d'œil

climat n.m. *La Norvège a un* **climat** *froid et humide,* il y fait froid et il pleut souvent.
■ **climatique** adj. *Il y a ici de bonnes conditions* **climatiques,** *le climat est agréable.*
■ **climatiser** v. **Climatiser** *une salle,* c'est faire que la température y soit agréable.
■ **climatisation** n.f. *L'appareil de* **climatisation** *est en panne.*
■ **acclimater** v. **Acclimater** *un animal,* c'est l'habituer à un nouveau climat.
■ **acclimatation** n.f. *Au jardin d'* **acclimatation,** *on peut voir des animaux du monde entier.*

clin d'œil → cligner.

clinique n.f. *Elle a été opérée dans une* **clinique** *privée,* un petit hôpital.

clinquant adj. *Des bijoux* **clinquants** sont brillants mais sans valeur.

clip n.m. *Linda ferme son corsage avec un* **clip,** *une agrafe ou une broche munie d'une pince.*

clique n.f. **1.** *Une **clique** militaire*, c'est l'ensemble des clairons et des tambours (= fanfare). **2.** *L'oratrice a accusé une **clique** de politiciens*, une bande de gens peu recommandables.

cliquetis n.m. *On entend le **cliquetis** d'une machine à écrire*, une suite de bruits secs.

clivage n.m. *Un **clivage** s'est produit entre deux tendances du parti*, une séparation.

cloaque n.m. *Après la pluie, la rue était un **cloaque**,* un lieu boueux.

clochard n.m. *Un **clochard** est une personne misérable qui n'a pas de domicile et couche dans la rue.*

cloche n.f. **1.** *D'ici on entend sonner les **cloches** de l'église.* **2.** *On met les melons sous une **cloche** pour les protéger du froid,* un abri en verre.
■ **clocher** n.m. SENS 1 *Les cloches sont en haut du **clocher**.*
■ **clochette** n.f. SENS 1 *Une **clochette** est une petite cloche.*

à cloche-pied adv. *Marcher à **cloche-pied**,* c'est avancer en sautant sur un pied.

clocher, clochette → *cloche.*

cloison n.f. *Les pièces de l'appartement sont séparées par des **cloisons**,* des murs intérieurs.
■ **cloisonner** v. *En **cloisonnant** le salon, on peut faire deux pièces.*

cloître n.m. *Un **cloître** est une galerie couverte qui entoure la cour d'un couvent.*
■ **cloîtré** adj. *Depuis plusieurs semaines, il vit **cloîtré** chez lui* (= enfermé).

clopin-clopant adv. Fam. **1.** *Un rescapé s'avançait **clopin-clopant**,* en boitant plus ou moins. **2.** *Les affaires vont **clopin-clopant**,* tant bien que mal (= couci-couça).

cloporte n.m. *Un **cloporte** est un petit animal gris vivant dans les lieux humides, sous les pierres, etc.*

cloque n.f. *Elle s'est brûlée et elle a une **cloque** à la main* (= ampoule).

clôture n.f. **1.** *Le champ est entouré d'une **clôture**,* de quelque chose qui le ferme (mur, palissade, haie). **2.** *On est arrivé après la **clôture** du débat* (= fin).
■ **clore** v. se dit parfois pour *fermer* ou *terminer.*
■ **clôturer** v. SENS 2 *On a **clôturé** la séance à 8 heures* (= terminer).
■ **enclore** v. SENS 1 *Le paysan a **enclos** son champ*, il l'a entouré d'une clôture.
■ **enclos** ou **clos** n.m. SENS 1 *Les vaches sont dans l'**enclos**,* le terrain enclos.
R. *Clore, enclore* → conj. n° 81.

clou n.m. **1.** *Elle a planté un **clou** dans le mur pour accrocher un tableau* (= pointe). **2.** *Pierre a un **clou** au cou* (= furoncle). **3.** *Les lions ont été le **clou** du spectacle,* le moment le plus réussi.
■ **clouer** v. SENS 1 *On a **cloué** une pancarte au mur,* on l'a fixée avec des clous.
■ **clouté** adj. SENS 1 *Les piétons doivent traverser au **passage clouté**,* à l'endroit de la rue qui était autrefois délimité par de gros clous et aujourd'hui par des bandes blanches.
■ **déclouer** v. SENS 1 *Pour ouvrir cette caisse, il faut la **déclouer**,* enlever les clous.

clown n.m. *Au cirque, Pierre aime beaucoup les **clowns**,* les artistes qui font rire.
■ **clownerie** n.f. *Tout le monde rit de ses **clowneries**,* de ses manières de clown.
R. *Clown* se prononce [klun].

club n.m. *Inscris-toi à un **club** sportif* (= association).
R. On prononce [klœb].

435, 368

368, 289

433

co-, au début d'un mot, indique une association : *cohabiter avec quel-qu'un,* c'est habiter dans le même lo-gement, une *coédition* est une édition faite en commun, etc.

coaguler v. *Le sang se coagule à l'air libre* (= figer, se solidifier).
■ **coagulation** n.f. *Ce médicament empêche la coagulation du sang.*

coalition n.f. *Cette députée a été vaincue par la coalition de ses adver-saires* (= alliance, réunion).
■ **coaliser** v. *Tout le monde s'est coa-lisé contre moi* (= liguer, unir).

coasser v. *Les grenouilles coassent,* elles poussent leur cri.
■ **coassement** n.m. *Le coassement* est le cri de la grenouille.
R. Ne pas confondre *coasser* et *croasser.*

cobaye n.m. Le *cobaye* est un petit ani-mal qui sert souvent à des expériences scientifiques (= cochon d'Inde).

435 **cobra** n.m. Le *cobra* est un grand ser-pent très venimeux.

cocagne n.f. 1. *J'ai réussi à décrocher un ballon en montant au mât de co-cagne,* un mât glissant en haut duquel sont suspendus des objets. 2. *Le pays de cocagne* est un pays imaginaire où l'on a tout ce qu'on veut.

766 **cocarde** n.f. *J'ai une cocarde à la bou-tonnière,* un insigne rond.

cocasse adj. *J'ai fait un rêve cocasse* (= très drôle, bizarre).
■ **cocasserie** n.f. *Le rapprochement de certains mots crée des cocasseries,* des situations drôles.

366 **coccinelle** n.f. Les *coccinelles* sont de petits insectes généralement rouge et noir (= bête à bon Dieu).

coccyx n.m. *Aline s'est cassé le coc-cyx en tombant sur le derrière,* la partie terminale de la colonne vertébrale.
R. On prononce [kɔksis].

coche → *cocher* 2.

1. cocher v. *Elle a coché mon nom sur la liste,* elle l'a marqué d'un trait.

2. cocher n.m. Les *cochers* condui-saient les voitures à cheval.
■ **coche** n.m. 1. *Un coche* était une grande diligence. 2. *Autrefois, le co-che d'eau* servait au transport des voyageurs et des marchandises.
■ **cochère** adj.f. *Une porte cochère* est assez grande pour laisser passer une voiture.

cochon n.m. 1. *Cette paysanne élève des cochons* (= porc). 2. *Le cochon d'Inde* est le nom usuel du *cobaye.* 3. n. (au fém. **cochonne**). *Tu as fait des taches partout, tu es un cochon !* (= malpropre).
■ **cochonnerie** n.f. 1. SENS 3 *Tu as fait des cochonneries sur ton cahier* (= saleté). 2. *Ce papier, c'est de la cochonnerie : il se déchire tout le temps,* c'est de la mauvaise qualité.

cochonnet n.m. *À la pétanque, il faut envoyer sa boule le plus près possible du cochonnet,* une petite boule qui sert de but.

cocker n.m. Les *cockers* sont des chiens aux oreilles pendantes.

cockpit n.m. Le *cockpit* est la cabine où se tient le pilote d'un avion, le barreur d'un bateau.
R. On prononce [kɔkpit].

cocktail n.m. 1. *Un cocktail* est une boisson obtenue en mélangeant des alcools, des sirops, etc. 2. *Je vous invite à un cocktail,* une réception où l'on offre à boire et à manger.

coco → *cocotier.*

cocon n.m. *Les chenilles des vers à soie s'entourent d'un cocon,* d'une enveloppe de fils de soie.

cocotier n.m. Les *cocotiers* sont de grands palmiers des régions chaudes.

■ **coco** n.m. La *noix de coco* est le fruit du cocotier.

cocotte n.m. **1.** *On s'amuse à faire des cocottes en papier,* à plier du papier en forme de poule. **2.** *Le cuisinier a fait un ragoût dans une cocotte,* une petite marmite.

code n.m. **1.** *Un code est un recueil de lois : le Code civil, le Code de la route.* **2.** *J'ai écrit un message en code,* en langage secret. **3.** *De nuit, quand on croise une autre voiture, il faut se mettre en code* (= feux de croisement ; ≠ phares). **4.** *Le code postal d'une ville* est l'ensemble de chiffres et de lettres qui suit le nom de la ville quand on écrit une adresse.
■ **codé** adj. SENS 2 *Un message codé* est rédigé selon un code (= secret).
■ **codifier** v. SENS 1 *On a codifié d'anciens usages,* on les a établis comme règles (= réglementer).

coefficient n.m. *J'ai eu 12/20 en maths ; avec le coefficient 3, cela fait 36/60,* le chiffre par lequel on multiplie la note.

coéquipier → *équipe.*

cœur n.m. **1.** *Le cœur envoie le sang dans tout notre corps.* **2.** *J'habite au cœur de la ville* (= centre). **3.** *Pierre a mal au cœur,* il a des nausées. **4.** *Marie a le cœur sensible,* elle est facilement émue. **5.** *Luce a bon cœur,* elle est généreuse. **6.** *J'ai fait cela de bon cœur,* avec plaisir, volontiers. **7.** *Tu sais ta leçon par cœur ?,* tu peux la réciter de mémoire. **8.** *Qui a joué la dame de cœur ?,* une des couleurs aux cartes.
■ **à contrecœur** adv. SENS 6 *Il est parti à contrecœur,* malgré lui.
■ **écœurer** v. SENS 3 *Cette odeur m'écœure,* elle me fait mal au cœur (= dégoûter).

■ **écœurant** adj. SENS 3 *Cette odeur est écœurante.*
■ **écœurement** n.m. SENS 3 *On éprouve de l'écœurement en voyant une telle ingratitude* (= dégoût).
R. → *chœur.*

coexistence, coexister → *exister*

coffre n.m. **1.** *Nancy range ses jouets dans un coffre,* une grande caisse. **2.** *Les valises sont dans le coffre, on peut partir,* un espace à l'avant ou à l'arrière d'une voiture pour mettre les bagages. 77, 147 505
■ **coffre-fort** n.m. *Les coffres-forts de la banque ont été dévalisés,* les armoires en métal où l'on enferme de l'argent et des objets précieux. 292
■ **coffret** n.m. *Je mets mes bijoux dans un coffret* (= boîte).

cognac n.m. *Le cognac est une eau-de-vie fabriquée en Charente.*

cognée n.f. *Une cognée est une hache de bûcheron.* 655

cogner v. *Il cogne de toutes ses forces contre la porte* (= frapper).

cohabiter → *habiter.*

cohérent adj. *Son raisonnement est très cohérent,* tous ses éléments se tiennent bien entre eux (= logique).
■ **cohérence** n.f. *Son raisonnement a beaucoup de cohérence.*
■ **cohésion** n.f. *Le succès est dû à la bonne cohésion de l'équipe* (= unité, solidarité).
■ **incohérent** adj. *La blessée prononçait des paroles incohérentes,* sans lien entre elles.
■ **incohérence** n.f. *Ses paroles ont l'incohérence d'un discours d'ivrogne.*

cohorte n.f. *J'ai vu passer une cohorte de gamins,* un grand nombre (= troupe).

cohue n.f. *Il y avait la cohue dans le métro,* beaucoup de gens qui se poussent, qui se pressent (= bousculade).

coi adj. *Pierre se tient **coi**, Marie se tient **coite**,* ils restent complètement silencieux et immobiles, par prudence ou par perplexité.

coiffer v. 1. *Pierre **est coiffé** d'un drôle de chapeau,* il l'a sur la tête. 2. *Marie **se coiffe** devant la glace,* elle arrange ses cheveux (= se peigner).
■ **coiffe** n.f. SENS 1 *Certaines paysannes bretonnes portent encore des **coiffes**,* des sortes de bonnets.
■ **coiffeur** n. SENS 2 *Aline est allée chez le **coiffeur** se faire couper les cheveux. Mme Lopez a pris rendez-vous chez sa **coiffeuse**.*
■ **coiffeuse** n.f. SENS 2 Une ***coiffeuse*** est une table avec un miroir devant laquelle les femmes se coiffent, se maquillent.
■ **coiffure** n.f. SENS 1 *Les chapeaux, les bérets, les casquettes sont des **coiffures**.* SENS 2 *Tu as changé ta **coiffure** ?,* la manière d'arranger tes cheveux.
■ **décoiffer** v. SENS 2 *Le vent l'a **décoiffé*** (= dépeigner).
■ **recoiffer** v. SENS 2 ***Recoiffe-toi*** avant de sortir.

coin n.m. 1. *On a mis la table dans un **coin** de la pièce,* dans l'angle formé par deux murs. 2. *On s'est retrouvé au **coin** d'une rue,* au croisement de deux rues. 3. *Nous avons passé nos vacances dans un **coin** tranquille* (= endroit). 4. *Le bûcheron met un **coin** dans le bois pour mieux le fendre,* un morceau de métal ou de bois très dur.
■ **encoignure** n.f. SENS 1 Une ***encoignure*** est un coin étroit formé par deux murs.
■ **recoin** n.m. SENS 3 *Le chat s'est réfugié dans un **recoin**,* un coin caché.
R. → *coing*.

coincer v. *La porte **est coincée**, on ne peut plus l'ouvrir* (= bloquer).

coïncider v. *Son arrivée **a coïncidé** avec mon départ,* elle a eu lieu au même moment (= concorder).
■ **coïncidence** n.f. *Vous ici ! quelle **coïncidence** !,* quelle rencontre de circonstances (= hasard).

coing n.m. Le ***coing*** est un fruit jaune ressemblant à une poire.
R. *Coing* se prononce [kwɛ̃], comme *coin*.

col n.m. 1. ***Col*** était autrefois synonyme de *cou*. 2. *Le **col** de ta chemise est sale,* la partie qui entoure le cou. 3. *Un **col** est un passage qui permet de franchir une montagne.
■ **cou** n.m. SENS 1 *Mets cette écharpe autour de ton **cou**.*
■ **collet** n.m. SENS 1 *Un **collet** est un nœud coulant pour capturer les lapins ou les lièvres en les étranglant. Les policiers **ont mis la main au collet** du malfaiteur,* ils l'ont arrêté.
■ **collier** n.m. SENS 1 *Un **collier** de perles est un bijou qui se met autour du cou. Ce chien perdu n'a pas de **collier**,* de courroie autour du cou.
■ **décolleté** adj. SENS 1 *Mme Durand porte une robe **décolletée**,* qui découvre le cou et les épaules.
■ **encolure** n.f. SENS 1 *Il caressait l'**encolure** de son cheval,* la région du cou. SENS 2 *L'**encolure** de cette chemise est trop petite pour moi,* la largeur du col.
■ **torticolis** n.m. SENS 1 *Je souffre d'un **torticolis**,* d'une douleur au cou.
R. → *colle* et *coudre*.

coléoptère n.m. *Le hanneton est un **coléoptère**,* un insecte qui a des ailes dures (élytres) par-dessus ses ailes légères.

colère n.f. *Quand on se met en **colère**, on devient tout rouge et on crie* (= fureur).

■**coléreux** adj. *Ce singe est très **coléreux**,* il se met souvent en colère (= irritable, irascible).

colibri n.m. *Un **colibri** est un tout petit oiseau d'Amérique* (= oiseau-mouche).

colimaçon n.m. 1. *On appelait autrefois un escargot un **colimaçon**.* 2. *Un escalier **en colimaçon** monte en tournant* (= en spirale).

colin n.m. *Le **colin** est un poisson de mer* (= lieu).

colin-maillard n.m. *Les enfants jouent à **colin-maillard**,* l'un d'eux, les yeux bandés, essaie d'en attraper un autre et de dire qui il est.

colique n.f. *Annie a la **colique**,* elle a mal au ventre (= diarrhée).

colis n.m. *Le facteur a apporté un **colis*** (= paquet).

collaborer v. *Elle a **collaboré** avec un ami pour écrire ce livre,* ils ont travaillé ensemble.
■**collaboration** n.f. *Je vous remercie de votre **collaboration*** (= participation, aide).
■**collaborateur** n. *Ce journal a de nombreux **collaborateurs** et **collaboratrices**,* des personnes qui y travaillent.

collage, collant → *colle.*

collation n.f. *À 4 heures, les enfants prennent une légère **collation**,* ils font un petit repas.

colle n.f. 1. *La **colle** est une matière gluante qui permet de faire adhérer entre eux des objets.* 2. Fam. *Tu m'as posé une **colle**,* une question difficile. 3. Fam. *Pascal a eu une heure de **colle*** (= retenue).
■**coller** v. SENS 1 *Des affiches sont **collées** sur les murs,* fixées avec de la colle. SENS 2 Fam. *On s'est fait **coller** à l'examen,* on a échoué.

■**collage** n.m. SENS 1 *À l'école maternelle, on fait des **collages**,* on colle des images.

■**collant** 1. adj. SENS 1 *J'ai réparé mon stylo avec du papier **collant**.* 2. n.m. *Un **collant** est un sous-vêtement qui réunit en une seule pièce un slip et des bas.*

■**colleur** n.m. SENS 1 *Le **colleur d'affiches** est tombé de son échelle.*

■**autocollant** adj. et n.m. SENS 1 *On doit placer une vignette **autocollante** sur le pare-brise,* enduite d'un produit qui colle sans être mouillé.

■**décoller** v. 1. SENS 1 *Le timbre **s'est décollé**,* il s'est détaché. 2. *Cette personne a les **oreilles décollées**,* qui s'écartent de la tête.

■**décollement** n.m. SENS 1 *Une entreprise spécialisée procède au **décollement** des affiches sur les murs.*

■**encoller** SENS 1 ***Encoller** du papier,* c'est l'enduire de colle.

■**incollable** adj. SENS 2 Fam. *Ce candidat est **incollable**,* il peut répondre à n'importe quelle question.

■**recoller** v. SENS 1 *On a **recollé** les morceaux de l'assiette.*

R. *Colle* se prononce [kɔl] comme *col.*

collecte n.f. *On a fait une **collecte** pour les aveugles,* on a recueilli de l'argent pour eux.
■**collecter** v. *On a **collecté** une somme importante pour les sinistrés* (= recueillir).

collectif adj. *Ce livre est le résultat d'un travail **collectif**,* fait par un groupe (≠ individuel).
■**collectivement** adv. *Nous avons agi **collectivement*** (= ensemble).
■**collectivisme** n.m. *Le **collectivisme**,* c'est la mise en commun des propriétés individuelles (= communisme).
■**collectivité** n.f. *Une **collectivité** est un groupe de personnes qui ont des intérêts communs.*

36

collection n.f. *Pierre fait collection de timbres,* il les recherche pour les réunir et les classer.

■ **collectionner** v. *Marie collectionne les papillons,* elle en fait collection.

■ **collectionneur** n. *Katherina est collectionneuse de tableaux.*

collectivement, collectivisme, collectivité → *collectif.*

collège n.m. *Pierre est élève d'un collège,* un établissement scolaire qui fait suite à l'école secondaire et précède l'université.

■ **collégien** n. *Pierre est un collégien.*

collègue n. *Mme Durand et M. Dupont sont des collègues,* ils travaillent dans la même entreprise, le même métier.

coller, colleur → *colle.*

collet, collier → *col.*

collimateur n.m. *Le collimateur d'une arme à feu* est le dispositif qui permet de viser.

365 **colline** n.f. *Nous sommes montés sur la colline pour voir le paysage* (= hauteur).

collision n.f. *Il y a eu une collision sur l'autoroute,* un choc entre des voitures (= accident).

colloque n.m. *Un colloque* est une réunion de spécialistes qui discutent d'un sujet.

colmater v. *On a colmaté la fuite d'eau* (= boucher).

colombe n.f. *Une colombe* est un pigeon blanc.

■ **colombier** n.m. *Cette ferme possède un colombier,* un bâtiment pour les pigeons (= pigeonnier).

colon → *colonie.*

763, 394 **colonel** n.m. *Le colonel commande un régiment.*

colonie n.f. **1.** *Autrefois, le Canada était une colonie,* un territoire sous la domination de l'Angleterre. **2.** *Louise est partie en colonie de vacances,* avec un groupe d'enfants et des moniteurs.

■ **colon** n.m. SENS 1 *Les colons français sont arrivés au Canada dès le XVIIᵉ s.*

■ **colonial** adj. SENS 1 *Le thé, le chocolat étaient appelés « produits coloniaux »,* ils venaient des colonies.

■ **colonialisme** n.m. SENS 1 *Le colonialisme* était une doctrine favorable à la conquête des colonies.

■ **coloniser** v. SENS 1 *Le Canada a été colonisé par la France puis par l'Angleterre,* transformé en colonie.

■ **colonisation** n.f. SENS 1 *La colonisation du Canada a duré plus de deux siècles.*

■ **décoloniser** v. SENS 1 *L'Afrique est aujourd'hui décolonisée,* il n'y a plus de colonies.

■ **décolonisation** n.f. SENS 1 *La décolonisation est générale aujourd'hui.*

colonne n.f. **1.** *Les temples grecs sont soutenus par des colonnes,* des supports verticaux. **2.** *Une colonne de soldats a traversé la ville,* des soldats disposés les uns derrière les autres. **3.** *Les pages des journaux sont partagées en colonnes,* en parties disposées verticalement.

■ **colonnade** n.f. SENS 1 *Une colonnade* est une rangée de colonnes.

colorant, coloration, colorer, colorier, coloris → *couleur.*

colosse n.m *Cet athlète est un colosse,* il est très grand et très fort.

■ **colossal** adj. *Il est d'une force colossale* (= énorme).

■ **colossalement** adv. *Mme Richard est colossalement riche* (= immensément).

colporter v. **1.** *Autrefois, les marchands ambulants colportaient leurs* produits de porte en porte pour les vendre (= transporter). **2.** *Colporter une nouvelle,* c'est la répandre.

■**colporteur** n. SENS 1 Un *colporteur* était un marchand ambulant. SENS 2 *Enfin un colporteur de bonnes nouvelles !*

colt n.m. Un *colt* est un pistolet automatique américain.

colza n.m. *Le colza a des fleurs jaunes ; on en tire de l'huile.*

coma n.m. *La malade est tombée dans le coma,* elle a perdu connaissance.

combattre v. **1.** *Les soldats ont combattu avec courage* (= se battre). **2.** *Les pompiers combattent l'incendie,* ils luttent contre lui.

■**combat** n.m. SENS 1 *Le combat a été bref mais acharné* (= lutte, bataille).

■**combattant** n. SENS 1 *On a séparé les combattants,* ceux qui se battaient.

■**combatif** adj. *Alicia est une fille combative,* elle aime la lutte.

R. → Conj. n° 56. *Combatif* n'a qu'un *t, combattre* en a 2.

combien adv. sert à interroger au sujet d'une quantité, d'un nombre, d'un prix : *Combien sont-ils ? Combien ça coûte ?*

combinaison n.f. **1.** *Tu as trouvé une combinaison astucieuse pour réussir* (= moyen, arrangement). **2.** *La motocycliste a une combinaison de cuir,* un vêtement qui lui couvre tout le corps.

■**combiner** v. SENS 1 *C'est toi qui as combiné ce mauvais coup ?* (= arranger, préparer).

■**combine** n.f. Fam. SENS 1 *J'ai une combine pour réussir à tous les coups,* un moyen ingénieux.

■**combinard** adj. et n. Fam. SENS 1 *Pierre se débrouillera toujours, c'est un combinard,* quelqu'un qui emploie des combines plus ou moins louches.

combiné n.m. *Passe-moi le combiné téléphonique,* l'appareil qui permet à la fois d'écouter et de parler. | 293

comble n.m. **1.** *Ce qu'on vient de dire, c'est le comble de la bêtise,* c'est très bête. **2.** (au plur.) *J'habite dans les combles,* dans un logement situé sous le toit. | 74

■**comble** adj. SENS 1 *La salle est comble,* très pleine.

■**combler** v. SENS 1 **1.** *On a comblé le trou,* on l'a rempli entièrement (= boucher). **2.** *Ces résultats m'ont comblé,* ils m'ont entièrement satisfait.

combustible adj. et n.m. *Le bois est combustible, c'est un bon combustible,* il brûle bien. | 801

■**combustion** n.f. *La combustion des corps produit de la fumée et de la cendre.*

■**incombustible** adj. *Cette matière est incombustible,* elle ne peut pas brûler.

comédie n.f. **1.** *On est allé au théâtre voir une comédie,* une pièce drôle. **2.** Fam. *Carole dit qu'elle est malade, à mon avis c'est de la comédie,* elle fait semblant, elle feint d'être malade.

■**comédien** SENS 1 n. Un *comédien* est un acteur de théâtre, de cinéma ou de télévision. SENS 2 n. et adj. *Il est très comédien, mais il s'est trahi !,* il fait semblant (= hypocrite). | 440

■**comique** adj. SENS 1 *Nous avons vu un film comique* (= drôle ; ≠ tragique).

comestible adj. *Ce champignon est comestible,* il est bon à manger. | 656

comète n.f. *Une comète est un astre formant une traînée lumineuse.*

comique → *comédie.*

comité n.m. *L'association sportive a élu son comité,* les gens qui prennent les décisions.

commander v. **1.** *Un général commande une armée,* il en est le chef. **2.** *On m'a commandé de sortir* (= ordonner). **3.** *J'ai commandé un livre au libraire,* je lui ai demandé de me le fournir. **4.** *Cette manette commande tout l'éclairage,* elle le fait fonctionner.

■ **commandant** n.m. SENS 1 *Un commandant commande un bataillon. Le commandant de bord commande à bord de l'avion.*

■ **commande** n.f. SENS 3 *La bouchère a livré les commandes,* les marchandises demandées. SENS 4 *Appuie sur la commande de démarrage* (= mécanisme).

■ **commandement** n.m. SENS 1 ET 2 *Je n'obéirai pas à ce commandement* (= ordre).

■ **décommander** v. SENS 3 *Nous avons décommandé le repas,* nous en avons annulé la commande.

■ **télécommande** n.f. SENS 4 *On peut changer de programme de télévision en appuyant sur la télécommande,* un dispositif de commande à distance.

■ **télécommander** v. SENS 4 *Pierre télécommande son train électrique,* il le commande à distance (= téléguider).

commanditer v. *Qui commandite ce journal ?,* qui fournit l'argent ?

commando n.m. *Un commando de parachutistes s'est emparé du fort,* un petit groupe (de soldats) spécialement entraîné.

comme conj. et adv. indique la comparaison : *Tu parles comme tu écris* (= de même que) ; la manière : *Comme on dit* (= ainsi que) ; la cause : *Comme elle ne vient pas, je m'en vais* (= puisque) ; la qualité : *Je travaille comme manœuvre* (= en tant que) ; l'exclamation : *Comme c'est beau !* (= que).

commémorer v. *On a commémoré la victoire,* on en a rappelé le souvenir par une cérémonie.

■ **commémoratif** adj. *Un monument commémoratif a été construit sur la place.*

■ **commémoration** n.f. *Des cérémonies ont marqué la commémoration de la victoire.*

commencer v. *J'ai commencé mon travail,* j'en ai fait le début (≠ achever). *L'année commence le 1er janvier* (= débuter ; ≠ finir).

■ **commencement** n.m. *C'est le commencement du printemps* (= début ; ≠ fin).

■ **recommencer** v. *La classe recommence à 2 heures* (= reprendre).

comment adv. sert à interroger sur la manière : *Comment as-tu fait ?*

commenter v. *Aline commente tout ce que je dis,* elle fait des remarques.

■ **commentaire** n.m. *Cet événement se passe de commentaires* (= remarque, explication).

■ **commentateur** n. *Cette phrase du discours a été remarquée par tous les commentateurs.*

commérage → *commère.*

commerce n.m. **1.** *Alicia fait du commerce,* elle achète et vend des marchandises. **2.** *Mme Dupont a acheté un petit commerce* (= boutique).

■ **commerçant** SENS 1 n. *Il y a beaucoup de commerçants dans cette rue.* SENS 2 adj. *C'est un quartier très commerçant,* où il y a beaucoup de commerces.

■ **commercial** adj. SENS 1 *Il dirige une entreprise commerciale.*

■ **commercialiser** v. SENS 1 *Cette voiture n'est pas encore commercialisée,* elle n'est pas encore en vente dans le commerce.

commère n.f. Une *commère* est une femme curieuse et bavarde.

■ **commérages** n.m.pl. *Ne croyez pas cela, ce sont des **commérages** (= bavardages, ragots, racontars).*

commettre v. *Tu **as commis** une grosse erreur,* tu l'as faite.

R. → Conj. n° 57.

commis n. **1.** *Ma cousine est **commise** de bureau,* petite employée. **2.** Un *commis voyageur* va chez les clients proposer les marchandises (on dit plutôt aujourd'hui un *représentant*).

commisération n.f. *Maria regardait les blessés d'un air de **commisération** (= pitié, compassion).*

commissaire n.m. **1.** *Le **commissaire** (d'école) est élu par les parents pour administrer l'école.* **2.** *Le **commissaire-priseur** dirige la vente aux enchères.*

commission n.f. **1.** *On m'a chargé d'une **commission** pour vous,* de vous transmettre quelque chose (un objet ou une nouvelle). **2.** *On part faire les **commissions** (= achat, course).* **3.** *Le gouvernement a désigné une **commission** d'enquête,* des gens chargés d'enquêter sur une question. **4.** *Elle touche une **commission** sur les ventes,* une somme d'argent proportionnelle au prix. **5.** *La **commission** scolaire est chargée d'administrer les écoles du quartier.*

■ **commissionnaire** n. SENS 1 *Un **commissionnaire** a apporté un colis.*

commissure n.f. *La **commissure** des lèvres,* c'est l'endroit où elles se rejoignent, le coin de la bouche.

1. commode n.f. *Ton linge est dans le tiroir de la **commode**,* une sorte de meuble à tiroirs.

2. commode adj. **1.** *Ce problème n'est pas **commode** (= facile).* **2.** *Voilà un outil très **commode**,* bien adapté (= pratique). **3.** *Le directeur n'est pas **commode**,* il est sévère.

■ **commodité** n.f. SENS 2 *Cet appartement a toutes les **commodités**,* il est bien adapté, confortable.

■ **commodément** adv. SENS 2 *Asseyez-vous **commodément** (= confortablement).*

■ **incommode** ou **malcommode** adj. SENS 2 *Cet escalier est vraiment **malcommode** !*

■ **incommoder** v. SENS 2 *Je suis **incommodé** par la chaleur (= gêner).*

■ **incommodité** n.f. SENS 2 *Cette maison est d'une grande **incommodité** (≠ confort).*

commotion n.f. *L'annonce de l'accident lui a causé une **commotion**,* une grosse émotion (= choc).

■ **commotionner** v. *Elle a été **commotionnée** par l'annonce de l'accident.*

commun adj. **1.** *L'intérêt **commun**,* c'est celui de tout le monde (= collectif ; ≠ particulier). **2.** *Les deux chambres ont une salle de bains **commune** (≠ particulier).* **3.** *Elles ont mis leurs affaires **en commun**,* à la disposition de tous. **4.** *Tu as fait preuve d'un courage peu **commun** (= habituel, courant).* **5.** *Vous avez des manières **communes** (= vulgaire).* **6.** *Les noms **communs** ne prennent pas de majuscule (≠ nom propre).*

■ **communauté** n.f. SENS 1 *Tu as agi pour le bien de la **communauté**,* de tout le monde (= collectivité).

■ **communautaire** adj. SENS 3 *Ils mènent une vie **communautaire**,* en commun.

■ **communément** adv. SENS 4 *C'est une idée **communément** admise (= couramment, habituellement).*

commune n.f. *En France, une **commune** est dirigée par le maire et le conseil municipal.*

■**communal** adj. *Les élections communales vienne d'avoir lieu* (= municipal).

communément → *commun.*

communicatif, communication → *communiquer.*

communion n.f. **1.** *Nous sommes en communion d'idées,* nous nous entendons très bien. **2.** *La communion est un sacrement de l'Église catholique* (= eucharistie).

■**communier** v. SENS 2 *Tu communies tous les dimanches ?*

■**communiant** n. SENS 2 *Les communiants reçoivent l'hostie avec ferveur.*

■**excommunier** v. SENS 1 *Certains rois furent excommuniés par le pape,* rejetés de l'Église catholique.

■**excommunication** n.f. SENS 1 *Il a été frappé d'excommunication,* excommunié.

communiquer v. **1.** *On m'a communiqué vos projets,* on me les a fait connaître (= transmettre). **2.** *Cette chambre communique avec la salle de bains,* elle est reliée par un passage. **3.** *Le rire se communique facilement,* il se passe de l'un à l'autre (= se transmettre, se propager).

■**communiqué** n.m. SENS 1 *La presse a publié le communiqué du gouvernement,* l'avis au public.

■**communication** n.f. SENS 1 *J'ai une communication à vous faire,* un message à vous transmettre. SENS 2 *Une route est une voie de communication,* de passage.

■**communicatif** adj. **1.** SENS 1 *Alice est peu communicative,* elle parle peu. **2.** SENS 3 *Le rire est communicatif* (= contagieux).

communisme n.m. *Le communisme est une doctrine qui veut mettre les richesses en commun.*

■**communiste** adj. et n. *Les pays communistes ont voté contre cette résolution. Les communistes sont opposés au capitalisme.*

compact adj. *Dans le métro, la foule était compacte,* serrée, dense.

compagnie n.f. **1.** *Jean aime la compagnie de Yasmina,* il aime être avec elle (= présence). *Pierre est parti en compagnie de son amie* (= avec). **2.** *Elle travaille dans une compagnie d'assurances* (= société). **3.** *Une compagnie est une troupe commandée par un capitaine.*

■**compagnon** n.m. SENS 1 *Elle est allée en vacances avec ses compagnons de travail,* ceux qui travaillent avec elle (= camarade).

■**compagne** n.f. SENS 1 *Marie joue avec ses compagnes* (= amie).

comparable, comparaison → *comparer.*

comparaître v. *L'accusé a comparu devant le juge,* il a dû se présenter.

■**comparution** n.f. *L'avocate a demandé la comparution d'un nouveau témoin.*

R. → Conj. n° 64.

comparer v. *Comparer des choses ou des êtres,* c'est examiner leurs ressemblances et leurs différences. *On compare parfois la vie à un voyage,* on dit qu'elle lui ressemble.

■**comparaison** n.f. *La comparaison de ces deux restaurants est favorable au premier.*

■**comparable** adj. *Ces deux métiers ne sont pas comparables,* ils sont très différents.

■**comparatif 1.** adj. *Entre ces deux produits, on a fait une étude comparative de qualité,* en les comparant. **2.** n.m. *« Meilleur » est le comparatif de supériorité de « bon ».*

■ **incomparable** adj. *Ce produit est d'une qualité **incomparable*** (= inégalable).

■ **incomparablement** adv. *Cette région est **incomparablement** plus belle en automne qu'au printemps* (= infiniment).

comparse n. *L'accusée principale et ses **comparses** ont été condamnés,* ceux qui avaient joué un rôle secondaire auprès d'elle.

compartiment n.m. **1.** *Ce meuble est divisé en **compartiments**,* en parties séparées (= case). **2.** *Il y avait six personnes dans le **compartiment**,* une partie d'un wagon.

comparution → *comparaître.*

compas n.m. **1.** *Tracez un cercle avec votre **compas**.* **2.** *Les marins, les pilotes utilisent un **compas** pour se diriger,* une sorte de boussole.

compassé adj. *Le maître d'hôtel nous a reçus d'un air **compassé**,* d'un air exagérément digne (= guindé, affecté).

compassion n.f. *Elle m'a regardé avec **compassion*** (= pitié).

■ **compatir** v. *Je **compatis** à votre douleur,* je la partage, je souffre avec vous.

compatible adj. *Ces deux projets ne sont pas **compatibles**,* ils ne peuvent exister ensemble, s'accorder.

■ **incompatible** adj. *Ils ont des idées **incompatibles**,* qui ne peuvent s'accorder (= contraire).

compatir → *compassion.*

compatriote → *patrie.*

compenser v. *Compenser un inconvénient,* c'est l'équilibrer par un avantage.

■ **compensation** n.f. *J'ai reçu un cadeau en **compensation** de mes peines* (= dédommagement).

compère n.m. *Le prestidigitateur a fait un signe à son **compère*** (= complice).

compétent adj. *Mme Durand est très **compétente** sur cette question,* elle est capable de s'en occuper.

■ **compétence** n.f. *Ce travail n'est pas de ma **compétence**,* je suis incapable de le faire (= domaine).

■ **incompétence** n.f. *Il a été renvoyé de son travail pour **incompétence*** (= incapacité).

■ **incompétent** adj. *Elle est **incompétente** en musique,* elle n'y connaît rien.

compétition n.f. *Nous avons assisté à une **compétition** sportive,* à une épreuve, un match.

■ **compétitif** adj. *Ce commerçant a des prix **compétitifs**,* qui supportent la concurrence.

complainte n.f. *Une **complainte** est un chant triste.*

se complaire v. *Pierre semble **se complaire** dans son ignorance,* y trouver du plaisir (= se plaire).

complaisant adj. *Marie est une fille **complaisante**,* elle cherche à faire plaisir (= serviable).

■ **complaisance** n.f. *Auriez-vous la **complaisance** de m'ouvrir la porte ?* (= amabilité).

1. complet adj. **1.** *Ce jeu de cartes n'est pas **complet**,* il manque des cartes (= entier). **2.** *Ils ont abouti à un succès **complet*** (= total). **3.** *L'autobus est **complet**,* il n'y a plus de place (= plein).

■ **complètement** adv. SENS 1 ET 2 *Tu es **complètement** fou !* (= totalement).

■ **compléter** v. SENS 1 ET 2 *Aline veut **compléter** sa collection,* la rendre complète.

■ **complément** n.m. SENS 1 ET 2 *Il faut maintenant payer le* **complément,** *la somme pour compléter le prix. Les* **compléments** *complètent le sens de la phrase.*

■ **complémentaire** adj. SENS 1 ET 2 *J'aurais besoin de quelques renseignements* **complémentaires,** *pour compléter mon information.*

■ **incomplet** adj. SENS 1 ET 2 *Votre devoir est* **incomplet** *(≠ complet).*

■ **incomplètement** adv. SENS 1 ET 2 *Vous avez répondu* **incomplètement** *à ma question.*

2. complet n.m. *Un* **complet** *est un costume d'homme dont la veste et le pantalon sont du même tissu.*

complexe, complexité, complication → *compliqué.*

complice n. et adj. *Le voleur a dénoncé ses* **complices,** *ceux qui ont agi avec lui.*

■ **complicité** n.f. *Elle a été arrêtée pour* **complicité** *de meurtre, pour y avoir participé avec d'autres.*

compliment n.m. *La directrice a fait des* **compliments** *à Paul, elle lui a dit que c'était bien (= félicitations, éloges, louanges).*

compliqué adj. *Cette histoire est très* **compliquée,** *difficile à comprendre (≠ simple).*

■ **compliquer** v. *Ne* **complique** *pas mon travail, ne le rends pas plus difficile. L'affaire* **se complique,** *elle devient compliquée (= s'embrouiller).*

■ **complication** n.f. *Je n'aime pas les* **complications,** *les choses compliquées.*

■ **complexe** adj. *Ce problème est* **complexe** *(= compliqué ; ≠ simple).*

■ **complexité** n.f. *Le problème est d'une grande* **complexité** *(= difficulté).*

complot n.m. *On a découvert un* **complot** *contre la reine, des manœuvres secrètes pour la renverser (= conspiration).*

■ **comploter** v. *Qu'est-ce que vous avez* **comploté** *ensemble ?, préparé secrètement.*

■ **comploteur** n. *Les* **comploteurs** *ont été démasqués (= conspirateur).*

comporter v. **1.** *Ce logement* **comporte** *trois pièces, il se compose de trois pièces (= comprendre).* **2.** *Pierre* **s'est** *mal* **comporté** *(= se conduire).*

■ **comportement** n.m. SENS 2 *Tu as eu un* **comportement** *bizarre (= conduite).*

composer v. **1.** *Qui a* **composé** *ce joli bouquet ?, l'a fait en assemblant des fleurs.* **2.** *Un quatuor* **est composé** *de quatre instruments, il en est formé.* **3.** *Beethoven a* **composé** *neuf symphonies (= écrire).*

■ **compositeur** n.m. SENS 3 *Mozart est un grand* **compositeur** *(= musicien).*

■ **composition** n.f. **1.** SENS 1 ET 2 *Quelle est la* **composition** *de cette sauce ?, de quels éléments est-elle formée ?* **2.** *Demain nous avons une* **composition** *de géographie, un examen écrit.*

■ **décomposer** v. **1.** SENS 1 ET 2 *Décomposer quelque chose, c'est séparer les parties qui le forment.* **2.** *La viande* **se décompose** *à la chaleur, elle pourrit.*

■ **décomposition** n.f. *Le cadavre était en* **décomposition,** *en train de pourrir.*

composite adj. *Une foule* **composite** *est faite de gens très divers (= disparate, hétéroclite).*

composter v. *N'oublie pas de* **composter** *ton billet avant de monter dans le train, d'y faire mettre un cachet*

par l'appareil appelé **composteur** (=
tamponner).

compote n.f. *On a mangé une
compote de pommes,* des pommes
cuites avec du sucre.

■ **compotier** n.m. *Un compotier* est
un plat à fruits.

comprendre v. 1. *Je n'ai pas compris
ses explications,* leur sens m'échappe
(= saisir). **2.** *J'ai des amis qui me
comprennent,* qui acceptent ce que je
fais. **3.** *Ce livre comprend trois parties*
(= être formé, se composer de,
comporter).

■ **compréhensible** adj. SENS 1 *Parlez
d'une manière compréhensible,* pour
qu'on vous comprenne.

■ **compréhensif** adj. SENS 2 *Sa mère
est compréhensive,* elle comprend les
motifs de ses actes.

■ **compréhension** n.f. SENS 1 *Ce livre
est d'une compréhension difficile,* il
est difficile à comprendre. SENS 2 *Ma
tante m'a parlé avec compréhension*
(= bienveillance).

■ **incompréhensible** adj. SENS 1 *Elle
dit des choses incompréhensibles,*
impossibles à comprendre.

■ **incompréhension** n.f. SENS 2 *Leur
dispute est due à une incompréhension.*

■ **incompris** adj. SENS 1 *Ce devoir est
mauvais : l'énoncé est incompris.*
SENS 2 *Certains peintres se plaignent
d'être incompris,* de ne pas être appré-
ciés à leur valeur (= méconnu).

R. → Conj. n° 54.

compresse n.f. *On a mis une compresse sur sa blessure,* une sorte de
pansement.

comprimer v. *On peut comprimer les
gaz mais non les liquides,* diminuer
leur volume.

■ **comprimé** n.m. *Tu as pris un
comprimé d'aspirine ?,* un médicament fait de poudre comprimée.

■ **compression** n.f. *Il y a eu une
compression de personnel,* une diminution du nombre des employés.

■ **compressible** adj. *Les gaz sont
compressibles.*

■ **incompressible** adj. *Nos dépenses
sont incompressibles,* on ne peut pas
les réduire.

compromettre v. *Il s'est compromis
dans une affaire malhonnête* (= se
déshonorer).

■ **compromission** n.f. *Mme Bois est
une personne droite, qui n'accepte
aucune compromission.*

R. → Conj. n° 57.

compromis n.m. *Les adversaires ont
accepté un compromis* (= arrangement, accord, transaction).

compter v. 1. *Marie sait compter,*
énumérer les chiffres. *Elle compte son
argent,* elle calcule combien elle en a.
2. *En comptant les taxes, la réparation
coûte plus de cent dollars,* en les faisant entrer dans le calcul (= inclure).
3. *Je compte arriver demain,* j'en ai
l'intention. **4.** *Vous pouvez compter
sur moi,* me faire confiance. **5.** *Ce
qu'on a fait ne compte pas,* n'a pas
d'importance.

■ **compte** n.m. 1. SENS 1 *La marchande
fait ses comptes,* elle calcule ses
recettes et ses dépenses. **2.** *Nous
avons un compte en banque,* une
provision d'argent à la banque. **3.** *On
ne s'est rendu compte de rien* (=
s'apercevoir). **4.** *Je n'ai pas de
comptes à vous rendre,* d'explications à vous donner. **5.** *En fin de
compte* (ou *tout compte fait*) *j'irai
passer Noël chez mes grands-parents*
(= finalement).

■ **comptant** adv. *Payer comptant,*
c'est payer tout de suite (≠ à crédit).

■ **comptable** n. SENS 1 *Le métier de
comptable consiste à tenir une
comptabilité.*

■ **comptabilité** n.f. SENS 1 *La comptabilité d'un commerçant,* c'est l'ensemble de ses comptes.

■ **compte-gouttes** n.m.inv. SENS 1 *Un compte-gouttes sert à mesurer la dose d'un médicament.*

39

■ **compte-rendu** ou **compte rendu** n.m. *Tu me feras un compte-rendu de ton voyage* (= récit).

506,
505

■ **compteur** n.m. SENS 1 Un *compteur* est un appareil qui sert à mesurer quelque chose.

■ **décompter** v. SENS 2 *Dans la note d'hôtel, on nous a décompté nos deux jours d'absence,* on les a retranchés (= déduire, défalquer).

■ **décompte** n.m. **1.** SENS 1 *On nous a fait un décompte* (= déduction). **2.** *La facture fait un décompte minutieux de tous les travaux effectués* (= détail, relevé).

R. *Compter* se prononce [kɔ̃te] comme *comté* et *conter. Compte* se prononce [kɔ̃t] comme *comte* et *conte. Comptant* se prononce [kɔ̃tɑ̃] comme *content.* Noter le pluriel : des *comptes* (-) *rendus.*

220

comptoir n.m. **1.** *Le comptoir d'un café,* c'est une table haute et étroite où l'on sert des consommations. **2.** *La libraire étale les livres sur le comptoir,* une table ou un meuble.

comte n.m., **comtesse** n.f. Les *comtes* étaient des nobles inférieurs aux ducs.

■ **comté** n.m. **1.** Un *comté* était un territoire possédé par un comte. **2.** Au Canada, un *comté* est une division administrative.

318

■ **vicomte** n.m., **vicomtesse** n.f. Le *vicomte* était un noble inférieur au comte.

R. → *compte.*

concasser v. *Concasser des cailloux,* c'est les réduire en petits morceaux (= broyer).

concave adj. *Un miroir concave* est creux (≠ convexe).

■ **concavité** n.f. *Une mare s'est formée dans une concavité du sol* (= creux).

concentrer v. **1.** *Beaucoup de gens sont concentrés dans les villes* (= rassembler). **2.** *Elle se concentre sur son problème,* elle y réfléchit profondément.

■ **concentration** n.f. SENS 1 *Dans un camp de concentration,* on rassemble des prisonniers dans des conditions affreuses. SENS 2 *Ce travail demande beaucoup de concentration* (= attention).

■ **concentré 1.** adj. *Du lait concentré* est débarrassé d'une partie de son eau. **2.** n.m. *Le concentré de tomate* est de l'extrait de tomate.

■ **se déconcentrer** v. SENS 2 *Elle a perdu le match de tennis parce qu'elle s'est déconcentrée,* elle a relâché sa volonté et son attention.

concentrique adj. *Deux cercles sont concentriques quand ils ont le même centre.*

conception → *concevoir.*

concerner v. *Ce que vous dites ne me concerne pas,* ne s'applique pas à moi (= intéresser).

concert n.m. **1.** *Les musiciens ont donné un concert,* une séance de musique. **2.** *Ils ont agi de concert,* en s'étant mis d'accord (= ensemble).

■ **se concerter** v. SENS 2 *Les deux amies se sont concertées,* elles se sont mises d'accord.

■ **concertiste** n. SENS 1 *Mme Gomez est concertiste,* elle joue en concert.

■ **concerto** n.m. SENS 1 Un *concerto* est une œuvre musicale où alternent un ou deux instruments et l'orchestre.

concession n.f. *Pour arriver à un accord, ils se sont fait des concessions,* ils ont abandonné certaines exigences.

concevoir v. *Tu as conçu un projet magnifique, tu l'as formé dans ton esprit* (= imaginer).
■ **conception** n.f. *Tu as une drôle de conception du mariage !* (= idée, vue).
■ **inconcevable** adj. *Voilà une idée inconcevable* (= inimaginable).
■ **préconçu** adj. *Tu as des idées préconçues,* des préjugés.
R. → Conj. n° 34.

concierge n. *La personne qui garde un immeuble est un(e) concierge.*

concile n.m. *Un concile est une assemblée d'évêques présidée par le pape.*

conciliabule n.m. *Les deux hommes ont tenu un conciliabule,* ils ont parlé en secret.

concilier v. *On ne peut pas concilier des théories aussi opposées,* les mettre en accord.
■ **conciliable** adj. *Ces deux théories sont difficilement conciliables.*
■ **conciliant** adj. *La patronne ne vous refusera pas ça : elle est très conciliante* (= accommodant, tolérant).
■ **conciliation** n.f. *On a cherché tous les moyens de conciliation* (= arrangement).
■ **inconciliable** adj. *Ces deux idées sont inconciliables* (= opposé).
■ **réconcilier** v. *Aline et Jean se sont réconciliés,* ils se sont remis d'accord (≠ fâcher).
■ **réconciliation** n.f. *La réconciliation des deux adversaires a été difficile à obtenir.*

concis adj. *Cléa a un style concis,* elle s'exprime en peu de mots.

concitoyen → citoyen.

conclave n.m. *Le conclave est l'assemblée de cardinaux qui élit le pape.*

conclure v. **1.** *Les deux pays ont conclu la paix,* ils l'ont décidée (= signer). **2.** *Il faut conclure votre discours,* le terminer. **3.** *Comme tu n'as rien dit, on peut en conclure que tu étais d'accord,* on peut aboutir à ce jugement (= déduire).
■ **concluant** adj. SENS 3 *Le résultat de l'expérience n'est pas concluant,* il ne permet pas de juger qu'elle a réussi (= probant, convaincant).
■ **conclusion** n.f. SENS 1 *On est parvenu à la conclusion d'un accord.* SENS 2 *La conclusion de ce devoir est mal écrite* (= fin ; ≠ introduction).
R. → Conj. n° 68.

concombre n.m. *J'ai mangé une salade de concombre,* un légume. 367

concorde n.f. *La concorde ne règne pas entre eux,* la bonne entente (= accord, entente, harmonie).
■ **concorder** v. *Leurs idées ne concordent pas,* elles ne sont pas en accord.
■ **discorde** n.f. *Qui est venu apporter la discorde ?* (= désaccord, dispute).
■ **discordant** adj. *On entend des voix discordantes,* qui ne s'accordent pas.

concours n.m. **1.** *Pierre a été reçu premier au concours,* à une épreuve où les candidats sont classés. **2.** *Elle a réussi avec le concours de son frère* (= aide, appui).
■ **concourir** v. SENS 1 *Aline avait concouru pour l'entrée dans une grande école,* elle avait été candidate. SENS 2 *De nombreuses personnes ont concouru au succès de la fête,* elles ont apporté leur aide.

concret adj. *« Table » est un nom concret,* il désigne une chose qu'on peut toucher, voir, etc. (≠ abstrait).
■ **concrètement** adv. *Voilà de beaux principes, mais, concrètement, que proposez-vous ?* (= pratiquement).

■ **se concrétiser** v. *Nos espoirs ne se sont pas concrétisés,* ils ne se sont pas réalisés.

concurrent n. et adj. *Elle a battu tous ses concurrents,* ceux qui participaient à la même épreuve (= rival). *Si vous ne respectez pas les délais, je m'adresse à une entreprise concurrente,* qui fournit les mêmes services.
■ **concurremment** adv. *Comment pouvez-vous mener concurremment ces deux affaires ?* (= simultanément, de front).
■ **concurrence** n.f. *Il y a entre eux une vive concurrence* (= rivalité).

condamner v. 1. *L'accusé a été condamné à la prison,* il a été jugé et soumis à cette peine* (≠ acquitter). 2. *Il faut condamner ces actes barbares* (= désapprouver). 3. *On a condamné cette porte,* on l'a bouchée.
■ **condamnable** adj. SENS 2 *Son attitude est condamnable* (= blâmable).
■ **condamnation** n. f. SENS 1 *Le tribunal a prononcé une lourde condamnation* (= peine).

condenser v. *Condenser un corps,* c'est le réduire à un plus petit volume.
■ **condensation** n.f. *La buée est produite par la condensation de la vapeur d'eau.*

condescendre v. *Allez-vous enfin condescendre à m'écouter ?* (= consentir).
■ **condescendant** adj. *On m'a répondu d'un ton condescendant* (= supérieur, hautain).

condiment n.m. *Le sel, le poivre sont des condiments,* ils donnent du goût à la nourriture (= assaisonnement).

condisciple n.m. Un *condisciple* est un compagnon d'études.

condition n.f. 1. *Nous sommes dans de bonnes conditions de travail,* des circonstances nous permettant de travailler. 2. *Quelles sont vos conditions ?* (= exigence). 3. *Vous partirez à condition d'avoir fini,* si vous avez fini. 4. *Ses parents étaient d'une condition modeste,* d'une situation sociale.
■ **conditionnel** n.m. SENS 3 Le *conditionnel* est un mode du verbe qu'on emploie souvent quand l'action dépend d'une condition.
■ **conditionner** v. SENS 3 *C'est le beau temps qui conditionne le succès de la fête,* qui en est la condition (= déterminer).
■ **inconditionnel** adj. SENS 2 *Ils lui ont donné leur appui inconditionnel,* sans condition.
■ **inconditionnellement** adv. SENS 2 *Je refuse de m'engager inconditionnellement dans cette voie* (= sans réserve).

conditionné adj.m. *Les chambres de cet hôtel ont l'air conditionné,* de l'air maintenu automatiquement à une certaine température.

conditionnel, conditionner → condition.

condoléances n.f.pl. *Elle m'a présenté ses condoléances, à la mort de mon oncle,* elle m'a dit qu'elle prenait part à ma douleur.

condor n.m. Le *condor* est une sorte de vautour d'Amérique du Sud.

conduire v. 1. *Mme Durand conduit son fils à la gare,* elle l'y accompagne (= emmener). 2. *Cette route conduit à la plage* (= mener). 3. *Mme Dupont conduit bien,* elle sait bien diriger les voitures (= piloter). 4. *Pierre s'est mal conduit à l'école,* il a mal agi (= se tenir, se comporter).
■ **conducteur** n. SENS 3 *Il est interdit de parler à la conductrice de l'autobus.*
■ **conduite** n.f. 1. SENS 3 *Pierre prend des leçons de conduite,* il apprend à

conduire. SENS 4 *Sa bonne **conduite** a été récompensée* (= tenue, comportement). **2.** *Une **conduite** d'eau a éclaté* (= canalisation).

■ **conduit** n.m. *Un **conduit** est un tuyau où circule un liquide, un gaz.*

■ **inconduite** n.f. SENS 4 *Son **inconduite** a fait scandale,* sa mauvaise conduite (= immoralité).

■ **reconduire** v. **1.** SENS 1 *Tu me **reconduis** jusqu'à la porte ?* (= raccompagner). **2.** *On a **reconduit** le budget précédent,* on l'a renouvelé sans modification.
R. → Conj. n° 70.

cône n.m. *Un **cône** est un corps de sommet pointu et de base circulaire.*

■ **conique** adj. *Les pommes de pin ont une forme **conique*** (= pointu).

confection n.f. **1.** *La **confection** de ce gâteau est difficile* (= fabrication). **2.** *M. Durand travaille dans la **confection**,* l'industrie du vêtement.

confédéral, confédération → *fédération.*

conférence n.f. *Mme Blouin a fait une **conférence** sur ses voyages,* elle les a racontés (= discours, causerie, exposé).

■ **conférencier** n. *N'interrompez pas la **conférencière** !,* celle qui fait la conférence.

conférer v. *La Légion d'honneur **a été conférée** à Mme Dumont,* elle lui a été décernée, donnée.

confesser v. **1.** *Je **confesse** que j'ai tort,* je le reconnais (= avouer). **2.** *Se **confesser**,* c'est avouer ses péchés à un prêtre.

■ **confession** n.f. SENS 1 *M. Durand est de **confession** catholique,* c'est sa religion. SENS 2 *La **confession** fait partie du sacrement de pénitence,* l'aveu de ses péchés.

■ **confessionnal** n.m. SENS 2 *Un **con-**fessionnal* est une sorte de cabine dans laquelle on se confesse.

■ **confessionnel** adj. SENS 1 *Un enseignement **confessionnel** est donné dans des établissements privés selon une religion déterminée.*

■ **confesseur** n.m. SENS 2 *J'ai avoué mes fautes à mon **confesseur**,* le prêtre auquel je me confesse.

confetti n.m. *Au carnaval, on lance des **confettis**,* de toutes petites rondelles de papier.

confiance n.f. *J'ai **confiance** en toi,* je sais que tu ne me tromperas pas (≠ méfiance).

■ **confiant** adj. *Pierre est un garçon **confiant**,* il fait confiance aux autres.

confier v. **1.** *Karin m'**a confié** une lettre pour toi,* elle me l'a donnée pour que je te la remette. **2.** *Pierre **s'est confié** à moi,* il m'a fait des confidences.

■ **confidence** n.f. SENS 2 *Faire des **confidences** à quelqu'un,* c'est lui dire des choses secrètes et intimes.

■ **confident** n. SENS 2 *Sarah est la **confidente** de Jeanne,* son amie intime.

■ **confidentiel** adj. SENS 2 *Ce rapport est strictement **confidentiel*** (= secret).

configuration n.f. est un équivalent savant de *forme.*

confiné adj. *On respire ici un air **confiné*** (= vicié).

se confiner v. *M. Dupont est un solitaire qui **se confine** chez lui,* qui s'y enferme habituellement.

confins n.m.pl. *Ce village se trouve aux **confins** de la Gaspésie,* dans sa partie la plus éloignée.

confire v. *On **confit** les fruits en les imprégnant de sucre.*

■ **confiserie** n.f. *Dans une **confiserie**,*

on trouve des bonbons, des chocolats, des fruits confits. Aimes-tu les **confiseries ?** (= sucreries).

■ **confiseur** n.m. *Ce confiseur fait de très bons chocolats.*

■ **confiture** n.f. *Veux-tu de la confiture sur ton pain ?,* des fruits cuits avec du sucre.
R. → Conj. n° 72.

confirmation n.f. **1.** *Luce m'a donné la confirmation de cette nouvelle,* elle m'a affirmé qu'elle était exacte. **2.** La **confirmation** est un sacrement de l'Église catholique.

■ **confirmer** v. SENS 1 *Peux-tu me confirmer que tu viendras ?,* me l'assurer de nouveau (= certifier).

confiscation → *confisquer.*

confiserie, confiseur → *confire.*

confisquer v. *La monitrice lui a confisqué sa balle,* elle la lui a prise comme punition.

■ **confiscation** n.f. *L'accusé a été condamné à la confiscation de ses biens,* on les lui retire.

confiture → *confire.*

conflit n.m. *Un conflit est une opposition d'intérêts entre des personnes ou des pays.*

721 **confluent** n.m. *Tadoussac est au confluent du Saguenay et du Saint-Laurent,* à l'endroit où ces deux cours d'eau se rejoignent.

confondre v. **1.** *Tu confonds les noms de ces deux personnes,* tu les prends l'une pour l'autre (= mélanger). **2.** *Elle était confondue d'avoir fait cette erreur,* très troublée.

■ **confus** adj. SENS 1 *Tu as donné des explications confuses* (= embrouillé ; ≠ clair, précis). SENS 2 *Pierre était confus d'avoir fait une erreur* (= honteux).

■ **confusément** adv. SENS 1 *On devine confusément les maisons dans le brouillard* (= vaguement ; ≠ nettement).

■ **confusion** n.f. SENS 1 *J'ai dû faire une confusion de dates* (= erreur). SENS 2 *Je suis rouge de confusion* (= honte).
R. → Conj. n° 51.

conforme adj. *Ma décision est conforme au règlement,* elle est en accord avec lui.

■ **se conformer** v. *On s'est conformé à l'avis de nos chefs* (= se soumettre).

■ **conformément** adv. *On a agi conformément à la loi* (≠ contrairement).

■ **conformiste** adj. et n. *Que tu es conformiste !,* tu te conformes à l'avis général (≠ original).

■ **conformité** n.f. *Ses actes sont en conformité avec ses idées,* en accord.

confort n.m. *Notre appartement a tout le confort,* tout ce qui rend la vie agréable.

■ **confortable** adj. *Ce fauteuil est très confortable,* on y est très bien.

■ **confortablement** adv. *On s'est installé confortablement* (= à l'aise).

■ **inconfortable** adj. *Cette maison est inconfortable* (= malcommode).

confrère n.m. *Le médecin a rencontré des confrères,* d'autres médecins. (Au féminin, on dit **consœur**).

■ **confrérie** n.f. *Une confrérie regroupe des gens ayant les mêmes activités.*

confronter v. *On a confronté les témoins de l'accident,* on les a mis en présence pour vérifier leurs déclarations.

■ **confrontation** n.f. *La confrontation de leurs idées est intéressante* (= comparaison).

confus, confusément, confusion → *confondre.*

congé n.m. **1.** *Mme Durand est en congé,* elle ne travaille pas (= vacances). **2.** *On a pris congé de nos amis,* on leur a dit au revoir. **3.** *Donner son congé à quelqu'un,* c'est le renvoyer.

■**congédier** v. SENS 3 *Plusieurs employés ont été congédiés,* on les a mis dehors (= renvoyer).

congélateur, congeler → *geler.*

congénital adj. *Jean a une maladie congénitale,* il l'avait en naissant.

congère n.f. Une *congère* est un amas de neige entassée par le vent.

congestion n.f. *M. Dupont est mort d'une congestion cérébrale,* d'un afflux de sang dans le cerveau.

■**congestionner** v. *La chaleur lui congestionne le visage,* le rend rouge.

congratuler v. se dit quelquefois pour féliciter.

■**congratulations** n.f.pl. *Ces dames ont échangé de longues congratulations* (= félicitations).

congre n.m. Un *congre* est un poisson ressemblant à un gros serpent.

congrégation n.f. Une *congrégation* est une association de prêtres, de religieux ou de religieuses.

congrès n.m. **1.** *Mme Drouin a assisté à un congrès de savants,* une réunion de savants pour parler de leur science. **2.** *Aux États-Unis, le Congrès vote les lois* (= Assemblée législative).

■**congressiste** n. SENS 1 *Les congressistes ont applaudi l'oratrice,* les participants au congrès.

conifère n.m. *Le pin, le sapin, le cyprès sont des conifères.*

conique → *cône.*

conjecture n.f. *Je me perds en conjectures,* en suppositions.

■**conjecturer** v. *On peut difficile-* ment *conjecturer la suite des événements* (= prévoir, imaginer).

R. Ne pas confondre *conjecture* et *conjoncture.*

conjoint n. est un équivalent savant de *époux.*

■**conjugal** adj. *L'amour conjugal,* c'est l'amour qu'ont les époux l'un pour l'autre.

conjonction n.f. *« Car », « ou » sont des conjonctions de coordination ; « si », « puisque » sont des conjonctions de subordination,* des mots grammaticaux.

conjoncture n.f. *La conjoncture économique est peu favorable* (= situation).

R. → *conjecture.*

conjugal → *conjoint.*

conjuguer v. **1.** *Peux-tu conjuguer le verbe « aimer » ?,* en réciter les formes. **2.** *Aline et Jean ont conjugué leurs efforts,* ils les ont mis ensemble (= unir).

■**conjugaison** n.f. SENS 1 *La conjugaison du verbe « aller » est irrégulière.*

conjuration n.f. Une *conjuration* est un complot, une conspiration.

■**conjuré** n. *La police a arrêté les conjurés* (= conspirateur).

conjurer v. **1.** *Je te conjure de venir,* je t'en prie très vivement (= supplier). **2.** *On a prononcé une formule magique pour conjurer le mauvais sort* (= écarter).

connaître v. **1.** *Connais-tu ce mot ?,* l'as-tu déjà rencontré ? en sais-tu le sens* (≠ ignorer). **2.** *Connais-tu Edmonton ?,* y es-tu allé ? **3.** *Je connais les Durand,* j'ai des relations avec eux. **4.** *Ce film connaît un grand succès* (= avoir). **5.** *Saïd s'y connaît en mécanique,* il est compétent (= s'y entendre).

■**connaissance** n.f. **1.** SENS 1 ET 5 *Cléa a une bonne **connaissance** de l'anglais,* elle le connaît bien. SENS 3 *M. Durand est une ancienne **connaissance** (= relation).* **2.** *Pierre **a perdu connaissance**,* il s'est évanoui.

■**connaisseur** n.m. SENS 5 *Je suis **connaisseur** en vins,* je les connais bien, je sais les apprécier.

■**connu** adj. SENS 3 *Cette artiste est très **connue** (= célèbre).*

■**inconnu** adj. et n. SENS 1, 2 ET 5 *Ce mot m'est **inconnu**,* je ne le connais pas. SENS 3 *Une **inconnue** m'a abordé dans la rue,* une femme que je ne connais pas.
R. → Conj. n° 64.

connecter v. *Le poste de téléphone est **connecté** au standard par un circuit électrique,* il est relié.

■**connexion** n.f. *La **connexion** entre les deux appareils a été effectuée,* le branchement.

connivence n.f. *Aline et Cléa sont de **connivence**,* elles s'entendent secrètement.

conquérir v. *Les Européens **avaient conquis** la majeure partie des Amériques,* ils s'en étaient emparés (= soumettre, coloniser).

■**conquérant** n.m. *Les Européens furent de grands **conquérants**.*

■**conquête** n.f. *La France n'a pas conservé toutes ses **conquêtes**,* ce qu'elle avait conquis.

■**reconquérir** v. *Cette région a été perdue, puis **reconquise**.*

■**reconquête** n.f. *L'opposition lutte pour la **reconquête** du pouvoir.*
R. → Conj. n° 21.

consacrer v. **1.** ***Consacrer** quelqu'un ou quelque chose,* c'est lui donner un caractère sacré, religieux. **2.** *J'ai **consacré** ma vie à la science (= employer).*

■**consécration** n.f. SENS 1 *La **consé-**

*cration** de l'église a été suivie d'une fête.*

conscience n.f. **1.** *Pierre n'a pas la **conscience** tranquille,* il a le sentiment d'avoir fait le mal. *En **conscience**, je ne peux pas le condamner (= honnêtement).* **2.** *Amina travaille avec **conscience**,* en s'appliquant le plus possible. **3.** *Le choc lui a fait perdre **conscience**,* il s'est évanoui (= connaissance). *Je n'avais pas **conscience** de ta présence,* je ne m'en apercevais pas.

■**consciencieux** adj. SENS 2 *Amina est une élève **consciencieuse**,* appliquée.

■**consciencieusement** adv. SENS 2 *Elle travaille **consciencieusement** (= sérieusement).*

■**conscient** adj. SENS 3 *La gérante est **consciente** de ses responsabilités,* elle les connaît, elle s'en rend compte.

■**consciemment** adv. SENS 3 *Elle fait cela **consciemment**.*

■**inconscience** n.f. SENS 3 *Conduire aussi vite, c'est de l'**inconscience** !,* c'est agir sans réflexion (= folie).

■**inconscient** adj. SENS 3 *Le malade était **inconscient**,* sans connaissance, évanoui.

■**inconsciemment** adv. SENS 3 *Tu as fait ce geste **inconsciemment**,* sans t'en apercevoir.

conscrit n.m. *Un **conscrit** est un jeune homme qui part au service militaire.*

consécration → consacrer.

consécutif adj. **1.** *Il a plu pendant trois jours **consécutifs** (= de suite).* **2.** *La cicatrice est **consécutive** à un accident,* elle en est la conséquence.

conseil n.m. **1.** *Cléa m'a donné un bon **conseil** (= avis).* **2.** *Un **conseil** est une assemblée de personnes qui donnent leur avis, qui délibèrent.*

■**conseiller** v. SENS 1 *Je te **conseille** de patienter (= recommander, suggérer).*

■**conseiller** n. SENS 1 *Ma sœur est ma conseillère,* elle me donne des conseils. SENS 2 *Michèle est conseillère municipale,* elle fait partie du conseil.

■**déconseiller** v. SENS 1 *Jean m'a déconseillé de partir,* il m'a conseillé de ne pas partir.

consentir v. *Maria consent à venir,* elle veut bien venir (= accepter ; ≠ refuser).

■**consentement** n.m. *Il ne veut pas partir sans le consentement de ses parents* (= accord, approbation).
R. → Conj. n° 19.

conséquent 1. adj. *M. Durand est une personne conséquente,* il agit avec logique. 2. adv. *Tu es malade, par conséquent tu n'iras pas en classe* (= donc).

■**conséquence** n.f. SENS 2 *L'orage a eu de graves conséquences* (= suite, résultat ; ≠ cause).

■**inconséquent** adj. SENS 1 *Cléa a eu une conduite inconséquente,* elle a agi à la légère (= incohérent).

■**inconséquence** n.f. SENS 1 *Il a agi avec inconséquence* (= légèreté).

conservateur, conservation → conserver.

conservatoire n.m. *Dans un conservatoire, on apprend la musique, la danse ou le théâtre.*

conserver v. 1. *Il a conservé l'espoir de réussir* (= garder ; ≠ perdre). 2. *On conserve les aliments au réfrigérateur,* on les garde en bon état.

■**conservateur** 1. n. SENS 2 *La conservatrice d'un musée est chargée de le garder en bon état.* 2. adj. et n. *M. Durand a des opinions conservatrices,* de droite (= réactionnaire). Un *conservateur* est partisan de maintenir l'ordre existant.

■**conservation** n.f. SENS 2 *Le froid permet la conservation des aliments.*

■**conserve** n.f. SENS 2 *Ils se nourissent de conserves,* d'aliments conservés dans des boîtes métalliques ou dans des bocaux. *On a ouvert une boîte de conserve.*

considérable adj. *J'ai fait des dépenses considérables,* importantes.

■**considérablement** adv. *Mes dépenses ont considérablement augmenté ce mois-ci* (= notablement).

considérer v. 1. *Hélène me considérait avec attention* (= examiner, regarder). 2. *Je considère Hélène comme ma meilleure amie,* je la juge ainsi.

■**considération** n.f. SENS 1 *Son avis a été pris en considération,* il a été examiné attentivement. SENS 2 *Il jouit de la considération de ses supérieurs,* il est bien jugé par eux (= estime).

■**déconsidérer** v. SENS 2 *Par ses injures, il s'est déconsidéré,* il a perdu l'estime des gens.

■**reconsidérer** v. SENS 1 *La question devra être reconsidérée,* examinée de nouveau dans un esprit différent.

consigne n.f. 1. *Dans les gares, on peut laisser ses bagages à la consigne,* un endroit où on les garde. 2. *Les élèves doivent respecter les consignes de sécurité,* ce qu'on leur dit de faire pour leur sécurité (= instructions). 3. Une *consigne* est une punition scolaire.

■**consigner** v. 1. SENS 3 *Cinq pensionnaires ont été consignés,* punis par une privation de sortie. 2. *Cette bouteille est consignée,* elle sera remboursée quand on la rendra vide.

consistant adj. *Cette pâte est très consistante,* elle est presque solide (= ferme).

■**consistance** n.f. *La boue a une consistance molle.*

■**inconsistant** adj. *Ta sauce est inconsistante,* trop liquide. *Son pro-*

508

gramme est **inconsistant,** il ne contient à peu près rien.

consister v. 1. *Son travail consiste à relier les livres,* c'est le but de son travail (= avoir pour objet de). 2. *Son appartement consiste en deux pièces et une cuisine* (= être composé de).

consœur → confrère.

console n.f. 1. *Une console est une table à pieds recourbés, appuyée contre un mur.* 2. *Les résultats sont affichés sur la console de l'ordinateur,* l'élément qui possède un écran.

808

consoler v. *Jean pleurait, et son père l'a consolé,* il a essayé de le calmer.
■ **consolation** n.f. *Il lui a dit quelques mots de consolation,* pour le consoler (= apaisement, réconfort).
■ **consolateur** adj. *Il m'a dit des paroles consolatrices,* réconfortantes.
■ **inconsolable** adj. *Depuis la mort de sa tante, elle est inconsolable.*

consolider → solide.

consommer v. *Les Asiatiques consomment beaucoup de riz,* ils l'utilisent comme aliment. *Cette voiture consomme trop d'essence.*
■ **consommation** n.f. 1. *La consommation de viande a augmenté.* 2. *Il a pris une consommation dans un café* (= boisson).
■ **consommateur** n. 1. *Il faut satisfaire les besoins des consommateurs* (= acheteur). 2. *Il y avait cinq consommatrices dans le café,* des personnes en train de boire.

consonne n.f. *Le mot « parti » contient trois consonnes (« p », « r », « t ») et deux voyelles.*

conspirer v. *Vous avez conspiré contre l'État,* vous avez fait des projets secrets pour le renverser (= comploter).
■ **conspiration** n.f. *La police a découvert une conspiration* (= complot).

■ **conspirateur** n. *Les conspiratrices ont été arrêtées.*

conspuer v. *La foule a conspué l'orateur* (= injurier ; ≠ applaudir).

constance n.f. 1. *Ce mouvement se répète avec constance,* sans changer (= régularité). 2. *Karine travaille avec constance* (= persévérance).
■ **constant** adj. SENS 1 *Dans cette pièce, la chaleur est constante,* elle ne varie pas.
■ **constamment** adv. SENS 1 *Jean est constamment fatigué* (= sans arrêt, continuellement).
■ **inconstance** n.f. SENS 2 *Elle se plaint de l'inconstance de ses amies* (= infidélité).
■ **inconstant** adj. SENS 2 *M. Durand est un mari inconstant* (= infidèle).

constater v. *J'ai constaté une erreur dans ton calcul,* j'ai vu qu'il y en avait une (= remarquer).
■ **constatation** n.f. *Il m'a communiqué ses constatations,* le compte-rendu de ce qu'il a constaté (= observation).
■ **constat** n.m. *Après l'accident, on a établi un constat,* un acte constatant les faits.

constellation n.f. *La Grande Ourse est une constellation,* un groupe d'étoiles.
■ **constellé** adj. *Une page constellée de taches* est pleine de taches éparpillées.

consterner v. *Après son échec à l'examen, elle était consternée,* très triste (= affliger).
■ **consternation** n.f. *Après la défaite, la consternation était générale* (= désolation).

constiper v. *Pierre est constipé,* il n'a pas envie d'aller aux toilettes.
■ **constipation** n.f. *Elle prend un mé-*

dicament contre la **constipation** ($\neq$ diarrhée).

constitution n.f. **1.** *La constitution d'un pays* est l'ensemble des lois qui définissent son régime politique. **2.** *Ruth a une solide constitution,* elle est forte, bien bâtie (= tempérament). **3.** *La constitution de notre association a eu lieu en mars* (= formation).

■ **constituer** v. SENS 3 *Le Premier ministre a constitué le gouvernement* (= former, organiser). SENS 2 *Ruth est bien constituée,* bien bâtie.

■ **constituant** adj. et n. SENS 1 *Une assemblée constituante* est chargée d'établir la constitution d'un pays. SENS 3 *L'oxygène et l'azote sont les constituants de l'air,* les éléments qui le forment.

■ **constitutionnel** adj. SENS 1 *Le Conseil constitutionnel veille au respect de la Constitution.*

■ **reconstituer** v. SENS 3 *L'association s'est reconstituée* (= reformer).

■ **reconstitution** n.f. SENS 3 *Le juge a ordonné la reconstitution du crime,* de le simuler à nouveau pour en déterminer les circonstances exactes.

construire v. *Mme Lalande a fait construire une maison* (= bâtir ; $\neq$ démolir).

■ **constructeur** n. *Un constructeur d'automobiles* est une entreprise qui crée des modèles et fabrique des automobiles.

■ **construction** n.f. **1.** *La construction du pont est finie.* **2.** *Il y a de nouvelles constructions dans la rue* (= bâtiment).

■ **reconstruire** v. *Après la guerre, il a fallu reconstruire* (= rebâtir).

■ **reconstruction** n.f. *La reconstruction du quartier a duré cinq ans.*

R. $\rightarrow$ Conj. n° 70.

consul n. **1.** *Les consuls gouvernaient la Rome antique.* **2.** *Un consul*

représente son pays dans un pays étranger.

■ **consulat** n.m. SENS 1 *À Rome, le consulat durait un an,* la charge de consul. SENS 2 *Il est allé au consulat de Grèce,* au bureau du consul.

consulter v. **1.** *Lise ne m'a pas consulté avant de partir,* elle ne m'a pas demandé mon avis. **2.** *Si tu ne sais pas le sens d'un mot, consulte le dictionnaire !,* regarde dedans pour te renseigner.

■ **consultatif** adj. SENS 1 *Certains délégués au comité n'ont qu'une voix consultative,* ils peuvent donner leur avis mais ne prennent pas part aux votes ($\neq$ délibératif).

■ **consultation** n.f. SENS 1 *Le médecin donne des consultations le matin,* il reçoit les malades et les examine.

consumer v. *La cigarette se consume dans le cendrier,* elle brûle et disparaît.

contact n.m. **1.** *Le contact du fourneau est brûlant,* le fait de le toucher. **2.** *Elle a mis le contact et a démarré,* elle a établi le circuit électrique.

■ **contacter** v. *Contacter quelqu'un,* c'est entrer en relations avec lui (= toucher).

contagieux adj. *La rougeole, la tuberculose sont des maladies contagieuses,* elles s'attrapent facilement quand on est auprès des malades.

■ **contagion** n.f. *Pour éviter la contagion,* il ne faut pas s'approcher du malade.

contaminer v. *La source est contaminée par les déchets de l'usine,* capable de donner des maladies (= infecter, souiller, polluer).

■ **contamination** n.f. *C'est l'usine qui est responsable de la contamination de la source* (= pollution).

conte n.m. *Perrault a écrit de nombreux **contes**, des récits d'aventures merveilleuses.*

■ **conter** v. *se disait autrefois pour raconter.*

■ **conteur** n. *Tante Adèle est une excellente **conteuse**, elle raconte bien.*

■ **raconter** v. *Judith m'**a raconté** son voyage, elle m'en a fait le récit.*

■ **racontar** n.m. *N'écoutez pas ces **racontars*** (= bavardage, ragot, commérage).

R. → *compte.*

contempler v. *Elle **contemplait** le paysage avec admiration* (= regarder).

■ **contemplation** n.f. *Elle était en **contemplation** devant le paysage.*

contemporain adj. et n. *La Fontaine et Molière étaient **contemporains**, ils vivaient à la même époque.*

contenir v. **1.** *Cette bouteille **contient** 1 litre, on peut y mettre 1 litre.* **2.** *Cette bouteille **contient** du vin, il y a du vin dedans.* **3.** *Il n'a pas pu **se contenir**, retenir ses sentiments* (= se dominer).

■ **contenance** n.f. SENS 1 *La **contenance** de cette bouteille est de 1 litre* (= capacité). SENS 3 *La **contenance** d'une personne, c'est la manière dont elle se tient. **Perdre contenance**, c'est se troubler, être embarrassé.*

■ **contenu** n.m. SENS 2 *Le **contenu** de cette bouteille est du vin.*

■ **décontenancer** v. SENS 3 *Sa réponse m'**a décontenancé**, elle m'a beaucoup surpris* (= déconcerter).

R. *Contenir* → conj. n° 22.

content adj. *Mme Proulx est **contente** de sa voiture* (= satisfait).

■ **contenter** v. *Elle **se contente** de peu* (= satisfaire).

■ **contentement** n.m. *Son **contentement** était visible* (= satisfaction, joie).

■ **mécontent** adj. *Marie est **mécontente** de partir* (= fâché).

■ **mécontenter** v. *Ses paroles **ont mécontenté** tout le monde* (= déplaire).

■ **mécontentement** n.m. *J'ai de nombreux sujets de **mécontentement*** (= contrariété).

R. → *comptant.*

contenu → *contenir.*

conter → *conte.*

contester v. *Pierre **conteste** ce que je dis, il refuse de l'admettre* (= discuter ; ≠ approuver).

■ **contestation** n.f. *Tout le monde a accepté sans **contestation**, sans discuter* (= opposition).

■ **contestable** adj. *Ce qu'il dit est **contestable*** (= discutable, douteux).

■ **contestataire** n. et adj. *Le directeur a discuté avec les **contestataires**, ceux qui exprimaient leur désaccord.*

■ **sans conteste** adv. *C'est **sans conteste**, la meilleure solution* (= incontestablement, sans contredit).

■ **incontestable** adj. *C'est un fait **incontestable*** (= indiscutable, certain).

■ **incontestablement** adv. *La montagne est **incontestablement** plus pittoresque que la plaine* (= indubitablement, indiscutablement).

conteur → *conte.*

contexte n.m. *Un mot peut avoir des sens bien différents selon son **contexte**, l'ensemble des mots avec lesquels il forme une phrase* (= environnement).

contigu adj. *La cuisine et la salle à manger sont **contiguës**, elles se touchent* (= voisin).

continent n.m. *L'Europe, l'Asie, l'Amérique, l'Afrique, l'Australie et l'Antarctique sont les six **continents**.*

■ **continental** adj. *Le climat **conti-**

nental est le climat de l'intérieur des continents.

contingent n.m. *Les jeunes gens qui partent chaque année au service militaire forment le **contingent**.*

continuer v. *Pierre **a continué** à parler pendant deux heures, il ne s'est pas arrêté.*
■ **continu** adj. *Elle travaille de façon **continue**, sans s'interrompre.*
■ **continuel** adj. *Pierre a de **continuelles** disputes avec sa sœur* (= perpétuel, incessant).
■ **continuellement** adv. *Luce plaisante **continuellement*** (= sans arrêt).
■ **continuité** n.f. *Sa réussite est due à la **continuité** de ses efforts,* au fait qu'ils n'ont pas cessé.
■ **discontinuer** v. *Les ennemis attaquaient sans **discontinuer*** (= s'arrêter).
■ **discontinu** adj. *Une lignée formée de parties séparées est **discontinue*** (≠ continu).

contorsion n.f. *Les **contorsions** du clown faisaient rire tout le monde,* ses mouvements acrobatiques.
■ **se contorsionner** v. *Le clown **se contorsionnait** bizarrement,* il tordait son corps dans tous les sens.

contour n.m. *Le **contour** du tapis est plus foncé que son centre,* la ligne qui l'entoure (= bord, bordure).
■ **contourner** v. *La rivière **contourne** la ville,* elle passe autour.

contracter v. **1.** *Claude **contracte** ses muscles,* elle les raidit, les raccourcit (≠ relâcher). **2.** *Mme Racicot **a contracté** une assurance contre le vol,* elle s'est engagée par contrat (= prendre). **3.** *Marie **a contracté** la rougeole* (= attraper).
■ **contraction** n.f. SENS 1 *J'ai des **contractions** dans les jambes,* des muscles qui se contractent.

■ **contrat** n.m. SENS 2 *M. Durand et Mme Dion ont signé un **contrat**,* un accord qui leur impose des obligations.
■ **décontracter** v. SENS 1 *Les muscles de son visage **se sont décontractés*** (= détendre, relâcher).

contractuel n. *Une **contractuelle** met des contraventions aux voitures en stationnement interdit,* une auxiliaire de police.

contradiction, contradictoire → *contredire.*

contraindre v. *Elle m'a **contraint** à venir* (= obliger, forcer).
■ **contraignant** adj. *J'ai un horaire très **contraignant**,* qui m'impose des obligations étroites (= astreignant).
■ **contrainte** n.f. *Il est parti sous la **contrainte**,* on l'y a forcé.
R. → Conj. n° 55.

contraire adj. *Ce qu'il a fait est **contraire** au règlement,* en opposition avec lui.
■ **contraire** n.m. **1.** *« Beau » et « laid » sont des **contraires**,* des mots de sens opposés. **2.** *Au **contraire** indique une opposition : Il ne pleuvait pas, au **contraire** il faisait beau.*
■ **contrairement** adv. *Elle a agi **contrairement** à mes ordres,* de manière opposée (≠ conformément).

contralto n.m. *Cette chanteuse a une voix de **contralto**,* la plus grave des voix de femme. *Mme Ferreira est un **contralto**,* elle a cette voix.

contrarier v. *Pierre ne cesse de me **contrarier*** (= mécontenter, fâcher).
■ **contrariété** n.f. *Elle a éprouvé une grosse **contrariété*** (≠ satisfaction).

contraste n.m. *Il y a un fort **contraste** entre ces couleurs* (= opposition ; ≠ ressemblance).
■ **contraster** v. *Son calme **contrastait** avec mon impatience* (= s'opposer).

contrat → *contracter.*

contravention n.f. *M. Durand a eu une* **contravention** *pour stationnement interdit* (= amende).

contre 1. prép. indique : l'opposition : *Il est* **contre** *le changement* (≠ pour) ; le contact : *Il s'est serré* **contre** *moi ;* l'échange : *Elle m'a donné des billes* **contre** *des timbres.* **2.** adv. *Par* **contre,** indique une opposition entre deux phrases. **3.** Employé comme préfixe, **contre-** forme de nombreux mots composés exprimant une opposition.

contre-amiral n.m. *Un* **contre-amiral** est d'un grade inférieur à un amiral.

contre-attaque, contre-attaquer → *attaquer.*

contrebalancer v. *Ces inconvénients* **sont contrebalancés** *par de nombreux avantages* (= compenser).

contrebande n.f. La *contrebande* consiste à faire passer des marchandises d'un pays dans un autre sans payer les droits de douane.
  ∎ **contrebandier** n. *Des* **contrebandières** *ont été arrêtées par les douaniers.*

en contrebas adv. *La maison est* **en contrebas** *de la colline* (= en dessous).

contrebasse n.f. *Ariane joue de la* **contrebasse,** une sorte de gros violon.

contrecarrer v. *Jean a* **contrecarré** *mes plans,* il s'y est opposé (≠ favoriser).

à contrecœur → *cœur.*

contrecoup n.m. *L'usine a subi les* **contrecoups** *de la crise,* ses conséquences, ses effets.

contredire v. **1.** *Jean me* **contredit** *sans arrêt,* il dit le contraire de ce que je dis. **2.** *Ces deux phrases* **se contredisent,** elles sont incompatibles.

∎ **contradicteur** n. SENS 1 *Je répondrai sans peine à mes* **contradicteurs.**
∎ **contradiction** n.f. SENS 1 *Jean a l'esprit de* **contradiction,** il contredit les autres. SENS 2 *Il y a des* **contradictions** *dans son raisonnement,* des idées qui se contredisent.
∎ **contradictoire** adj. SENS 2 *Elle subit des influences* **contradictoires** (= opposé).
∎ **sans contredit** adv. *Ce film est* **sans contredit** *le meilleur de l'année* (= sans conteste, indiscutablement).
R. → Conj. n° 72, sauf le participe passé *(contredit).*

contrée n.f. s'emploie parfois comme équivalent de *région.*

contrefaire v. *L'escroc* **avait contrefait** *des signatures,* il les avait imitées frauduleusement.
∎ **contrefaçon** n.f. *La* **contrefaçon** *des billets de banque est punie par la loi* (= imitation).
R. → Conj. n° 76.

contrefort n.m. *Les* **contreforts** *de la terrasse sont lézardés,* les murs qui la soutiennent.

contre-indication, contre-indiqué → *indiqué.*

contre-jour → *jour.*

contremaître n.m. *Une équipe d'ouvriers est dirigée par un* **contremaître.**

contre-offensive → *offensif.*

contrepartie n.f. *Linda m'a fait un cadeau* **en contrepartie** *de mon aide* (= en échange).

contre-performance → *performance.*

contre-pied n.m. *Odette* **a pris le contre-pied** *de ce que j'ai dit,* elle a dit exactement le contraire.

contre-plaqué n.m. *Le* **contre-plaqué** *est un bois formé de minces plaques collées.*

contrepoids → *poids.*

contrepoison → *poison.*

contre-proposition → *proposer.*

contresens → *sens.*

contretemps n.m. Un *contretemps* est un événement fâcheux qui vient s'opposer à une action.

contribution n.f. **1.** *Sa contribution a été très précieuse* (= participation). **2.** (au plur.) *On paie chaque année ses contributions directes* (= impôts).
■ **contribuer** v. SENS 1 *Carmen a contribué à la réussite de notre projet,* elle y a aidé (= collaborer).
■ **contribuable** n. SENS 2 Un *contribuable* est une personne qui paie des impôts.

contrition n.f. *Le pardon des péchés suppose la contrition,* le regret d'avoir péché.

contrôler v. *La police contrôlait les papiers des passants* (= vérifier).
■ **contrôle** n.m. *Il y a un contrôle sévère à l'entrée de la salle* (= surveillance).
■ **contrôleur** n. *Le contrôleur est venu poinçonner les billets,* l'employé chargé du contrôle.
■ **incontrôlable** adj. *On ne peut pas se fier à des rumeurs incontrôlables.*
■ **incontrôlé** adj. *Des pillages ont été commis par des éléments incontrôlés,* des gens échappant à l'autorité.

contrordre → *ordre.*

controverse n.f. *Une controverse a opposé les deux savants* (= discussion, débat).

contumace n.f. *Elle a été condamnée par contumace,* elle n'était pas présente au tribunal.

contusion n.f. *Sylvie est tombée de l'arbre mais n'a eu que quelques contusions* (= meurtrissure).

convaincre v. *Les paroles de Maria m'ont convaincu,* j'ai reconnu qu'elle avait raison (= persuader).
■ **convaincant** adj. *Cet argument est convaincant* (= probant, décisif).
■ **conviction** n.f. *J'ai la conviction qu'elle viendra* (= certitude).
R. → Conj. n° 85. On distingue dans l'orthographe *convaincant* (adj.) et *convainquant* (participe).

convalescence n.f. *Le médecin lui a donné quinze jours de convalescence,* de repos après sa maladie.
■ **convalescent** adj et n. *Pierre est encore convalescent,* il est guéri mais encore faible.

convenir v. **1.** *Nous avons convenu de nous rencontrer,* nous nous sommes mis d'accord pour le faire (= décider). **2.** *Il ne veut pas convenir de son erreur,* la reconnaître. **3.** *Ta proposition me convient* (= plaire). **4.** *Il convient de partir tout de suite* (= il faut).
■ **convenable** adv. SENS 4 *Ce que tu dis n'est pas convenable,* comme il faut (= correct).
■ **convenablement** adv. SENS 4 *Elle est habillée convenablement* (= correctement).
■ **convenance** n.f. SENS 3 *J'ai trouvé cette maison à ma convenance,* à mon goût. SENS 4 (au plur.) *Cela est contraire aux convenances,* à ce qu'il faut faire.
■ **convention** n.f. SENS 1 *Les deux partis ont signé une convention* (= accord).
■ **inconvenant** adj. SENS 4 *Il a dit des mots inconvenants,* contraires aux convenances.
■ **inconvenance** n.f. SENS 4 *On lui a reproché son inconvenance* (= impolitesse).
R. → Conj. n° 22.

converger v. *Leurs opinions convergent,* elles aboutissent au même résultat (= se rencontrer).

■ **convergent** adj. *Deux lignes convergentes se rencontrent.*

■ **diverger** v. *Les deux routes divergent ici,* elles s'éloignent l'une de l'autre.

■ **divergent** adj. *Ils ont des opinions divergentes* (= éloigné ; ≠ semblable).

■ **divergence** n.f. *Nous nous entendons bien, malgré nos divergences d'opinions* (= opposition).

conversation n.f. *Pierre et Suzy ont eu une longue conversation,* ils ont parlé ensemble (= entretien).

■ **converser** v. est un équivalent rare de *causer, s'entretenir.*

convertir v. 1. *Jean s'est converti au christianisme,* il est devenu chrétien. 2. *Elle a converti ses dollars en monnaie étrangère* (= changer).

■ **conversion** n.f. SENS 1 *Sa conversion au catholicisme date d'un an.*

convexe adj. *Un miroir convexe est bombé* (≠ concave).

conviction → *convaincre.*

convier v. *On nous a conviés à un mariage* (= inviter).

■ **convive** n. *Il y avait dix convives à ce repas,* dix personnes invitées.

convocation → *convoquer.*

convoi n.m. *Un convoi est un ensemble de véhicules qui voyagent ensemble.*

■ **convoyer** v. *Convoyer des navires,* c'est les accompagner pour les protéger.

■ **convoyeur** n.m. *Des gangsters ont attaqué des convoyeurs de fonds,* des personnes chargées de protéger les sommes transportées.

convoiter v. *Convoiter le bien d'autrui,* c'est le désirer vivement.

■ **convoitise** n.f. *Ses yeux brillent de convoitise* (= avidité).

convoquer v. *La directrice a convoqué Paul dans son bureau,* elle l'a fait venir.

■ **convocation** n.f. *J'ai reçu une convocation à l'examen,* une lettre me disant d'y aller.

convoyer, convoyeur → *convoi.*

convulsion n.f. *Le malade est agité de convulsions,* de mouvements violents et involontaires.

■ **convulsif** adj. *Pierre a eu un geste convulsif.*

coopérer v. *Marie et Josefa ont coopéré pour cet exposé,* elles y ont travaillé ensemble (= collaborer).

■ **coopération** n.f. *Elle m'a offert sa coopération* (= aide).

■ **coopératif** adj. *Anne s'est montrée coopérative,* prête à aider.

■ **coopérative** n.f. *Une coopérative est une association de gens qui se réunissent pour acheter ou vendre.*

coordonnées n.f.pl. *Laissez-moi vos coordonnées,* indiquez-moi où l'on peut vous joindre.

coordonner v. *Ils ont coordonné leurs efforts,* ils les ont mis ensemble, ils les ont combinés pour réussir.

■ **coordination** n.f. *« Et » est une conjonction de coordination,* servant à unir.

copain n.m., **copine** n.f. Fam. *Jean et ses copains, Marie et ses copines sont allés au cinéma* (= ami, camarade).

copeau n.m. *Le rabot détache des copeaux de la planche,* de petits morceaux de bois.

copie n.f. 1. *Ce tableau est une copie,* une reproduction d'un autre tableau (= imitation ; ≠ original). 2. *Le professeur corrige les copies des élèves* (= devoir). 3. *Sarah a acheté des copies,* des feuilles de papier.

■**copier** v. SENS 1 *Jean a copié dix pages de musique,* il les a reproduites exactement. *Anne copie sur son voisin,* elle écrit la même chose que lui.

■**copieur** 1. n.m. SENS 1 *Un copieur est un appareil à reproduire des textes.* 2. adj. et n. SENS 1 *Paul est un copieur,* il fait une chose défendue en écrivant ce qu'il lit sur la feuille de son voisin, sur un livre.

■**polycopie** n.f. SENS 1 *La polycopie* permet de reproduire un texte en beaucoup d'exemplaires.

■**polycopier** v. SENS 1 *Le professeur a fait polycopier le texte du devoir.*

■**recopier** v. SENS 1 *Sylvie a recopié son devoir,* elle l'a copié au propre.

copieux adj. *Nous avons fait un repas copieux* (= abondant ; ≠ maigre).

■**copieusement** adv. *Nous avons été copieusement arrosés par l'averse* (= abondamment).

copilote → *pilote.*

copine → *copain.*

coproduction → *produire.*

copropriétaire, copropriété → *propriété.*

coq n.m. *Ce matin j'ai entendu le chant du coq,* du mâle de la poule.
R. → *coque.*

coque n.f. 1. *Nous avons mangé des œufs à la coque,* cuits dans leur coquille. 2. *La coque d'un navire ou d'un avion,* c'est sa partie extérieure. 3. *Au bord de la mer, nous avons trouvé des coques,* des coquillages qui vivent dans le sable.

■**coquetier** n.m. SENS 1 *Un coquetier sert à manger les œufs à la coque.*

■**coquille** n.f. SENS 1 *Les œufs, les noix, les escargots, les coquillages ont une coquille,* une enveloppe dure.

■**coquillage** n.m. SENS 1 *Les huîtres, les moules sont des coquillages.*
R. *Coque* se prononce [kɔk] comme *coq.*

coquelicot n.m. *Le coquelicot est une fleur des champs rouge.* 363

coqueluche n.f. *Pierre tousse, il a la coqueluche,* une maladie.

coquet adj. *Marie est très coquette,* elle cherche à plaire par son élégance.

■**coquetterie** n.f. *Marie s'habille avec coquetterie.*

coquetier, coquillage, coquille → *coque.*

coquillette n.f. *À midi, nous avons mangé des coquillettes,* une variété de pâtes.

coquin adj. et n. 1. *Marie est très coquine* (= taquin, espiègle). 2. *Ne l'écoutez pas, c'est un coquin,* un homme malhonnête.

■**coquinerie** n.f. SENS 1 *Marie aime bien faire des coquineries,* des espiègleries.

cor n.m. 1. *Le cor est un instrument de musique à vent.* 2. *Pierre souffre d'un cor au pied* (= durillon). 438, 147
R. → *corps.*

corail n.m. 1. *Les coraux sont des animaux à squelette calcaire vivant dans les mers chaudes.* 2. *Marie a un bracelet en corail,* fait d'une pierre rouge qui est le squelette du corail (au sens 1). 724

coranique adj. *La loi coranique est celle qui est contenue dans le Coran,* le livre saint des musulmans.

corbeau n.m. *Le corbeau est un grand oiseau noir.*

corbeille n.f. *Ils ont apporté une corbeille de fleurs,* un grand panier. 293

corbillard n.m. *Le corbillard est la voiture servant à transporter les morts au cimetière.*

corde n.f. 1. *Mme Proulx attache les bagages avec une corde,* une grosse ficelle. 2. *La guitare et le violon sont* 649, 295, 73

438 *des instruments à **cordes**, le son y est produit par la vibration d'un fil.*

802 ■**cordage** n.m. SENS 1 *Le bateau est relié au quai par des **cordages** d'acier,* de grosses cordes (= câble).

366 ■**cordeau** n.m. SENS 1 *Le jardinier aligne ses semis avec un **cordeau**,* une petite corde ou une ficelle.

649 ■**cordée** n.f. SENS 1 *Une **cordée** est un groupe d'alpinistes reliés les uns aux autres par une corde.*

■**cordelette** n.f. SENS 1 *On a fermé le colis avec une **cordelette**,* une corde fine.

■**cordon** n.m. 1. SENS 1 *Pierre ferme le rideau en tirant sur le **cordon**,* une petite corde. 2. *Un **cordon** de soldats barrait la route* (= rangée).

■**encorder** v. SENS 1 *Les alpinistes s'encordent avant de partir,* ils forment une cordée.

cordial adj. *Nous avons reçu chez eux un accueil **cordial**,* sympathique, chaleureux.

■**cordialement** adv. *Elle m'a parlé cordialement.*

■**cordialité** n.f. *Ce sont des gens d'une grande **cordialité*** (≠ froideur).

cordon → *corde.*

cordon-bleu n. *Julien est un excellent **cordon-bleu**,* un très bon cuisinier.
R. Noter le pluriel : des *cordons-bleus*

cordonnier n.m. *Agnès a apporté ses chaussures chez le **cordonnier** pour les faire ressemeler.*

coriace adj. *Cette viande est **coriace**,* très dure.

722 **cormoran** n.m. *Le **cormoran** est un oiseau de mer.*

cornac n.m. *En Inde, le **cornac** soigne et conduit les éléphants.*

651, 368 **corne** n.f. 1. *Les chèvres, les bœufs ont des **cornes** sur la tête.* 2. *Pierre*

*s'est acheté un peigne en **corne**,* fait avec la matière qui forme les cornes (au sens 1) et les sabots de certains animaux.

■**cornu** adj. SENS 1 *Elle a dessiné un diable **cornu**,* avec des cornes sur la tête.

■**racornir** v. SENS 2 *Le cuir de mes chaussures s'est racorni,* il est devenu dur comme de la corne.

cornée n.f. *La **cornée** est la partie transparente du globe de l'œil.*

corneille n.f. *La **corneille** est un oiseau noir voisin du corbeau.*

cornemuse n.f. *Ils dansent au son de la **cornemuse**,* une sorte de biniou. 4

1. corner v. *L'automobiliste a corné* (= klaxonner).

2. corner n.m. *Au football, il y a **corner** quand un joueur envoie le ballon derrière sa ligne de but.*
R. On prononce [kɔrnɛr].

cornet n.m. 1. *Louise joue du **cornet** à pistons,* une sorte de trompette. 2. *Jean a acheté un **cornet** de frites,* des frites enveloppées dans du papier roulé en cône. 3. *Aïcha mange une glace dans un **cornet**,* un cône en pâte qui ressemble à de la gaufrette. 4. *Avant de lancer les dés, on les agite dans le **cornet**,* un gobelet en cuir.

corn flakes n.m.pl. *Au petit déjeuner, les enfants mangent des **corn flakes**,* un aliment à base de grains de maïs (= flocons de maïs).
R. On prononce [kɔrnfleks].

corniche n.f. 1. *La **corniche** d'un bâtiment,* c'est la partie en surplomb située au sommet. 2. *Pour aller au chalet, on a pris la **route de la corniche**,* une route aménagée au flanc de la montagne.

cornichon n.m. Les *cornichons* sont des petits concombres qu'on fait tremper longtemps dans du vinaigre.

cornu → *corne.*

cornue n.f. *La chimiste fait chauffer un liquide dans une cornue,* une sorte de récipient.

corolle n.f. *Les pétales d'une fleur forment sa corolle.*

corps n.m. 1. *La tête, le tronc, les bras et les jambes forment le corps.* 2. *Une étoile est un corps céleste,* un objet matériel. 3. *Le bois est un corps solide, l'eau est un corps liquide, l'air est un corps gazeux.* 4. *Le corps médical est l'ensemble des médecins, le corps électoral,* l'ensemble des électeurs. 5. *Dans quel corps de troupes a-t-il fait son service militaire ?* (= unité, régiment).

■ **corps à corps** n.m. *L'attaque s'est achevée par de furieux corps à corps,* des combats où l'on frappe directement l'adversaire.

■ **corporation** n.f. SENS 4 *Une corporation est un ensemble de gens du même métier.*

■ **corporatif** adj. SENS 4 *Les commerçants défendent leurs intérêts corporatifs,* ceux de leur métier.

■ **corporel** adj. SENS 1 *Les punitions corporelles sont interdites,* celles qui frappent le corps.

■ **corpulent** adj. SENS 1 *Mme Chabot est une femme corpulente,* elle a un gros corps (≠ maigre).

■ **corpulence** n.f. SENS 1 *Pierre et Paul ont la même corpulence,* la même grosseur de corps.

■ **corpuscule** n.m. SENS 2 *Un corpuscule est un très petit corps.*

■ **incorporer** v. SENS 2 ET 3 *Il faut incorporer les œufs à la farine,* les mélanger pour qu'ils ne fassent plus qu'un seul corps. SENS 5 *Incorporer des soldats,*

c'est les faire entrer dans un corps de troupes.

■ **incorporation** n.f. SENS 5 *Les futurs soldats passent une visite médicale avant leur incorporation.*

R. *Corps* se prononce [kɔr] comme *cor.*

correct, correctement, correcteur, correctif, correction, correctionnelle → *corriger.*

correspondre v. 1. *Ce qu'il a dit correspond à la vérité,* y est conforme (≠ s'opposer). 2. *Ces deux chambres correspondent,* on va directement de l'une à l'autre (= communiquer). 3. *Ils ont correspondu pendant dix ans,* échangé des lettres (= s'écrire).

■ **correspondance** n.f. SENS 1 *Leurs idées sont en correspondance* (= accord). SENS 2 *Ce train assure la correspondance entre les deux villes,* le moyen d'aller de l'une à l'autre (= communication). SENS 3 *Claudia reçoit une grosse correspondance,* beaucoup de lettres.

■ **correspondant** n. SENS 3 *Marie a une correspondante anglaise,* une amie avec laquelle elle échange des lettres.

R. → Conj. n° 51.

corrida n.f. *En Espagne, les corridas sont appréciées,* des spectacles de combat entre un homme et un taureau.

corridor n.m. *Un corridor est un couloir,* un passage.

corriger v. 1. *Le professeur corrige les devoirs,* il relève les fautes. *Lise corrige les fautes de son devoir,* elle les supprime. 2. *Ce chien a été brutalement corrigé par son maître,* il a été battu.

■ **corrigé** n.m. SENS 1 *Le professeur nous a donné le corrigé de la dictée,* le texte exact, le modèle.

■ **correct** adj. SENS 1 *Ce que tu as dit n'est pas correct,* tu as fait une faute (= juste ; ≠ inexact).

■**correctement** adv. SENS 1 *Paulette écrit* ***correctement.***

■**correcteur** n. SENS 1 *Les* ***correctrices*** *recherchent et suppriment les fautes dans un texte.*

■**correctif 1.** adj. SENS 1 *La gymnastique* ***corrective*** *vise à corriger les défauts corporels.* **2.** n.m. *Il faut apporter un* ***correctif*** *à ces déclarations* (= nuance, rectificatif).

■**correction** n.f. SENS 1 *Le professeur a fini la* ***correction*** *des devoirs,* il a fini de les corriger. *Il a marqué les* ***corrections*** *à l'encre rouge,* les fautes corrigées. *Luce s'exprime avec* ***correction,*** sans fautes. SENS 2 *Le chien a reçu une* ***correction,*** *des coups* (= râclée).

■**correctionnelle** n.f. *La* ***correctionnelle*** *est un tribunal.*

■**incorrect** adj. SENS 1 *Cette phrase est* ***incorrecte,*** *elle contient des fautes. Line a été* ***incorrecte*** (= malpoli).

■**incorrection** n.f. SENS 1 *Il y a plusieurs* ***incorrections*** *dans ce devoir* (= faute).

■**incorrigible** adj. SENS 1 *Anne est* ***incorrigible,*** *elle ne corrige pas ses défauts.*

corrompre v. ***Corrompre*** *quelqu'un,* c'est le faire agir malhonnêtement en échange d'argent, de cadeaux.

■**corruption** n.f. *La* ***corruption*** *de fonctionnaire est un délit.*

■**incorruptible** adj. *Mme Dupont est une femme* ***incorruptible,*** *très honnête.*

R. → Conj. n° 53.

corrosif adj. *Cet acide est très* ***corrosif,*** il ronge les métaux, les tissus, etc.

corsage n.m. *Un* ***corsage*** *est un vêtement de femme couvrant le buste* (= chemisier).

corsaire n.m. *Les* ***corsaires*** *attaquaient les navires marchands des pays ennemis du leur.*

corser v. **1.** *L'affaire* ***se corse,*** *elle devient plus compliquée.* **2.** *Une sauce* ***corsée*** *est une sauce d'un goût assez fort.*

corset n.m. *Un* ***corset*** *est un sous-vêtement rigide qui maintient le buste et le ventre.*

cortège n.m. *Un* ***cortège*** *est une suite de personnes qui marchent ensemble dans la rue.*

corvée n.f. **1.** *Ce travail est une* ***corvée,*** *il est pénible ou désagréable, mais il doit être fait.* **2.** *La* ***corvée*** *était autrefois un travail que les paysans devaient faire pour les seigneurs.*

cosaque n.m. *Les* ***cosaques*** *étaient des cavaliers de l'armée russe.*

cosmétique n.m. et adj. *Les* ***cosmétiques*** *sont des produits de beauté pour la peau, les cheveux.*

cosmique, cosmonaute → *cosmos.*

cosmopolite adj. *Paris est une ville* ***cosmopolite,*** *on y rencontre beaucoup d'étrangers.*

cosmos n.m. *La fusée est partie pour le* ***cosmos,*** *l'espace situé au-delà de l'atmosphère terrestre.*

■**cosmique** adj. *La navigation* ***cosmique*** *est devenue possible* (= spatial, interplanétaire).

■**cosmonaute** n. *Il y avait deux* ***cosmonautes*** *dans le vaisseau spatial,* deux personnes transportées par ce vaisseau (= astronaute).

cosse n.f. *Les graines des haricots et des pois sont enveloppées dans une* ***cosse.***

■**écosser** v. *Marie* ***écosse*** *des petits pois,* elle sépare les cosses et les graines (= éplucher).

cossu adj. *Il habite une maison* ***cossue*** (= riche).

costaud adj. Fam. *Pierre est costaud* (= fort).

costume n.m. **1.** *Jean a mis un costume de cow-boy,* il s'est habillé comme un cow-boy (= habit). **2.** *M. Durand s'est acheté un costume,* une veste et un pantalon assortis.

■ **costumé** adj. SENS 1 *Un bal costumé* est un bal où tout le monde est déguisé.

cote n.f. **1.** *La cote de quelqu'un ou de quelque chose,* c'est l'estimation de sa valeur. **2.** *Recopie ce dessin en respectant les cotes,* les dimensions qui sont indiquées.

■ **coté** adj. SENS 1 *Ce vin est très coté,* il a une grande valeur (= estimé). SENS 2 *Sur un croquis coté, les dimensions de chaque partie sont indiquées.* R. *Cote se prononce* [kɔt] *comme cotte.*

côte n.f. **1.** *Jeanne s'est cassé une côte,* un des os de la poitrine. **2.** *Elle était essoufflée en arrivant au haut de la côte* (= pente, montée). **3.** *Cette route longe la côte,* le bord de la mer (= rivage). **4.** *Paul et Ahmed marchent côte à côte,* l'un à côté de l'autre.

■ **coteau** n.m. SENS 2 *Un coteau* est le versant d'une colline.

■ **côtelette** n.f. SENS 1 *J'ai mangé une côtelette de mouton,* un morceau de viande de la région des côtes.

■ **côtier** adj. SENS 3 *La navigation côtière se fait près des côtes.*

■ **entrecôte** n.f. SENS 1 *Une entrecôte* est un morceau de viande de bœuf dans la région des côtes.

côté n.m. **1.** *Jean a une douleur au côté droit,* dans la partie droite de la poitrine. **2.** *Le côté gauche de la voiture est abîmé* (= partie). **3.** *Écris sur l'autre côté de la feuille* (= face). **4.** *Un triangle a trois côtés, un carré a quatre côtés,* trois, quatre lignes qui les

constituent. **5.** *Andrée a de bons et de mauvais côtés,* de bons et de mauvais aspects de son caractère. **6.** *Elle est partie de ce côté,* dans cette direction. **7.** *Anne est assise à côté de moi* (= près de).

■ **côtoyer** v. SENS 7 *Son métier lui fait côtoyer beaucoup de gens* (= fréquenter, rencontrer).

■ **bas-côté** n.m. SENS 2 *La voiture est arrêtée sur le bas-côté,* la partie unie qui longe la route (= accotement). 152, 506

coteau, côtelette, côtier → *côte.*

cotiser v. *Ils se sont cotisés pour m'acheter un cadeau,* chacun a versé de l'argent pour cela.

■ **cotisation** n.f. *J'ai versé ma cotisation à l'association sportive,* l'argent pour en faire partie.

coton n.m. **1.** *Helena a une chemise en coton,* d'une étoffe faite avec des fils provenant d'une plante des pays chauds (cotonnier). **2.** *Il a mis un coton sur sa blessure,* un morceau d'ouate. 583

79

■ **cotonnade** n.f. SENS 1 *Une cotonnade* est un tissu de coton.

côtoyer → *côté.*

cotte n.f. *Les soldats du Moyen Âge portaient une cotte de mailles,* un vêtement de fils d'acier. 147

R. → *cote.*

cou → *col.*

couard adj. se disait autrefois pour *peureux.*

coucher v. **1.** *Marie se couche tous les soirs à 9 heures,* elle va au lit pour dormir (≠ lever). *Nous avons couché sous la tente* (= dormir). **2.** *Le soleil va se coucher,* disparaître à l'horizon (≠ se lever). **3.** *Coucher un objet,* c'est l'étendre sur une surface horizontale (≠ dresser).

■ **coucher** n.m. SENS 2 *Il y a eu un beau coucher de soleil* (≠ lever).

■**couchage** n.m. SENS 1 Un *sac de couchage* est un sac garni de duvet, dans lequel on peut coucher.

■**couchant** n.m. SENS 2 Le *couchant* est la direction où le soleil se couche (= ouest ; ≠ levant).

■**couche** n.f. 1 SENS 1 *Couche* se disait autrefois pour *lit.* SENS 3 *On a mis deux couches* de peinture sur le mur, de la peinture étendue régulièrement (= épaisseur). 2. *Le bébé a sali sa couche,* le linge qui entoure ses fesses.

■**couchette** n.f. SENS 1 Une *couchette* est une petit lit dans un train, un bateau.

■**découcher** v. SENS 1 *Pierre a découché la nuit dernière,* il n'a pas dormi chez lui.

■**recoucher** v. SENS 1 *Recouche-toi, il est 5 heures du matin,* retourne au lit.

couci-couça adv. Fam. *Mon grand-père va couci-couça,* ni bien ni mal (= passablement).

coucou n.m. 1. Le *coucou* est un oiseau qui doit son nom à son cri : [kuku]. 2. Un *coucou* est une pendule qui sonne en faisant [kuku]. 3. *Marie a cueilli des coucous,* des fleurs jaunes qui apparaissent au printemps.

coude n.m. 1. *Jean s'est cogné le coude,* l'articulation du bras. 2. *La rivière fait un coude,* un angle aigu comme un coude replié. 3. *Les sauveteurs travaillaient coude à coude,* ensemble, dans un mouvement de solidarité.

■**coudé** adj. SENS 2 *Un tuyau coudé* forme un angle.

■**coudée** n.f. 1. SENS 1 La *coudée* est une ancienne mesure d'environ 50 centimètres (du coude au bout des doigts). 2. *Je veux bien assurer la direction, à condition d'avoir les coudées franches,* de pouvoir agir en toute liberté.

■**coudoyer** v. SENS 3 *Ici, on coudoie beaucoup d'étrangers,* on est mêlé à eux (= côtoyer).

■**s'accouder** v. SENS 1 *Marie s'accoude à la fenêtre,* elle s'y appuie sur les coudes.

cou-de-pied n.m. *Ces chaussures dégagent bien le cou-de-pied,* la partie supérieure du pied, vers la jambe.
R. Noter le pluriel : des *cous-de-pieds*. Ne pas confondre avec un *coup de pied*.

coudre v. *Tu as cousu toi-même cette chemise,* tu l'as assemblée avec du fil et une aiguille.

■**couture** n.f. 1. *Anne apprend la couture,* à coudre. 2. *Il a fait une couture à son pantalon,* une suite de points cousus.

■**couturier** n.m. *Un couturier* crée et fabrique des vêtements de luxe.

■**couturière** n.f. *Une couturière* fait de la couture.

■**découdre** v. *Mon ourlet est décousu,* le fil s'est défait.

■**recoudre** v. *Peux-tu me recoudre ce bouton qui s'est décousu ?*
R. → Conj. n° 59. [Je] couds, [il] coud se prononcent [ku] comme *cou, coup* et *coût.*

coudrier n.m. est un autre nom du noisetier.

couenne n.f. *Andréa n'aime pas la couenne,* la peau du jambon.
R. On prononce [kwan].

couette n.f. 1. *Aïcha a des couettes,* des mèches de cheveux de chaque côté des oreilles. 2. *Une couette* est un édredon dans une housse.

couffin n.m. *On transporte le bébé dans un couffin,* un grand panier souple en paille.

couler v. 1. *Pierre s'est coupé, son sang coule,* il se répand au-dehors (= s'écouler). *La Seine coule à travers Paris,* ses eaux s'y déplacent. 2. *Le*

33

721

maçon *a coulé* du ciment, il l'a versé à l'état liquide ou pâteux. **3.** *Un sous-marin* **a coulé** *le bateau,* il l'a envoyé au fond. *Le bateau* **a coulé,** il est descendu au fond de l'eau (= sombrer). **4.** *Le chat* **s'est coulé** *derrière l'escalier* (= se glisser).

■ **coulant** adj. SENS 4 *Un* **nœud coulant** *est un nœud formant une boucle, dans lequel une ficelle peut glisser.*

■ **coulée** n.f. SENS 1 *Une* **coulée** *de lave,* c'est de la lave liquide qui coule hors du volcan.

couleur n.f. **1.** *Violet, indigo, bleu, vert, jaune, orange, rouge, voilà les 7* **couleurs** *de l'arc-en-ciel. Nous avons vu un film en* **couleurs** (≠ en noir et blanc). **2.** *Le cœur, le carreau, le pique et le trèfle sont les quatre* **couleurs** *aux cartes.*

■ **colorer** v. SENS 1 *Les cerises commencent à* **se colorer,** *à prendre leur couleur rouge* (= se teinter).

■ **colorant** n.m. SENS 1 *Les* **colorants** *servent à colorer les tissus, les liquides, etc.*

■ **coloration** n.f. *Le rôti commence à prendre une belle* **coloration** *dans le four* (= couleur, teinte).

■ **colorier** v. SENS 1 *Céline* **a colorié** *ses dessins avec ses crayons de couleur.*

■ **coloris** n.m. SENS 1 *J'aime le* **coloris** *de ta chemise,* la jolie couleur.

■ **décolorer** v. SENS 1 *Le soleil* **a décoloré** *les rideaux,* il leur a fait perdre leur couleur.

■ **incolore** adj. SENS 1 *L'eau est* **incolore,** *sans couleur* (≠ teinté).

■ **multicolore** adj. SENS 1 *Ève a une chemise* **multicolore,** *de plusieurs couleurs.*

■ **tricolore** adj. SENS 1 *Le drapeau français est* **tricolore,** *il a les trois couleurs bleu, blanc, rouge.*

couleuvre n.f. *La* **couleuvre** *est un serpent inoffensif.*

coulisse n.f. **1.** *Le placard a des portes à* **coulisse,** *qui glissent sur une rainure.* **2.** *Les acteurs sont répartis dans les* **coulisses,** dans la partie du théâtre que la salle ne voit pas (≠ scène).

■ **coulisser** v. SENS 1 *Ce tiroir* **coulisse** *bien* (= glisser).

291, 439

440

couloir n.m. **1.** *Toutes les portes donnent sur le* **couloir** *qui traverse l'appartement. Il y a des voyageurs debout dans le* **couloir** *du train.* **2.** *Le taxi a pris le* **couloir** *d'autobus,* la partie de la chaussée réservée à certains véhicules. **3.** *Un* **couloir** *d'avalanche* est un ravin dans une montagne par où passe une avalanche.

38, 77, 508

510

507

652

coup n.m. **1.** *Donner des* **coups** *de marteau,* c'est frapper avec un marteau. **2.** *Donner un* **coup** *de brosse,* c'est brosser, *un* **coup** *de balai,* c'est balayer, *un* **coup** *de sifflet,* c'est siffler. **3.** *Un* **coup** *de feu* est le bruit d'une arme à feu, *un* **coup** *de soleil,* une brûlure causée par le soleil, *un* **coup** *de vent,* un souffle brusque du vent. **4.** *Tu as reçu un* **coup** *de téléphone* (ou, fam., *un* **coup** *de fil*), un appel téléphonique. **5.** *Je réussis à tous les* **coups,** chaque fois que j'agis (= fois). **6.** *Tu prépares un mauvais* **coup,** une mauvaise action. **7.** *Un* **coup** *d'État* est une action pour renverser le gouvernement. **8.** *Quand j'ai appris la nouvelle, ça m'a fait un* **coup,** une émotion. **9.** *Il m'a jeté un* **coup** *d'œil furieux,* un regard rapide. **10.** Fam. *Viens nous* **donner un coup de main,** nous aider. **11.** *L'ennemi a tenté un* **coup de main,** une attaque rapide par surprise. **12.** **Tout à coup (tout d'un coup)** *il s'est mis en colère* (= soudain, brusquement).

R. → coudre.

coupable adj. *Pierre est* **coupable** *de négligence,* il a commis une faute (≠ innocent).

■**culpabilité** n.f. *L'enquête a établi la* **culpabilité** *de l'accusée* (≠ innocence).

1. coupe → *couper.*

2. coupe n.f. 1. *On a cassé une* **coupe** *de champagne,* un verre large et peu profond. 2. Une **coupe** est une compétition sportive récompensée par la remise d'un objet au vainqueur.

coupé n.m. Un **coupé** est une voiture de type sportif à deux portes.

couper v. 1. *Ce rasoir* **coupe** *bien,* il a une lame tranchante. 2. *Julie a* **coupé** *du pain,* elle l'a séparé en tranches. 3. *Jean* **s'est coupé** *avec des ciseaux,* il s'est fait une entaille, une coupure. 4. *L'eau* **a été coupée** *pendant deux heures* (= interrompre). 5. *Nous avons* **coupé** *par la forêt,* pris un chemin plus court. 6. *Ces deux routes* **se coupent** *après le village* (= se rejoindre, se croiser). 7. *Je ne bois que du vin* **coupé** *d'eau,* du vin avec de l'eau (= additionné, mêlé). 8. **Couper les cartes,** c'est séparer en deux un paquet de cartes à jouer. **Couper une carte,** c'est jeter un atout sur cette carte.

■**coupe** n.f. 1. SENS 2 *Mary a une nouvelle* **coupe** *de cheveux,* elle les a fait couper. 2. *La* **coupe** *d'un objet,* c'est un dessin qui en représente l'intérieur comme s'il était coupé par le milieu.

■**coupe-gorge** n.m.inv. *Cette ruelle est un* **coupe-gorge,** un endroit où on risque de se faire attaquer.

■**coupe-papier** n.m. SENS 1 *Prends un* **coupe-papier** *pour ouvrir l'enveloppe !*

■**coupon** n.m. SENS 2 *Un* **coupon** *de tissu* est ce qui reste d'une pièce de tissu qu'on a coupée.

■**coupure** n.f. 1. SENS 3 *Jean s'est fait une* **coupure** *au doigt,* il s'est coupé

(= entaille). SENS 4 *Il y a eu une* **coupure** *de courant* (= interruption). 2. *J'ai payé en* **coupures** *de vingt dollars,* en billets.

■**découper** v. 1. SENS 2 *Mme Durand* **a découpé** *le rôti,* elle l'a coupé en morceaux. 2. *Le clocher* **se découpe** *sur le ciel,* il apparaît bien détaché.

■**découpage** n.m. SENS 2 *Marie aime les* **découpages,** les images à découper.

■**entrecouper** v. SENS 4 *Son discours était* **entrecoupé** *par les applaudissements* (= interrompre).

■**recouper** v. SENS 2 *Peux-tu me* **recouper** *un morceau de pain ?,* m'en couper un autre. SENS 6 *Ce que tu me dis* **recoupe** *ce que je sais déjà* (= rejoindre, coïncider avec).

■**recoupement** n.m. SENS 6 *Par* **recoupements,** on a pu savoir la vérité, en vérifiant si les faits coïncidaient.

couperosé adj. *M.Durand a un visage* **couperosé,** d'une coloration anormalement rouge (= rougeaud, violacé).

couple n.m. 1. *L'union d'un homme et d'une femme est un* **couple.** 2. *Élise élève un* **couple** *de souris blanches,* un mâle et une femelle.

■**s'accoupler** v. SENS 2 *Les animaux* **s'accouplent** *pour se reproduire,* le mâle et la femelle s'unissent.

couplet n.m. *Cette chanson a dix* **couplets,** dix parties séparées par un refrain (= strophe).

coupole n.f. *On aperçoit d'ici la* **coupole** *de l'Oratoire,* le toit en forme de demi-sphère.

coupon, coupure → *couper.*

cour n.f. 1. *Les enfants jouent dans la* **cour** *de l'école* 2. *Ce procès a été jugé par la* **cour** *d'appel* (= tribunal). 3. *La* **cour** *des rois de France se trou-*

221, 224
145
292
296

vait à Versailles, leur résidence, leur gouvernement, les nobles qui recherchaient des faveurs. **4.** *Ce jeune homme* **fait la** *cour* *à Marie,* il cherche à lui plaire.

■ **courtisan** n.m. SENS 3 *Les courtisans étaient des nobles qui vivaient à la cour des rois.*

■ **courtiser** v. SENS 4 *Qui* **courtises**-*tu présentement ?,* à qui fais-tu la cour ? **R.** → *courir.*

courage n.m. **1.** *Il faut du* **courage** *pour faire de l'alpinisme,* ne pas avoir peur du danger (= bravoure ; ≠ lâcheté). **2.** *Josée travaille avec* **courage** (= ardeur ; ≠ indolence, mollesse).

■ **courageux** adj. *Josée est une fille* **courageuse** (= énergique ; ≠ paresseux).

■ **courageusement** adv. *Elle travaille* **courageusement** (= résolument).

■ **décourager** v. SENS 2 *Jean* **est découragé** *par les difficultés* (= démoraliser).

■ **découragement** n.m. SENS 2 *Anne a renoncé par* **découragement** (≠ énergie).

■ **encourager** v. SENS 2 *Pierre m'a* **encouragé** *à continuer ce travail* (= exhorter).

■ **encouragement** n.m. SENS 2 *Je vous remercie de vos* **encouragements,** de votre soutien.

courant adj. **1.** *Cette automobile est un modèle* **courant** (= ordinaire ; ≠ rare). **2.** *Notre maison de campagne n'a pas l'eau* **courante,** l'eau qui arrive aux robinets par les tuyaux.

■ **courant** n.m. **1.** SENS 2 *Il y a beaucoup de* **courant** *dans cette rivière,* le mouvement de l'eau y est très rapide. **2.** *Il y a eu une coupure de* **courant,** l'électricité a été coupée. **3.** *Claude arrivera* **dans le courant** *de la semaine* (= au cours de).

■ **au courant** adv. *Je ne suis pas* **au courant** *de cette affaire,* je ne suis pas renseigné, informé.

■ **couramment** adv. **1.** SENS 1 *Cela arrive* **couramment** (= habituellement, fréquemment ; ≠ rarement). **2.** *Elle parle l'anglais* **couramment** (= facilement, bien).

■ **à contre-courant** adv. *Nager à* **contre-courant,** c'est nager en sens inverse du courant d'une rivière.

courbature n.f. *J'ai des* **courbatures** *dans le dos,* des douleurs musculaires.

■ **courbaturé** adj. *J'ai fait trop d'efforts, je suis tout* **courbaturé,** plein de courbatures (= endolori).

courbe adj. *Claude a tracé des lignes* **courbes** *sur son cahier,* plus ou moins arrondies (≠ droit).

■ **courbe** n.f. *La route fait une* **courbe,** elle cesse d'être droite.

■ **courber** v. *Le vent* **courbe** *les roseaux,* il les fait plier (= incliner). *Sabine* **s'est courbée** *pour ramasser son crayon,* elle s'est inclinée en avant.

■ **courbette** n.f. *Faire des* **courbettes,** c'est se courber devant quelqu'un, par respect.

■ **courbure** n.f. *La* **courbure** *d'un objet* est sa partie courbe.

■ **recourber** v. *Elle s'appuie sur un bâton* **recourbé,** courbé à son extrémité.

coureur → *courir.*

courge n.f. *Une* **courge** *est une sorte de citrouille.*

■ **courgette** n.f. *Nous avons mangé des* **courgettes** *farcies,* de petites courges.

courir v. **1.** *Pierre s'est mis à* **courir** *pour rattraper ses amis,* à aller vite. **2.** *Deux cents cyclistes* **ont couru** *au vélodrome,* ont participé à la course. **3.** *Mme Durand* **a couru** *les magasins,* elle est allée de l'un à l'autre pour faire

385

ses courses. **4.** *Le bruit court que des élections vont avoir lieu,* on le dit. **5.** *Courir un danger,* c'est y être exposé ; *courir sa chance,* c'est la tenter.

512

■ **coureur** n. **1.** SENS 2 *Dix coureurs ont pris le départ du 100 mètres.* **2.** Un *coureur des bois* est un trappeur.

35, 512

■ **course** n.f. SENS 1 *Il est parti au pas de course,* en courant. SENS 2 *Qui a gagné la course ?,* la compétition sportive (à pied, à cheval, à vélo, en auto). SENS 3 *Mme Durand est allée faire des courses* (= achats, commissions).

■ **coursier** n.m. SENS 3 *Un coursier m'a apporté le paquet à domicile,* un employé d'une entreprise chargé des courses.

■ **accourir** v. SENS 1 *Les gens accouraient vers le lieu de l'accident,* venaient en courant.

R. → Conj. n° 29. [*je*] *cours,* [*il*] *court* se prononcent [kur] comme *cour, court* et *cours.*

435

courlis n.m. Le *courlis* est un oiseau du groupe des échassiers.

couronne n.f. **1.** Une *couronne* est un objet circulaire (fait de métal, de fleurs, de feuilles) que l'on met sur la tête en signe de distinction. **2.** *Une couronne mortuaire* est un grand cercle de fleurs qu'on apporte à un enterrement.

■ **couronner** v. **1.** SENS 1 *Les rois de France étaient couronnés,* ils recevaient une couronne, signe de leur dignité. **2.** *Ce livre a été couronné par le jury,* il a reçu un prix.

■ **couronnement** n.m. SENS 1 *Ce tableau représente le couronnement du roi.*

courrier n.m. **1.** *Le facteur a apporté le courrier,* les lettres, les paquets, les journaux. **2.** Un *courrier* était un homme qui portait des lettres, des messages.

courroie n.f. *On a attaché la valise avec des courroies de cuir* (= lanière, bande).

courroux n.m. se disait autrefois pour *colère.*

■ **courroucer** v. se disait pour *mettre en colère.*

cours n.m. **1.** *Le cours d'un fleuve,* c'est le trajet qu'il suit, ainsi que l'écoulement de ses eaux. **2.** *Un fleuve, une rivière, un ruisseau sont des cours d'eau.* **3.** *Le professeur fait un cours de français,* il l'enseigne (= leçon). **4.** *Le cours du blé a monté,* son prix actuel. **5.** *Je n'ai pas suivi le cours des événements,* comment ils se sont déroulés. **6.** *Au cours de l'année passée, Hélène est allée en Allemagne* (= pendant). **R.** → *courir.*

course, coursier → *courir.*

1. court adj. **1.** *Pierre a les cheveux courts,* leur longueur est faible (≠ long). **2.** *En hiver les jours sont courts* (= bref ; ≠ long).

■ **court** adv. **1.** SENS 1 *Ses cheveux sont coupés court.* **2.** *Je suis à court d'argent,* je n'en ai pas assez.

■ **écourter** v. SENS 2 *Judy a dû écourter son voyage,* le rendre plus court (= abréger ; ≠ prolonger).

■ **raccourcir** v. SENS 1 *Marie a raccourci sa robe,* elle l'a rendue plus courte (≠ allonger). SENS 2 *Les jours raccourcissent,* ils deviennent plus courts (≠ rallonger).

■ **raccourci** n.m. SENS 1 *Nous avons pris un raccourci,* un chemin plus court.

R. → *courir.*

2. court n.m. *On joue au tennis sur le court n° 2,* le terrain.

court-bouillon → *bouillon.*

court-circuit → *circuit.*

courtisan, courtiser → *cour.*

courtois adj. *M. Durand est un homme courtois,* aimable et poli (≠ grossier).
■ **courtoisie** n.f. *Elle m'a répondu avec courtoisie.*
■ **discourtois** adj. *Elle a refusé mon invitation : c'est un procédé discourtois* (= inélégant, grossier, mal élevé).

couscous n.m. *Le couscous est un plat arabe fait de semoule de blé et de viande.*

cousin n.m., **cousine** n.f. *Pierre est mon cousin, Marie est ma cousine,* ce sont les enfants de mon oncle et de ma tante.

coussin n.m. *Les coussins de la voiture sont rembourrés et confortables.*

coût → *coûter.*

couteau n.m. 1. *On coupe sa viande avec un couteau.* 2. *À marée basse, on peut ramasser des couteaux dans le sable,* des coquillages en forme de manche de couteau.
■ **coutelas** n.m. SENS 1 *La bouchère aiguise son coutelas,* un grand couteau.
■ **coutelier** n. SENS 1 *Le coutelier fabrique et vend des couteaux.*
■ **coutellerie** n.f. SENS 1 *Une coutellerie est la boutique d'un coutelier.*

coûter v. 1. *Combien coûte ce livre ?,* quel est son prix ? *Il coûte dix dollars* (= valoir). 2. *Ce travail m'a coûté bien des efforts,* il a été une cause d'efforts (= valoir). 3. *Pierre veut partir coûte que coûte,* à tout prix (= absolument).
■ **coût** n.m. SENS 1 *Le coût de la vie a encore augmenté,* le prix des choses.
■ **coûteux** adj. SENS 1 *Ils ont passé des vacances coûteuses,* occasionnant des dépenses élevées (= cher, onéreux).
R. → *coudre.*

coutume n.f. *Chaque peuple a ses coutumes,* ses manières de vivre, d'agir (= usage, habitude).
■ **coutumier** adj. 1. *Chaque matin,* elle fait sa promenade *coutumière,* habituelle. 2. *Pierre est encore en retard : il est coutumier du fait,* c'est son habitude.
■ **accoutumer** v. *Je ne suis pas accoutumé à ta nouvelle coiffure* (= habituer).
■ **inaccoutumé** adj. *Elle est arrivée à une heure inaccoutumée* (= inhabituel, anormal ; ≠ habituel).

couture, couturier, couturière → *coudre.*

couvée → *couver.*

couvent n.m. *Les moines et les religieuses vivent en communauté dans des couvents* (= monastère).

couver v. 1. *La poule couve ses œufs,* elle reste dessus jusqu'à ce qu'ils éclosent. 2. *Le feu couve sous la cendre,* il n'est pas éteint. 3. *Paule couve une grippe,* elle est sur le point de l'avoir.
■ **couvée** n.f. SENS 1 *Ces poussins sont de la même couvée,* ils ont été couvés en même temps.
■ **couveuse** n.f. SENS 1 *Une couveuse est un appareil où l'on fait éclore des œufs.*

couvrir v. 1. *Les ouvriers ont couvert la maison,* ils ont mis le toit dessus. 2. *Veux-tu couvrir la casserole ?,* mettre le couvercle dessus. 3. *Pierre a couvert ses cahiers,* il leur a mis une couverture. 4. *La table est couverte, de livres,* il y en a beaucoup dessus. 5. *Mme Hermieux est couverte de dettes,* elle en a beaucoup. 6. *Le ciel se couvre,* il est caché par de nombreux nuages. 7. *Il fait froid, couvre-toi bien,* habille-toi de manière à avoir chaud. 8. *L'armée couvre les frontières* (= protéger). 9. *M. Durand a couvert ses employés,* il les a défendus. 10. *Le coureur a couvert la distance en deux heures,* il l'a parcourue.

78 ■ **couvercle** n.m. SENS 2 *Où est le couvercle de la boîte ?,* l'objet destiné à la couvrir.

■ **couvert** n.m. **1.** SENS 1 *Ils se sont mis à couvert,* dans un endroit couvert.
78 **2.** *Le couteau, la cuillère et la fourchette sont des couverts. Veux-tu mettre le couvert ?,* préparer la table pour le repas.

221 ■ **couverture** n.f. SENS 3 *La couver-*
77 *ture de ce livre est déchirée,* ce qui le recouvre. SENS 7 *Il fait froid, on a mis deux couvertures de laine sur le lit.*

■ **couvreur** n.m. SENS 1 *Le couvreur* est un ouvrier qui fait et répare les toitures.

■ **découvrir** v. **1.** SENS 1 ET 2 *Découvrir quelque chose,* c'est en ôter le couvercle ou la couverture. SENS 6 *Le ciel se découvre,* les nuages s'en vont. SENS 7 *Il fait froid, ne te découvre pas,* n'enlève pas tes habits. **2.** *Christophe Colomb a découvert l'Amérique,* il a été le premier à en révéler l'existence.

■ **découverte** n.f. *Cette savante a fait une grande découverte scientifique,* elle a découvert (au sens 2) quelque chose.

■ **recouvrir** v. SENS 1, 2 ET 3 *Il faut recouvrir cette casserole,* remettre le couvercle dessus. SENS 4 *Le sol est recouvert de feuilles mortes,* entièrement couvert.
R. → Conj. n° 16.

583, **cow-boy** n.m. *On a vu un film de cow-*
802 *boys,* racontant les aventures des pionniers du Far West.
R. On prononce [koboj].

coyote n.m. *Le coyote est une sorte de loup d'Amérique.*

722 **crabe** n.m. *Odette aime les pinces de crabe avec de la mayonnaise,* un petit animal du bord de la mer.

crac → *craquer.*

cracher v. **1.** *Il est défendu de cracher par terre,* de projeter des crachats.

2. *Émilie a craché (ou recraché) une prune trop acide,* elle l'a rejetée de sa bouche.

■ **crachat** n.m. SENS 1 *Un crachat, c'est de la salive rejetée en une fois par la bouche.*

■ **crachoir** n.m. SENS 1 *Le dentiste m'a demandé de cracher dans le crachoir,* une petite cuvette.

crachin n.m. *Le crachin est une pluie très fine.*

crack n.m. Fam. *Colette est un crack en mathématiques,* elle est très forte.

craie n.f. *La craie est une roche blanche et tendre dont on fait des bâtonnets pour écrire au tableau.*

craindre v. *Je crains un accident,* j'en ai peur.

■ **crainte** n.f. *N'ayez aucune crainte, ce n'est pas dangereux.*

■ **craintif** adj. *Line est une fille craintive* (= peureux ; ≠ audacieux).

■ **craintivement** adv. *Il m'a regardé craintivement.*
R. → Conj. n° 55.

cramoisi adj. *Sabine a honte, elle a le visage cramoisi,* très rouge.

crampe n.f. *Une crampe est une contraction douloureuse d'un muscle.*

crampon n.m. *Les footballeurs ont des chaussures à crampons,* munies de pièces qui s'accrochent au sol et les empêchent de glisser.

■ **cramponner** v. *Fatima se cramponne à mon bras,* elle s'y accroche.

cran n.m. **1.** *Les crans d'une ceinture sont les trous qui servent d'arrêt pour la serrer ou la desserrer.* **2.** *Le cran d'arrêt d'une arme est une encoche qui sert à maintenir fixe une pièce mobile.* **3.** Fam. *Pierre a du cran,* du courage, de l'audace.

crâne n.m. *M. Dupont a le crâne chauve* (= tête).

■**crânien** adj. *Le cerveau est contenu dans la boîte crânienne.*

crâner v. Fam. *Arrête de crâner,* de prendre des airs supérieurs.
■**crâneur** adj. et n. *Marie est crâneuse,* elle est prétentieuse.

crânien → *crâne.*

crapaud n.m. *Un crapaud ressemble à une grosse grenouille.*

crapule n.f. *Cet homme est une crapule,* il est très malhonnête.
■**crapuleux** adj. *Un crime crapuleux* est commis pour voler.

se craqueler v. *L'émail commence à se craqueler* (= se fendiller).
R. → Conj. n° 6.

craquer v. 1. *Lucie a craqué son pantalon,* elle l'a déchiré. 2. *Le parquet craque,* il produit un bruit sec. 3. *La branche a craqué,* elle s'est cassée avec un bruit sec.
■**crac !** interj. indique un bruit sec.
■**craquement** n.m. SENS 2 ET 3 *On entend le craquement d'une poutre.*

crasse n.f. 1. *Claude a les mains couvertes de crasse,* d'une couche de saleté. 2. Fam. *Élise m'a fait une crasse,* elle m'a joué un mauvais tour.
■**crasseux** adj. SENS 1 *Ta chemise est crasseuse,* très sale.
■**décrasser** v. SENS 1 *On a décrassé la cheminée* (= nettoyer).
■**encrasser** v. SENS 1 *Le moteur s'est encrassé,* des saletés s'y sont accumulées.

cratère n.m. *Le cratère d'un volcan* est l'ouverture évasée par où sortent les laves.

cravache n.f. *Une cravache est une baguette avec laquelle les cavaliers stimulent leur cheval.*

cravate n.f. *Une cravate est une bande d'étoffe que les hommes nouent autour du col de leur chemise.*

crawl n.m. *Claire nage bien le crawl,* une nage rapide.
R. On prononce [krol].

crayon n.m. *Jean écrit au crayon sur son cahier de brouillon.*
■**crayonner** v. *Ne crayonne pas sur le mur !,* ne fais pas des traits de crayon.

292, 808

créancier n. *Mme Lepine est ma créancière,* je lui dois de l'argent (≠ débiteur).

créateur, création, créature → *créer.*

crécelle n.f. *Mme Dupont a une voix de crécelle,* aiguë et désagréable comme le bruit de ce jouet qu'on fait tourner et dont une lame flexible vient frapper les crans de l'axe.

crèche n.f. *Une crèche représente la naissance de Jésus-Christ dans une étable.*

crédible → *croire.*

crédit n.m. 1. *M. Lopez a acheté sa maison à crédit,* il a obtenu un délai pour la payer. 2. *Il a épuisé ses crédits,* l'argent mis à sa disposition. 3. *Il a un grand crédit auprès du directeur* (= influence).
■**créditer** v. SENS 2 *Cette somme a été créditée à votre compte,* elle vous a été attribuée (≠ débiter). SENS 3 *On crédite la nouvelle ambassadrice de beaucoup d'habileté,* on lui attribue cette qualité.

crédule, crédulité → *croire.*

créer v. *Les Tanguay ont créé une usine de chaussures,* ils ont fait qu'elle existe (= fonder, réaliser).
■**créateur** n. *Qui est le créateur de cette œuvre ?* (= auteur).
■**créatif** adj. *Ce metteur en scène a fait preuve d'un esprit créatif* (= imaginatif, inventif).

■**création** n.f. *La Bible raconte la création du monde par Dieu.*

■**créature** n.f. *Les explorateurs ont marché trois jours sans rencontrer une créature humaine, un être humain.*

■**recréer** v. *Ce film recrée le climat des années de guerre, il le fait revivre (= reconstituer).*

224 **crémaillère** n.f. 1. *Une crémaillère est une tige de métal qui servait à suspendre une marmite dans une cheminée.* 2. *Les Durand ont pendu la crémaillère, ils ont fait une fête pour leur installation dans un nouveau logement.*

crématoire adj. *Un four crématoire sert à brûler les corps des morts.*

368 **crème** n.f. 1. *La crème est tirée du lait et sert à faire le beurre et le fromage.* 2. *Pierre aime bien les crèmes glacées, les glaces faites de lait et d'œufs (= entremets).* 3. *Mme Durand a acheté une crème de beauté, un produit pour les soins de la peau.*

■**crémeux** adj. SENS 1 *Ce lait est bien crémeux, il contient beaucoup de crème.*

■**crémerie** n.f. SENS 1 *La crémerie est la boutique du crémier.*

222 ■**crémier** n. SENS 1 *La crémière vend du lait, de la crème, des œufs.*

368 ■**écrémer** v. SENS 1 *Pour ne pas grossir, maman boit du lait écrémé, dont on a retiré la crème.*

368 ■**écrémeuse** n.f. SENS 1 *L'écrémeuse sert à écrémer le lait.*

146 **créneau** n.m. 1. *Les murs des châteaux forts avaient des créneaux, des échancrures rectangulaires.* 2. *Mme Lebeau a fait un créneau, elle a garé sa voiture entre deux autres voitures.*

créole 1. n. *Dans les colonies des Antilles, un créole était un Européen né dans le pays (≠ indigène).* 2. n.m. *Les créoles sont des langues parlées aux Antilles.*

1. **crêpe** n.f. *Une crêpe est une galette très mince faite à la poêle.*

■**crêperie** n.f. *Nous avons mangé dans une crêperie, un restaurant qui fait des crêpes.*

2. **crêpe** n.m. 1. *Le crêpe est un tissu léger d'aspect ondulé.* 2. *Pour ne pas glisser, j'ai mis mes chaussures à semelles de crêpe, en caoutchouc.*

crépi n.m. *Le mur de la maison est recouvert d'un crépi, une couche de plâtre ou de ciment.*

crépiter v. *Le feu crépite dans la cheminée, il fait des petits bruits secs.*

crépu adj. *Seydou a les cheveux crépus, frisés en toutes petites vagues.*

crépuscule n.m. *Le crépuscule est le moment où le soleil se couche et où la lumière baisse (≠ aube).*

crescendo adv. *La rumeur va crescendo, en augmentant.*
R. On prononce [kreʃɛ̃do] ou [kreʃɛndo].

cresson n.m. *Le cresson est une sorte de salade qui pousse dans l'eau.*
R. On prononce [kresɔ̃] ou [krəsɔ̃].

crête n.f. 1. *Le coq redresse fièrement sa crête, le morceau de chair rouge qui est au sommet de sa tête.* 2. *Le soleil disparaît derrière la crête de la montagne, le sommet.*

crétin n. Fam. *Quelle crétine, cette fille ! (= idiot, imbécile).*

cretons n.m.pl. est un équivalent de rillettes.

creuser → creux.

creuset n.m. *Un creuset est un récipient servant à fondre les métaux.*

creux adj. 1. *Cette boule est creuse, vide à l'intérieur (≠ plein).* 2. *On sert le potage dans des assiettes creuses, très concaves (≠ plat).* 3. *//*

*n'a dit que des paroles **creuses,** sans intérêt.*

■ **creux** n.m. SENS 1 *Il y a un **creux** dans le rocher* (= trou ; ≠ bosse). SENS 2 *Le **creux** de la main,* c'est la partie enfoncée de la paume.

■ **creuser** v. 1. SENS 1 *Le chien **creuse** le sol pour cacher son os,* il y fait un trou. 2. *On s'est **creusé** la tête pour trouver une solution,* on a beaucoup réfléchi.

crevaison, crevant → *crever.*

crevasse n.f. *L'alpiniste est tombé dans une **crevasse,** une fente profonde dans le glacier.*

crever v. 1. *Josée a **crevé** son ballon contre une pierre pointue,* elle y a fait un trou (= percer, déchirer). *Le pneu a **crevé,*** il a été percé. 2. Fam. *Cette longue marche nous a **crevés,*** nous a épuisés. 3. Fam. *Ma plante a **crevé,*** elle est morte. 4. Fam. ***Crever** de faim,* c'est avoir très faim.

■ **crevant** adj. SENS 2 Fam. *Ce travail est **crevant*** (= très fatigant).

■ **crevaison** n.f. SENS 1 *La **crevaison** d'un pneu nous a retardés.*

■ **increvable** adj. SENS 1 *Un pneu **increvable** est conçu pour résister aux crevaisons.* SENS 2 Fam. *Cette femme est **increvable,*** elle a une résistance extraordinaire à la fatigue.

crevette n.f. *À la mer, les enfants pêchent des **crevettes** avec un filet.*

cri n.m. 1. *J'ai entendu un grand **cri,*** un éclat de voix très fort. 2. *L'aboiement est le **cri** du chien, le miaulement est le **cri** du chat.*

■ **criant** adj. *Il y a là une injustice **criante,*** qui fait protester (= choquant).

■ **criard** adj. SENS 1 *Sa voix **criarde** fait mal aux oreilles.*

■ **crier** v. SENS 1 ET 2 *Veux-tu arrêter de **crier** ?,* de pousser des cris (= hurler).

*Il m'a **crié** des injures,* il les a dites très fort.

crible n.m. 1. *Un **crible** est un récipient percé de trous et servant à trier les grains, le sable.* 2. *Les déclarations du témoin **ont été passées au crible,*** examinées avec grand soin. | 150

■ **cribler** v. SENS 1 *La couverture est **criblée** de trous,* il y en a beaucoup.

cric n.m. *Un **cric** est un appareil qui sert à soulever de lourdes charges.* | 506, 505
R. *Cric* se prononce [krik] comme *crique* ou parfois [kri] comme *cri.*

crier → *cri.*

crime n.m. 1. *L'accusé a commis un **crime,*** il a tué quelqu'un (= meurtre). 2. *Je suis en retard, ce n'est pas un **crime,*** une faute grave.

■ **criminel** n. et adj. SENS 1 *La police a arrêté la **criminelle*** (= assassin). *On pense qu'il s'agit d'un incendie **criminel.***

■ **criminalité** n.f. SENS 1 *On a observé une diminution de la **criminalité,*** du nombre de crimes commis dans une certaine période.

crin n.m. *Le **crin,*** ce sont les longs poils qui forment la queue et la crinière du cheval.

■ **crinière** n.f. *Les chevaux, les lions ont une **crinière,*** des crins sur le cou. | 368

crinoline n.f. *Autrefois, les femmes portaient des robes à **crinoline,*** à jupon très large. | 804

crique n.f. *Le bateau s'est arrêté dans une **crique,*** une petite baie. | 725
R. → *cric.*

criquet n.m. *Le **criquet** est un genre de sauterelle.* | 577

crise n.f. 1. *Anaïs a une **crise** de foie,* elle a très mal au foie. 2. *La **crise** économique s'est aggravée,* les difficultés de l'économie.

■**critique** adj. SENS 2 *Pierre est dans une situation critique* (= difficile, grave).

crisper v. 1. *Paul crispe les poings,* il les serre fortement (= contracter). 2. *Sa paresse me crispe* (= irriter, énerver, impatienter).
■**crispation** n.f. SENS 1 *La crispation de son visage exprimait sa douleur.*

crisser v. *Le gravier crisse sous ses pas,* il fait un bruit grinçant.

650, 653

cristal n.m. 1. *Certaines roches sont formées de cristaux,* d'éléments aux formes géométriques. 2. *Le cristal est un verre très transparent qui rend un son clair quand on le choque.*
■**cristallerie** n.f. SENS 2 *Une cristallerie est une fabrique d'objets en cristal.*
■**cristallin** adj. SENS 1 *Le granite est une roche cristalline,* formée de cristaux. SENS 2 *Marie a une voix cristalline,* pure.
■**cristallin** n.m. *Le cristallin est une partie transparente de l'œil.*
■**cristalliser** v. SENS 1 *Le sucre cristallisé* est formé de petits cristaux.
■**cristallisation** n.f. SENS 1 *Le quartz est produit par la cristallisation de la silice,* par sa transformation en cristaux.

critère n.m. *Sa conduite sera un critère de sa sincérité,* ce qui permettra de la juger (= preuve).

critérium n.m. *Un critérium cycliste* est une épreuve sportive.
R. On prononce [kriterjɔm].

1. critique → *crise.*

2. critique n.f. 1. *La critique est l'art de juger les œuvres littéraires ou artistiques.* 2. *On m'a fait de sévères critiques sur ma conduite* (= reproche ; ≠ louange).
■**critique** n. SENS 1 *M. Dubois est un critique de cinéma,* il écrit des articles jugeant les films.

■**critiquer** v. SENS 2 *L'opposition a critiqué le gouvernement* (= blâmer ; ≠ approuver).

croasser v. *Les corbeaux croassent,* ils poussent leur cri.
■**croassement** n.m. *Le croassement* est le cri du corbeau.
R. Ne pas confondre *croasser* et *coasser.*

croc n.m. *Le chien montre ses crocs,* ses dents pointues.
R. Le *c* final ne se prononce pas : [kro].

croc-en-jambe ou **croche-pied** n.m. *Myriam m'a fait un croche-pied,* elle a accroché une de mes jambes pour me faire tomber.
R. *Croc-en-jambe* se prononce [krokɑ̃ʒɑ̃b]. Attention au pluriel : des *crocs-en-jambe,* des *croche-pieds.*

croche n.f. *Une croche* est une note de musique qui dure peu.

crochet n.m. 1. *Un crochet* est une pièce de métal pointue et recourbée servant à suspendre, à accrocher quelque chose. 2. *Marie fait de la dentelle au crochet,* avec une aiguille recourbée. 3. *Nous avons fait un crochet pour venir vous voir* (= détour). 4. *On a mis un mot entre crochets,* des sortes de parenthèses : [...].
■**crocheter** v. SENS 1 *Crocheter une serrure,* c'est l'ouvrir avec un crochet.
■**crochu** adj. SENS 1 *Les aigles ont le bec crochu* (= recourbé).

crocodile n.m. *Le crocodile* est un reptile vivant dans les fleuves des pays chauds.

crocus n.m. *Les crocus fleurissent au printemps.*

croire v. 1. *Anne m'a cru,* elle a pensé que je disais la vérité. *Il a cru à mes paroles,* il a pensé qu'elles étaient vraies. 2. *Je crois que Gisèle est partie,* je le pense, mais ce n'est pas sûr. 3. *Marie croit en Dieu,* elle pense qu'il existe. **4.** *Jean se croit beau,* il pense qu'il l'est.

■ **croyable** adj. SENS 1 *Cette histoire n'est pas croyable,* on ne peut y croire.

■ **croyant** adj. SENS 3 *Marie est croyante,* elle croit en Dieu.

■ **croyance** n.f. SENS 3 *Il faut respecter les croyances des autres* (= conviction).

■ **crédible** adj. SENS 1 *Son récit est peu crédible,* il est difficile de le croire (= digne de foi, vraisemblable).

■ **crédule** adj. SENS 1 *Pierre est crédule,* il croit tout ce qu'on lui dit (= naïf).

■ **crédulité** n.f. SENS 1 *On s'est moqué de sa crédulité* (= naïveté).

■ **incrédule** adj. SENS 1 *Elle m'a regardé d'un air incrédule,* sans me croire.

■ **incroyable** adj. SENS 1 *Ce que tu me racontes est incroyable* (= invraisemblable).

■ **incroyablement** adv. SENS 1 *Cette affaire est incroyablement compliquée* (= extraordinairement).

■ **incroyant** n. SENS 3 *Un incroyant ne croit pas en Dieu* (= athée).

R. → Conj. n° 74. Attention : *je crois qu'il vient* (indicatif), mais *je ne crois pas qu'il vienne* (subjonctif). [*Je*] *crois,* [*il*] *croit* se prononcent [krwa] comme [*je*] *crois,* [*il*] *croît* (de *croître*) et comme *croix.* → aussi *cru* 1.

croisade n.f. Au Moyen Âge, les *croisades* furent des expéditions guerrières menées en Palestine par des chrétiens (les **croisés**) contre les musulmans.

croiser v. **1.** *Il a croisé les mains sur sa poitrine,* il les a mises l'une sur l'autre. **2.** *J'ai croisé Lise dans l'escalier* (= rencontrer). **3.** *Ce chemin croise la grande route dans deux kilomètres* (= couper, rencontrer). **4.** *Le bateau croise au large des côtes de Bretagne* (= naviguer).

■ **croisée** n.f. **1.** SENS 1 *La croisée des chemins,* c'est l'endroit où ils se croisent (= croisement, carrefour). **2.** *Une croisée* est une sorte de fenêtre.

■ **croisement** n.m. SENS 3 *Il y a eu un accident au croisement,* à l'endroit où les deux routes se croisent (= carrefour). SENS 2 *Deux voitures qui se croisent la nuit doivent se mettre en feux de croisement* (= code).

■ **croiseur** n.m. SENS 4 *Un croiseur est un navire de guerre.*

■ **croisière** n.f. SENS 4 *Les Durand ont fait une croisière aux Antilles,* un voyage par bateau.

■ **entrecroiser** v. SENS 1 *Les fils de ce tissu sont entrecroisés,* ils sont croisés dans tous les sens.

croissance, croissant → *croître.*

croissant n.m. **1.** *Un croissant de lune brille dans le ciel,* la lune, dont une petite partie seulement est visible. **2.** *Nadia mange deux croissants à son petit déjeuner,* des petits gâteaux recourbés.

croître v. *Son insolence ne cesse de croître* (= augmenter, grandir).

■ **croissance** n.f. *L'économie est en pleine croissance* (= développement).

■ **croissant** adj. *Nous observons le spectacle avec une curiosité croissante,* grandissante.

■ **accroître** v. *Mme Marion a accru sa fortune,* elle l'a augmentée.

■ **accroissement** n.m. *Il y a un accroissement du nombre des naissances* (= progression).

■ **décroître** v. *Les jours commencent à décroître à la fin juin* (= diminuer).

■ **décroissance** n.f. *On observe une décroissance de l'épidémie* (= diminution, déclin).

R. → Conj. n° 66. → *croire* et *cru* 1.

croix n.f. **1.** *Luce fait des croix sur son cahier,* des figures faites de deux

lignes qui se coupent, le plus souvent à angle droit. **2.** *Jésus-Christ est mort sur la croix,* sur un poteau ayant une traverse horizontale. **3.** *M. Durand a reçu la croix de guerre,* une décoration en forme de croix.
R. → *croire.*

croque-monsieur n.m.inv. *Un croque-monsieur est un sandwich chaud au jambon et au fromage.*

croque-mort n.m. Fam. *Les croque-morts transportent le cercueil,* les employés des pompes funèbres.

croquer v. **1.** *Pierre croque des bonbons,* il les mange en les broyant avec ses dents. **2.** *Ce biscuit croque sous la dent,* il fait un bruit sec (= craquer).

croquet n.m. *Le croquet est un jeu où l'on frappe une boule avec un long maillet.*

croquette n.f. *Une croquette est une boulette de viande, de poisson qu'on fait frire.*

croquis n.m. *Paul a fait un croquis du paysage,* un dessin rapide.

cross n.m. *Diane a gagné le cross,* une course à pied à travers la campagne.
R. → *crosse.*

crosse n.f. **1.** *La crosse d'une arme à feu* est la partie opposée au canon. **2.** *La crosse d'un évêque est un long bâton recourbé.* **3.** *Au hockey, on pousse la balle ou le palet avec une crosse,* un bâton recourbé.
R. *Crosse se prononce* [krɔs] *comme cross.*

crotale n.m. *Le crotale est un serpent très venimeux, appelé aussi serpent à sonnettes.*

crotte n.f. **1.** *Le chien a fait une crotte devant la porte* (= excrément, saleté). **2.** *Elisa aime les crottes de chocolat* (= bonbon au chocolat).
■ **crotter** v. SENS 1 *Ton pantalon est tout crotté,* couvert de boue.

■ **crottin** n.m. SENS 1 *Le crottin est l'excrément du cheval.*

■ **décrotter** v. SENS 1 *Décrotte-toi les pieds avant d'entrer !* (= essuyer, nettoyer).

crouler v. *Saïd croule sous le poids de son sac,* il est très lourdement chargé (= être accablé).

croupe n.f. **1.** *Cléa est assise sur la croupe du cheval,* sur l'arrière de son corps. **2.** *Nous sommes montés sur une croupe,* sur une colline arrondie.
■ **croupion** n.m. SENS 1 *Le croupion est la partie arrière du corps des oiseaux.*

croupir v. **1.** *L'eau de cette mare est en train de croupir,* elle reste sans bouger et devient mauvaise. **2.** *Cette famille croupit dans la misère,* elle y reste sans pouvoir en sortir.

croustiller v. *La croûte de ce pain croustille,* elle craque sous la dent.
■ **croustillant** adj. *Ces petits gâteaux sont croustillants.*

croûte n.f. **1.** *La croûte de ce pain est toute dorée,* la partie extérieure qui est dure (≠ mie). *Ne mange pas la croûte du fromage.* **2.** *Johanne a des croûtes sur la figure,* des plaques sèches recouvrant des plaies. **3.** Fam. *Ce peintre ne fait que des croûtes,* des tableaux sans valeur.
■ **croûton** n.m. SENS 1 *Un croûton est un morceau de pain contenant surtout de la croûte.*

croyable, croyance, croyant → *croire.*

1. cru adj. **1.** *Hélène aime la viande crue* (≠ cuit). **2.** *Il a répondu en termes très crus* (= grossier, leste).
■ **crudités** n.f.pl. SENS 1 *Au hors-d'œuvre, il y avait des crudités,* des légumes crus.
R. *Cru se prononce* [kry] *comme cru (de croire), comme crû (de croître) et comme crue.*

2. cru n.m. *Ce vin est un grand cru,* il vient d'un terroir renommé.
R. → *cru* 1.

cruauté → *cruel.*

cruche n.f. **1.** *Mets une cruche d'eau sur la table !,* un récipient ayant un bec et une anse. **2.** Fam. *Tu es une vraie cruche,* une sotte.

crucial adj. *Un problème crucial est essentiel, capital. Le moment crucial est le moment décisif.*

crucifier v. *Jésus-Christ a été crucifié,* il a été attaché et est mort sur une croix.
■**crucifix** n.m. *Un crucifix est un objet de piété représentant le supplice de Jésus-Christ sur la croix.*

crudités → *cru* 1.

crue n.f. *La rivière est en crue,* ses eaux sont très hautes.
■**décrue** n.f. *La rivière a amorcé sa décrue,* l'eau a commencé à baisser.
R. → *cru* 1.

cruel adj. *Pierre est cruel avec les animaux,* il aime les faire souffrir.
■**cruellement** adv. *On l'a traité cruellement* (= méchamment).
■**cruauté** n.f. *Cette femme est d'une grande cruauté* (= férocité).

crustacés n.m.pl. *Les crabes, les crevettes, les homards, les langoustes sont des crustacés.*

crypte n.f. *Il y a une crypte sous cette église,* une partie souterraine.

cube n.m. **1.** *Calculez le volume de ce cube,* de ce corps dont les six faces sont des carrés. **2.** *8 est le cube de 2* (2 × 2 × 2), *27 est le cube de 3* (3 × 3 × 3).
■**cubique** adj. SENS 1 *Cette chambre est cubique,* elle a la forme d'un cube.

cubitus n.m. *Le cubitus est un des deux os de l'avant-bras.*

cueillir v. **1.** *Marie a cueilli des fleurs* (= ramasser). *Je vais au jardin cueillir des fraises* (= récolter). **2.** Fam. *Les voleurs se sont fait cueillir par la police* (= arrêter).
■**cueillette** n.f. SENS 1 *Les paysans font la cueillette des pommes* (= récolte).
R. → Conj. n° 24.   578

cuillère ou **cuiller** n.f. *On mange de la soupe, mets des cuillères sur la table.*   78
■**cuillerée** n.f. *Donne-moi une cuillerée de sauce,* le contenu d'une cuillère.

cuir n.m. **1.** *Line a une veste de cuir,* faite avec la peau d'un animal. **2.** *Pierre a une blessure au cuir chevelu,* à la peau du crâne.   761
R. → *cuire.*

cuirasse n.f. **1.** *Les guerriers grecs portaient une cuirasse,* une armure leur couvrant la poitrine. **2.** *Les navires de guerre et les chars d'assaut sont recouverts d'une cuirasse métallique* (= blindage).   440
■**cuirassé** n.m. SENS 2 *Un cuirassé est un navire de guerre blindé.*
■**cuirassier** n.m. SENS 1 *Les cuirassiers étaient des soldats à cheval portant une cuirasse.*

cuire v. **1.** *On cuit (on fait cuire) un gâteau en le mettant au four. La soupe cuit sur la cuisinière.* **2.** *Le dos me cuit* (= brûler). **3.** *Si vous le contrariez, il pourrait vous en cuire,* vous pourriez en éprouver des désagréments.
■**cuisant** adj. SENS 2 *Je souffre d'une blessure cuisante. Elle a subi un cuisant échec* (= douloureux).
■**cuisson** n.f. SENS 1 *La cuisson du rôti est presque terminée.*
■**cuit** adj. SENS 1 *J'aime la viande bien cuite* (≠ cru).
R. → Conj. n° 70. *Cuire* se prononce [kɥir] comme *cuir.*

79 **cuisine** n.f. **1.** *Les Dupont mangent dans la cuisine,* dans la pièce où l'on prépare les repas. **2.** *Tu fais bien la cuisine,* tu sais préparer les aliments.
■ **cuisiner** v. SENS 2 *Je cuisine bien,* je fais bien la cuisine.

36 ■ **cuisinier 1.** n. SENS 2 *Nous sommes de bons cuisiniers,* nous faisons bien la cuisine. **2.** n.f. *Nous venons d'acheter une cuisinière électrique,* un appareil servant à faire la cuisine.
■ **culinaire** adj. SENS 2 *L'art culinaire,* c'est l'art de bien faire la cuisine.

33, **cuisse** n.f. *Nous avions de l'eau**368** *jusqu'aux cuisses,* au-dessus du genou.

cuisson, cuit → *cuire.*

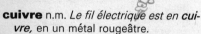

cuivre n.m. *Le fil électrique est en cuivre,* en un métal rougeâtre.

cul n.m. **1.** *Il est resté le cul sur sa chaise,* le derrière. **2.** *Le cul d'une bouteille,* c'est le fond.
R. On prononce [ky]. Ce mot est grossier au sens 1.

culbute n.f. *Les enfants font des culbutes sur le lit,* ils se roulent la tête en bas.
■ **culbuter** v. *Elle a été culbutée par une auto* (= renverser).

cul-de-sac n.m. *On est sorti du cul-de-sac en marche arrière,* de la voie sans issue (= impasse).
R. On prononce [kydsak]. Noter le pluriel : des *culs-de-sac.*

culinaire → *cuisine.*

culminant adj. *Le mont Everest est le point culminant de l'Himālaya,* le plus haut sommet.

culot n.m. Fam. *Tu as du culot de me dire ça* (= effronterie, toupet).
■ **culotté** adj. Fam. *Il faut être culotté pour oser faire ça !* (= effronté, impudent).

culotte n.f. **1.** *Martine porte des culottes courtes,* un vêtement qui va de la taille aux genoux enveloppant chaque jambe séparément. *Tintin porte une culotte de golf.* **2.** *Marie s'est acheté une culotte,* un sous-vêtement qui couvre le bas du tronc.

culpabilité → *coupable.*

culte n.m. **1.** *Le culte des saints,* c'est l'hommage religieux qui leur est rendu. **2.** *Le culte catholique, le culte protestant,* c'est la religion catholique, la religion protestante. **3.** *J'ai le culte de la vérité,* j'y suis très attaché (= amour).

cultiver v. **1.** *Les paysans cultivent la terre,* ils la travaillent pour faire pousser les plantes. **2.** *Ce paysan cultive du blé,* il le fait pousser. **3.** *Judith lit beaucoup pour se cultiver,* pour enrichir son esprit et acquérir des connaissances.
■ **cultivable** adj. SENS 1 *Cette terre n'est pas cultivable,* rien ne peut y pousser.
■ **cultivateur** n. SENS 1 ET 2 *Les Chaput sont de riches cultivateurs* (= agriculteur, paysan).
■ **culture** n.f. **1.** SENS 1 ET 2 *Les Chaput font la culture du blé,* ils le cultivent. *Il y a de riches cultures dans cette région,* des terres cultivées. SENS 3 *C'est une femme d'une grande culture,* elle a beaucoup de connaissances en littérature, en art, etc. *La culture d'une société,* c'est la civilisation. **2.** *Anna fait de la culture physique tous les matins,* des exercices pour fortifier son corps (= gymnastique).
■ **culturel** adj. SENS 3 *Quelles sont vos activités culturelles ?* qui vous permettent de vous cultiver.
■ **inculte** adj. SENS 1 *Cette terre est inculte,* elle n'est pas cultivée. SENS 3 *Pierre ne lit jamais, il est inculte* (= ignorant).

ucherie
icher
Pâtissier
store
magasin (boutique)

lampadaire
benne à ordures
éboueur
borne d'incendie
poubelle

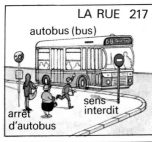

LA RUE 217

autobus (bus)
sens interdit
arrêt d'autobus

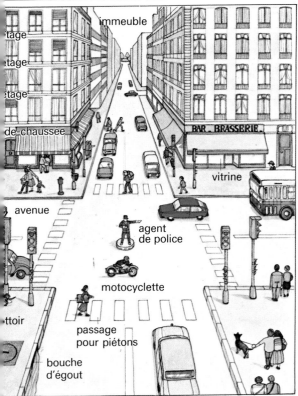

immeuble
étage
étage
étage
rez-de-chaussée
BAR BRASSERIE
vitrine
avenue
agent de police
motocyclette
trottoir
passage pour piétons
bouche d'égout

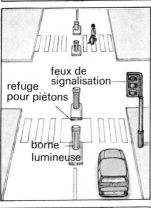

feux de signalisation
refuge pour piétons
borne lumineuse

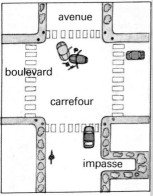

avenue
boulevard
carrefour
impasse

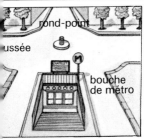

rond-point
chaussée
bouche de métro

kiosque à journaux
affiches
revues

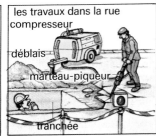

les travaux dans la rue
compresseur
déblais
marteau-piqueur
tranchée

hôtel de ville   esplanade

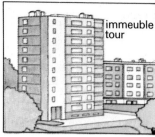

immeuble
tour

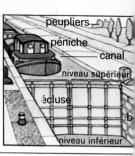

peupliers
péniche
canal
niveau supérieur
écluse
b
niveau inférieur

CAFÉ

terrasse
parcmètre—   (parcomètre)
chaussée   caniveau

CINEMA
LE LIVRE DE LA JUNGLE

queue
(file d'attente)

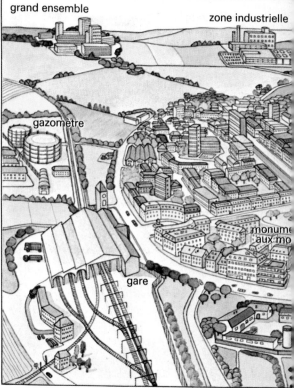

grand ensemble

zone industrielle

gazomètre

monume
aux mo

gare

nettoyage des rues

arroseuse
balayeuse

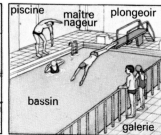

piscine   maître   plongeoir
nageur

bassin

galerie

tennis de table
(ping-pong)

re commercial enseigne haut-parleurs

BONFAR

pompe à essence
supermarché
chariot
stationnement

hangars

manche à air

piste

avion de tourisme

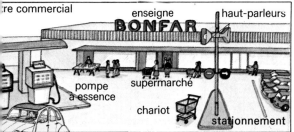

hâteau d'eau
hameau
usine
cimetière
église
boulevard circulaire

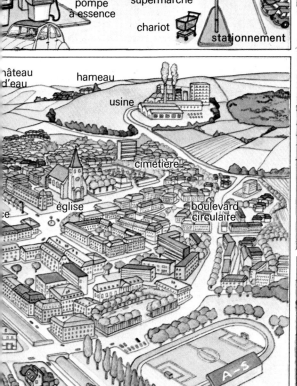

stade
canal
faubourg

jardin public

kiosque à musique

banc public

bassin

sports urbains

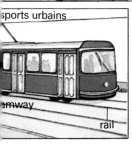

tramway
rail

ensemble résidentiel
maisons individuelles (pavillons)

220

pain de ménage

pain tranché   baguette   ficelle

pain de campagne   croissant

couronne   brioche   chausson

pâtisseries   éclairs

baba   religieu

petits fours

horloge

pendule

poids

balancier

HORLOGERIE - BIJOUTERIE   enseigne

bou

réveil   pendulette

montres

cliente

comptoir

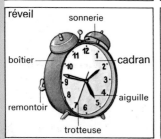

réveil

sonnerie

boîtier   cadran

remontoir   aiguille

trotteuse

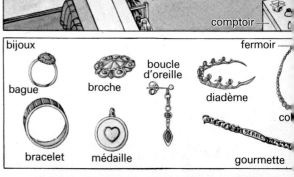

bijoux

bague   broche   boucle d'oreille

diadème

bracelet   médaille

gourmette

fermoir

co

flan
ille-feuilles
chou à la crème
e

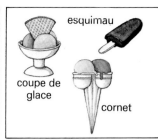
esquimau
coupe de glace
cornet

LE CENTRE COMMERCIAL 221

bonbon
tablette de chewing-gum
crotte de chocolat
marron glacé

ulangerie - Pâtisserie
QUINCAILLERIE GENERALE
étalage
LIBRAIRIE - PAPETERIE - JOURN
présentoir
vitrine
vendeuse

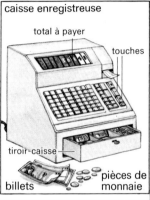
caisse enregistreuse
total à payer
touches
tiroir-caisse
billets
pièces de monnaie

livre relié (dictionnaire)
pages
petit Larousse en couleurs
titre
plat
couverture
dos

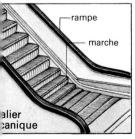
rampe
marche
alier
canique

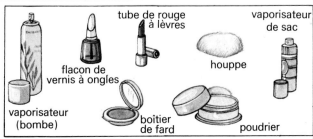
tube de rouge à lèvres
vaporisateur de sac
flacon de vernis à ongles
houppe
vaporisateur (bombe)
boîtier de fard
poudrier

222 carcasses **boucher**

rôtis

étal

charcutier

jambon saucissons saucisses

abats   pâtes

client

balance électrique

fruits et légumes

panier

poussette

cabas

sac

marché couvert
(halles)

poissonnerie

fourgon

LÉGUMES

place
du marché

bâche

clients

marchands
de fruits et légumes

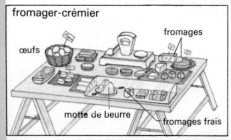

fromager-crémier

œufs

fromages

motte de beurre

fromages frais

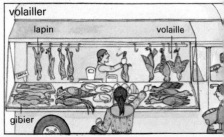

volailler

lapin

volaille

gibier

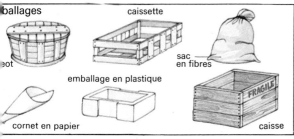

ballages

caissette

sac
en fibres

emballage en plastique

cornet en papier

eot

caisse

2.15

kg 3.89

étiquettes

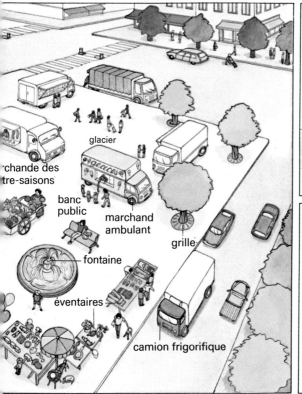

glacier

chande des
tre-saisons

banc
public

marchand
ambulant

grille

fontaine

éventaires

camion frigorifique

camelot parasol

cravates foulards

objets de pacotille

badauds

marchand de couleurs
(droguiste)

balais

plumeaux

brosses

lessives

savons

nce

plateau fléau poids

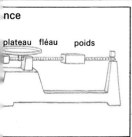

marchand de tissus (mercier)

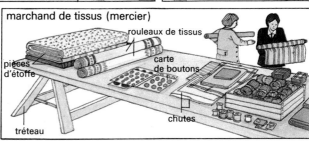

rouleaux de tissus

pièces
d'étoffe

carte
de boutons

chutes

tréteau

224 LA BROCANTE

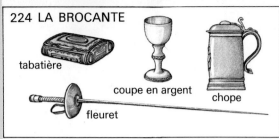

tabatière

coupe en argent

chope

fleuret

bahut

rouet

fuseau

quenouille

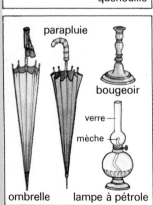

parapluie

bougeoir

verre

mèche

ombrelle

lampe à pétrole

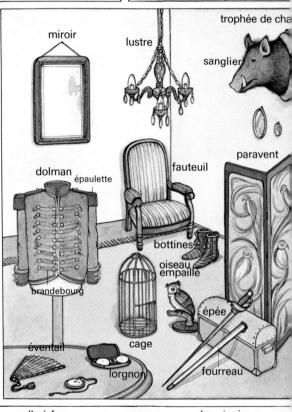

miroir

lustre

trophée de cha

sanglier

paravent

dolman

épaulette

fauteuil

brandebourg

bottines

oiseau
empaillé

éventail

cage

épée

lorgnon

fourreau

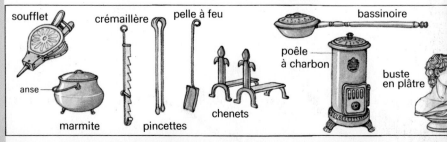

soufflet

crémaillère

pelle à feu

bassinoire

poêle
à charbon

buste
en plâtre

anse

marmite

pincettes

chenets

cumuler v. *Mme Ste-Marie cumule plusieurs fonctions,* elle les exerce en même temps.

cunéiforme adj. *L'écriture cunéiforme* était une écriture en forme de clous des Assyriens, des Mèdes, des Perses.

cupide adj. *M. Dupont est un homme cupide,* il est avide d'argent.
■ **cupidité** n.f. *Il se conduit avec cupidité* (= rapacité).

curare n.m. *Le curare est un poison* dont certains Indiens d'Amérique du Sud enduisaient leurs flèches.

1. cure → *curé.*

2. cure n.f. **1.** *Mme Durand a fait une cure dans une station thermale,* elle y a suivi un traitement médical. **2.** *Je t'ai donné des conseils, mais tu n'en as cure,* tu ne t'en soucies pas.
■ **curiste** n. SENS 1 *Un curiste est une* personne qui fait une cure dans une station thermale.
■ **incurable** adj. SENS 1 *Il est atteint d'une maladie incurable,* qu'on ne peut pas guérir.

curé n.m. *Le curé a célébré la messe,* le prêtre catholique qui a la charge d'une paroisse.
■ **cure** n.f. *La cure est la maison du* curé (= presbytère).

curer v. *Jean se cure les ongles,* il les nettoie.
■ **cure-dents** n.m.inv. *Un cure-dents* est une petite tige pour se curer les dents.

curieux adj. **1.** *Anne est très curieuse,* elle veut savoir ce qui ne la regarde pas (= indiscret). **2.** *Je serais curieux de savoir où elle est partie,* je voudrais le savoir. **3.** *Il m'est arrivé une curieuse aventure* (= bizarre, étonnant).
■ **curieux** n.m. SENS 1 ET 2 *L'accident* attire des *curieux,* des gens venus regarder.
■ **curieusement** adv. SENS 3 *Ce bibelot est curieusement décoré* (= bizarrement).
■ **curiosité** n.f. SENS 1 ET 2 *Anne a été punie de sa curiosité* (= indiscrétion). SENS 3 *Ce monument est une curiosité,* une chose intéressante, étonnante.

curiste → *cure 2.*

curry n.m. *Du riz au curry est préparé* avec un assaisonnement de plusieurs épices.

cutané adj. *Cette personne a une affection cutanée,* une maladie de la peau.

cuve n.f. **1.** *Une cuve est un grand* récipient dans lequel on fait fermenter le raisin. **2.** *La cuve à mazout est presque vide* (= réservoir).
■ **cuvée** n.f. SENS 1 *Une cuvée est la* quantité de vin contenue dans une cuve.

cuvette n.f. **1.** *Annie a mis de l'eau dans une cuvette pour laver son linge,* un récipient peu profond. **2.** *Une cuvette est une dépression géographique.*

cyclamen n.m. *Le cyclamen est une* plante à belles fleurs.

cycle n.m. **1.** *Le cycle des saisons dure un an,* elles se succèdent pendant un an, puis cela recommence. **2.** *Un marchand de cycles vend des bicyclettes,* des vélomoteurs, des motos.
■ **cyclique** adj. SENS 1 *Une crise économique est cyclique quand elle se reproduit périodiquement.*
■ **cyclable** adj. SENS 2 *Une piste cyclable est une voie réservée aux cyclistes.*
■ **cyclisme** n.m. SENS 2 *Le cyclisme est un sport très populaire,* le sport de la bicyclette.
■ **cycliste** adj. et n. SENS 2 *Allons au vélodrome voir une course cycliste,* de

75

651

512

bicyclettes. *Une cycliste a été renversée par une auto,* une personne à bicyclette.

■ **cyclo-cross** n.m.inv. SENS 2 *Nous avons vu une course de cyclo-cross,* de bicyclettes en terrain difficile.

■ **cyclomoteur** n.m. SENS 2 *Mon frère va au lycée avec son cyclomoteur* (= vélomoteur).

512 ■ **bicyclette** n.f. SENS 2 *Cléa pédale sur sa bicyclette* (= vélo).

cyclone n.m. *Cette région a été ravagée par un cyclone,* une tempête très violente (= ouragan).

■ **anticyclone** n.m. *Un anticyclone nous amène du beau temps,* une zone de hautes pressions atmosphériques.

cygne n.m. *Des cygnes nagent dans le bassin du jardin public,* de grands oiseaux blancs au cou très flexible.
R. *Cygne se prononce* [siɲ] *comme signe.*

385 **cylindre** n.m. **1.** *Un cylindre est un corps qui a la forme d'un rouleau.*

2. *Les cylindres sont des organes du moteur d'une voiture dans lesquels glissent les pistons.*

■ **cylindrique** adj. SENS 1 *Cette boîte a une forme cylindrique.*

■ **cylindrée** n.f. SENS 2 *La cylindrée d'une voiture c'est le volume de ses cylindres.*

cymbale n.f. *Les cymbales sont deux disques de métal qu'on fait résonner en les frappant l'un contre l'autre.*

cynique adj. *M. Durand est un homme cynique,* il cherche à choquer les autres.

■ **cynisme** n.m. *Son cynisme nous a indignés,* son caractère cynique.

cyprès n.m. *Le cimetière est entouré d'une rangée de cyprès,* des arbres terminés en pointe.

cyprin n.m. *est un autre nom pour poisson rouge.*

cytise n.m. *Un cytise est un arbuste qui a des fleurs jaunes en grappes.*

d

dactylo n. *Jean et Marie sont dac-tylos,* leur métier est de taper des textes à la machine.
■ **dactylographie** n.f. *Jacqueline a appris la dactylographie,* à taper à la machine.
■ **dactylographier** v. *Il faut deux heures pour dactylographier toutes ces lettres* (= taper).

dada n.m. Fam. *M. Durand nous a encore parlé de rugby, c'est son dada,* le sujet qu'il préfère (= marotte).

dadais n.m. *Comment s'appelle ce grand dadais ?,* ce jeune homme à l'air sot (= nigaud).

dague n.f. *Une dague est une sorte de poignard.*

dahlia n.m. *Mme Dupont a acheté un bouquet de dahlias,* des fleurs.

daigner v. *Il n'a pas daigné nous dire bonjour,* il n'a pas voulu le faire, par dédain.

daim n.m. *J'ai une veste en daim,* faite avec la peau de cet animal.

dais n.m. *Un dais est une tenture placée au-dessus d'un autel, d'un trône, etc.*

dalle n.f. *Le sol du musée est fait de dalles,* de plaques de pierre.
■ **dallage** n.m. *Le dallage du musée est en marbre,* les dalles.
■ **daller** v. *On a fait daller le hall.*

damassé adj. *Les rideaux du salon sont damassés,* leur tissage forme des motifs décoratifs.

dame n.f. **1.** *Comment s'appelle cette dame ?,* cette femme. **2.** *Anne a joué la dame de pique,* une carte représentant une reine. **3.** *Jean et Aïcha font une partie de dames,* un jeu. **4.** interj. insiste sur ce qu'on veut dire : *Tu es content ? — Dame oui !*
■ **damer** v. **1.** SENS 3 *Elle m'a damé le pion,* elle m'a surpassé. **2.** *La piste de ski est bien damée,* la neige est bien tassée.
■ **damier** n.m. SENS 3 *On joue aux dames sur un damier,* un tableau carré divisé en cent cases noires et blanches.
■ **madame** n.f. SENS 1 *La mère de Jean s'appelle madame Dupont (Mme Dupont). Bonjour mesdames !*

damner v. *Les chrétiens croient que les méchants seront damnés,* condamnés par Dieu à l'enfer.
■ **damnation** n.f. *Les chrétiens croient à la damnation* (= enfer).
R. On prononce [dane], [danasjɔ̃].

dancing → danser.

se dandiner v. *Les canards avancent en se dandinant,* en balançant le corps.

danger n.m. *Le brouillard fait courir un grand danger aux automobilistes* (= risque, péril).

436

436

■ **dangereux** adj. *Les routes vergla-cées sont dangereuses* (= périlleux ; ≠ sûr).

■ **dangereusement** adv. *Il est dangereusement blessé* (= gravement).

danois n.m. *Deux danois sont en liberté dans le parc,* de très grands chiens.

dans prép. indique le lieu : *On est entré dans la maison* (= à l'intérieur) ; le temps : *Il viendra dans huit jours,* huit jours après aujourd'hui (= d'ici).

■ **dedans 1.** adv. *Mon manteau est dans l'armoire ? Oui, je l'ai mis dedans* (≠ dehors). **2.** n.m. *On a repeint le dedans de la maison* (= intérieur ; ≠ extérieur).

R. *Dans* se prononce [dã] comme *dent*.

danser v. *Pierre ne sait pas danser la valse,* faire les pas de cette danse dans le rythme de la musique.

■ **danse** n.f. *Jean apprend des danses folkloriques.*

■ **danseur** n. *Marie est bonne danseuse.*

■ **dancing** n.m. *Un dancing* est un établissement public où l'on danse.

R. → *dense.*

dard n.m. *Les abeilles, les guêpes, les scorpions ont un dard,* un organe qui leur sert à piquer (= aiguillon).

darder v. *Il a dardé sur moi un regard méchant* (= lancer).

dare-dare adv. Fam. *Déjà 8 heures ! Il faut partir dare-dare,* très vite, en se dépêchant.

dartre n.f. *Certaines maladies provoquent des dartres,* des plaques rouges sur la peau.

date n.f. *Sa lettre porte la date du jeudi 19 septembre 1985.*

■ **dater** v. **1.** *N'oublie pas de dater ta lettre !,* d'indiquer le jour, le mois, l'année. **2.** *Cette église date du Moyen*

Âge, elle a été construite à cette époque (= remonter à).

■ **antidater, postdater** v. *Nous sommes le 15 mai : si je date la lettre du 14, je l'andidate, si je la date du 16, je la postdate.*

R. → *datte.*

datte n.f. *Myriam aime beaucoup les dattes,* un fruit des pays chauds.

■ **dattier** n.m. *Les dattiers* sont des sortes de palmiers.

R. *Datte* se prononce [dat] comme *date* et [*je*] *date* (de *dater*).

daube n.f. *Du bœuf en daube* est cuit dans un récipient couvert.

dauphin n.m. **1.** *On dit que les dauphins sont très intelligents,* de grands animaux marins. **2.** *Le Dauphin* était le fils aîné du roi de France.

daurade ou **dorade** n.f. *Nous avons pêché des daurades,* des poissons à reflets dorés.

davantage adv. *J'en veux davantage,* plus. *Je ne resterai pas davantage,* plus longtemps.

1. de prép. joue un rôle grammatical très important et a des sens variés : *Il vient de Paris* (origine) ; *Le livre de Pierre* (appartenance) ; *Je meurs de faim* (cause) ; *Un tas de sable* (matière) ; *Frapper du poing* (moyen) ; etc.

R. Devant une voyelle ou un « h » aspiré, *de* devient *d'* : *Le livre d'Annie. De* devient *du* devant *le* : *Elle souffre du foie ;* et *des* devant *les* : *Je viens des États-Unis.*

2. de, du, de la, des articles s'emploient devant les noms de choses qu'on ne peut pas compter : *Veux-tu du vin ou de la bière ?*

dé- au début d'un mot indique l'inverse ou la cessation, la suppression de quelque chose : *boucher/déboucher ; emballer/déballer.*

dé n.m. **1.** *Marie et Jean jouent aux* ***dés,*** avec des petits cubes marqués de points. **2.** *Tu couds avec un* ***dé ?,*** un petit étui pour protéger ton doigt qui pousse l'aiguille.

déambuler v. *Des touristes* ***déambulent*** *dans la ville,* ils se promènent de divers côtés.

débâcle n.f. *La retraite des soldats s'est transformée en* ***débâcle,*** en fuite désordonnée (= déroute).

déballage, déballer → *emballer.*

débandade n.f. *Quand l'ennemi a attaqué, ce fut la* ***débandade,*** tout le monde s'est enfui.

débaptiser → *baptiser.*

débarbouiller, débarbouillette → *barbouiller.*

débarcadère, débarquement, débarquer → *embarquer.*

débarras, débarrasser → *embarrasser.*

débardeur n.m. Un ***débardeur*** est un employé qui charge ou décharge les bateaux (= docker).

débattre v. **1.** *La vendeuse et l'acheteur* ***ont débattu*** *du prix de la maison* (= discuter). **2.** *Quand on l'a attrapé, il* ***s'est débattu,*** il a lutté pour se dégager.
■ **débat** n.m. SENS 1 *Sur quoi porte le* ***débat*** *?* (= discussion).
R. → Conj. n° 56.

débauche n.f. *Lorsque l'on vit dans la* ***débauche,*** on se conduit mal (= vice).
■ **débauché** n. et adj. *M. Duval est un* ***débauché.***

débaucher → *embaucher.*

débile adj. et n. **1.** *C'est un enfant* ***débile,*** en mauvaise santé (= faible).

2. *Un* ***débile*** *(mental)* est une personne dont l'intelligence ne s'est pas développée.
■ **débilitant** adj. SENS 1 *Ce climat est* ***débilitant,*** il affaiblit, amollit.

débiner v. Fam. *C'est une mauvaise langue : il* ***débine*** *tous ses voisins,* il dit du mal d'eux (= dénigrer).

débit n.m. **1.** *Le* ***débit*** *du Rhône est plus important que celui de la Seine,* la quantité d'eau qui s'écoule. **2.** *Judith parle avec un* ***débit*** *rapide,* la vitesse de sa parole. **3.** *Un* ***débit*** *de tabac* est un magasin où l'on vend du tabac.
■ **débiter** v. SENS 1 *Ce robinet* ***débite*** *dix litres en une minute,* laisse s'écouler. SENS 2 *Judith* ***débite*** *sa poésie d'une voix monotone,* elle la dit.

débiteur n. *J'ai prêté de l'argent à Marie, elle est ma* ***débitrice,*** elle me doit de l'argent (≠ créancier).

déblatérer v. Fam. *Il n'a pas arrêté de* ***déblatérer*** *contre tout le monde,* de dire du mal de tout le monde.

déblayer v. *Après l'avalanche, on* ***a déblayé*** *la route,* on a enlevé les matériaux qui l'obstruaient.
■ **déblais** n.m.pl. *Un camion est venu charger les* ***déblais,*** la terre, les débris.
■ **remblayer** v. *Remblayer un fossé,* c'est le boucher avec de la terre, des matériaux.
■ **remblai** n.m. *On a fait un* ***remblai*** *pour poser la voie ferrée,* on a surélevé le terrain en apportant de la terre.

déblocage, débloquer → *bloquer.*

débobiner → *bobine.*

déboires n.m.pl. *M. Dupont se plaint de ses* ***déboires*** (= déceptions, ennuis ; ≠ satisfactions, succès).

déboisement, déboiser → *bois.*

déboîtement, déboîter → *emboîter.*

217, 151

débonnaire adj. *M. Dubois est un homme débonnaire,* il est doux et bienveillant (≠ sévère).

débordement, déborder → *bord.*

débouché, déboucher→*boucher* 1.

débouler v. Fam. *Karim a déboulé l'escalier,* il est descendu très vite.

débours, débourser → *bourse.*

debout adv. 1. *Quand la présidente est entrée, tout le monde s'est mis debout,* s'est levé (≠ assis et couché). 2. *Cette explication ne tient pas debout,* elle n'est pas logique, acceptable.

débouter v. *Le tribunal a débouté les accusateurs,* il a rejeté leurs accusations.

déboutonner → *bouton.*

débraillé adj. *Tu ne peux pas sortir dans cette tenue débraillée,* avec ces vêtements en désordre.

débrancher → *brancher.*

débrayage, débrayer → *embrayer.*

débridé → *bride.*

débris n.m.pl. *Ramasse les débris de la bouteille,* les morceaux cassés.

débrouiller v. 1. *La police a réussi à débrouiller le mystère* (= démêler, éclaircir). 2. *Jean s'est débrouillé pour arriver le premier,* il a agi habilement (= s'arranger).
■ **débrouillard** adj. et n. SENS 2 *Line est débrouillarde* (= adroit, habile, astucieux).
■ **débrouillardise** n.f. SENS 2 *Jean compte sur sa débrouillardise pour se tirer d'affaire* (= ingéniosité, astuce).
■ **embrouiller** v. SENS 1 *J'ai embrouillé les fils de mon tricot* (= emmêler).

débroussailler → *broussaille.*

débuter v. 1. *L'année débute le 1er janvier* (= commencer ; ≠ finir). 2. *Quand il a débuté, son salaire n'était pas gros,* quand il a commencé à travailler.
■ **début** n.m. SENS 1 *Le début de ce livre n'est pas intéressant* (= commencement ; ≠ fin).
■ **débutant** n. SENS 2 *Elle fait beaucoup d'erreurs, c'est une débutante* (= novice).

déca-, placé devant un nom d'unité, la multiplie par 10 *(décamètre).*

deçà adv. *Nous sommes restés en deçà de la rivière,* de ce côté-ci, nous n'avons pas traversé (≠ au-delà).

décacheter → *cacheter.*

décadence n.f. *On dit que nous sommes dans un siècle de décadence,* où tout va de plus en plus mal.

décaféiné adj. *Dans le café décaféiné, on a enlevé les substances excitantes qui sont dans le café normal.*

décagramme → *gramme.*

décalcifier → *calcium.*

décalcomanie → *calque.*

décaler v. *Le début du travail a été décalé d'une demi-heure* (= déplacer).
■ **décalage** n.m. *Il y a un décalage d'une heure entre Paris et Athènes,* on change d'heure (= écart, différence).

décalitre → *litre.*

décalquer → *calque.*

décamètre → *mètre.*

décamper v. *Les bandits ont décampé avant l'arrivée de la police,* ils se sont enfuis en vitesse.

décanter v. *Pour décanter un liquide, on laisse les impuretés se déposer au fond du récipient.*

■**décantation** n.f. *La décantation de ce liquide est très lente.*

décaper v. *On a décapé le parquet,* on l'a frotté pour le nettoyer.

décapiter v. *Louis XVI a été décapité,* on lui a coupé la tête.

décapotable → *capote.*

décapsuler, décapsuleur → *capsule.*

se décarcasser v. Fam. *Je me suis décarcassé pour trouver une solution,* je me suis donné beaucoup de peine.

décathlon n.m. *Le décathlon est une épreuve d'athlétisme comportant dix compétitions.*

décéder → *décès.*

déceler v. *On n'a pas réussi à déceler la cause de l'incendie* (= découvrir, trouver).
■**décelable** adj. *La fissure est difficilement décelable.*
R. → Conj. n° 5.

décembre n.m. *Le 25 décembre, c'est Noël.*

décent adj. *Ta tenue n'est pas décente,* elle choque les convenances, la pudeur (= convenable ; ≠ incorrect).
■**décence** n.f. *Cette affiche est contraire à la décence,* elle est inconvenante.
■**décemment** adv. *Habille-toi décemment pour sortir.*
■**indécent** adj. *Votre conversation est indécente,* inconvenante.
■**indécence** n.f. *Il y a de l'indécence à étaler ce luxe devant des gens si malheureux.*

décentraliser → *centre.*

déception → *décevoir.*

décerner v. *On lui a décerné le premier prix* (= accorder).

décès n.m. *On ne connaît pas les causes de son décès* (= mort).
■**décéder** v. *Cette personne est décédée depuis deux ans* (= mourir).

décevoir v. *Cléa m'a déçu quand elle n'a pas tenu sa promesse,* elle n'a pas fait ce que j'espérais.
■**décevant** adj. *Ce livre est décevant.*
■**déception** n.f. *Son échec lui a causé une grande déception* (= désillusion ; ≠ satisfaction).
R. → Conj. n° 34.

déchaîner v. *Cette remarque insolente a déchaîné sa colère,* elle l'a fait éclater avec violence.
■**déchaînement** n.m. *Cet attentat a provoqué un déchaînement de violence.*

déchanter v. *On comptait sur lui, mais il a fallu déchanter,* cesser d'espérer.

décharge, déchargement, décharger → *charge.*

décharné → *chair.*

déchausser → *chausser.*

déchéance → *déchoir.*

déchet n.m. *Va jeter tous ces déchets à la poubelle !,* ces morceaux sans valeur (= reste, ordure).

déchiffrer → *chiffre.*

déchiqueter v. *Le chien a déchiqueté un coussin,* il l'a déchiré en petits morceaux.
R. → Conj. n° 8.

déchirer v. 1. *Qui a déchiré les pages de ce livre ?,* mis en morceaux. 2. *La nouvelle de sa mort m'a déchiré le cœur,* elle m'a causé une vive douleur.
■**déchirant** adj. SENS 2 *La blessée poussait des cris déchirants* (= douloureux).
■**déchirement** n.m. SENS 2 *Ce spectacle m'a causé un véritable déchirement,* une grande peine.

■ **déchirure** n.f. SENS 1 *Marie a fait une déchirure à sa robe*, elle a déchiré le tissu (= accroc).

déchoir v. *Nous avions l'impression de déchoir en acceptant ce travail modeste* (= s'abaisser).

■ **déchéance** n.f. *L'alcoolisme entraîne une déchéance physique et morale* (= abaissement, dégradation). R. → Conj. n° 49.

déci-, placé devant un nom d'unité, la divise par 10 *(décimètre).*

décidément adv. *Il a encore eu un accident ? Décidément, il n'a pas de chance !,* cela se confirme (= vraiment).

décider v. 1. *Nous avons décidé de partir demain,* nous avons pris cette résolution (= choisir, résoudre ; ≠ hésiter). 2. *Elle hésitait, mais je l'ai décidée à finir ce travail* (= convaincre, pousser).

■ **décidé** adj. SENS 1 *Jean est un garçon décidé, il n'hésite pas avant d'agir* (= hardi ; ≠ indécis).

■ **décisif** adj. SENS 1 *Le moment décisif est venu,* où il faut choisir (= déterminant).

■ **décision** n.f. SENS 1 *Quelle décision as-tu prise ?,* qu'as-tu décidé ? (= résolution, choix). *Il a montré beaucoup de décision* (= fermeté ; ≠ hésitation).

■ **indécis** adj. SENS 1 *Pierre ne sait pas quoi faire, il reste indécis* (= hésitant).

■ **indécision** n.f. SENS 1 *Tes paroles ont mis fin à mon indécision* (= hésitation).

décigramme → *gramme.*

décilitre → *litre.*

décimal adj. *Dans le système décimal, chaque unité vaut dix fois l'unité inférieure.*

■ **décimale** n.f. *4,75 est un nombre à deux décimales,* à deux chiffres après la virgule.

décimer v. *La guerre a décimé la population de ce village,* elle a fait beaucoup de morts.

décimètre → *mètre.*

décisif, décision → *décider.*

déclamer v. *Cette actrice déclame trop,* elle parle avec trop de solennité.

■ **déclamatoire** adj. *Il parle d'un ton déclamatoire* (= pompeux).

déclarer v. 1. *Marie a déclaré qu'elle partait demain,* elle nous l'a fait savoir (= annoncer). 2. *Tous les ans, on déclare ses revenus au percepteur,* on les fait connaître officiellement. 3. *Une épidémie de grippe s'est déclarée,* elle a commencé (= éclater).

■ **déclarable** adj. SENS 2 *Cette indemnité n'est pas déclarable,* il n'y a pas lieu de la déclarer comme revenu.

■ **déclaration** n.f. SENS 1 *As-tu entendu les déclarations du ministre ?,* ce qu'il a dit. SENS 2 *Jacqueline a fait sa déclaration de revenus.*

déclasser → *classer.*

déclencher v. *Son discours a déclenché les protestations des auditeurs* (= causer, provoquer).

■ **déclenchement** n.m. *Cet attentat marque le déclenchement de la lutte armée* (= début).

déclic n.m. 1. *Pour ouvrir la boîte, appuie sur le déclic* (= mécanisme). 2. *La porte s'est fermée avec un déclic,* un petit bruit sec.

décliner v. 1. *Le jour décline,* il approche de sa fin. 2. *Martine a décliné mon invitation* (= refuser). 3. *En latin, les noms se déclinent,* ils prennent des terminaisons différentes selon leur fonction grammaticale.

■ **déclin** n.m. SENS 1 *Le soleil est dans son déclin,* il baisse. *C'est le déclin de sa célébrité* (= baisse, chute).

■ **déclinaison** n.f. SENS 3 *La déclinaison d'un nom, en latin, c'est la manière de le décliner.*

déclivité n.f. *Après le virage, il y a une forte déclivité* (= pente).

déclouer → *clou.*

décocher v. *Décocher une flèche,* c'est la lancer.

décoiffer → *coiffer.*

décollage n.m. *Il est interdit de fumer pendant le décollage,* pendant que l'avion quitte le sol.

■ **décoller** v. *L'avion décolle à 10 heures* (= s'envoler; ≠ atterrir).

décoller → *coller* et *décollage.*

décolleté → *col.*

décoloniser → *colonie.*

décolorer → *couleur.*

décombres n.m.pl. *Après l'incendie, on a recherché les blessés dans les décombres* (= ruines).

décommander → *commander.*

décomposer, décomposition → *composer.*

déconcerter v. *Sa réponse nous a déconcertés,* elle nous a beaucoup surpris (= dérouter, embarrasser).

■ **déconcertant** adj. *Elle est d'une insouciance déconcertante* (= incompréhensible).

déconfit adj. *Jean était tout déconfit d'avoir perdu,* très déçu (≠ triomphant).

■ **déconfiture** n.f. *Notre équipe a perdu 10 à 0 : quelle déconfiture !* (= échec).

déconseiller → *conseil.*

déconsidérer → *considérer.*

décontenancer → *contenir.*

décontracter → *contracter.*

déconvenue n.f. *Malgré sa déconvenue,* elle a gardé le sourire (= déception).

décorer v. 1. *Pour Noël, on a décoré la salle à manger,* on y a mis des objets pour l'embellir (= orner). 2. *M. Dupont est décoré de la Légion d'honneur,* il a reçu cette distinction honorifique.

■ **décor** n.m. SENS 1 *Au deuxième acte de la pièce, les décors changent,* les accessoires qui représentent le lieu de l'action.

■ **décorateur** n. SENS 1 *Le métier de décoratrice consiste à décorer les appartements ou à faire des décors de théâtre.*

■ **décoratif** adj. SENS 1 *Ce lustre est très décoratif,* il fait un bel effet.

■ **décoration** n.f. SENS 1 *Que faut-il acheter pour la décoration de la salle ?* (= ornement). SENS 2 *La Légion d'honneur, la croix de guerre sont des décorations.*

décortiquer v. *Décortiquer des noix, des noisettes,* c'est extraire de la coquille la partie qui se mange.

décorum n.m. *La cérémonie a eu lieu avec un certain décorum* (= éclat, solennité).

R. On prononce [dekɔrɔm].

découcher → *coucher.*

découdre → *coudre.*

découler v. *Son échec découle d'un manque de travail,* il en est la conséquence (= provenir, résulter).

découpage, découper → *couper.*

découplé adj. *Yannick est un garçon bien découplé,* bien bâti, vigoureux.

440

763

découragement, décourager → courage.

découverte, découvrir → couvrir.

décrasser → crasse.

décret n.m. *Un décret a changé les programmes scolaires,* une décision du gouvernement.
■ **décréter** v. *J'ai décrété que je partirais demain* (= décider).

décrier v. *C'est à tort que tu décries cette voiture,* que tu en dis du mal.

décrire v. 1. *Peux-tu me décrire ta maison ?,* me dire comment elle est (= dépeindre). 2. *Le soleil décrit une courbe dans le ciel,* il la suit (= tracer).
■ **description** n.f. SENS 1 *La police nous a demandé une description écrite de notre voiture volée.*
■ **indescriptible** adj. SENS 1 *Il y a ici un fouillis indescriptible,* impossible à décrire.
R. → Conj. n° 71.

décrocher → accrocher.

décroissance, décroître → croître.

décrotter → crotte.

décrue → crue.

déçu → décevoir.

décupler v. *Le prix du café a décuplé,* il a été multiplié par dix.

dédaigner v. *Il ne faut pas dédaigner ces gens, ils sont gentils* (= mépriser ; ≠ estimer).
■ **dédain** n.m. *Tu as répondu avec dédain* (= arrogance, mépris ; ≠ respect).
■ **dédaigneux** adj. *Pourquoi prends-tu cet air dédaigneux ?* (= fier, hautain, méprisant).
■ **dédaigneusement** adv. *On a rejeté dédaigneusement ma proposition.*

dédale n.m. *Quel dédale de petites rues !* (= labyrinthe).

dedans → dans.

dédicacer v. *La poétesse m'a dédicacé son livre,* elle a écrit quelques mots pour moi sur la première page.
■ **dédicace** n.f. *L'écrivain a écrit une phrase de dédicace.*

dédier v. 1. *Ce romancier a dédié son premier livre à sa femme,* il a fait imprimer « À ma femme » sur la première page. 2. *Je dédie cette chanson à tous les enfants du monde,* je la leur destine (= offrir).

se dédire → dire.

dédommagement, dédommager → dommage.

dédoubler → doubler.

déduire v. 1. *Comme il n'a pas répondu à ma proposition, j'en déduis que cela ne l'intéressait pas* (= conclure). 2. *Quand on déduit 7 de 15, trouve 8* (= soustraire).
■ **déductible** adj. SENS 2 *Certaines dépenses d'entretien sont déductibles des revenus à déclarer,* on peut les déduire.
■ **déduction** n.f. SENS 1 *Tes déductions ne sont pas justes* (= raisonnement, conclusion). SENS 2 *Il faut faire la déduction des acomptes déjà versés* (= soustraction).
R. → Conj. n° 70.

déesse → dieu.

défaillance n.f. *À la fin de l'étape, le coureur a eu une défaillance,* il n'avait plus de force.
■ **défaillir** v. *Il a défailli, quand on lui a annoncé la nouvelle,* il s'est évanoui.
■ **défaillant** adj. 1. *Ma mémoire est défaillante sur ce point,* je ne m'en souviens plus. 2. *Trois candidates sont défaillantes,* elles ne se sont pas présentées à l'examen.
R. *Défaillir* → conj. n° 30.

défaire → *faire*.

défaite n.f. *Le match s'est terminé par la défaite de notre équipe,* elle a perdu (≠ victoire).

■ **défaitisme** n.m. *Il faut lutter contre le défaitisme,* la tendance à croire qu'on va perdre.

■ **défaitiste** adj. et n. *Ne sois pas défaitiste,* on a des chances de gagner ! (= pessimiste).

défalquer v. *Il faut défalquer de la somme à payer les acomptes déjà versés* (= soustraire, retirer, ôter).

défaut n.m. **1.** *La médisance est un vilain défaut,* c'est mal (≠ qualité). **2.** *Ce tissu a des défauts,* il est mal fait (= imperfection). **3.** *Les forces lui ont fait défaut,* lui ont manqué. **4.** *À défaut de vin, je boirai de la bière,* puisqu'il n'y a pas de vin (= faute de).

■ **défectueux** adj. SENS 2 *Cet appareil est défectueux,* il a des défauts.

■ **défectuosité** n.f. SENS 2 *Cet appareil est vendu au rabais à cause d'une petite défectuosité* (= défaut, imperfection).

défaveur, défavorable, défavoriser → *faveur*.

défection n.f. *Il nous a promis son aide, puis il a fait défection,* il nous a abandonnés.

défectueux, défectuosité → *défaut*.

défendre v. **1.** *Quand Paul m'a attaqué, Jean m'a défendu,* il m'a aidé, protégé, secouru. **2.** *On lui a défendu de sortir* (= interdire ; ≠ autoriser, permettre).

■ **défendable** adj. SENS 1 *Votre interprétation est défendable,* on peut la soutenir.

■ **défense** n.f. **1.** SENS 1 *Line a pris ma défense.* SENS 2 *Défense de marcher sur les pelouses !,* il ne faut pas marcher (= interdiction). **2.** *Les défenses de l'éléphant peuvent atteindre 3 mètres de long,* des sortes de dents.

■ **défenseur** n.m. SENS 1 *Les défenseurs ont repoussé les assaillants.*

■ **défensif** adj. SENS 1 *Une arme défensive sert à se défendre* (≠ offensif).

■ **défensive** n.f. SENS 1 *L'ennemi est resté sur la défensive* (≠ offensive).

■ **autodéfense** n.f. SENS 1 *Une ligue d'autodéfense prétend assurer la défense de ses membres sans recourir à la police.*

■ **indéfendable** adj. SENS 1 *Sa façon d'agir est indéfendable* (= injustifiable, inadmissible).

R. → Conj. n° 50.

déférence n.f. *Il nous a reçus avec déférence* (= respect ; ≠ insolence).

déférer v. *La police a déféré le malfaiteur à la justice,* elle l'a remis aux juges (= traduire).

déferler v. *Les vagues déferlent sur la plage,* elles retombent en roulant avec force (= se briser).

■ **déferlant** adj. *Le voilier a été renversé par une vague déferlante.*

défi, défiance → *défier*.

déficience n.f. *Il y a chez toi une déficience de la volonté* (= faiblesse, manque).

■ **déficient** adj. *Ses forces sont déficientes,* elles sont insuffisantes.

déficit n.m. *Cette commerçante a fait un déficit de 500 dollars,* cette somme lui manque, elle l'a perdue (≠ bénéfice).

■ **déficitaire** adj. *La récolte est déficitaire,* insuffisante (≠ excédentaire).

défier v. **1.** *On m'a défié de courir aussi vite que toi,* on m'a dit que j'en étais incapable. **2.** *Je me défie de Jacques,* je n'ai pas confiance en lui (= se méfier ; ≠ se fier).

■**défi** n.m. SENS 1 *On m'a lancé un défi,* on m'a défié.

■**défiance** n.f. SENS 2 *Les paroles de Caroline ont éveillé ma défiance* (= méfiance ; ≠ confiance).

défigurer → *figure.*

804

défilé n.m. **1.** *Nous avons assisté au défilé du 14-Juillet,* à la marche des soldats en rangs. **2.** *La rivière traverse la montagne par un défilé,* un passage étroit (= gorge).

■**défiler** v. SENS 1 *Les manifestantes défilent sur les boulevards,* elles marchent en rangs.

définir v. *Pierre n'arrivait pas à définir ce qu'il ressentait,* à le dire avec précision (= expliquer).

■**défini** adj. **1.** *Ce travail n'est pas bien défini* (= précis). **2.** *« Le » est un article défini.*

■**définition** n.f. *« Poil qui pousse sur la tête de l'homme » est la définition de « cheveu »,* l'explication de son sens.

■**indéfini** adj. **1.** *Nous partons pour un temps indéfini,* qu'on ne peut préciser. **2.** *« Un » est un article indéfini.*

■**indéfiniment** adv. *Tu ne peux pas rester là indéfiniment,* un temps indéfini.

■**indéfinissable** adj. *On éprouvait un malaise indéfinissable* (= vague, imprécis, confus).

définitif adj. *Mon refus est définitif* (= irrévocable ; ≠ provisoire).

■**en définitive** adv. *En définitive, tu as gagné* (= finalement).

■**définitivement** adv. *Elle est partie définitivement,* pour toujours.

définition → *définir.*

déflagration n.f. *Tout le quartier a entendu la déflagration,* l'explosion violente.

défoncer v. *Les cambrioleurs ont défoncé la porte,* ils l'ont cassée en l'enfonçant.

déformation, déformer → *former* 1.

se défouler v. *Il ne pouvait plus se taire, il s'est défoulé en me racontant tout,* il s'est soulagé, détendu.

■**défoulement** n.m. *Cette promenade en forêt est un défoulement* (= détente).

défraîchi → *frais* 1.

défrayer → *frais* 2.

défrichement, défricher → *friche.*

défriper → *fripé.*

défriser → *friser.*

défroisser → *froisser.*

défroque n.f. *Elle avait mis une vieille défroque pour se déguiser,* des vêtements usés.

défroqué → *froc.*

défunt adj. et n. se dit parfois pour *mort.*

dégager v. **1.** *On me serrait si fort que je n'arrivais plus à me dégager,* à me libérer. **2.** *Voulez-vous dégager le passage ?,* cesser de l'encombrer. **3.** *La voiture dégage une épaisse fumée,* elle la laisse échapper. **4.** *Le ciel s'est dégagé,* les nuages sont partis. **5.** *Le gardien de but a dégagé,* il a envoyé le ballon au loin.

■**dégagé** adj. *Elle m'a annoncé son échec d'un ton très dégagé,* naturel, aisé (≠ embarrassé).

■**dégagement** n.m. SENS 2 *Le dégagement de la route a duré toute la journée.* SENS 5 *Le joueur a fait un long dégagement vers l'avant,* il a dégagé.

dégaine n.f. Fam. *Tu as une drôle de dégaine,* une façon de marcher, de se tenir (= allure).

dégainer → *gaine.*

dégarnir → *garnir.*

dégât n.m. *L'incendie a fait des dégâts importants* (= destruction, dommage).

dégel, dégeler → *gel.*

dégénérer v. *Sa grippe a dégénéré en bronchite,* elle s'est transformée en quelque chose de pire.

dégivrage, dégivrer, dégivreur → *givre.*

déglutir v. *Le malade a de la peine à déglutir,* à avaler les aliments, sa salive.

dégonfler → *gonfler.*

dégouliner v. *La pluie dégouline sur le mur,* elle coule dessus.
■ **dégoulinade** n.f. *Tu as fait des dégoulinades de peinture,* des traînées.

dégourdi, dégourdir → *gourd.*

dégoût n.m. *J'ai un véritable dégoût pour l'alcool,* je le déteste (= aversion, répugnance).
■ **dégoûtant** adj. *Va te laver les mains, elles sont dégoûtantes !,* très sales.
■ **dégoûter** v. *Cette viande est avariée, ça me dégoûte* (= écœurer).

dégrader v. **1.** *La neige a dégradé la route* (= abîmer, détériorer). **2.** *Il s'est dégradé en mentant ainsi,* il a perdu sa dignité. **3.** *Dégrader un officier,* c'est lui retirer son grade. **4.** *Line a peint un paysage en dégradant les couleurs,* en les affaiblissant peu à peu.
■ **dégradant** adj. SENS 2 *On lui a fait jouer un rôle dégradant* (= honteux, avilissant).
■ **dégradation** n.f. SENS 1 *Ce monument a subi des dégradations* (= dégât).
■ **dégradé** n.m. SENS 4 *Ce dégradé de couleurs est très joli.*

dégrafer → *agrafe.*

dégraisser → *graisse.*

degré n.m. **1.** *Sa maladie a atteint un degré alarmant* (= point, niveau). **2.** *L'eau bout à 100 degrés,* unités de mesure de la température. *Ce vin fait 12 degrés,* unités de mesure de la force de l'alcool.

dégressif adj. *Si vous achetez plus de 100 kilos, vous aurez un tarif dégressif,* qui ira en diminuant.

dégringoler v. Fam. **1.** *Jean a* (ou *est*) *dégringolé du haut de l'échelle,* il est tombé. **2.** *J'ai dégringolé l'escalier,* je l'ai descendu très vite.
■ **dégringolade** n.f. Fam. *Quelle dégringolade quand la branche a cassé !* (= chute).

dégriser → *gris* 2.

dégrossir → *gros.*

déguenillé → *guenilles.*

déguerpir v. *Quand ils ont entendu du bruit, les bandits ont déguerpi,* ils se sont sauvés très vite (= détaler, filer).

déguiser v. *Pour l'Halloween, Cécile s'est déguisée en Bécassine,* elle a mis des vêtements qui la font ressembler à Bécassine (= se travestir).
■ **déguisement** n.m. *Tu as eu un déguisement de Zorro ?*

déguster v. *Je déguste lentement mon vin,* je le bois avec plaisir (= savourer).
■ **dégustation** n.f. *La marchande nous a offert une dégustation gratuite.*

déhanchement, se déhancher → *hanche.*

dehors **1.** adv. *Entrez, ne restez pas dehors,* à l'extérieur (≠ dedans). **2.** n.m.pl. *Sous des dehors sévères, M. Dupont est bienveillant* (= apparences).

déjà adv. **1.** *Tu as déjà fini ?,* dès maintenant (≠ pas encore). **2.** *Je t'ai déjà dit mon opinion* (= auparavant ; ≠ jamais).

déjeuner n.m. **1.** *Nous avons fait un bon déjeuner au restaurant,* un bon repas matinal. **2.** *Au petit déjeuner, je prends du café au lait,* au premier repas, le matin.
■ **déjeuner** v. SENS 1 *On m'a invité à déjeuner.* SENS 2 *Pierre déjeune à 8 heures.*

déjouer v. *Jean a pu déjouer les plans de son adversaire,* les faire échouer.

delà adv. *Le village est au-delà de la rivière,* de l'autre côté, plus loin.
■ **au-delà** n.m. *Il espère le bonheur dans l'au-delà,* dans la vie future, après la mort.
■ **par-delà** prép. *Par-delà les siècles, nous évoquions les civilisations disparues,* en franchissant les siècles.

se délabrer v. *Sa maison se délabre, faute d'entretien,* elle s'abîme (= se dégrader).
■ **délabré** adj. *Ce vieux château est bien délabré,* en très mauvais état.
■ **délabrement** n.m. *L'alcoolisme entraîne un délabrement de la santé* (= dégradation).

délacer → *lacet.*

délai n.m. *Vous avez un délai de huit jours pour payer,* un temps, une durée pour le faire.

délaisser v. *M. Durand a délaissé son travail et ses amis* (= abandonner, négliger).

délassement, délasser → *las.*

délavé adj. *Anne a un pantalon bleu délavé,* décoloré.

délayer v. *Jacques délaye la farine dans de l'eau pour faire la pâte,* il la mélange de façon bien régulière.

■ **délayage** n.m. **1.** *Le délayage de la farine doit être fait soigneusement.* **2.** *Son discours n'est qu'un long délayage,* il y a beaucoup de mots et peu d'idées.
R. → Conj. n° 4.

se délecter v. *Je me suis délecté en lisant ce livre,* j'ai éprouvé un grand plaisir (= se régaler).
■ **délectation** n.f. *Il écoute avec délectation sa musique préférée* (= ravissement).

déléguer v. *À ce congrès scientifique, M. Dubois était délégué par la France,* envoyé pour la représenter.
■ **délégué** n. *L'assemblée a élu des délégués,* des représentants.
■ **délégation** n.f. *Une délégation des employés a été reçue par le patron,* un groupe de délégués.

délester → *lest.*

délétère adj. *Un gaz délétère* est nuisible à la santé.

délibéré adj. *J'ai l'intention délibérée de ne pas me laisser faire,* l'intention bien arrêtée (= ferme).
■ **délibérément** adv. *Elle a délibérément laissé de côté cette question* (= intentionnellement, résolument).

délibérer v. *L'assemblée a délibéré deux heures avant de prendre une décision* (= discuter).
■ **délibération** n.f. *La délibération a été très animée* (= débat, discussion).

délicat adj. **1.** *La violette a un parfum délicat,* agréable et fin (≠ violent). **2.** *Marie est de santé délicate* (= fragile ; ≠ robuste). **3.** *Nous abordons un problème délicat* (= difficile, embarrassant). **4.** *Pierre est un garçon délicat,* il est poli, prévenant (≠ grossier).

■ **délicatement** adv. SENS 1 *Pose ce vase délicatement* (= doucement).

■ **délicatesse** n.f. SENS 4 *Alicia a beaucoup de délicatesse* (= gentillesse, tact).

délice n.m. *Ce gâteau, quel délice !* (= régal).

■ **délicieux** adj. *Nous avons fait un repas délicieux*, très bon (= exquis ; ≠ infect).

délier → *lier.*

délimiter → *limite.*

délinquance, délinquant → *délit.*

délire n.m. 1. *Cléa a une forte fièvre accompagnée de délire,* elle a l'esprit dérangé. 2. *À la nouvelle de la victoire, ce fut du délire,* un enthousiasme très grand.

■ **délirer** v. SENS 1 *La malade délire.*

■ **délirant** adj. 1. SENS 2 *La foule manifeste une joie délirante* (= frénétique). 2. *Fam. Ce projet est délirant,* il est totalement déraisonnable.

délit n.m. 1. *Ce délit est puni de deux ans de prison,* cette faute contre la loi (= infraction). 2. *Le voleur a été pris en flagrant délit,* en train de voler.

■ **délinquant** n. *La délinquante a été traduite devant le tribunal* (= coupable).

■ **délinquance** n.f. *Dans ce quartier la délinquance a diminué,* l'ensemble des délits commis.

délivrer v. 1. *Les prisonniers ont été délivrés,* remis en liberté (= libérer ; ≠ emprisonner). 2. *Si tu paies la facture, fais-toi délivrer un reçu* (= remettre).

■ **délivrance** n.f. SENS 1 *Après l'examen, Line a éprouvé un sentiment de délivrance* (= libération, soulagement).

déloger → *loger.*

déloyal, déloyauté → *loyal.*

delta n.m. *Le Mississipi se jette dans la mer par un delta,* une embouchure à plusieurs bras. 725

deltaplane n.m. *Un deltaplane est un planeur très léger.* 437

déluge n.m. 1. *Quand l'orage a éclaté, ce fut un vrai déluge,* une très forte pluie. 2. *Cette décision a provoqué un déluge de protestations,* une grande quantité (= avalanche).

déluré adj. *Pierre est un garçon déluré,* vif et adroit (≠ empoté).

démagogie n.f. *Il y a beaucoup de démagogie dans ce programme électoral,* de promesses faites seulement pour se rendre populaire.

■ **démagogique** adj. *Ce député fait souvent des promesses démagogiques,* destinées à flatter les gens.

■ **démagogue** n. *Cette députée est une démagogue,* elle fait des promesses abusives.

se démailler → *maille* 1.

demain adv. *Nous sommes lundi, je vous verrai demain mardi.* 125

■ **après-demain** adv. *Les vacances commencent après-demain,* dans deux jours. 125

■ **lendemain** n.m. *Nous nous sommes vus lundi et aussi le lendemain,* le jour d'après. 125

■ **surlendemain** n.m. *On m'a dit de revenir le surlendemain,* deux jours après. 125

démancher → *manche* 2.

demander v. 1. *Jean m'a demandé de lui prêter ce livre,* il m'a dit qu'il le souhaitait (= prier). 2. *Rachid m'a demandé si je venais au cinéma,* il m'a interrogé (≠ répondre). 3. *Je me demande ce que je vais faire,* je ne le sais pas. 4. *Ce travail m'a demandé deux* heures, j'ai eu besoin de deux heures pour le faire.

■ **demande** n.f. SENS 1 *Sa demande n'a pas été acceptée* (= prière, requête, réclamation).

■ **demandeur** n. SENS 1 *Le nombre des demandeurs d'emploi a légèrement baissé.*

démanger v. *Le dos me démange,* j'ai envie de me gratter.

■ **démangeaison** n.f. *L'urticaire donne des démangeaisons.*

démanteler v. *Démanteler une forteresse,* c'est démolir ses remparts.

démantibuler v. Fam. *Qui a démantibulé cet appareil ?* (= casser).

démaquillant, démaquiller → *maquiller.*

démarcation n.f. *Une ligne de démarcation* sépare deux régions.

démarche n.f. **1.** *Ma grand-mère a une démarche lente,* une manière de marcher (= allure). **2.** *Pour se faire rembourser, Mme Durand a fait une démarche à la mairie,* elle s'est adressée à cet endroit.

■ **démarchage** n.m. *Jacqueline fait du démarchage,* elle cherche à vendre une marchandise en visitant les gens chez eux (= porte-à-porte).

■ **démarcheur** n. *Jacqueline est démarcheuse en encyclopédies.*

démarquer → *marquer.*

démarrer v. *M. Durand n'arrive pas à faire démarrer le moteur,* à le faire fonctionner.

■ **démarrage** n.m. *La voiture a calé au démarrage,* au moment du départ.

■ **démarreur** n.m. Le *démarreur* d'une voiture est l'appareil servant à démarrer.

démasquer → *masque.*

démêlé, démêler → *mêler.*

démembrer v. *Cette propriété a été démembrée,* divisée en plusieurs parties (= morceler).

déménager v. **1.** *J'ai déménagé, voilà ma nouvelle adresse,* j'ai changé de logement. **2.** *Peux-tu m'aider à déménager ces meubles ?,* à les transporter ailleurs.

■ **déménagement** n.m. *Tous les meubles ont été mis dans le camion de déménagement.*

■ **déménageur** n.m. *Les déménageurs* ont vidé l'appartement.

■ **emménager** v. *Nous avons emménagé dans un nouvel appartement,* nous y sommes entrés.

■ **emménagement** n.m. *Notre emménagement a eu lieu la semaine dernière.*

démence n.f est un équivalent savant de *folie.*

■ **dément** n. *Les déments sont hospitalisés dans les hôpitaux psychiatriques* (= fou).

■ **démentiel** adj. *Ce projet est démentiel* (= déraisonnable, insensé).

se démener v. *Quand la police est venue l'arrêter, elle s'est démenée de toutes ses forces* (= s'agiter, se débattre).

dément, démentiel → *démence.*

démentir v. *La nouvelle de sa mort a été démentie,* déclarée fausse (≠ confirmer).

■ **démenti** n.m. *Les journaux ont publié un démenti,* une déclaration disant que c'est inexact (= désaveu). R. → Conj. n° 19.

démériter v. *Cette fille garde toute ma sympathie : elle n'a jamais démérité,* elle ne s'est jamais mal conduite.

démesure, démesuré → *mesure.*

démettre v. **1.** *Jean s'est démis l'épaule,* il s'est déplacé l'articulation.

2. *Le préfet a été démis de ses fonctions,* on les lui a retirées (= destituer, renvoyer).

■ **démission** n.f. SENS 2 *La directrice a donné sa démission,* elle s'est démise de ses fonctions.

■ **démissionnaire** adj. SENS 2 *La ministre est démissionnaire,* elle donne sa démission.

■ **démissionner** v. SENS 2 *Il a démissionné pour raison de santé,* il a renoncé à ses fonctions.
R. *Démettre* → conj. n° 57.

demeurer v. **1.** *Où demeurez-vous ?* (= habiter). **2.** *Il ne peut pas demeurer tranquille cinq minutes* (= rester).
■ **demeure** n.f. **1.** SENS 1 *Ils habitent dans une vieille demeure,* une maison ancienne. SENS 2 *On s'est installé à demeure à la campagne,* on y reste. **2.** *On l'a mis en demeure de payer ses impôts,* on lui en a donné l'ordre.

demi 1. n. *Veux-tu une pomme ? — Non, une demie,* une moitié. **2.** n.m. *Il a bu un demi,* un verre de bière.
■ **à demi** adv. *Adèle est à demi satisfaite,* à moitié (≠ complètement).
■ **et demi** adj. *Luce est restée une journée et demie,* et la moitié d'une journée.
R. Devant un nom, *demi-*(invariable) indique une moitié ou une plus petite quantité : *demi-cercle, demi-douzaine, demi-finale, demi-heure, demi-mal, demi-tarif.*

déminage, déminer → *mine* 3.

demi-pension, demi-pensionnaire → *pension.*

demi-saison → *saison.*

démission, démissionner → *démettre.*

demi-teinte → *teindre.*

demi-tour → *tour* 2.

démobilisation, démobiliser → *mobiliser.*

démocratie n.f. *Ce pays est une démocratie,* le peuple y exerce le pouvoir par l'intermédiaire de députés élus (≠ dictature).
■ **démocrate** adj. et n. *M. Durand est démocrate,* il est pour la démocratie (≠ fasciste).
■ **démocratique** adj. *Un régime démocratique est issu d'élections démocratiques* (≠ totalitaire).
■ **démocratiser** v. *Démocratiser l'enseignement,* c'est l'ouvrir également à toutes les catégories sociales.
R. *Démocratie* se prononce [demɔkrasi].

démoder → *mode* 1.

demoiselle n.f. **1.** *Sophie a quatorze ans, c'est déjà une demoiselle* (= jeune fille). **2.** *Sa tante est restée demoiselle,* elle ne s'est pas mariée (= célibataire).
■ **mademoiselle** n.f. *On dit mademoiselle à une jeune fille ou à une femme non mariée. Mlle Dupont. Bonjour mesdemoiselles !*

démolir v. *On a démoli ces maisons pour construire une route* (= abattre, détruire ; ≠ bâtir).
■ **démolisseur** n.m. *Les démolisseurs ont utilisé des bulldozers.*
■ **démolition** n.f. *On a commencé la démolition de ces vieux immeubles* (≠ construction).

démon n.m. *Ce gamin est insupportable, c'est un vrai démon* (= diable).
■ **démoniaque** adj. *Il a réussi grâce à des ruses démoniaques,* dignes d'un démon (= diabolique).

démonstrateur, démonstratif, démonstration → *montrer.*

démontable, démontage, démonter → *monter.*

démontrer → *montrer.*

démoraliser → *moral.*

démordre v. *Jean dit qu'il a raison, et il n'en démord pas,* il ne veut pas reconnaître le contraire.
R. → Conj. n° 52.

démouler → *moule* 2.

démultiplier → *multiple.*

démunir → *munir.*

dénaturer → *nature.*

dénégation n.f. *Pierre faisait de grands gestes de dénégation,* il disait « non » par gestes.

déneiger → *neige.*

dénicher → *nid.*

dénier → *nier.*

denier n.m. *Le denier est une monnaie ancienne de faible valeur.*

dénigrer v. *Cléa dénigre ce que je fais,* elle en dit du mal (= déprécier ; ≠ vanter).
■**dénigrement** n.m. *Paul agit par esprit de dénigrement* (= médisance).

déniveler, dénivellation → *niveau.*

dénombrement, dénombrer → *nombre.*

dénominateur n.m. 1. *Dans la fraction 3/5, le nombre 5 est le dénominateur.* 2. *Le dénominateur commun à ces deux auteurs est leur humour* (= trait commun).

dénommé, dénommer → *nom.*

dénoncer v. *La voleuse a dénoncé ses complices à la police,* elle les a fait connaître.
■**dénonciation** n.f. *La police a reçu une lettre de dénonciation.*

dénoter v. *Ses paroles dénotent beaucoup de bon sens* (= montrer, témoigner de).

dénouement, dénouer → *nœud.*

dénoyauter → *noyau.*

denrée n.f. *Le pain, la viande, les légumes sont des denrées de consommation courante* (= aliment).

dense adj. 1. *Dans le métro, la foule était très dense,* resserrée dans un petit espace (= nombreux, serré, compact ; ≠ rare). 2. *Le plomb est plus dense que le fer,* à volume égal, il pèse plus lourd.
■**densité** n.f. SENS 1 *La densité du brouillard empêche la circulation* (= épaisseur). SENS 2 *La densité de l'aluminium est plus faible que celle du fer* (= poids).
R. *Dense* se prononce [dɑ̃s] comme *danse.*

dent n.f. 1. *On se lave les dents tous les matins et tous les soirs.* 2. *Attention, ne te blesse pas avec les dents de la scie !,* les parties pointues.
■**dentaire** adj. SENS 1 *Les soins dentaires* sont les soins des dents.
■**denté** adj. SENS 2 *La chaîne d'une bicyclette passe sur deux roues dentées,* qui ont des saillies de forme pointue.
■**dentelé** adj. SENS 2 *La côte de Bretagne est dentelée,* elle présente des pointes et des creux (≠ rectiligne).
■**dentier** n.m. SENS 1 *Mon grand-père porte un dentier,* de fausses dents.
■**dentifrice** n.m. SENS 1 *Jean met du dentifrice sur sa brosse à dents,* une pâte pour nettoyer les dents.
■**dentiste** n. SENS 1 *Quand on a mal aux dents, on va chez le dentiste.*
■**dentition** n.f. SENS 1 *Marie a une belle dentition,* de belles dents.
■**édenté** adj. SENS 1 *Une bouche édentée* est une bouche sans dents.
R. *Dent* se prononce [dɑ̃] comme *dans.*

dentelle n.f. *Maria a un corsage de dentelle,* d'un tissu léger.
■**dentellière** n.f. *C'est la dentellière qui fabrique la dentelle.*

dentier, dentifrice, dentiste, dentition → *dent.*

dénuder → *nu.*

dénué adj. *Cet incident est **dénué** d'importance,* il n'en a pas.

dénuement n.m. *Cette famille vit dans le **dénuement**,* une grande pauvreté (= misère).

dénutrition → *nutrition.*

déodorant → *odeur.*

dépannage, dépanner → *panne* 1.

dépaqueter → *paquet.*

dépareillé adj. *Line a des gants **dépareillés**,* ils ne sont pas pareils, ils ne forment pas une paire.

déparer → *parer.*

départ → *partir.*

départager v. *On a rejoué une partie pour **départager** les deux équipes,* pour désigner le vainqueur.

département n.m. *Nous sommes allés en vacances dans le **département** du Var,* une division administrative de la France.

se départir v. *M. Dupont a écouté ces reproches sans **se départir** de son calme,* sans perdre son calme.
R. → Conj. n° 26.

dépasser v. 1. *Ne **dépasse** pas le camion dans la côte,* ne passe pas devant (= doubler). 2. *Jacques **dépasse** Pierre de dix centimètres,* il est plus grand. 3. *Il a **dépassé** ses droits,* il est allé au-delà (= outrepasser). 4. *Ce problème me **dépasse**,* il est trop compliqué pour moi.
■ **dépassement** n.m. SENS 1 *Attention, **dépassement** dangereux !*

dépayser v. *Quand John est arrivé en France, il a été très **dépaysé**,* mal

à l'aise ou surpris à cause du changement.
■ **dépaysement** n.m. *John a ressenti un grand **dépaysement**.*

dépecer v. *La bouchère **dépèce** un bœuf,* elle le coupe en morceaux.

dépêche n.f. 1. *La nouvelle a été connue par une **dépêche** d'agence,* une information communiquée en urgence. 2. *Autrefois, on appelait parfois un télégramme une **dépêche**.*

dépêcher v. 1. ***Dépêche-toi**, nous sommes en retard !,* fais vite (= se presser ; ≠ traîner). 2. *Le gouvernement a **dépêché** des ambassadeurs à la conférence de la paix,* il les y a envoyés.

dépeigner → *peigne.*

dépeindre v. *On nous a **dépeint** la situation,* on nous l'a décrite, représentée.
R. → Conj. n° 55.

dépendre v. 1. *Autrefois, les pays d'Afrique du Nord **dépendaient** de la France,* ils étaient sous son autorité. 2. *La solution de ce problème ne **dépend** pas de moi,* je ne suis pas maître d'en décider. 3. *Viendras-tu demain ? — Ça **dépend*** (= peut-être). 4. *On a **dépendu** le lustre du salon* (= décrocher ; ≠ pendre).
■ **dépendance** n.f. 1. SENS 1 *Les colonies étaient sous la **dépendance** de la France* (= autorité, domination). 2. (au plur.) *Le château possède de vastes **dépendances**,* des bâtiments annexes.
■ **indépendance** n.f. SENS 1 *Les pays d'Afrique ont conquis leur **indépendance*** (= liberté, autonomie).
■ **indépendant** adj. 1. SENS 1 *Les pays **indépendants** sont représentés à l'O. N. U.* (= souverain). *Line est très **indépendante**,* elle aime être libre. SENS 2 *Cette décision est **indépendante** de ma volonté,* elle ne dépend pas de moi.

2. *Ces deux chambres sont indépendantes,* elles ne communiquent pas.

■ **indépendamment** adv. SENS 2 *Indépendamment de son prix, cette voiture est trop grande pour moi,* sans tenir compte de son prix.

■ **interdépendance** n.f. SENS 2 *Il y a une interdépendance entre ces grèves et la hausse des prix* (= relation).

■ **interdépendant** adj. SENS 2 *Ces deux problèmes sont interdépendants,* ils sont liés.

R. → Conj. n° 50.

dépens n.m.pl. *M. Dupont abuse de la bonne cuisine aux dépens de sa santé,* en nuisant à sa santé (= au détriment de).

dépenser v. **1.** *Les Durand dépensent 400 dollars par mois pour la nourriture,* ils déboursent cette somme. **2.** *Cette voiture dépense trop d'essence* (= consommer). **3.** *Kate aime se dépenser,* faire des efforts, du sport.

■ **dépense** n.f. SENS 1 *Il faudrait diminuer nos dépenses* (≠ gain, revenu). SENS 2 *Ce travail demande une grande dépense de temps* (= emploi, usage).

■ **dépensier** adj. SENS 1 *Marie est trop dépensière,* elle dépense trop d'argent.

déperdition → *perdre.*

dépérir v. *On n'a pas arrosé les fleurs, elles ont dépéri,* elles se sont affaiblies, fanées (≠ s'épanouir).

■ **dépérissement** n.m. *On observe un dépérissement de la prospérité de cette entreprise* (= déclin, baisse).

se dépêtrer → *s'empêtrer.*

dépeuplement, dépeupler → *peuple.*

dépister → *piste.*

dépit n.m. **1.** *L'échec de ses projets lui a causé du dépit* (= contrariété,

déception). **2.** *On a réussi en dépit des difficultés* (= malgré).

■ **dépiter** v. SENS 1 *Elle a l'air un peu dépitée* (= déçu).

déplacé, déplacement, déplacer → *place.*

déplaire, déplaisant → *plaire.*

dépliant, déplier → *plier.*

déploiement → *déployer.*

déplorer v. *Je déplore d'être arrivé en retard, je le regrette beaucoup* (≠ se réjouir).

■ **déplorable** adj. *Elle a fait une erreur déplorable* (= regrettable).

déployer v. **1.** *M. Durand déploie son journal,* il le déplie et l'étale devant lui (= ouvrir). **2.** *Fernando a déployé une grande activité dans son travail* (= montrer).

■ **déploiement** n.m. SENS 1 ET 2 *Il y a des agents de police partout : c'est un déploiement de forces impressionnant* (= étalage).

se déplumer v. Fam. *À trente-cinq ans, Pierre commence à se déplumer,* à perdre ses cheveux.

dépolir → *poli.*

dépopulation → *peuple.*

déporter v. **1.** *Pendant la guerre, des millions d'hommes et de femmes ont été déportés par les Allemands,* envoyés dans des camps de concentration. **2.** *Le vent a déporté le bateau vers le nord,* il l'a fait dévier de sa direction.

■ **déportation** n.f. SENS 1 *Beaucoup de Juifs sont morts en déportation.*

déposer v. **1.** *Anne a déposé sa valise dans l'entrée,* elle l'a posée dans l'entrée. **2.** *Caroline a déposé de l'argent à la banque,* elle l'a confié à la banque (= mettre). **3.** *La poussière se dépose sur les meubles,* elle forme une couche dessus. **4.** *Le témoin a déposé en faveur de l'accusé,* il a fait une déposition. **5.** *Déposer un roi,* c'est le destituer.

■ **dépositaire** n. SENS 2 *Je suis dépositaire d'un secret,* on me l'a confié.

■ **déposition** n.f. SENS 4 *La police a recueilli les dépositions,* les déclarations des témoins.

■ **dépôt** n.m. SENS 1 *Ce bâtiment est un dépôt de marchandises,* un lieu où on les dépose. SENS 2 *Les dépôts à la Caisse d'épargne ont augmenté,* l'argent déposé. SENS 3 *Il y a un dépôt au fond de la bouteille,* des matières qui se sont déposées.

déposséder → *posséder.*

dépotoir n.m. *Cette pièce sert de dépotoir,* on y met tout ce dont on veut se débarrasser.

dépouiller v. **1.** *La cuisinière dépouille un lapin,* elle lui enlève la peau. **2.** *Des voleurs l'ont dépouillé,* ils lui ont pris son argent, ses biens. **3.** *Hélène dépouille son courrier,* elle l'examine attentivement.

■ **dépouille** n.f. SENS 1 *La dépouille mortelle de quelqu'un,* c'est son cadavre. SENS 2 (au plur.) *Les dépouilles d'un vaincu,* c'est ce que le vainqueur lui a pris.

■ **dépouillement** n.m. SENS 3 *Le dépouillement des votes a commencé,* on les compte (= examen).

dépourvu → *pourvoir.*

dépoussiérer → *poussière.*

dépravé adj. *Ce truand est un homme dépravé,* sans moralité (= corrompu).

■ **dépravation** n.f. *Cette personne a sombré dans la dépravation* (= avilissement, débauche).

déprécier v. **1.** *La monnaie s'est dépréciée,* elle a perdu de la valeur (= se dévaluer). **2.** *On cherche à dépré-*

cier mon travail, on en dit du mal (= discréditer ; ≠ vanter).

déprédation n.f. *Les troupes d'occupation ont commis des déprédations,* des vols, des dégâts.

dépression n.f. **1.** *M. Durand a eu une dépression nerveuse,* une maladie dans laquelle on perd toute énergie. **2.** *Le village est dans une dépression,* un creux du terrain (= cuvette).

■ **déprime** n.f. est un équivalent fam. de *dépression nerveuse.*

■ **déprimer** v. SENS 1 *Ses échecs l'ont déprimé* (= abattre, décourager).

depuis prép. ou conj. *Il fait beau depuis un mois,* il y a un mois que le beau temps dure. *Depuis qu'elle est partie, je suis triste.* 835

député n. *Mme Lomez est députée du comté de Verchères,* les habitants du comté l'ont élue à l'Assemblée nationale. 318

déraciner → *racine.*

déraillement, dérailler, dérailleur → *rail.*

déraisonnable, déraisonner → *raison.*

dérangement, déranger → *ranger.*

déraper v. *La voiture a dérapé sur le verglas* (= glisser).

■ **dérapage** n.m. *L'accident est dû à un dérapage.*

dératé n. *Jean court comme un dératé,* très vite.

dérégler → *régler.*

dérider → *ride.*

dérision n.f. *Il a eu un sourire de dérision* (= moquerie, raillerie). *Tu as tort de tourner en dérision des coutumes respectables* (= ridiculiser).

dérisoire adj. *Un prix dérisoire* est un prix ridiculement bas, insignifiant.

dériver v. 1. *Le bateau a dérivé à cause d'une panne de moteur, il s'est écarté de sa route.* 2. *« Théâtral » dérive de « théâtre », il en vient.* 3. *Dériver une rivière, c'est en changer le cours.*

■ **dérivatif** n.m. *Va au cinéma, ce sera un dérivatif* (= distraction).

■ **dérivation** n.f. SENS 3 *On a construit un barrage pour la dérivation de la rivière.*

■ **dérive** n.f. SENS 1 *Une dérive est un appareil placé sous un bateau ou à l'arrière d'un avion pour l'empêcher de dériver. Le bateau s'en va à la dérive, il n'est plus gouverné.*

■ **dérivé** n.m. SENS 2 *« Théâtral » est un dérivé de « théâtre ».*

■ **dériveur** n.m. SENS 1 *Un dériveur est un bateau à voiles muni d'une dérive.*

dernier 1. adj. et n. *Le 31 décembre est le dernier jour de l'année* (≠ premier). *Ce club s'est classé dernier au championnat, il a été le plus mauvais.* 2. adj. *Marie est habillée à la dernière mode, la plus récente* (≠ prochain).

■ **dernièrement** adv. SENS 2 *Cet événement a eu lieu dernièrement* (= récemment).

■ **avant-dernier** adj. et n. SENS 1 *Ce coureur est arrivé avant-dernier, juste avant le dernier.*

dérobé adj. *Un escalier dérobé est un escalier caché, secret.*

■ **à la dérobée** adv. *Je l'ai observé à la dérobée, sans en avoir l'air, sans me faire remarquer* (= en tapinois).

dérober v. 1. *Il a voulu se dérober à ses obligations, ne pas les accomplir* (= échapper, se soustraire). 2. *On l'accuse d'avoir dérobé des fruits* (= voler).

■ **dérobade** n.f. SENS 1 *Votre réponse n'est qu'une dérobade, elle ne correspond pas vraiment à la question.*

déroger v. *Elle n'a jamais dérogé à ses habitudes, elle n'y a jamais manqué.*

■ **dérogation** n.f. *C'est en principe interdit, mais j'ai obtenu une dérogation, une autorisation spéciale de ne pas respecter le règlement.*

dérouiller → *rouille.*

déroulement, dérouler → *rouler.*

déroutant → *dérouter.*

déroute n.f. *Les attaquants ont été mis en déroute, ils ont fui en désordre.*

dérouter v. *Les enquêteurs ont essayé de me dérouter avec des questions embarrassantes* (= déconcerter).

■ **déroutant** adj. *Ses brusques changements d'avis sont déroutants, on comprend mal sa conduite.*

derrick n.m. *Les derricks sont des tours au-dessus des puits de pétrole.*

derrière prép., adv. et n.m. 1. *Le jardin est derrière la maison, en arrière de* (≠ devant). 2. *Je monte devant, toi, monte derrière, à l'arrière.* 3. *Le derrière de la maison est ensoleillé.* Fam. *Jean est tombé sur le derrière* (= fesses).

des → *de* 1 et 2 et *un.*

dès prép. ou conj. *Je commencerai dès demain* (= à partir de). *Dès que tu pourras, viens me voir* (= aussitôt que).

désabusé adj. *Elle m'a regardé d'un air désabusé, sans illusions.*

désaccord → *accorder.*

désaffecté → *affecter.*

désagréable, désagréablement → *agréable.*

désagréger v. *La gelée désagrège les roches, elle en sépare les parties et les détruit.*

désagrément → *agréable.*

désaltérer → *altérer.*

désamorcer → *amorce.*

désappointer v. *Line est très désappointée par son échec* (= décevoir). ■**désappointement** n.m. *Elle essaie de cacher son désappointement* (= déception ; ≠ satisfaction).

désapprobateur, désapprobation, désapprouver → *approuver.*

désarçonner v. 1. *Le cheval a désarçonné sa cavalière,* il l'a jetée à terre. 2. *Ma question l'a désarçonné,* elle l'a surpris au point de l'empêcher de répondre (= déconcerter).

désargenté → *argent.*

désarmant → *arme.*

désarmement, désarmer → *arme* et *armer* 2.

désarroi n.m. *La mort de son père l'a jeté dans un grand désarroi,* il ne sait plus quoi faire (= détresse, angoisse).

désastre n.m. *Cette sécheresse est un désastre pour les paysans,* un grand malheur (= catastrophe). ■**désastreux** adj. *La récolte a été désastreuse,* très mauvaise.

désavantage, désavantager, désavantageux → *avantage.*

désavouer v. *La directrice a désavoué l'action de ses employés,* elle a dit qu'elle n'était pas d'accord avec eux (≠ approuver). ■**désaveu** n.m. *La réponse du directeur est un désaveu de ses employés* (= désapprobation).

desceller → *sceller.*

descendre v. 1. *Pour descendre, vous pouvez prendre l'ascenseur,* pour aller en bas. *Marie est descendue par l'escalier* (≠ monter). *On a descendu l'escalier en courant,* on l'a parcouru de haut en bas. 2. *Peux-tu descendre la poubelle ?,* la porter en bas. 3. *Le sentier descend vers la rivière,* il est en pente. 4. *La température est descendue au-dessous de zéro,* elle a baissé. 5. *Jacques dit qu'il descend de Jules Verne,* que Jules Verne était un de ses ancêtres. ■**descendance** n.f. SENS 5 *Mes grands-parents ont une nombreuse descendance,* des enfants et des petits-enfants. ■**descendant** 1. adj. SENS 4 *À marée descendante, on ira pêcher sur la plage,* quand la mer descendra. 2. n. SENS 5 *Les descendants se sont partagé l'héritage.* ■**descente** n.f. 1. SENS 1 *L'avion a commencé sa descente,* à descendre. SENS 3 *Il y a une descente après le virage,* une route en pente. 2. *Une descente de lit* est un petit tapis placé le long d'un lit. ■**redescendre** v. *Il faut redescendre ces bouteilles à la cave.* R. → Conj. n° 50. *Descendre* se conjugue tantôt avec *être,* tantôt avec *avoir.*

description → *décrire.*

désemparé adj. *Depuis son échec à l'examen, elle est désemparée,* elle ne sait plus quoi faire.

sans désemparer adv. *Malgré la pluie, ils ont continué sans désemparer,* sans s'arrêter.

désenchanté, désenchantement → *enchanter.*

désennuyer → *ennuyer.*

déséquilibre, déséquilibré, déséquilibrer → *équilibre.*

désert adj. 1. *Les régions polaires sont désertes,* il n'y a pas d'habitants. 2. *Paris est désert au mois d'août,* les gens ne sont pas là (= dépeuplé).

577

■**désert** n.m. SENS 1 *Le Sahara est le plus grand désert du monde,* une région aride faite de sable et de pierre.

■**désertique** adj. SENS 1 *Le Sahara est une région désertique,* sans eau, ni végétation.

déserter v. *Des soldats ont déserté,* ils ont quitté l'armée sans permission.

■**déserteur** n.m. *Les gendarmes recherchent les déserteurs,* les soldats qui ont déserté.

■**désertion** n.f. *Ils ont été condamnés pour désertion.*

désertique → *désert.*

désescalade → *escalade.*

désespérément, désespérer, désespoir → *espérer.*

déshabiller → *habiller.*

déshabituer → *habitude.*

désherber → *herbe.*

déshérité, déshériter → *hériter.*

déshonneur, déshonorer → *honneur.*

déshydrater → *hydrater.*

désigner v. 1. *Cléa m'a désigné du doigt le gâteau qu'elle voulait* (= montrer, indiquer). 2. *Pierre a été désigné pour ce travail* (= choisir, nommer).

■**désignation** n.f. SENS 2 *On annonce la désignation de Mme Truong comme directrice de l'entreprise* (= nomination).

désillusion, désillusionner → *illusion.*

désinfecter → *infecter.*

désintégrer v. *Les disputes ont fini par désintégrer l'équipe* (= détruire).

■**désintégration** n.f. *La désintégration des atomes produit l'énergie atomique,* leur fragmentation.

désintéressé, désintéressement, désintéresser → *intérêt.*

désintoxication, désintoxiquer → *toxique.*

désinvolte adj. *On m'a répondu d'un ton désinvolte,* un peu insolent.

■**désinvolture** n.f. *Elle a agi avec désinvolture* (= sans-gêne).

désirer v. 1. *M. Dupont désire te parler,* il en a envie (= vouloir, souhaiter). 2. *Ton devoir laisse à désirer,* il pourrait être mieux.

■**désirable** adj. SENS 1 *Cet article présente toutes les qualités désirables* (= souhaitable, requis).

■**désir** n.m. SENS 1 *Sa grand-mère satisfait tous ses désirs* (= souhait, vœu).

■**désireux** adj. SENS 1 *Cette dame est désireuse de vous voir,* elle le désire.

■**indésirable** adj. et n. SENS 1 *Nos voisins étaient des gens indésirables,* on ne souhaitait pas les voir.

se désister v. *Cette candidate aux élections s'est désistée,* elle a déclaré qu'elle cessait d'être candidate.

■**désistement** n.m. *Ce candidat a annoncé son désistement.*

désobéir, désobéissance, désobéissant → *obéir.*

désobligeant, désobliger → *obliger.*

désodorisant → *odeur.*

désœuvré, désœuvrement → *œuvre.*

désoler v. *Je suis désolée de t'annoncer la mort de M. Dupuis,* j'ai beaucoup de peine (= consterner ; ≠ se réjouir).

■**désolant** adj. *Je regrette cet incident désolant* (= lamentable).

■**désolation** n.f. *Cette nouvelle l'a plongé dans la désolation,* dans une grande peine.

se désolidariser → *solidaire.*

désopilant adj. *On m'a raconté une histoire désopilante,* très drôle.

désordonné, désordre → *ordre.*

désorganiser → *organisation.*

désorienter → *orienter.*

désormais adv. *Désormais on se lèvera une heure plus tôt,* à partir de maintenant (= à l'avenir, dorénavant).

désosser → *os.*

despote n.m. *Ce pays est gouverné par un despote sanguinaire,* un souverain injuste (= tyran).
■ **despotique** adj. *Ces patrons exerçaient une autorité despotique* (= tyrannique).
■ **despotisme** n.m. *Les gens se sont révoltés contre le despotisme* (= dictature).

desquels, desquelles → *lequel.*

dessaisir → *saisir.*

dessaler → *sel.*

dessèchement, dessécher → *sec.*

dessein n.m. *Dans quel dessein as-tu fait cela ?* (= but, intention).
R. *Dessein* se prononce [desɛ̃] comme *dessin.*

desseller → *selle.*

desserrer → *serrer.*

dessert n.m. *Comme dessert, il y avait une tarte,* comme plat à la fin du repas.

desserte, desservir → *servir.*

dessiner v. **1.** *Prenez un papier et un crayon et dessinez un cheval,* représentez-le. **2.** *La route dessine plusieurs virages* (= former).
■ **dessin** n.m. SENS 1 *Pierre a fait un dessin très ressemblant de la maison.*

Cléa aime les dessins animés, les films faits de dessins.
■ **dessinateur** n. SENS 1 *Mme Martin est dessinatrice dans un journal pour enfants.*
R. → *dessein.*

dessouder → *souder.*

dessoûler → *soûl.*

dessous adv., prép. et n.m. **1.** *Ton livre n'est pas sur la table, regarde dessous,* sous elle (≠ dessus). **2.** *Le grenier est au-dessous du toit. Passe par-dessous la barrière.* **3.** *Le dessous de mes chaussures est usé,* la partie inférieure. *Jean a eu le dessous dans la bagarre,* il a perdu.

dessous-de-plat n.m.inv. *Un dessous-de-plat sert à poser les plats sur la table.*

dessus adv., prép. et n.m. **1.** *Ce meuble n'est pas solide, ne t'appuie pas dessus,* sur lui (≠ dessous). **2.** *Le commandant est au-dessus du capitaine,* supérieur à lui. *Saute par-dessus la table.* **3.** *La voisine du dessus est très gentille,* de l'étage supérieur. *Notre équipe a eu le dessus,* elle a gagné.

déstabiliser → *stable.*

destin n.m. ou **destinée** n.f. *Il se plaint d'avoir eu un destin malheureux* (= vie, existence, sort).

destiner v. **1.** *Seydou se destine au métier de médecin,* il a décidé qu'il fera cela dans la vie. **2.** *Cette lettre est destinée à Marie,* elle est pour elle (= réserver).
■ **destination** n.f. SENS 2 *Quelle est la destination de ce train ?,* l'endroit où il va.
■ **destinataire** n. SENS 2 *Écris lisiblement le nom du destinataire,* de la personne à qui est adressée ta lettre (≠ expéditeur).

145

78

768

destituer v. *Le directeur a été destitué,* il a été chassé de son poste.
■**destitution** n.f. *Le gouvernement a décidé la destitution du préfet* (= révocation).

destruction → *détruire.*

désuet adj. *«Choir» est un mot désuet,* on ne l'emploie plus (= vieilli).
■**désuétude** n.f. *Cet usage est tombé en désuétude,* on ne le suit plus.

désunion, désunir → *unir.*

détachant → *tache.*

détachement → *attacher.*

détacher → *attacher* et *tache.*

détail n.m. **1.** *Connais-tu les détails de cette histoire ?,* les points précis de son déroulement. *On a examiné le tableau en détail.* **2.** *Cette commerçante ne vend pas au détail,* en petites quantités (≠ en gros).
■**détaillant** n. SENS 2 *Cette épicière est une détaillante* (≠ grossiste).
■**détailler** v. SENS 1 *Tu ne nous as pas fait un récit détaillé de tes vacances,* en donnant beaucoup de détails. SENS 2 *Un grossiste ne peut pas détailler la marchandise,* la vendre au détail.

détaler v. *Les lièvres détalent au moindre bruit,* ils s'enfuient à toute vitesse (= filer, déguerpir).

détartrer → *tartre.*

détaxer → *taxe.*

détecter v. *Détecter une fuite,* c'est la découvrir, la déceler par une recherche minutieuse.
■**détection** n.f. *La détection des mines* se fait au moyen d'appareils appelés **détecteurs.**

détective n. *Une détective a retrouvé la trace du gangster,* une femme qui fait des enquêtes policières.

déteindre → *teindre.*

dételer → *atteler.*

détendre → *tendre* 2.

détenir v. *Cette sportive détient le record du monde de saut en hauteur* (= avoir).
■**détention** n.f. *Il a été condamné pour détention d'armes prohibées,* parce qu'il avait ces armes.
R. → Conj. n° 22.

détente → *tendre.*

détention → *détenir* et *détenu.*

détenu n. *Les détenues peuvent recevoir des visites le samedi* (= prisonnier).
■**détention** n.f. *Le tribunal l'a condamné à la détention perpétuelle* (= emprisonnement).

détergent n.m. *On utilise les détergents pour le lavage et le nettoyage,* une sorte de lessive.

détériorer v. *Qui a détérioré cet appareil ?* (= abîmer ; ≠ réparer).
■**détérioration** n.f. *Le chômage crée une détérioration de la situation* (= aggravation).

déterminer v. **1.** *On n'a pas déterminé les causes de l'accident,* établi exactement (= préciser). **2.** *La pluie l'a déterminé à rester* (= décider, pousser). **3.** *Elle s'est enfin déterminée à agir,* elle s'est décidée, résolue.
■**déterminant** **1.** adj. SENS 2 *Il a joué dans cette affaire un rôle déterminant,* très important (= décisif). **2.** n.m. *Les articles, les adjectifs démonstratifs et possessifs sont des déterminants,* ils accompagnent le nom et dépendent de lui.
■**détermination** n.f. SENS 2 *Jean a agi avec détermination* (= décision, résolution).
■**autodétermination** n.f. SENS 2 ET 3 *L'autodétermination,* c'est le droit

d'un peuple à décider de son sort, de son régime politique.

■ **indéterminé** adj. SENS 1 *La date de son départ est* **indéterminée,** *pas encore précisée.*

déterrer → terre.

détester v. *Je* **déteste** *les épinards,* je ne les aime pas du tout (≠ adorer).
■ **détestable** adj. *Ce vin est* **détestable,** très mauvais.

détonation n.f. *As-tu entendu la* **détonation** *?,* le bruit d'explosion.
■ **détonateur** n.m. *Un* **détonateur** *est un dispositif qui provoque l'explosion d'une bombe, d'un obus.*

détourner v. 1. *On a* **détourné** *la circulation à cause d'un accident,* on a changé sa direction (= dévier). 2. *Pierre voulait me* **détourner** *de mon travail,* me faire faire autre chose (= éloigner ; ≠ pousser). 3. *Elle* **s'est détournée** *pour ne pas me saluer,* elle a regardé ailleurs. 4. *La caissière a été arrêtée pour avoir* **détourné** *des sommes importantes,* pour les avoir volées.
■ **détour** n.m. 1. SENS 1 *La route fait un* **détour,** *elle ne va pas droit au but.* 2. *Je lui ai dit* **sans détour** *ce que je pensais de lui,* franchement.
■ **détournement** n.m. SENS 4 *Le caissier a été arrêté pour* **détournement** *de fonds.*

détracteur n. *Elle a riposté à tous ses* **détracteurs,** *ceux qui la critiquaient.*

détraquer v. *Ma montre est* **détraquée,** *il faut la faire réparer,* elle ne marche plus.

détremper → tremper.

détresse n.f. 1. *Elle m'a confié sa* **détresse,** *qu'elle était malheureuse.* 2. *L'avion est* **en détresse,** *dans une situation dangereuse* (= en danger).

détriment n.m. *Elle a fait une erreur* **au détriment de** *Paul,* à son désavantage.

détritus n.m.pl. *Défense de jeter des* **détritus** *à cet endroit* (= ordures).

détroit n.m. *Le* **détroit** *de Gibraltar relie l'Atlantique et la Méditerranée,* une partie de mer entre deux terres rapprochées.

détromper → tromper.

détrôner → trône.

détrousser v. *Autrefois, les brigands* **détroussaient** *les voyageurs,* ils les attaquaient pour les voler.

détruire v. 1. *Un tremblement de terre a* **détruit** *la ville* (= ruiner, démolir ; ≠ construire). 2. *Ce produit* **détruit** *les insectes* (= tuer).
■ **destructeur** adj. SENS 1 *Les bombes sont des engins* **destructeurs.**
■ **destruction** n.f. SENS 1 ET 2 *Les bombes ont causé de graves* **destructions** (= dégâts).
■ **indestructible** adj. SENS 1 *Ces remparts ont longtemps paru* **indestructibles.** *Notre amitié est* **indestructible** (= impérissable).
R. → Conj. n° 70.

dette n.f. *M. Dupont a des* **dettes,** *il doit de l'argent.*
■ **s'endetter** v. *Il* **s'est endetté** *pour acheter un appartement,* il a emprunté de l'argent.
■ **endettement** n.m. *Ton* **endettement** *est énorme : comment pourras-tu rembourser ?,* tes dettes.

deuil n.m. *Marie est en* **deuil,** *elle a perdu quelqu'un de sa famille.*
■ **endeuiller** v. *Cet accident a* **endeuillé** *notre village,* il l'a plongé dans la tristesse causée par la mort.

deux adj. *Nous avons* **deux** *yeux et* **deux** *oreilles. 1 + 1 = 2.*

725

563

563

■**deuxième** adj. et n. *Jean est (le) deuxième en français. J'habite au deuxième (étage)* [= second].

deux-roues → *roue.*

dévaler v. *On a dévalé l'escalier,* on l'a descendu très vite.

dévaliser v. *Des inconnus ont dévalisé l'appartement,* ils ont volé ce qu'il y avait dedans.

dévaloriser, dévaluation, dévaluer → *valoir.*

devancer v. *Ce cheval a devancé tous les autres,* il est arrivé avant eux.
■**devancier** n. *Cette savante a bénéficié des recherches de ses devanciers,* de ceux qui l'avaient précédée (= prédécesseur).

devant prép., adv. et n.m. **1.** *Ne reste pas devant la porte* (= en face de ; ≠ derrière). *Tu viendras au-devant de moi,* à ma rencontre. **2.** *Pierre est devant,* plus loin en avant. **3.** *Le devant de ta chemise est taché.*

devanture n.f. *La libraire a changé sa devanture,* le contenu de sa vitrine.

dévaster v. *Une tempête a dévasté cette région,* elle a causé de grands dégâts (= ravager).
■**dévastateur** adj. *La tempête a eu des effets dévastateurs.*
■**dévastation** n.f. *L'incendie a causé la dévastation de l'usine* (= ruine, ravage).

déveine → *veine.*

développer v. **1.** *La gymnastique développe les muscles,* elle les rend plus forts. *Le tourisme se développe dans ce pays,* il devient plus important (= croître). **2.** *Pierre a développé ses arguments,* il les a exposés en détail. **3.** *La photographe développe les pellicules,* elle y fait apparaître l'image photographique.

■**développement** n.m. SENS 1 *Ce pays a connu un grand développement économique* (= essor, croissance). SENS 2 *Il y a dans ce livre des développements ennuyeux,* de longs passages.
■**sous-développé** adj. SENS 1 *Une région sous-développée* est celle dont le développement économique est insuffisant.

devenir v. *M. Dupont devient vieux,* il commence à l'être.
R. → Conj. n° 22.

dévergondé adj. *Une vie dévergondée* est une vie de débauche.

par-devers prép. *J'ai gardé ces documents par-devers moi,* en ma possession.

se déverser v. *Cette rivière se déverse dans la Seine* (= se jeter).

dévêtir → *vêtement.*

dévider v. *Le pêcheur dévide le fil de son moulinet,* il le déroule.
■**dévidoir** n.m. *Le dévidoir* sert à dérouler du fil, un tuyau, un ruban, etc.

dévier v. *La circulation est déviée à cause d'un accident* (= détourner).
■**déviation** n.f. *Les automobilistes doivent prendre la déviation,* la route déviée.

deviner v. *Comment as-tu deviné que je viendrais ?* (= trouver, découvrir).
■**devin** n.m. *J'ignore ce qui va se passer, je ne suis pas devin,* je ne prétends pas deviner l'avenir.
■**devinette** n.f. *Marie m'a posé une devinette,* une question dont il faut deviner la réponse.
■**divination** n.f. *La divination* est le pouvoir de connaître l'avenir, que les devins prétendent avoir.

devis n.m. *Avant de faire réparer ta voiture, demande un devis,* une estimation du prix des travaux.

dévisager v. *Pourquoi me dévisages-tu ainsi ?,* me regardes-tu avec insistance.

devise n.f. 1. *Le mark allemand est une devise forte,* une monnaie étrangère. 2. *« La liberté avant tout », telle est sa devise* (= mot d'ordre, idéal).

deviser v. *Nous devisions paisiblement en marchant,* nous échangions des idées (= causer).

dévisser → *vis.*

dévoiler → *voile 1.*

devoir v. 1. *Pierre me doit dix dollars,* il a cette somme à me payer. 2. *Il est 8 heures, nous devons partir,* il faut que nous partions. 3. *Elle doit être partie,* elle est probablement partie.
■ **devoir** n.m. 1. SENS 2 *En lui portant secours, j'ai fait mon devoir,* ce que je devais faire. 2. *As-tu fini tes devoirs ?,* tes exercices scolaires.
■ **dû** n.m. SENS 1 *Je n'ai pas eu mon dû,* ce qu'on me devait.
■ **indu** adj. SENS 2 *Elle est arrivée à une heure indue,* à laquelle elle n'aurait pas dû arriver.
■ **indûment** adv. SENS 2 *Tu as gardé indûment mon stylo* (= à tort).
■ **redevable** adj. SENS 1 *Line m'est redevable d'une somme importante,* elle me la doit.
■ **redevance** n.f. SENS 1 *Il faut payer la redevance pour la télévision par câble,* le coût d'utilisation.
R. → Conj. n° 35. → *doigt.*

dévolu adj. *C'est une grande responsabilité qui lui est dévolue,* qui lui est attribuée.

dévorer v. 1. *Le chien a dévoré le reste de poulet,* il l'a mangé très vite. 2. *Je suis dévorée par l'impatience,* tourmenté par ce sentiment.
■ **dévorant** adj. SENS 2 *J'étais poussé par une curiosité dévorante.*

dévot adj. et n. *Les Durand sont très dévots,* attachés à la religion (= pieux).
■ **dévotion** n.f. *Les Durand sont pleins de dévotion.*

se dévouer v. *M. Martin se dévoue toujours pour les autres,* il est très bon pour eux (= se sacrifier).
■ **dévoué** adj. *Il est agréable d'avoir des amis aussi dévoués,* toujours prêts à aider (= serviable, empressé).
■ **dévouement** n.m. *Quand j'étais malade, elle m'a soigné avec dévouement* (≠ égoïsme).

dextérité n.f. *Pour faire ce travail, il faut une grande dextérité* (= adresse, habileté).

diabète n.m. *M. Dupuis a du diabète, le sucre lui est interdit,* une maladie.
■ **diabétique** adj. et n. *M. Dupuis est diabétique.*

diable n.m. 1. *Pour les chrétiens, le diable est l'esprit du mal et s'oppose à Dieu* (= démon). 2. *Cette enfant est un vrai petit diable,* elle est espiègle, remuante, turbulente. 3. *Ayez pitié de ce pauvre diable* (= malheureux). 4. *Anne habite au diable,* très loin. *Paul est paresseux en diable,* très paresseux. 5. *Diable !* interj. exprime la surprise.
■ **diablement** adv. SENS 4 Fam. *La route est diablement mauvaise* (= très).
■ **diablerie** n.f. SENS 2 *Ne recommence pas tes diableries !* (= espièglerie).
■ **diablotin** n.m. SENS 1 ET 2 *Un diablotin est un petit diable.*
■ **diabolique** adj. SENS 1 *La bombe atomique est une invention diabolique,* très mauvaise (= infernal, démoniaque).
■ **endiablé** adj. SENS 2 *Ils dansent sur un rythme endiablé,* très rapide.

diacre n.m. *Dans l'Église catholique, avant de recevoir la prêtrise, on est diacre.*

220 **diadème** n.m. *La reine portait un diadème,* un cercle qui orne le sommet de la tête.

diagnostic n.m. *Quel est le diagnostic de la pédiatre ?,* quelle maladie a-t-elle trouvée ?
■ **diagnostiquer** v. *Elle a diagnostiqué une bronchite.*
R. Ici, *gn* ne se prononce pas [ɲ] comme dans agneau, mais [gn] : [djagnɔstik].

385 **diagonale** n.f. *Les diagonales d'un carré se coupent en son centre,* les lignes qui joignent les sommets.

dialecte n.m. *Dans cette région, les paysans parlent un dialecte,* une langue particulière.

dialogue n.m. *M. Durand et Mme Dupont ont eu un long dialogue,* ils ont parlé tous les deux (= conversation).
■ **dialoguer** v. *J'ai longuement dialogué avec lui,* discuté.
■ **dialoguiste** n. *Un dialoguiste est l'auteur des dialogues d'un film.*

581 **diamant** n.m. *Dominique a une bague avec un diamant,* une pierre précieuse très brillante.
■ **diamantaire** n. *Une diamantaire est celle qui travaille ou qui vend des diamants.*

385 **diamètre** n.m. *Le diamètre d'un cercle est une droite qui joint les bords en passant par le centre.*
■ **diamétralement** adv. *Leurs opinions sont diamétralement opposées,* tout à fait.

438 **diapason** n.m. *Un diapason est un petit instrument qui donne la note* la pour accorder les instruments de musique.

diaphane adj. *La porcelaine est diaphane,* elle laisse passer la lumière sans être transparente (= translucide).

diaphragme n.m. *Le diaphragme d'un appareil photo* est l'ouverture par où passe la lumière.

diapositive n.f. *On nous a montré des diapositives en couleurs,* des photos qu'on projette sur un écran.

diarrhée n.f. *Marie a la diarrhée,* des selles liquides et fréquentes (= colique).

diatribe n.f. *Son discours est une violente diatribe contre le gouvernement,* une attaque, une critique très vive.

dictateur n. *Dans ce pays, un dictateur a pris le pouvoir,* un homme qui gouverne seul de façon autoritaire.
■ **dictature** n.f. *Les démocrates se sont révoltés contre la dictature,* le pouvoir absolu.
■ **dictatorial** adj. *Ce pays vit sous un régime dictatorial.*

dicter v. 1. *Prenez un stylo, je vais vous dicter une poésie,* vous la lire pour que vous l'écriviez. 2. *Le vainqueur a dicté ses conditions au vaincu* (= imposer).
■ **dictée** n.f. SENS 1 *Ta dictée est pleine de fautes d'orthographe.*

diction n.f. *On le comprend mal, sa diction n'est pas claire,* sa façon de prononcer les mots (= articulation, prononciation).

dictionnaire n.m. *Si tu ne sais pas le sens d'un mot, regarde dans ton dictionnaire.*

dicton n.m. *« Qui dort dîne » est un dicton* (= proverbe, sentence).

dièse n.m. *Le dièse élève une note de musique d'un demi-ton.*

diesel n.m. *Un moteur Diesel est un moteur qui fonctionne au gas-oil.*

diète n.f. *La doctoresse l'a mis à la diète pour trois jours,* elle lui a ordonné de ne rien manger ou presque.

■ **diététique** n.f. La *diététique* est l'étude de ce qu'il faut manger pour rester en bonne santé.

dieu n.m. *Croire en Dieu,* c'est croire en un être suprême, éternel et tout-puissant. ■ **déesse** n.f. *Les anciens Grecs adoraient des dieux et des déesses* (= divinité). ■ **divin** adj. **1.** *Mme Dupont croit en la justice divine,* de Dieu. **2.** *Ce gâteau est divin,* très bon (= merveilleux). ■ **divinement** adv. *Marie chante divinement,* très bien. ■ **divinité** n.f. *Jupiter était une divinité romaine,* un dieu.

diffamer v. *M. Dupont est accusé d'avoir diffamé M. Durand,* d'avoir répandu des calomnies sur lui. ■ **diffamation** n.f. *La diffamation est punie par la loi.*

différer v. **1.** *Nos opinions diffèrent beaucoup,* elles ne se ressemblent pas (= s'opposer ; ≠ se confondre). **2.** *Line a dû différer son départ,* le remettre à plus tard (= retarder ; ≠ avancer). ■ **différemment** adv. SENS 1 *Depuis notre conversation, je pense différemment* (= autrement). ■ **différence** n.f. SENS 1 *Quelle est la différence d'âge entre Pierre et Cléa ?* (= écart). *Il y a beaucoup de différences entre ces deux régions* (= contraste ; ≠ ressemblance). ■ **différencier** v. SENS 1 *Ces deux espèces se différencient par la forme des feuilles* (= distinguer). ■ **différend** n.m. SENS 1 *Ils ont eu un différend à propos de politique,* une différence d'opinion (= désaccord). ■ **différent** adj. **1.** SENS 1 *Jeanne et Marie sont sœurs, mais elles sont très différentes* (≠ semblable, pareil). **2.** (au plur.) *M. Dubois a diffé-*

rentes occupations (= plusieurs, divers). **R.** Ne pas confondre *différent, différend* et *différant* (participe de *différer*) : [diferã].

difficile adj. **1.** *Ce problème d'arithmétique est très difficile,* on a du mal à le faire (≠ facile). **2.** *Léna a un caractère difficile* (= exigeant ; ≠ agréable). ■ **difficilement** adv. SENS 1 *Nous avons trouvé difficilement notre chemin* (= péniblement). ■ **difficulté** n.f. SENS 1 *Depuis son accident, elle marche avec difficulté* (≠ facilité). *M. Dupont a des difficultés financières* (= embarras, problème).

difforme adj. *Les bossus ont le corps difforme,* mal formé (≠ normal). ■ **difformité** n.f. *Une bosse dans le dos est une difformité.*

diffus adj. *Une lumière diffuse* est répandue uniformément et plus ou moins voilée.

diffuser v. *Les journaux ont diffusé le discours du président,* ils l'ont répandu dans le public. ■ **diffusion** n.f. *La diffusion de cette émission aura lieu demain* (= retransmission).

digérer v. *Line a du mal à digérer le chocolat,* son appareil digestif le supporte mal (= assimiler). ■ **digeste** adj. *Les carottes cuites à l'eau sont très digestes,* elles se digèrent facilement. ■ **digestif 1.** adj. *L'œsophage, l'estomac, l'intestin constituent l'appareil digestif.* **2.** n.m. *Après le repas, M. Durand a pris un digestif,* une liqueur alcoolisée. ■ **digestion** n.f. *La digestion des aliments dure plusieurs heures,* leur transformation par l'appareil digestif. ■ **indigeste** adj. *Cet aliment est indigeste,* difficile à digérer.

■ **indigestion** n.f. *J'ai trop mangé et j'ai eu une indigestion,* des troubles digestifs.

digital adj. *Les enquêteurs ont relevé des empreintes digitales,* des empreintes des doigts.

654 **digitale** n.f. *La digitale a des fleurs violettes et allongées.*

digne adj. **1.** *M. Durand parle d'un air digne* (= sérieux, respectable). **2.** *Anne est digne de passer dans la classe supérieure,* elle le mérite. **3.** *Cette attitude n'est pas digne de toi,* conforme à ton caractère.
■ **dignement** adv. SENS 1 *Elle gardait dignement le silence.*
■ **dignité** n.f. **1.** SENS 1 *Elle a gardé son calme et sa dignité,* son attitude fière. **2.** *Jacqueline a été élevée à la dignité d'ambassadrice,* à cette haute fonction.
■ **indigne** adj. SENS 1 *Ta conduite a été indigne* (= méprisable, déshonorant). SENS 2 *Jean s'est montré indigne de notre confiance.* SENS 3 *Mentir est indigne de toi.*
■ **indignement** adv. SENS 1 *Elle se plaint d'avoir été indignement traitée* (= sans égards, honteusement).

721 **digue** n.f. *Les vagues viennent se briser sur la digue,* la construction qui protège le port.
■ **endiguer** v. *Endiguer un fleuve,* c'est construire des digues pour l'empêcher de déborder.

dilapider v. *M. Martin a dilapidé sa fortune* (= gaspiller).
■ **dilapidation** n.f. *La dilapidation de son capital a été rapide.*

dilater v. *La chaleur dilate les gaz,* elle fait augmenter leur volume (≠ comprimer, contracter).
■ **dilatation** n.f. *La chaleur provoque la dilatation des métaux.*

dilatoire adj. *Des manœuvres dilatoires cherchent à faire traîner les choses, à gagner du temps.*

dilettante n. *Pierre n'est pas un acharné au travail, c'est un dilettante* (= amateur, fantaisiste).

1. diligence n.f. *Autrefois, on voyageait dans des diligences,* des grandes voitures à cheval.

2. diligence n.f. **1.** *Je vous félicite pour votre diligence* (= zèle, empressement). **2.** *Il faut faire diligence,* se hâter.
■ **diligent** adj. est un équivalent rare de *empressé, zélé.*

diluer v. *Ce sirop ne se boit pas pur, il faut le diluer,* y ajouter de l'eau.

dimanche n.m. *Dimanche nous sommes allés nous promener.*
■ **endimanché** adj. *Avec ce costume, tu as l'air endimanché,* d'avoir mis des vêtements des grandes occasions.

dîme n.f. *Autrefois, on payait la dîme aux curés,* un impôt.

dimension n.f. *Quelles sont les dimensions de cette salle ?,* la longueur, la largeur et la hauteur (= mesure).

diminuer v. *Il faut diminuer nos dépenses,* les rendre plus faibles (= réduire ; ≠ augmenter). *La température a diminué,* elle est plus faible (= baisser).
■ **diminution** n.f. *Il y a eu une diminution du nombre des accidents* (= abaissement, réduction).
■ **diminutif** n.m. *« Maisonnette » est un diminutif de « maison »,* un dérivé exprimant la petitesse.

dinde n.f. *À Noël nous avons mangé une dinde aux marrons,* une grosse volaille.
■ **dindon** n.m. *Jean se rengorge comme un dindon,* le mâle de la dinde.

dîner n.m. *Au dîner, nous avons mangé de la soupe,* au repas de midi.
■ **dîner** v. *Nous dînons à midi.*
■ **dînette** n.f. **1.** *Les enfants jouent à la dînette,* ils font un petit repas pour jouer. **2.** *Pour Noël, j'ai eu une dînette, des assiettes, des verres, des couverts pour jouer.*

dinosaure n.m. *Les dinosaures étaient d'énormes animaux d'une espèce aujourd'hui disparue.*

diocèse n.m. *L'évêque a réuni les curés de son diocèse,* du territoire qu'il dirige.
■ **diocésain** adj. et n. *Les diocésains sont les catholiques d'un diocèse.*

diphtérie n.f. *Marie est vaccinée contre la diphtérie,* une maladie grave.

diplodocus n.m. *Les diplodocus étaient d'énormes reptiles de la famille des dinosaures.*

diplomate 1. n.m. *Les diplomates représentent leur pays à l'étranger.* **2.** adj. *Luce n'est pas très diplomate,* habile dans la discussion.
■ **diplomatie** n.f. SENS 1 *Jacqueline est entrée dans la diplomatie,* elle est diplomate. SENS 2 *Il a fallu beaucoup de diplomatie pour régler cette affaire* (= tact).
■ **diplomatique** n.f. SENS 1 *Ces deux pays ont rompu leurs relations diplomatiques,* les relations entre États assurées par des diplomates.
R. *Diplomatie se prononce* [diplɔmasi].

diplôme n.m. *Pour obtenir ce poste, il faut un diplôme d'ingénieur,* avoir réussi l'examen d'ingénieur.

dire v. **1.** *On nous a dit que tu viendrais demain* (= annoncer, affirmer). **2.** *Je lui ai dit de ne pas faire de bruit* (= ordonner). **3.** *On dirait qu'il va pleuvoir,* il semble. **4.** *Ça ne me dit rien d'aller là-bas,* ça ne me tente pas.

■ **se dédire** v. SENS 1 *Tu m'as donné ta parole, tu ne peux pas te dédire,* revenir sur ce que tu as dit.
■ **redire** v. SENS 1 *Elle m'a redit qu'elle était d'accord* (= répéter).
■ **redite** n.f. SENS 1 *Ton devoir est plein de redites* (= répétition).
R. → Conj. n° 72, sauf au présent *(vous dites, vous redites)* et au participe *(dit, redit, dédit).*

direct adj. **1.** *Le chemin est direct pour aller au village,* il y va en ligne droite. **2.** *Aline est en contact direct avec moi,* sans intermédiaire (= immédiat).
■ **directement** adv. SENS 1 *Je suis venue directement ici,* sans détour. SENS 2 *Adresse-toi directement à lui.*
■ **indirect** adj. SENS 1 *Elle est arrivée par un trajet indirect.* SENS 2 *Le complément indirect est rattaché au verbe par une préposition.*
■ **indirectement** adv. SENS 2 *J'ai appris la nouvelle indirectement par son voisin.*

diriger v. **1.** *Hélène dirige une importante entreprise,* elle en est le chef. **2.** *Il s'est dirigé vers la porte,* il a pris cette direction. **3.** *Léna a dirigé ses regards vers moi* (= tourner).
■ **directeur** n. SENS 1 *Si vous n'êtes pas content, adressez-vous au directeur,* à celui qui dirige (= patron).
■ **direction** n.f. SENS 1 *La direction de l'usine est assurée par sa présidente.* SENS 2 *Dans quelle direction est-il parti ?,* vers où (= sens).
■ **directives** n.f.pl. SENS 1 *Le patron a donné des directives* (= ordres).
■ **directorial** adj. SENS 1 *Vous trouverez la directrice dans le bureau directorial.*
■ **dirigeable** n.m. *Un dirigeable fait de la publicité au-dessus de la ville,* un ballon muni d'une hélice et d'un système de direction.

803

■ **dirigeant** n. SENS 1 *Les dirigeants du parti se sont réunis* (= chef).

discerner v. **1.** *Avec ce brouillard, on discerne à peine les objets* (= distinguer). **2.** *L'esprit critique permet de discerner le vrai du faux,* de juger ce qui est vrai.

■ **discernement** n.m. SENS 2 *Dans cette affaire, tu as manqué de discernement* (= jugement).

disciple n. *Cette philosophe a eu de nombreux disciples,* des gens qui suivaient sa doctrine.

■ **condisciple** n. *J'ai retrouvé une ancienne condisciple,* une camarade de classe.

discipline n.f. **1.** *Les élèves doivent se soumettre à la discipline du collège,* au règlement destiné à faire régner l'ordre. **2.** *La physique et la chimie sont des disciplines scientifiques,* des matières enseignées à l'école.

■ **discipliné** adj. SENS 1 *Ces élèves sont calmes et disciplinés* (= obéissant).

■ **indiscipline** n.f. SENS 1 *Pierre a été puni pour indiscipline,* pour avoir causé du désordre.

■ **indiscipliné** adj. SENS 1 *Pierre est indiscipliné* (= indocile).

discontinu, discontinuer → *continuer.*

disconvenir v. *Vous avez raison, je n'en disconviens pas,* je ne dis pas le contraire (= nier, contester).

discordant, discorde → *concorde.*

discothèque → *disque.*

discours n.m. *As-tu écouté le discours du président ?,* ce qu'il a dit en public (= exposé, conférence, allocution).

■ **discourir** v. *Au lieu de tant discourir, vous feriez mieux d'agir* (= causer, bavarder).

discréditer v. *Ce mensonge l'a discrédité,* on n'a plus confiance en lui.

■ **discrédit** n.m. *Une série d'accidents a jeté le discrédit sur cette marque,* elle lui a ôté la confiance du public.

discret adj. **1.** *Karim ne se mêle pas de mes affaires, il est discret,* il montre de la retenue (≠ curieux, sans gêne). **2.** *Marie est assez discrète pour qu'on lui parle de cela,* elle sait garder un secret (≠ bavard). **3.** *Jeanne porte une robe discrète,* qui n'attire pas l'attention (≠ voyant).

■ **discrètement** adv. SENS 1 ET 3 *Elle s'est discrètement retirée à l'écart,* pour ne pas gêner.

■ **discrétion** n.f. SENS 2 *Je vous demande à ce sujet une grande discrétion,* de ne rien répéter.

■ **indiscret** adj. SENS 1 *Il a jeté un regard indiscret dans la maison* (= curieux).

■ **indiscrètement** adv. SENS 1 *Elle m'a interrogé indiscrètement.*

■ **indiscrétion** n.f. SENS 2 *Pierre craint les indiscrétions* (= bavardage).

discrimination n.f. *Tout le monde est admis sans discrimination,* sans distinction.

disculper v. *L'accusée a essayé de se disculper,* de prouver son innocence.

discuter v. **1.** *Ils ont discuté de la situation économique* (= parler). **2.** *Quand je donne un ordre, je n'aime pas qu'on discute* (= protester, contester).

■ **discutable** adj. SENS 2 *Votre explication est très discutable* (= contestable).

■ **discussion** n.f. SENS 1 *Nous avons eu une longue discussion* (= entretien). SENS 2 *Avancez, et pas de discussion !* (= contestation).

■ **indiscutable** adj. SENS 2 *Sa victoire est indiscutable* (= évident, incontestable).

disette n.f. *En période de disette, on doit réduire sa consommation,* quand on manque du nécessaire (= pénurie).

disgracieux → *grâce.*

disjoindre → *joindre.*

disloquer v. *Le choc a disloqué la voiture,* il en a séparé les parties (= casser, démolir).

disparaître v. **1.** *Le soleil a disparu à l'horizon,* il a cessé d'être visible (≠ apparaître, se montrer). **2.** *Elle a disparu sans laisser d'adresse,* on ne sait pas où elle est. **3.** *Ma montre a disparu,* on me l'a volée ou je l'ai perdue. **4.** *Ces animaux préhistoriques ont disparu,* ils n'existent plus. *C'est un grand savant qui vient de disparaître* (= mourir).
■ **disparition** n.f. SENS 2 *Les journaux annoncent la disparition d'un enfant,* son absence inexplicable. SENS 4 *Ce médicament entraîne la disparition des maux de tête* (= fin).
■ **disparu** n. SENS 4. *On évoque le souvenir des disparus,* des morts.
R. → Conj. n° 64.

disparate adj. *Line porte des vêtements disparates,* qui ne vont pas ensemble (≠ harmonieux, assorti).

disparition → *disparaître.*

dispendieux adj. *Vous avez des goûts dispendieux,* qui entraînent des dépenses (= coûteux).

dispensaire n.m. *Marie a été examinée par le médecin du dispensaire,* de cet établissement médical.

dispenser v. **1.** *Jean est dispensé de gymnastique,* il n'est pas obligé d'en faire (= exempter). **2.** *Le professeur nous a dispensé des encouragements* (= distribuer).
■ **dispense** n.f. SENS 1 *On lui a accordé une dispense,* une autorisation spéciale.

■ **indispensable** adj. SENS 1 *Je n'ai emporté que les objets indispensables* (= obligatoire, nécessaire).

disperser v. *Le vent a dispersé les feuilles mortes,* il les a répandues çà et là (= éparpiller ; ≠ concentrer).
■ **dispersion** n.f. *Essaie d'éviter la dispersion de tes efforts !*

dispos adj. *Pierre est frais et dispos,* en forme.

disposer v. **1.** *On a disposé les chaises en rond,* on les a mises de cette manière (= arranger). **2.** *M. Durand est disposé à nous recevoir* (= décider). **3.** *On se dispose à partir,* on est sur le point de le faire (= se préparer). **4.** *Je ne dispose pas de cet argent,* je ne peux pas l'utiliser. **5.** *Anna est mal disposée à mon égard,* elle a des sentiments hostiles.
■ **disponible** adj. SENS 4 *Cette somme n'est pas disponible,* on ne peut pas l'utiliser.
■ **disponibilité** n.f. SENS 4 *Une fonctionnaire en disponibilité* est momentanément déchargée de ses fonctions.
■ **dispositif** n.m. SENS 1 *Ce dispositif permet de mettre en marche l'appareil,* ce mécanisme disposé pour cela (= machine).
■ **disposition** n.f. SENS 1 *La disposition des pièces de cet appartement est pratique* (= répartition). SENS 3 (au plur.) *Avant de venir, elle a pris ses dispositions,* elle s'est préparée (= précautions). SENS 4 *J'ai peu de temps à ma disposition.*
■ **indisponible** adj. SENS 4 *Ce local est actuellement indisponible,* on ne peut pas l'utiliser.
■ **prédisposé** adj. SENS 3 *Les fumeurs sont particulièrement prédisposés à certaines maladies,* ils y sont exposés, sujets.

disproportionné → *proportion.*

disputer v. **1.** *Les deux équipes* **ont disputé** *un match,* elles l'ont joué pour le gagner. **2.** *Arrêtez de* **vous disputer** *!* (= se quereller). **3.** Fam. *Jean s'est fait* **disputer** *pour avoir menti* (= gronder, réprimander, attraper).
■ **dispute** n.f. SENS 2 *Quel est le sujet de votre* **dispute** *?* (= querelle, bagarre).

disqualification, disqualifier → qualifier.

34 | **disque** n.m. **1.** *L'athlète a lancé le* **disque** *à 75 mètres,* un plateau circulaire. 808 | **2.** *Connais-tu le dernier* **disque** *de cette chanteuse ?,* un enregistrement gravé sur une plaque ronde. *Le* **disque** *est cassé,* la plaque ronde.

808 | ■ **disquette** n.f. SENS 2 *Une* **disquette** *est un disque souple utilisé en informatique.*
76 | ■ **discothèque** n.f. SENS 2 *Nancy a une belle* **discothèque**, *une collection de disques.*

dissection → disséquer.

disséminer v. *Le général a disséminé ses troupes* (= éparpiller ; ≠ concentrer).

dissension n.f. *Des* **dissensions** *agitent le groupe,* de vives oppositions (= conflit, désaccord, dissentiment).

dissentiment n.m. est un équivalent de *désaccord*.

disséquer v. *On a disséqué le cadavre pour trouver la cause du décès,* on l'a coupé en morceaux pour l'étudier.
■ **dissection** n.f. *En sciences naturelles, on fait des* **dissections**, *on découpe des animaux pour les étudier.*

dissidence n.f. *Des* **dissidences** *sont apparues dans ce parti* (= division, scission).
■ **dissident** n. et adj. *Les* **dissidents** *ont fondé un nouveau parti.*

dissimuler v. *Pierre cherchait à dissimuler ses larmes* (= cacher ; ≠ montrer).
■ **dissimulation** n.f. *Je lui reproche d'avoir agi avec* **dissimulation** (= hypocrisie ; ≠ franchise).

dissiper v. **1.** *Le brouillard s'est dissipé,* il a disparu (= se disperser). **2.** *Les élèves* **dissipées** *ont été punies* (= indiscipliné, turbulent). **3.** *M. Duval a* **dissipé** *sa fortune* (= gaspiller).
■ **dissipation** n.f. SENS 1 *Après* **dissipation** *des brouillards matinaux, le soleil brillera.* SENS 2 *Cette élève a été punie pour sa* **dissipation**.

dissociation, dissocier → associer.

dissoudre v. **1.** *Le sucre se dissout dans l'eau,* il fond et se mélange (= désagréger). **2.** *Le président a* **dissous** *l'Assemblée,* il a mis fin à son existence.
■ **dissolution** n.f. SENS 2 *Un divorce est la* **dissolution** *d'un mariage* (= rupture).
■ **dissolvant** n.m. SENS 1 *Marie a cassé son flacon de* **dissolvant**, *un produit pour dissoudre le vernis à ongles.*
■ **indissoluble** adj. SENS 2 *Selon l'Église catholique, le mariage est* **indissoluble**, *on ne peut pas le rompre.*
■ **indissolublement** adv. SENS 2 *Ces deux questions sont* **indissolublement** *liées,* il est impossible de les séparer.
R. → Conj. n° 60.

dissuader v. *On l'a* **dissuadé** *de partir,* on l'a convaincu de ne pas le faire (≠ persuader).

dissymétrique → symétrie.

distance n.f. *Quelle est la* **distance** *entre Montréal et New York ? — Environ 850 kilomètres* (= éloignement).
■ **distancer** v. *Le coureur a* **distancé** *tous ses concurrents* (= devancer).

■**distant** adj. *Ces deux villes sont distantes de 50 kilomètres* (= éloigné).

■**équidistant** adj. *Ces deux villes sont équidistantes de Paris,* à égale distance.
R. On prononce [ekɥidistɑ̃].

distendre v. *Le ressort s'est distendu,* il a perdu de sa tension, il est relâché.

distiller v. *Le cognac s'obtient en distillant du vin,* en le faisant bouillir dans un appareil appelé **alambic.**

■**distillation** n.f. *La distillation clandestine est interdite,* la fabrication d'alcool.

■**distillerie** n.f. *Les distilleries sont sévèrement contrôlées par l'État,* les fabriques d'alcool.

distinguer v. **1.** *Avec ce brouillard, on distingue mal la côte* (= voir, discerner). **2.** *Cléa ne sait pas distinguer une panthère d'un jaguar* (= reconnaître). **3.** *M. Durand s'est distingué pendant la guerre,* il s'est fait remarquer (= s'illustrer).

■**distingué** adj. SENS 3 *L'ambassadrice est une femme distinguée,* bien élevée, élégante.

■**distinct** adj. SENS 1 *Ce bruit est à peine distinct* (= perceptible). SENS 2 *Ces deux questions sont distinctes* (= différent).

■**distinctement** adv. SENS 1 *Plus fort, je n'entends pas distinctement* (= clairement).

■**distinctif** adj. SENS 2 *Un signe distinctif sert à distinguer deux choses.*

■**distinction** n.f. SENS 2 *Tout le monde a été puni sans distinction,* sans qu'on fasse de différence. SENS 3 *Mme Durand est pleine de distinction,* elle est distinguée. *Elle a obtenu des distinctions honorifiques,* des marques d'honneur.

■**indistinct** adj. SENS 1 *Mes souvenirs à ce sujet sont indistincts* (= confus, incertain).

■**indistinctement** adv. SENS 2 *Cette cuisinière marche indistinctement au gaz ou à l'électricité* (= indifféremment).

distraction n.f. **1.** *La lecture et le cinéma sont mes distractions préférées* (= passe-temps). **2.** *Je ne vous avais pas vu, excusez ma distraction* (= étourderie, inattention).

■**distraire** v. SENS 1 *Si nous allions au cinéma pour nous distraire ?,* nous occuper agréablement.

■**distrait** adj. SENS 2 *Jean est très distrait* (= étourdi, rêveur ; ≠ attentif).
R. *Distraire* → conj. n° 79.

distribuer v. *C'est à Julie de distribuer les cartes,* de les répartir entre les joueurs (= donner, partager).

■**distributeur** n.m. *À la gare, il y a un distributeur de tickets,* un appareil qui en distribue.

■**distribution** n.f. *La distribution des prix avait lieu à la fin de l'année scolaire.*

district n.m. *Un district comprend plusieurs villes et villages* (= région).

diurne adj. *Les travaux diurnes sont ceux qui se font le jour* (≠ nocturne).

divaguer v. *Qu'est-ce que tu racontes là ? Tu divagues !,* tu dis des bêtises (= dérailler).

■**divagation** n.f. *Ne faites pas attention à ses divagations* (= extravagance, élucubration).

divan n.m. *Assieds-toi sur le divan,* une sorte de lit.

divergence, divergent, diverger → *converger.*

divers adj. *Nous avons parlé des sujets les plus divers* (= varié, différent ; ≠ semblable).

■**diversifier** v. *Essayons de diversifier les jeux* (= varier).

437

■**diversité** n.f. *Ils s'entendent bien malgré la diversité de leurs opinions* (= différence ; ≠ ressemblance).

diversion n.f. *Ils étaient prêts à se quereller ; pour faire diversion, j'ai parlé d'autre chose,* pour détourner l'attention.

divertir v. *Ce livre m'a beaucoup diverti,* il m'a fait passer le temps agréablement (= amuser, délasser, distraire).

■**divertissement** n.m. *La pêche est mon divertissement favori* (= distraction, passe-temps).

divin → *dieu*.

divination → *deviner*.

divinement, divinité → *dieu*.

diviser v. 1. *On a divisé la tarte en quatre,* on a fait quatre parts (= partager). 2. *Si on divise 8 par 2, on obtient 4* (≠ multiplier). 3. *L'Assemblée s'est divisée sur cette question,* il y a eu des opinions différentes.

■**divisible** adj. SENS 2 *Les nombres pairs sont divisibles par deux.*

■**division** n.f. 1. SENS 1 *La division du travail permet de le faire plus vite* (= répartition). *Le centimètre et le décimètre sont des divisions du mètre,* des parties plus petites. SENS 2 *Dans la division 10 : 3, 10 est le dividende et 3 le diviseur.* SENS 3 *Cette question a introduit la division dans la famille* (= désaccord). 2. *Une division d'infanterie est composée de plusieurs régiments.* 3. *Cette équipe joue en deuxième division,* parmi un groupe d'équipes.

■**indivisible** adj. SENS 1 *La République française est indivisible,* elle forme un tout qu'on ne peut partager.

■**subdivision** n.f. SENS 1 *Il y a dix subdivisions dans ce chapitre* (= partie).

divorce n.m. *Tania a demandé le divorce,* la rupture de son mariage.

■**divorcer** v. *M. et Mme Durand ont divorcé,* ils se sont séparés.

divulguer v. *Les journaux ont divulgué la nouvelle* (= révéler ; ≠ cacher).

dix adj. *Il y a dix décimètres dans un mètre. 5 + 5 = 10.*

■**dixième** adj. et n. *Le décimètre est la dixième partie du mètre. J'habite dans le dixième arrondissement, au dixième étage.*

■**dizaine** n.f. *Il y a une dizaine de personnes dans la salle,* environ dix.

do n.m. est la première note de la gamme.
R. *Do* se prononce [do] comme *dos*.

docile adj. *Ce chien est très docile,* il obéit facilement (= discipliné).

■**docilement** adv. *Le chien suit docilement Marie.*

■**docilité** n.f. *Elle fait ce qu'on lui dit avec docilité.*

■**indocile** adj. *Cette enfant a un caractère indocile* (= désobéissant).

docks n.m.pl. *Les docks d'un port sont les hangars où l'on stocke les marchandises.*

■**docker** n.m. *Les dockers se sont mis en grève,* les ouvriers qui déchargent les bateaux.
R. *Docker* se prononce [dɔkɛr].

docteur n. 1. *J'ai de la fièvre, appelle la doctoresse !* (= médecin). *Bonjour docteur !* 2. *Mme Dubois est docteur en géographie,* elle peut enseigner à l'université.

■**docte** adj. SENS 2 se disait pour *savant*.

■**doctoral** adj. SENS 2 *Il parle d'un ton doctoral,* comme s'il faisait un cours (= pédant).

■**doctorat** n.m. SENS 2 *Le doctorat est un grade universitaire.*

doctrine n.f. *Quelle est la* **doctrine** *politique de ce parti ?,* les grandes idées qui guident son action.
■ **doctrinal** adj. *Il y a une opposition* **doctrinale** *entre ces deux partis.*
■ **endoctriner** v. *Elle a essayé de nous* **endoctriner,** *de nous convertir à ses idées.*

document n.m. *Pour écrire son livre, l'auteur a consulté beaucoup de* **documents,** *des écrits qui l'ont renseigné.*
■ **documentaire** adj. et n.m. *Nous avons vu un* **(film) documentaire** *sur les fourmis,* un film destiné à instruire.
■ **documentaliste** n. *La* **documentaliste** *vous fournira les informations nécessaires,* la personne chargée de classer et de conserver les documents.
■ **documentation** n.f. *Les historiens rassemblent une* **documentation** *abondante,* des documents.
■ **documenter** v. *T'es-tu* **documenté** *sur ce sujet ?* (= se renseigner).
■ **porte-documents** n.m.inv. *Mets ces papiers dans ton* **porte-documents !** (= serviette).

dodeliner v. *Jacqueline* **dodeline** *de la tête,* elle la balance doucement.

dodu adj. *Ce poulet est bien* **dodu** (= gras).

dogme n.m. *Les* **dogmes** *d'une religion,* c'est ce qu'il faut croire.
■ **dogmatique** adj. *M. Durand est* **dogmatique,** *il affirme sans prouver.*

dogue n.m. *Les* **dogues** *sont de bons chiens de garde.*

doigt n.m. **1.** *L'homme a cinq* **doigts** *à chaque main : le pouce, l'index, le majeur, l'annulaire et l'auriculaire.* **2.** *Elle a été* **à deux doigts** *de se noyer,* très près.
R. *Doigt* se prononce [dwa] comme [*il*] *doit* (de *devoir*).

doigté n.m. *Pour réussir cette affaire, il faut du* **doigté** (= adresse, habileté).

dollar n.m. *Le* **dollar** *est la monnaie des États-Unis et du Canada.*

dolman n. m. *Un* **dolman** *était une veste militaire à brandebourgs.*   224

dolmen n.m. *Les* **dolmens** *ont été élevés par les hommes préhistoriques,* des grandes tables de pierre.
R. On prononce [dɔlmɛn].

domaine n.m. **1.** *Ce banquier possède un grand* **domaine,** *une propriété à la campagne.* **2.** *Le* **domaine** *public, c'est tout ce qui appartient à l'État, à tout le monde.* **3.** *La chimie, ce n'est pas mon* **domaine,** *la matière dont je m'occupe* (= spécialité).

dôme n.m. *L'église des Invalides est recouverte d'un* **dôme,** *un toit en demi-sphère* (= coupole).

domestique 1. adj. *M. Durand est très absorbé par ses soucis* **domestiques,** *ceux de sa famille* (= ménager). **2.** adj. *Le chien est un animal* **domestique,** *qui vit près de l'homme* (≠ sauvage). **3.** n. *Autrefois, les nobles avaient de nombreux* **domestiques,** *des gens pour les servir.*
■ **domestiquer** v. SENS 2 *Certains animaux ne peuvent pas* **être domestiqués** (= apprivoiser).
■ **domesticité** n.f. SENS 3 *Il y avait dans le château une nombreuse* **domesticité** (= personnel).

domicile n.m. *Elle s'est rendue à son* **domicile,** *là où elle habite* (= adresse).
■ **domicilier** v. *On est* **domicilié** *à Paris,* on y habite.

dominer v. **1.** *Le coureur a* **dominé** *tous ses concurrents,* il a été le plus fort (= surpasser). **2.** *Marie n'a pas pu* **dominer** *sa colère* (= contrôler, surmonter). **3.** *Un château* **domine** *le* *village,* il est placé au-dessus (= surplomber). **4.** *Dans ce tableau, le rouge* **domine,** c'est la couleur la plus importante (= l'emporter).

■ **dominateur** adj. SENS 1 *Hélène parle d'un ton* **dominateur** (= autoritaire).

■ **domination** n.f. SENS 1 *L'Algérie était sous la* **domination** *de la France* (= autorité).

■ **prédominer** v. SENS 4 *Ce qui* **prédomine** *dans cette région, c'est l'élevage,* ce qui est le plus important (= dominer).

dominicain n. Les **dominicains** sont des religieux d'un ordre fondé par saint Dominique.

dominical adj. *Le repos* **dominical** est le repos du dimanche.

436 **domino** n.m. *On joue aux* **dominos** *avec des rectangles marqués de points.*

dommage n.m. **1.** *Tu ne peux pas venir demain ? C'est* **dommage** *!* (= regrettable, fâcheux). **2.** *L'incendie a causé de graves* **dommages** (= dégât, perte).

■ **dédommager** v. SENS 2 *Après le cambriolage, l'assurance nous* **a dédommagés,** elle a versé de l'argent pour réparer les dégâts (= indemniser).

■ **dédommagement** n.m. SENS 2 *Vous avez droit à des* **dédommagements** (= indemnité).

■ **endommager** v. SENS 2 *La voiture* **a été endommagée** *dans l'accident* (= abîmer).

dompter v. *On n'arrive pas à* **dompter** *ce cheval,* à le soumettre en le dominant (= dresser, maîtriser).

433 ■ **dompteur** n.m. *Au cirque, le* **dompteur** *a fait un numéro avec des lions et des tigres.*

■ **indomptable** adj. *Elle a réussi à venir à bout de ce cheval qu'on disait* **indomptable.**

R. Attention au *p* qui ne se prononce pas : [dɔ̃te, dɔ̃tœr, ɛ̃dɔ̃tabl].

don, donateur → donner.

donc conj. sert à conclure : *Le voilà,* **donc** *nous pouvons commencer ;* sert à renforcer un mot ou une phrase : *Où* **donc** *habitez-vous ?*

donjon n.m. *Les châteaux forts avaient un* **donjon,** une haute tour.

donner v. **1.** *Qui* **a donné** *ce cadeau à Marie ?* (= remettre, offrir ; ≠ recevoir et garder). **2.** *Ce pommier* **donne** *beaucoup de fruits* (= produire, fournir). **3.** *Donner l'ordre,* c'est ordonner, **donner** *une réponse,* c'est répondre, **donner** *des explications,* c'est expliquer, **donner** *soif,* c'est assoiffer. **4.** *La chambre* **donne** *sur la rue,* elle est du côté de la rue.

■ **don** n.m. **1.** SENS 1 *Par testament, M. Dupont a fait* **don** *de sa fortune à un orphelinat,* il l'a donnée. **2.** *Diana a des* **dons** *pour la musique,* elle est douée (= talent).

■ **donateur** n. SENS 1 *Un* **donateur** *est quelqu'un qui fait un don.*

■ **donné** adj. **1.** *Il faut faire ce travail en un temps* **donné** (= déterminé, précisé). **2.** *Étant donné qu'il pleut, on ne sort pas,* à cause de la pluie.

■ **donneur** n. SENS 1 *M. Dupont est* **donneur de sang,** il donne son sang.

■ **maldonne** n.f. SENS 1 *Il y a* **maldonne,** il y a une erreur dans la distribution des cartes.

R. → dont.

dont pron. relatif remplace un nom complément précédé de *de : C'est une femme* **dont** *je me souviens,* je me souviens d'elle.

R. *Dont* se prononce [dɔ̃] comme *don.*

doper v. *Le coureur est accusé de* **s'être dopé,** d'avoir pris des drogues pour être plus fort.

■**doping** ou **dopage** n.m. *Le doping est interdit par les règlements.*

dorade → *daurade.*

doré n.m. *Nous avons mangé un doré,* un poisson de rivière.

dorénavant adv. *Dorénavant, essaie d'arriver à l'heure,* à partir de maintenant (= désormais, à l'avenir).

dorer v. *Le ciel est doré au coucher du soleil,* de la couleur de l'or.

■**dorure** n.f. *Dans ce château, il y a des dorures partout,* des ornements dorés.

dorloter v. *Jean est dorloté par sa mère* (= cajoler, choyer).

dormir v. *Cette nuit, j'ai dormi huit heures,* je suis resté dans le sommeil (≠ veiller).

■**dormant** adj. *Une eau dormante est* immobile.

■**dormeur** n. *Attention à ne pas réveiller les dormeurs !,* ceux qui dorment.

■**dortoir** n.m. *À la caserne, les soldats couchent dans des dortoirs,* des grandes salles contenant des lits.

■**endormir** v. 1. *Pierre s'est endormi à 10 heures,* il a commencé à dormir (≠ se réveiller). 2. *Il nous endort avec ses discours* (= ennuyer).

■**rendormir** v. *Bébé s'est rendormi,* il a recommencé à dormir.

R. → Conj. n° 18.

dorsal → *dos.*

dorure → *dorer.*

doryphore n.m. *Les doryphores nuisent aux pommes de terre,* des insectes ressemblant à de grosses coccinelles au dos rayé.

dos n.m. 1. *Julie a mal au dos ; elle s'est allongée sur le dos* (≠ ventre). 2. *Écris au dos de la page,* sur l'autre côté (= verso ; ≠ face).

■**dorsal** adj. SENS 1 *J'ai des douleurs dorsales,* au dos.

■**dos-d'âne** n.m.inv. SENS 1 *Ce panneau annonce un dos-d'âne,* que la route fait une bosse.

■**dossard** n.m. SENS 1 *Ce coureur porte le dossard numéro 10,* un carré de tissu sur son dos. 512

■**dossier** n.m. 1. SENS 1 *Le dossier du fauteuil est rembourré,* la partie où on appuie le dos. 2. *L'avocate étudie le dossier de son client,* les documents qui le concernent. 76, 292 293

■**adosser** v. SENS 1 *Jean s'est adossé au mur,* il y a appuyé le dos.

■**endosser** v. 1. SENS 1 *Hélène a endossé son manteau,* elle l'a mis sur son dos. 2. *Je ne peux pas endosser cette responsabilité,* la prendre.

R. → *do.*

dose n.f. *À forte dose, ce médicament est mortel,* si on en prend d'un seul coup une forte quantité.

■**doser** v. *Il faut soigneusement doser ce médicament,* mesurer la dose à prendre.

■**dosage** n.m. *Il faut être très attentif au dosage de ce médicament.*

dossard → *dos.*

dossier → *dos.*

doter v. 1. *Sandra est dotée d'un solide bon sens,* elle l'a. 2. *Autrefois, les parents dotaient leurs filles,* ils leur fournissaient une dot.

■**dot** n.f. SENS 2 *Les filles riches avaient une grosse dot,* de l'argent, des biens qu'elles apportaient en se mariant.

R. On prononce le *t* final : [dɔt].

douane n.f. *En allant en Espagne, on s'est arrêté à la douane,* à un bureau de l'administration qui surveille les frontières.

■**douanier** n. et adj. *Les douaniers ont fouillé nos valises,* les employés de la douane. *Les tarifs **douaniers** ont augmenté.*

doubler v. 1. *Il est interdit de **doubler** en haut d'une côte,* de dépasser une autre voiture. 2. *Depuis cinq ans, les prix **ont doublé**,* ils ont été multipliés par deux. 3. *Ce manteau **est doublé** en fourrure,* on lui a mis une doublure. 4. *Ce film américain **est doublé** en français,* les acteurs semblent parler français.

■ **doublage** n.m. SENS 4 *Le **doublage** de ce film est mauvais,* le son ne correspond pas au mouvement des lèvres des acteurs.

■ **double** adj. SENS 2 *Cette rue est à **double** sens* (≠ unique).

■ **double** n.m. SENS 2 *8 est le **double** de 4. As-tu un **double** de ce document ?,* un deuxième exemplaire (= copie).

■ **doublement** adv. SENS 2 *Je suis **doublement** contente,* pour deux raisons.

■ **doublure** n.f. SENS 3 *La **doublure** de cette veste est en soie,* le tissu intérieur.

■ **dédoubler** v. SENS 2 *La classe **a été dédoublée**,* on a réparti les élèves dans deux nouvelles classes.

■ **redoubler** v. 1 SENS 2 *Pierre a **redoublé** (sa classe),* il l'a recommencée une nouvelle année. 2. *La pluie **redouble**,* elle devient encore plus forte. *Il faut **redoubler** d'efforts,* faire encore plus d'efforts. *On frappait à la porte **à coups redoublés**,* beaucoup et fort.

■ **redoublant** n. SENS 2 *Pierre est un **redoublant**.*

■ **redoublement** n.m. SENS 2 *Son **redoublement** lui a fait perdre un an.*

douceâtre, doucement, douce-reux, douceur → *doux.*

douche n.f. *Tous les matins, je prends une **douche**,* je m'asperge d'eau pour me laver.

■ **doucher** v. *Anne est dans la salle de bains en train de **se doucher**.*

doué adj. 1. *Marie est **douée** pour les maths,* elle réussit bien dans cette matière (= fort). 2. *Linda est **douée** d'une excellente mémoire,* elle la possède.

douille n.f. 1. *La poudre d'une cartouche est contenue dans une **douille**. 2. *Une ampoule électrique se fixe dans une **douille**,* une pièce pour la recevoir.

douillet adj. 1. *Pierre est trop **douillet**,* trop sensible à la douleur. 2. *Jean s'est couché dans son lit **douillet*** (= doux, confortable).

douleur n.f. 1. *Je sens une **douleur** au cou,* j'ai mal. 2. *Il a eu la **douleur** de perdre son père,* il a souffert (= chagrin, peine ; ≠ bonheur).

■ **douloureux** adj. SENS 1 *Ma jambe est **douloureuse**,* elle me fait mal (= sensible). SENS 2 *Elle m'a jeté un regard **douloureux**,* de chagrin (= triste).

■ **endolori** adj. SENS 1 *J'ai le bras **endolori*** (= douloureux).

■ **indolore** adj. SENS 1 *Cette piqûre est **indolore**,* elle ne fait pas mal.

douter v. 1. *Elle m'a promis de venir, mais je **doute** de sa parole,* je n'ai pas confiance (= se défier). 2. *Je **doute** qu'il fasse beau demain,* je n'en suis pas certain, je ne le crois pas. 3. *Je me **doute** qu'il est en colère,* je m'y attends (= soupçonner, deviner).

■ **doute** n.m. SENS 2 *J'ai des **doutes** sur son honnêteté,* je n'en suis pas certain (= soupçon). *Viendras-tu demain ? — **Sans aucun doute** !* (= certainement). *Il n'est pas venu, il a **sans doute** oublié* (= probablement, peut-être).

■ **douteux** adj. SENS 2 *Le succès est **douteux*** (≠ sûr, certain).

■ **indubitable** adj. SENS 2 *Sa bonne foi est **indubitable*** (= certain).

■ **indubitablement** adv. SENS 2 *Il est*

indubitablement de bonne foi, sans aucun doute.

douve n.f. Les *douves* d'un château, ce sont les fossés remplis d'eau qui l'entourent (= fossé).

doux adj. **1.** *La saveur de ces fruits est douce,* elle est agréable (≠ amer, piquant, salé). **2.** *Il faut faire cuire cette sauce à feu doux* (= faible, modéré ; ≠ fort). **3.** *Mme Durand est douce avec les enfants* (= gentil, affectueux, tendre ; ≠ dur, sévère, brutal).

■ **douceâtre** adj. SENS 1 *Cette orange est douceâtre,* trop douce (= fade).

■ **doucement** adv. SENS 2 *La voiture roule doucement à faible allure* (≠ vite). *Parle plus doucement* (≠ fort).

■ **doucereux** adj. SENS 3 *On m'a répondu d'un ton doucereux,* trop doux, un peu sournois

■ **douceur** n.f. SENS 1 *Cette région est connue pour la douceur de son climat* (= agrément). *(au plur.) Jean m'a offert des douceurs,* des choses sucrées. SENS 2 *La voiture a démarré en douceur* (= doucement). SENS 3 *J'aime la douceur de Mme Durand* (=gentillesse, bonté).

■ **adoucir** v. SENS 2 *Le vent s'est adouci,* il est devenu moins fort. SENS 3 *Elle s'est adoucie pour me parler,* elle est devenue moins dure.

■ **adoucissement** n.m. SENS 2 *La radio annonce un adoucissement de la température.*

■ **radoucir** v. SENS 2 *Le temps s'est radouci.* SENS 3 *Il s'est mis en colère, puis il s'est radouci* (= calmer).

douze adj. *Il y a douze mois dans l'année. 6 + 6 = 12.*

■ **douzième** adj. et n. *Décembre est le douzième mois de l'année. Nous habitons un grand appartement situé au douzième (étage).*

■ **douzaine** n.f. *Cléa a une douzaine d'années,* environ douze ans.

doyen n. *Ce député est le doyen de l'Assemblée,* le député le plus âgé.

draconien adj. *Votre règlement est draconien,* très sévère.

dragée n.f. *On offre des dragées lors de la naissance d'un enfant,* des bonbons faits d'amandes recouvertes de sucre. | 39

dragon n.m. **1.** *On représente les dragons avec des ailes, des griffes et une queue pointue,* des animaux imaginaires. **2.** *Les dragons étaient des soldats à cheval.*

dragonne n.f. *Le bâton de ski se termine par une dragonne,* une courroie formant une boucle qu'on passe à son poignet. | 653

draguer v. *Draguer une rivière,* c'est enlever la boue et le sable accumulés au fond, en particulier avec une machine appelée **drague.** | 727

■ **dragueur** n.m. *Un dragueur de mines est un bateau aménagé pour retirer les mines de l'eau.*

drainer v. *Drainer un sol trop humide,* c'est en faire partir l'eau pour l'assainir.

■ **drainage** n.m. *Les canaux de drainage servent à évacuer l'eau des sols.*

drakkar n.m. *Les drakkars étaient les bateaux des pirates vikings.* | 802

drame n.m. **1.** *Cet accident a été un drame affreux,* un événement violent, grave (= tragédie). **2.** *On a vu à la télé un drame de Victor Hugo,* une pièce de théâtre.

■ **dramatique** adj. SENS 1 *La situation de ces réfugiées est dramatique* (= angoissant, tragique ; ≠ comique). SENS 2 *Victor Hugo est un auteur dramatique,* il a écrit des pièces de théâtre.

■ **dramatiquement** adv. SENS 1 *Elle appelait dramatiquement au secours.*

■ **dramatiser** v. SENS 1 *Restons*

calmes, *ne dramatisons pas,* n'exagérons pas la gravité de la situation.

■**mélodrame** n.m. SENS 2 *Un mélodrame* est une pièce de théâtre qui cherche à émouvoir les spectateurs.

■**mélodramatique** adj. SENS 2 *Elle a pris un ton mélodramatique pour me répondre,* pathétique mais un peu ridicule.

77 **drap** n.m. *Les draps sont sales, il faut les changer,* les pièces de toile qui garnissent le lit.

509, 722 **drapeau** n.m. *Le drapeau français est bleu, blanc, rouge.*

draper v. *Elle s'est drapée dans son manteau,* elle s'est enveloppée dedans.

draperie n.f. *Des draperies ornent les murs de la salle des fêtes,* des étoffes formant des plis.

dresser v. 1. *Le chien a dressé les oreilles,* il les a mises droites, verticales (≠ baisser). 2. *Les campeuses ont dressé leurs tentes* (= monter, planter). 3. *Le professeur a dressé une liste des absents* (= établir). 4. *Ce chien est bien dressé,* on l'a habitué à obéir.

■**dressage** n.m. SENS 4 *Le dressage des animaux féroces est le travail du dompteur.*

dribbler v. *Le footballeur a dribblé son adversaire,* il est passé devant lui sans perdre la balle.

726 **drisse** n.f. *Hissez la voile avec la drisse !,* un cordage.

drogue n.f. 1. *M. Durand prend des drogues pour dormir* (= médicament). 2. *L'opium, la cocaïne sont des drogues,* des produits toxiques qui détruisent la volonté (= stupéfiant).

■**droguer** v. SENS 2 *Les gens qui se droguent mettent en très grand danger leur état physique et mental.*

■**drogué** n. SENS 2 *Les drogués sont toujours à la recherche de leur drogue* (= toxicomane).

droguiste n. *Les droguistes vendent des produits de toilette et d'entretien.*

■**droguerie** n.f. *Va à la droguerie acheter du savon et de la lessive.*

1. droit n.m. 1. *Tu n'as pas le droit d'entrer ici, c'est privé* (= autorisation, permission). *Elle est dans son droit, elle est sûre de son bon droit,* elle est en règle, on ne peut rien lui reprocher. *Vous protestez à bon droit,* avec raison. 2. *Annie est étudiante en droit,* elle étudie les lois qui gouvernent la société. 3. *Pour importer ce produit, il faut payer des droits de douane,* donner de l'argent à l'État (= taxe).

2. droit adj. 1. *La ligne droite est le plus court chemin d'un point à un autre* (= direct ; ≠ courbe, arqué). 2. *Ce mur n'est pas droit,* il penche (= vertical). 3. *M. Dupont est un homme droit* (= honnête, juste, loyal ; ≠ faux, fourbe). 4. *Hélène écrit de la main droite* (≠ gauche). 5. *On trace un angle droit avec une équerre,* un angle qui n'est ni aigu, ni obtus.

■**droit** adv. SENS 1 *Cet ivrogne ne marche pas droit,* en ligne droite.

■**droite** n.f. 1. SENS 1 *Tracez une droite sur votre cahier* (≠ courbe). SENS 4 *Il est parti vers la droite,* le côté droit (≠ gauche). 2. *M. Dupont est de droite,* il a des opinions politiques conservatrices (≠ gauche).

■**droitement** adv. SENS 3 *Elle a toujours agi droitement avec moi* (= loyalement, honnêtement).

■**droitier** adj. SENS 4 *Pierre est droitier,* il écrit de la main droite (≠ gaucher).

■**droiture** n.f. SENS 3 *Jacqueline agit avec droiture* (= honnêteté, franchise, loyauté).

drôle adj. 1. *On m'a raconté une histoire drôle* (= comique, amusant ; ≠

triste). **2.** *Il y a une **drôle** d'odeur dans la cuisine,* une odeur bizarre (= étrange ; ≠ normal). **3.** Fam. *Nancy a une **drôle** de veine,* beaucoup de veine.

■ **drôlement** adv. SENS 2 *Elle m'a regardé **drôlement*** (= bizarrement). SENS 3 Fam. *Marie est **drôlement** grande* (= très).

■ **drôlerie** SENS 1 *Il nous a fait rire avec ses **drôleries*** (= pitrerie).

dromadaire n.m. *Les Touaregs du Sahara se déplacent sur des **dromadaires**,* des chameaux à une bosse.

dru adj. *M. Dupont a une barbe **drue*** (= serré, épais).

drugstore n.m. *J'ai dîné de deux sandwichs dans un **drugstore**,* un établissement commercial comprenant un bar et des magasins divers.
R. On prononce [drœgstɔr].

druide n.m. *Les **druides** coupaient le gui,* les prêtres des Gaulois.

du → *de* 1 et 2.

dû → *devoir.*

duc n.m. *Un **duc** est un noble portant le titre le plus élevé.*

■ **ducal** adj. *Un palais **ducal*** est le palais d'un duc.

■ **duché** n.m. *La Bretagne et la Normandie étaient des **duchés**,* des territoires gouvernés par des ducs.

■ **duchesse** n.f. *Une **duchesse** de Bretagne s'est appelée Anne.*

duel n.m. *Autrefois, les nobles se battaient en **duel** pour se venger d'une injure,* un contre un.

duffel-coat n.m. *Il fait froid, mets ton **duffel-coat** !,* un manteau.
R. On prononce [dœfœlkot].

dune n.f. *Près de cette plage, il y a des **dunes**,* des collines de sable.

dunette n.f. *La **dunette** d'un navire est la partie surélevée qui se trouve à l'arrière.*

duo n.m. *Jeanne et Marie ont chanté un **duo**,* une chanson à deux.

dupe adj. *Elle veut me tromper, mais je ne suis pas **dupe**,* je ne me laisse pas tromper.

■ **duper** v. *Je ne me suis pas laissé **duper*** (= tromper).

■ **duperie** n.f. *Elle s'est laissé prendre à cette **duperie*** (= escroquerie).

duplex n.m. **1.** *L'émission télévisée a lieu en **duplex**,* les personnes qui dialoguent ne sont pas au même endroit. **2.** *On habite dans un **duplex**,* un appartement sur deux niveaux réunis par un escalier intérieur.

duplicata n.m. *Veuillez joindre au dossier un **duplicata** de la facture,* une reproduction (= double).

duplicité n.f. *Je me méfie de sa **duplicité*** (= fourberie, hypocrisie ; ≠ franchise).

duquel → *lequel.*

dur adj. **1.** *Cette viande est **dure**,* difficile à mâcher (= résistant ; ≠ tendre, mou). **2.** *Voilà un problème trop **dur**, je ne sais pas le résoudre* (= difficile ; ≠ facile, aisé). **3.** *M. Durand est un homme **dur*** (= sévère, insensible ; ≠ doux, bon). **4.** *Avoir la **tête dure**,* c'est être très têtu ou peu intelligent.

■ **durcir** v. SENS 1 *Ce pain est vieux, il a durci* (≠ ramollir). SENS 3 *Sa voix s'est durcie,* elle est devenue plus sévère (≠ s'attendrir).

■ **durcissement** n.m. SENS 1 *Le **durcissement** de ce ciment est très rapide.*

■ **durement** adv. SENS 3 *Il m'a répondu **durement**,* sans bonté (≠ doucement, gentiment).

■**dureté** n.f. SENS 1 *Ce bois a la dureté de la pierre* (= résistance). SENS 3 *La prisonnière a été traitée avec dureté* (= brutalité ; ≠ douceur).

■**durillon** n.m. SENS 1 *Jean a un durillon à un orteil,* un endroit où la peau a durci (= cor).

■**endurcir** v. SENS 3 *Les malheurs l'ont endurci,* rendu plus dur.

R. *Dur* se prononce [dyʀ] comme [*il*] *dure* (de *durer*).

durant prép. *Cela s'est passé durant la nuit,* pendant sa durée.

durer v. *Le beau temps dure depuis huit jours,* il continue à faire beau (= se prolonger).

■**durable** adj. *Cette douleur ne sera pas durable* (= long ; ≠ bref, court).

■**durée** n.f. *Quelle est la durée de ce film ? — Deux heures,* combien dure-t-il ? (= longueur).

dureté, durillon → dur.

duvet n.m. 1. *Cet oreiller est plein de duvet,* de petites plumes légères et chaudes. 2. *Les campeuses couchent dans leur duvet,* un sac de couchage épais et chaud. 3. *Les pêches sont recouvertes de duvet,* de petits poils doux.

■**duveté** ou **duveteux** adj. *Les pêches sont duvetées (ou duveteuses),* leur peau a un duvet.

dynamique adj. *Jean est un garçon dynamique* (= actif, énergique ; ≠ mou).

■**dynamisme** n.m. *Katy est pleine de dynamisme* (= vitalité).

dynamite n.f. *Les soldats ont fait sauter le pont à la dynamite,* un explosif puissant.

■**dynamiter** v. *Le pont a été dynamité,* détruit par un explosif.

dynamo n.f. *La dynamo de la voiture est en panne,* l'appareil qui fournit le courant électrique.

dynastie n.f. *Louis XIV appartenait à la dynastie des Bourbons,* à la famille de rois portant ce nom.

■**dynastique** adj. *Des querelles dynastiques opposent les membres de la famille royale.*

dysenterie n.f. *Le choléra provoque la dysenterie,* une colique grave et douloureuse.

dyslexie n.f. *La dyslexie est un trouble de lecture.*

■**dyslexique** adj. et n. *Cette enfant dyslexique a suivi des cours de rééducation efficaces.*

e

eau n.f. **1.** *L'eau pure est incolore, inodore et sans saveur. Comme il ne pouvait rien obtenir, il **a mis de l'eau dans son vin,** il est devenu moins exigeant. Ce plat **me met l'eau à la bouche,** il est très appétissant.* **2.** *L'eau de Javel sert à nettoyer, l'eau de Cologne sert à se parfumer.* **3.** (au plur.) *Les **eaux territoriales** d'un pays, c'est la zone de mer qui borde les côtes de ce pays, par opposition aux **eaux internationales,** le reste des mers.*
■ **eau-de-vie** n.f. SENS 2 *Dans cette région, on fabrique de l'**eau-de-vie** de prune,* de l'alcool de prune.
R. *Eau* se prononce [o] comme *au* et *aux* (articles), *haut, oh !, os* (au plur.). Noter le pluriel : des *eaux-de-vie*.

ébahir v. *La nouvelle de sa mort nous a **ébahis,*** beaucoup étonnés (= stupéfier).
■ **ébahissement** n.m. *Line écarquille les yeux d'**ébahissement*** (= stupéfaction).

s'ébattre v. *Les chatons **s'ébattent** sur le tapis,* ils courent, sautent et jouent.
■ **ébats** n.m.pl. *Les **ébats** des chatons sont amusants.*
R. → Conj. n° 56.

ébaucher v. *La romancière **a ébauché** le plan de son ouvrage,* elle lui a donné une première forme, pas encore définitive (≠ achever). *Le projet commence à **s'ébaucher,*** à prendre forme.

■ **ébauche** n.f. *Ce dessin n'est qu'une **ébauche*** (= esquisse).

ébène n.f. *Ce coffret à bijoux est en **ébène,*** un bois noir et très dur.

ébéniste n. *M. Dupuis est **ébéniste,*** il fabrique des meubles précieux.
■ **ébénisterie** n.f. *L'acajou, l'ébène, le citronnier sont des bois d'**ébénisterie,*** utilisés par l'ébéniste.

éberlué adj. *Émilie m'a regardé avec des yeux **éberlués,*** très étonnés.

éblouir v. **1.** *L'automobiliste **a été ébloui** par les phares de la voiture en face* (= aveugler). **2.** *Cette pianiste nous **a éblouis,*** remplis d'admiration.
■ **éblouissant** adj. SENS 1 *Ces phares blancs sont trop **éblouissants.*** SENS 2 *Ce pianiste a un jeu **éblouissant*** (= brillant).
■ **éblouissement** n.m. SENS 1 *Si on regarde le soleil en face, on a des **éblouissements.***

éborgner → borgne.

éboueur → boue.

ébouillanter → bouillir.

s'ébouler v. *Ce vieux mur **s'est éboulé*** (= s'écrouler).
■ **éboulement** n.m. *La route a été coupée par un **éboulement,*** une chute de rochers, de terre.
■ **éboulis** n.m. *Le pied de la montagne est couvert d'**éboulis,*** de cailloux qui viennent d'en haut.

ébouriffer v. *Le vent m'a ébouriffé les cheveux,* il les a mis en désordre.
R. Attention à l'orthographe : 1 *r* et 2 *f.*

ébranler v. **1.** *La procession s'est ébranlée,* elle s'est mise en marche (≠ s'arrêter). **2.** *L'explosion a ébranlé les murs,* elle les a fait trembler (= secouer). **3.** *Nos arguments ne l'ont pas ébranlé,* fait changer d'avis.
■ **ébranlement** n.m. SENS 1 *Dès l'ébranlement du train, elle s'est endormie* (= départ). SENS 2 *L'explosion a causé un ébranlement aux murs* (= secousse).
■ **inébranlable** adj. SENS 3 *J'ai en lui une confiance inébranlable* (= ferme ; ≠ fragile).

ébrécher → *brèche.*

ébriété n.f. *M. Dupont est en état d'ébriété,* il est soûl (= ivresse).

s'ébrouer v. *Le chien s'est ébroué en sortant de l'eau,* il a secoué son corps.

ébruiter → *bruit.*

ébullition → *bouillir.*

écaille n.f. **1.** *Les poissons ont le corps recouvert d'écailles,* de petites plaques dures. **2.** *Jean a des lunettes d'écaille,* en carapace de tortue.
■ **écailler** v. SENS 1 *Le poissonnier écaille un poisson,* il enlève les écailles. *La peinture s'est écaillée,* de petites plaques se sont détachées.
■ **écaillure** n.f. *Le plafond présente des écaillures,* des parties écaillées.

écarlate adj. *De honte, elle est devenue écarlate,* très rouge.

écarquiller v. *Pourquoi écarquilles-tu les yeux ?,* les ouvres-tu très grands.

écart n.m. **1.** *Ils habitent à l'écart de la route,* à une certaine distance. **2.** *Entre ces deux articles, il y a un grand écart de prix* (= différence). **3.** *Le cheval a fait un écart,* un mouvement brusque

vers le côté. **4.** *La danseuse fait le grand écart,* ses jambes sont écartées de façon à toucher le sol sur toute leur longueur.
■ **écartement** n.m. SENS 1 *L'écartement des roues arrière de la voiture est de 1,40 mètre,* la distance qui les sépare.
■ **écarter** v. SENS 1 *Écartez les bras du corps !* (= séparer ; ≠ rapprocher).

écarteler v. **1.** *Autrefois, certains condamnés étaient écartelés,* leurs quatre membres étaient tirés en sens opposés jusqu'à l'arrachement. **2.** *Je suis écartelé entre ces deux désirs* (= tirailler).
R. → Conj. n° 5.

ecchymose n.f. *Sa chute ne lui a causé que des ecchymoses,* des bleus.
R. On prononce [ekimoz].

ecclésiastique n.m. *Les prêtres, les moines, les évêques sont des ecclésiastiques,* des membres du clergé.

écervelé → *cerveau.*

échafaud n.m. *Louis XVI est mort sur l'échafaud,* sur une estrade où on lui a coupé la tête.

échafaudage n.m. *Les maçons ont installé un échafaudage,* une construction provisoire.
■ **échafauder** v. *On a échafaudé des plans très compliqués* (= combiner, bâtir).

échalas n.m. *Certaines vignes poussent sur des échalas* (= pieu).

échalote n.f. *Tu as mis des échalotes dans la salade ?,* une plante proche de l'oignon.

échancré adj. *Marie a un corsage échancré,* ouvert au col.
■ **échancrure** n.f. *L'échancrure d'un col est son ouverture.*

échange, échanger, échangeur
→ *changer.*

échantillon n.m. *Je voudrais un échantillon de ce tissu,* un petit morceau pour m'en faire une idée.

■**échantillonnage** n.m. *Le sondage a été opéré sur un échantillonnage représentatif de la population,* sur un petit nombre de personnes.

échapper v. **1.** *Le chien s'est échappé, il faut le rattraper* (= s'enfuir, se sauver). **2.** *Jacqueline a échappé à la mort,* elle l'a évitée. **3.** *La pile d'assiettes lui a échappé des mains,* il l'a lâchée (= glisser). **4.** *Son nom m'échappe,* je n'arrive pas à m'en souvenir.

■**échappatoire** n.f. SENS 1 *On ne lui a laissé aucune échappatoire,* aucun moyen de se tirer d'embarras.

■**échappée** n.f. SENS 1 *La cycliste a gagné l'étape après une longue échappée,* elle s'est échappée du peloton.

■**échappement** n.m. *Les gaz du moteur sortent par le tuyau d'échappement.*

■**réchapper** v. SENS 2 *Il a été bien malade, il a eu la chance d'en réchapper,* de guérir (= s'en tirer, s'en sortir).

écharde n.f. *Marie a une écharde dans le doigt,* un petit morceau de bois pointu.

écharpe n.f. **1.** *Il fait froid, mets ton écharpe autour du cou !,* une bande d'étoffe en laine ou en coton. **2.** *Pierre a le bras en écharpe,* soutenu par une bande de tissu qui passe derrière le cou.

écharper v. *La criminelle a failli se faire écharper par la foule* (= tuer).

échasse n.f. *Les échasses sont de longs bâtons servant à marcher en ayant les pieds au-dessus du sol.*

■**échassier** n.m. *La cigogne, le héron sont des échassiers,* des oiseaux à longues pattes.

échauder v. **1.** *Le jet de vapeur l'a un peu échaudé,* lui a causé une vive chaleur (= brûler). **2.** *Ce magasin vend de la camelote : j'ai été échaudé mais on ne m'y reprendra pas ;* j'ai subi une mésaventure.

échauffement, échauffer →
chaud.

échauffourée n.f. *Il a eu le bras cassé dans une échauffourée* (= bagarre).

échauguette n.f. *Il y a des échauguettes aux angles des remparts,* des petites guérites de pierre pour le guet. 147

échéance n.f. **1.** *On a payé avant l'échéance,* le moment où on était obligé de payer. **2.** *Anne fait des projets à longue échéance,* longtemps à l'avance.

échéant adj. *Le cas échéant, je viendrai* (= éventuellement).

échec n.m. **1.** *Jacques a subi un échec à l'examen,* il n'a pas réussi (≠ succès). **2.** (au plur.) *Line m'a battu aux échecs,* un jeu qui consiste à déplacer diverses pièces sur un plateau. 436

■**échiquier** n.m. SENS 2 *L'échiquier est formé de 64 cases noires et blanches,* le plateau pour jouer aux échecs. 436

■**échouer** v. **1.** SENS 1 *Son plan a échoué* (= rater ; ≠ réussir). **2.** *Le navire s'est échoué,* il a touché le fond par accident.

échelle n.f. **1.** *Pour monter sur le toit, il faut une échelle.* **2.** *Mme Dupont s'est élevée dans l'échelle sociale,* la succession de niveaux que constitue la société. **3.** *L'échelle de ce dessin est de 1/100,* ce qui est dessiné est 100 fois plus petit que l'objet réel. *Il a fraudé le fisc sur une grande échelle,* dans de grandes proportions. 649, 151, 77 · · · 145

4. *Jean m'a fait la courte échelle pour sauter le mur,* il m'a fait grimper sur lui.

151 ■**échelon** n.m. SENS 1 *Attention, le deuxième échelon de l'échelle est cassé !* (= barreau). SENS 2 *Ce professeur est au dernier échelon,* au plus haut niveau de sa carrière.

■**échelonner** v. SENS 2 *Ce paiement est échelonné sur un an,* réparti régulièrement sur cette durée.

écheveau n.m. *Marie a embrouillé son écheveau de laine,* un fil de laine replié beaucoup de fois.

échevelé → *cheveu.*

échevin n.m. *Mme Huang est échevin de la ville de Longueil,* elle est conseillère municipale.

échine n.f. **1.** *J'ai acheté un rôti de porc dans l'échine,* prélevé dans le dos du porc. **2.** *Courber l'échine, avoir l'échine souple,* c'est se plier très facilement à la volonté des autres.

s'échiner v. Fam. *Je me suis échinée à porter ce tas de bois,* je me suis fatiguée, éreintée.

échiquier → *échec.*

écho n.m. **1.** *Il y a de l'écho dans cette salle,* le son est renvoyé par les murs. **2.** *On m'a donné quelques échos de la réunion,* on m'a dit ce qui s'y est passé (= nouvelle, information). *Je me fais l'écho de ce que j'ai entendu,* je le répète.
R. *Écho* se prononce [eko] comme *écot.*

échoppe n.f. *Le cordonnier travaille dans son échoppe,* sa boutique.

échouer → *échec.*

éclabousser v. *En passant dans la flaque d'eau, la voiture nous a éclaboussés,* elle a projeté de l'eau sur nous.

■**éclaboussure** n.f. *Attention aux éclaboussures !,* aux gouttes de liquide projeté.

éclair n.m. **1.** *L'éclair dans le ciel a été suivi d'un coup de tonnerre,* la lumière de l'orage (= foudre). **2.** *Ses yeux ont eu un éclair de joie,* un bref moment. **3.** *Marie aime les éclairs au chocolat,* des gâteaux allongés fourrés à la crème. *La serrure a été ouverte en un éclair,* très rapidement.

■**éclair** adj. SENS 5 *Une guerre éclair dure très peu de temps.*

éclairage, éclaircie, éclaircir, éclaircissement, éclairer → *clair.*

éclaireur n.m. *Le capitaine a envoyé des éclaireurs pour observer l'ennemi,* des soldats qui précèdent les autres.

éclater v. **1.** *Si tu souffles trop, tu vas faire éclater le ballon,* il va se briser violemment (= exploser). **2.** *Une guerre a éclaté en Orient,* elle a commencé brusquement. **3.** *Luce a éclaté de rire, Pierre a éclaté en sanglots,* ils se sont mis soudain à rire, à pleurer bruyamment.

■**éclat** n.m. **1.** SENS 1 *Il a été blessé par des éclats de verre,* des morceaux de verre brisé. SENS 3 *J'ai entendu des éclats de voix,* des bruits violents. **2.** *L'éclat du soleil est aveuglant,* lumière très vive. **3.** *La cérémonie s'est déroulée avec éclat* (= richesse, luxe).

■**éclatant** adj. *Ces couleurs sont éclatantes,* très vives (= violent ; ≠ terne).

■**éclatement** n.m. SENS 1 *L'accident est dû à l'éclatement d'un pneu.*

éclipse n.f. **1.** *Une éclipse de Soleil est prévue pour demain,* le Soleil disparaîtra, caché par la Lune. **2.** *Il est revenu au pouvoir après une éclipse,* une période d'insuccès.

■ **éclipser** v. **1.** SENS 2 *Par sa beauté, Marie éclipse ses rivales,* elle est si belle qu'on ne voit plus qu'elle. **2.** *Cléa s'est éclipsée,* elle est partie sans se faire remarquer.

éclopé n. *Les éclopés avaient du mal à suivre les autres,* ceux qui étaient légèrement blessés.

éclore v. **1.** *Les poussins éclosent au bout de vingt jours d'incubation,* ils sortent de l'œuf. **2.** *Les fleurs éclosent au printemps,* elles s'ouvrent, fleurissent.
■ **éclosion** n.f. SENS 1 *L'éclosion des œufs aura lieu bientôt.* SENS 2 *Ces fleurs sont proches de l'éclosion.*
R. → Conj. n° 81.

écluse n.f. *Pour remonter le canal, on utilise des écluses,* des sortes de barrages où l'on peut changer la hauteur de l'eau.
■ **éclusier** n. *Un éclusier est celui qui est chargé de manœuvrer une écluse.*

écœurant, écœurement, écœurer → *cœur.*

école n.f. **1.** *Line va à l'école primaire,* en classe. **2.** *Rachid a changé d'école,* d'établissement d'enseignement.
■ **écolier** n. SENS 1 *Le soir, les écoliers et les écolières rentrent chez eux,* les jeunes élèves.
■ **scolaire** adj. SENS 1 *L'année scolaire commence en septembre.* SENS 2 *Les bâtiments scolaires sont ceux de l'école.*
■ **scolarité** n.f. SENS 1 *La scolarité est obligatoire de six à seize ans,* le fait d'aller à l'école.

écologie n.f. *L'écologie est la défense du milieu naturel des êtres vivants.*
■ **écologique** adj. *Le mouvement écologique veut défendre notre environnement.*
■ **écologiste** n. *Les écologistes veulent protéger la nature.*

éconduire v. *Quand on l'a éconduite, elle a protesté,* quand on l'a renvoyée sans lui donner satisfaction.
R. → Conj. n° 70.

économie n.f. **1.** *En passant par ici, tu feras une économie de temps,* tu mettras moins longtemps (= gain ; ≠ perte). **2.** *Par économie, ils ne sont pas partis en vacances,* pour dépenser moins d'argent. *Mme Durand fait des économies,* elle met de l'argent de côté. **3.** *L'économie de ce pays connaît un grand développement,* la production et la consommation des produits.
■ **économe** **1.** adj. SENS 2 *Mme Durand est économe,* elle dépense peu (≠ dépensier). **2.** n. *L'économe d'un hôpital* s'occupe des dépenses et des recettes.
■ **économat** n.m. *Le livreur présente sa facture à l'économat,* au bureau de l'économe.
■ **économique** adj. SENS 2 *Cette voiture est économique,* elle ne cause pas beaucoup de dépense (= avantageux ; ≠ coûteux). SENS 3 *Le développement économique du pays a été arrêté par la crise.*
■ **économiser** v. SENS 1 *Économise tes forces !,* ne les gaspille pas. SENS 2 *J'ai économisé 100 dollars* (= épargner, mettre de côté ; ≠ dépenser).
■ **économiste** n. SENS 3 *Les économistes prévoient un ralentissement de la hausse des prix,* les spécialistes de l'économie.

écoper v. **1.** *Écoper l'eau du fond d'une barque,* c'est vider l'eau avec une pelle appelée écope. **2.** Fam. *L'automobiliste a écopé d'une amende,* une amende lui a été infligée.

écorce n.f. *Le liège est l'écorce d'une sorte de chêne,* ce qui enveloppe le tronc et les branches.

■ **écorcer** v. *Il a écorcé une branche d'arbre avec son couteau,* il en a enlevé l'écorce.

écorcher v. 1. *Le cuisinier écorche un lapin,* il le dépouille de sa peau. 2. *Marie s'est écorché le genou en tombant* (= se blesser, s'égratigner). 3. *John écorche les mots français,* il les prononce mal.
■ **écorchure** n.f. SENS 2 *Il faut mettre un pansement sur cette écorchure* (= égratignure).

écossais adj. *Jeanne a une jupe écossaise,* à rayures croisées.

écosser → *cosse.*

écot n.m. *À la fin du repas, chacun a payé son écot,* sa part.
R. *Écot* se prononce [eko] comme *écho.*

écouler v. 1. *Une semaine s'est écoulée depuis notre départ* (= passer). 2. *L'eau s'écoule par ce trou* (= couler). 3. *L'épicière a écoulé toute sa marchandise* (= vendre).
■ **écoulement** n.m. SENS 2 *La gouttière est bouchée, l'écoulement ne se fait plus,* l'eau ne coule plus.

écourter → *court* 1.

1. écoute → *écouter.*

2. écoute n.f. *On oriente la voile avec l'écoute,* un cordage.

écouter v. 1. *Écoute ce que j'ai à te dire !,* fais attention, prête l'oreille. 2. *Pourquoi ne m'as-tu pas écouté ?,* n'as-tu pas obéi à mes conseils.
■ **écoute** n.f. SENS 1 *Allô ! ne quittez pas l'écoute !*
■ **écouteur** n.m. SENS 1 *Passe-moi l'écouteur !* la partie du téléphone qui sert à écouter.

écoutille n.f. *Les écoutilles d'un navire* sont des ouvertures sur le pont qui communiquent avec la cale.

écrabouiller v. Fam. *Une limace a été écrabouillée par la voiture,* réduite en bouillie (= écraser).

écran n.m. 1. *Quand je vais au cinéma, je n'aime pas être loin de l'écran,* de la surface où apparaît l'image. *Le président est apparu au petit écran,* à la télévision. 2. *Les arbres nous font un écran contre le vent* (= obstacle, protection).

écraser v. 1. *On écrase le raisin pour faire le vin* (= presser, comprimer). 2. *Le chien s'est fait écraser par une voiture, il est mort* (= renverser, heurter). 3. *Je suis écrasé de travail,* j'en ai beaucoup (= surcharger). 4. *Notre équipe a été écrasée par 8 buts à 0* (= vaincre).
■ **écrasant** adj. SENS 3 *Il fait une chaleur écrasante,* très forte.
■ **écrasement** n.m. SENS 4 *Les journaux annoncent l'écrasement de l'armée ennemie,* sa destruction complète.

écrémer, écrémeuse → *crème.*

écrevisse n.f. *Line est rouge comme une écrevisse (cuite),* un petit animal d'eau douce.

s'écrier v. *« Ah ! Ah ! »* s'écria-t-elle, dit-elle très fort.

écrin n.m. *Un écrin à bijoux sert à ranger des bijoux* (= coffret).

écrire v. 1. *Prenez un stylo et écrivez la date sur votre cahier* (= marquer, noter, inscrire). 2. *As-tu écrit à ta grand-mère ?,* lui as-tu envoyé une lettre. 3. *J'ai écrit de nombreux poèmes,* je les ai faits, rédigés.
■ **écrit** n.m. SENS 1 *Anne a été reçue à l'écrit de son examen* (≠ oral). *Elle m'a donné ses instructions par écrit* (≠ oralement). SENS 3 *Connais-tu les écrits de ce poète ?* (= œuvre).
■ **écriteau** n.m. SENS 1 *Un écriteau signale une maison à vendre,* un pan-

neau portant une inscription (= pancarte).

■ **écriture** n.f. SENS 1 *Cléa a une belle écriture,* elle trace bien ses lettres. *Les anciens Égyptiens avaient une écriture particulière,* une façon de noter les sons de leur langue par des signes.

■ **écrivain** n. SENS 3 *Victor Hugo est un grand écrivain* (= auteur).

■ **récrire** ou **réécrire** v. SENS 3 *L'auteur a réécrit une partie de son roman,* il y a apporté des modifications importantes.
R. → Conj. n° 71.

écrou n.m. *Resserrez cet écrou !,* une pièce qui se visse sur un boulon.

écrouer v. *Le malfaiteur a été écroué,* il a été mis en prison.

s'écrouler v. *Un mur de la maison s'est écroulé,* il est tombé (= s'effondrer).

■ **écroulement** n.m. *L'écroulement du pont est dû à un tremblement de terre* (= destruction, effondrement).

écru adj. *Marie a un pull en laine écrue* en laine naturelle, qui n'a subi aucune préparation.

écu n.m. 1. *L'écu est une ancienne monnaie.* 2. *Au Moyen Âge, les combattants avaient un écu* (= bouclier).

écueil n.m. 1. *Le bateau s'est brisé sur les écueils,* les rochers à fleur d'eau (= récif, brisant). 2. *Il y a un écueil à leur réconciliation* (= obstacle, difficulté).
R. Attention à l'orthographe : le *u* est avant le *e*.

écuelle n.f. *Le chien mange dans une écuelle,* un petit plat rond.

éculé adj. 1. *Tes souliers sont éculés,* très usés. 2. *Cette plaisanterie est éculée,* on l'a souvent faite (≠ original).

écumer v. 1. *Mme Durand écume le pot-au-feu,* elle enlève l'écume qui se forme à la surface. 2. *Autrefois, les pirates écumaient les mers,* ils pillaient. 3. *Le vaincu écumait de rage,* il était dans une rage extrême.

■ **écume** n.f. SENS 1 *Les vagues projettent de l'écume,* de la mousse. | 723

■ **écumeur** n.m. SENS 2 *Les écumeurs des mers* étaient des pirates.

■ **écumoire** n.f. SENS 1 *Une écumoire est une sorte de passoire qui sert à écumer.* | 78

écureuil n.m. *Rachid est agile comme un écureuil,* un petit animal roux. | 656

écurie n.f. *Les chevaux sont rentrés à l'écurie,* leur local. | 363, 368

écusson n.m. *Les militaires portent un écusson sur la manche de leur uniforme,* un insigne. | 763

écuyer 1. n.m. *Au Moyen Âge, les chevaliers étaient suivis de leur écuyer,* un jeune homme à leur service. 2. n. *Marie est bonne écuyère,* elle monte bien à cheval. | 433

eczéma n.m. *Marie a de l'eczéma sur le bras,* une maladie de peau.

edelweiss n.m. *On trouve des edelweiss sur les pentes des montagnes,* des fleurs blanches. | 651

éden n.m. *Ce jardin est un éden,* un lieu très agréable (= paradis).
R. On prononce [edɛn].

édenté → *dent.*

édicter v. *Des règles sévères ont été édictées,* elles ont été décidées, décrétées.

édicule n.m. *Un kiosque est un édicule,* une petite construction.

édifier v. 1. *Cette église a été édifiée au Moyen Âge* (= construire). 2. *Elle veut nous édifier par sa conduite irréprochable,* nous montrer l'exemple (≠

corrompre). **3.** *Je l'ai vu à l'œuvre, je suis édifié !* je n'ai plus d'illusions sur son compte.

■ **édifiant** adj. SENS 2 *Voilà un spectacle édifiant !* (= exemplaire ; ≠ scandaleux).

■ **édification** n.f. SENS 1 *L'édification de cette église remonte au XVe siècle* (= construction). SENS 2 *Cet ouvrage visait à l'édification de la jeunesse.*

■ **édifice** n.m. SENS 1 *Cette ville contient de beaux édifices* (= bâtiment).

édit n.m. se disait autrefois pour *loi.*

éditer v. *La Librairie Larousse édite des dictionnaires,* elle les imprime et les vend (= publier).

■ **édition** n.f. *Dans quelle maison d'édition est publié ce livre ? Ce roman en est à sa troisième édition,* c'est la troisième fois qu'il est publié.

■ **éditeur** n.m. *L'éditeur a accepté le manuscrit de M. Durand,* le directeur de la maison d'édition.

■ **inédit** adj. **1.** *Ses poèmes sont encore inédits,* ils ne sont pas encore édités. **2.** *Voilà un spectacle inédit,* très nouveau (= original).

■ **rééditer** v. *On a réédité ce roman,* on l'a de nouveau édité, car il était épuisé.

■ **réédition** n.f. *Le succès de ce livre est tel qu'une réédition s'impose d'urgence.*

éditorial n.m. *L'éditorial d'un journal* est un article important situé en première page.

■ **éditorialiste** n. *L'éditorialiste* est la personne qui écrit l'éditorial.

édredon n.m. *En hiver, je dors bien au chaud sous mon édredon,* une sorte de gros coussin.

éducation n.f. **1.** *Le ministère de l'Éducation s'occupe de ce qui concerne l'instruction et la formation des jeunes.* **2.** *M. Duval est un homme sans éducation,* il est mal élevé (= politesse ; ≠ grossièreté).

■ **éducateur** n. SENS 1 *Cette revue est destinée aux éducateurs,* aux professeurs, aux instituteurs.

■ **éducatif** adj. SENS 1 *Un jeu éducatif* instruit en même temps qu'il amuse (= pédagogique).

■ **éduquer** v. SENS 2 *Anne est mal éduquée* (= élever).

■ **rééduquer** v. SENS 1 *Après une longue maladie, il faut se rééduquer,* réapprendre certains mouvements.

■ **rééducation** n.f. SENS 1 *Depuis son accident, il suit des cours de rééducation.*

édulcorer v. *Édulcorer un texte,* c'est en atténuer les termes, le rendre moins mordant.

effacer v. **1.** *Voilà un chiffon pour effacer le tableau,* pour faire disparaître ce qui y est écrit. **2.** *Mes souvenirs de cette histoire se sont effacés,* j'ai oublié (= s'estomper). **3.** *Julie s'est effacée pour me laisser passer,* elle s'est mise de côté.

■ **effacé** adj. SENS 3 *Line est une fille effacée* (= discret, timide).

■ **effacement** n.m. SENS 2 ET 3 *L'effacement des souvenirs est progressif. Jean a vécu dans l'effacement.*

■ **ineffaçable** adj. SENS 2 *J'ai un souvenir ineffaçable de cette journée* (= inoubliable).

effarer v. *Cette nouvelle a effaré tout le monde,* a beaucoup surpris (= affoler, stupéfier).

■ **effarement** n.m. *Pourquoi me regardes-tu avec effarement ?* (= stupeur).

effaroucher → *farouche.*

effectif **1.** n.m. *L'effectif du collège est de 2 000 élèves,* le nombre des élèves. **2.** adj. *On m'a apporté une aide effective,* réelle, concrète.

■ **effectivement** adv. SENS 2 *Cela s'est passé* **effectivement** *ainsi* (= réellement).

effectuer v. *Hélène a* **effectué** *ce travail en trois heures* (= faire, exécuter, accomplir).

efféminé → *femme*.

effervescence n.f. *Un crime affreux a mis la ville en* **effervescence** (= agitation ; ≠ calme).
■ **effervescent** adj. **1.** *Une foule* **effervescente** *est agitée, tumultueuse.* **2.** *Un comprimé* **effervescent**, *plongé dans l'eau, fond en faisant des bulles.*

effet n.m. **1.** *Quel est l'***effet** *de ce médicament ?* — *Il fait passer le mal de tête* (= action, résultat). **2.** *Tes paroles ont fait un mauvais* **effet** *sur l'assemblée* (= impression). **3.** (au plur.) *Les soldats rangent leurs* **effets** *dans l'armoire* (= vêtements).
■ **en effet** adv. sert à expliquer : *Ève est absente ?* — **En effet**, *elle est malade.*

effeuiller → *feuille*.

efficace adj. *Ce médicament est* **efficace** *contre la grippe* (= actif).
■ **efficacement** adv. *Caroline a agi* **efficacement**.
■ **efficacité** n.f. *Elle travaille avec* **efficacité**.
■ **inefficace** adj. *Ce moyen est* **inefficace**, *il n'aura aucun effet.*
■ **inefficacité** n.f. *On lui a reproché son* **inefficacité**.

effigie n.f. *Cette monnaie ancienne porte l'***effigie** *de Louis XIV* (= image, portrait).

effilé, effilocher → *fil*.

efflanqué adj. *Ce cheval est* **efflanqué**, *très maigre.*

effleurer → *fleur*.

effluve n.m. est un équivalent rare de *parfum, odeur*.

s'effondrer v. **1.** *Ce vieux pont* **s'est effondré** *sous le poids du camion* (= s'écrouler, tomber). **2.** *Il paraissait* **effondré** *par cette nouvelle* (= abattu, anéanti).
■ **effondrement** n.m. *L'***effondrement** *du toit a blessé les occupants de la maison* (= chute).

effort n.m. *Le coureur a fait de gros* **efforts** *pour terminer l'étape,* il a employé toutes ses forces.
■ **s'efforcer** v. **Efforce-toi** *de ne pas te mettre en colère !* (= essayer, tâcher ; ≠ renoncer).

effraction n.f. *Un vol avec* **effraction** *a été commis,* les voleurs ont cassé la serrure ou la porte, la fenêtre, etc.

effrayant, effrayer → *frayeur*.

effréné adj. *Elle s'est lancée dans une course* **effrénée**, *une course déchaînée, folle.*

s'effriter v. *Cette roche* **s'effrite** *facilement,* elle tombe en miettes.
■ **effritement** n.m. *Le sable provient de l'***effritement** *des roches* (= désagrégation).

effroi → *frayeur*.

effronté adj. et n. *Tais-toi, petite* **effrontée** *!* (= insolent, impoli).
■ **effrontément** adv. *Il nous a menti* **effrontément**, *avec impudence, sans aucune honte.*
■ **effronterie** n.f. *Aurez-vous l'***effronterie** *de nier l'évidence ?* (= audace).

effroyable, effroyablement → *frayeur*.

effusion n.f. **1.** *La bagarre s'est terminée sans* **effusion** *de sang,* sans que le sang soit répandu. **2.** *Quelles* **effusions** *quand ils se sont retrouvés !,* comme ils se sont embrassés (≠ froideur).

égal adj. **1.** *Coupe le gâteau en parts égales !,* semblables entre elles (= identique ; ≠ différent). **2.** *Mlle Buyssens a toujours une humeur égale,* elle ne change pas (= régulier). **3.** *Ça m'est égal !* (= indifférent). **4.** adj. et n. *La femme est l'égale de l'homme,* elle a les mêmes droits.

■ **également** adv. **1.** SENS 1 *Le partage a été fait également* (≠ inégalement). **2.** *Sarah vient et Jean également* (= aussi).

■ **égaler** v. SENS 1 *La recette égale la dépense,* elle est égale en quantité. *Ce record n'a jamais été égalé* (= atteindre).

■ **égaliser** v. SENS 1 *L'équipe adverse a égalisé,* a obtenu le même nombre de points. SENS 2 *On a égalisé le sol du jardin,* on l'a rendu régulier (= aplanir).

■ **égalisation** n.f. SENS 1 *Ce but a permis l'égalisation,* d'égaliser.

■ **égalité** n.f. SENS 1 *Les deux équipes sont à égalité.* SENS 4 *Liberté, égalité, fraternité !,* tous les hommes sont égaux devant la loi.

■ **égalitaire** adj. SENS 4 *Un régime égalitaire donne les mêmes droits à tous.*

■ **inégal** adj. SENS 1 *Le partage a été inégal* (= injuste). SENS 2 *Jean travaille de manière inégale* (= variable).

■ **inégalable** adj. SENS 1 *Ce magasin a des produits d'une qualité inégalable* (= incomparable).

■ **inégalement** adv. SENS 1 *Linda et Paul sont inégalement attentifs.*

■ **inégalité** n.f. SENS 1 *L'inégalité des salaires est trop forte* (= différence). SENS 2 *La marche est difficile à cause des inégalités du terrain* (= irrégularité, accident).

égard n.m. **1.** *Personne n'a été gentil à l'égard de Pierre* (= avec, envers).

2. (au plur.) *Elle nous a reçus avec des égards* (= politesse). **3.** *Le jury a eu égard aux circonstances pour prononcer son jugement,* il en a tenu compte. **4.** *Cette solution est la meilleure à tous égards,* à tous les points de vue.

égarer v. **1.** *Nous nous sommes égarés dans la forêt* (= se perdre). **2.** *Elle s'est laissée égarer par la colère* (= tromper, aveugler).

■ **égarement** n.m. SENS 2 *Dans ton égarement, tu ne sais plus ce que tu fais,* ton esprit est troublé (= affolement).

égayer → gai.

égide n.f. *L'exposition est organisée sous l'égide du gouvernement,* avec son aide et sous sa direction (= sous les auspices, sous le patronage de).

églantine n.f. *L'églantine est une rose sauvage produite par l'églantier.*

église n.f. **1.** *Dans cette ville, il y a de belles églises,* des bâtiments servant au culte catholique. **2.** *Le pape est le chef de l'Église catholique,* de l'ensemble des catholiques.

égoïne n.f. *Une égoïne (ou une scie égoïne)* est une scie à lame large et à poignée.

égoïste adj. et n. *Quelle égoïste ! Elle ne pense qu'à elle* (≠ généreux).

■ **égoïsme** n.m. *Elle a refusé de nous aider par égoïsme.*

■ **égoïstement** adj. *Il a égoïstement pris pour lui la meilleure part.*

égorger → gorge.

s'égosiller → gosier.

égout n.m. *Les égouts sont des canalisations servant à évacuer les eaux sales.*

■ **égoutier** n.m. *Les égoutiers entretiennent les égouts,* c'est leur métier.

■ **tout-à-l'égout** n.m.inv. *Cette maison n'a pas le tout-à-l'égout, elle n'est pas reliée aux égouts.*

égoutter, égouttoir → *goutte.*

s'égratigner v. *En passant dans les ronces, je me suis égratigné les jambes,* écorché légèrement (= érafler).

■ **égratignure** n.f. *Tu saignes ? — Ce n'est qu'une égratignure,* une petite blessure.

égrener → *grain.*

eh ! interj. sert à attirer l'attention : *Eh ! viens ici !*

éhonté → *honte.*

éjecter v. *La voiture a heurté un arbre, et la conductrice a été éjectée,* projetée au-dehors.

■ **éjectable** adj. *Le siège éjectable d'un avion* permet au pilote d'être éjecté en cas de catastrophe.

élaborer v. *Ils ont longuement élaboré leur plan,* ils l'ont préparé soigneusement (= combiner).

■ **élaboration** n.f. *L'élaboration du plan a été longue* (= préparation, réalisation).

élaguer v. 1. *On a élagué les arbres de l'avenue,* on a coupé les branches inutiles. 2. *Ton devoir est trop long, il faut l'élaguer,* le raccourcir.

1. élan n.m. 1. *Youssef a pris son élan pour sauter,* il a fait un mouvement rapide en avant. 2. *Elle a eu un élan de générosité* (= mouvement, impulsion).

■ **s'élancer** v. *Branda s'est élancée pour me rattraper* (= se précipiter).

2. élan n.m. *L'élan vit dans les pays froids,* un animal proche du cerf.

élancé adj. *Marie a un corps élancé,* mince et allongé.

s'élancer → *élan* 1.

élargir, élargissement → *large.*

élastique 1. adj. *Le caoutchouc est un corps élastique,* qui peut se déformer et reprendre sa forme (= extensible ; ≠ rigide). 2. n.m. *Il a fermé la boîte avec un élastique,* une bande de caoutchouc.

■ **élasticité** n.f. *Ce caoutchouc a perdu son élasticité,* il n'est plus élastique.

électeur, élection, électoral, électorat → *élire.*

électricité n.f. *L'électricité permet de s'éclairer, de se chauffer, de faire fonctionner divers appareils.*

■ **électricien** n. *L'électricien est venu réparer l'installation électrique.*

■ **électrifier** v. *Cette ligne de chemin de fer n'est pas encore électrifiée,* elle ne marche pas à l'électricité.

■ **électrique** adj. *Mark a une cuisinière électrique,* qui fonctionne à l'électricité.

■ **électriser** v. *L'oratrice a électrisé la foule,* elle l'a excitée.

■ **s'électrocuter** v. *Ne touche pas à ce fil, tu risques de t'électrocuter,* de mourir en recevant une décharge électrique.

■ **électroménager** adj. *Les aspirateurs, les machines à laver, les ventilateurs sont des appareils électroménagers.*

■ **électrophone** n.m. *Un électrophone est un tourne-disque qui fonctionne à l'électricité.*

électron n.m. *Les électrons sont des particules qui constituent les atomes.*

■ **électronique** 1. adj. *Une calculatrice électronique utilise les propriétés des électrons.* 2. n.f. *Pierre est un ingénieur en électronique,* la science qui étudie les électrons et leurs applications.

290

79,
761,
801,
803

■**électronicien** n. *Pierre est électronicien,* spécialiste en électronique.

élégant adj. **1.** *Avec sa nouvelle robe, Marie est très élégante,* elle s'habille avec goût (= chic, distingué ; ≠ négligé). **2.** *J'ai trouvé un moyen élégant de me débarrasser de toi* (= poli, courtois).

■**élégance** n.f. SENS 1 ET 2 *Marie s'habille toujours avec élégance* (= goût).

■**inélégant** adj. SENS 2 *Son refus brutal est un procédé inélégant* (= grossier).

élément n.m. **1.** *Ce meuble est vendu par éléments,* par morceaux que l'on doit assembler (= partie ; ≠ ensemble). **2.** (au plur.) *Line n'a étudié que les premiers éléments des mathématiques,* les notions les plus simples (= principes). **3.** *Pierre est mal à l'aise, il n'est pas dans son élément,* dans un milieu qu'il connaît bien.

■**élémentaire** adj. SENS 2 *Une multiplication par 2 est une opération élémentaire,* très simple (≠ compliqué).

581 **éléphant** n.m. *Il y a des éléphants en Afrique et en Asie du Sud.*

294 **élève** n. *Il y a 35 élèves dans la classe,* enfants ou adolescents qui vont à l'école (= écolier, collégien, lycéen).

élever v. **1.** *On a élevé un mur au fond du jardin* (= dresser, construire ; ≠ abattre). **2.** *En été, la température s'élève* (= monter ; ≠ baisser). **3.** *Les recettes s'élèvent à 1 000 dollars,* elles atteignent cette somme (= se monter). **4.** *Le capitaine Dupont a été élevé au grade de commandant,* il est monté en grade. **5.** *Jean a été élevé à la campagne,* il y a passé sa jeunesse (= éduquer). **6.** *La fermière élève des poulets et des lapins,* elle les nourrit pour les manger ou les vendre.

■**élevage** n.m. SENS 6 *La Normandie est une région d'élevage,* on y élève des animaux.

■**élévation** n.f. SENS 2 *On note une élévation de la température* (= augmentation).

■**élevé** adj. SENS 2 *Les prix sont trop élevés* (= haut). SENS 5 *Marie est bien élevée, Paul est mal élevé,* Marie est polie, Paul est malpoli.

■**éleveur** n. SENS 6 *Un éleveur de bétail est un paysan qui fait de l'élevage.*

■**surélever** v. SENS 1 *On a surélevé la maison,* on a augmenté sa hauteur (≠ abaisser).

éligible → **élire.**

élimé adj. *Ta veste est élimée au coude* (= usé).

éliminer v. *La moitié des concurrentes ont été éliminées,* laissées de côté (= écarter, rejeter ; ≠ admettre).

■**élimination** n.f. *La défaite de cette équipe entraîne son élimination de la Coupe du monde.*

■**éliminatoire** adj. *Une épreuve éliminatoire sert à éliminer des candidats trop nombreux.*

élire v. *M. Dupont a été élu député, on l'a choisi par un vote.*

■**électeur** n. *Sophie a dix-huit ans, elle devient électrice, elle peut voter.*

■**élection** n.f. *Mme Huang s'est présentée aux élections municipales, pour être élue conseillère municipale. On lui a annoncé son élection,* qu'elle était élue.

■**électoral** adj. *La campagne électorale a commencé,* en vue des élections.

■**électorat** n.m. *Il y a eu des abstentions dans l'électorat de la majorité,* dans l'ensemble de ses électeurs.

■**éligible** adj. *Pour être éligible, il faut être électeur,* pour pouvoir être élu.

■**inéligible** adj. *Sa condamnation pénale la rend inéligible,* on ne peut pas l'élire.

■**réélire** v. *Ce député n'a pas été réélu aux dernières élections.*

■**réélection** n.f. *La réélection de cette candidate paraît assurée.*

R. → Conj. n° 73.

élision n.f. *Dans « l'art », il y a eu élision du « e » de l'article, le « e » est remplacé par une apostrophe* (= suppression).

élite n.f. **1.** *Ces gens se considèrent comme l'élite de la nation,* les classes supérieures. **2.** *Jack est un cavalier d'élite,* très bon.

élixir n.m. *Autrefois, les sorcières recherchaient l'élixir de longue vie,* un médicament magique.

elle, elles → *il.*

ellipse n.f. **1.** *Une ellipse est un cercle aplati.* **2.** *Quand on dit « J'habite un trois pièces » pour « un appartement de trois pièces », on fait une ellipse,* on n'exprime pas certains mots.

■**elliptique** adj. SENS 1 *Le satellite est sur une orbite elliptique.* SENS 2 *Cette phrase est elliptique,* certains mots ne sont pas exprimés.

élocution n.f. *Paul a des difficultés d'élocution,* il parle difficilement.

éloge n.m. *Le professeur a fait l'éloge de Myriam,* il en a dit du bien (= compliment, louange ; ≠ critique).

■**élogieux** adj. *Elle a prononcé des paroles élogieuses* (= flatteur, laudatif ; ≠ défavorable).

éloigné, éloignement, éloigner → *loin.*

éloquent adj. *Ce député est un orateur éloquent,* il parle bien.

■**éloquence** n.f. *Son éloquence a convaincu l'assemblée.*

■**éloquemment** adv. *L'avocate a plaidé éloquemment,* avec éloquence.

élucider v. *On n'a pas pu élucider ce mystère* (= éclaircir, expliquer).

élucubrations n.f.pl. *Je n'ai pas pris au sérieux ses élucubrations,* ses idées bizarres.

éluder v. *On ne peut pas éluder ce problème,* le laisser de côté.

élytre n.m. *Les élytres d'un hanneton* sont les ailes dures qui recouvrent les ailes transparentes.

émacié adj. *Mon grand-père a un visage émacié,* très maigre.

émail n.m. **1.** *Ces assiettes sont recouvertes d'émail,* d'un vernis dur et brillant. **2.** *L'émail des dents* est une couche très dure qui les protège.

■**émailler** v. **1.** SENS 1 *Ce fourneau est en fonte émaillée,* recouvert d'émail. **2.** *La réunion a été émaillée d'incidents,* il y en a eu plusieurs.

émanciper v. *Les anciennes colonies se sont émancipées* (= se libérer ; ≠ se soumettre).

■**émancipation** n.f. *Les femmes luttent pour leur émancipation,* pour ne plus être subordonnées aux hommes.

émaner v. *Dans une démocratie, le pouvoir émane du peuple,* il en vient.

■**émanation** n.f. **1.** *Le pouvoir est une émanation du peuple,* il vient de lui. **2.** *On sent des émanations de gaz,* du gaz provenant d'une fuite.

émarger → *marge.*

emballer v. **1.** *Avant le déménagement, on a emballé la vaisselle dans des caisses* (= envelopper, empaqueter). **2.** Fam. *Ce film m'a emballé,* il m'a beaucoup plu (= enthousiasmer). **3.** *Le cheval s'est emballé,* il est parti à toute vitesse (= s'emporter).

■**emballage** n.m. SENS 1 *Pour l'emballage,* on se sert de caisses, de cartons, etc.

40

223

■**emballement** n.m. SENS 2 Fam. *Ne cédons pas à notre **emballement**,* à notre enthousiasme irréfléchi.

■**déballer** v. SENS 1 *Aide-moi à **déballer** les marchandises !,* à les tirer de leur emballage.

■**déballage** n.m. SENS 1 *Qu'est-ce que c'est que ce **déballage** ?,* ces objets en désordre.

■**remballer** v. SENS 1 *Les camelots ont remballé leur marchandise* (= ranger).

embarcadère, embarcation → *embarquer.*

embardée n.f. *La voiture a fait une **embardée**,* un dangereux changement de direction.

embargo n.m. *Le gouvernement a mis l'**embargo** sur les livraisons d'armes dans ces pays,* il a interdit qu'on les exporte.

embarquer v. *Pour aller en Angleterre, on peut **embarquer** à Calais,* monter dans un bateau ou dans un avion.

583 ■**embarcadère** ou **débarcadère** n.m. *Les passagers se sont dirigés vers l'**embarcadère**,* le quai d'embarquement (ou de débarquement).

803 ■**embarcation** n.f. *Les barques, les canots, etc., sont des **embarcations**,* des petits bateaux.

■**embarquement** n.m. *À destination de New York, **embarquement** immédiat !*

■**débarquer** v. *Le navire a débarqué sa cargaison,* il l'a déposée à terre.

511 ■**débarquement** n.m. *Au **débarquement**,* la douane a fouillé nos valises.

■**rembarquer** v. *Les passagers et les passagères ont rembarqué après une courte escale.*

embarrasser v. 1. *Enlève tes affaires qui embarrassent ma table !* (= encombrer, gêner). 2. *Cette question*

m'embarrasse beaucoup, je ne sais pas quoi répondre (= troubler, déconcerter).

■**embarras** n.m. SENS 2 (au plur.) *Jacqueline a des **embarras** d'argent,* elle en manque (= difficultés). *Je pouvais cacher mon **embarras*** (= trouble, malaise). *Tu as l'**embarras** du choix,* le choix est difficile.

■**embarrassant** adj. SENS 1 *Ces bagages sont embarrassants.* SENS 2 *Votre question est embarrassante.*

■**débarrasser** v. SENS 1 *Débarrasse la table !,* enlève ce qui est dessus. *Il s'est débarrassé de vieux livres sans valeur,* il les a jetés ou donnés.

■**débarras** n.m. SENS 1 *Line s'en va, bon **débarras** !,* on est débarrassé d'elle. *Mets cette vieille chaise dans le **débarras**,* une petite pièce où l'on entasse des objets.

embaucher v. *Cette entreprise embauche des employés* (= engager, recruter ; ≠ licencier, renvoyer).

■**embauche** n.f. *En ce moment, il n'y a pas d'**embauche**,* de travail pour du personnel à recruter.

■**débaucher** v. *L'usine a dû débaucher du personnel,* cesser de l'employer (= licencier ; ≠ embaucher).

embaumer v. 1. *Les fleurs embaument la pièce,* elles sentent très bon (= parfumer). 2. *Embaumer un cadavre,* c'est le remplir de produits pour le conserver.

embellir → *beau.*

embêter v. Fam. *N'embête pas ta sœur !* (= agacer, ennuyer). *On s'embête ici* (= s'ennuyer).

■**embêtant** adj. Fam. *Jean est embêtant* (= ennuyeux).

■**embêtement** n.m. Fam. *Cette affaire me cause bien des embêtements* (= ennui).

d'emblée adv. *Elle a accepté d'emblée ma proposition* (= tout de suite).

emblème n.m. *Le drapeau est l'emblème de la patrie,* c'est un objet qui représente une idée.

embobiner → *bobine.*

emboîter v. 1. *Ces tuyaux s'emboîtent l'un dans l'autre,* ils s'ajustent exactement. 2. *Quelqu'un m'a emboîté le pas,* s'est mis à marcher juste derrière moi.

■ **déboîter** v. SENS 1 *Il s'est déboîté l'os de l'épaule,* l'os est sorti de l'articulation (= luxer).

■ **déboîtement** n.m. SENS 1 *Un déboîtement d'épaule est très douloureux* (= luxation).

embolie n.f. *Notre voisine est morte subitement d'une embolie,* un caillot de sang a bouché une de ses artères.

embonpoint n.m. *C'est un gros mangeur, aussi il prend de l'embonpoint,* il grossit.
R. Attention à l'orthographe : un *n* avant le *p*.

embouché adj. *Jean est mal embouché aujourd'hui* (= impoli, grossier).

embouchure n.f. *L'embouchure de la Seine est près du Havre,* l'endroit où elle se jette dans la mer.

embourber → *bourbier.*

embourgeoiser → *bourgeois.*

embout n.m. *Mon parapluie a perdu son embout,* la garniture qui se place au bout.

embouteiller v. *L'autoroute est embouteillée à cause des travaux,* les voitures n'avancent plus.
■ **embouteillage** n.m. *Un accident a provoqué un embouteillage* (= encombrement, bouchon).

emboutir v. Fam. *Un camion a embouti l'arrière de la voiture,* il l'a enfoncé en le heurtant.

embranchement → *branche.*

embraser v. *Une allumette peut suffire à embraser une forêt* (= incendier, brûler).

embrasser v. 1. *Cléa a embrassé ses parents avant de partir,* elle leur a donné des baisers. 2. *De la montagne, on embrasse tous les alentours,* on les voit d'un seul regard. 3. *Embrasser un métier,* c'est le choisir.
■ **embrassade** n.f. SENS 1 *Ils se sont retrouvés avec des embrassades,* en s'embrassant.

embrasure n.f. *Entre ! ne reste pas dans l'embrasure de la porte !* (= ouverture).

embrayer v. *Après avoir changé de vitesse, il faut embrayer,* remettre le moteur en communication avec les roues.
■ **embrayage** n.m. *Cette voiture a un embrayage automatique,* il n'y a pas de pédale pour embrayer. | 505
■ **débrayer** v. *Pour t'arrêter, freine et débraye !,* mets-toi au point mort !
■ **débrayage** n.m. *Appuie sur le débrayage (ou sur l'embrayage) !,* sur la pédale qui est à gauche de l'accélérateur. | 505

embrigader v. *Je n'ai pas voulu me laisser embrigader dans le parti,* me laisser enrôler, en acceptant des contraintes.

embrocher → *broche.*

embrouiller → *débrouiller.*

embruns n.m.pl. *Sur le pont du bateau, on reçoit des embruns,* des gouttelettes apportées par le vent.

embryon n.m. *L'œuf contenait un embryon de poulet,* un poussin avant sa formation complète.
■ **embryonnaire** adj. *Ce projet est encore à l'état embryonnaire,* il est tout juste conçu, mais n'est pas encore au point.

embûches n.f.pl. se dit parfois pour *pièges, obstacles.*

embuscade n.f. *Les soldats sont tombés dans une* **embuscade,** *l'ennemi s'était caché pour les attendre* (= guet-apens).

■ **s'embusquer** v. *L'ennemi s'était* **embusqué** *derrière une maison* (= se cacher).

éméché adj. *M. Dupont a l'air* **éméché,** *un peu ivre.*

émeraude n.f. *Tu as des boucles d'oreilles d'***émeraudes,** *de pierres précieuses vertes.*

émerger v. *À marée basse, ces rochers* **émergent,** *ils apparaissent à la surface* (≠ être immergé).

émeri 1. adj.inv. *On ôte la rouille avec de la toile* **émeri,** *un tissu recouvert de grains qui grattent.* 2. n.m. Fam. *Tu es* **bouchée à l'émeri,** *tu ne comprends rien.*

émérite adj. *M. Dubois est un professeur* **émérite,** *très compétent* (= éminent).

émerveillement, émerveiller → *merveille.*

émettre v. 1. *Cette station de radio* **émet** *sur 317 mètres,* *elle utilise cette longueur d'onde* (= diffuser). 2. *La lampe* **émet** *une faible lumière* (= produire, répandre). 3. *Le Service des Postes a* **émis** *de nouveaux timbres,* *il les a mis en circulation.*

■ **émetteur** adj. et n.m. SENS 1 *Un (poste)* **émetteur** *sert à envoyer des messages radio* (≠ récepteur).

■ **émission** n.f. SENS 1 *L'***émission** *sur les animaux était intéressante,* *le programme de radio ou de télévision.*

R. → Conj. n° 57. → *émir.*

émeute n.f. *Le gouvernement a été renversé par une* **émeute,** *une révolte populaire.*

■ **émeutier** n. *La police s'oppose aux* **émeutiers** (= révolté).

émietter → *miette.*

émigrant, émigration, émigrer → *migration.*

éminence n.f. 1. *Nous sommes montés sur une* **éminence** *pour voir le coucher du soleil* (= hauteur, butte, colline ; ≠ creux). 2. *On dit « éminence » en s'adressant à un cardinal.*

■ **éminent** adj. SENS 1 *Elle occupe un poste* **éminent,** *très important* (= élevé).

■ **éminemment** adv. *Votre participation est* **éminemment** *souhaitable* (= extrêmement, hautement).

émir n.m. *L'***émir** *du Koweït est le chef de cet État arabe.*

■ **émirat** n.m. *Le Koweït est un* **émirat.**

R. *Émir* se prononce [emir] comme [*ils*] *émirent* (de *émettre*).

émissaire n.m. *Le gouvernement a envoyé un* **émissaire** *à l'étranger,* *quelqu'un chargé d'une mission.*

émission → *émettre.*

emmagasiner → *magasin.*

emmailloter → *maillot.*

emmancher, emmanchure → *manche.*

emmêler → *mêler.*

emménager → *déménager.*

emmener v. *Mme Diallo* **emmène** *ses enfants à l'école* (= conduire).

emmitoufler v. *Line s'est* **emmitouflée** *dans son manteau,* *elle s'est bien enveloppée dedans.*

emmurer → *mur.*

émoi → *émouvoir.*

émoluments n.m.pl. *Ses émoluments ne lui permettent pas une telle dépense,* l'argent qu'il gagne (= appointements, salaire).

émonder v. *Émonder un arbre,* c'est le tailler (= élaguer).

émotif, émotion → *émouvoir.*

émoulu adj. *Cette jeune doctoresse est fraîche émoulue de l'université,* elle en est sortie récemment.

émousser v. 1. *La pointe du couteau est émoussée,* elle n'est plus pointue (≠ aiguiser). 2. *La douleur s'émousse avec le temps* (= s'affaiblir, s'atténuer).

émoustiller v. *Le vin nous a émoustillés,* il nous a rendus gais.

émouvoir v. *À l'enterrement de M. Dupont, tout le monde était ému* (= impressionner, toucher, bouleverser).
■ **émouvant** adj. *Cette cérémonie était émouvante.*
■ **émoi** n.m. *L'incendie a mis tout le quartier en émoi* (= agitation ; ≠ calme).
■ **émotif** adj. *Marie est une fillette émotive* (= sensible, impressionnable ; ≠ froid).
■ **émotion** n.f. *Elle a eu une émotion en découvrant son appartement cambriolé* (= choc, coup).
R. → Conj. n° 36.

empailler → *paille.*

empaqueter → *paquet.*

s'emparer v. *Jack s'est emparé du ballon,* il l'a pris vivement.

s'empâter v. *M. Muller ne fait pas assez d'exercice, il commence à s'empâter,* à grossir.

empêcher v. *On a voulu m'empêcher de partir,* s'opposer à mon départ (= défendre ; ≠ permettre).

■ **empêchement** n.m. *Je ne peux pas venir, j'ai un empêchement* (= obstacle, difficulté).

empereur → *empire.*

empeser v. *M. Durand a un col empesé,* durci avec de l'amidon.

empester v. *Ce tas d'ordures empeste les environs,* il répand une odeur infecte.

s'empêtrer v. *Tu t'es empêtré dans tes mensonges* (= s'embrouiller, s'embarrasser).
■ **se dépêtrer** v. *J'ai du mal à me dépêtrer de mes ennuis,* à me tirer d'embarras.

emphase n.f. *Jacqueline parle avec emphase,* d'un ton solennel (= grandiloquence).
■ **emphatique** adj. *Elle m'a répondu d'un ton emphatique* (= doctoral, prétentieux ; ≠ simple).

empierrer → *pierre.*

empiéter v. 1. *En faisant sa clôture, le voisin a empiété sur notre terrain* (= déborder). 2. *Vous empiétez sur mes droits,* vous faites des choses que moi seul j'ai le droit de faire.
■ **empiétement** n.m. SENS 1 ET 2 *Je proteste contre ces empiétements sur mon terrain, sur mes droits.*

s'empiffrer v. Fam. *Arrête de t'empiffrer de gâteaux !,* de manger goulûment (= se bourrer, se gaver).

empiler → *pile.*

empire n.m. 1. *Napoléon avait constitué un vaste empire,* un ensemble de pays soumis à son autorité. 2. *Il m'a giflé sous l'empire de la colère,* il était dominé par la colère (= influence).
■ **empereur** n.m. SENS 1 *Napoléon a été sacré empereur en 1804,* chef d'un empire.

■ **impératrice** n.f. SENS 1 Une *impératrice* est la souveraine d'un empire ou la femme d'un empereur.

■ **impérial** adj. SENS 1 *La famille impériale* est la famille d'un empereur.

■ **impérialiste** adj. SENS 1 *Un pays impérialiste cherche à conquérir d'autres pays.*

empirer → *pire.*

empirique adj. *Elle a trouvé la solution par des moyens empiriques,* en tâtonnant (≠ scientifique).

■ **empiriquement** adv. *Elle a trouvé empiriquement la solution.*

emplacement → *place.*

emplâtre n.m. *On a mis un emplâtre sur sa blessure,* une pommade.

emplette n.f. *M. Dupont est allé faire quelques emplettes* (= achat, commissions, courses).

emplir v. se dit parfois pour *remplir.*

emploi n.m. 1. *Elle a fait un mauvais emploi de son argent,* elle l'a mal utilisé (= usage). 2. *Quel est ton emploi du temps, aujourd'hui?,* qu'est-ce que tu dois faire? (= programme). 3. *Jacqueline a perdu son emploi* (= travail, place).

■ **employer** v. SENS 1 *M. Da Silva emploie sa voiture pour aller travailler,* il s'en sert (= utiliser). SENS 2 *Nous nous emploierons à vous rendre service,* nous y consacrerons notre temps. SENS 3 *Cette usine emploie cent ouvrières,* elles y travaillent (= occuper).

■ **employé** n. SENS 3 *Mme Dubois est employée de banque,* c'est son métier.

■ **employeur** n.m. SENS 3 *Son employeur l'a augmenté* (= patron).

empocher → *poche.*

empoignade, empoigner → *poignée.*

empoisonnement, empoisonner, empoisonneur → *poison.*

emporte-pièce n.m.inv. 1. *À l'atelier, la tôle est découpée à l'emporte-pièce,* une machine. 2. *Jean fait souvent des réponses à l'emporte-pièce,* sans nuances, brutales.

emporter v. 1. *Les déménageurs ont emporté les meubles,* ils les ont pris et portés ailleurs (≠ apporter). 2. *Jean l'a emporté sur Paul,* il a été victorieux. 3. *Mme Durand s'est emportée contre son fils,* elle s'est mise en colère.

■ **emportement** n.m. SENS 3 *Mme Durand a parlé avec emportement* (= colère ; ≠ calme).

■ **remporter** v. SENS 1 *Remporte les livres que tu m'as prêtés* (= reprendre). SENS 2 *Nous avons remporté la victoire,* nous avons gagné.

empoté adj. et n. Fam. *Jean est (un) empoté* (= maladroit ; ≠ dégourdi).

empourprer → *pourpre.*

empreint adj. *Son visage est empreint d'une grande tristesse* (= marqué).

■ **empreinte** n.f. 1. *Il y a des empreintes de pas sur la neige* (= trace, marque). 2. *Chacun a des empreintes digitales différentes,* les lignes au bout des doigts.

R. → *emprunter.*

s'empresser v. *Paul s'est empressé de finir son travail,* il a fait vite.

■ **empressement** n.m. *Chacun m'a aidé avec empressement* (= ardeur, zèle, hâte).

emprise n.f. *Elle a failli tout casser sous l'emprise de la colère,* sous l'effet de la colère (= empire).

emprisonnement, emprisonner → *prison.*

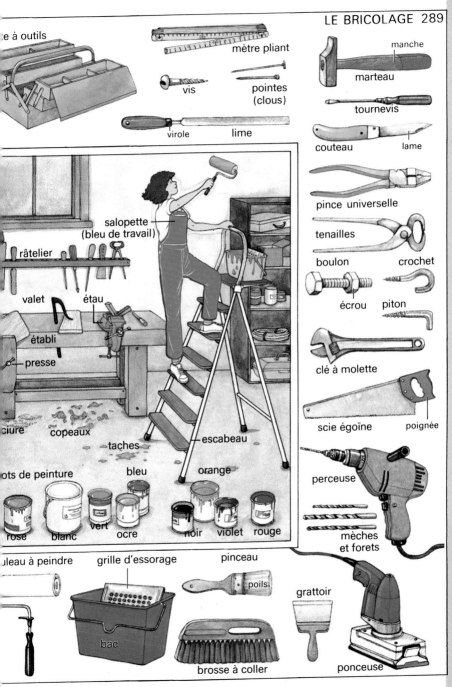

...e à outils

mètre pliant

vis

pointes
(clous)

manche

marteau

tournevis

virole   lime

couteau   lame

pince universelle

tenailles

boulon   crochet

écrou   piton

clé à molette

scie égoïne   poignée

perceuse

mèches
et forets

salopette
(bleu de travail)

râtelier

valet   étau

établi

presse

...ciure   copeaux

taches   escabeau

...ots de peinture   bleu   orange

...rose   blanc   vert   ocre   noir   violet   rouge

...uleau à peindre   grille d'essorage   pinceau

poils

grattoir

bac

brosse à coller   ponceuse

électricienne

pince

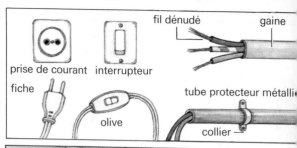

prise de courant   interrupteur

fiche

olive

fil dénudé   gaine

tube protecteur métalli

collier

plombier   lunettes de soudeur

étincelles

soudure

chalumeau

bouteille de gaz

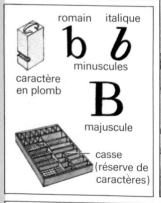

romain   italique

b *b*

minuscules

caractère en plomb

B

majuscule

casse (réserve de caractères)

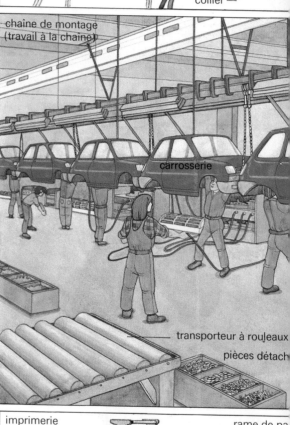

chaîne de montage (travail à la chaine)

carrosserie

transporteur à rouleaux

pièces détach

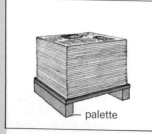

palette

imprimerie

rame de pa

machine à imprimer (presse)

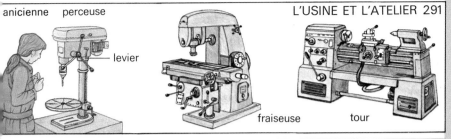

anicienne   perceuse

levier

fraiseuse   tour

ste de montage

ouvriers spécialisés (O.S.)

menuisier   planches

établi

maillets   rabot   valet

tenon

mortaise   équerre

pied à coulisse

râpe
ciseau

bédane

burin   masse

tenailles
à mâchoires plates

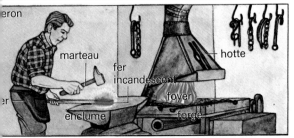

eron

marteau   hotte

fer
incandescent

foyer

enclume   forge

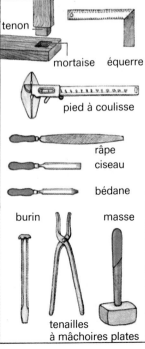

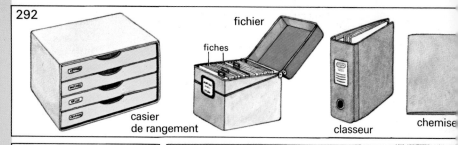

fichier

fiches

casier
de rangement

classeur

chemise

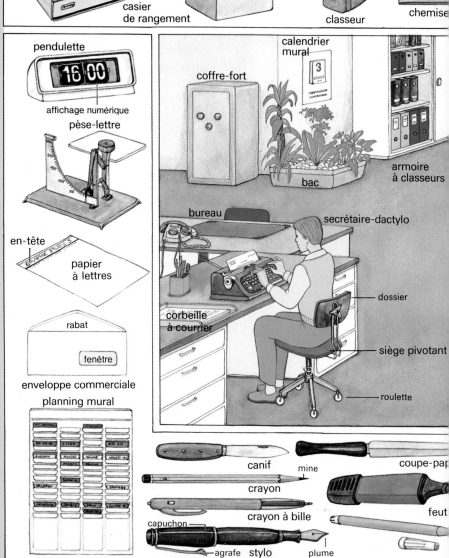

pendulette

16 00

affichage numérique

pèse-lettre

en-tête

papier
à lettres

rabat

fenêtre

enveloppe commerciale

planning mural

calendrier
mural

coffre-fort

bac

armoire
à classeurs

bureau

secrétaire-dactylo

dossier

corbeille
à courrier

siège pivotant

roulette

canif

mine

coupe-pap

crayon

crayon à bille

feut

capuchon

agrafe   stylo

plume

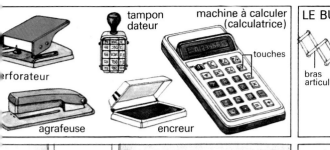

tampon dateur

machine à calculer (calculatrice)

touches

perforateur

agrafeuse

encreur

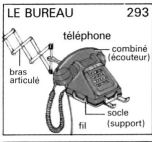

téléphone

combiné (écouteur)

bras articulé

socle (support)

fil

machine à photocopier (photocopieuse)

dossiers

lampe

bras articulé

attaché-case

dateur

interphone tampon-buvard

corbeille à papier

sous-main

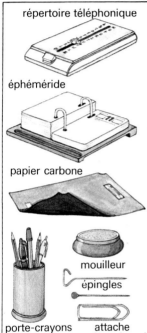

répertoire téléphonique

éphéméride

papier carbone

mouilleur

épingles

porte-crayons attache (trombone)

dévidoir de ruban adhésif (escargot)

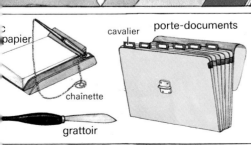

papier

cavalier porte-documents

chaînette

grattoir

touches (clavier)

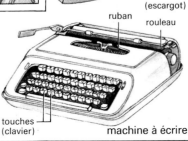

ruban rouleau

machine à écrire

294

globe terrestre

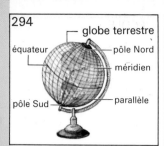

équateur · pôle Nord · méridien · pôle Sud · parallèle

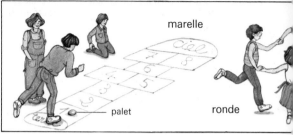

marelle · palet · ronde

microscope

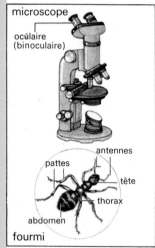

oculaire (binoculaire)

pattes · antennes · tête · thorax · abdomen

fourmi

métamorphose

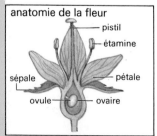

œufs · cocon · chenille · papillon

anatomie de la fleur

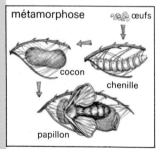

pistil · étamine · sépale · pétale · ovule · ovaire

globe lumineux · armoire · carte murale · préau · panneaux · classe · table · chaise · page · élèves

harmonica · pipeau · guitare

chorale · harmonium

récréation

corde à sauter   billes

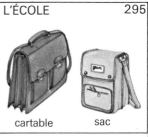
cartable   sac

tableau
Louis X I
urinoirs
cour de récréation
enseignant
porte-manteaux (patères)
bureau
premier rang
allée
estrade

trousse
gomme
taille-crayon
punaises
règle graduée
équerre

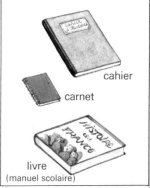
cahier
carnet
livre
(manuel scolaire)

in
feuille

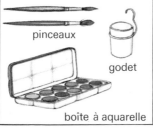
pinceaux
godet
boîte à aquarelle

éponge
à effacer

morceaux de craie

296 LA COUTURE ET LE TRICOT

bobine de fil

dé à coudre

jours

broderie

points

plis

fronces

surjet — pièce

reprise

mètre à ruban

pelote d'épingles

agrafe

dentelle

boutons de nacre

fermeture à glissière

couturier

mannequin

patron

machine à coudre

craie

canette

ciseaux

tissu

piqûre —

ourlet

épingles

coupon de tissu

canevas de tapisserie

motif beige

aiguille

écheveau

crochet

chas

pelote de laine

aiguille à tricoter

tricot

emprunter v. **1.** *Luce m'a emprunté deux dollars,* je les lui ai prêtés. **2.** *On est prié d'emprunter le passage souterrain,* de le prendre.

■ **emprunt** n.m. SENS 1 *On a dû faire un emprunt pour payer la voiture, des dettes.* SENS 2 *Cet écrivain écrit sous un nom d'emprunt,* ce n'est pas son vrai nom.

■ **emprunteur** n. SENS 1 *L'emprunteur n'a pas pu rembourser ses dettes* (≠ prêteur).

R. Ne pas confondre *emprunt* et *empreint*.

émule n.m. *Son succès lui crée des émules,* des gens qui rivalisent avec lui.

■ **émulation** n.f. *Il y a de l'émulation entre Marie et Paul,* chacun cherche à faire mieux que l'autre.

en 1. prép. indique le lieu : *Je suis en France ;* le temps : *Nous sommes en décembre ;* l'état : *Il s'est mis en colère ;* la matière : *Une table en bois.* **2.** adv. indique l'origine : *J'en viens,* je viens de là. **3.** pron.pers. remplace un nom complément : *As-tu reçu des livres ? — Oui, j'en ai reçu.*

encablure n.f. *La barque était à une encablure du quai,* environ 200 m.

encadrement, encadrer → *cadre.*

encaissé adj. *À cet endroit, la route est encaissée,* resserrée entre des parois rocheuses.

encaisser → *caisse.*

encastrer v. *On a encastré le compteur électrique dans le mur,* on l'a mis dans un creux du mur fait juste à sa taille.

encaustique n.f. *On fait briller le parquet avec de l'encaustique,* une sorte de cire.

■ **encaustiquer** v. *Le parquet brille, il a été encaustiqué.*

1. enceinte n.f. **1.** *Cette ville est entourée d'une enceinte fortifiée,* d'une muraille qui en fait le tour. **2.** *Une enceinte acoustique* est un élément d'une chaîne haute-fidélité contenant les haut-parleurs.

2. enceinte adj. *Mme Dupont est enceinte,* elle porte un bébé dans son ventre.

encens n.m. *Diana aime l'odeur de l'encens,* une sorte de résine qui répand un parfum en brûlant.

■ **encenser** v. **1.** *Le prêtre encense l'autel,* il fait brûler de l'encens devant l'autel. **2.** *Les critiques ont encensé l'auteur de ce livre,* ils l'ont couvert de louanges.

■ **encensoir** n.m. *On fait brûler de l'encens dans un encensoir,* un récipient.

encerclement, encercler → *cercle.*

enchaînement, enchaîner → *chaîne.*

enchanter v. **1.** *On pensait autrefois que les magiciens enchantaient les gens* (= ensorceler, envoûter). **2.** *Ce film m'a enchanté,* il m'a beaucoup plu (= ravir).

■ **enchantement** n.m. SENS 1 *L'orage s'est arrêté soudain comme par enchantement* (= magie). SENS 2 *Ce spectacle est un enchantement,* il est très beau.

■ **enchanteur** n. et adj. SENS 1 *Connais-tu l'histoire de l'enchanteur Merlin ?* (= magicien). SENS 2 *Marie a une voix enchanteresse,* merveilleuse.

■ **désenchanté** adj. SENS 2 *Chacun avait l'air assez désenchanté* (= déçu, désappointé, désabusé).

■ **désenchantement** n.m. *Son regard triste exprimait son désenchantement* (= désillusion).

147

149

enchâsser v. *Des émeraudes sont en-châssées dans le bracelet,* elles sont fixées dans l'épaisseur du métal (= sertir).

enchère n.f. *La maison a été vendue aux enchères,* on l'a vendue en public, au plus offrant.

■ **enchérir** v. *Une deuxième ache-teuse a enchéri sur la première,* elle a offert un prix plus élevé.

■ **surenchère** n.f. *M. Dupont a fait de la surenchère,* il a offert un prix plus élevé que quelqu'un d'autre.

■ **surenchérir** v. *Un troisième ache-teur a surenchéri,* il a fait une suren-chère.

enchevêtrer v. *Les idées s'enchevê-trent dans ma tête* (= se mélanger, s'embrouiller).

■ **enchevêtrement** n.m. *De la mai-son bombardée il ne restait qu'un en-chevêtrement de poutres et de gravats.*

enclave n.f. *Son jardin est une enclave dans mon terrain,* un morceau contenu dans mon terrain.

enclencher v. *Enclencher un méca-nisme,* c'est le mettre en état de fonc-tionner. *Enclencher une affaire,* c'est la mettre en train.

enclin adj. *Je suis enclin à à te donner raison,* je penche vers cela (= porté à).

enclore, enclos → *clôture.*

enclume n.f. *Le forgeron pose le fer rouge sur son enclume pour le forger,* une masse de métal.

encoche n.f. *Lori taille des encoches sur un bâton avec son canif,* des pe-tites entailles.

encoignure → *coin.*

encoller → *colle.*

encolure → *col.*

encombrer v. *Le couloir est en-combré par des colis,* on ne peut pas passer (= embarrasser).

■ **encombrement** n.m. *Un encom-brement a bloqué la circulation* (= embouteillage).

■ **sans encombre** adv. *Le voyage s'est terminé sans encombre,* sans ennui.

à l'encontre de prép. *Son projet va à l'encontre de mes habitudes* (= à l'opposé de, contre).

encorder → *corde.*

encore adv. **1.** *J'ai encore faim,* ma faim continue (= jusqu'à présent). **2.** *J'ai encore perdu* (= de nouveau). **3.** *Tu es têtu, mais elle est encore plus têtue que toi.*

encouragement, encourager → *courage.*

encourir v. *Line a encouru les repro-ches de son directeur,* elle s'y est exposée.
R. → Conj. n° 29.

encrasser → *crasse.*

encre n.f. *Prête-moi de l'encre pour remplir mon stylo !,* un liquide qui sert à écrire.

■ **encrier** n.m. *Qui a renversé l'encrier sur le tapis ?,* un récipient contenant de l'encre.

■ **encreur** adj.m. *Un tampon encreur* est une petite plaque rembourrée im-prégnée d'encre.
R. *Encre* se prononce [ãkr] comme *ancre.*

encyclique n.f. *Une encyclique* est une lettre adressée par le pape à tous les catholiques.

encyclopédie n.f. *Aline a acheté une encyclopédie en 20 volumes,* un ouvrage qui traite de tous les sujets.

■ **encyclopédique** adj. *M. Durand a des connaissances encyclopédiques,* très étendues dans tous les domaines.

endettement, endetter → *dette*.

endeuiller → *deuil*.

endiablé → *diable*.

endiguer → *digue*.

endimanché → *dimanche*.

endive n.f. *Nous avons mangé une salade d'endives,* un légume aux feuilles blanches serrées.

endoctriner → *doctrine*.

endolori → *douleur*.

endommager → *dommage*.

endormir → *dormir*.

endosser → *dos*.

endroit n.m. **1.** *À quel endroit as-tu mis mon stylo ?* (= lieu, place, emplacement). **2.** *Remets tes chaussettes à l'endroit !, dans le bon sens* (≠ envers).

enduire v. *Pour bronzer, Marie s'est enduit la peau de crème* (= recouvrir).
■ **enduit** n.m. *Le mur est protégé de l'humidité par un enduit,* un produit (ciment, plâtre, etc.) appliqué dessus.
R. → Conj. n° 70.

endurance n.f. *Son endurance nous a étonnés,* sa capacité à résister à la fatigue (= résistance).
■ **endurant** adj. *Cette athlète est très endurante.*
■ **endurer** v. *Il a enduré beaucoup de malheurs,* il les a subis, supportés.

endurcir → *dur*.

énergie n.f. **1.** *Jean fait le ménage avec énergie,* en faisant des efforts (= force, vigueur ; ≠ mollesse, indolence). **2.** *Le charbon, le pétrole sont des sources d'énergie,* ils servent à faire fonctionner les machines.
■ **énergique** adj. SENS 1 *Mme Dupont est une femme énergique,* active, décidée.

■ **énergiquement** adv. SENS 1 *Tu as protesté énergiquement* (= fermement).

énergumène n.m. *Qui est cet énergumène ?,* cet individu bizarre.

énervement, énerver → *nerf*.

enfant n. **1.** *Jean et Marie sont encore des enfants,* ils ont moins de quatorze ans environ (≠ adolescent et adulte). **2.** *M. et Mme Durand ont trois enfants,* fils ou filles (≠ parents). **3.** *Elle m'a souri d'un air bon enfant* (= gentil).
■ **enfance** n.f. SENS 1 *Mélina a passé son enfance à Athènes,* les premières années de sa vie.
■ **enfantillage** n.m. SENS 1 *Tu as dépassé l'âge des enfantillages,* de te conduire comme un enfant (= niaiserie, puérilité).
■ **enfantin** adj. **1.** SENS 1 *Ce livre est un chef-d'œuvre de la littérature enfantine,* pour les enfants. **2.** *Ce problème est enfantin,* très facile (= élémentaire).
■ **infanticide** n.m. SENS 1 *Cet homme est accusé d'infanticide,* d'avoir tué un enfant.
■ **infantile** adj. SENS 1 *Les maladies infantiles* sont celles des tout petits enfants. *Jacques a un esprit infantile,* il se conduit comme s'il était encore un petit enfant (= enfantin, puéril).
■ **infantilisme** n.m. *Croire que ce chien comprend tes explications, c'est de l'infantilisme* (= puérilité).

enfer n.m. **1.** *Les chrétiens pensent que les méchants seront condamnés à l'enfer,* à souffrir éternellement (= damnation). **2.** *Depuis qu'elle est malade, sa vie est devenue un enfer* (= supplice).
■ **infernal** adj. SENS 2 *Il fait une chaleur infernale* (= terrible, insupportable).

enfermer → *fermer*.

603

s'enferrer v. *Au lieu d'avouer son erreur, il s'est enferré dans ses mensonges,* il s'est embrouillé de plus en plus.

enfilade → *file.*

enfiler → *fil.*

enfin adv. *Jean est enfin arrivé,* à la fin, finalement.

enflammer → *flamme.*

enfler v. *Louise s'est fait une entorse, sa cheville a enflé,* elle a augmenté de volume (= grossir).
■ **enflure** n.f. *On lui a mis de la pommade, et l'enflure a diminué.*

enfoncer v. 1. *On enfonce les clous avec un marteau,* on les fait pénétrer (= planter). *On s'enfonce dans la neige molle,* on y pénètre. 2. *On avait perdu la clé, on a enfoncé la porte* (= briser, défoncer).

enfouir v. *Le chien a enfoui son os dans la terre,* il l'y a caché.

enfourcher v. *La cavalière enfourche son cheval,* elle monte dessus à califourchon.

enfourner → *four.*

enfreindre v. *Enfreindre un règlement, une loi,* c'est ne pas les respecter (= violer).
■ **infraction** n.f. *Dépasser dans un virage sans visibilité est une infraction au Code de la route,* une faute contre le Code.
R. → Conj. n° 55.

s'enfuir → *fuir.*

enfumer → *fumer* 1.

engager v. 1. *Mme Huang a engagé une secrétaire,* elle l'a prise à son service (= embaucher). 2. *M. Martin a engagé sa voiture dans une impasse,* il l'y a fait entrer. 3. *Luce s'est engagée à faire ce travail,* elle a promis de le faire. 4. *Henri s'est engagé dans l'armée,* il est devenu soldat. 5. *Elle m'a engagé à travailler,* elle m'a poussé à le faire. 6. *M. Dupont a engagé un procès contre son voisin,* il l'a commencé.
■ **engageant** adj. SENS 5 *Cette nourriture n'est pas engageante,* on n'en a pas envie.
■ **engagement** n.m. SENS 3 *Cléa n'a pas tenu ses engagements* (= promesse). SENS 4 *Lors de son engagement, Henri avait dix-huit ans,* quand il s'est engagé dans l'armée. SENS 6 *L'engagement marque le début d'un match.*
■ **se désengager** v. SENS 3 *J'ai promis de passer la journée là-bas, mais je vais tâcher de me désengager,* de me libérer de cette promesse.
■ **se rengager** v. SENS 4 *À la fin de son service national, Pierre s'est rengagé pour trois ans.*

engeance n.f. *Quelle sale engeance !,* ce sont des personnes désagréables.

engelure → *geler.*

engendrer v. *Ce paysage lugubre engendre la tristesse,* il la fait naître (= causer, provoquer).

engin n.m. *Les canons, les chars sont des engins de guerre, les hameçons, les filets sont des engins de pêche* (= appareil, instrument).

englober v. *Tout le monde est englobé dans cette affaire* (= réunir, concerner ; ≠ séparer).

engloutir v. 1. *Le chien a englouti toute la viande,* il l'a avalée voracement (= dévorer). 2. *Un navire s'est englouti au cours de la tempête,* il a coulé (= disparaître).
■ **engloutissement** n.m. *L'engloutissement du navire n'a duré que quelques minutes.*

englué → *glu.*

engoncer v. *Line est engoncée dans son manteau,* celui-ci lui monte jusqu'au menton.

engorger v. *Le tuyau de l'évier est engorgé,* il est bouché, obstrué.

s'engouer v. *Le public s'est engoué de cette chanson,* il l'a soudain beaucoup aimée (= s'enticher, se toquer).
■ **engouement** n.m. *Je ne comprends pas ton engouement pour cette actrice,* ton admiration exagérée.

engouffrer v. 1. *Tu vas engouffrer tous ces gâteaux !,* les avaler rapidement (= engloutir). 2. *Le vent s'engouffre par la fenêtre,* il pénètre brutalement dans la pièce.

engourdir, engourdissement → *gourd.*

engrais n.m. *L'utilisation des engrais permet d'avoir de meilleures récoltes,* de produits qui fertilisent le sol.

engraisser → *graisse.*

engrenage n.m. *Un engrenage sert à transmettre un mouvement d'une roue dentée à une autre.*

engueuler v. est un mot grossier signifiant *attraper, réprimander.*

enhardir → *hardi.*

énigme n.f. *On n'a pas réussi à résoudre cette énigme,* cette question incompréhensible (= mystère).
■ **énigmatique** adj. *Tu m'as répondu par une phrase énigmatique,* difficile à comprendre (= mystérieux ; ≠ clair).

enivrant, enivrer → *ivre.*

enjambée, enjamber → *jambe.*

enjeu → *jouer.*

enjoindre v. *Le directeur nous a enjoint de lui obéir* (= ordonner, commander).
R. → Conj. n° 55.

enjôler v. *Jean cherche à enjôler sa grand-mère,* à obtenir ce qu'il désire en la cajolant.
■ **enjôleur** adj. et n. *Marie a un sourire enjôleur.*

enjoliver → *joli.*

enjoliveur n.m. *M. Durand astique les enjoliveurs de sa voiture,* les plaques rondes qui cachent le centre des roues.

enjoué adj. *Marie est une fillette enjouée* (= aimable, gai ; ≠ renfrogné).
■ **enjouement** n.m. *Marie taquine sa sœur avec enjouement* (= bonne humeur).

enlacer v. *Des amoureux qui s'enlacent* se serrent dans les bras l'un de l'autre.

enlaidir → *laid.*

enlever v. 1. *Voulez-vous enlever votre manteau ?* (= ôter, retirer ; ≠ mettre). 2. *Tu as une tache sur ton pantalon, il faudrait l'enlever* (= supprimer ; ≠ laisser). 3. *Des gangsters ont enlevé un enfant* (= prendre ; ≠ rendre).
■ **enlèvement** n.m. SENS 3 *Les auteurs de l'enlèvement ont demandé une rançon* (= rapt).

s'enliser v. 1. *La voiture s'est enlisée dans la boue* (= s'enfoncer). 2. *La discussion s'enlise,* elle devient confuse.
■ **enlisement** n.m. SENS 1 *On risque l'enlisement dans ces sables mouvants.* SENS 2 *La discussion est en plein enlisement.*

enluminure n.f. *Ce vieux manuscrit est orné d'enluminures,* de belles illustrations peintes à la main. 806

enneigement, enneigé → *neige.*

ennemi adj. et n. 1. *Mme Couture et M. Dupont sont ennemis,* ils se détestent (≠ ami). 2. *L'ennemi a attaqué nos troupes,* le pays contre lequel on est en guerre (≠ allié).

ennoblir → *noble.*

ennuyer v. 1. *Cela m'ennuie de partir demain,* cela me cause du souci (= contrarier). 2. *Quand je n'ai rien à faire, je m'ennuie,* je trouve le temps long (= s'embêter ; ≠ se distraire).

■ **ennui** n.m. SENS 1 *Monique a des ennuis d'argent* (= souci, tracas). SENS 2 *Ce livre est à mourir d'ennui,* il est ennuyeux.

■ **ennuyeux** adj. SENS 2 *La journée d'hier a été ennuyeuse,* on s'est ennuyé (≠ amusant).

■ **désennuyer** v. SENS 2 *Je regardais les vitrines pour me désennuyer,* pour me distraire.

énoncer v. *On lui a demandé d'énoncer ses accusations,* de les dire nettement (= formuler, exposer).

■ **énoncé** n.m. *Recopiez l'énoncé du problème,* le texte des questions.

enorgueillir → *orgueil.*

énorme adj. *M. Martin pèse 120 kilos, il est énorme,* très grand et très gros (= gigantesque ; ≠ minuscule).

■ **énormément** adv. *Je m'ennuie énormément,* vraiment beaucoup.

■ **énormité** n.f. *L'énormité de ce crime fait horreur,* la gravité exceptionnelle.

s'enquérir v. *Va t'enquérir de l'heure des trains !,* te renseigner.
R. → Conj. n° 21.

enquête n.f. 1. *L'enquête a abouti : le criminel est arrêté,* les recherches de la police. 2. *On a fait une enquête sur les intentions des électrices,* on a recherché des renseignements (= sondage).

■ **enquêter** v. *La police enquête,* elle fait une enquête.

■ **enquêteur** n. *Les enquêteurs ont interrogé les témoins.*

enraciner → *racine.*

enragé, enrager → *rage.*

enrayer v. 1. *Le fusil s'est enrayé,* la balle n'est pas partie (= se bloquer). 2. *Le gouvernement veut enrayer la hausse des prix* (= arrêter, freiner).

enregistrer v. 1. *Jean a enregistré la voix de Marie avec son magnétophone,* il l'a fixée et il peut la reproduire. 2. *J'ai enregistré votre nom et votre adresse,* je les ai notés, relevés. 3. *Un acte officiel doit être enregistré pour être légal,* écrit sur un registre public. 4. *On a fait enregistrer les bagages,* on les a confiés à la S. N. C. F. qui les a inscrits sur un registre.

■ **enregistrement** n.m. SENS 1 *Ce disque est l'enregistrement d'une symphonie.* SENS 4 *Il est recommandé d'arriver à l'aéroport une demi-heure avant l'enregistrement des bagages.*

■ **enregistreur** adj. SENS 1. *Un magnétophone est un appareil enregistreur.*

s'enrhumer → *rhume.*

enrichir, enrichissement → *riche.*

enrober v. *Ces bonbons sont enrobés de chocolat,* ils en sont recouverts.

enrôler v. *Carole s'est enrôlée dans l'armée,* elle y est entrée (= s'engager).

enrouer v. *Pauline tousse, elle est enrouée,* sa voix n'est pas claire.

■ **enrouement** n.m. *Son enrouement est dû à la grippe.*

enrouler → *rouler.*

ensabler → *sable.*

ensanglanté → *sang.*

1. enseigne n.f. *Les cinémas ont des enseignes lumineuses,* des panneaux portant leur nom.

2. enseigne n.m. *Un enseigne de vaisseau* est un officier de marine.

enseigner v. 1. *Mme Scott enseigne les maths,* elle est professeur de maths. 2. *Cette aventure nous enseigne qu'il* faut être prudent (= indiquer, montrer, apprendre).

■**enseignant** n. SENS 1 *Les institu-teurs et les professeurs sont des enseignants.*

■**enseignement** n.m. SENS 1 *M. Van-damme est dans l'enseignement,* il fait la classe. SENS 2 *Il faut tirer des ensei-gnements de cette affaire* (= leçon).

ensemble adv. *Jean et Yasmina sont partis ensemble,* l'un avec l'autre, en même temps (≠ séparément).

■**ensemble** n.m. **1.** *Un orchestre est un ensemble de musiciens,* un groupe (≠ élément). **2.** *Luisa habite un grand ensemble,* dans un groupe d'immeubles.

ensemencer → *semer.*

enserrer → *serrer.*

ensevelir v. *L'avalanche a enseveli plusieurs personnes,* elle les a fait dis-paraître (= recouvrir, engloutir).

ensiler → *silo.*

ensoleillé → *soleil.*

ensommeillé → *sommeil.*

ensorceler → *sort.*

ensuite adv. *Nous sommes allés au restaurant et ensuite au cinéma* (= puis, après ; ≠ d'abord).

s'ensuivre → *suivre.*

entaille n.f. *Anne s'est fait une entaille au pouce avec son couteau,* une cou-pure profonde.

■**entailler** v. *Jean s'est entaillé le pouce.*

entamer v. **1.** *Qui a entamé le gâ-teau ?,* qui a coupé le premier mor-ceau ? **2.** *J'ai entamé un travail long et difficile,* je l'ai commencé, entrepris.

entartrer → *tartre.*

entassement, entasser → *tas.*

entendre v. **1.** *Mon grand-père n'en-tend presque plus,* il est presque sourd. **2.** *As-tu entendu ce que je viens de dire ?* (= écouter). **3.** *Paul et Marie s'entendent bien, ils ne se disputent jamais,* ils sont d'accord (≠ se détes-ter). **4.** *Mme Leblanc entend qu'on lui obéisse* (= vouloir). **5.** *Jean n'entend rien aux maths* (= comprendre).

■**entendu** adj. SENS 3 *Rendez-vous demain ? — C'est entendu,* d'accord. *Tu crois que j'ai raison ? — Bien en-tendu* (= bien sûr, naturellement). SENS 5 *Elle a pris un air entendu pour me répondre,* l'air de celle qui a compris.

■**entendement** n.m. SENS 5 *Ces expli-cations dépassent son entendement,* sa capacité de comprendre (= intelli-gence).

■**entente** n.f. SENS 3 *Il y a entre eux une entente parfaite* (= accord ; ≠ conflit, haine).

■**mésentente** n.f. SENS 3 *Leur mésen-tente est due à leur mauvais caractère* (= brouille).

R. → Conj. n° 50.

enterrement, enterrer → *terre.*

en-tête n.m. *La facture est établie sur du papier à en-tête,* du papier qui porte en haut l'indication imprimée de l'expéditeur. 292

entêtement, entêter → *têtu.*

enthousiasme n.m. *Lori a accepté avec enthousiasme de venir avec nous en vacances,* elle était très joyeuse et très excitée.

■**enthousiasmer** v. *Ce film nous a enthousiasmés,* il nous a beaucoup plu (= passionner).

■**enthousiaste** adj. *Les spectateurs enthousiastes applaudissent* (= exalté).

s'enticher v. *Marie s'est entichée de ce chanteur,* elle a pris soudain un attachement excessif pour lui (= s'engouer).

entier adj. **1.** *Qui a entamé le fromage ? Il était entier* (= intact). **2.** *Il est resté absent un mois entier,* tout un mois. **3.** *J'ai en toi une entière confiance,* une confiance totale, complète (≠ partiel). **4.** *Anne a un caractère entier* (= têtu, obstiné ; ≠ souple).

■ **entièrement** adv. SENS 3 *Je suis entièrement satisfaite* (= totalement, absolument).

entomologie n.f. *L'entomologie est la science qui étudie les insectes.*

entonner v. *Les assistants ont entonné l'hymne national,* ils se sont mis à le chanter.

entonnoir n.m. *On verse le vin dans les bouteilles avec un entonnoir.*

entorse n.f. *Pierre s'est fait une entorse,* il s'est foulé la cheville.

entortiller → *tortiller.*

entourer v. **1.** *Un mur entoure le jardin,* il est disposé tout autour. **2.** *Entoure le paquet avec de la ficelle !,* mets-la autour. **3.** *Sur la photo, Cléa est entourée de ses amis,* ils sont auprès d'elle.

■ **entourage** n.m. SENS 3 *Je n'aime pas ton entourage,* les gens que tu fréquentes.

entournure n.f. Fam. *Depuis qu'il a grossi, M. Muller est gêné aux entournures dans sa veste,* elle lui serre les épaules.

entracte n.m. *À l'entracte, on a acheté des chocolats glacés,* pendant l'interruption du spectacle.

entraide, entraider → *aider.*

entrailles n.f. pl. *Les fauves se disputent les entrailles de leur proie,* les boyaux, les intestins.

entrain n.m. *Marie travaille avec entrain* (= ardeur, enthousiasme).

entraîner v. **1.** *L'avalanche a tout entraîné sur son passage* (= emmener, emporter). **2.** *Jean m'a entraîné au cinéma,* il m'a décidé à aller avec lui. **3.** *Le déménagement a entraîné de grosses dépenses* (= causer, provoquer). **4.** *La championne s'entraîne en vue du match* (= se préparer, s'exercer).

■ **entraînant** adj. SENS 2 *La fanfare joue un air entraînant,* un air vif, qui incite à marcher.

■ **entraînement** n.m. SENS 4 *La nageuse a repris son entraînement.*

■ **entraîneur** n.m. SENS 4 *Le boxeur est entré, suivi de son entraîneur,* de celui qui le conseille.

entraver v. *Des obstacles ont entravé la réussite de mon plan* (= gêner, empêcher).

■ **entrave** n.f. *L'automobiliste a eu un procès-verbal pour entrave à la circulation,* parce qu'elle gênait la circulation.

entre prép. indique un intervalle de lieu : *Jean est assis entre nous deux ;* de temps : *Je viendrai entre midi et deux heures ;* dans un groupe de choses : *J'ai à choisir entre plusieurs solutions.*

R. *Entre-* se met devant certains mots pour indiquer une réciprocité *(entraide)* ou un intervalle *(entrecôte).*

entrebâiller v. *Line a entrebâillé la porte,* elle l'a ouverte un petit peu (= entrouvrir).

■ **entrebâillement** n.m. *J'ai passé la tête dans l'entrebâillement de la porte,* dans la petite ouverture.

entrechoquer → *choc.*

entrecôte → *côte.*

entrecouper → *couper.*

entrecroiser → *croiser.*

entrée → *entrer.*

entrefaites n.f.pl. *Sur ces entrefaites, il s'est mis à pleuvoir,* à ce moment-là.

entrefilet n.m. *Un entrefilet annonce la mort de M. Dupuis,* un court article de journal.

entrelacer v. *Le lierre s'entrelace dans le grillage,* il s'y mêle (= s'entremêler, s'entrecroiser).
■ **entrelacs** n.m. Des *entrelacs* sont des ornements faits de lignes entrelacées.
R. On ne prononce pas le *c* : [ɑ̃trəla].

entrelarder v. *Le rôti est entrelardé,* on y a piqué des bandes de lard.

entremêler → *mêler.*

entremets n.m. *Les crèmes, les compotes, les glaces sont des entremets,* des desserts.

s'entremettre v. *J'ai essayé de m'entremettre pour les mettre d'accord,* d'établir un lien entre eux.
■ **entremise** n.f. *J'ai su cela par l'entremise de ma voisine,* par son intermédiaire, grâce à elle.
R. → Conj. n° 57.

entrepont → *pont.*

entreposer v. *On a entreposé des meubles dans le grenier,* on les y a mis momentanément.
■ **entrepôt** n.m. *Ce grand bâtiment est un entrepôt de marchandises,* un local où on les entrepose.

entreprise n.f. **1.** *On s'est lancé dans une entreprise difficile* (= action, affaire, travail). **2.** *Les employés de l'entreprise se sont mis en grève,* de l'usine ou de la maison de commerce.
■ **entreprenant** adj. SENS 1 *Lori est une fille entreprenante* (= actif ; ≠ hésitant).
■ **entreprendre** v. SENS 1 *Mme Bennet a entrepris un travail difficile,* elle a commencé à le faire.

■ **entrepreneur** n.m. SENS 2 *M. Sandoz est entrepreneur de peinture,* il dirige une entreprise de peinture.
R. *Entreprendre* → conj. n° 54.

entrer v. **1.** *Je suis entré dans un cinéma,* je suis allé à l'intérieur (= pénétrer ; ≠ sortir). **2.** *M. Durand est entré dans l'enseignement,* il est devenu professeur. **3.** *Quand elle a su cela, elle est entrée dans une grande colère,* elle s'est mise en colère.
■ **entrée** n.f. **1.** SENS 1 *Attends-moi à l'entrée de la maison !,* à l'endroit par où on entre (≠ sortie). *On lui a interdit l'entrée de la salle,* le droit d'entrer. SENS 2 *Anne a passé l'examen d'entrée au collège.* **2.** *Il y avait une entrée avant le rôti,* un plat au début du repas.
R. *Entrer* se conjugue avec l'auxiliaire *être.*

entresol n.m. *Dans certains immeubles, il y a un entresol,* un appartement situé entre le rez-de-chaussée et le 1er étage.

entre-temps adv. *Appelez-moi la semaine prochaine, entre-temps j'aurai fait le nécessaire* (= d'ici-là).

entretenir v. **1.** *M. Dupont entretient bien sa voiture,* il la maintient en bon état. **2.** *Avec son salaire, Mme Leblond a du mal à entretenir sa famille,* à la faire vivre (= nourrir). **3.** *La présidente s'est entretenue avec le Premier ministre,* ils ont parlé ensemble.
■ **entretien** n.m. SENS 1 *Toute une équipe d'ouvriers est chargée de l'entretien des routes et des ponts.* SENS 3 *M. Duval a demandé un entretien à la directrice,* à parler avec elle (= entrevue, conversation).
R. → Conj. n° 22.

entrevoir → *voir.*

entrevue n.f. *Les deux chefs d'État ont eu une entrevue,* ils se sont rencontrés pour discuter (= entretien).

entrouvrir → *ouvert.*

énumérer v. *Énumère les chiffres de 1 à 10!,* dis-les l'un après l'autre (= citer).

■ **énumération** n.f. *Cette énumération est trop longue* (= liste).

envahir v. **1.** *En 1940, les Allemands ont envahi la France,* ils l'ont occupée par la force. **2.** *Le port est envahi par le sable,* entièrement rempli.

■ **envahissant** adj. SENS 2 *Ces herbes sont envahissantes,* elles se répandent partout.

■ **envahissement** n.m. SENS 2 *Dès le mois de juin, il se produit un envahissement de la côte par les vacanciers* (= invasion).

■ **envahisseur** n.m. SENS 1 *Les envahisseurs ont été repoussés.*

■ **invasion** n.f. SENS 1 *Les troupes n'ont pu résister à l'invasion,* à l'attaque massive des ennemis.

envaser → *vase* 2.

enveloppe n.f. *As-tu collé un timbre sur l'enveloppe?,* sur la pochette qui contient ta lettre.

envelopper v. *Le colis était enveloppé dans du papier,* recouvert de papier pour le protéger (= entourer).

envenimer v. **1.** *La blessure s'est envenimée,* elle s'est infectée. **2.** *La discussion s'est envenimée, et ils se sont disputés.*

envergure n.f. **1.** *M. Durand est un homme de grande envergure,* un homme important, très capable. **2.** *L'envergure d'un oiseau,* c'est la largeur de ses ailes déployées.

1. envers prép. *J'ai une dette envers elle,* à son égard (= vis-à-vis de).

2. envers n.m. *Tu as mis ton pantalon à l'envers,* du mauvais côté. *Écris sur l'envers de la feuille* (= dos ; ≠ endroit).

à l'envi adv. *Les journaux d'opposition critiquent à l'envi la politique gouvernementale,* chacun essaie de le faire plus que les autres (= à qui mieux mieux).
R. Ne pas confondre avec *envie.*

envie n.f. **1.** *Si Laura dit du mal de toi, c'est par envie* (= jalousie). **2.** *J'ai envie de partir en vacances,* je le désire beaucoup.

■ **enviable** adj. SENS 2 *Son sort n'est pas enviable* (= souhaitable, tentant).

■ **envier** v. SENS 1 *Il m'envie mon beau pull-over,* il voudrait bien l'avoir.

■ **envieux** adj. et n. SENS 1 *Paul est (un) envieux* (= jaloux).

environ adv. *Il y a environ cent personnes dans la salle* (= à peu près, autour de).

■ **environs** n.m. pl. *Yasmina habite dans les environs de Vancouver,* dans le voisinage, aux alentours.

■ **environner** v. *Elle est environnée de gens désagréables,* ils sont autour d'elle (= entourer).

■ **environnement** n.m. *Le ministère de l'Environnement* est chargé de s'occuper des conditions du bien-être dans la vie quotidienne (= cadre de vie).

envisager v. **1.** *Nous envisageons de partir,* nous en avons l'intention (= projeter). **2.** *Il faut envisager la suite,* y penser, s'en soucier.

■ **envisageable** adj. *Une autre solution est envisageable* (= concevable).

envoi → *envoyer.*

envol, envolée, s'envoler → *vol* 1.

envoûter v. **1.** *On pensait que les sorciers envoûtaient les gens,* les dominaient par la magie. **2.** *Elle semblait envoûtée par la musique* (= charmer, captiver).

■ **envoûtement** n.m. SENS 1 *Tu pré-*

292, 768

tends avoir été victime d'un **envoûtement** ? SENS 2 *Nous étions sous l'envoûtement de cette musique* (=
charme).

envoyer v. 1. *Sa mère l'a envoyé chercher du pain, elle lui a dit d'y aller.* 2. *Tu
as envoyé une lettre à ma grand-
mère ?,* tu l'as fait partir par la poste (=
expédier ; ≠ recevoir). 3. *Arrête d'envoyer des cailloux !* (= jeter, lancer).
■ **envoi** n.m. SENS 2 *As-tu reçu mon
envoi ?,* la lettre ou le colis que je t'ai
envoyé.
■ **envoyé** n. SENS 1 *Un envoyé spécial*
est un journaliste que son journal envoie à l'étranger.
■ **envoyeur** n. SENS 2 *Cette lettre a été
retournée à l'envoyeur* (= expéditeur).

éolienne n.f. Une *éolienne* est une
machine qui, grâce à une hélice ou à
une roue à pales tournant sous l'action
du vent, peut faire marcher une
dynamo ou une pompe à eau.

épagneul n.m. *Les épagneuls sont de
bons chiens de chasse.*

épais adj. 1. *Ce livre est épais* (= gros ;
≠ mince). 2. *Cette planche est
épaisse de 5 centimètres* (≠ long et
large). 3. *La sauce est trop épaisse,*
elle a une consistance trop ferme (=
pâteux ; ≠ fluide, liquide). 4. *Le
brouillard est épais, on n'y voit rien* (=
abondant, dense ; ≠ léger).
■ **épaisseur** n.f. SENS 1 ET 2 *Ce mur a
une épaisseur de 50 centimètres*
(≠ longueur et largeur). SENS 3 ET 4
*L'épaisseur du brouillard a encore
augmenté* (≠ légèreté).
■ **épaissir** v. SENS 3 ET 4 *Pour épaissir la
sauce, ajoute un peu de farine !*

s'épancher v. *Lucie a besoin de
s'épancher,* de parler avec une personne de confiance.
■ **épanchement** n.m. *J'ai été le té-*

moin de ses **épanchements** (=
confidence).

s'épanouir v. 1. *Cette fleur s'épanouit
au mois de mai* (= s'ouvrir). 2. *De
joie, son visage s'est épanoui,* elle
a souri (= rayonner, s'éclairer).
3. *Pour s'épanouir, un enfant a besoin d'amour* (= se développer).
■ **épanouissement** n.m. SENS 3 *L'épanouissement d'une civilisation,* c'est
son apogée, son développement
complet.

épargner v. 1. *Dans l'accident
d'avion, personne n'a été épargné,*
tout le monde a été tué (= sauver,
protéger). 2. *Ils épargnent de l'argent
pour s'acheter une maison,* ils le mettent de côté (= économiser ; ≠ dépenser, gaspiller). 3. *Tu m'as épargné
une corvée,* je l'ai évitée grâce à toi.
■ **épargnant** n. SENS 2 *De nombreux
épargnants déposent leurs économies dans des banques.*
■ **épargne** n.f. SENS 2 *Ils mettent leurs
économies à la Caisse d'épargne.*

éparpiller v. *Le vent a éparpillé les
feuilles mortes* (= disperser ; ≠ rassembler, grouper).
■ **éparpillement** n.m. *L'éparpillement des efforts les rend peu efficaces*
(= dispersion).

épars adj. *Les enquêteurs examinent
les débris épars de l'avion* (= dispersé, éparpillé).

épatant adj. Fam. *Marie est une fille
épatante,* très bien (= sympathique,
formidable).

épaté adj. *Tu as le nez épaté* (= aplati).

épater v. Fam. *Aline cherche à nous
épater,* elle veut qu'on l'admire (=
impressionner, surprendre, éblouir).

épaule n.f. 1. *Le maçon porte un sac
sur ses épaules.* 2. *Nous avons mangé
une épaule de mouton,* le haut de la
patte de devant.

33

■**épauler** v. 1. SENS 1 *La chasseuse* *épaule son fusil pour tirer,* elle l'appuie contre son épaule. 2. *Jean nous a* *bien épaulés* (= aider).

224 ■**épaulette** n.f. SENS 1 *Les vestes mili-* *taires portent des épaulettes,* des bandes de tissu se boutonnant sur l'épaule.

épave n.f. *Des épaves se sont* *échouées sur la plage,* des objets re- jetés par la mer (= débris).

224 **épée** n.f. *Autrefois, on se battait à* *l'épée,* une arme faite d'une longue lame pointue et d'une poignée.

épeler v. *Peux-tu épeler ce mot ?,* en dire les lettres l'une après l'autre. **R.** → Conj. n° 6.

éperdu adj. *Anne était éperdue de* *reconnaissance,* très émue (≠ calme). ■**éperdument** adv. *Il était éperdu-* *ment inquiet* (= follement).

éperon n.m. 1. *Les cavalières portent* *des éperons à leurs talons,* des pièces de métal. 2. *Les galères portaient un* 802 *éperon pour éventrer la coque de l'ad-* *versaire,* une poutre fixée dans la co- que à l'avant (= rostre). ■**éperonner** v. SENS 1 *Elle éperonne* *son cheval pour le faire aller plus vite,* elle le pique avec les éperons. SENS 2 *Le* *cuirassé a éperonné le navire,* il l'a heurté de la proue.

651 **épervier** n.m. 1. *L'épervier a saisi un* *moineau dans ses serres,* un oiseau. 2. *Un épervier est un grand filet de* pêche.

éphémère adj. *Ce livre n'a connu* *qu'un succès éphémère,* très court (= passager ; ≠ durable).

293 **éphéméride** n.f. *Une éphéméride est* un calendrier dont on retire chaque jour un feuillet.

364, **épi** n.m. *Jean mange un épi de maïs,* le
583 bout de la tige portant les grains.

épice n.f. *Le poivre, le piment, le clou de* *girofle sont des épices,* des produits qui donnent plus de goût aux aliments. ■**épicé** adj. *Cette sauce est trop épi-* *cée* (= piquant, poivré ; ≠ fade).

épicéa n.m. *Les épicéas restent verts* *toute l'année,* des arbres proches du sapin (= épinette).

épicerie n.f. *Dans une épicerie, on* *achète des produits alimentaires* *variés.* ■**épicier** n. *Va chez l'épicier chercher* *de l'huile et du sucre.*

épidémie n.f. *Cet hiver, il y a eu une* *épidémie de grippe,* beaucoup de gens ont eu cette maladie. ■**épidémique** adj. *La peste et le cho-* *léra sont des maladies épidémiques,* elles se propagent par épidémies (= contagieux).

épiderme n.m. *L'égratignure n'a at-* *teint que l'épiderme,* la partie superfi- cielle de la peau. *Les bébés ont l'épi-* *derme sensible* (= peau).

épier v. *Je n'aime pas qu'on épie ce* *que je fais* (= surveiller, espionner).

épieu n.m. *Autrefois, on chassait avec* *un épieu,* un gros bâton terminé par une pointe de fer.

épigramme n.f. *Une épigramme est* un petit poème satirique ou une courte phrase ironique.

épigraphe n.f. *Une épigraphe est une* pensée inscrite en tête d'un livre.

épilatoire → épiler.

épilepsie n.f. *Cette personne a des* *crises d'épilepsie,* une grave maladie nerveuse. ■**épileptique** adj. et n. *M. Masson est* *(un) épileptique.*

épiler v. *Une pince à épiler sert à arra-* cher les poils. ■**épilatoire** adj. *Une pâte épilatoire* sert à ôter les poils.

épilogue n.m. *Quel est l'épilogue de cette histoire ?* (= fin, conclusion).

épiloguer v. *Inutile d'épiloguer sur cette affaire !,* d'en parler longuement.

épinards n.m.pl. *Je n'aime pas les épinards,* un légume vert.

épine n.f. **1.** *La rose a des épines,* des piquants. **2.** *Je sens une douleur à l'épine dorsale,* la colonne vertébrale.
■ **épinette** n.f. est un équivalent de *épicéa.*
■ **épineux** adj. **1.** SENS 1 *Les ronces sont des plantes épineuses,* à épines. **2.** *Ce problème est épineux* (= difficile, délicat).
■ **épinière** adj.f. SENS 2 *La moelle épinière est contenue dans la colonne vertébrale.*

épingle n.f. *La couturière s'est piquée avec une épingle,* une fine tige d'acier.
■ **épingler** v. *Jean a épinglé des cartes postales au mur,* il les a fixées avec des épingles.

épinière → *épine.*

épique → *épopée.*

épiscopal, épiscopat → *évêque.*

épisode n.m. *Racontez-nous un épisode de votre vie,* un moment particulier (= passage, circonstance).
■ **épisodique** adj. *Ma présence ici est épisodique,* elle n'a lieu que de temps en temps (≠ habituel, régulier).
■ **épisodiquement** adv. *Je la rencontre épisodiquement,* de temps en temps.

épistolaire adj. *Des relations épistolaires* se font par des lettres.

épitaphe n.f. *On a gravé une épitaphe sur son tombeau* (= inscription).

épithète **1.** adj. et n.f. *Dans l'expression « un travail facile », l'adjectif « facile » est épithète du nom « travail »,* il lui est relié directement, sans l'intermédiaire d'un verbe. **2.** n.f. *Il m'a*
adressé toutes sortes d'épithètes injurieuses* (= mot, nom).

épître n.f. *Une épître est une longue lettre.*

éploré → *pleurer.*

éplucher v. *Jacques épluche des pommes de terre,* il enlève la peau (= peler).
■ **épluchage** n.m. *Aujourd'hui, tu es de corvée d'épluchage.*
■ **épluchette** n.f. *L'épluchette est la fête au cours de laquelle on épluche en groupe des épis de maïs.*
■ **épluchure** n.f. *Jette ces épluchures à la poubelle !,* ces morceaux de peau.

éponge n.f. *M. Dupont essuie la table avec une éponge,* un objet qui absorbe l'eau.
■ **éponger** v. *Elle s'est épongé la figure avec son mouchoir* (= essuyer).

épopée n.f. *« L'Iliade » et « l'Odyssée » sont des épopées,* de longs poèmes racontant des aventures héroïques.
■ **épique** adj. *Il m'est arrivé une aventure épique* (= extraordinaire).

époque n.f. *À quelle époque a vécu Georges Étienne Cartier ? — Au XIXe siècle* (= moment, temps, période).

s'époumoner → *poumon.*

épouser v. **1.** *Jacques a épousé Anita,* il s'est marié avec elle. **2.** *Ce fauteuil épouse la forme du corps,* il y est adapté exactement.
■ **époux** n. SENS 1 *Jacques est l'époux d'Anita* (= mari). *Anita est l'épouse de Jacques* (= femme).

épousseter → *poussière.*

époustoufler v. Fam. *Sa réponse m'a époustouflé,* elle m'a beaucoup surpris.

épouvante n.f. *Bianca poussait des hurlements d'épouvante,* dus à une peur très grande.

■épouvantable adj. *L'accident était un spectacle épouvantable* (= terrifiant, effroyable, horrible).

■épouvantablement adv. *Tout cela est épouvantablement compliqué* (= horriblement, extrêmement).

366 **■épouvantail** n.m. *Un épouvantail sert à éloigner les oiseaux des cultures.*

■épouvanter v. *Antoine est épouvanté par les histoires de fantômes* (= terroriser).

époux → *épouser.*

s'éprendre v. *Jacques s'est épris de Geneviève et il l'a épousée,* il s'est mis à l'aimer.

R. → Conj. n° 54.

épreuve n.f. **1.** *Jean a échoué à l'épreuve de français* (= examen). **2.** *Myriam a remporté l'épreuve de natation* (= compétition). **3.** *Mme Scott a connu bien des épreuves dans sa vie* (= malheur, souffrance). **4.** *Elle a montré un courage à toute épreuve,* capable de résister à tout. **5.** *On l'a mise à l'épreuve,* on a essayé sa résistance.

■éprouver v. **1.** SENS 3 *Sa mort m'a beaucoup éprouvé* (= peiner). **2.** *J'éprouve une grande amitié pour Jacques,* j'ai ce sentiment (= ressentir).

■éprouvant adj. SENS 3 *Ce voyage dans le désert a été très éprouvant* (= pénible).

■éprouvé adj. SENS 5 *On utilise un matériel éprouvé,* dont la qualité est reconnue.

éprouvette n.f. *La chimiste fait ses expériences dans des éprouvettes,* des tubes de verre.

épuiser v. **1.** *Jean est épuisé par cette longue marche,* très fatigué (= exténuer). **2.** *Ce livre est épuisé,* tous les exemplaires ont été vendus.

■épuisant adj. SENS 1 *Ce travail conti-*

nuel est épuisant (= exténuant, éreintant).

■épuisement n.m. SENS 1 *Line est dans un état d'épuisement total.* SENS 2 *La vente continue jusqu'à l'épuisement des marchandises.*

■inépuisable adj. *Tu es d'une générosité inépuisable* (= inlassable).

épuisette n.f. *Hélène prend le poisson dans son épuisette,* un petit filet muni d'un manche.

épuration, épurer → *pur.*

équarrir v. *Équarrir un tronc d'arbre,* c'est lui donner un aspect à peu près carré.

équateur n.m. *Le bateau a franchi l'équateur,* le cercle qui, sur les mappemondes, est à égale distance des pôles.

■équatorial adj. *Il fait très chaud dans les régions équatoriales.*

R. *Équateur* se prononce [ekwatœr].

équerre n.f. *On se sert d'une équerre pour tracer des angles droits.*

équestre → *équitation.*

équi-, placé devant un mot, indique l'égalité.

R. On prononce tantôt [ekɥi...] : *équidistant ;* tantôt [eki...] : *équivaloir.*

équidistant → *distance.*

équilatéral → *latéral.*

équilibre n.m. **1.** *Ahmed a glissé et il a perdu l'équilibre,* la position verticale. **2.** *Les deux plateaux de la balance sont en équilibre,* ils portent le même poids. **3.** *Il faut rétablir l'équilibre entre ces deux concurrentes,* un rapport juste.

■équilibrer v. SENS 2 *Les deux poids s'équilibrent* (= se compenser).

■équilibré adj. *Pierre est un garçon équilibré* (= sage ; ≠ instable).

■équilibriste n. SENS 1 *Les équili-*

bristes peuvent marcher sur une corde sans tomber.

■ **déséquilibre** n.m. SENS 1 *Un léger déséquilibre fait pencher le bateau.*

■ **déséquilibré** adj. et n. *Henri est (un) déséquilibré* (= fou, malade mental).

■ **déséquilibrer** v. SENS 1 *Ne me pousse pas, tu vas me déséquilibrer !*

équille n.f. *Une équille est un poisson long et mince qui s'enfouit dans le sable* (= lançon).

équinoxe n.m. *Au moment des équinoxes, le jour et la nuit sont égaux,* le 21 mars et le 23 septembre.

équipage n.m. *L'équipage du bateau obéit au commandant,* le personnel qui assure la manœuvre.

équipe n.f. *Jean fait partie d'une équipe de football,* d'un groupe de joueurs.

■ **équipier** ou **coéquipier** n. *Il a passé la balle à son équipier,* à un joueur de son équipe.

équipée n.f. *Elle m'a raconté son équipée* (= aventure).

équiper v. *Cette voiture est équipée des derniers perfectionnements* (= pourvoir).

■ **équipement** n.m. *Luce a acheté un équipement de ski,* ce qu'il faut pour faire du ski.

équipier → *équipe.*

équitable → *équité.*

équitation n.f. *Marie fait de l'équitation,* elle monte à cheval.

■ **équestre** adj. *Une statue équestre* représente un personnage à cheval.

équité n.f. *Elle a jugé avec équité* (= justice, impartialité).

■ **équitable** adj. *Ce partage est équitable* (= juste ; ≠ partial).

■ **équitablement** adv. *Les frais d'en-*tretien sont **équitablement** répartis entre les usagers,* selon la justice.

équivaloir v. *Le prix de cette voiture équivaut à dix mois de mon salaire,* il a une valeur égale (= égaler, représenter).

■ **équivalent** 1. adj. *Ces deux terrains ont une surface équivalente,* égale. 2. n.m. *« Épouvantable » est un équivalent de « effroyable »,* il a à peu près le même sens (= synonyme). *Son silence est l'équivalent d'un refus,* cela revient au même.

■ **équivalence** n.f. *Il y a équivalence de surface entre ces deux terrains.*

R. → Conj. n° 40.

équivoque 1. adj. *Ta phrase est équivoque,* elle peut avoir plusieurs sens. 2. n.f. *J'ai dit sans équivoque que j'étais de ton avis* (= ambiguïté).

érable n.m. *L'érable est un arbre qui fournit une sève sucrée.*

■ **érablière** n.f. *Une érablière est une plantation d'érables à sucre.*

érafler v. *Marie s'est éraflé les bras dans les ronces* (= égratigner).

■ **éraflure** n.f. *Marie a des éraflures aux mains.*

éraillé adj. *Un ivrogne chantait d'une voix éraillée* (= rauque).

ère n.f. *Nous sommes au vingtième siècle de l'ère chrétienne* (= époque). *En géologie, on distingue quatre époques successives : l'ère primaire, l'ère secondaire, l'ère tertiaire et l'ère quaternaire.*

érection → *ériger.*

éreinter v. 1. *Elle s'est éreintée à finir ce travail,* beaucoup fatiguée. 2. *Les journalistes ont éreinté son livre,* ils l'ont critiqué durement.

■ **éreintant** adj. SENS 1 *Ce travail est éreintant* (= épuisant, exténuant).

583

581

éreintement n.m. SENS 2 *L'article du journal est un éreintement de son livre,* une critique très sévère.

ergot n.m. **1.** Un *ergot* est un ongle que certains animaux (coq, chien, etc.) ont derrière la patte. **2.** *Pierre s'est dressé sur ses ergots pour protester,* il a pris une attitude menaçante.

ergoter v. *Arrête d'ergoter !,* de discuter sur des détails.

ériger v. **1.** *On a érigé un monument devant la mairie,* on l'a mis en place (= dresser). **2.** *Elle s'érige en arbitre,* elle se donne ce rôle (= se poser).
■ **érection** n.f. SENS 1 *On a procédé à l'érection du monument.*
R. → Conj. n° 2.

ermite n.m. *Cette personne vit comme un ermite,* comme un moine qui s'est retiré dans un endroit désert.
■ **ermitage** n.m. *Les ermites vivaient dans des ermitages,* dans des endroits déserts.

érosion n.f. *Le vent, la mer, les rivières provoquent l'érosion,* l'usure de la surface de la Terre.

érotique adj. *Un livre érotique provoque des émotions sexuelles.*

errata → *erreur.*

errer v. *Nous avons erré toute la journée dans la campagne,* nous avons marché sans but.
■ **errant** adj. *Les chiens errants sont emmenés à la fourrière* (= vagabond).

erreur n.f. *5 + 2 = 8 ? Il y a une erreur dans ce calcul,* on s'est trompé (= faute).
■ **erroné** adj. *Ton calcul est erroné* (= faux ; ≠ juste).
■ **errata** n.m.inv. *Un errata est une liste des erreurs à corriger dans un livre.*

érudit adj. et n. *M. Dupuis est très érudit sur le règne de Catherine II,* il

sait beaucoup de choses sur ce sujet (= savant).
■ **érudition** n.f. *Elle a publié un ouvrage d'érudition* (= science).

éruption n.f. **1.** *L'éruption du volcan a fait beaucoup de morts,* l'explosion et le jaillissement de la lave. **2.** *Tu as une éruption de boutons sur la figure,* des boutons qui sont apparus soudain.
■ **éruptif** adj. *Les roches éruptives proviennent d'éruptions volcaniques.*
R. Ne pas confondre *éruption* et *irruption.*

esbroufe n.f. Fam. *Tu fais de l'esbroufe,* tu te vantes.

escabeau n.m. *Monte sur un escabeau pour décrocher les rideaux !,* un petit banc ou une petite échelle.

escadre n.f. *Une escadre a jeté l'ancre dans le port,* un groupe de navires de guerre.
■ **escadrille** n.f. *Une escadrille a bombardé la ville,* un groupe d'avions de guerre.
■ **escadron** n.m. *Un escadron est commandé par un capitaine,* un groupe de soldats.

escalade n.f. **1.** *Les alpinistes ont fait l'escalade de la montagne,* ils ont grimpé dessus. **2.** *Les dernières manifestations marquent une escalade de la violence,* une augmentation soudaine.
■ **escalader** v. SENS 1 *Jeanne a escaladé le mur du jardin* (= franchir, gravir).
■ **désescalade** n.f. SENS 2 *Les discussions ont abouti à une désescalade,* une diminution de la tension (= apaisement).

escalator n.m. *Un escalator conduit au premier étage du magasin,* un escalier mécanique.

escale n.f. *Le navire fera escale dans le port de Québec,* il s'y arrêtera un certain temps.

escalier n.m. *Vous pouvez monter au 1er étage par l'escalier ou par l'ascenseur. Ève a pris l'escalier roulant pour sortir dans la rue* (= escalator).

escalope n.f. *Nous avons mangé une escalope de veau,* une mince tranche de viande.

escamoter v. *La prestidigitatrice a escamoté un lapin,* elle l'a fait disparaître.
■ **escamotable** adj. *Le train d'atterrissage des avions est escamotable,* il se replie.

escampette n.f. Fam. *Pierre a pris la poudre d'escampette,* il s'est enfui très vite.

escapade n.f. *Elle nous a raconté son escapade,* sa sortie pour se distraire.

escarcelle n.f. *Autrefois, une escarcelle était une bourse suspendue à la ceinture.*

escargot n.m. *Tu es lente comme un escargot,* un mollusque à coquille.

escarmouche n.f. *Quelques soldats ont été tués dans une escarmouche,* un combat de faible importance.

escarpé adj. *Le sentier est très escarpé,* il monte très rapidement (= raide, abrupt, à pic).
■ **escarpement** n.m. *Le château est sur un escarpement rocheux.*

escarpin n.m. *Des escarpins sont des chaussures élégantes.*

escient n.m. *Elle a agi à bon escient,* comme il le fallait.

s'esclaffer v. *Quand j'ai répondu, il s'est esclaffé,* il a éclaté de rire.

esclandre n.m. *M. Durand a fait un esclandre,* il s'est mis à protester violemment (= scandale).

esclave n. 1. *Autrefois, les Noirs américains étaient des esclaves,* ils appartenaient à d'autres hommes. 2. *Cette*

personne est l'esclave de ses habitudes, elle est dominée par elles (= prisonnier).
■ **esclavage** n.m. SENS 1 *Les Romains réduisaient les vaincus en esclavage.*

escogriffe n.m. *Comment s'appelle ce grand escogriffe ?,* cet homme grand et mal bâti.

escompte n.m. *Le vendeur m'a fait un escompte de 5 %,* il a diminué le prix, parce que je payais immédiatement.

escompter v. *Line escompte un succès à l'examen,* elle compte là-dessus (= espérer).

escorte n.f. *On l'a emmené en prison sous bonne escorte,* des policiers l'accompagnaient (= garde).
■ **escorter** v. *La présidente est escortée par des motards,* ils la précèdent et la suivent pour la protéger.
■ **escorteur** n.m. *Le convoi maritime est accompagné par des escorteurs,* des navires de protection.

escouade n.f. *Une escouade de policiers s'est lancée à la poursuite des gangsters,* une petite troupe.

escrime n.f. *Anne apprend l'escrime,* un sport qui consiste à se battre au fleuret, à l'épée ou au sabre.

s'escrimer v. *L'accusé s'escrime à prouver son innocence,* il s'y applique en faisant de gros efforts (= s'évertuer).

escroc n.m. *Un escroc lui a vendu des faux tableaux,* un homme malhonnête.
■ **escroquer** v. *Elle s'est fait escroquer ses économies* (= voler).
■ **escroquerie** n.f. *Cet individu a été arrêté pour escroquerie.*

espace n.m. 1. *La fusée a placé un satellite dans l'espace,* hors de l'atmosphère. 2. *Cet appartement est trop petit, on manque d'espace* (= place, volume). 3. *Il y a un espace de*

765

35

8 mètres entre chaque arbre (= distance). **4.** *En l'espace d'une heure, elle avait fini son travail* (= durée).

■ **espacer** v. SENS 3 *Espace davantage tes mots !* (= séparer). SENS 4 *Ses visites se sont espacées,* elle vient moins souvent.

■ **espacement** n.m. SENS 3 *Augmente l'espacement entre les mots !* (= espace, intervalle).

■ **spacieux** adj. SENS 2 *Cette chambre est spacieuse* (= large, vaste ; ≠ exigu).

■ **spatial** adj. SENS 1 *Le vaisseau spatial est revenu sur la Terre.*

espadon n.m. *Les espadons peuvent dépasser 4 mètres de long,* des poissons dont la tête est prolongée par un os long et pointu.

espadrille n.f. *L'été, je mets des espadrilles,* des chaussures de toile.

espagnolette n.f. *L'espagnolette de la fenêtre est bloquée,* la poignée pour l'ouvrir et la fermer.

espalier n.m. *Dans cette région, on cultive la vigne en espalier,* en rangée devant un mur.

espèce n.f. **1.** *L'espèce humaine est l'ensemble de tous les hommes* (≠ individu). **2.** *Je n'aime pas les gens de son espèce,* qui lui ressemblent (= genre, catégorie). *Cléa porte une espèce de chapeau* (= genre, sorte). **3.** (au plur.) *Mme Hassan a payé en espèces,* avec de l'argent (= en liquide ; ≠ par chèque).

espérer v. *J'espère que tu seras reçu à ton examen,* je le prévois et je le souhaite.

■ **espérance** n.f. *Elle a gardé l'espérance de réussir,* elle l'espère.

■ **espoir** n.m. **1.** *On a perdu l'espoir de les retrouver,* on n'espère plus. **2.** *Cette skieuse est un des espoirs du ski canadien,* on prévoit qu'elle sera une championne.

■ **désespérer** v. **1.** *Il désespère de réussir un jour,* il n'espère plus. **2.** *Depuis la mort de son ami, il est désespéré,* son chagrin est très grand.

■ **désespérément** adv. *Nos troupes luttaient désespérément contre un ennemi supérieur en nombre,* avec acharnement (= farouchement).

■ **désespoir** n.m. *Ne t'abandonne pas au désespoir* (= chagrin, désolation).

■ **inespéré** adj. *Linda a remporté un succès inespéré* (= inattendu).

espiègle adj. *Mary est très espiègle,* elle aime faire des farces, mais sans méchanceté.

■ **espièglerie** n.f. *Ne te fâche pas pour cette espièglerie.*

espion n. *Ce roman raconte l'histoire d'une espionne,* d'une femme qui recherche les secrets d'un pays pour le compte d'un autre.

■ **espionner** v. *Arrête de m'espionner !* (= surveiller, guetter).

■ **espionnage** n.m. *On a arrêté le chef d'un réseau d'espionnage.*

■ **contre-espionnage** n.m. *Les services de contre-espionnage s'opposent à l'action des espions.*

esplanade n.f. *Nous avons traversé l'esplanade du Château Frontenac,* la grande place qui se trouve devant ce bâtiment.

espoir → espérer.

esprit n.m. **1.** *Qu'est-ce que tu as dans l'esprit ?,* à quoi penses-tu ? (= tête). **2.** *Dans quel état d'esprit est-il venu ?,* à quoi pensait-il ? **3.** *Luce a l'esprit vif* (= intelligence). **4.** *Avoir l'esprit d'entreprise,* c'est être entreprenant, *avoir l'esprit d'équipe,* c'est être solidaire de son équipe, *avoir mauvais esprit,* c'est être malveillant. **5.** *Cléa est pleine d'esprit,* elle est pleine d'humour, d'ingéniosité. **6.** *Je ne suis pas un pur esprit,* un être sans corps comme Dieu, les anges, les fantômes.

■ **spiritisme** n.m. SENS 6 *M. Dupont croit au spiritisme,* il croit qu'on peut parler aux esprits.

■ **spirituel** adj. SENS 1 *La vie spirituelle* est la vie de l'esprit (≠ corporel, matériel, temporel). SENS 5 *Katy est très spirituelle* (= amusant, brillant).

■ **squif** n.m. *Ils se sont embarqués sur un frêle esquif,* un petit bateau.

■ **squimau** 1. n. *Autrefois, on appelait les Inuit des Esquimaux,* les habitants des régions polaires. 2. n.m. *À l'entracte, on vend des esquimaux,* une marque de glaces fixées sur un petit bâton.

■ **squinter** n. Fam. *Qui a esquinté mon stylo ?* (= abîmer).

■ **squisser** v. 1. *Jean a esquissé mon portrait,* il l'a dessiné à grands traits (= ébaucher). 2. *Marie a esquissé un sourire,* elle l'a commencé (= amorcer).
■ **esquisse** n.f. SENS 1 *Ce dessin n'est qu'une esquisse,* il n'est pas définitif.

■ **squiver** v. 1. *Le boxeur a esquivé le coup,* il l'a évité adroitement. 2. *Cléa a cherché à s'esquiver,* à s'en aller sans se faire remarquer.

■ **ssai** → *essayer.*

■ **ssaim** n.m. *Les abeilles se groupent en essaim pour fonder une nouvelle ruche,* en très grand nombre.
■ **essaimer** v. 1. SENS 1 *Les abeilles essaiment au printemps,* elles forment des essaims. 2. *Cette entreprise a essaimé en province,* elle a créé des succursales.

■ **ssayer** v. 1. *As-tu essayé ce nouveau stylo ?,* t'en es-tu servi pour voir s'il convenait ? 2. *Essaye de ne pas arriver en retard !,* fais des efforts pour cela (= tâcher, tenter).
■ **essai** n.m. 1. SENS 1 *J'ai fait l'essai d'une nouvelle lessive,* je l'ai essayée. SENS 2 *Elle a réussi au troisième essai* (= tentative). 2. *Notre équipe a marqué un essai,* un but au rugby.

■ **essayage** n.m. SENS 1 *Avant de finir la robe, un essayage sera nécessaire,* il faudra l'essayer.
R. → Conj. n° 4.

essence n.f. 1. *Donnez-moi 20 litres d'essence !,* de carburant pour ma voiture. 2. *Je ne connais pas cette essence d'arbres* (= sorte, espèce). 3. *L'essence de lavande sent très bon,* l'extrait concentré de cette plante. | 219, 505, 506

essentiel adj. et n.m. *Voilà le passage essentiel de ce livre,* le plus important (= fondamental, capital ; ≠ secondaire, accessoire). *Tu as oublié l'essentiel* (= principal ; ≠ détail).
■ **essentiellement** adv. 1. *La Côte du Maine est une région essentiellement touristique* (= principalement). 2. *Je tiens essentiellement à être informé* (= absolument).

essieu n.m. *Un essieu du camion s'est cassé dans l'accident,* la barre qui relie les roues.

essor n.m. *L'essor de l'automobile date du début du siècle* (= développement).

essorer v. *Cette machine essore automatiquement le linge,* elle en fait sortir l'eau qui l'imprègne.
■ **essorage** n.m. *L'essorage permet au linge de sécher plus vite.*

essoufflement, essouffler → *souffle.*

essuyer v. 1. *Marie essuie la table après le repas,* elle la frotte pour enlever les saletés et les liquides qui sont dessus. *Essuie-toi les mains avec cette serviette* (= sécher). 2. *J'ai essuyé un échec* (= subir).
■ **essuie-glace** n.m. SENS 1 *Il pleut, mets les essuie-glaces,* l'appareil qui essuie le pare-brise. | 505

728

■ **essuie-mains** n.m.inv. SENS 1 *L'es-suie-mains est sale, il faut le changer.*

est n.m. et adj.inv. *Le soleil se lève à l'est* (≠ *ouest*).
R. Ne pas confondre *est* [εst] et *est* [e] (du verbe *être*).

estafette n.f. *Une estafette était un militaire chargé de porter un message.*

estafilade n.f. *M. Durand s'est fait une estafilade en se rasant,* une longue coupure (= *balafre*).

estaminet n.m. *Un estaminet est un petit débit de boissons* (= *bistrot*).

estampe n.f. *Cette estampe représente un paysage* (= image, gravure).

estampille n.f. *Ce bijou en or porte une estampille,* une marque d'authenticité (= poinçon, cachet).
■ **estampillé** adj. *Son collier est estampillé.*

est-ce que adv. sert à interroger : *Est-ce que tu viens ?*

esthétique adj. *Ce gros tuyau n'est pas très esthétique* (= beau, joli, décoratif).
■ **esthétiquement** adv. *Ces fleurs sont disposées esthétiquement dans le vase,* avec art.
■ **esthéticien** n. *Mark est esthéticien,* spécialiste des soins de beauté.
■ **inesthétique** adj. *Ce poteau électrique devant la façade du château est inesthétique* (= laid).

estimer v. 1. *J'estime beaucoup Caroline,* j'ai une bonne opinion d'elle (= apprécier ; ≠ mépriser). 2. *Cette voiture d'occasion est estimée à 3 000 dollars,* on pense qu'elle vaut ce prix. 3. *J'estime que tu as tort* (= croire, penser, trouver).
■ **estime** n.f. SENS 1 *J'ai une grande estime pour Norma* (= respect).
■ **estimable** adj. SENS 1 *Jean est un*

garçon **estimable** (= honorable recommandable).
■ **estimation** n.f. SENS 2 *Une experte a fait l'estimation de ce tableau,* elle en a dit le prix.
■ **inestimable** adj. SENS 2 *Cette œuvre est inestimable,* très précieuse (= inappréciable).
■ **mésestimer** v. SENS 1 *Cette personne a été longtemps mésestimée* on n'a pas reconnu son mérite (= méconnaître).
■ **sous-estimer** v. SENS 2 *Il ne faut pas sous-estimer les difficultés,* croire qu'elles sont peu importantes.
■ **surestimer** v. SENS 2 *Tu as tendance à te surestimer,* à te croire plus for que tu n'es.

estival, estivant → été.

estomac n.m. *Ne mange pas trop, tu vas avoir mal à l'estomac.*

estomaquer v. Fam. *J'ai été estoma quée par son audace,* très étonnée (= souffler, suffoquer).

estomper v. *Sa silhouette s'estompe dans le lointain,* elle devient floue (≠ se détacher).

estrade n.f. *La chaire du professeur es sur une estrade,* sur un plancher surélevé.

estragon n.m. *Marie met de l'estra gon dans la salade,* une plante aromatique.

estropier v. 1. *Elle s'est estropiée er tombant d'un arbre,* elle s'est cassé ur membre. 2. *Elle lisait en estropiant les mots,* en les prononçant mal.

estuaire n.m. *La Nouvelle-Orléans es sur l'estuaire du Mississipi,* à l'embouchure élargie de ce fleuve.

esturgeon n.m. *Un esturgeon peu peser plus de 200 kilos,* un poisson

et conj. sert à relier les mots et les groupes de mots.

étable n.f. *Les vaches sont rentrées à l'étable,* leur local.

établi n.m. *Le menuisier travaille sur son établi,* une sorte de table.

établir v. 1. *Les Dupont se sont établis à Calgary,* ils y habitent (= s'installer). 2. *L'accusé cherche à établir son innocence,* à la faire apparaître (= prouver). 3. *Les deux pays ont établi des relations,* ils les ont fait commencer. 4. *As-tu établi la liste de nos dépenses ?* (= faire, dresser).

■ **établissement** n.m. 1. SENS 1 *Depuis leur établissement à Toronto, on ne les voit plus* (= installation). SENS 4 *La comptable se charge de l'établissement des feuilles de paie.* 2. *Une usine est un établissement industriel, un collège est un établissement scolaire.*

étage n.m. 1. *Nous habitons au premier étage,* au-dessus du rez-de-chaussée. 2. *Il y a cinq étages dans ce placard,* cinq niveaux superposés.

■ **étager** v. SENS 2 *Les maisons sont étagées sur la pente de la colline* (= échelonner).

■ **étagère** n.f. SENS 2 *La confiture est sur l'étagère du haut.*

étai → *étayer.*

étain n.m. *Autrefois, la vaisselle était en étain,* un métal très malléable.

■ **étamer** v. *On étame l'intérieur des casseroles de cuivre,* on le recouvre d'une couche d'étain.

étaler v. 1. *La poissonnière étale sa marchandise,* elle dispose les poissons sur une table. 2. *Jean étale du beurre sur son pain* (= étendre). 3. *Marie s'est étalée par terre,* elle est tombée à plat. 4. *Les paiements s'étalent sur un an,* ils sont répartis sur cette période.

■ **étal** n.m. SENS 1 *Le boucher découpe la viande sur son étal,* une sorte de table.

■ **étalage** n.m. 1. SENS 1 *Katia regarde l'étalage du marchand de jouets,* les objets étalés dans la vitrine. 2. *Elle fait étalage de ses connaissances,* elle les fait paraître de façon trop voyante.

■ **étalement** n.m. SENS 4 *L'étalement des vacances permet aux gens de ne pas partir tous en même temps.*
R. Noter le pluriel : *des étals.*

1. étalon n.m. *Mme Chang possède un étalon pur-sang,* un cheval mâle apte à la reproduction.

2. étalon n.m. *Le dollar sert d'étalon monétaire,* de valeur retenue comme point de référence par rapport aux autres monnaies.

étamer → *étain.*

étamine n.f. *Les étamines d'une fleur sont les petites tiges qui portent le pollen.*

étanche adj. *Ce récipient n'est pas étanche,* il laisse passer l'eau.

■ **étanchéité** n.f. *On a vérifié l'étanchéité du réservoir.*

étang n.m. *Nous avons fait du canot sur l'étang,* un petit lac.
R. *Étang* se prononce [etɑ̃] comme *étant* (de *être*) et [il] *étend* (de *étendre*).

étape n.f. 1. *La dixième étape a été remportée par Dupin,* la course de la journée. 2. *Ce travail a été fait en plusieurs étapes* (= période).

état n.m. 1. *Le tapis est en mauvais état,* il est usé, abîmé. *Son état de santé est bon,* elle est en bonne santé. 2. *L'O. N. U. rassemble les États du monde* (= gouvernement, pays, nation). *Les militaires ont fait un coup d'État,* ils ont renversé le gouvernement. *Un homme d'État participe à un gouvernement.* 3. *À leur naissance, on inscrit les enfants à l'état civil,* le service officiel des naissances, des mariages et des décès. 4. *Il faut faire un état de nos dépenses* (= liste, inventaire).

294

512

318

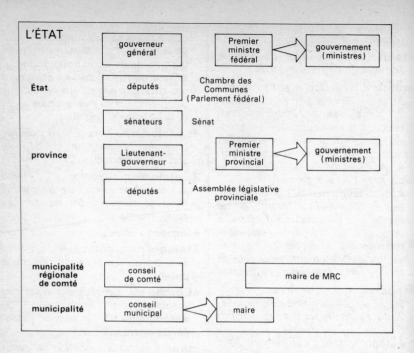

état-major n.m. *Le général a réuni son état-major,* les officiers qui le conseillent.

289 **étau** n.m. *Dans un étau on serre l'objet qu'on veut travailler.*

étayer v. *On a dû étayer le mur,* le soutenir par des poutres, appelées des

150 *étais* (= renforcer).

etc. adv. *Dans le jardin, il y a des roses, des iris, des tulipes, etc.,* et encore d'autres fleurs.
R. On prononce [ɛtsetera].

125 **été** n.m. *Il a fait très chaud cet été.*
■**estival** adj. *Il fait une température estivale,* comme en été.
■**estivant** n. *Il y a beaucoup d'estivants dans ce petit port* (= vacancier).
R. Ne pas confondre *été* et *été* (du verbe *être*).

éteindre v. **1.** *Le feu s'est éteint,* il a cessé de brûler. **2.** *Éteins le poste de radio !,* cesse de le faire fonctionne (≠ allumer).
■**extinction** n.f. **1.** SENS 2 *L'extinctior des lumières aura lieu à 10 heures* (≠ allumage). **2.** *J'ai une extinctior de voix,* je ne peux plus parler.
■**extincteur** n.m. SENS 1 *En cas d'in cendie, décrochèz l'extincteur !*
R. → Conj. n° 55.

étendard n.m. se disait pour *drapeau*

étendre v. **1.** *Jean s'est étendu pou dormir,* il s'est couché, allongé. **2.** *Or a étendu des couvertures par terre* (= déplier, étaler). **3.** *La plaine s'étend sur des kilomètres,* elle n'es pas limitée (= se déployer). **4.** *Ce sirop se boit étendu d'eau,* on v ajoute de l'eau (= diluer). **5.** *Laura a étendu ses connaissances en géographie* (= augmenter, développer ; ≠ limiter).

■ **étendu** adj. SENS 3 *Ce lac est peu étendu* (= grand, vaste ; ≠ limité).

■ **étendue** n.f. **1.** SENS 3 *Quelle est l'étendue de ce pays ?* (= surface, superficie). *Un lac est une étendue d'eau.* **2.** *On ne connaît pas encore l'étendue de la catastrophe* (= importance).

■ **extension** n.f. SENS 3 ET 5 *On signale une extension de la grève,* que la grève s'étend (= développement).

R. → Conj. n° 50. → *étang.*

éternel adj. **1.** *Les chrétiens croient à une vie éternelle,* qui n'aura pas de fin. **2.** *Tu m'as juré une reconnaissance éternelle,* très longue.

■ **éternellement** adv. SENS 2 *Jean est éternellement fatigué* (= toujours).

■ **éterniser** v. SENS 2 *On ne va pas s'éterniser ici !,* rester longtemps.

■ **éternité** n.f. SENS 2 *Je t'ai attendu une éternité,* très longtemps.

éternuer v. *Souvent, quand on a un rhume, on éternue,* on fait un bruit brusque à la suite d'une sorte de chatouillement du nez.

■ **éternuement** n.m. *« Atchoum »* est le bruit de l'**éternuement.**

éther n.m. *L'éther sert à désinfecter les plaies,* un liquide.

R. On prononce [etɛr].

ethnie n.f. *Les ethnies africaines sont nombreuses* (= peuple).

■ **ethnique** adj. *« Français », « allemand », « russe » sont des noms et adjectifs ethniques,* de peuple, de nation.

■ **ethnologie** n.f. *L'ethnologue étudie l'ethnologie,* la science des peuples.

étiage n.m. *L'étiage d'un cours d'eau,* c'est son niveau le plus bas en période sèche.

étincelle n.f. *Quand on remue le feu, il se produit des étincelles,* des projections de minuscules braises. | 290

■ **étinceler** v. *La neige étincelle au soleil* (= briller, scintiller).

■ **étincelant** adj. *La table était couverte d'une cristallerie étincelante.*

s'étioler v. *Les plantes s'étiolent dans ce jardin sans soleil,* elles dépérissent.

étiquette n.f. **1.** *Le prix du manteau est marqué sur l'étiquette,* un petit carton. **2.** *À la cour des rois, il fallait respecter l'étiquette,* des règles précises (= cérémonial). | 223, 579

■ **étiqueter** v. SENS 1 *Dans ce magasin, les produits sont étiquetés,* ils ont une étiquette (= marquer).

R. *Étiqueter* → conj. n° 8.

étirer v. **1.** *On étire le fil de fer en tirant dessus* (= allonger). **2.** *Le chien s'étire quand il se réveille,* il allonge ses membres.

étoffe n.f. **1.** *En quelle étoffe est ce manteau ? — En coton* (= tissu). **2.** *Cette athlète a de l'étoffe,* de grandes capacités. | 223

■ **étoffer** v. SENS 2 *Il faut étoffer ce devoir,* l'allonger pour l'améliorer.

étoile n.f. **1.** *La nuit est claire, on voit les étoiles dans le ciel* (= astre). **2.** *Céline croit à son étoile,* qu'elle a de la chance. **3.** *Le drapeau américain porte 50 étoiles,* des dessins réguliers à plusieurs pointes. **4.** *Pierre aime beaucoup cette étoile de cinéma* (= vedette, star). **5.** *Sur cette plage, on trouve des étoiles de mer,* des petits animaux en forme d'étoile à cinq branches. | 724

■ **étoilé** adj. SENS 1 *Le ciel est étoilé.*

étole n.f. *Le prêtre porte l'étole autour du cou,* une large bande d'étoffe. | 149

étonner v. *Je suis très étonnée d'apprendre cette nouvelle* (= surprendre, ébahir).

■**étonnant** adj. *Cet immeuble est d'une hauteur* ***étonnante*** *(= étrange, inattendu, effarant).*

■**étonnamment** adv. *Elle reste* ***étonnamment*** *alerte pour son âge.*

■**étonnement** n.m. *D'* ***étonnement,*** *Aline écarquille les yeux* *(= stupeur).*

étouffer v. **1.** *On* ***étouffe*** *dans cette pièce,* on est gêné pour respirer. **2.** *Le tapis* ***étouffe*** *le bruit de nos pas* *(= atténuer).*

■**étouffant** adj. SENS 1 *Ce climat est* ***étouffant*** *(= suffocant).*

■**à l'étouffée** adv. *On a servi des pommes de terre cuites* ***à l'étouffée,*** à la vapeur, dans un récipient bien clos *(= à l'étuvée).*

■**étouffement** n.m. SENS 1 *Il est mort d'* ***étouffement,*** il ne pouvait plus respirer.

étourdi adj. et n. *Jeanne est une (fillette)* ***étourdie,*** elle agit sans réfléchir *(= distrait ; ≠ attentif, réfléchi).*

■**étourdiment** adv. *Jeanne a répondu* ***étourdiment.***

■**étourderie** n.f. *Tu as fait une faute d'* ***étourderie*** *(= inattention, distraction ; ≠ réflexion).*

étourdir v. **1.** *Le choc m'a* ***étourdie,*** je me suis à moitié évanouie. **2.** *Ce bruit nous* ***étourdit,*** il nous casse les oreilles *(= fatiguer, abrutir).*

■**étourdissant** adj. SENS 2 *Le chien poussait des cris* ***étourdissants*** *(= assourdissant).*

■**étourdissement** n.m. SENS 1 *Jean a eu un* ***étourdissement*** *(= vertige).*

étourneau n.m. **1.** *Les* ***étourneaux*** *volent souvent en bandes,* des oiseaux. **2.** *Tu as déjà oublié l'adresse ? quel* ***étourneau !*** *(= étourdi).*

étrange adj. *J'ai entendu un bruit* ***étrange*** *(= bizarre, étonnant, surprenant ; ≠ habituel, normal).*

■**étrangement** adv. *Il est* ***étrangement*** *habillé* *(= curieusement, drôlement).*

■**étrangeté** n.f. *J'ai été surprise par l'* ***étrangeté*** *de son attitude* *(= bizarrerie).*

étranger adj. **1.** *Véronica connaît deux langues* ***étrangères,*** des langues d'autres pays que le sien. **2.** *Je suis* ***étranger*** *à cette affaire,* je n'y ai pas participé.

■**étranger** SENS 1 **1.** n. *Beaucoup d'* ***étrangers*** *viennent à Vancouver en vacances,* des gens d'un autre pays. **2.** n.m. *Nous sommes partis à l'* ***étranger,*** dans un pays étranger.

étrangeté → *étrange.*

étrangler v. **1.** *La victime a été* ***étranglée,*** on lui a serré le cou. **2.** *Jean* ***s'étrangle*** *à force de rire,* il perd sa respiration *(= s'étouffer).*

■**étranglement** n.m. **1.** SENS 1 *La victime est morte par* ***étranglement.*** **2.** *Il y a un* ***étranglement*** *dans la rue,* une partie resserrée.

étrave n.f. *L'* ***étrave*** *est la pièce qui termine la coque d'un navire à l'avant.*

être v. **1.** *Pierre* ***est*** *enjoué, Marie* ***est*** *disciplinée.* **2.** *Nous* ***sommes*** *à Moncton.* **3.** *Ce livre* ***est*** *à moi,* il m'appartient. **4.** *La table* ***est*** *en bois,* faite de bois. **5.** *La maison* ***est*** *à vendre,* doit être vendue. **6.** *C'* ***est*** *toi qui as tort,* tu as tort. **7.** *Je pense, donc je* ***suis,*** j'existe.

■**être** n.m. SENS 7 *Nous sommes des* ***êtres humains,*** des hommes, des femmes. *Il ne faut pas faire souffrir les* ***êtres vivants*** *(= créature).*

R. → Conj. p. 8. *Être* sert à former le passif *(je* ***suis*** *aimé)* et pour quelques verbes les temps composés de l'actif *(je* ***suis*** *parti).*

étreindre v. *Ma mère m'a* ***étreint,*** elle m'a serré fortement dans ses bras.

■ **étreinte** n.f. *Le serpent ne desserrait pas son* **étreinte** (= prise).
R. → Conj. n° 55.

étrenner v. *Luce* **étrenne** *ses chaussures neuves,* elle s'en sert pour la première fois.

étrennes n.f.pl. *Le 1ᵉʳ janvier, j'ai reçu des* **étrennes** *de ma marraine,* un cadeau ou une somme d'argent. *Mme Lavoie a donné des* **étrennes** *au facteur,* une somme d'argent comme cadeau de fin d'année.

étrier n.m. *Le cavalier s'est dressé sur ses* **étriers**.

étrille n.f. 1. *On panse les chevaux avec une* **étrille**, un instrument qui gratte le poil. 2. *Une* **étrille** *est un petit crabe.*

étriqué adj. *Maryse porte une veste* **étriquée**, trop étroite (≠ ample).

étroit adj. 1. *La route est* **étroite** (≠ large). 2. *Tu as des idées* **étroites**, bornées (≠ tolérant). 3. *Ils sont en* **étroites** *relations,* ils sont très liés.
■ **à l'étroit** adv. SENS 1 *Anne se sent à l'étroit dans son costume* (≠ au large).
■ **étroitement** adv. SENS 3 *Ces deux questions sont* **étroitement** *liées,* elles sont inséparables.
■ **étroitesse** n.f. SENS 1 *L'étroitesse de la rue provoque des embouteillages.*
■ **rétrécir** v. SENS 1 *Le pantalon a rétréci au lavage,* il est devenu plus étroit (≠ s'élargir).
■ **rétrécissement** n.m. SENS 1 *Les travaux ont entraîné un* **rétrécissement** *de la rue.*

étude n.f. 1. *L'étude des maths l'intéresse beaucoup,* le travail qu'il faut faire pour les apprendre. 2. (au plur.) *Jacques a fini ses* **études**, il a cessé d'aller à l'école ou à l'université. 3. *Mme Truong a écrit une* **étude** *sur les fourmis* (= livre, ouvrage).

4. *L'étude d'un notaire* est l'endroit où il travaille.
■ **étudier** v. SENS 1 ET 2 *Maria* **étudie** *le piano* (= apprendre). *Il faut* **étudier** *cette affaire,* y travailler.
■ **étudiant** n. SENS 2 *Caroline est* **étudiante** *en sciences,* elle fait des études à l'université.
■ **studieux** adj. SENS 1 *Maria est* **studieuse**, elle étudie bien (= appliqué ; ≠ paresseux).

étui n.m. *Remets les jumelles dans leur* **étui** !, la boîte faite spécialement pour les contenir.

étuve n.f. *Dans cette chambre, on transpire comme dans une* **étuve**, une pièce surchauffée.
■ **à l'étuvée** adv. *Ces légumes sont cuits à l'étuvée* (= à l'étouffée).

étymologie n.f. *L'étymologie du mot « étude » est le mot latin « studium »* (= origine).
■ **étymologique** adj. *Un dictionnaire* **étymologique** *indique l'origine des mots.*
■ **étymologiquement** adv. *« Vertu » signifie* **étymologiquement** *« force ».*

eucalyptus n.m. *L'eucalyptus* est un arbre des régions chaudes, dont les feuilles sentent très bon.

eucharistie n.f. *L'eucharistie* est un sacrement par lequel, selon l'Église catholique, Jésus-Christ devient présent dans le pain et le vin (= communion).

euh ! → *heu !*

euphémisme n.m. *Quand on dit « il n'est pas génial » pour signifier « c'est un imbécile », on fait un* **euphémisme**, une atténuation de l'expression.

euphorie n.f. *Katy est en pleine* **euphorie**, elle est très contente, elle se sent bien (≠ angoisse).
■ **euphorique** adj. *Il a un air* **euphorique**.

eux pron.pers. est le pluriel de *lui* : *Je vais avec **eux.***

évacuer v. *La police a fait **évacuer** la salle,* sortir les gens qui s'y trouvaient.
■ **évacuation** n.f. *Les pompiers se sont chargés de l'**évacuation** des blessés,* de les transporter ailleurs.

s'évader v. *La prisonnière a réussi à s'**évader**,* à s'échapper de sa prison (= s'enfuir).
■ **évasion** n.f. *Il a été rattrapé après son **évasion*** (= fuite).

évaluer v. *Cette maison est **évaluée** (à) 70 000 dollars,* c'est à peu près sa valeur.
■ **évaluation** n.f. *Tu t'es trompée dans ton **évaluation*** (= estimation).
■ **sous-évaluer** v. *Ils ont **sous-évalué** tes capacités,* ils les ont évaluées trop bas.
■ **surévaluer** v. *Cette maison est **surévaluée**,* évaluée trop haut.

évangile n.m. *Les quatre **Évangiles** sont des textes contenant l'enseignement de Jésus-Christ ;* cet enseignement est appelé lui aussi *Évangile.*
■ **évangélique** adj. *La doctrine **évangélique** est la doctrine de l'Évangile.*
■ **évangéliser** v. *Évangéliser des gens,* c'est leur prêcher l'Évangile.
■ **évangéliste** n.m. *Saint Luc est l'un des quatre **évangélistes**,* l'auteur d'un Évangile.

s'évanouir v. **1.** *Elle était si faible qu'elle s'est **évanouie**,* elle ne se rend pas compte de ce qui se passe autour d'elle (= perdre connaissance ; ≠ revenir à soi). **2.** *Ses espoirs se sont **évanouis**,* elle n'espère plus (= disparaître).
■ **évanouissement** n.m. SENS 1 *Son évanouissement a duré dix minutes.*

évaporation, évaporer → vapeur.

évasé adj. *Ce coquillage est **évasé**,* largement ouvert.

évasif adj. *Sa réponse a été **évasive*** (= imprécis, vague ; ≠ net, clair).
■ **évasivement** adv. *Je ne suis pas plus renseignée car il m'a répondu **évasivement**.*

évasion → s'évader.

évêché → évêque.

éveiller v. **1.** *Elle s'est **éveillée** brusquement* (= se réveiller ; ≠ s'endormir). **2.** *Sa réponse a **éveillé** les soupçons* (= causer, provoquer ; ≠ apaiser).
■ **éveil** n.m. **1.** SENS 1 *Le chien en aboyant a donné l'**éveil**,* il nous a alertés (= alarme). **2.** *Sa curiosité est perpétuellement en **éveil**,* attentive.
■ **éveillé** adj. *Pierre est un garçon **éveillé**,* dont l'esprit est en éveil (= vif, dégourdi ; ≠ mou).

événement n.m. *Connais-tu la suite des **événements** ?,* ce qui s'est passé ensuite (= fait).

éventail → éventer.

éventaire n.m. *Il y a un **éventaire** devant la librairie,* une table portant des marchandises.

éventer v. **1.** *Isabelle s'**évente** avec son journal,* elle l'agite pour se donner de l'air. **2.** *Le vin s'est **éventé**,* il a perdu son goût à l'air.
■ **éventail** n.m. SENS 1 *Cet **éventail** de plumes est très joli,* cet instrument pour s'éventer.

éventrer v. *Le matelas a été **éventré** par un coup de couteau* (= déchirer, crever).

éventuel adj. *Elle m'a parlé de son départ **éventuel*** (= possible ; ≠ certain, inévitable).
■ **éventuellement** adv. *Je vous préviendrai **éventuellement**,* s'il y a lieu (≠ de toute façon).
■ **éventualité** n.f. *On a examiné tou-*

tes les *éventualités,* tout ce qui pourrait arriver.

évêque n.m. Un *évêque* est un prêtre qui dirige un diocèse.

■ **évêché** n.m. L'*évêché* est la résidence de l'évêque.

■ **épiscopal** adj. *Une bénédiction épiscopale* est celle que donne un évêque.

■ **épiscopat** n.m. L'*épiscopat français s'est réuni,* l'ensemble des évêques.

■ **archevêque** n.m. Un *archevêque* est supérieur à un évêque.

■ **archevêché** n.m. *Il y a au Canada dix-huit archevêchés.*

s'évertuer v. Jeanne *s'est évertuée en vain à me convaincre* (= essayer, s'efforcer).

éviction → évincer.

évident adj. *Elle a apporté une preuve évidente de son innocence* (= certain, incontestable ; ≠ douteux).

■ **évidence** n.f. *Tu as raison, c'est une évidence* (= certitude ; ≠ doute).

■ **évidemment** adv. *Tu acceptes ? — Évidemment !* (= bien sûr).

évider v. *Évider un tronc d'arbre,* c'est le creuser.

évier n.m. L'*évier est plein de vaisselle sale.*

évincer v. *Elle se plaint d'avoir été évincée,* d'avoir été écartée.

■ **éviction** n.f. *Il se plaint de son éviction* (= élimination).

éviter v. 1. *La conductrice n'a pas pu éviter l'accident,* empêcher qu'il se produise (= échapper à). 2. *Évite de fumer !,* ne fume pas ! 3. *Il m'a évité des ennuis,* je n'en ai pas eu grâce à lui (= épargner).

■ **inévitable** adj. SENS 1 *Avec ce verglas, l'accident était inévitable* (= fatal).

■ **inévitablement** adv. SENS 1 *Si tu ne pars pas tout de suite, tu seras inévitablement en retard* (= fatalement).

évocateur, évocation → évoquer.

évoluer v. *La mode évolue sans cesse,* elle change, se transforme.

■ **évolutif** adj. *Une situation évolutive* est en cours de changement.

■ **évolution** n.f. L'*évolution de sa maladie est inquiétante* (= développement, progrès).

évoquer v. *Elle a évoqué son enfance,* elle en a parlé (= rappeler).

■ **évocateur** adj. *Un livre évocateur* permet de bien se représenter une situation.

■ **évocation** n.f. L'*oratrice a commencé par une évocation de la dernière guerre,* par le rappel de ces événements.

ex-, placé devant un nom de personne, indique ce qu'elle a été : un *ex-ministre* n'est plus ministre.

exacerber v. *Exacerber un sentiment,* c'est le porter à un degré très élevé (= aviver).

exact adj. 1. *Quelles sont les dimensions exactes de cette chambre ?* (= vrai, juste, précis). 2. *Luisa est toujours exacte à ses rendez-vous,* elle arrive à l'heure (= ponctuel).

■ **exactement** adv. SENS 1 *Il est exactement 7 heures* (= juste, précisément).

■ **exactitude** n.f. SENS 1 *Il faut vérifier l'exactitude de ses réponses.*

■ **inexact** adj. SENS 1 *Tu as donné des renseignements inexacts* (= faux).

■ **inexactitude** n.f. SENS 1 *J'ai relevé des inexactitudes dans ton devoir* (= faute, erreur).

R. *Exact* se prononce [ɛgza] ou [ɛgzakt].

exaction n.f. *La population a souffert des exactions des troupes d'occupation,* des actes de violence, des abus.

ex aequo adv. *Ils sont arrivés ex aequo,* à égalité.
R. On prononce [εgzeko].

exagérer v. **1.** *Tu exagères l'importance de cette affaire,* tu lui donnes trop d'importance (≠ atténuer). **2.** *Tu es encore en retard, tu exagères !,* tu dépasses la limite (= abuser).
■ **exagération** n.f. SENS 1 *Il y a de l'exagération dans ses paroles.*
■ **exagérément** adv. SENS 1 *Ses reproches sont exagérément sévères* (= beaucoup trop).

s'exalter v. *Elle s'exalte, quand elle parle de cinéma* (= s'exciter, s'enthousiasmer ; ≠ se calmer).
■ **exaltation** n.f. *On a essayé de calmer son exaltation* (= surexcitation).

examen n.m. **1.** *Rachid a passé l'examen d'entrée au collège* une épreuve pour voir s'il était capable. **2.** *Les enquêteurs ont fait un examen des lieux,* ils les ont regardés attentivement.
■ **examiner** v. SENS 2 *J'ai passé la journée à examiner ces papiers* (= regarder, étudier).
■ **examinateur** n. SENS 1 *L'examinateur a interrogé les candidats.*

exaspérer v. *Mes reproches l'ont exaspérée,* ils l'ont beaucoup énervée (= irriter).
■ **exaspération** n.f. *Elle ne pouvait cacher son exaspération* (= colère, fureur).

exaucer v. *Tous mes désirs sont exaucés* (= satisfaire, combler).
R. *Exaucer* se prononce [εgzose] comme *exhausser.*

151 **excavation** n.f. *La bombe a creusé une excavation,* un trou dans le sol.
152, 581 ■ **excavatrice** n.f. *Une excavatrice* est un engin qui creuse et déplace de la terre, des matériaux.

excéder v. **1.** *Le prix de cette voiture excède 10 000 dollars* (= dépasser).

2. *Gina est excédée par mes reproches* (= exaspérer, irriter).
■ **excédent** n.m. SENS 1 *Il y a un excédent de blé,* il y en a trop.
■ **excédentaire** adj. SENS 1 *La production de blé a été excédentaire cette année.*

excellent adj. *Ce vin est excellent,* très bon (= supérieur ; ≠ détestable).
■ **exceller** v. *Aline excelle au ping-pong,* elle y est très forte.
■ **excellence** n.f. **1.** *Katy a eu le prix d'excellence,* le premier prix. **2.** *On dit « Excellence »* à une ambassadrice ou à un évêque.

excentrique → *centre.*

excepter v. *Si l'on excepte quelques incidents mineurs, tout s'est bien passé,* si on les met à part (= ôter, retrancher).
■ **excepté** prép. *Tout le monde était là, excepté nous* (= sauf, à part).
■ **exception** n.f. *Tout le monde a pu rentrer sans exception* (= restriction). *Un aussi beau temps est une exception en cette saison,* ce n'est pas normal (≠ règle).
■ **exceptionnel** adj. *Tu as une chance exceptionnelle,* très rare (= remarquable ; ≠ courant).
■ **exceptionnellement** adv. *Le travail finira exceptionnellement à 5 heures.*

excès n.m. **1.** *Nous avons eu une amende pour excès de vitesse,* pour avoir dépassé la vitesse permise. **2.** (au plur.) *Il faut éviter les excès,* de trop boire et de trop manger.
■ **excessif** adj. SENS 1 *Ces prix sont excessifs,* trop élevés (= énorme ; ≠ normal).

exciter v. **1.** *Son succès a excité la jalousie,* il en est la cause (= provoquer, entraîner). **2.** *Ne t'excite pas, garde ton calme !* (= s'énerver ; ≠ se calmer).

■**excitant** adj. et n.m. SENS 2 *Si on en boit trop, le café est (un)* **excitant.**

■**excitation** n.f. SENS 2 *On a essayé de calmer son* **excitation.**

■**surexciter** v. SENS 2 *Cet enfant est* **surexcité,** très excité.

■**surexcitation** n.f. SENS 2 *Gina est dans un état de* **surexcitation,** de grande agitation.

s'exclamer v. *« Enfin ! » s'est-il exclamé* (= s'écrier).

■**exclamatif** adj. *Une phrase* **excla-mative** *finit par un point d'exclama-tion.*

■**exclamation** n.f. *« Que c'est beau ! »* est une **exclamation.**

exclure v. 1. *Tu* ***as été exclue*** *du col-lège ?,* mise à la porte (= renvoyer). 2. *Il* ***a exclu*** *la possibilité de venir demain,* il l'a écartée, éliminée.

■**exclusif** adj. SENS 2 *La vente des cigarettes est un droit* **exclusif** *de l'État,* personne d'autre n'a ce droit (= spécial, réservé).

■**exclusivement** adv. SENS 2 *Cet or-chestre joue* **exclusivement** *de la mu-sique ancienne* (= uniquement).

■**exclusion** n.f. SENS 1 *Tu risques l'***exclusion*** (= renvoi). SENS 2 *Le ma-gasin est ouvert tous les jours,* ***à l'exclusion*** *du dimanche après-midi* (= sauf).

■**exclusivité** n.f. SENS 2 *Ce film passe en* **exclusivité,** *dans certains cinémas seulement.*

R. → Conj. n° 68.

excommunication, excommu-nier → *communier.*

excrément n.m. *Après la digestion, notre corps rejette des* **excréments,** des matières solides qui sont les restes des aliments.

excroissance n.f. *Une verrue est une petite* **excroissance** *sur la peau* (= protubérance, proéminence).

excursion n.f. *Nous avons fait une* **excursion** *dans la forêt,* une longue promenade.

excuser v. *Céline nous a demandé de l'***excuser*** (= pardonner ; ≠ accuser, condamner). *Étant absent, il n'a pu* ***s'excuser,*** demander pardon.

■**excuse** n.f. *Elle est venue présenter ses* **excuses** (= explication, raison, regret).

■**inexcusable** adj. *Sa faute est* **inex-cusable** (= impardonnable).

exécrer v. *Nancy* **exècre** *les huîtres,* elle les déteste.

■**exécrable** adj. *Ce vin est* **exécrable,** très mauvais (= détestable).

exécuter v. 1. *Il a fallu un an pour* **exécuter** *ce travail* (= faire, réaliser accomplir). 2. *Le condamné à mort* ***a été exécuté*** (= tuer). 3. *L'orchestre* ***a exécuté*** *une symphonie* (= jouer). 4. *Il n'a pas voulu* ***s'exécuter,*** faire ce qu'il devait faire.

■**exécutant** n. SENS 1 *Il n'est qu'un simple* **exécutant,** il travaille sous les ordres de quelqu'un. SENS 3 *Cet orches-tre compte cinquante* **exécutants** (= musicien).

■**exécutif** adj. SENS 1 *Le gouverne-ment est chargé du pouvoir* **exécutif,** il fait appliquer les lois (≠ législatif).

■**exécution** n.f. SENS 1 *Á qui est confiée l'***exécution*** *de ce travail ?* SENS 2 *Un peloton d'***exécution*** *a fusillé l'espionne,* un groupe de soldats chargés de l'exécuter.

exégèse n.f. *L'***exégèse*** *d'un texte,* c'est son explication.

exemple n.f. 1. *Sa conduite peut servir d'***exemple,*** on peut l'imiter (= mo-dèle, règle). 2. *On m'a cité plusieurs* **exemples** *de sa générosité,* des faits qui la prouvent. 3. *J'aime les fruits,* ***par exemple*** *les pêches,* entre autres fruits.

■**exemplaire 1.** adj. SENS 1 *Tu as montré un courage exemplaire* (= parfait). **2.** n.m. *Je possède deux exemplaires de ce livre,* j'ai deux fois le même.

exempt adj. *Qui est exempt d'impôts ?,* qui n'en paie pas.
■**exempter** v. *On a exempté Jacques du service militaire,* on lui a permis de ne pas le faire comme les autres (= dispenser).
■**exemption** n.f. *Pauline bénéficie d'une exemption d'impôts* (= exonération, dispense).
R. On prononce [ɛgzã, ɛgzãte] mais [ɛgzãpsjɔ̃].

exercer v. **1.** *Marie s'exerce tous les jours à jouer du piano,* elle l'apprend en faisant des exercices (= s'entraîner). **2.** *Sophie exerce des fonctions importantes,* elle les a.
■**exercice** n.m. **1.** SENS 1 *As-tu fait tes exercices de calcul ?* (= devoir). SENS 2 *L'exercice de son métier lui prend beaucoup de temps* (= pratique). **2.** *Tu devrais faire un peu d'exercice,* de la gymnastique ou du sport.

exergue n.m. *Tu as mis en exergue une citation de Nelligan,* tu as mis cette citation en tête de ton ouvrage.

exhaler v. *Ce produit exhale une odeur bizarre* (= répandre, dégager).
■**exhalaison** n.f. *On sent les exhalaisons des égouts* (= odeur).

exhausser v. *On a exhaussé la maison d'un étage,* on a augmenté sa hauteur (≠ hausser, surélever).
R. *Exhausser* se prononce [ɛgzose] comme *exaucer.*

exhaustif adj. *Une liste exhaustive* ne laisse rien de côté (= complet).

exhiber v. *On m'a demandé d'exhiber mes papiers* (= montrer).

■**exhibition** n.f. *Faire une exhibition,* c'est se donner en spectacle, attirer l'attention sur soi.

exhorter v. *Michèle m'a exhortée à la prudence,* elle m'a recommandé d'être prudente (= inciter, inviter).
■**exhortation** n.f. *Malgré mes exhortations, elle est partie se baigner* (= conseil, recommandation).

exhumer → *inhumer.*

exiger v. **1.** *Il a exigé que nous venions demain,* il l'a réclamé avec force (= ordonner). **2.** *Ce travail exige beaucoup d'application,* il en faut beaucoup (= demander, nécessiter).
■**exigeant** adj. SENS 1 *Ce professeur est très exigeant* (= sévère).
■**exigence** n.f. SENS 1 *Tes exigences sont exagérées* (= demande, volonté).
■**exigible** adj. SENS 1 *L'impôt est exigible à partir du 30 avril,* il doit être versé.

exigu adj. *Cette chambre est exiguë,* trop petite (≠ vaste).
■**exiguïté** n.f. *L'exiguïté de la salle ne permet d'inviter que quelques personnes.*

exiler v. *Sous Louis XIV, beaucoup de protestants français s'exilèrent,* ils quittèrent leur pays (= s'expatrier).
■**exil** n.m. *Après dix ans d'exil, elle est revenue dans sa patrie.*

exister v. **1.** *Il y a cent ans, nous n'existions pas* (= vivre). **2.** *Il existe une seule route pour aller dans ce village* (= il y a).
■**existant** adj. SENS 2 *Il faut tenir compte de la situation existante,* présente.
■**existence** n.f. SENS 1 *Elle a eu des malheurs dans son existence* (= vie).
■**coexister** v. SENS 2 *Plusieurs tendances coexistent dans ce parti,* elles s'y trouvent en même temps.

■**coexistence** n.f. SENS 2 *Ce parti admet la **coexistence** de plusieurs tendances.*

■**inexistant** adj. SENS 2 *Les preuves contre elle sont **inexistantes,** il n'y en a pas.*

■**préexister** v. SENS 2 *Ces bâtiments **préexistaient** à la construction de votre maison,* ils existaient avant.

●**exode** n.m. *L'avance de l'ennemi a provoqué l'**exode** des populations* (= fuite).

●**exonérer** v. *Bianca est **exonérée** d'impôts,* elle est dispensée d'en payer.
■**exonération** n.f. *M. Durand bénéficie d'une **exonération** d'impôts* (= exemption).

●**exorbitant** adj. *Ce prix est **exorbitant*** (= excessif, abusif).

●**exorbité** → *orbite.*

●**exotique** adj. *Les bananes, les ananas sont des fruits **exotiques,*** qui viennent de pays lointains.
■**exotisme** n.m. *Des cocotiers mettent une note d'**exotisme** dans le tableau* (= dépaysement, couleur locale).

●**expansif** adj. *Mme Ferreira est une femme **expansive,*** elle dit ce qu'elle pense, ce qu'elle ressent (= ouvert ; ≠ timide).

●**expansion** n.f. *Cette industrie est en pleine **expansion,*** elle se développe (= essor).

●**expatrier** → *patrie.*

●**expectative** n.f. *Étant mal informés, nous restons dans l'**expectative,*** nous attendons prudemment.

●**expectorer** v. *La malade tousse, mais n'**expectore** pas,* elle ne crache pas de mucosités.

●**expédient** n.m. *Elle cherche un **expédient** pour se tirer d'affaire,* un moyen habile.

●**expédier** v. 1. *J'ai **expédié** le paquet par la poste* (= envoyer, adresser). 2. *Line a **expédié** son travail en une heure,* elle l'a fait très vite (= bâcler).
■**expéditeur** n. SENS 1 *Le nom de l'**expéditeur** doit être indiqué au dos de la lettre* (≠ destinataire).

●**expéditif** adj. SENS 2 *Tu es une personne **expéditive,*** tu travailles vite.

●**expédition** n.f. 1. SENS 1 *Ce service est chargé de l'**expédition** des colis* (= envoi). 2. *Une **expédition** scientifique est partie pour le pôle Nord,* un groupe de savants.

■**expéditionnaire** adj. *Un **corps expéditionnaire,*** ce sont des troupes envoyées en opérations militaires hors du sol national.

●**expérience** n.f. 1. *Jacqueline a fait une **expérience** de chimie,* un essai pour étudier quelque chose. 2. *Marthe a de l'**expérience,*** elle connaît bien les gens et les choses.

■**expérimental** adj. SENS 1 *La méthode **expérimentale** est fondée sur l'expérience.*

■**expérimenté** adj. SENS 2 *Mme Scott est une avocate **expérimentée*** (= habile ; ≠ débutant).

■**expérimenter** v. SENS 1 *On a **expérimenté** ce médicament avant de le mettre en vente* (= essayer).

■**inexpérience** n.f. SENS 2 *L'accident est dû à l'**inexpérience** du conducteur,* il était débutant.

■**inexpérimenté** adj. SENS 2 *Ce jeune pompier est encore **inexpérimenté.***

●**expert** n. *Elle a fait évaluer ses tableaux par un **expert,*** une personne qui sait le prix des tableaux (= spécialiste).
■**expertise** n.f. *Ils ont fait faire une **expertise** de leurs tableaux,* une étude par un expert.

■**expertiser** v. *On a fait **expertiser** ce bijou,* on l'a fait examiner par un expert.

768

expier v. *Expier une faute,* c'est subir la peine qu'elle entraîne.

expirer v. 1. *Expirez lentement par le nez !* (= souffler ; ≠ inspirer). 2. *Le délai expire à la fin de la semaine* (= finir). 3. *Son grand-père est sur le point d'expirer* (= mourir).

■ **expiration** n.f. SENS 1 *Contractez vos muscles pendant l'expiration.* SENS 2 *À l'expiration de son mandat, elle s'est représentée* (= fin, terme ; ≠ continuation).

explétif adj. *Dans la phrase : « je crains qu'il ne soit trop tard », « ne » est explétif,* il n'a pas de sens propre .

explicable, explicatif, explication → *expliquer.*

explicite adj. *Ce texte est très explicite,* il dit tout très clairement.

■ **explicitement** adj. *Les conditions sont indiquées explicitement dans le contrat,* en toutes lettres (≠ implicitement).

expliquer v. *Le professeur nous explique comment fonctionne un moteur,* il nous le fait comprendre.

■ **explicable** adj. *Cet incident est facilement explicable.*

■ **explicatif** adj. *Une notice explicative est fournie avec l'appareil,* elle en explique le fonctionnement.

■ **explication** n.f. *Elle m'a demandé l'explication de mon retard* (= cause, raison, motif).

■ **inexplicable** adj. *Les raisons de l'accident sont inexplicables* (= incompréhensible).

■ **inexpliqué** adj. *Le mobile du crime reste inexpliqué.*

exploit n.m. *Cette nageuse a accompli un exploit,* une action remarquable (= performance).

exploiter v. 1. *Cette mine est exploitée depuis deux ans,* on en tire du minerai. 2. *Katy n'a pas su exploiter son avantage,* en tirer parti (= profiter de). 3. *Ces pauvres gens sont exploités,* quelqu'un les fait travailler à son profit.

■ **exploitant** n. SENS 1 *Les exploitants (agricoles) ont été touchés par la sécheresse,* ceux qui exploitent une terre (= paysan).

■ **exploitation** n.f. SENS 1 *La forêt a été mise en exploitation,* on l'exploite. *Mme Steven possède une exploitation agricole,* une terre qu'elle exploite. SENS 3 *Le personnel proteste contre l'exploitation,* les abus.

■ **exploiteur** n. SENS 3 *À bas les exploiteurs !* (= profiteur).

explorer v. *Des savants ont exploré cette région inconnue,* ils l'ont parcourue pour l'étudier.

■ **explorateur** n. *Stanley et Livingstone furent de grands explorateurs.*

■ **exploration** n.f. *L'exploration de la Lune vient à peine de commencer* (= découverte).

■ **inexploré** adj. *Il reste peu de régions inexplorées sur la Terre* (= inconnu).

exploser v. *La chaudière a explosé,* elle a éclaté violemment.

■ **explosif** 1. n.m. *La poudre, le plastic, la dynamite sont des explosifs.* 2. adj. *La situation dans ce pays est explosive,* elle est instable, dangereuse.

■ **explosion** n.f. 1. *L'explosion de la bombe a fait plusieurs morts* (= éclatement, déflagration). 2. *La nouvelle a été accueillie par une explosion de joie* (= débordement).

exportateur, exportation, exporter → *importer* 2.

exposer v. 1. *Jean m'a exposé ses projets* (= expliquer, décrire). 2. *On a exposé ses tableaux,* on les a montrés au public. **3.** *La maison est exposée au sud*, elle est tournée vers cette direction. **4.** *Jean s'est exposé à de graves dangers* (= courir, risquer).

■ **exposant** n. SENS 2 *Parmi les exposants du Salon, il y a des peintres célèbres*, parmi ceux qui exposent.

■ **exposé** n.m. SENS 1 *Elle nous a fait un exposé sur le pôle Nord*, elle nous en a parlé (= cours).

■ **exposition** n.f. SENS 2 *Nous avons visité l'exposition de peinture.* SENS 3 *La maison a une bonne exposition* (= orientation).

exprès **1.** adj. *Interdiction expresse de fumer dans cette pièce !* (= absolu, formel). **2.** adj. inv. *Pierre m'a envoyé une lettre exprès,* qui va plus vite que les lettres ordinaires. **3.** adv. *Lori est en retard, mais elle ne l'a pas fait exprès* (= intentionnellement, volontairement).

■ **express** adj. et n.m. SENS 2 *Un (train) express va plus vite que les autres trains* (≠ omnibus).

■ **expressément** adv. SENS 1 *Elle m'a demandé expressément de venir,* elle a insisté (= absolument).

R. *Exprès* se prononce [ɛksprɛs] aux sens 1 et 2 et [ɛksprɛ] au sens 3.

exprimer v. **1.** *Son visage exprime une grande joie*, il la laisse voir (= manifester). **2.** *John commence à s'exprimer en français* (= parler). **3.** *On fait une orangeade en exprimant le jus d'une orange*, en pressant l'orange.

■ **expressif** adj. SENS 1 *Marie a un visage expressif*, qui exprime ses sentiments (≠ figé).

■ **expression** n.f. SENS 1 *Pourquoi as-tu cette expression de surprise ?* (= air). SENS 2 *Tu emploies des expressions grossières*, tu parles grossièrement (= mot, locution).

■ **inexpressif** adj. SENS 1 *Jules a des yeux inexpressifs,* sans expression.

■ **inexprimable** adj. SENS 2 *J'éprouve une joie inexprimable,* difficile à dire.

exproprier → *propriété.*

expulser v. *La police a expulsé les perturbateurs,* elle les a mis dehors (= chasser).

■ **expulsion** n.f. *Un décret d'expulsion l'a chassé du pays.*

exquis adj. *Ce repas est exquis,* très bon.

exsangue → *sang.*

extase n.f. *Caroline est en extase devant la vitrine du marchand de jouets,* elle la regarde avec une grande admiration (= ravissement).

■ **s'extasier** v. *On s'est extasié devant la beauté du paysage* (= s'enthousiasmer).

extensible adj. *Ce vêtement est en tissu extensible,* qui peut s'allonger (= élastique).

extension → *étendre.*

exténuer v. *Cette longue marche m'a exténué,* beaucoup fatigué.

■ **exténuant** adj. *J'ai fait un travail exténuant* (= épuisant, éreintant).

extérieur, extérieurement → *intérieur.*

exterminer v. *On a acheté un produit pour exterminer les fourmis,* pour les tuer toutes.

■ **extermination** n.f. *Les nazis avaient créé des camps d'extermination,* pour tuer des populations entières.

externe **1.** adj. *Il a un bouton sur la partie externe du nez,* la partie extérieure (≠ interne). **2.** adj. et n. *Les (élèves) externes rentrent chez eux tous les soirs* (≠ interne).

■ **externat** n.m. SENS 2 Un *externat* est un établissement qui ne reçoit que des élèves externes (≠ internat).

extincteur, extinction → *éteindre.*

extirper v. On a eu bien du mal à lui *extirper* une réponse (= arracher).

extorquer v. On voulait lui *extorquer* de l'argent, l'obtenir malhonnêtement.

extra adj. inv. Ces fruits sont *extra,* très bons.

R. Placé devant un mot, *extra-* indique ce qui est à l'extérieur ou ce qui est à un degré élevé.

extraction → *extraire.*

extradition n.f. Le gouvernement a procédé à l'*extradition* du criminel, il l'a livré aux autorités de son pays qui le réclamaient.

extraire v. 1. Dans cette mine, on *extrait* du charbon, on le tire de la terre. 2. On *extrait* l'alcool du vin, on le fait avec le vin. 3. La dentiste m'a *extrait* une dent (= arracher).
■ **extraction** n.f. SENS 3 L'*extraction* de ma dent malade m'a fait beaucoup souffrir.
■ **extrait** n.m. 1. SENS 2 Un *extrait* de lavande est un liquide obtenu à partir de la lavande. 2. J'ai lu quelques *extraits* de ce roman (= passage).
R. → Conj. n° 79.

extraordinaire, extraordinairement → *ordinaire.*

extraterrestre → *terre.*

extravagant adj. Tu as des idées *extravagantes* (= bizarre, grotesque; ≠ sage).
■ **extravagance** n.f. Je n'ai pas écouté ses *extravagances,* ses paroles bizarres.

extrême adj. 1. Elle a montré un désir *extrême* de nous voir, très grand (= intense ; ≠ faible). 2. M. Dupuis est partisan des solutions *extrêmes,* radicales, excessives (≠ modéré). 3. Demain, c'est l'*extrême* limite pour payer vos impôts, la dernière limite (= ultime).
■ **extrême** n.m. SENS 2 Elle passe toujours d'un *extrême* à l'autre, d'un excès à l'excès opposé.
■ **extrêmement** adv. SENS 1 M. Duval est *extrêmement* riche (= très, immensément).
■ **extrémiste** adj. et n. SENS 2 M. Dupuis est un *extrémiste* (≠ modéré).
■ **extrémité** n.f. SENS 3 Le phare est à l'*extrémité* du cap (= bout).

extrême-onction n.f. On reçoit l'*extrême-onction* quand on risque de mourir, un sacrement.

exubérant adj. Tu as une imagination *exubérante,* très riche (= débordant).

exulter v. Quand elle a su la nouvelle, elle a *exulté,* elle a été très contente.

ex-voto n.m.inv. Dans une église, les *ex-voto* sont des plaques portant des inscriptions de remerciement.

fa n.m. Le *fa* est la quatrième note de la gamme.

fable n.f. *La Fontaine a écrit des fables,* des poésies qui comportent une morale (= apologue).
■ **fabuliste** n.m. *La Fontaine est un fabuliste.*

fabriquer v. *Dans cette usine, on fabrique des meubles,* on les exécute (= faire).
■ **fabrique** n.f. se disait autrefois pour *usine.*
■ **fabricant** n.m. *Il est fabricant de parapluies.*
■ **fabrication** n.f. *Il y a un défaut de fabrication dans ces verres.*
■ **préfabriqué** adj. *Les maisons préfabriquées sont faites d'éléments fabriqués d'avance.*
R. On distingue, dans l'orthographe, *fabricant* (n.m.) et *fabriquant* (participe).

fabuleux adj. *Elle a une fortune fabuleuse* (= énorme).
■ **fabuleusement** adv. *Cette vedette est fabuleusement riche* (= extrêmement, prodigieusement).

fabuliste → *fable.*

façade n.f. **1.** *On a ravalé la façade de l'immeuble,* la partie où se trouve l'entrée principale. **2.** *Elle est très inquiète, malgré son calme de façade,* son calme apparent.

face n.f. **1.** *Quels sont les muscles de la face ?* (= visage, figure). **2.** *Un dé est un cube à six faces,* six surfaces planes. **3.** *Cette photo a été prise de face,* le sujet photographié est vu de devant (≠ de dos, de côté, de profil). **4.** *Il y a un arbre en face de la maison,* devant. *Ces deux maisons sont face à face,* l'une en face de l'autre. **5.** *Il a fallu faire face aux difficultés,* les accepter, y répondre (= affronter).
■ **facial** adj. SENS 1 *Voici un cas de paralysie faciale,* de la face.
■ **facette** n.f. SENS 2 *Les facettes d'un diamant* sont ses petites surfaces planes.
■ **faciès** n.m. SENS 1 *Cette personne a un faciès repoussant,* un visage à l'aspect très marqué.

facétie n.f. *On lui a fait une facétie* (= farce, blague).
■ **facétieux** adj. *Seydou est facétieux,* il aime faire des farces (= farceur).
R. On prononce [fasesi, fasesjø].

facette → *face.*

fâché adj. *Je suis vraiment fâchée des ennuis qui vous arrivent,* j'en suis désolée, contrariée.
■ **fâcheux** adj. *C'est fâcheux que tu ne puisses pas venir,* je le regrette (= ennuyeux, regrettable).

se fâcher v. **1.** *Attention, je vais me fâcher !,* me mettre en colère. **2.** *Catherine s'est fâchée* (ou *est fâchée*) *avec Pierre,* ils ne sont plus amis (= brouiller ; ≠ réconcilier).

fâcheux → *fâché.*

facial, faciès → *face.*

facile adj. 1. *Cette question est facile,* on y répond sans difficulté (= simple ; ≠ difficile). *Voilà un travail facile* (= aisé). 2. *Tu n'as pas un caractère facile,* accommodant (= souple).
■ **facilement** adv. SENS 1 *Ce livre se lit facilement* (= aisément).
■ **facilité** n.f. SENS 1 *Tu as répondu à la question avec facilité* (≠ difficulté). (au plur.) *On a obtenu des facilités de paiement,* des conditions plus faciles (= délai).
■ **faciliter** v. SENS 1 *En m'aidant, tu m'as facilité les choses,* tu me les as rendues plus faciles.

1. façon n.f. 1. *Paul a une curieuse façon de s'habiller* (= manière). 2. (au plur.) *Je n'aime pas ses façons,* sa manière d'agir. 3. *La directrice m'a reçu chez elle sans façon,* en toute simplicité. 4. *J'ai agi de façon (à ce) que chacun soit content,* pour que.

2. façon n.f. *J'ai fait faire un costume : comme j'avais le tissu, je n'ai eu que la façon à payer,* le travail de l'artisan (= main d'œuvre).
■ **façonner** v. *La potière façonne un vase,* elle lui donne sa forme.
■ **malfaçon** n.f. *Cet artisan a été accusé de malfaçon,* d'un défaut dans l'ouvrage exécuté.

fac-similé n.m. *Cette gravure est un fac-similé d'un tableau célèbre,* une reproduction exacte.

1. facteur n. *La factrice distribue le courrier,* l'employée de la poste.

2. facteur n.m. *Le courage est un facteur de succès,* un élément qui a un rôle. 2. *Chacun des termes d'une multiplication est un facteur.*

factice adj. *Sa gaieté est factice,* elle est fausse, forcée (≠ naturel, vrai).

1. faction n.f. *Être de faction (en faction),* c'est monter la garde.

2. faction n.f. *Plusieurs factions se disputaient le pouvoir,* plusieurs groupes luttant contre l'autorité.
■ **factieux** n. et adj. *Le gouvernement a résisté aux factieux* (= insurgé, rebelle, révolté).

factotum n.m. *Un factotum est un employé chargé de toutes sortes de petits travaux d'entretien.*
R. On prononce [faktɔtɔm].

facture n.f. *Quand avons-nous reçu cette facture ?,* cette note à payer.
■ **facturer** v. *On ne vous a pas facturé le déplacement,* on ne l'a pas porté sur la facture (= compter).

facultatif adj. *Le latin est une matière facultative,* il n'est pas obligatoire.

faculté n.f. 1. *Les animaux n'ont pas la faculté de parler,* la possibilité. 2. *Certains vieillards ne jouissent plus de toutes leurs facultés,* ils n'ont plus toute leur raison. 3. *Faculté est l'ancien nom donné à un établissement d'enseignement supérieur* (= université).

fade adj. *Cet aliment est fade,* il manque de goût (≠ épicé, salé).
■ **fadeur** n.f. *Je n'aime pas ce plat à cause de sa fadeur.*
■ **s'affadir** v. *Ces fruits sont trop mûrs, ils se sont affadis,* ils ont perdu leur goût.

fagot n.m. *Mets un fagot dans la cheminée,* un faisceau de branches minces.

fagoté adj. Fam. *Elle est vraiment mal fagotée,* mal habillée.

faible adj. 1. *Paule va mieux, mais elle est encore faible,* elle n'a pas retrouvé ses forces (≠ robuste). 2. *Jean es* *faible en* orthographe (= médiocre ; ≠ fort, doué, bon). **3.** *Tu es trop faible avec tes enfants,* tu leur cèdes trop facilement. **4.** *J'entends un bruit faible* (= petit, léger ; ≠ fort).

■ **faible** n.m. SENS 3 *Il a un faible pour son dernier fils,* une préférence.

■ **faiblement** adv. SENS 4 *La lampe éclaire faiblement.*

■ **faiblesse** n.f. SENS 1 *La faiblesse de la malade s'aggrave.* SENS 3 *C'est par faiblesse que tu cèdes à tous ses caprices.*

■ **faiblir** v. SENS 4 *Le bruit faiblit,* il est de moins en moins fort (= s'affaiblir, diminuer ; ≠ grossir).

■ **affaiblir** v. SENS 1 *La fièvre l'a affaibli,* elle l'a rendu plus faible. SENS 4 *Sa vue s'est affaiblie* (= diminuer, baisser).

■ **affaiblissement** n.m. SENS 1 *Le malade est dans un grave état d'affaiblissement.*

faïence n.f. *Un plat en faïence* est en terre cuite recouverte d'émail.
R. On prononce [fajãs].

faignant → *fainéant.*

faille n.f. **1.** *Il y a une faille dans ton raisonnement,* quelque chose qui n'est pas cohérent. **2.** En géologie, on appelle *faille* une cassure dans une couche de terrain.

faillir v. **1.** *J'ai failli tomber,* un peu plus, je tombais (= manquer). **2.** *Cette personne a failli à sa promesse,* elle ne l'a pas tenue.
R. → Conj. n° 30.

faillite n.f. *Cette société a fait faillite,* elle ne peut plus payer ses dettes et continuer à vendre.

faim n.f. *J'ai faim,* je ressens le besoin de manger.

■ **affamé** adj. *Je suis affamée,* j'ai très faim.
R. *Faim* se prononce [fɛ̃] comme *fin* et *feint* (de *feindre*).

faine n.f. La *faine* est le fruit du hêtre.

fainéant ou, fam., **faignant, feignant** adj. et n. *S'il était moins fainéant, il nous aurait donné un coup de main* (= paresseux ; ≠ travailleur).

■ **fainéantise** n.f. *Son échec est dû à sa fainéantise* (= paresse).

faire v. **1.** *La boulangère fait le pain,* elle le fabrique. **2.** *Jean fait son lit tous les matins,* il le remet en ordre, en état. **3.** *Vous faites du tennis ?,* vous pratiquez ce sport ? **4.** *Comment as-tu fait pour nous trouver ?,* comment t'y es-tu pris ? *Tu as bien fait de venir,* tu as bien agi. **5.** *Je ne sais pas faire ce problème,* le résoudre. **6.** *Deux et deux font quatre,* égalent quatre. **7.** *Il va faire froid cette nuit,* la température va être froide. *Il fait nuit,* la nuit est tombée. **8.** *Elle fait plus vieille que son âge,* elle a l'air (= paraître). **9.** *Il s'est fait renverser par une voiture,* il a été renversé. **10.** *Je ne peux pas me faire à cette idée,* m'y habituer. **11.** *Il s'est fait prêtre,* il est devenu prêtre. *Il se fait tard,* il commence à être tard. **12.** *Ne t'en fais pas,* tout ira bien, ne sois pas inquiet. **13.** *Elle nous a fait part de son intention de partir à l'étranger,* elle nous l'a annoncée.

■ **faire-part** n.m.inv. SENS 13 *Nous avons reçu leur faire-part de mariage,* une carte annonçant leur mariage.

■ **faisable** adj. SENS 5 *L'opération est faisable* (= possible, réalisable).

■ **défaire** v. SENS 2 *Veux-tu m'aider à défaire mes bagages ?* (≠ faire). SENS 10 *Il faudra te défaire de cette mauvaise habitude* (= se débarrasser).

■ **infaisable** adj. SENS 5 *Ce problème est infaisable,* très difficile (= impossible).

■ **refaire** v. SENS 1 *Elle m'a fait refaire mon devoir* (= recommencer). SENS 2

654

On a refait la toiture de la maison, on l'a remise en état (= réparer).

■ **réfection** n.f. SENS 2 *La route est en réfection* (= réparation).

R. *Faire, défaire, refaire* → conj. n° 76. → *fait* et *faîte. Faisable, infaisable* se prononcent [fəzabl, ɛ̃fəzabl].

faisan n.m. *À la chasse, nous avons tué un faisan,* un grand oiseau.

R. On prononce [fəzɑ̃].

faisandé adj. *Du gibier faisandé est* proche de la pourriture.

faisceau n.m. **1.** *Un fagot est formé par un faisceau de petites branches,* un assemblage de branches attachées ensemble. **2.** *Les projecteurs émettent des faisceaux lumineux,* des bandes de lumière.

fait n.m. **1.** *Voilà un fait curieux !* (= événement, chose). **2.** *Le fait qu'elle était absente prouve son innocence,* elle était absente, cela prouve son innocence. **3.** *Du fait de sa maladie, il a été longtemps absent,* il a été longtemps absent parce qu'il a été malade. **4.** *Le voleur a été pris sur le fait,* pendant qu'il commettait son action. **5.** *Au fait, tu viens demain ?,* puisque j'y pense, à propos. **6.** *J'ai cru l'apercevoir ; en fait, c'était sa sœur,* en réalité.

■ **fait divers** n.m. *Les accidents, les vols, etc. figurent dans la rubrique des faits divers d'un journal,* la rubrique réservée à ce genre d'information.

R. *Fait* se prononce [fɛ] comme [*il*] fait (de *faire*) ou [fɛt] comme *faîte.*

faîte n.m. *Il est monté sur le faîte du toit,* l'endroit le plus élevé (= sommet).

R. *Faîte* se prononce [fɛt] comme *fait, faite* (participe de *faire*) et *fête.*

fait-tout n.m.inv. *La soupe cuit dans le fait-tout,* un récipient à anses et à couvercle.

fakir n.m. *Au music-hall, il y avait un fakir,* un artiste qui faisait des tours de magie.

falaise n.f. *La falaise est très haute,* la paroi qui domine la mer.

fallacieux adj. *La vendeuse nous avait fait des promesses fallacieuses,* destinées à tromper.

falloir v. **1.** *Il faut que tu partes,* tu dois partir. **2.** *Il s'en est fallu de peu qu'elle tombe,* elle a manqué tomber.

R. → Conj. n° 48. → *faux* 2.

1. falot n.m. *Un falot est une lanterne* portative.

2. falot adj. *Personne n'avait remarqué ce personnage falot* (= insignifiant, effacé).

falsifier v. *Falsifier un document,* c'est le modifier dans une intention malhonnête.

■ **falsification** n.f. *La falsification des signatures est punie par la loi.*

famélique adj. *Des chiens faméliques erraient dans les ruines du village,* des chiens très maigres par manque de nourriture.

fameux adj. **1.** *Cette région est fameuse pour ses fromages,* très connue (= réputé, célèbre). **2.** Fam. *Ce vin est fameux,* très bon (= excellent).

■ **fameusement** adv. *Voilà un vin fameusement bon* (= très).

familial → *famille.*

familier adj. **1.** *J'aime vivre dans ce paysage familier,* connu (≠ étranger). **2.** *Elle a des façons trop familières,* qui manquent de respect (= libre ; ≠ réservé). **3.** *Quand on dit « bagnole » au lieu de « voiture », c'est familier,* cela s'emploie seulement dans la conversation entre camarades.

■ **familier** n.m. SENS 1 *C'est un familier de la maison,* il vient souvent (= habitué).

■**familièrement** adv. SENS 3 « *Bistrot* » *s'emploie* **familièrement** *pour* « *café* ».

■**familiariser** v. SENS 1 *Je me familiarise avec eux,* je m'habitue à vivre avec eux.

■**familiarité** n.f. SENS 2 *Elle m'a traitée avec une* **familiarité** *déplacée,* des façons trop familières (= désinvolture).

famille n.f. **1.** *J'ai de la* **famille** *en Europe,* des parents (oncles, cousins, etc.). **2.** *La* **famille** *Sanchez est très sympathique,* le père, la mère et les enfants. **3.** *Le chien et le loup appartiennent à la même* **famille** *d'animaux,* ils ont des traits communs. **4.** *« Jointure », « jonction », « rejoindre » sont des mots de la même* **famille,** ils sont formés à partir d'un même mot.

■**familial** adj. SENS 2 *La vie* **familiale** est la vie de famille.

famine n.f. *Dans ce pays, il y a une* **famine,** on manque de nourriture (= disette).

fanal n.m. Un *fanal* est un petit phare ou une lanterne de signalisation pour les bateaux.

fanatique adj. et n. **1.** *Un militant* **fanatique** *a assassiné le chef de l'État,* passionné à l'excès pour ses idées. **2.** *C'est une* **fanatique** *de cinéma,* une passionnée.

■**fanatisme** n.m. SENS 1 *Le* **fanatisme** *a été la cause de nombreuses guerres* (≠ tolérance).

■**fanatiser** v. SENS 1 *Les discours des chefs* **ont fanatisé** *les troupes,* ils les ont rendues fanatiques.

fane n.f. *On donne les* **fanes** *de carotte aux lapins,* la partie verte, les feuilles de ce légume.

faner v. **1.** *Les paysans sont en train de* **faner,** de faire les foins. **2.** *Ces fleurs*

vont **se faner** *si on ne change pas l'eau du vase,* se flétrir.

fanfare n.f. *La* **fanfare** *joue un air de musique militaire,* l'orchestre composé de divers instruments. 438

fanfaron n. et adj. *Ne fais pas le* **fanfaron** *!, ne te vante pas !* (= crâneur, vantard ; ≠ modeste).

■**fanfaronnade** n.f. *Bonnie se prétend la plus forte, mais ce sont des* **fanfaronnades,** des paroles de fanfaron (= vantardise).

■**fanfaronner** v. *Quand le danger est apparu, il a cessé de* **fanfaronner,** de faire le fanfaron.

fange n.f., **fangeux** adj. sont des équivalents rares de *boue, boueux.*

fanion n.m. Un *fanion* est un petit drapeau.

fantaisie n.f. **1.** *Sophie n'a aucune* **fantaisie,** elle manque d'originalité, d'imagination. **2.** *Son père lui passe toutes ses* **fantaisies,** ses caprices.

■**fantaisiste** adj. et n. **1.** SENS 1 *Dominique est très* **fantaisiste. 2.** *Une* **fantaisiste** *est une actrice de music-hall.*

fantasmagorie n.f. *Ces milliers de flambeaux faisaient une véritable* **fantasmagorie,** un spectacle extraordinaire, merveilleux.

■**fantasmagorique** adj. *Le décor de la pièce était* **fantasmagorique,** plein d'effets extraordinaires.

fantasque adj. *Elle a un caractère* **fantasque,** qui change souvent (= fantaisiste, bizarre).

fantassin n.m. Les *fantassins* sont des soldats qui vont à pied, qui sont dans l'infanterie. 763

fantastique adj. **1.** *J'aime les films* **fantastiques,** qui racontent des histoires en dehors du possible, de la réalité. **2.** Fam. *Tu as eu une chance*

fantastique, très grande (= inouï, extraordinaire).

fantoche n.m. Un *fantoche* est quelqu'un qui n'a pas d'autorité réelle, qui se laisse diriger par d'autres.

fantôme n.m. *On dit qu'un* ***fantôme*** *hante ce château,* un mort qui reviendrait sur terre (= spectre, revenant).
■ **fantomatique** adj. *Le clair de lune donnait aux rochers un aspect* ***fantomatique,*** *un aspect mystérieux et plus ou moins inquiétant.*

faon n.m. *La biche est suivie de son* ***faon,*** *son petit.*
R. *Faon* se prononce [fã] comme [*je*] *fends* (de *fendre*).

faramineux adj. Fam. *Certains tableaux se sont vendus à des prix* ***faramineux,*** *des prix énormes, fantastiques.*

farandole n.f. *Dansons la* ***farandole** !,* en nous tenant par la main pour former une longue file.

1. farce n.f. *Pour lui faire une* ***farce,*** *ses amis lui ont donné une cuillère qui fond dans la tasse* (= blague).
■ **farceur** n. *Quelle* ***farceuse,*** *elle a caché mon parapluie !*

2. farce n.f. *Tu as mis de la* ***farce*** *dans les tomates ?,* de la viande hachée avec de la mie de pain et des aromates.
■ **farcir** v. *Nous avons mangé des tomates* ***farcies.***

fard n.m. *Ces comédiens portent du* ***fard*** *sur les joues,* un produit de maquillage.
■ **se farder** v. *Cette jeune fille ne* ***se*** ***farde*** *pas* (= se maquiller).
R. *Fard* se prononce [far] comme *phare.*
→ *fart.*

fardeau n.m. *Ce sac de pommes de terre est un lourd* ***fardeau,*** *une charge, un poids.*

se farder → *fard.*

farfelu adj. et n. Fam. *Se baigner sous la pluie, c'est vraiment une idée* ***farfelue*** (= bizarre, drôle).

faribole n.f. Fam. *Je ne crois rien de toutes ces* ***faribole,*** *ces histoires pas sérieuses.*

farine n.f. *La* ***farine*** *de blé* est la poudre des grains de blé moulus.
■ **farineux** adj. *Des pommes de terre* ***farineuses*** *se désagrègent une fois cuites.*

farouche adj. **1.** *Ce chat est* ***farouche,*** *il fuit quand on l'approche* (= sauvage ; ≠ apprivoisé). **2.** *Une haine* ***farouche*** *les oppose* (= violent, acharné).
■ **farouchement** adv. SENS 2 *Il s'est* ***farouchement*** *opposé à cette proposition.*
■ **effaroucher** v. SENS 1 *En t'approchant trop près, tu* ***as effarouché*** *les oiseaux,* tu les as fait fuir (= effrayer).

fart n.m. *On met du* ***fart*** *sous les skis pour qu'ils glissent mieux,* un produit.
■ **farter** v. *Nancy* ***farte*** *ses skis,* elle met du fart.
R. On prononce [fart]. Ne pas confondre avec *fard.*

fascicule n.m. *Cette encyclopédie se vend par* ***fascicules,*** *sous forme de brochures séparées.*

fasciner v. *Paul* ***est fasciné*** *par les jouets dans la vitrine,* il les regarde avec envie (= émerveiller, éblouir).
■ **fascinant** adj. *Cette femme est* ***fascinante,*** *elle éblouit par sa beauté ou son intelligence, etc.*
■ **fascination** n.f. *Quelle* ***fascination*** *cette oratrice exerce sur ses auditeurs !* (= attrait, séduction).

fascisme n.m. *Le* ***fascisme*** *est une doctrine qui vise à établir un pouvoir très autoritaire.*

■ **fasciste** adj. et n. *Ce pays a un régime* **fasciste.**
R. On prononce [faʃism, faʃist].

1. **faste** n.m. *Quel* **faste** *pour ce mariage royal !,* quel étalage de luxe ! (= pompe).
■ **fastueux** adj. *Elle mène une vie* **fastueuse,** luxueuse.

2. **faste** adj. *C'est un jour* **faste,** *j'ai gagné à la loterie,* un jour de chance (≠ néfaste).

fastidieux adj. *Cette énumération est* **fastidieuse,** elle est ennuyeuse, monotone, lassante.

fastueux → *faste* 1.

fatal adj. 1. *Elle dépensait beaucoup trop, sa ruine était* **fatale** (= prévisible, inévitable). 2. *Cet accident leur a été* **fatal,** ils en sont morts. 3. *Ces excès de boisson risquent d'être* **fatals** *à ta santé,* de la détruire (= nuisible).
■ **fatalement** adv. SENS 1 *Cela devait* **fatalement** *finir ainsi* (= forcément, inévitablement).
■ **fatalité** n.f. SENS 1 *Elle a échoué, c'était la* **fatalité,** le destin.
■ **fataliste** n. et adj. SENS 1 *C'est un* **fataliste,** il croit que tout ce qui arrive est inévitable.
■ **fatidique** adj. SENS 1 *Le jour* **fatidique** *de l'examen approche* (= fatal).

fatiguer v. 1. *La promenade a* **fatigué** *les enfants,* elle leur a causé de la fatigue (= lasser). 2. *Paul n'aime pas se* **fatiguer,** faire des efforts (≠ se reposer). 3. *Tu me* **fatigues** *avec tes questions* (= ennuyer, importuner). 4. *On se* **fatigue** *vite des chansons à la mode,* on en a assez (= se lasser).
■ **fatigue** n.f. SENS 1 *Les sauveteurs continuent leurs recherches malgré la* **fatigue,** la sensation de lassitude, d'abattement physique causée par l'effort.

■ **fatigant** adj. SENS 1 *J'ai eu une journée* **fatigante** (≠ reposant). SENS 3 *Il est* **fatigant** *avec ses bavardages,* difficile à supporter (= lassant).
■ **infatigable** adj. SENS 1 *C'est une marcheuse* **infatigable,** très résistante.
■ **infatigablement** adv. SENS 1 *Les enquêteurs poursuivent* **infatigablement** *leurs recherches* (= inlassablement)
R. On distingue, dans l'orthographe, *fatigant* (adj.) et *fatiguant* (participe).

fatras n.m. *Un* **fatras** *de vieux journaux* est un tas en désordre.

fatuité n.f. *Il est plein de* **fatuité,** de vanité, de prétention.

faubourg n.m. *Ils habitent dans les* **faubourgs** *de Montréal,* à l'extérieur, à la périphérie (≠ au centre). 219

faucher v. 1. *Le paysan* **fauche** *l'herbe de son pré,* il la coupe. 2. *Mon chien a été* **fauché** *par une voiture,* il a été renversé. 3. Fam. *On lui a* **fauché** *sa montre,* on la lui a volée.
■ **faux** n.f. SENS 1 *Avec sa* **faux** *le fermier coupe l'herbe haute du pré.* 362
■ **faucille** n.f. SENS 1 *Une* **faucille** *est une petite faux courbe à manche court.* 362
■ **fauche** n.f. SENS 3 Fam. *Il y a de la* **fauche** *dans ce magasin,* des vols.
■ **faucheuse** n.f. SENS 1 *Une* **faucheuse** *est une machine agricole qui sert à faucher.* 362
R. → *faux* 2.

faucheux n.m. *Un* **faucheux** *est une sorte d'araignée qui a des pattes longues et fines, très fragiles.*

faucille → *faucher.*

faucon n.m. *Le* **faucon** *s'abat sur sa proie,* un oiseau rapace.

faufiler v. 1. *Je vais* **faufiler** *cet ourlet,* le coudre provisoirement à grands points (= bâtir). 2. *Ils ont réussi à se*

faufiler *dans la file d'attente,* à s'y glisser sans se faire remarquer.

faune n.f. *Il faut protéger la **faune** de cette région,* l'ensemble des animaux qui y vivent.

faussaire, faussement, fausser, fausseté → *faux* 2.

faute n. f. **1.** *En ne disant pas la vérité, tu as commis une **faute**,* tu as manqué à ton devoir, tu es coupable. *Si tu es en retard, c'est bien (de) ta **faute**,* c'est toi qui es responsable. **2.** *Tu as fait trois **fautes** d'orthographe* (= erreur). **3.** *Faute d'argent, nous n'avons pas pu partir en voyage,* par manque d'argent. **4.** *On vous attend **sans faute** à 8 heures,* de façon sûre. **5.** *Il ne s'est pas fait **faute** de critiquer le projet,* il ne s'en est pas privé.
■ **fautif** n. et adj. SENS 1 *C'est elle la **fautive**,* c'est elle qui a commis la faute (= coupable). SENS 2 *Cette liste de mots est **fautive**,* il y a des fautes.

38, 76

fauteuil n.m. *Assieds-toi dans le **fauteuil**,* un siège à bras et à dossier.

fauteur n. *Une **fautrice** de troubles,* c'est quelqu'un qui provoque des troubles.

fautif → *faute.*

434

fauve **1.** adj. *Les poils de l'écureuil sont **fauves**,* d'une couleur proche du roux. **2.** n.m. et adj. *Le lion, le tigre, l'ours sont des **fauves** (des **bêtes fauves**),* de grands animaux sauvages.

fauvette n.f. *La **fauvette** est un petit oiseau.*

1. faux → *faucher.*

2. faux adj. **1.** *Votre addition est **fausse**,* vous avez fait une faute (= inexact ; ≠ juste). **2.** *C'est **faux**, je n'ai jamais dit cela,* c'est un mensonge (≠ vrai). **3.** *Ce bijou est **faux**,* c'est une imitation (≠ vrai, authentique).

4. *Paul a un air **faux*** (= hypocrite ; ≠ franc, sincère).
■ **faux** n.m. SENS 3 *Ce tableau est un **faux**,* une imitation frauduleuse.
■ **faux** adv. SENS 1 *Marie chante **faux*** (≠ juste).
■ **faussaire** n. SENS 3 *Une **faussaire** est une personne qui fabrique des faux.*
■ **faussement** adv. SENS 1 *On l'a accusé **faussement**.*
■ **fausser** v. **1.** SENS 1 *Les résultats **ont** été **faussés**,* rendus faux. **2.** *Le choc **a** faussé la roue* (= déformer).
■ **fausseté** n.f. SENS 2 *L'avocate a démontré la **fausseté** de l'accusation* (≠ exactitude).
R. *Faux* (1 et 2) se prononce [fo] comme [*il*] *faut* (de *falloir*). *Fausse* se prononce [fos] comme *fosse*. *Fausser* se prononce [fose] comme *fossé*.

faux-fuyant n.m. *Paul trouve toujours des **faux-fuyants** pour échapper à ses obligations,* des prétextes.

faux-monnayeur → *monnaie.*

faux-sens → *sens.*

faveur n.f. **1.** *On lui a accordé une **faveur** en l'admettant,* un avantage particulier (= privilège). **2.** *Cette chanteuse a gagné la **faveur** du public,* elle est devenue populaire (= considération ; ≠ défaveur). **3.** *J'interviendrai **en faveur de** Pierre,* dans son intérêt, pour lui.
■ **favorable** adj. SENS 1 *On a navigué par un vent **favorable**,* qui favorise (≠ défavorable).
■ **favorablement** adv. SENS 2 *J'ai été **favorablement** impressionné par ses paroles* (= bien).
■ **favori** adj. et n. SENS 2 *C'est ma chanson **favorite**,* celle que je préfère. *Ce cheval est le **favori** de la course,* celui qui a le plus de chances de gagner.
■ **favoriser** v. SENS 1 *La nuit **a** favorisé*

les *assaillants,* elle les a avantagés
(≠ défavoriser).

■ **favoritisme** n.m. SENS 1 *On accorde
toujours des faveurs à Hélène, c'est du
favoritisme !,* c'est injuste.

■ **défaveur** n.f. SENS 2 *Ce produit est
aujourd'hui en défaveur,* on ne l'apprécie plus (= discrédit).

■ **défavorable** adj. SENS 1 *Le moment
est défavorable pour lui parler,* il est
mal choisi.

■ **défavoriser** v. SENS 1 *La pluie a défavorisé ce skieur,* elle l'a désavantagé.

fébrile adj. 1. *Le malade est dans un
état fébrile,* il a de la fièvre. 2. *Il règne
ici une activité fébrile,* très vive.

■ **fébrilement** adv. SENS 2 *Elle s'agite
fébrilement.*

■ **fébrilité** n.f. SENS 2 *Dans la fébrilité
du départ, on a perdu un paquet* (=
agitation, précipitation, fièvre).

fécond adj. 1. *Les lapines sont très
fécondes,* elles ont beaucoup de petits. 2. *C'est une journée féconde en
incidents,* il y en a beaucoup (= riche).

■ **féconder** v. SENS 1 *La femelle a été
fécondée par le mâle,* elle va avoir des
petits.

■ **fécondation** n.f. SENS 1 *La fécondation a eu lieu, la femelle va avoir des
petits.*

■ **fécondité** n.f. SENS 1 *La fécondité
est en baisse dans de nombreux pays,*
il naît moins d'enfants. SENS 2 *La fécondité de son imagination est prodi-
gieuse* (= richesse).

fécule n.f. *La fécule de pomme de terre
est utilisée en cuisine,* une sorte de
farine.

fédération n.f. Une *fédération* est
une association de pays, de partis, de
clubs, etc.

■ **fédéral** adj. *La Suisse est une république fédérale,* une fédération.

■ **confédération** n.f. « *C.S.N.* » est le

sigle de « **Confédération** *des syndicats nationaux»,* une union de fédéra-
tions syndicales.

■ **confédéral** adj. *La C.S.N. a tenu
son congrès confédéral.*

fée n.f. *Les contes de fées sont des
récits où figurent des femmes douées
de pouvoirs magiques.*

■ **féerie** n.f. *Le feu d'artifice était une
vraie féerie,* un spectacle magnifique,
presque surnaturel.

■ **féerique** adj. *Ce paysage est féerique,* il a l'air d'être sorti d'un conte de
fées (= merveilleux).

R. On prononce [feri, ferik] ou [feeri,
feerik].

feignant → *fainéant.*

feindre v. *Jean feint de pleurer,* il fait
semblant.

■ **feinte** n.f. *L'escrimeuse a fait une
feinte,* une manœuvre pour tromper
l'adversaire.

R. → Conj. n° 55. → *faim.*

fêler v. *La tasse n'est pas cassée, elle
est juste fêlée,* fendue.

■ **fêlure** n.f. *La tasse a une fêlure.*

félicité n.f. *Si mon projet réussissait, je
serais dans la félicité,* le bonheur parfait (= béatitude).

féliciter v. 1. *On a félicité Lori pour
son succès,* on lui a fait des compliments. 2. *Je me félicite de ne pas
l'avoir écouté,* j'en suis heureuse.

■ **félicitations** n.f.pl. SENS 1 *Toutes
mes félicitations pour votre succès !,*
mes compliments.

félin n.m. *Le chat, le tigre, le lion sont
des félins.*

félon n. est un équivalent savant de
traître.

fêlure → *fêler.*

femelle n.f. *La chatte est la femelle du
chat,* l'animal du sexe féminin (≠
mâle).

33

603

femme n.f. **1.** *Ma mère est une femme remarquable* (≠ homme). **2.** *Je vous présente ma femme,* la personne avec qui je suis marié (= épouse ; ≠ mari).
■ **féminin 1.** adj. SENS 1 *La jupe est un vêtement féminin,* propre à la femme (≠ masculin). **2.** adj. et n.m. *« Joyeuse » est un adjectif féminin,* du genre féminin. *Le féminin de « un ami » est « une amie ».*

10

■ **féministe** adj. et n. *Une action féministe* vise à améliorer la condition des femmes dans la société. *Les féministes* défendent les droits des femmes.
■ **efféminé** adj. SENS 1 *Ce garçon est un peu efféminé,* il a un peu l'air d'une fille (≠ viril).

40

fémur n.m. *Judy s'est cassé le fémur,* l'os de la cuisse.

fenaison → foin.

fendre v. **1.** *Fendre une bûche,* c'est la partager dans le sens de la longueur. **2.** *La planche s'est fendue,* elle a une fente (= se fêler).
■ **fendiller** v. SENS 2 *L'argile se fendille en séchant,* elle a de petites fentes.
■ **fente** n.f. SENS 2 *L'eau s'écoule par une fente du récipient,* une ouverture très étroite et allongée (= fissure).
R. → Conj. n° 50. → faon.

74, 508

fenêtre n.f. *Il fait chaud, ouvre la fenêtre.*

577

fennec n.m. *Le fennec est un petit renard du Sahara à longues oreilles,* appelé aussi *renard des sables.*

fenouil n.m. *Certains plats sont assaisonnés au fenouil,* une plante aromatique.

fente → fendre.

féodal adj. *Au Moyen Âge, en Europe, on vivait dans une société féodale,* une société où il y avait des seigneurs et des vassaux.

■ **féodalité** n.f. *La féodalité* est le régime féodal.

fer n.m. **1.** *La tour Eiffel est en fer,* un métal. **2.** *Le fer-blanc* est du fer recouvert d'étain. **3.** *On repasse le linge avec un fer à repasser.* **4.** *Un fer à cheval* est un demi-cercle en fer qu'on met sous le sabot des chevaux.

3

■ **ferraille** n.f. SENS 1 *Il y a un tas de ferraille devant la porte,* des débris d'objets en fer.
■ **ferrailleur** n.m. SENS 1 *Le ferrailleur ramasse la ferraille pour la revendre,* c'est son métier.
■ **ferrer** v. SENS 4 *Ferrer un cheval,* c'est lui mettre des fers.
■ **ferrugineux** adj. SENS 1 *L'eau ferrugineuse* contient des particules de fer.
■ **ferrure** n.f. SENS 1 *L'antiquaire vend un coffre ancien avec des ferrures,* des garnitures de fer pour le consolider.

férié adj. *Le dimanche est un jour férié,* un jour où l'on ne travaille pas.

1. ferme n.f. *Nous avons passé nos vacances dans une ferme,* chez des paysans.

3

■ **fermier** n. *La fermière trait ses vaches,* la personne qui tient la ferme.

3

2. ferme adj. **1.** *Cette pâte est trop ferme* (= dur ; ≠ mou). **2.** *Il a parlé d'une voix ferme* (= assuré ; ≠ hésitant). **3.** *Elle est ferme avec ses enfants,* elle ne leur cède pas (≠ faible).
■ **ferme** adv. SENS 2 *Il a fallu travailler ferme pour aboutir* (= énergiquement).
■ **fermement** adv. SENS 2 *Notre choix est fermement arrêté.*
■ **fermeté** n.f. SENS 3 *Elle a montré de la fermeté* (= autorité ; ≠ faiblesse).
■ **affermir** v. SENS 2 *Cela n'a fait que l'affermir dans sa résolution,* le rendre plus ferme (= renforcer).
■ **affermissement** n.m. SENS 2 *La présidente vise à l'affermissement de*

son autorité (= consolidation, renforcement).

■**raffermir** v. SENS 1 ET 2 *Ces massages raffermissent la peau,* la rendent plus ferme (= durcir).

ferment n.m. *Un ferment est une substance qui produit la fermentation.*
■**fermentation** n.f. *Le vin est le produit de la fermentation du jus de raisin,* sa transformation sous l'action de microbes.
■**fermenter** v. *Le yaourt est du lait fermenté.*

fermer v. **1.** *Ferme la porte, il fait froid dehors ! Ferme le robinet, la baignoire est pleine ! Fermez vos livres et rangez-les !* (≠ ouvrir). **2.** *Ce magasin ferme le dimanche,* il ne reçoit pas les clients (≠ ouvrir).
■**fermeture** n.f. SENS 1 *La fermeture du sac est cassée,* ce qui permet de le fermer. SENS 2 *On est arrivé après la fermeture du magasin,* le moment où il ferme (≠ ouverture).
■**fermoir** n.m. SENS 1 *Le fermoir de mon cartable est en cuivre* (= fermeture).
■**enfermer** v. SENS 1 *Enferme le chien, sinon il va se sauver,* mets-le dans un endroit fermé.
■**refermer** v. SENS 1 *Refermez la fenêtre !,* fermez-la de nouveau.

fermeté → *ferme* 2.

fermeture → *fermer.*

fermier → *ferme* 1.

fermoir → *fermer.*

féroce adj. *Le tigre est une bête féroce,* sauvage et cruelle.
■**férocement** adv. *Ils luttent férocement.*
■**férocité** n.f. *Ils se sont battus avec férocité* (= sauvagerie).

ferraille, ferrailleur, ferrer → *fer.*

ferroviaire adj. *La catastrophe ferroviaire a fait de nombreux morts,* l'accident de chemin de fer.

ferrugineux, ferrure → *fer.*

ferry-boat n.m. *Le ferry-boat transporte les trains et les voitures avec leurs passagers* (= traversier).
R. Noter le pluriel : *des ferry-boats.* On prononce [feribot].

fertile adj. **1.** *Un sol fertile* produit beaucoup (= riche, fécond). **2.** *Le voyage a été fertile en surprises,* il y en a eu beaucoup (= riche).
■**fertiliser** v. SENS 1 *Les engrais fertilisent le sol,* ils les rendent plus fertile.
■**fertilité** n.f. SENS 1 *La fertilité de la terre est améliorée par les engrais.*

féru adj. *Linda est férue de musique,* passionnée.

fervent adj. et n. **1.** *Il a adressé au ciel une prière fervente,* très vive (= ardent). **2.** *C'est une fervente du tennis,* une passionnée.
■**ferveur** n.f. SENS 1 *Marie prie avec ferveur* (= ardeur, dévotion).

fesse n.f. *Ce bébé a les fesses rouges,* le derrière.
■**fessée** n.f. *Qui a déjà reçu une fessée ?,* des claques sur les fesses.

festin n.m. *Un festin est un repas de fête copieux.*
■**festoyer** v. *Festoyer,* c'est faire un bon repas.

festival n.m. *Ce film a eu le premier prix du festival,* de la série de représentations spéciales.
R. Noter le pluriel : *des festivals.*

festivités → *fête.*

feston n.m. *Un feston est une broderie formant des arcs de cercle autour d'une étoffe.*

festoyer → *festin.*

437 **fête** n.f. **1.** *Le 4 juillet est le jour de la fête nationale aux U.S.A.,* un jour où l'on se réjouit. **2.** *Mon chien m'a fait fête,* il m'a accueilli joyeusement (= fêter).

■ **fêter** v. SENS 1 *On fête Noël le 25 décembre,* on célèbre cette fête. SENS 2 *On fête les vainqueurs,* on leur fait fête.

■ **festivités** n.f.pl. *Des festivités sont des fêtes officielles.*

fétiche n.m. *Cette poupée est mon fétiche,* mon porte-bonheur.

fétide adj. *Il y a une odeur fétide dans la cuisine,* très désagréable (= infect).

fétu n.m. *Un fétu est un brin de paille.*

581 **feu** n.m. **1.** *Faire du feu,* c'est faire brûler du bois, du papier, etc. **2.** *Au feu ! Il faut appeler les pompiers,* il y a un incendie. **3.** *Un fusil, un revolver sont des armes à feu. Faire feu,* c'est tirer avec une arme à feu. **4.** *Les piétons traversent quand le feu est rouge,* le signal lumineux.

217, 39

655 **feuille** n.f. **1.** *Les arbres perdent leurs feuilles en automne.* **2.** *Écrivez sur une feuille de papier,* un morceau très mince.

295

■ **feuillage** n.m. SENS 1 *Le feuillage des arbres jaunit en automne,* l'ensemble de leurs feuilles.

■ **feuillet** n.m. SENS 2 *Il manque un feuillet à mon carnet,* une feuille (= page).

■ **feuilleter** v. SENS 2 *Feuilleter un livre,* c'est en tourner les feuillets. *La pâte feuilletée forme des feuilles à la cuisson.*

■ **feuillu** adj. *Une branche feuillue est garnie de feuilles.*

■ **effeuiller** v. **1.** SENS 1 *Cet arbre s'effeuille,* il perd ses feuilles. **2.** *Sais-tu effeuiller les marguerites ?,* en enlever un à un les pétales.

feuilleton n.m. *On a regardé le feuilleton télévisé,* une histoire découpée en épisodes.

feuillu → feuille.

feutre n.m. **1.** *Le feutre est une étoffe de laine ou de poils écrasés. Le mousquetaire portait un large feutre,* un chapeau en feutre. **2.** *Anne écrit avec un feutre (ou un crayon feutre),* un crayon à encre à pointe de feutre.

■ **feutré** adj. SENS 1 *Maïté marche à pas feutrés,* sans bruit.

■ **feutrine** n.f. *Les élèves font des collages en feutrine,* un tissu de feutre léger.

fève n.f. *La fève est une graine proche du haricot.*

février n.m. *Il a fait froid en février.*

fi interj. *Sophia fait fi de l'argent,* elle n'en tient pas compte, elle le méprise.

fiabilité, fiable → se fier.

fiancer v. *Paul s'est fiancé avec Marie,* il s'est engagé à l'épouser.

■ **fiancé** n. et adj. *Il m'a présenté sa fiancée,* sa future femme.

■ **fiançailles** n.f.pl. *Ils ont rompu leurs fiançailles,* leur promesse de mariage.

fiasco n.m. *Ce film est un fiasco,* un échec total.

fibre n.f. **1.** *Les muscles sont formés de fibres,* de filaments allongés. **2.** *La fibre de bois sert à l'emballage, la fibre de verre est un isolant,* des filaments de bois, de verre fabriqués industriellement.

■ **fibreux** adj. SENS 1 *Cette viande est fibreuse,* pleine de fibres.

ficelle n.f. **1.** *On a attaché le paquet avec de la ficelle,* de la corde mince. **2.** *Une ficelle est une petite baguette de pain mince.*

■ **ficeler** v. SENS 1 *Le boucher a ficelé le rôti,* il l'a entouré de ficelle.

fiche n.f. **1.** *Lori a écrit des renseignements sur des **fiches**,* des feuilles de carton. **2.** *Enfonce la **fiche** dans la prise électrique,* la pièce qui sert à établir le contact.

■ **fichier** n.m. SENS 1 *Un **fichier** est un ensemble de fiches ou une boîte où l'on classe des fiches.*

ficher v. Fam. **1.** *Fiche-moi la paix !,* laisse-moi tranquille ! **2.** *J'ai perdu, mais je **m'en fiche**,* ça m'est égal. **3.** *J'ai **fichu en l'air** la boîte,* je l'ai jetée.

fichier → fiche.

1. fichu adj. Fam. **1.** *Ma montre est **fichue** (= inutilisable, cassé). **2.** *Paul est **mal fichu**,* malade.

2. fichu n.m. *Nous porterons un **fichu** sur la tête,* une sorte de foulard.

fictif adj. *Une fée est un personnage **fictif** (= imaginaire ; ≠ réel).*

■ **fiction** n.f. *Cette histoire est une **fiction**,* un produit de l'imagination (≠ réalité).

■ **science-fiction** n.f. *J'ai lu un roman de **science-fiction**,* qui se passe dans le futur.

fidèle adj. **1.** *Luce est une amie **fidèle** (= dévoué, loyal). **2.** *Il m'a fait un récit **fidèle** (= exact, précis ; ≠ mensonger).*

■ **fidèle** n. *Le prêtre s'adresse aux **fidèles**,* à ceux qui pratiquent la religion.

■ **fidèlement** adv. SENS 1 *Son chien la suit **fidèlement**.* SENS 2 *Il a traduit **fidèlement** le texte* (= exactement).

■ **fidélité** n.f. SENS 1 *Il a fait un serment de **fidélité**.* SENS 2 *Une chaîne **haute-fidélité** (hi-fi) reproduit très fidèlement les sons.*

■ **infidèle** adj. SENS 1 *M. Durand est un mari **infidèle**,* il trompe sa femme. SENS 2 *Judy a une mémoire **infidèle** (= inexact).*

■ **infidélité** n.f. SENS 1 *Mme Savoie fait des **infidélités** à son mari.*

fief n.m. *Un **fief** était un domaine qu'un seigneur prêtait à son vassal contre certains services.*

fieffé adj. *C'est un **fieffé** menteur !,* il est très menteur.

fiel n.m. **1.** *Le **fiel** d'une volaille est amer,* la bile. **2.** *Sa réponse était pleine de **fiel** (= méchanceté).*

■ **fielleux** adj. SENS 2 *Elle m'a fait une réponse **fielleuse**,* pleine de méchanceté.

fiente n.f. *Les **fientes** des oiseaux sont leurs excréments.*

fier adj. **1.** *Marie est trop **fière** pour demander de l'aide* (= orgueilleux ; ≠ simple). **2.** *Pierre est **fier** d'avoir été reçu,* très satisfait (≠ honteux).

■ **fièrement** adv. SENS 1 *Elle a **fièrement** refusé toute assistance.*

■ **fierté** n.f. SENS 1 *Vous avez refusé avec **fierté**,* orgueil. SENS 2 *Pierre tire une certaine **fierté** de son succès,* satisfaction.

se fier v. *Je me **fie** à Laura,* j'ai confiance en elle (≠ se méfier, se défier).

■ **fiable** adj. *Cet appareil est maintenant bien au point : il est très **fiable**,* on peut se fier à lui.

■ **fiabilité** n.f. *Cette série d'incidents fait douter de la **fiabilité** de la machine.*

fièvre n.f. **1.** *Paul a de la **fièvre**,* la température de son corps est trop élevée. **2.** *Dans la **fièvre** du départ, on a oublié une valise,* la grande agitation (= fébrilité).

■ **fiévreux** adj. SENS 1 *Marie est **fiévreuse**,* elle a de la fièvre. SENS 2 *Une agitation **fiévreuse** règne dans le magasin* (= fébrile).

■ **fiévreusement** adv. *On préparait **fiévreusement** le départ* (= fébrilement).

fifre n.m. Un *fifre* est une petite flûte.

figer v. 1. *La sauce a figé,* elle s'est solidifiée, elle ne coule plus. 2. *Il était figé de peur,* immobile, paralysé.

fignoler v. Fam. *Line fignole son dessin,* elle le finit avec un soin minutieux (≠ bâcler).

■ **fignolage** n.m. *Le fignolage du travail a pris beaucoup de temps.*

578 **figue** n.f. La *figue* est le fruit du **figuier**.

802 **figure** n.f. 1. *Va te laver la figure !,* le visage. 2. *On comprend mieux le texte avec une figure,* un dessin (= illustra-
766 tion). 3. *La patineuse fait des figures,* des pas et des mouvements artistiques.

■ **figurer** v. 1. SENS 2 *La colombe figure la paix* (= représenter). 2. *Tu te figures que c'est facile* (= croire, s'imaginer). 3. *Ce nom ne figure pas sur ma liste,* il ne s'y trouve pas.

■ **figurant** n. Les *figurants* sont des acteurs qui ont un tout petit rôle, généralement muet.

■ **figuration** n.f. *Faire de la figuration,* c'est être figurant.

■ **figuré** adj. *Dans « j'ai soif de vengeance », « soif » a un sens figuré,* un sens imagé (≠ sens propre).

■ **figurine** n.f. Une *figurine* est une statuette.

■ **défigurer** v. SENS 1 *Cette blessure l'a défiguré,* elle lui a déformé la figure.

296, **fil** n.m. 1. *Ces boutons sont cousus avec*
293, *un fil solide. Le fil du téléphone est*
290 *tout entortillé. Madeleine a réparé le fil de la lampe.* 2. *De fil en aiguille, on en est venu à parler des vacances,* en passant d'un sujet à un autre. 3. *Le*
150 *maçon utilise un fil à plomb,* une cordelette au bout de laquelle pend un
763 poids. 4. *Le fil de fer est du métal étiré. Les fils télégraphiques sont des fils*
803, *métalliques par où passe un courant.*
807 5. *J'ai perdu le fil de mes idées,* la suite

(= enchaînement). 6. *Marie donne un coup de fil,* un coup de téléphone.

■ **filament** n.m. SENS 1 Un *filament* est un fil très mince.

■ **filiforme** adj. SENS 1 *John est filiforme,* mince comme un fil.

■ **effilé** adj. SENS 1 *Le sommet des peupliers est effilé,* mince et allongé comme un fil (≠ épais).

■ **s'effilocher** v. SENS 1 *Le bord du tapis s'effiloche,* les fils se défont.

■ **enfiler** v. 1. SENS 1 *Enfiler des perles,* c'est passer un fil dans le trou des perles. 2. *Jean enfile son pull-over,* il le met.

■ **renfiler** v. SENS 1 *Mon collier s'est cassé, il faut le faire renfiler,* faire enfiler de nouveau les perles.

R. *Fil* se prononce [fil] comme *file* et [*je*] *file* (de *filer*). Ne pas confondre *des fils* [fil] et *un fils* [fis].

filandreux adj. 1. *Cette viande est filandreuse,* elle est pleine de fibres longues et dures. 2. *Son discours était bien filandreux* il était confus, embarrassé !

filature → **filer.**

file n.f. 1. *Il y a une file d'attente devant le cinéma,* une suite de personnes les unes derrière les autres. 2. *Sandra a bu trois grands verres d'eau à la file,* l'un après l'autre, coup sur coup.

■ **enfilade** n.f. SENS 1 *Les pièces de l'appartement sont en enfilade,* les unes à la suite des autres.

filer v. 1. *Filer la laine,* c'est la transformer en fil. 2. *Le policier file la voleuse,* il la suit sans se faire voir. 3. Fam. *Je suis en retard, je file,* je pars vite.

■ **filature** n.f. SENS 1 Une *filature* est une usine où l'on file les matières textiles. SENS 2 *La police a pris le bandit en filature,* elle le poursuit.

filet n.m. 1. Un *filet* est un ensemble de mailles de ficelle, de corde ou de nylon. **2.** *Un **filet** de sole est un morceau allongé, situé de chaque côté de l'arête. J'ai acheté un bifteck dans le **filet**,* un morceau de chair situé dans le dos. **3.** *Un **filet** d'eau est un écoulement très mince d'eau.*

filetage n.m. *Cette vis ne vaut plus rien, le **filetage** est usé,* la rainure creusée sur la vis en tournant.
■ **fileté** adj. *Une tige **filetée** a un filetage.*

filial adj. *L'amour **filial** est l'amour des enfants pour leurs parents.*
■ **filiale** n.f. *Une **filiale** est une société qui dépend d'une société plus importante dite société mère.*

filière n.f. *Suivre une **filière**,* c'est passer par une série d'étapes.

filiforme → *fil.*

filigrane n.m. *Sur ce billet de banque, on voit un dessin en **filigrane**,* par transparence.

filin n.m. *Un **filin** est un cordage de bateau.*

fille n.f. **1.** *M. et Mme Dubois ont eu une **fille*** (≠ fils). **2.** *Marie est une **fille**, Paul est un garçon.* **3.** *Ma tante est restée **vieille fille**,* elle ne s'est pas mariée (on dit plus aimablement *célibataire).*
■ **fillette** n.f. SENS 2 *Anne est une **fillette** de dix ans,* une fille très jeune (≠ garçonnet).

filleul n. *Marie est la **filleule** de Jacques,* Jacques est son parrain.

film n.m. **1.** *Mettez un **film** dans la caméra,* une pellicule. **2.** *J'ai vu un très bon **film**,* une œuvre cinématographique.
■ **filmer** v. *Mme Truong **a filmé** ses enfants,* elle les a photographiés avec une caméra.

filon n.m. **1.** *Un **filon** est une couche de minerai dans le sol.* **2.** Fam. *J'ai*

trouvé un bon **filon**, une situation avantageuse.*

filou n.m. *Un **filou** est un voleur adroit.*

fils n.m. *M. et Mme Dubois ont deux **fils*** (= garçon ; ≠ fille).
R. On prononce [fis]. → *fil.*

filtre n.m. *Un **filtre** à café ne laisse passer que le liquide et retient les petits grains.*
■ **filtrer** v. **1.** *Filtrer du thé,* c'est le passer dans un filtre. **2.** *La police **filtre** les arrivants,* elle les contrôle attentivement. **3.** *L'eau **filtre** par les fissures,* elle coule lentement. **4.** *De rares nouvelles ont **filtré** jusqu'à nous,* elles nous sont parvenues malgré les obstacles.
■ **filtrage** n.m. SENS 2 *Les policiers opèrent un **filtrage** sévère* (= contrôle).
R. *Filtre* se prononce [filtr] comme *philtre.*

1. fin n.f. **1.** *Je n'ai pas vu ce film jusqu'à la **fin**,* jusqu'à son dernier moment (= bout ; ≠ commencement, début). **2.** *Elle est arrivée **à ses fins**,* au but qu'elle se proposait.
■ **final** adj. SENS 1 *Les accords **finals*** (ou parfois *finaux*) *d'un air de musique* y mettent fin (= dernier).
■ **finale** n.f. SENS 1 *Cette équipe de hockey a joué la **finale** de la Coupe Stanley,* le dernier des matchs de cette compétition.
■ **finalement** adv. SENS 1 *Finalement, elle a accepté,* pour finir.
■ **finaliste** adj. et n. SENS 1 *Ils sont finalistes,* qualifiés pour la finale.
■ **finalité** n.f. SENS 2 *La **finalité** d'une action,* c'est ce à quoi elle tend (= but).
■ **finir** v. **1.** SENS 1 *Tu as déjà **fini** ton travail ?* (= terminer, achever ; ≠ commencer). *Il faut **en finir**,* faire cesser cela. **2.** *Je **finirai** bien **par** trouver la solution,* j'y arriverai.
■ **finition** n.f. SENS 1 *Cette voiture manque de **finition**,* les détails en sont peu soignés (= fignolage).

603

■ **demi-finale** n.f. SENS 1 *Notre équipe a été battue en demi-finale,* au match qui a précédé la finale.

■ **infini** adj. SENS 1 *L'espace céleste est infini,* il n'a pas de limites.

■ **infiniment** adv. SENS 1 *Cette musique me plaît infiniment* (= énormément).

■ **infinité** n.f. SENS 1 *Il y a une infinité de façons de préparer les pommes de terre,* un très grand nombre.

2. fin adj. **1.** *Du sable fin est formé de grains très petits* (≠ gros). *Voyez sa silhouette fine* (= mince ; ≠ épais). **2.** *Tu as fait une fine plaisanterie* (= subtil, spirituel). *Paul se croit plus fin que les autres* (= rusé, astucieux). **3.** *De l'épicerie fine est de la meilleure qualité* (≠ ordinaire).

■ **finaud** adj. SENS 2 *Il a pris un air finaud pour me répondre* (= rusé).

■ **finement** adv. SENS 1 *Voilà de la dentelle finement travaillée,* d'une façon délicate.

■ **finesse** n.f. SENS 1 *Regarde la finesse de cette dentelle* (= délicatesse). SENS 2 *Elle a fait une remarque pleine de finesse* (= astuce, intelligence).

R. *Fin* (1 et 2) se prononce [fɛ̃] comme *faim* et *feint* (de *feindre*).

finance n.f. **1.** (au plur.) *On a examiné les finances de la société,* la façon dont elle gère son argent (= fonds). **2.** *Mme Muller appartient au monde de la finance,* de ceux qui font des affaires d'argent.

■ **financer** v. SENS 1 *L'État a financé les travaux,* il a fourni l'argent nécessaire.

■ **financement** n.m. SENS 1 *L'État a assuré le financement des travaux.*

■ **financier 1.** adj. SENS 1 *Un directeur financier* s'occupe des finances d'une entreprise. **2.** n.m. SENS 2 *Un financier* est une personne qui s'occupe de finance.

■ **financièrement** adv. SENS 1 *L'opération est financièrement réalisable,* on peut la payer.

finaud, finement, finesse → *fin* 2.

finir, finition → *fin* 1.

finish n.m.inv. *Cette athlète a gagné au finish,* en fournissant un effort maximum à la fin de l'épreuve.
R. On prononce [finiʃ].

fiole n.f. Une *fiole* est un petit flacon.

fioritures n.f.pl. *Ce dessin est plein de fioritures,* de petits ornements surajoutés.

firmament n.m. *Regarde les étoiles au firmament* (= ciel).

firme n.f. *Je travaille dans une grosse firme,* une entreprise industrielle ou commerciale.

fisc n.m. *On doit déclarer ses revenus au fisc,* à l'Administration des impôts.

■ **fiscal** adj. *Les entreprises ont des charges fiscales,* des impôts.

■ **fiscalité** n.f. *Les entreprises trouvent que la fiscalité est trop lourde,* l'ensemble des charges fiscales.

fissure n.f. *Il y a une fissure dans le plafond,* une petite fente (= lézarde).

■ **se fissurer** v. *Le plâtre se fissure* (= se fendiller).

fixe adj. **1.** *Ces sièges sont fixes,* on ne peut pas les déplacer (≠ mobile). **2.** *Il a le regard fixe,* ses yeux sont immobiles. **3.** *Donne-moi une date fixe* (= précis, ferme ; ≠ vague).

■ **fixement** adv. SENS 2 *Elle me regarde fixement,* avec insistance.

■ **fixer** v. SENS 1 *On a fixé des volets qui battaient* (= immobiliser). SENS 2 *Pourquoi me fixe-t-il ?,* me regarde-t-il fixement. SENS 3 *À quelle heure est fixé le rendez-vous ?* (= décider).

■ **fixation** n.f. SENS 1 *La fixation est-elle solide ?,* ce qui sert à fixer.

■**fixité** n.f. SENS 2 *La fixité de son regard était impressionnante.*

fjord n.m. *Un fjord est, en Norvège, un golfe très profond.*
R. On prononce [fjɔr] ou [fjɔrd].

flacon n.m. *Un flacon est une petite bouteille.*

flageoler v. *Elle flageole sur ses jambes,* elle n'est pas stable (= vaciller, chanceler).

flageolet n.m. 1. *Le flageolet est une variété de haricot.* 2. *Sais-tu jouer du flageolet ?,* une petite flûte (= pipeau).

flagorner v. *Vous flagornez la directrice,* vous la flattez bassement.
■**flagorneur** n. *Jean-Marie est un flagorneur.*

flagrant adj. *Son erreur est flagrante,* elle est évidente.

flair n.m. 1. *Ce chien a du flair,* il a l'odorat sensible. 2. *J'ai eu du flair dans cette affaire,* je me suis doutée de quelque chose (= intuition).
■**flairer** v. SENS 1 *Le chien a flairé le gibier,* il l'a senti. SENS 2 *Brenda flairait le piège,* elle s'en doutait, elle le pressentait.

flamant n.m. *En Camargue, il y a beaucoup de flamants roses,* d'oiseaux échassiers à long cou.

flambant adv. *La voiture est flambant neuve,* elle a tout l'éclat du neuf.

flamber v. *Le papier flambe vite,* il brûle avec une flamme. *On plume un poulet et on le flambe,* on le passe sur une flamme.
■**flambeau** n.m. *Un flambeau est une sorte de torche.*
■**flambée** n.f. 1. *On a fait une flambée dans la cheminée,* un feu. 2. *On a observé une flambée des prix,* une augmentation brusque.

flamboyer v. *Ses yeux flamboient de colère,* ils brillent d'un vif éclat (= étinceler).
■**flamboyant** adj. *Ses yeux étaient flamboyants de colère.*
■**flamboiement** n.m. *On aperçoit au loin le flamboiement de l'incendie,* la vive lumière.

flamme n.f. 1. *Elle s'est brûlée à la flamme de son briquet.* 2. *Paul parle de Marie avec flamme,* avec ardeur et enthousiasme. 761
■**flammèche** n.f. SENS 1 *Une flammèche est une petite flamme.*
■**enflammer** v. 1. SENS 1 *On frotte une allumette pour l'enflammer,* pour produire une flamme. SENS 2 *Son discours a enflammé l'auditoire,* il l'a enthousiasmé. 2. *La plaie s'est enflammée,* elle est devenue rouge et brûlante (= s'envenimer).
■**inflammable** adj. SENS 1 *L'alcool est inflammable,* il s'enflamme facilement.
■**ininflammable** adj. SENS 1 *Ce tissu mural est ininflammable.*

flan n.m. *Un flan est une sorte de crème cuite.* 221

flanc n.m. 1. *Le cheval s'est couché sur le flanc,* le côté. 2. *La maison est construite à flanc de coteau,* sur la pente du coteau.

flancher v. Fam. *Ce n'est pas le moment de flancher,* de faiblir (=lâcher ; ≠ tenir).

flanelle n.f. *J'aime porter ce gilet de flanelle,* un tissu léger.

flâner v. *Le dimanche, les gens flânent dans la rue,* ils se promènent sans se presser (≠ se dépêcher).
■**flânerie** n.f. *Tu perds ton temps en flâneries.*
■**flâneur** n. *Les flâneurs descendent le boulevard.*

flanquer v. 1. *Elle est flanquée de son garde du corps,* accompagnée. **2.** Fam. *Elle m'a flanqué une gifle,* elle me l'a donnée avec force. **3.** Fam. *On l'a flanqué dehors* (= jeter).

flaque n.f. *J'ai marché dans une flaque d'eau,* une petite mare.

flash n.m. **1** *Ces photos ont été prises avec un flash,* avec un appareil qui produit une lumière vive. **2.** *L'émission a été interrompue par un flash d'information,* une brève information.
R. Noter le pluriel : des *flashes.*

flash-back n.m.inv. *Dans le cours du film, des flash-back rappellent l'enfance du personnage,* des séquences de retour en arrière.

flasque adj. *Ces poissons ont la chair flasque,* molle (≠ ferme).

flatter v. 1. *Il flatte sa directrice,* il cherche à lui plaire par des compliments exagérés. **2.** *Cette photo la flatte,* elle la montre plus jolie qu'elle n'est (= avantager). **3.** *Je suis flatté d'être invité,* j'en suis fier. *Je me flatte d'avoir dit cela la première,* j'en suis fière (= se vanter).
■ **flatterie** n.f. SENS 1 *Paul est sensible à la flatterie,* aux louanges intéressées.
■ **flatteur** n. et adj. SENS 1 *Méfiez-vous des flatteurs !* (= hypocrite). SENS 2 *On m'a parlé de toi en termes flatteurs* (= élogieux ; ≠ désobligeant).

363 **fléau** n.m. 1. *Un fléau était autrefois un instrument qui servait à battre le blé.*
223 **2.** *Le fléau d'une balance est la tige horizontale aux bouts de laquelle sont suspendus ou fixés les plateaux.* **3.** *Cette sécheresse est un fléau* (= calamité, catastrophe).

147 **flèche** n.f. **1.** *Avec son arc, Pia tire des flèches,* des projectiles faits d'une tige

de bois. **2.** *Une flèche* (→) *indiqu la direction à suivre,* le dessin d'un flèche. **3.** *Il y a un coq sur la flèche d clocher,* la partie supérieure terminé en pointe.
■ **flécher** v. SENS 2 *Flécher un pa cours,* c'est l'indiquer par des flèches
■ **fléchette** n.f. SENS 1 *Une fléchett est une petite flèche.*

fléchir v. 1. *Fléchissez les genoux !* (= plier, ployer). **2.** *Elle a réussi à fléchi ses juges,* à les faire céder (= ébran ler). **3.** *Les cours de la Bourse fléchis sent* (= baisser ; ≠ monter).
■ **fléchissement** n.m. SENS 1 *Le flé chissement des genoux lui est pénibl* (= flexion). SENS 3 *Le fléchissemen des prix s'est arrêté* (= baisse ; ≠ hausse).
■ **flexion** n.f. SENS 1 *Son plâtre lui inte dit la flexion du bras* (≠ extension
■ **flexible** adj. SENS 1 *Le roseau e flexible,* il peut se plier (= élastique souple).
■ **inflexible** adj. SENS 2 *M. Dupont e un homme inflexible,* on ne peut pa le fléchir (= inébranlable).

flegme n.m. *Mary a un flegme impe turbable,* elle conserve toujours so calme.
■ **flegmatique** adj. *Paul a un tempe rament flegmatique,* très calme (≠ coléreux, emporté).

flemme n.f. Fam. *Aujourd'hui je n'c rien fait : j'avais la flemme,* je n'avai pas envie de travailler.
■ **flemmard** adj. Fam. *Êtes-vous tro flemmard pour m'aider ?* (= pares seux).

flétrir v. 1. *Les fleurs se flétrissent vit quand il fait chaud,* elles perdent leu fraîcheur (= se faner). **2.** *Toutes ce calomnies ont flétri sa réputatior* elles l'ont rendue mauvaise (= dim nuer, ternir).

leur n.f. **1.** *John a fait un joli bouquet de fleurs.* **2.** *La balle lui est passée à fleur de peau,* elle est passée tout près, en la frôlant.

■ **fleurir** v. SENS 1 *Ces rosiers fleurissent en été,* ils sont en fleur. *On a fleuri sa tombe,* on l'a ornée de fleurs.

■ **fleuriste** n. SENS 1 *Une fleuriste cultive ou vend des fleurs.*

■ **fleuron** n.m. **1.** SENS 1 *Un fleuron est un ornement en forme de fleur.* **2.** *Le plus beau fleuron de sa collection, c'est ce tableau,* la plus belle pièce (= clou).

■ **floraison** n.f. SENS 1 *La floraison des roses,* c'est l'époque où elles sont en fleur.

■ **floral** adj. SENS 1 *On a visité l'exposition florale,* l'exposition de fleurs.

■ **affleurer** v. SENS 2 *Les rochers affleurent à la surface de l'eau,* ils arrivent juste à ce niveau.

■ **effleurer** v. **1.** SENS 2 *La balle lui a effleuré le bras,* frôlé. **2.** *Cela ne m'avait même pas effleuré l'esprit,* je n'y avais pas pensé du tout.

■ **refleurir** v. SENS 1 *Les rosiers refleurissent.*

‥eurer v. *Ces sentiers fleurent bon le chèvrefeuille,* ils sentent bon.

‥euret n.m. *Un fleuret est une épée d'escrime.*

‥eurir, fleuriste, fleuron → *fleur.*

‥euve n.m. *La Seine, le Saint-Laurent sont des fleuves,* des cours d'eau qui se jettent dans la mer.

■ **fluvial** adj. *La navigation fluviale se fait sur les fleuves* (≠ maritime).

‥exible, flexion → *fléchir.*

‥ibustier n.m. *Un flibustier était un pirate.*

‥ipper n.m. *Un flipper est un billard électrique.*
R. On prononce [flipœr].

flirt n.m. *Paul a un flirt avec Marie,* ils sont amoureux.

■ **flirter** v. *Paul flirte avec Marie.*
R. On prononce [flœrt], [flœrte].

flocon n.m. **1.** *La neige tombe en flocons,* en petits amas qui voltigent. **2.** *Indira mange des flocons d'avoine,* de fines lamelles.

■ **floconneux** adj. SENS 1 *Des nuages floconneux passent dans le ciel,* des nuages formant des masses arrondies.

flonflon n.m. *On entend les flonflons de la fête,* la musique populaire.

floraison, floral → *fleur.*

flore n.f. *Connais-tu la flore de cette région ?,* l'ensemble des végétaux qui y poussent.

florissant adj. *Le commerce de ce pays est florissant,* très actif, très riche (= prospère).

flot n.m. **1.** (au plur.) *Le navire vogue sur les flots,* sur l'eau, la mer. **2.** *Quel flot de paroles !,* quelle quantité ! (= avalanche, déluge). **3.** *On a mis le bateau à flot,* sur l'eau pour qu'il flotte.

flottage → *flotter.*

flotte n.f. **1.** *L'amiral commande la flotte,* l'ensemble des bateaux. **2.** Très fam. *J'ai bu un grand verre de flotte,* d'eau.

■ **flottille** n.f. SENS 1 *Une flottille est une petite flotte.*

flotter v. **1.** *La bouée flotte à la surface de l'eau,* elle est portée par l'eau (= surnager ; ≠ couler). **2.** *Le drapeau flotte au vent* (= onduler). **3.** *Je flotte dans ce manteau,* il est trop large. **4.** Très fam. *Il s'est mis à flotter,* à pleuvoir.

■ **flottage** n.m. SENS 1 *Au Canada, on transportait le bois par flottage,* en le faisant flotter sur l'eau.

652

583

■ **flottement** n.m. *Il y a eu un certain flottement dans l'assemblée,* un moment d'hésitation (= incertitude).

728 ■ **flotteur** n.m. SENS 1 Un *flotteur* est un objet destiné à flotter ou à faire flotter un appareil.

flottille → *flotte.*

flou adj. *Cette photo est floue,* elle est brouillée, trouble (≠ net, précis).

fluctuations n.f.pl. *Cette firme surveille les fluctuations de la Bourse,* les hauts et les bas (= changements). ■ **fluctuant** adj. *Les cours de la Bourse sont fluctuants ces temps-ci,* ils sont sujets à des variations.

fluet adj. *Marie a des jambes fluettes,* très minces (= grêle ; ≠ épais).

fluide 1. adj. *La circulation routière est fluide,* le flot des voitures s'écoule bien. 2. n.m. *Les liquides et les gaz* 801 *sont des fluides,* des corps qui peuvent couler (≠ solide). ■ **fluidité** n.f. *Cette huile garde une bonne fluidité à basse température* (≠ viscosité).

fluor n.m. *Pour éviter d'avoir des caries, la dentiste m'a conseillé du dentifrice au fluor,* une substance chimique.

fluorescent adj. *Un objet fluorescent émet de la lumière* (= lumineux). *La cuisine est éclairée par un tube fluorescent,* un tube contenant un gaz qui devient lumineux sous l'effet de l'électricité.

438, **flûte** n.f. 1. *Paul joue de la flûte,* d'un 439 instrument de musique en forme de tube percé de trous, dans lequel on souffle. 2. *Une flûte à champagne* est un verre haut et étroit. ■ **flûtiste** n. SENS 1 *Marie est flûtiste,* elle joue de la flûte.

fluvial → *fleuve.*

flux n.m. *Le flux est la marée montan...* (≠ reflux).

fluxion n.f. est un mot vieilli pour *...flammation : fluxion de poitrine.*

foc n.m. *Un foc est une petite vo... triangulaire à l'avant d'un voilier.*

focal adj. *Dans un appareil photogra... phique, la distance focale est la d... tance où se forme l'image par rapp... à l'objectif (au foyer de cet objecti...*

fœtus n.m. *On appelle fœtus l'enfa... incomplètement formé qui est enco... dans le ventre de sa mère.* R. On prononce [fetys].

foi n.f. 1. *Avoir une foi religieuse,* c'e... croire à ce qu'enseigne une religio... 2. *Un témoin digne de foi mérite qu'... le croie.* 3. *Il a prouvé sa bonne foi,* s... intentions honnêtes (= sincérité, ho... nêteté ; ≠ mauvaise foi). 4. *Envoy... vos lettres avant minuit, le cachet ... la poste fera foi,* en sera une preuv... R. *Foi* se prononce [fwa] comme *foie fois.*

foie n.m. *J'ai mal au foie,* à un organ... contenu dans l'abdomen. R. → *foi.*

foin n.m. *Il y a une meule de foin da... le pré,* d'herbe fauchée et séchée. ■ **fenaison** n.f. *La fenaison est la r... colte des foins.*

foire n.f. 1. *Les paysans vendent leu... produits à la foire,* au grand march... agricole. 2. *À la foire, les enfants o... fait un tour de manège,* à la fête e... plein air. ■ **forain** n. et adj. SENS 1 *Les forain... déballent leur marchandise,* les ma... chands qui vendent à la foire. SENS... *Nous sommes allés à la fête foraine,* ... la foire.

fois n.f. 1. *Karim est venu ici deu... fois,* à deux reprises. 2. *Deux fo...*

trois font six, trois multiplié par deux. **3.** *On ne peut faire deux choses à la fois,* en même temps (= ensemble ; ≠ séparément). **4.** *Une fois qu'on a compris, c'est facile,* quand on a compris.
R. → *foi.*

'oison n.f. *Il y a des moustiques à foison ici,* en grande quantité.
■ **foisonner** v. *Les mauvaises herbes foisonnent,* elles abondent.
■ **foisonnement** n.m. *Il y a eu un foisonnement d'idées dans ce débat.*

'olâtrer v. *Les enfants folâtrent dans le pré,* ils s'ébattent gaiement.

'olichon adj. Fam. *Le programme de la journée n'est pas folichon,* il n'est pas gai, agréable.

'olie → *fou* 1.

'olio n.m. *Un folio est un feuillet d'un registre ou d'un livre.*

'olklore n.m. *Je connais une chanson du folklore breton,* qui fait partie des traditions anciennes de cette région.
■ **folklorique** adj. *On a vu un spectacle de danses folkloriques.*

'olle, follement → *fou* 1.

'ollet adj. *Un feu follet* est une flamme légère qui apparaît parfois spontanément sur certains terrains.

'omenter v. *Fomenter une révolte,* c'est la préparer.

1. foncer v. *Tes cheveux ont foncé,* ils sont devenus plus sombres (≠ éclaircir).
■ **foncé** adj. *Elle porte une jupe bleu foncé* (= sombre ; ≠ clair).

2. foncer v. *Quand il m'a vu, il a foncé sur moi,* il s'est précipité.

'oncier adj. **1.** *Luce est d'une honnêteté foncière,* innée, profonde, natu-

relle. **2.** *Le Crédit foncier* est un organisme qui prête de l'argent à ceux qui font bâtir une maison ou qui en achètent une.
■ **foncièrement** adv. SENS 1 *Tu es foncièrement honnête,* par nature.

fonction n.f. **1.** *Paul exerce la fonction d'enseignant,* le métier (= profession). **2.** (au plur.) *Quelles sont vos fonctions dans cette entreprise ?,* votre travail (= activités, rôle). **3.** *Il est paralysé, ses jambes ne remplissent plus leur fonction,* leur rôle. **4.** *Quelle est la fonction de ce mot dans la phrase ?,* sa relation grammaticale avec les autres mots.
■ **fonctionnaire** n. SENS 1 *Yasmina est fonctionnaire,* elle a une fonction dans l'Administration.
■ **fonctionnel** adj. SENS 3 *Des troubles fonctionnels* sont des troubles du fonctionnement de certains organes. *Une architecture fonctionnelle* est bien adaptée à la fonction d'un bâtiment.
■ **fonctionner** v. SENS 3 *Cette machine ne fonctionne plus* (= marcher).
■ **fonctionnement** n.m. SENS 3 *Explique-moi le fonctionnement de cet appareil,* comment il marche.

fond n.m. **1.** *Le fond du pot est percé,* la partie qui est en bas. **2.** *Ma chambre est au fond du couloir,* à la partie la plus éloignée de l'entrée (= bout). **3.** *Elle a une robe imprimée sur fond bleu,* sur la surface bleue de laquelle se détachent des motifs. **4.** *C'est là le fond du problème,* l'essentiel. **5.** *Serre la vis à fond,* complètement. **6.** *Au fond (dans le fond), tu as raison,* en réalité (= tout compte fait).
R. *Fond* se prononce [fɔ̃] comme *fonds, fonts,* [*ils*] *font* (de *faire*) et [*il*] *fond* (de *fondre*).

728

fondamental, fondamentalement → *fonder.*

fondant → *fondre.*

fonder v. 1. *La famille Lacoste a fondé ce club,* elle l'a créé. 2. *Sur quoi te fondes-tu pour l'accuser ?,* quels sont tes arguments, tes preuves ? (= s'appuyer).

■ **fondé** adj. SENS 2 *Cette critique n'est pas fondée,* justifiée.

■ **fondateur** n. SENS 1 *La fondatrice de l'hôpital* est celle qui l'a fondé.

■ **fondation** n.f. 1. SENS 1 *La fondation du collège remonte à un siècle* (= création). 2. (au plur.) *On a fait les fondations de la maison,* la maçonnerie dans le sol pour la soutenir.

■ **fondement** n.m. SENS 2 *Cette rumeur est sans fondement,* elle ne repose sur aucun argument (= preuve).

■ **fondamental** adj. SENS 2 *Les principes fondamentaux d'une théorie,* ce sont ses principes essentiels (≠ accessoire).

■ **fondamentalement** adv. SENS 2 *Ce projet n'est pas fondamentalement différent du précédent* (= radicalement).

R. [*Il*] *fonde* se prononce [fɔ̃d] comme [*qu'il*] *fonde* (de *fondre*).

fondre v. 1. *Le beurre fond au soleil,* il devient liquide. 2. *Fondre un métal,* c'est le chauffer jusqu'à ce qu'il soit liquide. 3. *Le sel fond dans l'eau,* il se dissout. 4. *Les deux sociétés ont été fondues en une seule,* réunies. 5. *L'aigle fond sur sa proie,* il s'abat sur elle.

■ **fondant** adj. SENS 1 *Cette poire est fondante,* elle fond dans la bouche.

■ **fonderie** n.f. SENS 2 *Une fonderie* est une usine où l'on fond les métaux.

■ **fonte** n.f. SENS 1 *Avril est l'époque de la fonte des neiges,* où les neiges fondent. SENS 2 *Nos radiateurs sont en fonte,* en un métal fait de minerai de fer fondu.

■ **fusion** n.f. SENS 1 ET 2 *Un métal en fusion* coule sous l'action de la chaleur. SENS 4 *La fusion des deux sociétés a été décidée* (= réunion).

■ **fusionner** v. SENS 4 *Les deux partis ont fusionné,* ils se sont réunis en un seul.

R. *Fondre* → conj. n° 51. → *fond* et *fonder.*

fondrière n.f. *Une fondrière* est une crevasse ou un creux dans le sol.

fonds n.m. 1. *Ils ont acheté un fonds de commerce,* un établissement commercial. 2. (au plur.) *On a trouvé des fonds pour construire la maison,* de l'argent (= capitaux).

R. → *fonts.*

fondue n.f. *La fondue savoyarde, la fondue bourguignonne* sont des plats régionaux.

fontaine n.f. *Nous avons bu de l'eau à la fontaine.*

fonte → *fondre.*

fonts n.m.pl. *Les fonts baptismaux* sont le bassin près duquel on baptise dans une église.

R. *Fonts* se prononce [fɔ̃] comme *fond, fonds* et [*ils*] *font.*

football n.m. *Paul joue au football,* un sport d'équipe. *Pour Noël, il a eu un ballon de football.*

■ **footballeur** n.m. *Au Canada, une équipe de football comprend douze footballeurs* (= joueurs).

R. On prononce [futbol, futbolœr].

footing n.m. *Faire du footing,* c'est faire de la marche à pied.

R. On prononce [futiŋ].

for intérieur n.m. *En mon for intérieur, j'ai pensé qu'elle avait raison,* au fond de moi-même, sans rien dire.

forage → *forer.*

forain → *foire*

forban n.m. *Ce vendeur est un vrai forban,* un individu sans scrupule qui exploite les gens (= pirate, bandit).

forçat → *forcé.*

force n.f. **1.** *Line a de la force dans les bras,* elle est forte (= vigueur, résistance ; ≠ faiblesse). **2.** *Il va falloir employer la force, si tu ne veux pas obéir* (= contrainte, violence ; ≠ douceur). **3.** *Ces élèves ne sont pas de la même force en anglais,* du même niveau. (au plur.) *Ce problème est au-dessus de mes forces,* de mes capacités intellectuelles. **4.** *La malade a repris des forces,* son énergie est revenue. **5.** *À force de crier, Lori n'a plus de voix,* parce qu'elle a beaucoup crié.

■ **forcer** v. SENS 1 *On a forcé la porte,* on l'a ouverte par la force. SENS 2 *On l'a forcée à partir,* on l'a obligée (= contraindre).

forcé adj. **1.** *Autrefois, les condamnés aux travaux forcés étaient soumis à un régime inhumain* (= bagne). **2.** *Tu as échoué ? C'était forcé, tu n'as pas travaillé !* (= inévitable).

■ **forçat** n.m. SENS 1 *Tu travailles comme un forçat* (= bagnard).

■ **forcément** adv. SENS 2 *Les débuts sont forcément lents* (= inévitablement).

forcené n. *On a maîtrisé le forcené,* le fou.

forcer → *force.*

forcing n.m. *Faire du forcing,* c'est s'efforcer par tous les moyens d'être victorieux.
R. On prononce [fɔrsiŋ].

forcir v. *Depuis que tu as pris ta retraite, tu as un peu forci,* tu as pris de l'embonpoint (= grossir).

forer v. *Forer un puits,* c'est creuser le sol pour faire ce puits.

■ **forage** n.m. *Une société a entrepris le forage de plusieurs puits de pétrole.*

■ **foret** n.m. Un *foret* est un outil destiné à percer des trous dans le bois, le métal, etc. (= mèche).

forêt n.f. *Marchons dans la forêt,* un grand terrain où poussent des arbres (= bois). 656, 655, 580

■ **forestier** adj. *Un garde forestier* est chargé de surveiller une forêt.

forfait n.m. **1.** *Ce travail a été payé à forfait,* pour un prix convenu d'avance. **2.** *Notre équipe a déclaré forfait,* elle a renoncé à la compétition (= abandonner). **3.** Un *forfait* est un grand crime.

■ **forfaitaire** adj. SENS 1 *Chaque réparation est facturée selon un prix forfaitaire,* convenu d'avance, quelles que soient les circonstances particulières.

forfanterie n.f. *Je déclare, sans forfanterie, que je suis capable de faire cela,* sans me vanter (= fanfaronnade).

forger v. **1.** *La grille est en fer forgé,* travaillé au feu et à coups de marteau. **2.** *Son histoire est forgée de toutes pièces,* elle n'est pas vraie (= inventer).

■ **forge** n.f. SENS 1 *Un maréchal-ferrant travaille dans une forge,* son atelier. 291

■ **forgeron** n.m. SENS 1 *Le forgeron bat le fer rouge sur son enclume,* c'est son métier. 291

se formaliser, formalisme, formaliste → *forme* 2.

formalité n.f. (au plur.) *Quand on se marie, il y a des formalités à accomplir,* des actes administratifs obligatoires.

format n.m. *Judy a acheté un livre en format de poche,* un livre qui a les dimensions d'une poche.

formateur, formation → *former.*

1. forme n.f. **1.** *La forme de son visage est toute ronde* (= aspect, contour). **2.** Fam. *Tu as l'air en pleine forme !,* en parfaite santé physique et morale.

■**déformer** v. SENS 1 *À force d'être portée, ma robe s'est déformée,* elle a perdu sa forme.

■**déformation** n.f. SENS 1 *Il a une déformation de la colonne vertébrale,* une altération de la forme.

■**indéformable** adj. SENS 1 *Cette armature est indéformable.*

■**informe** adj. SENS 1 *Quelle écriture informe !,* dont les lettres sont déformées.

2. forme n.f. *Je lui ai demandé son avis pour la forme,* pour respecter les usages. *La demande a été faite dans les formes,* selon les règles établies. *Vous pouvez refuser mais en y mettant les formes,* avec des précautions de bienséance.

■**formel** adj. **1.** *Sa protestation est purement formelle,* pour la forme. **2.** *Elle a opposé un refus formel* (= net, catégorique).

■**formellement** adv. *Je m'oppose formellement à ce projet* (= catégoriquement).

■**formalisme** n.m. *Elle n'exige cette démarche que par pur formalisme,* pour respecter les règles administratives, les usages.

■**formaliste** adj. *Nous sommes entre amis, ne soyez pas si formaliste,* si attaché aux principes.

■**se formaliser** v. *Il m'a tutoyé tout de suite, mais je ne m'en formalise pas,* cela ne me choque pas.

former v. **1.** *Le fleuve forme un coude ici,* il a la forme d'un coude. **2.** *Le ministre a formé son équipe,* il l'a constituée. **3.** *Dans cette école, on forme des secrétaires,* on leur apprend leur métier (= éduquer).

■**formation** n.f. SENS 2 *L'entraîneuse s'est chargée de la formation de l'équipe,* de sa constitution. SENS 3 *Sophia suit des cours de formation professionnelle,* de préparation à sa profession.

■**formateur** adj. SENS 3 *Ce stage en entreprise est très formateur* (= instructif, profitable).

formidable adj. *Marthe a un appétit formidable !,* extraordinaire.

formulaire n.m. *Remplissez le formulaire,* l'imprimé où sont posées des questions d'ordre administratif.

formule n.f. **1.** *« S'il vous plaît » est une formule de politesse,* une expression toute faite. **2.** *La formule chimique de l'eau est H_2O,* l'expression qui, sous forme de chiffres et de lettres, indique sa composition. **3.** *Nous avons adopté la formule du paiement mensuel de l'impôt,* la manière, le mode.

■**formuler** v. SENS 1 *Formulez votre demande en termes précis* (= exprimer).

forsythia n.m. *Le forsythia est un arbrisseau dont les fleurs jaunes apparaissent avant les feuilles.*

R. On prononce [fɔrsisja].

fort adj. **1.** *Pour transporter ce meuble, on a besoin de personnes fortes,* qui ont de la force (= robuste ; ≠ faible). **2.** *Pia est forte en anglais,* elle réussit bien. **3.** *L'as est la carte la plus forte,* il vaut plus que les autres cartes. **4.** *Cette liqueur est forte,* alcoolisée (≠ doux). *J'aime le thé fort,* concentré (≠ léger). **5.** *M. Rossi parle d'une voix forte* (= sonore, puissant ; ≠ faible). **6.** *Une place forte était un lieu protégé par des fortifications* (= fortifié).

■**fort** adv. **1.** SENS 1 *Ne tape pas si fort !,* avec autant de force. SENS 5 *Parlez plus fort* (= haut ; ≠ bas). **2.** *Ce gâteau est fort bon* (= très).

■**fort** n.m. SENS 2 *Le latin n'est pas*

son **fort**, ce en quoi il réussit le mieux. SENS 6 *Le fort se trouve sur la colline,* le bâtiment fortifié.

■**fortement** adv. SENS 1 *Appuyez fortement sur le bouton !* (= vigoureusement, fort).

■**forteresse** n.f. SENS 6 *L'ennemi n'a pas pu prendre la forteresse,* le grand fort.

■**fortifier** v. SENS 1 *La vie au grand air va te fortifier,* te rendre plus fort (≠ affaiblir). SENS 6 *Cette partie de la ville est fortifiée,* protégée par des fortifications.

■**fortifiant** n.m. SENS 1 *Depuis sa maladie, Marie prend des fortifiants,* des médicaments qui fortifient.

■**fortification** n.f. SENS 6 *Carcassonne est entourée de fortifications,* de constructions destinées à la protéger.

■**fortin** n.m. SENS 6 *Un fortin est un petit fort.*

fortuit adj. *J'ai fait une rencontre fortuite* (= inattendu, imprévu ; ≠ prévisible).

■**fortuitement** adv. *Je l'ai rencontrée fortuitement* (= par hasard).

fortune n.f. **1.** *Elle a une grosse fortune,* elle a des biens (= richesses). *M. Dupont a fait fortune,* il s'est enrichi. **2.** *La bonne fortune,* c'est la chance, *la mauvaise fortune,* c'est la malchance. **3.** *On se débrouille avec des moyens de fortune,* les moyens offerts par le hasard (= improvisé).

■**fortuné** adj. SENS 1 *La famille Dupont est fortunée* (= riche).

forum n.m. *J'ai participé à un forum sur l'éducation,* une réunion avec débat.
R. On prononce [fɔrɔm].

fosse n.f. **1.** *Pour enterrer les morts, on creuse une fosse,* un grand trou dans le sol. **2.** *La fosse d'orchestre* est l'endroit aménagé pour l'orchestre en bas de la scène.

■**fossé** n.m. SENS 1 *La voiture est allée dans le fossé,* la fosse creusée le long de la route. *Un pont-levis passe au-dessus du fossé du château fort,* la fosse remplie d'eau (= douve). 152 147

■**fossoyeur** n.m. SENS 1 *Les fossoyeurs ont rebouché la fosse,* les employés du cimetière.
R. → *faux.*

fossette n.f. *Marie a une fossette au menton,* un petit creux.

fossile adj. et n. m. *Je collectionne les (coquillages) fossiles,* des cailloux formés par des squelettes d'animaux ou des empreintes de plantes.

fossoyeur → *fosse.*

1. fou, folle adj. et n. **1.** *Elle est folle,* elle a perdu la raison. **2.** *J'ai un travail fou,* beaucoup de travail (= énorme). **3.** *Pierre est fou de cinéma* (= passionné). **4.** *Un fou rire* est un rire qu'on ne peut pas arrêter.

■**folie** n.f. SENS 1 *Cette personne a des accès de folie,* son cerveau est dérangé (= démence). SENS 2 *Tu as fait des folies !,* une dépense exagérée.

■**follement** adv. SENS 2 *Je suis follement inquiète* (= très).

2. fou n.m. **1.** *Un fou était un bouffon chargé d'amuser un prince.* **2.** *Le fou est une pièce du jeu d'échecs.*

foudre n.f. **1.** *La foudre a frappé le clocher,* une décharge électrique d'orage produisant un éclair et le tonnerre. **2.** *Ça a été le coup de foudre entre eux,* la passion subite. 365

■**foudroyer** v. SENS 1 *La vache a été foudroyée sous l'arbre,* elle a été tuée par la foudre.

■**foudroyant** adj. SENS 1 *Elle a eu une attaque foudroyante,* rapide comme la foudre.

fouet n.m. **1.** *Le charretier fait claquer son fouet,* une lanière attachée à un 368 manche. **2.** *Ce premier succès lui a donné un* **coup de fouet,** *il l'a stimulé.* **3.** *Le projectile a atteint la maison de plein fouet,* directement, avec toute sa force.

■ **fouetter** v. **1.** SENS 1 *On ne fouette plus les enfants,* on ne les bat plus à coups de fouet. **2.** Fam. *J'ai d'autres chats à fouetter,* j'ai à m'occuper d'affaires plus importantes. **3.** Fam. *Il n'y a pas de quoi fouetter un chat,* ce n'est pas une faute grave.

654 **fougère** n.f. La *fougère* est une plante des bois à feuilles très découpées.

fougue n.f. *Elle a parlé avec fougue* (= ardeur, véhémence ; ≠ calme).

■ **fougueux** adj. *Une attaque fougueuse* est très vive (= violent, impétueux).

fouiller v. *Les douaniers ont fouillé ma valise,* ils l'ont explorée minutieusement (= inspecter).

■ **fouille** n.f. **1.** *À la frontière, la fouille des bagages nous a retardés,* l'inspection. **2.** (au plur.) *Les archéologues font des fouilles,* ils creusent la terre pour y chercher des objets anciens.

fouillis n.m. *Quel fouillis sur cette table !,* quel désordre !

fouine n.f. La *fouine* est un petit animal au museau pointu qui vit dans les bois.

fouiner v. Fam. *C'est une personne qui fouine dans tous les recoins,* qui cherche attentivement (= fureter).

foulard n.m. *Maria a un foulard autour du cou,* un grand carré en tissu.

foule n.f. **1.** *La foule se déverse dans le stade,* un grand nombre de personnes. **2.** *Line a une foule de projets,* une grande quantité (= masse, multitude).

foulée n.f. **1.** *Katy court à petites foulées* (= enjambée). **2.** *M. Duval a fait repeindre son appartement et, dans la foulée,* il a changé la mo-

quette, du même coup, dans le même mouvement.

fouler v. *Anne s'est foulé la cheville,* elle se l'est tordue douloureusement.

■ **foulure** n.f. *Une foulure* est une légère entorse.

four n.m. **1.** *Le rôti cuit dans le four de la cuisinière,* la partie fermée. **2.** *Les invités mangent des petits fours au buffet,* des petits gâteaux sucrés ou salés.

■ **fournée** n.f. SENS 1 *Le boulanger a fait trois fournées de pain,* trois fois le contenu de son four.

■ **fourneau** n.m. SENS 1 *La soupe chauffe sur le fourneau* (= cuisinière). *On fabrique la fonte dans un haut fourneau,* un grand four où l'on fond le minerai de fer.

■ **enfourner** v. SENS 1 *Le boulanger enfourne ses pains,* il les met dans le four.

fourbe n. et adj. *Méfie-toi de lui, c'est un fourbe,* un hypocrite, un homme perfide.

■ **fourberie** n.f. *J'ai été victime de sa fourberie* (= hypocrisie, perfidie).

fourbi n.m. Fam. *Ramasse-moi tout ce fourbi,* cet ensemble de choses diverses.

fourbu adj. *Anne est rentrée fourbue de sa marche,* très fatiguée (= épuisé, harassé, éreinté).

fourche n.f. **1.** *Les paysans chargent le foin avec une fourche,* un instrument formé d'un manche terminé par des dents allongées. **2.** *Mary était assise sur la fourche de l'arbre,* l'endroit où l'arbre se divise en plusieurs branches.

■ **fourchu** adj. SENS 2 *Les chèvres ont le pied fourchu,* divisé en deux (= fendu).

fourchette n.f. **1.** *On pique la viande dans l'assiette avec une fourchette.*

2. *Les sondages lui accordent une* **fourchette** *de 43 à 45 % de voix,* un chiffre compris entre ces deux valeurs.

fourchu → *fourche.*

fourgon n.m. *Le chien a voyagé dans le* **fourgon** *à bagages,* une des voitures du train (= wagon). *Le* **fourgon** *à bestiaux, le* **fourgon** *de marchandises* sont des camions utilisés pour les transports. *Un* **fourgon** *mortuaire* est un corbillard. *Le* **fourgon-pompe** est le véhicule d'intervention des pompiers.
■ **fourgonnette** n.f. *Je fais mes livraisons avec ma* **fourgonnette** (= camionnette).

fourmi n.f. **1.** *Une* **fourmi** *m'a piqué,* un petit insecte. **2.** (au plur.) *J'ai des* **fourmis** *dans les jambes,* des picotements.
■ **fourmilière** n.f. SENS 1 *Pierre a marché sur une* **fourmilière,** un monticule construit par les fourmis.

fourmiller v. *Ta lettre* **fourmille** *de fautes,* il y en a énormément (= abonder).
■ **fourmillement** n.m. *De la terrasse, on observe un* **fourmillement** *humain sur la place* (= grouillement).

fournaise n.f. *En été, cette pièce est une vraie* **fournaise,** il y fait très chaud (= étuve).

fourneau, fournée → *four.*

fournir v. **1.** *L'école* **fournit** *les livres aux élèves,* elle les leur procure. **2.** *M. Da Silva* **se fournit** *toujours chez la même commerçante,* il y fait ses achats (= s'approvisionner). **3.** *Tu as* **fourni** *un gros effort* (= accomplir, produire).
■ **fournisseur** n.m. SENS 1 *Le* **fournisseur** *n'a pas livré la commande,* le commerçant ou le fabricant.

■ **fourniture** n.f. SENS 2 (au plur.) *Dans cette papeterie, on vend des* **fournitures** *scolaires,* des objets dont les élèves doivent se fournir.

fourrage n.m. *Le* **fourrage,** ce sont les plantes qui servent de nourriture au bétail.
■ **fourrager** adj. *L'herbe, la luzerne, le foin sont des plantes* **fourragères,** du fourrage. | 365

1. **fourré** n.m. *Le lièvre s'est caché dans un* **fourré,** un endroit très touffu du bois. | 364, 654

2. **fourré** adj. **1.** *L'hiver, je mets un manteau* **fourré** *et des gants* **fourrés,** garnis de fourrure. **2.** *Ce gâteau est* **fourré** *à la crème,* il est garni de crème à l'intérieur.
■ **fourrure** n.f. SENS 1 *M. Tanguay a un manteau de* **fourrure,** fait d'une peau d'animal garnie de ses poils. | 653
■ **fourreur** n.m. SENS 1 *Le* **fourreur** *est celui qui apprête les fourrures ou qui les vend.*

fourreau n.m. *Qui a sorti l'épée du* **fourreau** *?,* de l'étui. | 224

fourrer v. Fam. *Où* **ai-je** **fourré** *mon sac ?,* où l'ai-je mis.

fourreur → *fourré* 2.

fourrière n.f. *La* **fourrière** *est l'endroit où l'on met les animaux abandonnés ou les voitures en infraction.*

fourrure → *fourré* 2.

se fourvoyer v. *Où me suis-je* **fourvoyée** *?* (= s'égarer, se perdre).

foutre v., **foutu** adj. sont des équivalents grossiers de *ficher, fichu.*

foyer n.m. **1.** *Le* **foyer** *d'une locomotive* est la partie dans laquelle le combustible brûle. **2.** *On signale de nombreux* **foyers** *d'incendie,* des endroits d'où part le feu (= centre). | 291

3. *Mme Dupont est femme au* **foyer,** *elle s'occupe de sa maison et de sa famille.* **4.** *Le* **foyer** *des artistes est le local où les acteurs d'un théâtre peuvent se réunir.*

fracas n.m. *L'arbre tombe avec* **fracas,** *avec un bruit violent.*

■ **fracasser** v. *Les sauveteurs* **ont fracassé** *la porte d'un coup d'épaule,* ils l'ont brisée avec bruit.

■ **fracassant** adj. *Ce film a eu un succès* **fracassant** (= éclatant).

fraction n.f. **1.** *Une* **fraction** *du syndicat n'a pas voté,* une partie. **2.** $\frac{3}{4}$ *est une* **fraction,** une expression numérique constituée par un numérateur (3) et un dénominateur (4) séparés par un trait, la *barre de* **fraction.**

■ **fractionner** v. SENS 1 *Le groupe s'est* **fractionné,** il s'est divisé en plusieurs parties.

fracture n.f. *Luce s'est fait une* **fracture** *du poignet,* une cassure.

■ **fracturer** v. *On a* **fracturé** *la serrure pour l'ouvrir,* on l'a cassée.

fragile adj. *Ce vase est* **fragile,** il se casse facilement (≠ solide).

■ **fragilité** n.f. *Ce vase a la* **fragilité** *de la porcelaine* (≠ solidité).

fragment n.m. **1.** *Paul recolle les* **fragments** *du pot cassé,* les morceaux (= débris). **2.** *J'ai lu des* **fragments** *de ce roman,* des passages.

■ **fragmentaire** adj. SENS 2 *J'ai des connaissances* **fragmentaires** *en histoire* (= partiel ; ≠ complet).

■ **fragmenter** v. SENS 1 *Le gel a* **fragmenté** *la pierre.* SENS 2 *Le roman* **a été fragmenté** *en épisodes de feuilleton* (= diviser).

1. frais adj. **1.** *Élise a bu un verre d'eau* **fraîche,** un peu froide (≠ tiède). **2.** *Ces œufs sont* **frais,** pondus depuis peu et bons à manger (≠ avarié).

■ **frais** n.m. SENS 1 *Je prends le* **frais** *sur le pas de la porte,* je profite de la fraîcheur de l'air.

■ **fraîchement** adv. SENS 1 *Il s'est fait accueillir très* **fraîchement,** avec froideur. SENS 2 *Ce banc a été* **fraîchement** *repeint* (= récemment).

■ **fraîcheur** n.f. SENS 1 *Attention à la* **fraîcheur** *de la nuit,* à la température fraîche. SENS 2 *La date limite de* **fraîcheur** *des œufs est indiquée sur la boîte,* de bonne conservation.

■ **fraîchir** v. SENS 1 *Le temps* **fraîchit,** il devient plus frais.

■ **défraîchi** adj. SENS 2 *Cette robe est* **défraîchie,** elle a perdu sa fraîcheur, son aspect de neuf.

■ **rafraîchir** v. SENS 1 *J'ai soif, je vais* **me rafraîchir,** boire quelque chose de frais.

■ **rafraîchissant** adj. SENS 1 *Une orangeade glacée est une boisson* **rafraîchissante.**

■ **rafraîchissement** n.m. SENS 1 *On a servi des* **rafraîchissements,** des boissons fraîches.

2. frais n.m.pl. **1.** *Cette réparation a entraîné des* **frais,** des dépenses. *J'ai eu des* **faux frais,** des dépenses supplémentaires imprévues. **2.** *Qui va* **faire les frais** *de cette décision ?,* en subir les inconvénients.

■ **défrayer** v. **1.** SENS 1 *Paul* **a été défrayé** *de tout,* on lui a payé toutes ses dépenses (= rembourser). **2.** *Ce scandale* **défraie la chronique,** tout le monde en parle.

R. → *fret.*

fraise n.f. **1.** *On a mangé des* **fraises,** le fruit rouge du fraisier. **2.** *La dentiste approche sa* **fraise** *de la dent cariée,* un instrument tournant qui sert à creuser (= roulette). **3.** *Autrefois, à la cour, on portait une* **fraise** *autour du cou,* un grand col en forme de roue à plis.

■ **fraiser** v. SENS 2 *Fraiser un trou,* c'est l'évaser avant d'y mettre une vis.

■ **fraiseur** n. SENS 2 Un *fraiseur* est un ouvrier qui travaille sur une machine à fraiser appelée **fraiseuse**.

■ **fraisier** n.m. SENS 1 *Mme Levert a des fraisiers dans son jardin,* des plantes.

framboise n.f. *Nous avons mangé une tarte aux **framboises**,* le petit fruit rouge du **framboisier** (un arbuste).

1. franc n.m. *Vous voulez payer en francs français ou en francs suisses ?,* des monnaies.

2. franc adj. **1.** *C'est une personne franche,* elle ne ment pas (= sincère ; ≠ hypocrite). **2.** *Ce colis est franc de port,* les frais d'envoi ont été payés par l'expéditeur. **3.** *L'arbitre a sifflé un coup franc,* une faute au football.

■ **franchement** adv. **1.** SENS 1 *Je vais te parler franchement,* ouvertement. **2.** *Le temps est franchement mauvais* (= très).

■ **franchise** n.f. SENS 1 *Parlons en toute franchise,* sincérité. SENS 2 *Certaines lettres bénéficient de la franchise postale,* on ne paie pas de timbre.

■ **franco** adv. SENS 2 *Ce colis a été expédié franco,* franc de port.

■ **affranchir** v. **1.** SENS 2 *Cette lettre a été affranchie* avec un timbre à 50 cents. **2.** *Un seigneur pouvait affranchir un serf,* le rendre libre.

■ **affranchissement** n.m. SENS 2 *L'affranchissement du paquet coûte 2 dollars.*

franchir v. *Il est interdit de franchir cette limite,* d'aller au-delà.

■ **franchissement** n.m. *Le franchissement de la frontière est contrôlé.*

■ **infranchissable** adj. *Ces montagnes forment une barrière infranchissable,* impossible à franchir.

franchise → *franc* 2.

franc-maçon n. *Les francs-maçons* sont les membres d'une société se-crète d'entraide et de solidarité, la **franc-maçonnerie**.

franco → *franc* 2.

francophile adj. et n. *M. Ferreira est très francophile,* il aime la France, les Français.

francophone adj. et n. *Certains Canadiens sont francophones,* ils parlent le français.

■ **francophonie** n.f. *La francophonie* est l'ensemble des pays où l'on parle le français.

franc-parler n.m. *Julie a son franc-parler,* elle n'hésite pas à dire tout ce qu'elle pense, même si c'est désagréable.

franc-tireur n.m. *Des francs-tireurs* sont des combattants n'appartenant pas à une armée régulière.

frange n.f. **1.** *Un tapis à franges* a une bordure de fils qui pendent. **2.** *Marie a coupé sa frange,* les cheveux qui lui tombaient sur le front.

frangipane n.f. *La frangipane* est une crème aux amandes utilisée en pâtisserie.

franquette n.f. *On a fait un dîner entre amis à la bonne franquette,* sans façons, sans se gêner.

frapper v. **1.** *Frappez à la porte avant d'entrer !,* donnez des coups (= taper). **2.** *On ne doit pas frapper un animal* (= battre). **3.** *Frapper une pièce de monnaie,* c'est lui donner une empreinte en relief. **4.** *Ce détail m'avait frappé,* il avait attiré mon attention.

■ **frappant** adj. SENS 4 *Une ressemblance frappante* se remarque tout de suite.

■ **frappe** n.f. SENS 2 *La force de frappe d'un pays* est l'ensemble de ses armes atomiques.

fraternel, fraternellement, fraterniser, fraternité → *frère.*

fraude n.f. Il y a *fraude* quand on triche par rapport à un règlement.
- **frauder** v. *Tu as fraudé le fisc ?* (= tromper).
- **fraudeur** n. *Les fraudeurs seront punis,* les tricheurs.
- **frauduleux** adj. *Une déclaration de revenus frauduleuse* est destinée à tromper (= malhonnête).
- **frauduleusement** adv. *Il avait imité frauduleusement ma signature.*

frayer v. 1. *On va se frayer un chemin dans la foule,* se faire un passage (= se tracer). 2. *Elle frayait peu avec ses voisins,* elle les fréquentait peu.

frayeur n.f. *Anne a poussé un cri de frayeur,* de grande peur (= effroi, terreur, épouvante).
- **effrayer** v. *Paul est effrayé par les histoires de fantômes,* il en a peur (= épouvanter).
- **effrayant** ou **effroyable** adj. *Tu nous as raconté une histoire effrayante,* terrifiante. *Il y a une misère effroyable dans ce pays* (= épouvantable, terrible).
- **effroi** n.m. *Marie a les yeux pleins d'effroi* (= terreur, épouvante).
- **effroyablement** adv. *Tout cela est effroyablement compliqué* (= horriblement, terriblement).

fredonner v. *Marie fredonne dans son bain,* elle chante à mi-voix.

freezer n.m. *On met les glaçons au freezer,* dans le compartiment le plus froid d'un réfrigérateur.
R. On prononce [frizœr].

frégate n.f. *Une frégate* est un bateau de guerre.

frein n.m. 1. *L'accident est dû à une rupture des freins,* du mécanisme qui permet de ralentir ou d'arrêter un véhi-

cule. 2. *Je rongeais mon frein* en attendant de pouvoir m'expliquer, j'étais plein d'impatience (= bouillir).
- **freiner** v. SENS 1 *Ce virage est dangereux, freine !* actionne le frein pour ralentir.
- **freinage** n.m. SENS 1 *Il y a des traces de freinage sur la route.*

frelaté adj. *Ce vin est frelaté,* on y a ajouté frauduleusement des produits (= trafiqué ; ≠ pur).

frêle adj. *Fatima est frêle* (= fragile ; ≠ robuste).

frelon n.m. *La piqûre du frelon est très douloureuse,* une grosse guêpe.

freluquet n.m. Fam. *Ce n'est pas ce freluquet qui pourra déménager l'armoire !,* cet homme malingre, chétif (= gringalet).

frémir v. *Dire que tu aurais pu être tuée, j'en frémis !* (= trembler).
- **frémissement** n.m. *Un frémissement* est un léger tremblement.

frêne n.m. *Cette armoire est en frêne,* un arbre au bois blanc jaunâtre.

frénésie n.f. *Son discours a été applaudi avec frénésie par toute la salle,* très vivement (= délire).
- **frénétique** adj. *Des hurlements frénétiques se sont déchaînés* (= fou).
- **frénétiquement** adv. *La foule applaudissait frénétiquement.*

fréquent adj. *Les visites de Lori sont fréquentes,* elles ont lieu souvent (= répété ; ≠ rare).
- **fréquence** n.f. *Quelle est la fréquence de ce mot dans la page ?,* le nombre de fois où il apparaît.
- **fréquemment** adv. *Ces accidents arrivent fréquemment* (= souvent).

fréquenter v. 1. *Maïté fréquente beaucoup les cinémas,* elle y va souvent. 2. *Tu fréquentes des gens malhonnêtes,* tu les rencontres souvent.

→ p. 369

764

505

porcelet (goret)

chèvre

truie

porc (cochon)

chevreau (cabri)

auge

bouc

pesage

bascule

maquignon

chevaux

machines agricoles

champ de foire

agriculteurs et agricultrices

bovin

bestiaux

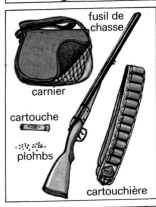

fusil de chasse

carnier

cartouche

plombs

cartouchière

mulet

Wow!

bât

âne

bélier

mouton

brebis

agneau

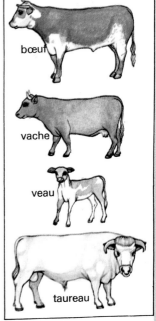

bœuf

vache

veau

taureau

362

pulvérisateur
d'insecticide

arbre
fruitier

faucille

faux

râteau

dents

mar

fourche

houe

apiculture

enfumoir

ruche

rayon de miel

alvéoles

abeille

poulie

grange

séchoir
à maïs

pc

puits

co

poulailler
(basse-cour)

fermière

les animaux de
la basse-cour

dindon

oie

pigeon

chat

pigeonnier

crête

coq

poule

canard

lapin

pintade

aillère (fourgon à bestiaux)

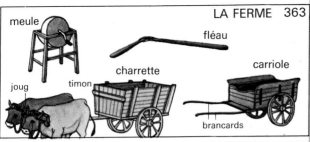

meule

fléau

joug   timon   charrette

carriole

brancards

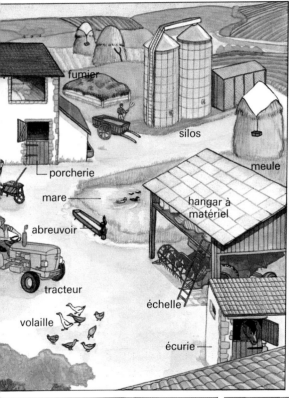

fumier

silos

meule

porcherie

mare

abreuvoir

hangar à matériel

tracteur

échelle

volaille

écurie

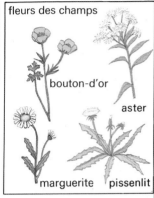

fleurs des champs

bouton-d'or

aster

marguerite   pissenlit

récolte des pommes

pommier   gaule

panier

chauve-souris

as (Suisse)

lézard

souris

rat

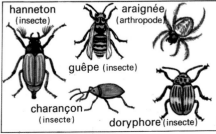

hanneton
(insecte)

araignée
(arthropode)

guêpe (insecte)

charançon
(insecte)

doryphore (insecte)

364

rouleaux
brise-mottes

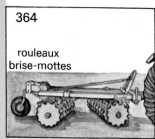

semoir
mécanique

faucheuse

céréales

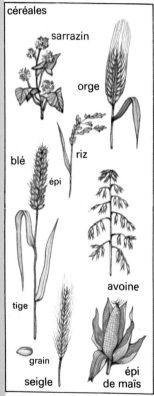

sarrazin

orge

riz

blé

épi

tige

grain

seigle

avoine

épi
de maïs

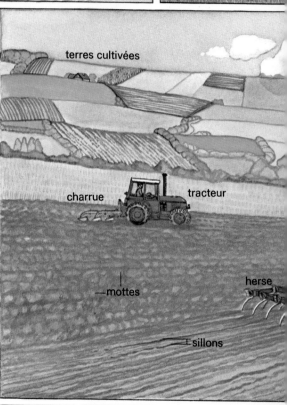

terres cultivées

charrue

tracteur

mottes

herse

sillons

fourré
de ronces

berger

troupeau
de moutons

pâturage

mûres

chien

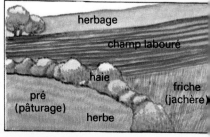

herbage

champ labouré

haie

pré
(pâturage)

herbe

friche
(jachère)

...te paille · ramasseuse-presse

meule de foin

éclair (foudre) · orage · boqueteau · village · bois · olline · cultivateur

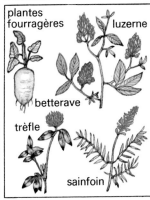
plantes fourragères · luzerne · betterave · trèfle · sainfoin

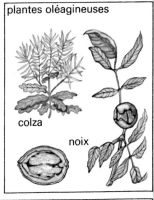
plantes oléagineuses · colza · noix

...ssonneuse-batteuse · remorque

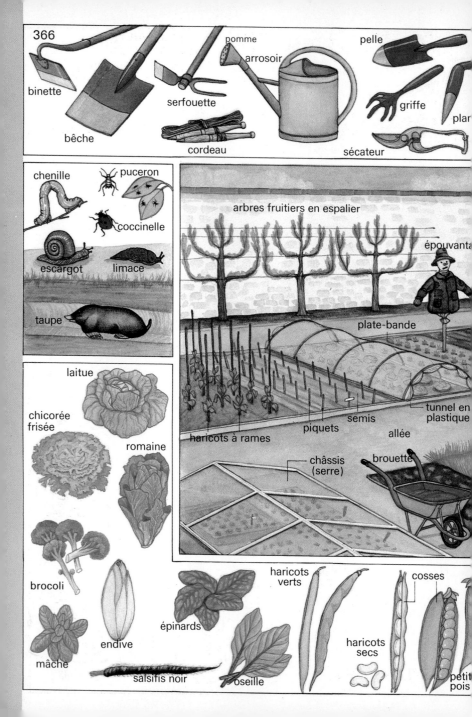

366

binette

bêche

serfouette

pomme

arrosoir

cordeau

pelle

griffe

plar

sécateur

chenille

puceron

coccinelle

escargot

limace

taupe

arbres fruitiers en espalier

épouvanta

plate-bande

tunnel en
plastique

semis

piquets

allée

haricots à rames

châssis
(serre)

brouette

laitue

chicorée
frisée

romaine

brocoli

endive

épinards

haricots
verts

cosses

mâche

salsifis noir

oseille

haricots
secs

petit
pois

cassis

cerises

pomme

une

atoca fraise

framboise groseilles

tomate

cornichon

melon

concombre

ciboulette

estragon

cerfeuil persil

échalote

ail

oignon

radis

navet

céleri-
branche

pommes de terre betterave
rouge

cabane à outils

terreau

rouleau

tuyau
d'arrosage

jardinier
bêchant

planche
de salades

toculteur

chou chou-fleur choux de
Bruxelles

carotte

artichaut

poireau bette

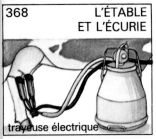

trayeuse électrique

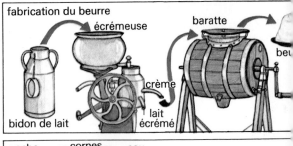

fabrication du beurre

écrémeuse

baratte

beu

crème

lait écrémé

bidon de lait

herbage (pâturage)

enclos

clôture

vache

cornes

cou

naseau

mufle

cuisse

mamelle (pis)

q

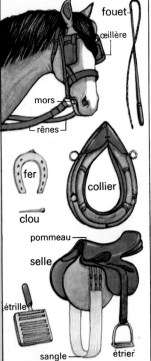

fouet

œillère

mors

rênes

fer

clou

collier

pommeau

selle

étrille

sangle

étrier

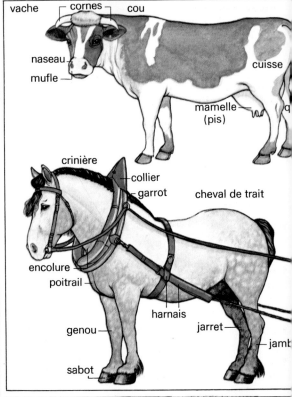

crinière

collier

garrot

cheval de trait

encolure

poitrail

harnais

jarret

jamb

genou

sabot

l'écurie

bat-flanc

râtelier

mangeoire

lit

ri

■ **fréquentation** n.f. SENS 1 *Le taux de fréquentation des cinémas baisse.* SENS 2 (au plur.) *Fatima a de bonnes fréquentations,* elle fréquente des gens recommandables (= relations, connaissances).

frère n.m. *Paul est le frère de Marie,* il a les mêmes parents qu'elle, elle est sa sœur.
■ **demi-frère** n.m. *Un demi-frère est un frère né du même père ou de la même mère seulement.*
■ **fraternel** adj. *J'ai pour lui une affection fraternelle,* comme celle qui existe entre frères ou entre frères et sœurs.
■ **fraternellement** adv. *Dans l'équipe, on s'entraide fraternellement,* comme des frères.
■ **fraternité** n.f. *La fraternité, ce sont les rapports fraternels qui existent entre des personnes.*
■ **fraterniser** v. *Ces deux personnes ont vite fraternisé,* elle se sont senties comme frères.

fresque n.f. *Il y a de belles fresques dans cette église,* des peintures sur les murs.

fret n.m. *Le fret d'un navire,* c'est sa cargaison, ou le prix du transport des marchandises.
R. *Fret se prononce [frɛ] comme frais.*

fréter v. *On a frété un car pour la colonie de vacances,* on l'a loué.

frétiller v. *Le chien a la queue qui frétille,* qui s'agite avec des mouvements vifs.

fretin n.m. *La police a emmené quelques suspects et relâché le menu fretin,* les personnes de peu d'intérêt pour elle.

friable adj. *La craie est une roche friable,* qui s'effrite facilement, se réduit en poudre.

friand adj. *La chatte est friande de lait,* elle l'aime beaucoup (= gourmand).
■ **friandise** n.f. *Les enfants adorent les friandises,* les bonbons, les sucreries.

fric n.m. Très fam. *Ça coûte beaucoup de fric,* d'argent.

fricassée n.f. *Une fricassée est un ragoût fait à la casserole.*

friche n.f. *Ce champ est en friche,* il n'est pas cultivé (= inculte). 364
■ **défricher** v. *Défricher un terrain inculte,* c'est le mettre en culture.
■ **défrichement** n.m. *Le défrichement de ces bois permettra de nouvelles cultures.*

fricoter v. Fam. *Qu'est-ce qu'ils fricotent ensemble, ces deux là ?,* qu'est-ce qu'ils font de louche ? (= manigancer, trafiquer).

friction n.f. *Stephen s'est fait une friction au gant de crin,* il s'est frotté la peau.
■ **frictionner** v. *Jean s'est frictionné pour se réchauffer.*

frigorifier v. 1. *Ce poisson a été frigorifié,* mis au froid pour être conservé. 2. Fam. *Je suis frigorifié,* j'ai très froid (= gelé).
■ **frigorifique** adj. SENS 1 *Un réfrigérateur est un appareil frigorifique,* qui produit du froid. 223
■ **frigo** n.m. SENS 1 Fam. *Remets le beurre au frigo* (= réfrigérateur).

frileux adj. *Aziza est plus frileuse que Judith,* plus sensible au froid.

frimas n.m. *On appelle parfois frimas un brouillard givrant.*

frime n.f. Fam. *Elle ne pleure pas vraiment, c'est de la frime,* ce n'est pas sérieux (= comédie).

frimousse n.f. *Quelle jolie frimousse !* (= visage, figure).

fringale n.f. Fam. *Quand est-ce qu'on mange ? J'ai une **fringale** terrible* (= faim).

fringant adj. *Un cheval **fringant** est très vif.*

fripé adj. *Ma robe est **fripée**, elle est chiffonnée, froissée.*
■ **friper** v. *Ton pantalon va **se friper*** (= chiffonner).
■ **défriper** v. *Mets la jupe bien à plat pour la **défriper*** (= défroisser).

fripier n. *Un **fripier** est un marchand de vêtements usagés.*

fripon adj. et n. *Petite **friponne** !,* coquine.

fripouille n.f. *Méfie-toi de lui, c'est une **fripouille**,* une personne malhonnête (= canaille, crapule).

frire v. *Les pommes de terre sont en train de **frire**,* de cuire dans une matière grasse bouillante.
■ **frite** n.f. *J'ai mangé un bifteck avec des **frites**,* des pommes de terre frites.
■ **friteuse** n.f. *Plongez vos beignets dans la **friteuse**,* le récipient qui sert à faire frire.
■ **friture** n.f. *On a mangé une **friture** de poissons,* des poissons frits.
R. *Frire* s'emploie surtout à l'infinitif et au participe. → Conj. n° 83.

frise n.f. *Une **frise** est un ornement d'architecture.*

friser v. 1. *Ses cheveux **frisent** naturellement,* ils bouclent. 2. *Il **frise** la quarantaine,* il approche des quarante ans.
■ **frisé** adj. SENS 1 *Aïcha a les cheveux **frisés**,* bouclés.
■ **frisette** n.f. SENS 1 *Ce bébé a des **frisettes**,* des petites boucles.
■ **défriser** v. SENS 1 *La pluie a **défrisé** mes cheveux,* elle a défait leurs boucles.

frisquet adj. Fam. *Ce petit vent est **frisquet**,* il est très frais, plutôt froid.

frisson n.m. *Ruth doit être malade, elle a des **frissons**,* des tremblements.
■ **frissonner** v. *J'ai froid, je **frissonne**,* je grelotte.

frite, friteuse, friture → frire.

frivole adj. *Lire des journaux de mode est une occupation un peu **frivole*** (= futile ; ≠ sérieux).
■ **frivolité** n.f. *La **frivolité** d'une conversation,* c'est son caractère superficiel (= légèreté ; ≠ gravité).

froc n.m. *Un **froc** est un habit de moine.*
■ **défroqué** adj. et n. *Un prêtre **défroqué** a quitté l'habit et l'état religieux.*

froid adj. 1. *La neige est **froide*** (≠ chaud). 2. *Paul a un regard **froid*** (= dur ; ≠ chaleureux).
■ **froid** adv. 1. SENS 1 *Il fait **froid** ce matin.* 2. *Ce métal se travaille **à froid**,* sans qu'on le chauffe.
■ **froid** n.m. SENS 1 *Marie craint le **froid**,* les températures froides (≠ chaleur). SENS 2 *Paul et moi, nous sommes **en froid**,* fâchés.
■ **froidement** adv. SENS 2 *Elle nous a accueillis **froidement**,* sans empressement (≠ chaleureusement).
■ **froideur** n.f. SENS 2 *Elle nous a reçus avec **froideur*** (= réserve ; ≠ chaleur).
■ **refroidir** v. SENS 1 *La soupe va **refroidir**,* devenir froide (≠ chauffer). SENS 2 *Son ardeur **se refroidit**,* elle diminue.
■ **refroidissement** n.m. SENS 1 *On annonce un **refroidissement** de la température* (≠ réchauffement).

froisser v. 1. *Les draps **sont** tout froissés* (= chiffonner). 2. *Cette athlète **s'est froissé** un muscle,* elle s'est fait une entorse. 3. *C'est ma remarque qui t'a **froissé** ?* (= vexer).
■ **froissement** n.m. SENS 1 *On a entendu un **froissement** de tôle,* un bruit produit par la tôle froissée. SENS 2 *Elle a dû abandonner à la suite d'un **froissement** de muscle.*

■ **défroisser** v. SENS 1 *Les rideaux sont défroissés. Le tôlier a défroissé la carrosserie.*

frôler v. 1. *La balle lui a frôlé l'épaule, elle est passée très près* (= effleurer). 2. *Aïda a frôlé la mort,* elle a failli mourir.

■ **frôlement** n.m. SENS 1 *Il a la peau si irritée que le moindre frôlement est douloureux.*

fromage n.m. *Le camembert, le gruyère, le roquefort sont des fromages,* des produits faits avec du lait caillé.

■ **fromager** n.m. Un *fromager* est un fabricant ou un marchand de fromage.

1. **fromager** → *fromage.*

2. **fromager** n.m. Le *fromager* est un très grand arbre d'Afrique et des Antilles.

froment n.m. *La meunière vend de la farine de froment,* de blé.

froncer v. 1. *Quand Paul fronce les sourcils, c'est qu'il est mécontent,* il plisse les sourcils en les rapprochant. 2. *Froncer un tissu,* c'est y faire des plis.

■ **froncement** n.m. SENS 1 *Le froncement de ses sourcils lui donne l'air dur.*

■ **fronce** n.f. SENS 2 *Une jupe à fronces* a des plis ondulés.

frondaison n.f. Les *frondaisons,* c'est le feuillage des arbres.

fronde n.f. 1. Une *fronde* est un lance-pierres. 2. *Une fronde s'est manifestée dans l'assemblée,* un mouvement d'opposition à la direction.

■ **frondeur** adj. SENS 2 *Un esprit frondeur* brave l'autorité (= critique, moqueur).

front n.m. 1. *Marie a une frange sur le front,* le haut du visage, au-dessus des sourcils. 2. *Les soldats qui sont au front* sont dans la zone de combat où

les armées sont face à face. 3. *Que de difficultés auxquelles il va falloir faire front !,* faire face. 4. *Tu mènes de front plusieurs affaires,* en même temps.

frontière n.f. *À la frontière, les douaniers nous ont demandé nos passeports,* à la limite qui sépare deux pays.

■ **frontalier** adj. *La population frontalière* est celle qui habite près d'une frontière.

frontispice n.m. Un *frontispice* est un titre orné de dessins à la première page d'un livre.

fronton n.m. Un *fronton* est un ornement architectural au-dessus de l'entrée principale d'un édifice.

frotter v. 1. *Il faut frotter le linge avec du savon,* passer plusieurs fois, en appuyant, le savon sur le linge. 2. *La porte frotte sur le sol,* elle racle le sol.

■ **frottement** n.m. SENS 2 *On entend un frottement sur ce disque,* quelque chose qui frotte.

frousse n.f. Fam. *J'ai eu la frousse dans la nuit,* j'ai eu peur.

■ **froussard** adj. et n. Fam. *Paul est froussard* (= peureux).

fructifier, fructueux → *fruit.*

frugal adj. *Je me contenterai d'un repas frugal* (= léger ; ≠ copieux).

■ **frugalité** n.f. *Excusez la frugalité de ce repas.*

fruit n.m. 1. *Le pommier est en fleur, il va bientôt y avoir des fruits.* 2. *Ce travail a porté ses fruits,* il a été utile, profitable. 3. *Ce livre est le fruit de plusieurs années de travail* (= résultat). 4. (au plur.) *On a mangé des fruits de mer,* des crustacés, des coquillages.

■ **fruité** adj. SENS 1 *Voilà un vin très fruité,* qui a un arôme bien marqué.

366, 362

■ **fruitier** adj. SENS 1 *Le cerisier est un arbre fruitier,* qui produit des fruits.

■ **fructifier** v. SENS 2 *On a de l'argent et on le fait fructifier,* rapporter des intérêts.

■ **fructueux** adj. SENS 2 *Ta démarche a été fructueuse* (= utile).

■ **infructueux** adj. SENS 2 *Notre tentative a été infructueuse,* elle n'a pas porté ses fruits (= vain).

frusques n.f.pl. *Fam. Des frusques* sont de vieux vêtements.

fruste adj. *Ce sont des manières un peu frustes,* qui manquent de finesse (= grossier).

frustrer v. *Paul se sent frustré : il voulait manger des fraises, et il n'en reste plus,* il est déçu, parce qu'il est privé de ce qu'il attendait.

■ **frustration** n.f. *Ce refus lui a causé un sentiment de frustration* (= privation, déception).

fuchsia n.m. *Un fuchsia* est une plante à fleurs décoratives.
R. On prononce [fyʃja].

fuel n.m. *La chaudière n'a plus de fuel,* de mazout.
R. On prononce [fjul].

fugace adj. *J'ai eu un sentiment fugace* (= passager, court ; ≠ durable, tenace).

fugitif, fugue → **fuir.**

fuir v. 1. *Ne fais pas de bruit, tu vas faire fuir les oiseaux* (= se sauver). 2. *On dirait que Lise me fuit,* qu'elle cherche à m'éviter. 3. *Le robinet du lavabo fuit,* il laisse couler de l'eau.

■ **fuite** n.f. 1. SENS 1 *On a pris la fuite,* on a fui (= s'enfuir). SENS 3 *Il y a une fuite de gaz,* le gaz s'échappe. 2. (au plur.) *Ce projet était secret, mais il y a eu des fuites,* des indiscrétions qui l'ont fait connaître.

■ **fugitif** 1. n. SENS 1 *On a retrouvé les fugitifs,* ceux qui avaient fui (= fuyard). 2. adj. *Une sensation fugitive dure peu de temps* (= court, passager ; ≠ durable).

■ **fugue** n.f. SENS 1 *Ce jeune enfant a fait une fugue,* il s'est enfui de son domicile. SENS 2 *Une fugue* est un morceau de musique dans lequel des phrases musicales semblent être à la poursuite l'une de l'autre.

■ **fuyant** adj. SENS 2 *Vous avez remarqué ce regard fuyant ?,* qui fuit celui des autres.

■ **fuyard** n.m. SENS 1 *La police a rattrapé les fuyards,* ceux qui avaient pris la fuite (= fugitif).

■ **s'enfuir** v. SENS 1 *Les voleurs se sont enfuis,* ils sont partis en vitesse (= se sauver, filer, fuir).
R. → Conj. n° 17.

fulgurant adj. *La douleur a été fulgurante,* très vive et très courte (= brutal).

fulminer v. *Ça ne sert à rien de fulminer contre eux,* de se mettre en colère.

fumé adj. *Mary porte des lunettes à verres fumés,* de couleur sombre.

1. fumer v. 1. *La cheminée du salon tire mal, elle fume,* de la fumée s'en échappe. 2. *Paul fume une cigarette,* il aspire et rejette la fumée du tabac. 3. *Du jambon fumé* a été séché à la fumée d'un feu de bois.

■ **fumée** n.f. SENS 1 ET 2 *Une fumée grise sort de la cheminée,* ce qui se dégage des substances qui brûlent.

■ **fumeur** n. SENS 2 *Les grands fumeurs nuisent à leur santé,* ceux qui fument beaucoup.

■ **fumigène** adj. SENS 1 *Une grenade fumigène* est destinée à produire de la fumée.

■ **enfumer** v. SENS 1 ET 2 *La pièce est enfumée,* remplie de fumée.

2. fumer v. *Fumer la terre,* c'est y mettre du fumier.

■ **fumier** n.m. *Un tas de* **fumier** *est dans la cour de la ferme,* la matière formée par de la paille et les excréments des bestiaux et servant d'engrais.

fumet n.m. *Je sens d'ici le* **fumet** *du civet de lièvre,* l'odeur (= arôme).

fumeur → *fumer* 1.

fumeux adj. *On a du mal à suivre un discours aussi* **fumeux** (= confus, obscur).

fumier → *fumer* 2.

fumigène → *fumer* 1.

fumiste n.m. **1.** *Le* **fumiste** *entretient les cheminées et les appareils de chauffage,* c'est son métier. **2.** Fam. *Ce sont tous des* **fumistes** *!,* ils ne sont pas sérieux.

funambule n. *À la foire, il y avait une* **funambule** *qui marchait sur une corde,* une équilibriste.

funèbre adj. *Le service des* **pompes funèbres** *s'occupe des enterrements.*
■ **funérailles** n.f.pl. *Les* **funérailles** *ont lieu ce matin,* la cérémonie d'enterrement (= obsèques).
■ **funéraire** adj. *Un monument* **funéraire** *est élevé sur une tombe.*

funeste adj. *L'alcool est* **funeste** *à la santé,* très nuisible (= fatal).

funiculaire n.m. *Pour aller au sommet, on a pris le* **funiculaire,** *le chemin de fer tiré par câble.*

fur → *mesure.*

furet n.m. *Le* **furet** *est un petit animal sauvage ressemblant à une belette.*

fureter v. *Je ne sais pas ce qu'il cherche, il est toujours en train de* **fureter** (= fouiller, fouiner).

fureur n.f. *Lori est dans une* **fureur** *folle,* une grande colère.

■ **furibond** adj. *Elle lui a jeté un regard* **furibond,** furieux.
■ **furie** n.f. *Les assaillants attaquaient avec* **furie** (= fureur, violence). *On ne pouvait pas la retenir, c'était une vraie* **furie,** une femme furieuse.
■ **furieux** adj. *Marie est* **furieuse** *contre son frère,* très en colère.
■ **furieusement** adv. *On s'est battu* **furieusement** *dans la ville.*

furoncle n.m. *Paul a un* **furoncle** *dans le dos,* un gros bouton avec du pus (= clou).
■ **furonculose** n.f. *Paul a de la* **furonculose,** il a des furoncles.

furtif adj. *Luce a jeté un regard* **furtif** *à sa montre, sans se faire voir* (= rapide, discret ; ≠ ostensible).
■ **furtivement** adv. *Jean a regardé* **furtivement** *sa montre* (= rapidement, discrètement).

fusain n.m. **1.** *L'allée est bordée de* **fusains,** *des arbrisseaux.* **2.** *Il dessine au* **fusain,** *avec une sorte de crayon fait de charbon de bois de fusain.*

fuseau n.m. **1.** *Autrefois, on filait la laine avec une quenouille et un* **fuseau,** *un bâtonnet pointu aux deux bouts.* **2.** *La Terre est divisée en 24* **fuseaux** *horaires,* en portions à l'intérieur desquelles l'heure est la même. **3.** *Sonia a enfilé son* **fuseau** *pour skier,* un pantalon rétréci vers le bas.

fusée n.f. **1.** *Au feu d'artifice, il y avait des* **fusées** *de toutes les couleurs,* des tubes qui éclatent en l'air. **2.** *On a envoyé une* **fusée** *dans l'espace,* un engin qui se déplace en rejetant des gaz.

fuselage n.m. *Les ailes de l'avion sont fixées sur le* **fuselage,** *le corps de l'avion.*

fuser v. *Les rires* **fusent** *dans la salle,* ils jaillissent vivement.

224

582

803, 767, 511

fusible n.m. *Il n'y a plus d'électricité, il faut remplacer les **fusibles,*** les fils de plomb qui fondent en cas de court-circuit.

763, 361

fusil n.m. *J'ai entendu deux coups de fusil,* une arme à feu.

■ **fusilier** n.m. *Un **fusilier** marin* est un marin destiné à combattre à terre.

■ **fusiller** v. *On a **fusillé** l'espion,* on l'a tué à coups de fusil.

■ **fusillade** n.f. *Une **fusillade** a éclaté,* des coups de fusil.

R. *Fusil* se prononce [fyzi].

fusion, fusionner → *fondre.*

fustiger v. *L'oratrice a **fustigé** ses adversaires,* elle les a vivement critiqués.

fût n.m. **1.** *Le **fût** d'un arbre,* c'est le tronc. **2.** *On a mis le vin dans un **fût*** (= tonneau).

654

■ **futaie** n.f. SENS 1 *Une **futaie** est une belle forêt.*

■ **futaille** n.f. SENS 2 *Une **futaille** est un grand tonneau.*

R. *Fût* se prononce [fy] comme [*il*] *fut* (de être).

futé adj. Fam. *Jean n'est pas très **futé** !* (= malin ; ≠ sot).

futile adj. *Leur conversation sur la mode est **futile** !,* frivole (≠ sérieux).

■ **futilité** n.f. *Quelle **futilité** d'esprit !* (= légèreté ; ≠ gravité). *Tu perds ton temps en **futilités,*** en occupations futiles, inutiles.

futur adj. *Cela servira aux générations futures,* à venir (= ultérieur ; ≠ passé).

■ **futur** n.m. **1.** *On ne peut connaître le **futur*** (= avenir). **2.** *Dans « je viendrai demain », « venir » est au **futur,*** au temps qui présente une action à venir.

■ **futuriste** adj. *Cette architecte a présenté un projet **futuriste,*** qui semble en avance sur la mode actuelle.

fuyant, fuyard → *fuir.*

g

gabardine n.f. *S'il pleut, je mettrai ma gabardine, un manteau de pluie en tissu de laine très serré.*

gabarit n.m. *Ce camion de déménagement a un gros gabarit, il est haut et large (= dimensions).*

gabegie n.f. *Il faut mettre fin à cette gabegie, sinon nous allons à la ruine, ce désordre, cette mauvaise gestion (= gaspillage).*

gabelle n.f. *Autrefois, on payait la gabelle, un impôt sur le sel.*

gâcher v. **1.** *Le mauvais temps a gâché nos vacances, il les a rendues peu agréables.* **2.** *Avant de réussir le dessin, on a gâché dix feuilles de papier, on les a utilisées sans résultat (= gaspiller).* **3.** *Le maçon gâche du plâtre, il prépare un mélange de plâtre et d'eau.*
■ **gâchis** n.m. SENS 2 *Vous avez fait un beau gâchis en jouant avec des tubes de peinture, vous avez tout abîmé, sali (= dégât).*

gâchette n.f. *Quand on appuie sur la gâchette du revolver, le coup de feu part (= détente).*

gâchis → *gâcher.*

gadget n.m. *Sa voiture est pleine de gadgets, de petits objets amusants mais non indispensables.*
R. On prononce [gadʒɛt].

gadoue n.f. *Après cette pluie, on patauge dans la gadoue (= boue).*

gaffe n.f. **1.** *J'ai repêché ta casquette avec une gaffe, un long bâton muni d'un crochet.* **2.** Fam. *Marie a fait une gaffe en oubliant de saluer la directrice (= sottise, maladresse).*

gag n.m. *Ce film est une suite de gags, de courtes scènes comiques.*

gage n.m. **1.** *Comme je ne pouvais pas payer, j'ai laissé ma montre en gage, elle me sera rendue quand je paierai (= garantie).* **2.** *La règle de ce jeu dit que le perdant a un gage, il doit accomplir une sorte de pénitence.* **3.** (au plur.) *C'est un espion aux gages d'un pays étranger, il est payé par ce pays pour espionner.*

gageure n.f. *C'est une gageure de vouloir faire tout ce travail en un jour, cela paraît impossible.*
R. On prononce [gaʒyr].

gagner v. **1.** *Elle gagne beaucoup d'argent, on lui en donne beaucoup pour son travail.* **2.** *Je gagne du temps, j'en économise (≠ perdre).* **3.** *J'ai gagné la course, je suis arrivée la première (= remporter ; ≠ perdre).* **4.** *J'ai gagné la sortie, je me suis dirigé vers elle.* **5.** *L'incendie gagne la maison (= atteindre).*
■ **gagnant** adj. et n. SENS 3 *C'est Jean qui a le billet gagnant, qui a gagné le lot. Et voici notre gagnante ! (≠ perdant).*

■**gagne-pain** n.m.inv. SENS 1 *La pêche côtière est leur **gagne-pain**,* ce
qui leur permet de subsister.

■**gain** n.m. SENS 1 *Réaliser un **gain**,*
c'est gagner de l'argent. SENS 2 *L'ordinateur permet un **gain** de temps,* de
gagner du temps.

■**regagner** v. SENS 2 *Il faudrait **regagner** le temps perdu* (= rattraper).
SENS 4 *La famille Weber **a regagné** son
pays,* elle y est retournée.

■**regain** n.m. *L'économie a connu un
regain d'activité* (= retour, renouveau).

gai adj. 1. *C'est une femme très **gaie**,* qui
aime rire (= joyeux). 2. *Des couleurs
gaies sont des couleurs claires et
vives.*

■**gaiement** adv. SENS 1 *Les enfants
chantaient **gaiement*** (= joyeusement).

■**gaieté** n.f. *Le dîner a été d'une
grande **gaieté**,* très gai.

■**égayer** v. *Ce papier peint **égaie** l'appartement,* il le rend plus agréable.
R. *Gai* se prononce [ge] comme *gué.*

1. gaillard 1. adj. *Il a l'air **gaillard**,* frais
et dispos. 2. n. *Jacques est un solide
gaillard,* un homme grand et fort.

■**gaillardement** adv. SENS 1 *On a attaqué **gaillardement** la montée,* avec
entrain.

■**ragaillardir** v. SENS 1 *Ce petit repas
nous a **ragaillardis*** (= réconforter,
ravigoter).

2. gaillard n.m. *L'équipage du bateau
loge dans le **gaillard** d'avant,* la partie
surélevée du pont à l'avant (l'autre
étant le *gaillard d'arrière*).

gain → *gagner.*

gaine n.f. *Le poignard est dans sa **gaine***
(= étui).

■**gainé** adj. *Ce coffret est **gainé** de
cuir,* recouvert de cuir.

■**dégainer** v. *L'escrimeuse avait dé-
gainé son épée,* elle l'avait tirée hors
du fourreau.

gala n.m. 1. *Nous sommes allés à une
soirée de **gala**,* à une fête officielle.
2. *Un repas de **gala** est abondant et
raffiné.*

galant adj. *Un homme **galant** est plein
d'attentions envers les femmes.*

■**galamment** adv. *Il a **galamment**
offert sa place à une dame.*

■**galanterie** n.f. *Dans le train, un
monsieur a cédé sa place assise à une
dame par **galanterie**,* par politesse envers elle.

galantine n.f. *Comme hors-d'œuvre,
on a servi de la **galantine**,* un pâté
entouré de gélatine.

galaxie n.f. *Les astronomes ont découvert de nombreuses **galaxies**,* d'immenses groupements d'étoiles.

galbe n.m. *Les jambes de cette statue
ont un **galbe** parfait,* des courbes
parfaites.

■**galbé** adj. *Un meuble **galbé** a des
contours courbes.*

gale n.f. *La **gale** est une maladie de
peau contagieuse.*

■**galeux** adj. et n. *Une chienne ga-
leuse a la gale.*

galère n.f. *Les **galères** étaient des navires à rames et à voiles.*

■**galérien** n.m. *Autrefois, les galé-
riens étaient condamnés à ramer sur
les galères.*

galerie n.f. 1. *Les taupes creusent des
galeries dans le sol,* des longs couloirs
souterrains (= tunnel). 2. *Une **galerie**
est un passage couvert dans un bâtiment. 3. *Une **galerie** d'art est un magasin où l'on expose et vend des œuvres
d'art. 4. *Les valises sont sur la **galerie**
de la voiture,* sur un cadre métallique
fixé au toit. 5. *Tu es en train d'amuser*

147

la galerie, ceux qui t'écoutent (= assistance).

galérien → *galère.*

galet n.m. *Dans les torrents, sur les plages, il y a des galets,* des cailloux polis par l'eau.

galette n.f. *Nous avons mangé une galette,* un gâteau rond et plat.

galeux → *gale.*

galimatias n.m. *Je ne comprends rien à ce galimatias,* à ces paroles compliquées, embrouillées (= charabia). R. On prononce [galimatja].

galion n.m. *L'Espagne possédait autrefois de nombreux galions,* des grands navires qui transportaient de l'or.

galipette n.f. *Les enfants font des galipettes sur la plage,* des culbutes pour jouer.

gallicisme n.m. *« Il y a », « c'est » sont des gallicismes,* des façons de parler particulières au français.

galoche n.f. **1.** *Les galoches sont des chaussures de cuir à semelles de bois.* **2.** *Un menton en galoche est relevé vers l'avant.*

galon n.m. **1.** *Le tissu des fauteuils est bordé d'un galon,* d'un ruban épais. **2.** *Sur les épaules de son uniforme sont cousus ses galons de lieutenant,* des rubans qui indiquent son grade.

galop n.m. *Le cheval part au galop,* à l'allure la plus rapide.
■ **galoper** v. *Les enfants galopent dans le jardin,* ils courent très vite.
■ **galopade** n.f. *On entend une galopade dans l'escalier,* des gens galoper.

galopin n.m. *Tu es un galopin !,* un petit garçon mal élevé et effronté (= polisson, garnement).

galvaniser v. **1.** *On galvanise le fil de fer pour qu'il ne rouille pas,* on le recouvre d'une couche de zinc. **2.** *Les paroles de l'oratrice ont galvanisé la foule,* elles lui ont donné envie de la suivre et de lui obéir (= enthousiasmer).

galvauder v. *Cette artiste galvaude son talent,* elle ne l'emploie pas bien.

gambade n.f. *Les enfants font des gambades dans l'herbe,* des bonds joyeux.
■ **gambader** v. *Les chèvres gambadent dans le pré.*

gamelle n.f. *Emporte ta gamelle,* le récipient fermé, en métal, où se trouve ton repas.

gamin n. Fam. *Marie est une gamine,* une enfant.
■ **gaminerie** n.f. (au plur.) *Arrête tes gamineries et sois un peu sérieux* (= enfantillages).

gamme n.f. **1.** *Les élèves chantent la gamme de « do »,* la suite de notes de musique qui part de *do.* **2.** *L'acheteuse choisit la couleur de sa voiture dans la gamme qu'on lui propose,* la série de couleurs.

gang n.m. *Nickie faisait partie d'un gang,* d'une bande organisée de malfaiteurs.
■ **gangster** n.m. *La police a arrêté les gangsters* (= bandit).
■ **gangstérisme** n.m. *La police lutte contre le gangstérisme,* l'action des gangsters.

ganglion n.m. *Un abcès dentaire m'a causé des ganglions au cou,* des petites boules sous la peau.

gangrène n.f. *À la suite d'une blessure mal soignée, on peut attraper la gangrène,* une maladie qui provoque la pourriture des chairs.
■ **gangrener** v. *La plaie risque de se gangrener,* d'être infectée par la gangrène.

763

gangster, gangstérisme → *gang.*

gangue n.f. *On sépare le minerai de la gangue,* de la terre et des pierres qui y sont mêlées.

37, 653

gant n.m. **1.** *On se protège les mains du froid avec des gants.* **2.** *Prends le gant de toilette pour te laver la figure,* une poche en tissu-éponge. **3.** *Cette robe te va comme un gant,* elle te va parfaitement. **4.** *Je n'ai pas pris de gants pour lui dire ce que je pensais,* je le lui ai dit directement, sans ménagement.
■ **ganté** adj. *Une personne gantée* porte des gants.

75

garage n.m. **1.** *Elle rentre sa voiture au garage,* dans un lieu couvert et fermé (= box). **2.** *La voiture est en réparation dans un garage,* un atelier de mécanicien.
■ **garagiste** n. SENS 2 *La garagiste a dépanné la voiture.*

garantir v. **1.** *Cette machine est garantie un an,* la compagnie la réparera gratuitement pendant un an. **2.** *Tout sera prêt, je vous le garantis* (= affirmer, certifier, assurer). **3.** *Ce chapeau te garantira du soleil* (= protéger).
■ **garantie** n.f. SENS 1 *La voiture a une garantie de six mois,* elle est garantie six mois.
■ **garant** adj. et n. SENS 2 *Je me porte garante de son honnêteté,* je la garantis absolument.

garçon n.m. **1.** *M. et Mme Dupont ont une fille et un garçon* (= fils). **2.** *C'est un garçon sympathique* (≠ fille). **3.** *Mon oncle est resté vieux garçon,* il ne s'est pas marié (= célibataire). **4.** *Un garçon boucher* est un jeune homme employé chez un boucher.
■ **garçonnet** n.m. SENS 2 *Mathieu est un garçonnet de cinq ans,* un petit garçon (≠ fillette).

garde → *garder.*

garde-à-vous n.m.inv. *Être au garde-à-vous,* c'est se tenir immobile, très droit, talons serrés.

garder v. **1.** *Hervé garde ses petits frères* (= surveiller). *Le chien garde la maison,* il la défend contre les voleurs (= protéger). **2.** *Au congélateur, on peut garder la viande six mois,* elle se conserve pendant six mois. **3.** *Judith a gardé sa montre pour se baigner,* elle l'a laissée à son poignet. **4.** *Je t'ai gardé une part de gâteau,* je te l'ai réservée. **5.** *Je garde un bon souvenir de cette promenade,* il m'en reste un bon souvenir (= conserver). **6.** *Sa maladie l'a obligé à garder le lit,* à rester couché. **7.** *Je me garderai de la gronder,* j'éviterai de la gronder (= s'abstenir). **8.** *Gardez-vous des voleurs,* méfiez-vous, protégez-vous d'eux.
■ **garde** n.f. **1.** SENS 1 *Mes voisins ont la garde de mon chien,* ils le gardent. *La garde est un groupe de personnes préposées à la sécurité d'un lieu, d'un édifice.* SENS 8 *La judoka se met en garde,* elle se prépare à éviter les coups de son adversaire. (au plur.) *Je suis sur mes gardes,* je me méfie. **2.** *La garde d'un poignard* est située entre la lame et la poignée et sert à protéger la main.
■ **garde** n. SENS 1 *La prisonnière a échappé à ses gardes* (= gardien). *Le malade a été surveillé toute la nuit par une garde,* une infirmière (= garde-malade).

■ **garde-barrière** n. SENS 1 *Les gardes-barrière(s) manœuvrent les barrières des passages à niveau.*
■ **garde-boue** n.m.inv. SENS 8 *Une bicyclette de course n'a pas de garde-boue,* de bandes de métal qui empêchent les projections de boue.
■ **garde-chasse** n.m. SENS 1 *Les*

gardes-chasse(s) protègent le gibier contre les braconniers.

■ **garde-fou** n.m. SENS 8 *Les garde-fous d'un pont* sont les barrières qui empêchent les passants de tomber du pont.

■ **garde-manger** n.m.inv. SENS 2 *Les fruits sont dans le garde-manger,* une petite armoire où l'on conserve des aliments.

■ **garde-robe** n.f. SENS 2 *La garde-robe de quelqu'un* est l'ensemble de ses vêtements.

■ **garderie** n.f. SENS 1 *Après l'école, les petits enfants dont les mères travaillent restent à la garderie,* dans un lieu où on les surveille.

■ **gardien** n. SENS 1 *La gardienne d'un immeuble* est celle qui le garde. *Jean est le gardien de but de notre équipe de hockey.*

■ **arrière-garde** n.f. SENS 1 *L'arrière-garde d'une armée,* ce sont les soldats détachés derrière elle pour la protéger.

■ **avant-garde** n.f. SENS 1 *Ces troupes forment l'avant-garde de l'armée,* elles marchent devant. *Ce journal défend des idées d'avant-garde,* des idées hardies de progrès (= avancé).

R. Dans les mots composés pluriels commençant par *garde-*, on met un *s* à *garde* uniquement quand *garde* désigne une personne ; pour le deuxième élément, le *s* est facultatif : des *gardes-barrière(s)*, des *gardes-chasse(s)*.

gardian n.m. *Un gardian* est un gardien de taureaux ou de chevaux en Camargue.

gardien → *garder.*

gardon n.m. *Dans cet étang, on pêche le gardon,* un poisson.

1. gare n.f. *Le train entre en gare,* l'endroit où il s'arrête.

2. gare ! interj. *Gare à toi !,* fais attention à toi !

garenne n.f. *On chasse le lapin dans des garennes,* des bois où il vit à l'état sauvage.

garer v. *J'ai garé ma voiture sur le parking,* je l'ai mise en stationnement (= ranger).

se gargariser v. *Je me gargarise avec de l'eau tiède,* je me rince la gorge.

■ **gargarisme** n.m. *Pour soigner son angine, Marie se fait des gargarismes,* elle se gargarise avec un médicament.

gargote n.f. *Ils ont mangé dans une gargote,* un mauvais restaurant.

gargouille n.f. *Cette cathédrale est ornée de gargouilles,* de gouttières ayant la forme d'un animal à la gueule ouverte.

gargouiller v. *Mon estomac gargouille,* on y entend un bruit semblable à celui que font des bulles d'air traversant un liquide.

■ **gargouillement** ou **gargouillis** n.m. *J'ai des gargouillements dans les intestins.*

garnement n.m. *Cette mauvaise farce est l'œuvre de quelques garnements,* de jeunes enfants qui font des mauvais tours (= galopin, polisson).

garnir v. **1.** *La fenêtre est garnie de barreaux* (= munir). *La bibliothèque est bien garnie,* elle contient beaucoup de livres. **2.** *Sa robe est garnie de dentelle,* la dentelle la rend plus belle (= orner, décorer).

■ **garniture** n.f. SENS 1 *Les garnitures de frein* sont les parties des freins qui frottent sur les roues. SENS 2 *Pour orner un vêtement, un meuble, on y met des garnitures.*

■ **dégarnir** v. SENS 1 ET 2 *Sa tête se dégarnit,* ses cheveux tombent.

149

■ **regarnir** v. SENS 1 ET 2 *Il faut regarnir la vitrine.*

garnison n.f. *Une ville de garnison est une ville où se trouve toujours une unité de l'armée.*

garniture → garnir.

garrigue n.f. *Dans les régions méditer-ranéennes, il y a des garrigues, des zones de végétation pauvre.*

garrot n.m. **1.** *La hauteur d'un cheval se mesure au garrot, à la partie de l'encolure qui se trouve au-dessus de l'épaule.* **2.** *Pour arrêter une hémor-ragie, on met un garrot au bras, on serre le bras avec une corde.*

■ **garrotter** v. SENS 2 *Les bandits ont garrotté leur victime, ils l'ont étroite-ment attachée, ficelée.*

gars n.m. Fam. *Je me suis adressé à un gars du pays, un homme, un garçon.* **R.** On prononce [gɑ].

gas-oil, gasoil ou **gazole** n.m. *Le camion fait le plein de gas-oil, de carburant pour moteur Diesel.* **R.** *Gas-oil* se prononce [gazɔjl] ou [gazwal].

gaspiller v. *Tu gaspilles du papier, tu en uses inutilement (= gâcher).*

■ **gaspillage** n.m. *Dans cette entre-prise, il y a du gaspillage de matériel (= gâchis).*

gastéropode → gastropode.

gastrique adj. *Ce médicament calme les douleurs gastriques, de l'estomac.*

gastronome n. *Nancy est une gastro-nome, elle aime manger de bonnes choses (= gourmet).*

■ **gastronomie** n.f. *La gastronomie est l'art de bien manger.*

■ **gastronomique** adj. *Au restaurant, nous avons commandé un menu gas-tronomique, un menu fin et abondant.*

gastropode ou **gastéropode** n.m. *Les limaces, les escargots sont des gastropodes, des animaux qui ram-pent sur un large pied.*

gâteau n.m. *Au dessert, nous man-geons un gâteau, une pâtisserie.*

gâter v. **1.** *Ne mange pas ce fruit, il est gâté (= abîmer).* **2.** *Le temps se gâte,* il devient mauvais. **3.** *Quel joli ca-deau ! Tu me gâtes,* tu me donnes trop (= combler, choyer).

■ **gâterie** n.f. SENS 3 *Ils nous ont ap-porté des gâteries, des friandises, des cadeaux.*

gâteux adj. et n. *Cette personne est gâteuse,* son intelligence est diminuée par l'âge.

■ **gâtisme** n.m. *Il est atteint de gâ-tisme,* il est gâteux.

gauche 1. adj. et n. *Levez le bras gau-che ! (≠ droit). Prends le livre qui est à ta gauche.* **2.** adj. *Tu as des gestes gauches (= maladroit, malhabile).* **3.** n.f. *Un parti de gauche a des idées progressistes (≠ droite).*

■ **gauchement** adj. SENS 2 *Tu tiens gauchement ton outil (= maladroite-ment).*

■ **gaucher** adj. et n. SENS 1 *Ma sœur est gauchère,* elle se sert le plus souvent de sa main gauche (≠ droitier).

■ **gaucherie** n.f. SENS 2 *Le bébé a des gestes pleins de gaucherie (= mala-dresse).*

■ **gauchiste** n. et adj. SENS 3 *Les gau-chistes* sont partisans d'une politique d'extrême gauche.

se gauchir v. *Sous l'effet de l'humi-dité, la porte s'est gauchie,* elle s'est tordue.

■ **gauchissement** n.m. *Le gauchisse-ment de la porte est dû à l'humidité.*

gauchiste → gauche.

gaucho n.m. Un *gaucho* est un gardien de troupeaux en Amérique du Sud.

gaufre n.f. *À la foire, nous avons mangé des gaufres,* des sortes de gâteaux.

■ **gaufrette** n.f. Une *gaufrette* est un gâteau sec, léger et croustillant.

gaufré adj. *Le papier gaufré* est plein de reliefs ou de creux imprimés.

gaufrette → *gaufre.*

gaule n.f. **1.** Une *gaule* est un bâton long et mince. **2.** *La pêcheuse plie sa gaule,* sa canne à pêche.

■ **gauler** v. SENS 1 *On ramasse les noix en les gaulant,* en les faisant tomber grâce à une gaule.

gaulois adj. *Une histoire gauloise* est une histoire d'un comique peu raffiné (= grivois).

■ **gauloiserie** n.f. *Tu racontes des gauloiseries,* des plaisanteries vulgaires.

se gausser v. se disait autrefois pour *se moquer.*

gaver v. **1.** *Dans le Périgord, on gave les oies,* on les fait manger de force pour les engraisser. **2.** *Ne te gave pas de bonbons,* n'en mange pas trop.

gavial n.m. Un *gavial* est un crocodile à museau long et fin.
R. Noter le pluriel : des *gavials.*

gavroche **1.** n.m. Un *gavroche* est un gamin spirituel et sympathique qui a des manières populaires (= titi). **2.** adj. *Un air gavroche* est un air effronté, gouailleur.

gaz n.m. **1.** *L'air est un gaz,* une substance ni solide ni liquide. **2.** *J'ai une cuisinière à gaz,* qui fonctionne au moyen d'un gaz combustible.

■ **gazeux** adj. SENS 1 *L'eau gazeuse pétille, car elle contient un gaz.*

■ **gazoduc** n.m. SENS 2 Un *gazoduc* est une canalisation de gaz naturel à longue distance.

gaze n.f. *On a mis une bande de gaze sur sa blessure,* de tissu très léger.
R. Ne pas confondre *gaz* et *gaze.*

gazelle n.f. Une *gazelle* est une sorte de petite antilope. 581

gazer v. Fam. *Ça gaze,* ça va bien.

gazette n.f. *Certains journaux s'appellent des gazettes.*

gazeux → *gaz.*

gazole → *gas-oil.*

gazon n.m. *La maison est entourée de gazon,* d'herbe courte et fine. 75

gazouiller v. *J'entends des oiseaux gazouiller,* faire entendre de petits cris. *Le bébé gazouille dans son berceau,* il essaie de parler, de faire entendre des sons (= babiller).

■ **gazouillement** ou **gazouillis** n.m. *J'écoute le gazouillement du ruisseau,* son bruit (= murmure). *Les gazouillis du bébé font croire qu'il chantonne.*

geai n.m. Le *geai* est un oiseau assez gros, à plumage noir, blanc et bleu.
R. *Geai* se prononce [ʒɛ] comme *jais, jet* et *j'ai* (de *avoir*).

géant **1.** n. *Cet homme est un géant,* il est très grand (= colosse ; ≠ nain). **2.** adj. *New York est une ville géante* (= énorme, gigantesque).

■ **gigantesque** adj. *Cet arbre est gigantesque.*

geindre v. *La malade geint,* elle émet des sons plaintifs (= gémir).

■ **geignard** adj. *Tu as toujours un ton geignard* (= plaintif, pleurard).
R. → Conj. n° 55.

gel → *geler.*

gélatine n.f. *En faisant bouillir des os de veau, on obtient de la gélatine,* une substance molle, élastique et transparente.

geler v. **1.** *L'eau a gelé,* elle s'est transformée en glace. **2.** *Il gèle,* il fait si froid que l'eau devient de la glace. **3.** *Je suis gelé,* j'ai très froid.

■**gelée** n.f. **1.** SENS 2 *On annonce de la gelée,* qu'il va geler. **2.** *La gelée de fruits* est une confiture sans la chair des fruits.

■**gel** n.m. SENS 2 *Les légumes ont été abîmés par le gel,* parce qu'il a gelé (= gelée).

■**antigel** n.m. SENS 2 *L'hiver, je mets de l'antigel dans le radiateur de la voiture,* un produit qui empêche l'eau de geler.

■**congeler** v. SENS 1 *On congèle la viande pour la conserver,* on la soumet à un froid intense.

■**congélateur** n.m. SENS 1 *Un congélateur* est un appareil frigorifique à très basse température.

■**dégeler** v. SENS 1 ET 2 *Dégeler de la glace,* c'est la faire fondre en la chauffant.

■**dégel** n.m. SENS 1 ET 2 *Le dégel commence,* la glace et la neige fondent.

■**engelure** n.f. SENS 3 *Marie a des engelures aux doigts,* des plaies dues au froid.

■**surgeler** v. SENS 1 *En surgelant la viande, on la conserve longtemps,* en la soumettant rapidement à un froid intense.

R → Conj. n° 5.

gélule n.f. *Une gélule* est un petit cylindre de gélatine durcie contenant un médicament en poudre.

gémir v. *Je l'entends qui gémit,* qui pousse des gémissements (= geindre).

■**gémissement** n.m. *On entend un gémissement,* un cri plaintif exprimant la douleur.

gênant → gêne.

gencive n.f. *En me brossant les dents, j'ai fait saigner mes gencives,* la chair qui est à la base des dents.

gendarme n.m. *Les gendarmes sont des militaires chargés de veiller à la sécurité des gens.*

■**gendarmerie** n.f. *Au Canada, la Gendarmerie royale est un corps de police fédérale.*

■**se gendarmer** v. *J'ai dû me gendarmer pour faire obéir mon fils,* me fâcher.

gendre n.m. *Le mari de notre fille est notre gendre* (= beau-fils).

gêne n.f. **1.** *Éprouver une gêne,* c'est ne pas être à l'aise. **2.** *Nous nous trouvons dans la gêne,* nous manquons d'argent pour vivre (= besoin).

■**gêner** v. SENS 1 *Ma chaussure me gêne,* je ne suis pas bien dedans. *Elle se sent gênée dans cette société,* mal à l'aise (= embarrasser). SENS 2 *Je suis gênée en ce moment,* je manque d'argent.

■**gênant** adj. SENS 1 *Le meuble est gênant* (= embarrassant, encombrant).

■**gêneur** n. SENS 1 *Il faut nous débarrasser de ce gêneur.*

■**sans-gêne** adj.inv. SENS 1 *Ce sont des gens sans-gêne,* ils ne s'occupent pas des autres.

généalogie n.f. *La généalogie d'une famille* est la liste de ses ancêtres.

■**généalogique** adj. *Un tableau généalogique* représente tous les liens de parenté d'une famille.

gêner → gêne.

1. général adj. **1.** *La loi de la pesanteur est une loi générale,* elle s'applique à tous les êtres et objets (≠ particulier). **2.** *Une grève générale* est une grève de tous les travailleurs. **3.** adv. *En général, je me lève à 8 heures,* d'habitude (= généralement).

■**généralement** adv. SENS 3 *Les orages éclatent généralement en été,* le plus souvent.

■ **généraliser** v. SENS 1 ET 2 *On a géné-ralisé la vaccination,* on l'a faite à tout le monde.

■ **généralités** n.f.pl. *Tu dis des géné-ralités,* des choses que tout le monde connaît (= banalités).

2. général n. *Le grade de général est le grade le plus élevé. La générale est la femme du général.*

générateur adj. *La tyrannie est géné-ratrice de crimes,* elle en produit.

génération n.f. *Les grands-parents, les parents, les enfants représentent trois générations,* des groupes de gens nés à peu près à la même époque.

généreux adj. **1.** *C'est un être géné-reux,* qui donne beaucoup aux autres (≠ avare). **2.** *Elle a donné un pour-boire généreux* (= gros, large).

■ **généreusement** adv. *Des récom-penses ont été généreusement distri-buées* (= largement).

■ **générosité** n.f. *Sa générosité est grande,* il est très généreux.

générique 1. n.m. *Un film commence par le générique,* la liste des noms de ceux qui y ont collaboré. **2.** adj. *« Plante » est un nom générique qui désigne les arbres, les herbes, les fleurs, etc.,* un nom qui s'applique à tout cet ensemble (≠ spécifique).

générosité → généreux.

genèse n.f. *La genèse d'un roman,* ce sont les étapes de sa création (= élaboration).

genêt n.m. *Les genêts sont en fleur,* des arbrisseaux à fleurs jaunes.

génétique adj. *Les lois génétiques* sont les lois de l'hérédité.

genévrier n.m. *Un genévrier est un arbuste dont les fruits (genièvres) sont de petits grains ronds.*

génie n.m. **1.** *Les génies des contes de fées sont doués de pouvoirs magi-ques,* des êtres imaginaires. **2.** *Cette musicienne a du génie,* elle est excep-tionnellement douée. **3.** *Mozart, Victor Hugo furent des génies,* des êtres qui avaient du génie (au sens 2). **4.** *Le génie* est l'ensemble des services chargés de construire les routes, les ponts, etc.

■ **génial** adj. SENS 2 ET 3 *C'est une in-ventrice géniale,* elle a du génie. *J'ai lu un roman génial* (= remarquable, sensationnel).

genièvre → genévrier.

génisse n.f. *Une génisse* est une jeune vache.

génital adj. *Les organes génitaux* sont les organes qui servent à la reproduc-tion (= sexuel).

génocide n.m. *Commettre un géno-cide,* c'est exterminer les humains appartenant à une race, à une reli-gion ou à un pays.

genou n.m. *En tombant, elle s'est écor-ché un genou. Il s'est mis à genoux pour prier,* il a posé les genoux sur le sol.

■ **s'agenouiller** v. *Le dromadaire s'agenouille,* il se met à genoux.

■ **génuflexion** n.f. *Faire une génu-flexion,* c'est mettre un genou au sol en signe de respect, de sou-mission.

genre n.m. **1.** *Le genre humain* est l'ensemble des êtres humains. **2.** *Ai-mez-vous ce genre de chaussures ?* (= sorte, espèce, type). **3.** *Fanny a un drôle de genre,* de drôles de manières (= allure, air). **4.** *« La table » est du genre féminin, « le crayon » est du genre masculin.*

gens n.m.pl. **1.** *Des gens montent dans l'autobus,* des personnes. **2.** *Les*

368,
38,
33

vieilles **gens** sont les personnes âgées.
R. Lorsque l'adjectif épithète précède *gens*, il se met au féminin.

651 **gentiane** n.f. *La gentiane est une plante des montagnes à fleurs jaunes, bleues ou violettes.*
R. On prononce [ʒɑ̃sjan]

gentil adj. **1.** *Tu as un* **gentil** *visage, un visage assez joli* (= agréable). **2.** *Elle est* **gentille** *avec les enfants, elle est douce avec eux.* **3.** *Vous êtes bien* **gentil** *de m'aider* (= aimable). **4.** *Soyez bien* **gentils,** *les enfants, soyez sages et obéissants.*
■ **gentillesse** n.f. SENS 2 ET 3 *Il est d'une grande* **gentillesse,** *il est très gentil.*
■ **gentiment** adv. SENS 2 ET 3 *Yasmina m'a répondu* **gentiment** (= aimablement ; ≠ méchamment).
R. Au masculin, on ne prononce pas le *l* : [ʒɑ̃ti].

gentilhomme n.m. *Autrefois, les nobles étaient appelés des* **gentils-hommes.**
R. On prononce [ʒɑ̃tijɔm] et au pluriel [ʒɑ̃tizɔm].

gentillesse, gentiment → *gentil.*

gentleman n.m. *M. Dupont est un parfait* **gentleman,** *il est d'une éducation irréprochable.*
R. On prononce [dʒɛntləman ou ʒɑ̃tləman]. Noter le pluriel : des *gentlemen* [dʒɛntləmɛn].

génuflexion → *genou.*

géographie n.f. *La* **géographie** *est la science qui décrit la surface de la Terre, ses peuples, son économie.*
■ **géographe** n. *Une* **géographe** *a étudié le climat de cette région.*
■ **géographique** adj. *Une carte géo-graphique est accrochée au mur de la classe.*

geôle n.f. *Autrefois, on appelait une prison une* **geôle.**

■ **geôlier** n. *Un* **geôlier** *était un gardien de prison.*
R. On prononce [ʒol], [ʒolje].

géologie n.f. *La* **géologie** *est la science qui étudie le sous-sol de la Terre.*
■ **géologue** n. *Des* **géologues** *ont fait des forages pour trouver du pétrole.*
■ **géologique** adj. *Une carte* **géologi-que** *représente les roches de la Terre.*

géométrie n.f. *La* **géométrie** *est la science qui étudie les lignes, les sur-faces, les volumes.*
■ **géométrique** adj. *Le carré, le cer-cle, le triangle sont des formes* **géomé-triques,** *des formes qu'étudie la géométrie.*
■ **géomètre** n. *Le* **géomètre** *fait des plans, c'est son métier.*

gérance → *gérer.*

géranium n.m. *Mme Lopez a des* **gé-raniums** *sur son balcon, des plantes à fleurs rouges.*
R. On prononce [ʒeranjɔm].

gérant → *gérer.*

gerbe n.f. *Le blé est coupé et lié en* **gerbes,** *en bottes, les épis étant tous du même côté.*

gercer v. *Quand il fait froid, j'ai les lèvres* **gercées,** *fendues en plusieurs endroits* (= crevasser).
■ **gerçure** n.f. *Mes* **gerçures** *me font souffrir* (= crevasse).

gérer v. *Le magasin a fait faillite, car il était mal* **géré,** *mal dirigé.*
■ **gérant** n. *Le* **gérant** *d'un immeuble est payé par les propriétaires pour le gérer.*
■ **gérance** n.f. *Prendre la* **gérance** *d'un commerce, c'est en devenir le gérant.*
■ **gestion** n.f. *La gérante est chargée de la* **gestion** *de l'immeuble, de le gérer.*

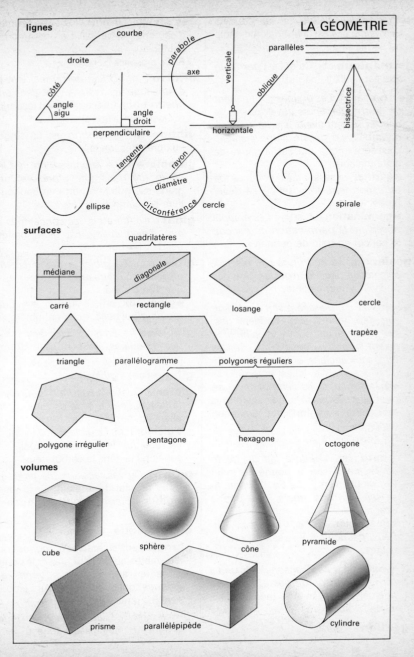

LA GÉOMÉTRIE

lignes

courbe
droite
parabole
axe
verticale
parallèles
oblique
côté
angle aigu
angle droit
perpendiculaire
horizontale
bissectrice
ellipse
tangente
rayon
diamètre
circonférence
cercle
spirale

surfaces

quadrilatères

médiane
diagonale
carré
rectangle
losange
cercle

triangle
parallélogramme
trapèze

polygones réguliers

polygone irrégulier
pentagone
hexagone
octogone

volumes

cube
sphère
cône
pyramide

prisme
parallélépipède
cylindre

germain adj. *Nicole est ma cousine germaine,* elle est la fille de mon oncle ou de ma tante.

germanique adj. *Ce qui est germanique est de l'Allemagne.*

germe n.m. **1.** *Les graines contiennent un germe qui, en se développant, va donner une nouvelle plante* (= embryon). **2.** *Le germe d'une maladie,* c'est le microbe qui est la cause de cette maladie.
■ **germer** v. SENS 1 *Les pommes de terre germent,* leur germe se développe.
■ **germination** n.f. SENS 1 *Les enfants observent la germination du haricot,* le haricot en train de germer.

gésier n.m. *La nourriture des oiseaux est broyée dans leur gésier,* une des poches de leur estomac.

gésir v. **1.** *La blessée gisait sur le sol,* elle était étendue et ne bougeait pas. *Les policiers ont découvert un homme gisant à terre* (= couché). **2.** *Sur les tombeaux anciens, on lit parfois : « Ci-gît Monsieur X. »,* ici est enterré.
■ **gisant** n.m. *Dans cette abbaye, on peut voir des gisants,* des sculptures représentant un mort couché sur son tombeau.
R. → Conj. n° 32.

1. geste n.m. **1.** *Elle a fait un geste de la main,* elle a bougé la main (= mouvement). **2.** *En l'aidant, tu as fait un beau geste,* une bonne action.
■ **gesticuler** v. SENS 1 *L'homme, furieux, gesticulait,* il faisait de grands gestes.

2. geste n.f. *« La Chanson de Roland » est une chanson de geste,* un grand poème du Moyen Âge racontant les exploits d'un héros.

gestion → *gérer.*

geyser n.m. *Un geyser est une source d'eau chaude qui jaillit à une grande hauteur.*
R. On prononce [zezɛr].

ghetto n.m. *Dans certaines villes d'Amérique, les Noirs vivent dans un ghetto,* un quartier qui leur est réservé.
R. On prononce [geto]

gibbon n.m. *Le gibbon est un singe aux bras très longs.*

gibecière n.f. *À la chasse, on met le gibier tué dans une gibecière,* un grand sac que l'on porte en bandoulière (= carnassière).

gibet n.m. *Autrefois, les condamnés à mort étaient envoyés au gibet,* on les pendait (= potence).

gibier n.m. *Le gibier a pratiquement disparu dans cette région,* les animaux que l'on chasse.
■ **giboyeux** adj. *L'Abitibi est une région giboyeuse,* riche en gibier.

giboulée n.f. *En mars, il tombe parfois des giboulées,* de courtes et fortes averses.

giboyeux → *gibier.*

gicler v. *Quand la voiture a roulé dans la flaque, l'eau a giclé de tous côtés,* elle a été projetée avec force.
■ **gicleur** n.m. *Le gicleur de la voiture est bouché,* le tube par lequel l'essence gicle dans le carburateur.

gifle n.f. *Tu vas recevoir une gifle,* un coup du plat de la main sur la joue.
■ **gifler** v. *Pierre m'a giflé,* il m'a donné une gifle.

gigantesque → *géant.*

gigogne adj. *Des tables gigognes sont des tables qu'on peut glisser les unes sous les autres. Des poupées gigognes sont des poupées qui s'emboîtent les unes dans les autres.*

gigot n.m. *Nous avons mangé un gigot d'agneau,* une cuisse d'agneau.

gigoter v. *Le bébé **gigote** dans son bain,* il agite bras et jambes (= gesticuler).

gilet n.m. **1.** *Sous la veste de son costume, il porte un **gilet**,* un vêtement court, sans manches, boutonné sur le devant. **2.** *Elle a mis un **gilet** de laine sous son manteau,* une petite veste. **3.** *Pour faire du bateau, il faut mettre un **gilet** de sauvetage,* une sorte de veste sans manches en caoutchouc qui, gonflée, permet de flotter sur l'eau.

girafe n.f. *Les **girafes** courent dans la brousse,* des animaux à très grand cou.

giratoire adj. *Des flèches courbes indiquent le **sens giratoire**,* le sens que les voitures doivent suivre pour faire le tour de la place.

girofle n.m. *Pour parfumer ma sauce, j'y ai mis des **clous de girofle**,* des boutons desséchés des fleurs de giroflier.

giroflée n.f. *Regarde ce massif de **giroflées**,* des fleurs jaunes ou oranges.

girolle n.f. *Dans le bois, nous avons cueilli des **girolles**,* des petits champignons jaunes comestibles.

giron n.m. *L'enfant est blotti dans le **giron** de sa mère,* sur les genoux et contre la poitrine de sa mère.

girouette n.f. *En haut du clocher de l'église, il y a une **girouette** en forme de coq,* un coq de métal qui tourne, indiquant la direction du vent.

gisait, gisant → *gésir*.

gisement n.m. *On a découvert un **gisement** de pétrole,* une masse de pétrole dans le sol.

gitan n. *Un groupe de **gitans** campe à l'entrée de la ville,* de bohémiens (= nomade, romanichel).

1. gîte n.m. **1.** *Les voyageurs cherchent un **gîte** pour la nuit,* un endroit où ils pourront coucher. **2.** *Le **gîte** du lièvre est le creux du sol où il vit.*

■ **gîter** v. SENS 2 *Le lièvre **gîte** souvent dans les sillons,* il s'y abrite.

2. gîte n.f. *Le bateau prend de la **gîte**,* il se couche sur le côté sous l'effet du vent.

givre n.m. *Ce matin, les toits sont blancs de **givre**,* de rosée gelée.

■ **givrer** v. *Les arbres **sont givrés**,* ils sont couverts de givre.

■ **dégivrer** v. *Il faut **dégivrer** le pare-brise,* ôter le givre qui s'y est déposé.

■ **dégivrage** n.m. *Le **dégivrage** du pare-brise est effectué par une soufflerie.*

■ **dégivreur** n.m. *Un **dégivreur** est un dispositif pour dégivrer.*

glabre adj. *Il a un visage **glabre**,* sans barbe ni moustache (= imberbe).

glace n.f. **1.** *Le lac est couvert de **glace**,* l'eau a gelé. **2.** *Mme Coté a un visage de **glace**,* qui n'exprime aucun sentiment (= impassible, immobile). **3.** *Je me regarde dans la **glace**,* dans le miroir. **4.** *Baisse les **glaces** de la voiture* (= vitre). **5.** *Au dessert, j'ai mangé une bonne **glace**,* une crème glacée.   584

■ **glacer** v. **1.** SENS 1 *Le vent me **glace** le visage,* j'ai une vive sensation de froid. SENS 2 *L'examinatrice **glace** les candidats,* elle les paralyse de peur. **2.** *Glacer un gâteau,* c'est le recouvrir d'une croûte lisse de sucre fondu.

■ **glacé** adj. SENS 1 *J'ai bu une bière glacée,* très froide. SENS 2 *Tu m'as lancé un regard **glacé**,* froid et hostile.   221

■ **glaciaire** adj. SENS 1 *La période **glaciaire** est la période de l'histoire de la Terre marquée par le développement des glaciers.*

■ **glacial** adj. SENS 1 *Le temps est **glacial**,* très froid. SENS 2 *Il m'a fait un accueil **glacial*** (≠ chaleureux).

■ **glacier** n.m. SENS 1 *Les alpinistes ont traversé le **glacier**,* un fleuve de glace.   651, 649

220 SENS 5 *Le glacier fabrique ou vend des glaces,* c'est son métier.

■ **glacière** n.f. SENS 1 *Les boissons sont au frais dans la glacière,* une boîte aux parois épaisses contenant de la glace.

■ **glaçon** n.m. SENS 1 *Voulez-vous un glaçon dans votre verre ?,* un petit morceau de glace.

glacis n.m. *Les glacis d'un fort* sont les talus en pente douce qui l'entourent.

glaçon → glace.

gladiateur n.m. *Un des spectacles favoris des Romains était de voir combattre des gladiateurs,* des hommes dont le métier était de se battre à mort contre d'autres hommes ou contre des bêtes féroces.

80 **glaïeul** n.m. *La fleuriste vend des glaïeuls,* des fleurs à très longues tiges.

glaire n.f. *La respiration du malade est gênée par des glaires,* des mucosités.

■ **glaireux** adj. *Il a des crachats glaireux.*

glaise adj. et n.f. *Les pots de terre, les briques sont faits de (terre) glaise,* de terre grasse et imperméable.

440 **glaive** n.m. *Les soldats romains étaient armés de glaives,* d'épées courtes à double tranchant.

654 **gland** n.m. *Les cochons mangent des glands,* les fruits du chêne.

glande n.f. *Le foie est une glande,* un organe qui produit des substances nécessaires au fonctionnement du corps.

glaner v. 1. *Après la moisson, les enfants vont glaner,* ils vont ramasser les épis de blé oubliés. 2. *Je vais tâcher de glaner des renseignements,* d'en recueillir çà et là.

glapir v. *Le renard glapit,* il pousse des petits cris brefs et aigus.

■ **glapissement** n.m. *Entends-tu les glapissements du lapin ?,* le cri qui lui est propre.

glas n.m. *Les cloches sonnent le glas pour annoncer la mort de quelqu'un,* elles tintent d'une façon spéciale.

glauque adj. *Aujourd'hui, la mer a une teinte glauque,* vert bleuâtre.

glèbe n.f. se disait autrefois pour désigner la *terre cultivée.*

glisser v. 1. *Les patineurs glissent sur la glace,* ils se déplacent d'un mouvement continu sur la surface lisse de la glace. 2. *Le verre m'a glissé des mains,* il m'a échappé. 3. *Glissons sur les détails de cette aventure !,* n'insistons pas. 4. *Sonia a glissé une lettre sous la porte,* elle l'a fait passer.

■ **glissant** adj. SENS 1 *Attention ! le verglas rend la route glissante,* lisse et dangereuse.

■ **glissade** n.f. SENS 1 *Les enfants font des glissades sur la neige durcie.*

■ **glisse** n.f. SENS 1 *Ces skis ont une bonne glisse,* ils glissent bien.

■ **glissement** n.m. SENS 1 *Les pluies ont provoqué un glissement de terrain,* une couche de terrain a glissé le long d'une pente.

■ **glissière** n.f. SENS 1 *Une porte à glissière* est une porte qui glisse le long de rails métalliques.

global adj. *Vous me devez la somme globale de dix dollars,* vous me devez en tout dix dollars (= total).

■ **globalement** adv. *Les résultats sont globalement bons,* en considérant l'ensemble.

globe n.m. 1. *La pièce est éclairée par un globe lumineux,* une boule (= sphère). 2. *Les Durand ont fait le tour du globe,* de la Terre.

globule n.m. *Le sang contient des globules blancs et des globules rouges,* des éléments microscopiques.

gloire n.f. *Cette artiste connaît la gloire,* elle est connue et admirée de beaucoup de monde (= célébrité, renommée).

■ **glorieux** adj. *Les sauveteurs ont accompli une action glorieuse,* qui donne de la gloire.

■ **glorieusement** adv. *Notre équipe a glorieusement disputé ce match.*

■ **se glorifier** v. *Elle se glorifie d'avoir réussi,* elle s'en vante.

■ **glorification** n.f. *Ce livre contribue à la glorification de nos grands peintres.*

■ **gloriole** n.f. *Vous avez agi par gloriole,* par vanité.

glossaire n.m. *Un glossaire est un répertoire donnant le sens des mots anciens ou rares d'un texte.*

glousser v. *La poule glousse,* elle pousse de petits cris pour appeler les poussins.

■ **gloussement** n.m. *On entend les gloussements des poules.*

glouton adj. et n. *Paul est un (enfant) glouton,* il mange très vite et beaucoup à la fois (= goinfre, goulu).

■ **gloutonnerie** n.f. *Sa gloutonnerie lui a valu une indigestion.*

glu n.f. *La glu est une colle forte.*

■ **gluant** adj. *La limace a laissé une trace gluante,* collante, visqueuse.

■ **englué** adj. *Tu as les doigts englués de confiture* (= poisseux).

glycérine n.f. *La glycérine est un liquide gras utilisé parfois en pharmacie.*

glycine n.f. *Une glycine orne le balcon,* une plante grimpante à fleurs odorantes en grappes.

gnome n.m. *Un gnome est un petit homme difforme.*

R. On prononce [gnom] et non [ɲom].

goal n.m. *Je suis le goal de l'équipe de volley-ball,* la gardienne de but.

R. On prononce [gol].

gobelet n.m. *Le bébé boit dans son gobelet d'argent,* dans un verre sans pied (= timbale).

gober v. **1.** *Gober une huître,* c'est l'avaler sans la mâcher. **2.** *On lui fait gober tout ce qu'on veut,* on le lui fait croire. **3.** Fam. *Pierre se gobe,* il est prétentieux.

godasse n.f. est un équivalent très familier de *chaussure.*

godet n.m. *Les élèves du cours de dessin remplissent d'eau leur godet,* un petit récipient.

godiche adj. et n.f. Fam. *Luc a un air godiche,* niais et maladroit.

godille n.f. **1.** *Le pêcheur fait avancer sa barque à la godille,* au moyen d'un aviron placé à l'arrière. **2.** *La skieuse descend la piste en godille,* en enchaînant des virages très rapprochés.

■ **godiller** v. SENS 1 *Katia sait godiller,* donner à l'aviron un mouvement en huit qui fait avancer son canot.

godillot n.m. *Les soldats de 1914 appelaient leurs chaussures des godillots.*

goéland n.m. *Le bateau de pêche est entouré de goélands,* de gros oiseaux de mer blancs et gris.

goélette n.f. *Dans le port est amarrée une goélette,* un navire à deux mâts et à voiles triangulaires.

goémon n.m. *La plage est couverte de goémon,* d'algues rejetées par la mer (= varech).

à gogo adv. Fam. *Au buffet, il y avait des gâteaux à gogo,* en abondance, à volonté.

goguenard adj. *Elle m'a regardé d'un air goguenard* (= moqueur, railleur ; ≠ sérieux).

295

722

723

goinfre n.m. et adj. *Tu manges comme un goinfre,* beaucoup et salement (= glouton).

■ **goinfrerie** n.f. *Tu as avalé ton repas avec une goinfrerie dégoûtante* (= gloutonnerie).

■ **se goinfrer** v. Fam. *Il s'est goinfré de gâteaux au buffet,* il en a mangé comme un goinfre.

goitre n.m. *J'avais le cou gonflé par un goitre,* une grosseur au niveau de la gorge.

golf n.m. *Sais-tu jouer au golf ?,* un sport qui consiste à envoyer une balle dans une série de trous dispersés sur un vaste terrain avec une canne.

724 **golfe** n.m. *Un golfe est une large avancée de la mer dans les terres.*
R. Ne pas confondre *golfe* et *golf.*

295 **gomme** n.f. 1. *On peut effacer le crayon ou l'encre à l'aide d'une gomme,* d'un petit bloc de caoutchouc. 2. *Lorsqu'on incise l'écorce de certains arbres, il coule de la gomme,* une substance collante.

■ **gommer** v. SENS 1 *Marie a gommé son dessin,* elle l'a effacé avec une gomme.

■ **gommé** adj. SENS 2 *Le papier gommé est un papier collant qu'on mouille pour qu'il colle.*

■ **gommette** n.f. *La maîtresse a collé des gommettes sur nos cahiers,* des petits morceaux de papier gommé.

gond n.m. 1. *Quand on l'ouvre, une porte pivote sur ses gonds,* sur les pièces métalliques qui la tiennent (= charnière). 2. *Cette réponse injurieuse l'a fait sortir de ses gonds,* se mettre en colère.
R. → *gong.*

gondole n.m. *Nous nous promenions sur les canaux de Venise en gondole,* dans un long bateau plat aux extrémités recourbées.

■ **gondolier** n.m. *Le gondolier conduit une gondole.*

se gondoler v. *Le parquet s'est gondolé sous l'action de l'humidité,* il s'est bombé (= se déformer).

gondolier → *gondole.*

gonfler v. 1. *Je gonfle les pneus de mon vélo,* j'y envoie de l'air. 2. *L'éponge gonfle dans l'eau,* elle grossit (= enfler). *Les voiles du bateau se gonflent au vent.*

■ **gonflage** n.m. SENS 1 *L'automobiliste procède au gonflage des pneus,* elle les gonfle.

■ **gonflement** n.m. SENS 2 *Les pluies ont provoqué le gonflement de la rivière.*

■ **gonfleur** n.m. SENS 1 *Le matelas pneumatique est dégonflé, prends le gonfleur pour le regonfler,* un appareil.

■ **dégonfler** v. 1. SENS 1 *Le ballon s'est dégonflé,* l'air (ou le gaz) s'en est échappé. 2. Fam. *Au moment de tenter le coup, il s'est dégonflé,* il n'a pas osé.

■ **regonfler** v. SENS 1 *Regonfle le matelas pneumatique.*

gong n.m. *Un gong est un disque de métal suspendu qu'on fait sonner en le frappant.*
R. Ne pas confondre *gong* et *gond.* On prononce [gɔ̃g] ou [gɔ̃].

goret n.m. *La truie est suivie de ses gorets,* ses petits (= porcelet).

gorge n.f. 1. *J'ai mal à la gorge,* au fond de la bouche. 2. *Il saisit son adversaire à la gorge,* à la partie avant du cou. 3. *La rivière coule au fond d'une gorge,* d'une vallée étroite et profonde.

■ **gorgée** n.f. SENS 1 *Bois une gorgée d'eau,* ce qu'on peut avaler en une fois.

■ **gorger** v. 1. *Après les pluies, la terre est gorgée d'eau,* elle ne peut plus en absorber davantage (= saturer). 2. *Tu* te *gorges* de nourriture, tu en avales à l'excès.

■**égorger** v. SENS 2 *Le boucher a égorgé un mouton,* il l'a tué en lui coupant la gorge.

gorille n.m. *Un gorille peut peser plus de 200 kilos,* le plus grand et le plus fort de tous les singes.

gosier n.m. *J'ai le gosier sec,* le fond de la bouche (= gorge).

■**s'égosiller** v. *Jean devait s'égosiller pour se faire entendre,* crier de toutes ses forces (= s'époumoner).

gosse n. Fam. *Martine est encore une gosse,* une enfant.

gothique adj. *Beaucoup de cathédrales sont des exemples d'architecture gothique,* elles datent de la fin du Moyen Âge et ont des voûtes en ogive.

gouache n.f. *Marie peint avec de la gouache,* une peinture à l'eau.

gouailleur adj. *Dominique parle d'un ton gouailleur,* moqueur et vulgaire.

goudron n.m. *La route est recouverte de goudron,* d'une pâte noire.

■**goudronner** v. *On a goudronné la route,* on l'a recouverte de goudron.

■**goudronnage** n.m. *Le goudronnage de la route est effectué par une machine, la goudronneuse.*

gouffre n.m. *La spéléologue est descendue au fond d'un gouffre,* d'un trou très profond (= abîme).

goujat n.m. *Il s'est conduit comme un goujat,* grossièrement, sans savoir-vivre (= mufle, malotru).

goujon n.m. *Le goujon* est un petit poisson d'eau douce qu'on mange en friture.

goulache ou **goulasch** n.m. *Le goulache* est un ragoût de bœuf à la sauce bien relevée.

goulet n.m. *Le port communique avec la mer par un goulet,* un passage étroit (= chenal). 724

goulot n.m. *J'enfonce le bouchon dans le goulot de la bouteille,* dans sa partie étroite. 579

goulu adj. et n. *Mon chien est goulu,* il mange très vite et beaucoup à la fois (= glouton, goinfre).

■**goulûment** adv. *Ne mange pas aussi goulûment !*

goupille n.f. *Les roues sont maintenues sur l'essieu par une goupille,* une petite tige métallique.

goupiller v. Fam. *Tu as bien goupillé ton affaire* (= organiser, combiner).

goupillon n.m. 1. *On nettoie l'intérieur des bouteilles vides avec un goupillon,* une brosse longue et cylindrique. 2. *Le prêtre asperge la foule d'eau bénite avec un goupillon,* une tige terminée par une boule creuse. 149

gourd adj. *J'ai les doigts gourds,* rendus raides et insensibles par le froid.

■**engourdir** v. *Le froid m'engourdit,* il raidit et insensibilise mes membres.

■**engourdissement** n.m. *Le froid a produit un engourdissement de ses doigts.*

■**dégourdir** v. *Je vais marcher un peu pour me dégourdir les jambes,* pour me délasser de mon immobilité (= dérouiller).

■**dégourdi** adj. et n.m. *À son âge, Mary prend le métro toute seule, elle est dégourdie* (= débrouillard, malin).

gourde n.f. 1. *J'ai emporté de quoi boire dans une gourde,* un récipient portatif en métal ou en matière plastique. 2. Fam. *Léo s'est trompé d'adresse : quelle gourde !* (= maladroit, idiot). 649

gourdin n.m. *Nos adversaires nous menaçaient avec des gourdins,* de gros bâtons.

gourmand adj. et n. *C'est un enfant gourmand,* il aime manger beaucoup de bonnes choses.

■ **gourmandise** n.f. **1.** *Il a eu une indigestion à cause de sa gourmandise,* parce qu'il a été gourmand. **2.** *Le buffet regorgeait de gourmandises,* de friandises.

gourmet n.m. Un *gourmet* aime la cuisine raffinée (= gastronome, connaisseur).

220 **gourmette** n.f. *Je porte une gourmette,* un bracelet en forme de chaîne.

583 **gousse** n.f. *Après avoir écossé les petits pois, on jette les gousses,* les enveloppes qui les contenaient (= cosse).

gousset n.m. Un *gousset* est une petite poche de gilet.

goût n.m. **1.** *Le goût* est celui des cinq sens qui permet de connaître la saveur des aliments. **2.** *Ce fruit n'a pas de goût* (= saveur). **3.** *Tu as décoré ta maison avec goût,* en montrant que tu savais distinguer le beau du laid. **4.** *J'ai du goût pour la lecture,* je l'aime. *Nous avons les mêmes goûts,* nous aimons les mêmes choses. *Son appartement est décoré au goût du jour,* d'une façon qui plaît actuellement (= à la mode).

■ **goûter** v. **1.** SENS 1 *Goûte cette sauce !,* manges-en un peu pour savoir si elle est bonne. SENS 4 *J'ai goûté ce livre,* je l'ai aimé. **2.** *C'est l'heure de goûter,* de manger son goûter.

■ **goûter** n.m. *J'emporte du pain et du chocolat pour mon goûter,* pour mon repas du milieu de l'après-midi.

■ **arrière-goût** n.m. SENS 2 *Cette sauce a un arrière-goût bizarre,* un goût qui reste dans la bouche.

■ **avant-goût** n.m. *Ces quelques images nous donnent un avant-goût du film,* un premier aperçu.

goutte n.f. **1.** *Il tombe des gouttes d'eau,* des petites boules d'eau. **2.** *Maman m'a mis des gouttes dans l'oreille,* de très petites quantités de médicament liquide. **3.** *L'eau tombe goutte à goutte de la gouttière,* une goutte après l'autre. **4.** *Ces jumeaux se ressemblent comme deux gouttes d'eau,* ils se ressemblent énormément. **5.** *Bois une goutte de café,* un petit peu de café.

■ **gouttelette** n.f. SENS 1 *De fines gouttelettes de buée se forment sur la vitre,* de très petites gouttes.

■ **goutter** v. SENS 1 *Le robinet goutte,* il fuit et l'eau tombe goutte à goutte.

■ **gouttière** n.f. SENS 1 *Les toits des maisons sont bordés de gouttières,* conduits qui recueillent l'eau de pluie.

■ **égoutter** v. SENS 1 *Le linge s'égoutte sur le fil,* il perd son eau goutte à goutte. *Il faut égoutter la salade.*

■ **égouttoir** n.m. SENS 1 *Mets la vaisselle sur l'égouttoir,* l'instrument sur lequel elle sèche en s'égouttant.

R. Ne pas confondre *goutte* et [*il*] *goûte* (de *goûter*), *goutter* et *goûter*.

gouverner v. **1.** *Gouverner un pays,* c'est le diriger. **2.** *Gouverner un bateau,* c'est le faire aller dans la direction voulue (= manœuvrer).

■ **gouvernail** n.m. SENS 2 *Le pilote manœuvre le gouvernail du bateau,* l'appareil servant à le diriger.

■ **gouvernant** n.m. SENS 1 *Un gouvernant est un membre du gouvernement.*

■ **gouvernante** n.f. *Autrefois, dans les familles riches, les enfants avaient une gouvernante,* une personne spécialement chargée de s'occuper d'eux.

■ **gouverne** n.f. *Pour ta gouverne, retiens bien ce que je vais te dire !,* pour que cela te serve de règle de conduite.

■ **gouvernement** n.m. SENS 1 *Le gouvernement est l'ensemble des personnes qui gouvernent un pays.*

■**gouvernemental** adj. SENS 1 *Le ministre a défendu la politique **gouvernementale**.*

■**gouverneur** n.m. SENS 1 *Un **gouverneur militaire** est un général qui commande une place forte.*

grabat n.m. *Qui couche sur ce grabat ?,* un lit misérable.

■**grabataire** n. *Un **grabataire** est un malade qui ne peut pas quitter le lit.*

grabuge n.m. Fam. *La foule est excitée, il risque d'y avoir du **grabuge**,* des désordres, de la bagarre.

1. grâce n.f. **1.** *Ce danseur a de la **grâce**,* ses mouvements et ses attitudes sont beaux. **2.** *Le condamné à mort a demandé sa **grâce**,* il a demandé à ne pas être exécuté. **3.** *J'ai accepté **de bonne grâce*** (= volontiers, sans se faire prier), *de mauvaise **grâce*** (= à contrecœur). *De **grâce**, n'insistez pas,* je vous en prie.

■**gracier** v. SENS 2 *Le condamné **a été gracié**,* il n'a pas été exécuté.

■**gracieux** adj. **1.** SENS 1. *La biche est **gracieuse**,* elle a de la grâce. **2.** *J'ai reçu ce livre **à titre gracieux**,* gratuitement.

■**gracieusement** adv. *Cet exemplaire vous est remis **gracieusement*** (= gratuitement).

■**disgracieux** adj. SENS 1 *Quelle démarche **disgracieuse** !,* sans élégance.
R. Attention à l'orthographe : seul *grâce* a un accent circonflexe sur le *a*.

2. grâce à prép. *J'ai retrouvé mon chemin **grâce à** la carte,* avec l'aide de la carte.

gracile adj. *Cet enfant a un corps **gracile**,* mince et gracieux.

gradation n.f. *Le passage du jour à la nuit se fait par une **gradation** insensible,* par degrés (= progression).
R. Ne pas confondre avec *graduation*.

grade n.m. *Le **grade** de lieutenant est immédiatement inférieur à celui de capitaine.*

394, 763

■**gradé** n. et adj. *Les **gradés** sont les militaires d'un grade inférieur à celui d'officier.*

gradin n.m. *Au cirque, les spectateurs sont assis sur des **gradins**,* des bancs disposés en escalier.

35, 433

graduer v. **1.** *Un thermomètre **est gradué**,* un petit trait marque chaque degré. **2.** *Les exercices de mathématiques **ont été gradués**,* ils deviennent de plus en plus difficiles.

■**graduation** n.f. SENS 1 *Les **graduations** d'une règle sont les traits marquant les divisions.*

■**graduel** adj. SENS 2 *L'amélioration du temps est **graduelle**,* elle se fait petit à petit (= progressif ; ≠ subit).

■**graduellement** adv. SENS 2 *Le temps s'améliore **graduellement*** (= peu à peu, progressivement).

graffiti n.m. *Le mur est couvert de **graffitis**,* d'inscriptions et de dessins griffonnés.

graillon n.m. *De la cuisine du restaurant sort une odeur de **graillon**,* une mauvaise odeur de graisse.

grain n.m. **1.** *On bat les épis de blé pour en extraire les **grains**.* **2.** *Je mange un **grain** de raisin,* un des fruits ronds qui constituent la grappe. **3.** *J'ai un **grain** de sable dans l'œil,* un petit morceau. **4.** *Cécile a un **grain de beauté** sur la joue,* une petite tache ronde et brune. **5.** *Le **grain** d'un cuir est l'ensemble des inégalités qui font que sa surface n'est pas lisse.* **6.** *Les marins redoutent les **grains**,* les averses violentes accompagnées de vent fort. **7.** *Veiller au **grain**,* c'est être sur ses gardes, être attentif à ce qui peut arriver. **8.** *Paul ne peut pas s'empêcher d'intervenir dans la conver-*

580, 578, 364

LES GRADES MILITAIRES

Armée de Terre/Armée de l'Air/Marine

officiers	général lieutenant-général major général brigadier général colonel lieutenant-colonel major capitaine lieutenant
sous-officiers	adjudant-chef adjudant-maître adjudant sergent caporal-sergent caporal
hommes du rang (ou marins)	soldat

sation, il faut qu'il **mette son grain de sel**!, qu'il se mêle de ce qui ne le regarde pas.

■ **granulé** n.m. SENS 3 Ce médicament est en **granulés**, en petits grains.

■ **granuleux** adj. SENS 5 Une surface **granuleuse** semble recouverte de petits grains (≠ lisse).

■ **grenu** adj. SENS 5 Ce sac est en cuir **grenu**, couvert de petits grains (≠ lisse).

■ **égrener** V. SENS 1 ET 2 Lise **égrène** un épi de maïs, elle le dégarnit de ses grains. **Égrener un chapelet**, c'est faire passer entre ses doigts chacun des grains du chapelet en priant.
R. Égrener → conj. n° 9.

graine n.f. Les fruits contiennent des **graines** qui peuvent germer et donner de nouvelles plantes (= semence).

■ **grainetier** n. Le **grainetier** est un marchand de graines.

graisse n.f. **1.** Ce morceau de viande est bordé de **graisse**, d'une substance onctueuse d'un blanc jaunâtre (= gras, lard). **2.** Du pétrole, on extrait des **graisses**, des produits gras.

■ **graisser** V. SENS 2 **Graisser une machine**, c'est mettre de la graisse sur ses parties mobiles (= lubrifier, huiler)

■ **graissage** n.m. SENS 2 Le garagiste a fait le **graissage** de la voiture.

■ **dégraisser** V. SENS 2 **Dégraisser un** vêtement, c'est en ôter les taches de graisse.

■ **engraisser** V. SENS 1 La fermière **en graisse** ses cochons, elle les nourrit beaucoup pour les rendre gras.

graminées n.f.pl. En botanique, on classe les céréales et les herbes de prairies dans la famille des **graminées**

grammaire n.f. En classe, on étudie la **grammaire**, la façon dont les phrases de notre langue sont construites.

■**grammatical** adj. *Connais-tu cette règle grammaticale ?*, de grammaire.

gramme n.m. *Puisque cette pièce pèse dix grammes, cent pièces semblables pèsent un kilogramme.* Il y a 10 *décigrammes,* 100 *centigrammes,* 1 000 *milligrammes* dans un *gramme.* Il faut 10 *grammes* pour faire un *décagramme,* 100 *grammes* pour faire un *hectogramme,* 1 000 *grammes* pour faire un *kilogramme.*

grand adj. **1.** *Cette personne est grande,* elle est de haute taille. **2.** *C'est un grand immeuble,* il est haut et large (= vaste, important ; ≠ petit). **3.** *La voiture se déplace à grande vitesse,* très vite (= élevé). **4.** *C'est un grand peintre,* un peintre qui a beaucoup de talent, de célébrité (= éminent). **5.** *Je vous annonce une grande nouvelle,* une nouvelle très importante. **6.** *Votre fils est grand maintenant,* ce n'est plus un petit enfant.
■**grand** n. SENS 6 *La classe des grands* est celle des élèves les plus âgés. SENS 4 *Autrefois, les grands étaient les hauts personnages de la noblesse.*
■**grandement** adv. SENS 3 *C'est grandement suffisant* (= très, amplement).
■**grand-chose** pron.indéfini *Tu n'as pas mangé grand-chose,* tu n'as presque rien mangé.
■**grandeur** n.f. SENS 1 ET 2 *Ces deux tableaux sont de la même grandeur,* aussi grands l'un que l'autre (= taille).
■**grandiose** adj. SENS 1 ET 2 *Les montagnes sont grandioses,* elles impressionnent par leur grandeur.
■**grandir** v. **1.** SENS 1 *Les enfants grandissent,* ils deviennent grands (= pousser, se développer). **2.** *Ce geste généreux le grandit,* lui donne plus de noblesse morale.
■**agrandir** v. SENS 2 *J'ai agrandi ma maison,* je l'ai rendue plus grande.

■**agrandissement** SENS 2 *Un agrandissement photographique* est la reproduction en plus grand d'une photo.

grandiloquent adj. *Un discours grandiloquent* est plein de phrases et de mots prétentieux (= ronflant).
■**grandiloquence** n.f. *L'avocat a plaidé avec grandiloquence* (= emphase).

grandiose, grandir → grand.

grand-père n.m., **grand-mère** n.f., **grands-parents** n.m.pl. *J'ai deux grands-pères, le père de ma mère et celui de mon père. Ma grand-mère maternelle est très âgée,* la mère de ma mère. *Dominique est allé chez ses grands-parents.*   603
■**arrière-grand-père** n.m., **arrière-grand-mère** n.f., **arrière-grands-parents** n.m.pl. *Son arrière-grand-père vient de mourir,* le père d'un de ses grands-parents.   603
R. Attention aux pluriels : des *grands-pères,* des *arrière-grands-pères,* des *arrière-grand-mères,* ou des *arrière-grands-mères,* des *grand-mères* ou des *grands-mères.*

grange n.f. *Les fermiers ont rentré le foin dans la grange,* dans un bâtiment où l'on met les récoltes.   362

granit ou **granite** n.m. *Cette chapelle est construite en granit,* une roche très dure.   650
■**granitique** adj. *La côte bretonne est granitique,* le granit y est la roche dominante.

granulé, granuleux → grain.

graphique 1. adj. *Chaque lettre de l'alphabet est un signe graphique,* un signe de l'écriture. **2.** n.m. *Les élèves ont fait un graphique des variations de la température,* ils les ont représentées par une ligne reliant les points qui correspondent aux températures et aux jours.   39

■**graphologie** n.f. SENS 1 La *graphologie* est la science qui étudie l'écriture des gens pour y découvrir leur caractère.

■**graphologique** adj. SENS 1 *Le tribunal a ordonné une expertise graphologique.*

■**graphologue** n. SENS 1 *Les graphologues ont identifié l'auteur des lettres anonymes.*

grappe n.f. *Les grains de raisin, les groseilles, les fleurs de lilas sont disposés en grappes,* les fruits ou les fleurs sont rassemblés sur une tige commune.

grappiller v. *Grappiller des fruits, des informations,* c'est en recueillir par-ci, par-là.

grappin n.m. Un *grappin* est une sorte d'ancre à plusieurs pattes.

gras adj. 1. *Le beurre, les huiles sont des produits gras,* formés de graisse ou qui en contiennent. 2. *Un papier gras* est un papier taché de graisse. 3. *Ce chien est trop gras,* il a trop de graisse (= gros). 4. *Les cactus sont des plantes grasses,* à feuilles épaisses. 5. *Certains mots de ce dictionnaire sont en caractères gras,* en caractères d'imprimerie épais.

■**gras** n.m. SENS 1 *Ma côtelette de mouton est pleine de gras,* de morceaux de graisse. SENS 5 *« Grassement » est écrit en gras,* en caractère gras.

■**grassement** adv. *Ce travail est grassement payé,* très bien payé (= largement).

■**grassouillet** adj. SENS 3 *Ce bébé est grassouillet,* un peu gras (= potelé, replet, rebondi).

gratifier v. *La cliente satisfaite a gratifié le livreur d'un bon pourboire,* elle lui a donné un bon pourboire en récompense.

■**gratification** n.f. *En fin d'année, certains employés reçoivent une gratification,* un supplément de salaire (= prime).

gratin n.m. *Des nouilles au gratin* sont saupoudrées de chapelure et de gruyère râpé et dorées au four.

■**gratiner** v. *Jack a fait gratiner des pommes de terre,* cuire au four avec du gratin.

gratis adv. Fam. *Dans cette exposition on entre gratis,* (= gratuitement). **R.** On prononce le *s* : [gratis].

gratitude n.f. *Je lui ai dit ma gratitude pour sa complaisance* (= reconnaissance ; ≠ ingratitude).

gratte-ciel n.m.inv. *New York est célèbre pour ses gratte-ciel,* ses immeubles très hauts.

gratter v. 1. *Jean gratte les carottes,* il les frotte avec un couteau pour enlever la peau (= racler). 2. *Le chien se gratte le cou,* il se frotte pour calmer une démangeaison.

■**grattement** n.m. *J'ai entendu un grattement à la porte,* le bruit de quelqu'un ou de quelque chose qui gratte.

■**grattoir** n.m. SENS 1 Un *grattoir* est un outil pour gratter.

gratuit adj. *L'entrée du musée est gratuite,* on ne paie pas pour y entrer.

■**gratuitement** adv. *J'ai eu ce livre gratuitement,* sans payer.

■**gratuité** n.f. *Elle a droit à la gratuité des transports en train,* elle ne paie pas.

gravats n.m.pl. *Après avoir démoli la maison, les ouvriers ont enlevé les gravats,* les morceaux de plâtre, de brique ou de pierre.

grave adj. 1. *Paul a un visage grave* (= sérieux). 2. *Marie a une grave maladie,* une maladie inquiétante. 3. *En* *musique, un son **grave** est un son bas* (≠ *aigu*). **4.** *Sur le « **è** » de « crème »,* *il y a un **accent grave.***

■ **gravement** adv. SENS 1 *Tous écou-* *taient **gravement**, d'un air sérieux.* SENS 2 *Paul est **gravement** blessé.*

■ **gravité** n.f. SENS 1 *Tu me regardais* *d'un air plein de **gravité*** (= sérieux). SENS 2 *Cette écorchure est sans* ***gravité.***

■ **aggraver** v. SENS 2 *Sa maladie s'est* ***aggravée**, elle est devenue plus grave.*

■ **aggravant** adj. SENS 2 *On avait déjà* *commis la même faute : c'est une* *circonstance **aggravante*** (≠ atté- nuant).

■ **aggravation** n.f. SENS 2 *On craint* *une **aggravation** des inondations.*

graver v. *Mon prénom **est gravé** sur* *mon bracelet, il est écrit en creux sur* le métal du bracelet.

■ **gravure** n.f. **1.** *Je fais de la **gravure*** *sur cuivre, je grave des dessins ou des* *inscriptions.* **2.** *Ma chambre est ornée* *de **gravures**, de reproductions de* dessins.

■ **graveur** n.m. *Les œuvres de ce **gra-*** ***veur** sont très belles, cet artiste qui fait* de la gravure.

gravier n.m. *Les allées du jardin sont* *couvertes de **gravier**, de petits cail-* loux.

■ **gravillon** n.m. *La motocycliste a dé-* *rapé sur les **gravillons**, les petits gra-* *viers qu'on met sur les routes.*

gravir v. *Les alpinistes **gravissent** la* *montagne, ils grimpent dessus lente-* *ment et avec effort* (= escalader).

1. gravité → **grave.**

2. gravité n.f. *La Terre attire les corps :* *ce phénomène s'appelle la **gravité*** (= pesanteur).

■ **graviter** v. *La Lune **gravite** autour* *de la Terre, elle tourne autour de la* Terre.

gravure → **graver.**

gré n.m. **1.** *Je trouve ce manteau à* *mon **gré**, à mon goût.* **2.** *Je lui **sais gré*** *de sa discrétion, je lui en suis re-* *connaissant.* **3.** *Tu es venu ici de ton* ***plein gré**, volontairement.* **4.** ***Bon gré*** ***mal gré**, tu dois faire ce travail, que* *tu le veuilles ou non. Nous l'amène-* *rons **de gré ou de force**, même s'il* faut employer la force.

gredin n. *Cet homme est un **gredin**, un* *individu malhonnête* (= canaille).

gréer v. *On **grée** le voilier, on met en* place les voiles et les cordages.

■ **gréement** n.m. *Le **gréement** d'un* *voilier comprend les voiles, les poulies* et les cordages.

1. greffe n.m. *Le **greffe** du tribunal est* le lieu où l'on garde les dossiers.

■ **greffier** n.m. *Le **greffier** est l'em-* *ployé qui s'occupe des dossiers du* greffe.

2. greffe n.f. **1.** *La chirurgienne a fait* *une **greffe** du cœur, une opération* *qui consiste à remplacer un cœur ma-* *lade par un cœur en bon état.* **2.** *Le* *jardinier a mis une **greffe*** (ou un ***greffon**) à son pommier, il y a fixé une* *pousse venant d'un autre arbre.*

■ **greffer** v. **1.** SENS 1 ET 2 *Le chirurgien* *a **greffé** un cœur au malade. **Greffer*** *un prunier, c'est y mettre une greffe.* **2.** *De nouvelles difficultés **se sont*** ***greffées** sur celles qui existaient déjà,* elles s'y sont ajoutées.

grégaire adj. *Les fourmis ont l'instinct* ***grégaire**, leur instinct les pousse à* vivre en groupes.

grège adj. *J'ai un imperméable **grège**,* entre le gris et le beige.

1. grêle n.f. **1.** *Une averse de **grêle** a* *abîmé les récoltes, de petits glaçons.* **2.** *J'ai reçu une **grêle** de coups, un* grand nombre de coups.

■ **grêler** v. SENS 1 *Il grêle,* il tombe de la grêle.

■ **grêlon** n.m. SENS 1 *Il est tombé des grêlons énormes,* des glaçons ronds.

2. grêle adj. 1. *J'ai les jambes grêles,* longues et maigres. 2. *Écoutez cette voix grêle,* aiguë et faible. 3. *L'intestin grêle* est la partie la plus longue et la plus mince de l'intestin.

grelot n.m. *Mon chien porte un grelot à son collier,* une petite boule de métal qui tinte quand on l'agite.

grelotter v. *En sortant de l'eau, il grelottait de froid,* il tremblait très fort.

grenade n.f. 1. *Dans les pays méditerranéens, poussent des grenades,* des fruits ronds, gros comme des oranges et rouges à l'intérieur. 2. *Les militaires s'entraînent à lancer des grenades,* des boules de métal qui explosent.

■ **grenadier** n.m. SENS 1 *Le grenadier* est l'arbre sur lequel poussent les grenades. SENS 2 *Les grenadiers* étaient des soldats d'élite.

grenadine n.f. *Veux-tu boire de la grenadine ?,* un sirop de couleur rouge.

grenat adj.inv. *Un velours grenat* est de couleur rouge sombre.

grenier n.m. *Les vieux meubles sont au grenier,* dans la partie de la maison située juste sous le toit (= combles).

grenouille n.f. *Les têtards de la mare se sont transformés en grenouilles,* de petits animaux vivant au bord de l'eau.

grenu → grain.

grès n.m. 1. *Le grès* est une roche formée de grains de sable liés par un ciment naturel. 2. *J'ai un vase rustique en grès,* en poterie très dure.

grésil n.m. *Il tombe une averse de grésil,* de petits grêlons blancs.

grésiller v. *L'huile grésille dans la poêle chaude,* elle fait des petits bruits d'explosion.

1. grève n.f. *Les vagues ont jeté un bateau sur la grève,* sur la plage (= rivage).

2. grève n.f. *Les ouvriers de l'usine sont en grève,* ils ont cessé le travail pour obtenir quelque chose.

■ **gréviste** n. et adj. *Il y a de nombreux grévistes,* des salariés qui font grève.

grever v. *Ce propriétaire se plaint d'être grevé d'impôts* (= accablé).

■ **dégrèvement** n.m. *On a obtenu un dégrèvement fiscal* (= allégement).

gréviste → grève 2.

gribouiller v. *Le petit enfant gribouille sur son cahier,* il trace des lignes qui ne représentent rien (= griffonner).

■ **gribouillage** ou **gribouillis** n.m. *Son cahier est plein de gribouillages.*

grief n.m. *J'ai des griefs contre Lise,* des choses à lui reprocher.

grièvement adv. *Tu t'as grièvement blessé,* gravement.

griffe n.f. 1. *Le chat a des griffes,* des ongles crochus et pointus. 2. *Une griffe* est un outil de jardinage.

■ **griffer** v. SENS 1 *Le chat m'a griffé,* il m'a égratigné avec ses griffes.

griffonner v. *Il a griffonné son adresse sur un bout de papier,* il l'a écrite très vite et mal.

■ **griffonnage** n.m. *Je ne comprends rien à ce griffonnage* (= gribouillage).

grignoter v. *Les souris ont grignoté le fromage,* elles l'ont mangé petit à petit.

grigou n.m. Fam. *Ce vieux grigou ne sait pas faire un cadeau* (= avare).

gril, grillade → griller.

grille n.f. 1. *Le jardin est entouré d'une grille,* d'une clôture formée de barreaux. **2.** *Les platanes du boulevard ont le bas du tronc entouré d'une* **grille,** un assemblage de barreaux en métal. **3.** *Une* **grille** *de mots croisés* est un carré quadrillé.

■ **grillage** n.m. SENS 1 *Le poulailler est entouré de* **grillage,** d'une clôture en fils de métal qui se croisent.

■ **grillager** v. SENS 1 *La fenêtre* **est grillagée,** elle est fermée par un grillage.

griller v. **1.** *Nous mangeons des côtelettes* **grillées,** rôties sur un gril. **2.** *Le gel* **a grillé** *les bourgeons,* il les a desséchés et racornis. **3.** *Je* **grille** *d'envie de vous raconter mon aventure,* j'en suis très impatiente.

■ **gril** n.m. SENS 1 *Nous cuisons des saucisses sur le* **gril,** sur une grille de métal placée au-dessus de la braise.

■ **grillade** n.f. SENS 1 *Je ne mange que des* **grillades,** des viandes grillées.

■ **grille-pain** n.m.inv. SENS 1 *J'ai acheté un* **grille-pain** *électrique,* un appareil pour griller des tranches de pain.

grillon n.m. *Dans les prés, on entend le cri des* **grillons,** une sorte d'insecte tout noir.

grimace n.f. **1.** *Le clown fait des* **grimaces** *pour faire rire les spectateurs,* il déforme son visage d'une façon amusante. **2.** *Quand on lui a interdit de sortir, il a fait la* **grimace,** il a montré qu'il n'était pas content.

■ **grimacer** v. SENS 1 *La malade* **grimace** *de douleur,* la douleur lui fait faire des grimaces.

■ **grimaçant** adj. SENS 1 *Les gargouilles ont des têtes* **grimaçantes.**

grimer v. *Veux-tu que je te* **grime** *en clown ?* (= maquiller).

grimoire n.m. *On a retrouvé de vieux* **grimoires,** de vieux livres contenant des textes mystérieux.

grimper v. **1.** *Grimper à un arbre,* c'est y monter en s'aidant des pieds et des mains (= escalader). **2.** *La cycliste* **grimpe** *la côte,* elle la monte.

■ **grimpant** adj. SENS 1 *Le lierre est une plante* **grimpante,** qui s'élève en s'accrochant à des supports.

■ **grimpeur** n. SENS 2 *Ce cycliste est un bon* **grimpeur.**

grincer v. *En s'ouvrant, la porte* **grince,** elle fait un bruit de frottement désagréable.

■ **grincement** n.m. *On entend le* **grincement** *d'une porte.*

grincheux adj. *C'est une personne* **grincheuse,** elle est sans cesse de mauvaise humeur (= grognon, bougon).

gringalet n.m. *Cet homme est un* **gringalet,** il est petit et chétif.

grippe n.f. **1.** *Cet hiver, beaucoup de gens ont eu la* **grippe,** une maladie contagieuse. **2.** *Elle* **a pris** *son voisin* **en grippe,** elle s'est mise à le détester.

■ **grippé** adj. SENS 1 *Nadia est* **grippée,** elle a la grippe.

gripper v. *Cette vis* **est grippée,** on ne peut plus la faire tourner.

grippe-sou n. et adj. *Un* **grippe-sou** est un avare.

1. gris adj. **1.** *J'ai un pantalon* **gris,** d'une couleur intermédiaire entre le blanc et le noir. **2.** *Le ciel est* **gris,** couvert de nuages.

■ **gris** n.m. SENS 1 *Le mur est peint en* **gris,** avec de la peinture grise.

■ **grisaille** n.f. SENS 2 *Par temps de brume, le paysage est dans la* **grisaille,** tout y paraît gris.

■ **grisâtre** adj. SENS 1 *Le plafond a pris une teinte* **grisâtre,** un peu grise.

■ **grisonner** v. SENS 1 *Ses cheveux* **grisonnent,** ils commencent à devenir gris.

2. gris adj. *Tu es gris,* tu es un peu ivre (= éméché).

■ **griser** v. *Le vin l'a grisé,* il l'a légèrement enivré (= étourdir).

■ **grisant** adj. *Cette star a connu un succès grisant* (= enivrant).

■ **griserie** n.f. *Je sentais la griserie de la vitesse,* la vitesse me grisait (= ivresse).

■ **dégriser** v. *Le grand air nous a dégrisés,* il a fait cesser notre ivresse.

grisou n.m. *Dans les mines de charbon, il se dégage parfois du grisou,* un gaz qui explose facilement.

grive n.f. *Nous avons mangé du pâté de grive,* un oiseau qu'on voit souvent dans les vignes.

grivois adj. *On m'a raconté une histoire grivoise,* une plaisanterie avec des allusions sexuelles (= gaulois).

582 **grizzli** n.m. *Le grizzli est un très grand ours des montagnes de l'Amérique du Nord.*

grog n.m. *Pour me réchauffer, j'ai bu un grog,* de l'eau chaude sucrée avec du rhum.

groggy adj. *Le coup sur la tête l'a laissé groggy,* assommé.

grogner v. **1.** *Le cochon grogne,* il pousse de petits cris. *Le chien grogne,* il gronde d'un air menaçant. **2.** *Je grogne d'avoir tout à recommencer,* je montre mon mécontentement en protestant (= ronchonner).

■ **grognement** n.m. SENS 1 *J'entends le grognement des cochons.*

■ **grognon** adj. et n. SENS 2 *Cléa est grognonne,* de mauvaise humeur.

groin n.m. *Le museau du cochon ou du sanglier s'appelle le groin.*

grommeler v. *Tu as grommelé quelques mots,* tu les as dits sourdement entre tes dents (= marmonner).

R. → Conj. n° 6.

gronder v. **1.** *L'orage gronde,* on entend son bruit sourd et menaçant. **2.** *Je me suis fait gronder,* on m'a fait des reproches (= réprimander, attraper, disputer).

■ **grondement** n.m. SENS 1 *On entend le grondement du tonnerre.*

groom n.m. *Un groom est un jeune employé en uniforme, dans certains hôtels.*

R. On prononce [grum].

gros adj. **1.** *J'ai reçu un gros colis,* de grande taille (= volumineux ; ≠ petit). **2.** *M. Durand est un gros homme* (= gras, corpulent ; ≠ maigre). **3.** *Cette femme est grosse de six mois,* (= enceinte). **4.** *Il y a de gros défauts dans ce plan,* des défauts importants et très visibles. **5.** *Cet enfant a de gros traits,* les traits de son visage ne sont pas fins (= épais). **6.** *Tu as dit un gros mot,* un mot grossier. **7.** *Sa maman l'a grondé en lui faisant les gros yeux,* en le regardant d'un air sévère.

■ **gros 1.** n. SENS 2 *Paul est un gros,* il est gros. **2.** n.m. SENS 4 *Le plus gros du travail est fait,* la plus grande partie.

■ **en gros** adv. **1.** SENS 4 *Cette commerçante achète des fruits en gros,* par grandes quantités (≠ au détail). **2.** *Il y avait en gros mille personnes,* environ (= grosso modo).

■ **gros** adv. SENS 1 *J'écris gros,* en faisant de grandes lettres.

■ **grossesse** n.f. SENS 3 *La grossesse de la femme dure neuf mois,* le temps pendant lequel elle est enceinte.

■ **grosseur** n.f. **1.** SENS 1 *Le prix des œufs varie selon leur grosseur,* leur taille. **2.** *Tu as une grosseur sur le nez,* une enflure.

■ **grossir** v. SENS 1 *La fonte des neiges grossit les torrents,* elle les rend plus gros. *La loupe grossit les objets,* elle les fait paraître plus gros. SENS 2 *Tu as grossi,* tu es devenue plus grosse.

■ **grossissement** n.m. SENS 1 *Cette loupe a un fort grossissement.*

■ **grossiste** n.m. SENS 4 *Les détaillants achètent leur marchandise chez un grossiste,* un marchand qui vend en gros.

■ **dégrossir** v. SENS 4 *Dégrossir un travail,* c'est en faire le plus gros sans entrer dans les détails (≠ fignoler, finir).

groseille n.f. La *groseille* est un petit fruit rond, rouge ou blanc, acidulé, qui pousse en grappes sur les **groseilliers.**

grossesse, grosseur → *gros.*

grossier adj. **1.** *Un tissu grossier* est rude (≠ fin). **2.** *Tu as fait une erreur grossière,* une lourde erreur très visible. **3.** *Un mot grossier* est un mot qui peut choquer celui qui l'entend (= vulgaire).

■ **grossièrement** adv. SENS 1 ET 2 *Le paquet est grossièrement emballé,* de façon rudimentaire (= sommairement). SENS 3 *Tu m'as répondu grossièrement,* avec des mots grossiers.

■ **grossièreté** n.f. SENS 3 *Cette personne est d'une grande grossièreté,* elle est très mal élevée. *Tu dis des grossièretés,* des choses grossières.

grossir, grossissement, grossiste → *gros.*

grosso modo adv. *Raconte-moi l'histoire grosso modo,* sans entrer dans les détails (= en gros).

grotesque adj. *Cette vedette est habillée d'une façon grotesque,* qui provoque le rire (= ridicule, burlesque, cocasse).

grotte n.f. *Certains hommes préhistoriques vivaient dans des grottes,* des creux naturels des roches ou du sol (= caverne).

1. grouiller v. *Le lapin mort grouillait de vers,* il était plein de vers qui remuaient en tous sens (= fourmiller).

■ **grouillant** adj. *La place est remplie d'une foule grouillante,* qui s'agite dans tous les sens.

■ **grouillement** n.m. *On peut voir du balcon le grouillement de la foule.*

2. se grouiller v. Très fam. *Quand on surveille sa façon de parler, on ne dit pas « grouille-toi », mais « dépêche-toi ».*

groupe n.m. **1.** *Le guide du musée est entouré d'un groupe de touristes,* d'un ensemble de touristes rassemblés. **2.** *Un groupe de maisons forme un hameau,* plusieurs maisons. **3.** *Voilà le groupe scolaire du quartier,* les bâtiments de l'école.

■ **grouper** v. SENS 1 *Les élèves se groupent dans la cour,* ils se rassemblent (≠ disperser). SENS 2 *J'ai groupé plusieurs colis* pour les envoyer ensemble (= réunir ; ≠ séparer).

■ **groupement** n.m. SENS 1 *Un groupement politique* est un rassemblement de gens ayant les mêmes opinions (= association).

■ **groupuscule** n.m. SENS 1 *L'agitation était entretenue par des groupuscules,* de tout petits groupes politiques.

■ **regrouper** v. SENS 1 *Les soldats en fuite ont essayé de se regrouper,* de se remettre en groupe.

gruau n.m. **1.** *Le boulanger vend du pain de gruau,* du pain fait avec une farine très fine. **2.** *Katy aime bien le gruau,* une bouillie faite de grains d'avoine décortiqués grossièrement.

1. grue n.f. La *grue* est un grand oiseau échassier. | 579

2. grue n.f. *Sur le chantier, on a installé une grue,* un appareil très haut qui soulève et déplace de lourdes charges. | 150, 727

■ **grutier** n.m. *M. Ramirez est grutier,* il conduit une grue. | 150

gruger v. *Elle s'est laissée gruger dans cette affaire* (= tromper, duper).

581 **grume** n.f. Une *grume* est un tronc d'arbre coupé ayant encore son écorce.

grumeau n.m. *Je n'ai pas réussi ma crème, elle est pleine de grumeaux,* de petites boules gluantes.

grutier → *grue 2.*

gruyère n.m. Le *gruyère* est un fromage dont la pâte est souvent percée de trous.
R. On prononce [grчijɛr] ou [gryjɛr].

721 **gué** n.m. *Passer une rivière à gué,* c'est la traverser à pied à un endroit où elle est très peu profonde.
R. *Gué* se prononce [ge] comme *gai.*
→ *guetter.*

guenilles n.f.pl. *La mendiante était en guenilles,* elle avait des vêtements sales et déchirés (= loques, haillons).
■ **déguenillé** adj. *Un clochard déguenillé demandait l'aumône,* vêtu de guenilles.

guenon n.f. La *guenon* est la femelle du singe.

434 **guépard** n.m. Le *guépard* est un animal d'Afrique et d'Asie à peau tachetée, le plus rapide de tous les animaux terrestres.

363 **guêpe** n.f. *En mangeant un fruit, j'ai été piqué par une guêpe,* un insecte.
■ **guêpier** n.m. Un *guêpier* est un nid de guêpes.

guère adv. *Je n'aime guère la viande,* je ne l'aime pas beaucoup.
R. *Guère* se prononce [gɛr] comme *guerre.*

76 **guéridon** n.m. *Le vase est posé sur un guéridon,* une petite table ronde avec un pied central.

guérilla n.f. *Les révolutionnaires avaient mené une guérilla,* une guerre faite d'embuscades et de petites attaques répétées.

■ **guérillero** n.m. Les *guérilleros* sont les combattants qui font la guérilla.
R. On prononce [gerijero].

guérir v. **1.** *Ce médicament a guéri ma sœur de sa grippe,* il l'en a débarrassée. **2.** *Elle guérira vite,* elle sera vite rétablie. **3.** *Je voudrais bien guérir mon rhume,* le faire cesser.
■ **guérison** n.f. *Sa guérison a été lente,* il a mis longtemps à guérir.
■ **guérisseur** n. *M. Durand est allé voir une guérisseuse,* une femme qui prétend guérir les maladies sans être médecin.

guérite n.f. *La sentinelle monte la garde devant sa guérite,* une petite baraque en bois.

guerre n.f. **1.** *Ces deux pays se font la guerre,* leurs soldats se battent avec des armes. **2.** *Faire la guerre à l'alcoolisme,* c'est lutter contre l'alcoolisme.
■ **guerrier** adj. et n.m. SENS 1 *Une peuplade guerrière a du goût pour la guerre* (= belliqueux). *Les guerriers gaulois se battaient le torse nu* (= combattant).
■ **guerroyer** v. SENS 1 *Au Moyen Âge, beaucoup de seigneurs guerroyaient contre leurs voisins,* ils faisaient la guerre.
R. → *guère.*

guet, guet-apens → *guetter.*

guêtre n.f. *À la chasse je porte des guêtres,* j'entoure le bas de mes jambes d'un morceau de cuir ou de tissu.

guetter v. **1.** *Le chat guette la souris,* il surveille les alentours pour la surprendre (= épier). **2.** *Je guette l'arrivée du courrier,* je l'attends avec impatience. **3.** *La folie la guette,* elle risque de devenir folle (= menacer).

■ **guet** n.m. SENS 1 *Pendant le cambriolage, un des malfaiteurs faisait le **guet**,* il surveillait les alentours pour voir si personne ne venait.

■ **guet-apens** n.m. SENS 1 *Pour l'assassiner, ses ennemis l'ont attiré dans un **guet-apens**,* à un endroit où ils l'attendaient (= piège, embuscade).

■ **guetteur** n.m. SENS 1 *Les **guetteurs** ont signalé l'approche d'un ennemi.*

R. Ne pas confondre *guet* [gɛ] et *gué* [ge]. *Guet-apens* se prononce [gɛtapɑ̃]. Attention au pluriel : des *guets-apens* [degɛtapɑ̃].

gueule n.f. *Le chien ouvre la **gueule**,* sa bouche.

■ **gueuler** v. Très fam. *Ce n'est pas la peine de **gueuler** comme ça, j'ai entendu,* de crier très fort.

gueux n.m. se disait autrefois pour *mendiant, miséreux.*

gui n.m. *Au nouvel an, on décore la maison d'un touffe de **gui**,* une plante à boules blanches qui pousse sur certains arbres.

guichet n.m. *Les clients attendent devant les **guichets** de la poste,* les ouvertures derrière lesquelles sont les employés de la poste.

guide n.m. 1. *Pour escalader la montagne, nous prenons un **guide**,* une personne qui nous montre le chemin. 2. *Pour organiser notre voyage en Italie, nous avons consulté un **guide**,* un livre qui donne des renseignements sur ce pays.

■ **guide** n.f. 1. *Je tiens les **guides** du cheval,* les lanières de cuir qui servent à le guider (= rênes). 2. *Claire est **guide**,* elle fait partie d'une association de scoutisme.

■ **guider** v. SENS 1 *Mary nous a **guidés** à travers Edmonton,* elle nous a ac-

compagnés pour nous conduire (= diriger).

■ **téléguider** v. *Grâce à cet appareil, on peut **téléguider** la voiture,* la conduire de loin.

guidon n.m. *La cycliste tient le **guidon** de sa bicyclette,* la partie servant à diriger la bicyclette. 512

guigne n.f. Fam. *Quelle **guigne** !,* quelle malchance !

guigner v. *Je **guigne** cet emploi,* je voudrais bien l'avoir (= convoiter).

guignol n.m. *Les enfants ont ri aux éclats pendant la séance de **guignol**,* un spectacle de marionnettes. 440

guillemet n.m. *Le mot « dictionnaire » est ici entre **guillemets**.*

guilleret adj. *Michèle est toute **guillerette** ce matin,* elle est vive et gaie (= fringant).

guillotine n.f. *Dans la cour de la prison, on avait dressé la **guillotine**,* l'instrument qui servait à couper la tête aux condamnés à mort.

■ **guillotiner** v. *Louis XVI a été **guillotiné**,* on lui a coupé la tête.

guimauve n.f. 1. *La **guimauve** est une plante.* 2. *La **pâte de guimauve** est une confiserie molle et sucrée.*

guimbarde n.f. 1. Fam. *Une **guimbarde** est une vieille voiture.* 2. *On a dansé au son de la **guimbarde**,* un petit instrument de musique à languette vibrante, qu'on tient entre les dents.

guindé adj. *Tu as pris un air **guindé**,* un air digne et froid (≠ naturel).

de guingois adv. *J'ai les dents plantées **de guingois**,* de travers.

guinguette n.f. *Le bal avait lieu dans une **guinguette**,* un cabaret populaire à la campagne.

35 **guirlande** n.f. *La salle était décorée de guirlandes,* de longues chaînes de fleurs, de papiers découpés, etc.

guise n.f. *Chacun agit à sa guise,* comme il lui plaît (= à sa tête).

■ **en guise de** prép. *J'ai mangé un sandwich en guise de repas,* à la place d'un repas, comme repas.

294 **guitare** n.f. *Le chanteur s'accompagne à la guitare,* un instrument de musique à cordes.

■ **guitariste** n. *Une guitariste joue de la guitare.*

guttural adj. *Tu as une voix gutturale,* qui vient du fond de la gorge (= rauque).

gymnastique n.f. *Je fais de la gymnastique tous les matins,* des exercices pour assouplir le corps et fortifier les muscles.

■ **gymnase** n.m. *Les séances de gymnastique ont lieu dans un gymnase,* une grande salle aménagée pour cela.

■ **gymnaste** n. *Marie est une bonne gymnaste,* elle est forte en gymnastique.

gypse n.m. *Le gypse est une roche à partir de laquelle on fait du plâtre.*

gyrophare n.m. *La voiture de police se signale par son gyrophare bleu,* un phare tournant placé sur le toit.

h n.m. *L'heure* H, *c'est l'heure fixée.*

*ha ! interj. *Dans les textes, le rire se transcrit :* « *Ha ! ha ! ha !* »

habile adj. *Antonio est* **habile,** il réussit bien ce qu'il fait (= adroit, capable).
■ **habilement** adv. *Elle a* **habilement** *évité le piège* (= adroitement).
■ **habileté** n.f. *Elle est douée d'une grande* **habileté** *manuelle,* elle est très habile de ses mains (= adresse).
■ **malhabile** adj. *Tu t'y es pris d'une façon trop* **malhabile** *pour réussir* (= maladroit).

habiliter v. *Je ne suis pas* **habilité** *pour prendre cette décision,* je n'en ai pas le droit (= autoriser).

habiller v. *Patrick* **habille** *ma petite sœur,* il lui met ses vêtements. *Ma petite sœur ne sait pas* **s'habiller** *toute seule* (= se vêtir). *Je* **m'habille** *toujours dans ce magasin,* j'y achète mes vêtements.
■ **habillé** adj. *Une robe* **habillée** *est élégante* (= chic).
■ **habillement** n.m. *Je travaille dans un magasin d'***habillement,** *qui vend des habits.*
■ **habit** n.m. **1.** *Range tes* **habits,** tes vêtements. **2.** *À ce mariage, les hommes portaient l'***habit,** *un vêtement de cérémonie.*

■ **déshabiller** v. *Carmen* **déshabille** *sa poupée. On* **se déshabille** *avant d'aller se coucher,* on enlève ses vêtements.
■ **rhabiller** v. *Après le bain, nous* **nous sommes rhabillés.**

habiter v. *J'***habite** *(à) Paris,* j'y vis habituellement (= demeurer, résider, loger).
■ **habitant** n.m. *Ce village a mille* **habitants,** mille personnes y habitent.
■ **habitable** adj. *Le grenier de la maison est* **habitable,** on peut y loger.
■ **habitat** n.m. **1.** *La jungle est l'***habitat** *du tigre,* le lieu où il vit. **2.** *Le Parlement a voté une loi pour l'amélioration de l'***habitat,** des conditions de logement.
■ **habitation** n.f. *Les Martin ont changé d'***habitation** (= domicile, résidence).
■ **cohabiter** v. *J'ai* **cohabité** *quelque temps avec Dominique,* j'ai habité dans le même logement.
■ **inhabitable** adj. *Cette maison en ruine est* **inhabitable.**
■ **inhabité** adj. *Les déserts sont des régions* **inhabitées.**

habitude n.f. **1.** *J'ai l'***habitude** *de me coucher tôt,* je le fais ordinairement. **2.** *Tu manges bien d'***habitude** (= habituellement, d'ordinaire).
■ **habituer** v. *J'***habitue** *mon chien à*

406, 407

R. Les mots précédés d'un astérisque (*)commencent par un *h* aspiré : il n'y a pas d'élision *(le hamac)* et on ne fait pas la liaison *(les hamacs* [leamak]) ; les mots sans astérisque commencent par un *h* muet : il y a élision *(l'homme)* et on fait la liaison *(les hommes* [lezɔm]).

habitants des pays, des villes et des régions

Tous ces mots sont à la fois des adjectifs et des noms. Quand ils sont des noms désignant une personne, ils s'écrivent avec une majuscule. Ceux qui sont précédés d'un astérisque (*) désignent également une langue : *les Allemands parlent l'allemand.*

Afghanistan	* *afghan*
Afrique	*africain*
Albanie	* *albanais*
Alger	*algérois*
Algérie	*algérien*
Allemagne	* *allemand*
Alsace	*alsacien*
Amérique	*américain*
Andorre	*andorran*
Angleterre	* *anglais*
Angola	*angolais*
Anjou	*angevin*
Antilles	*antillais*
Aquitaine	*aquitain*
Arabie	* *arabe*
Argentine	*argentin*
Arménie	* *arménien*
Artois	*artésien*
Asie	*asiatique*
Athènes	*athénien*
Australie	*australien*
Autriche	*autrichien*
Auvergne	*auvergnat*
Basque (pays)	* *basque*
Béarn	*béarnais*
Beauce	*beauceron*
Belgique	*belge*
Bengale	* *bengali*
Bénin	*béninois*
(anc. Dahomey)	
Berlin	*berlinois*
Berry	*berrichon*
Birmanie	* *birman*
Bolivie	*bolivien*
Bordeaux	*bordelais*
Bourgogne	*bourguignon*
Brésil	*brésilien*
Bretagne	* *breton*
Brie	*briard*
Bruxelles	*bruxellois*
Bulgarie	* *bulgare*
Burkina	*burkinabé*
(anc. Haute-Volta)	
Cambodge	*cambodgien*
Cameroun	*camerounais*
Canada	*canadien*
Catalogne	* *catalan*
Cévennes	*cévenol*
Champagne	*champenois*
Charente	*charentais*
Chili	*chilien*
Chine	* *chinois*
Chypre	*chypriote*

Colombie	*colombien*
Congo	*congolais*
Corée	* *coréen*
Corse	*corse*
Côte-d'Ivoire	*ivoirien*
Crète	*crétois*
Cuba	*cubain*
Danemark	* *danois*
Dauphiné	*dauphinois*
Écosse	*écossais*
Égypte	*égyptien*
Équateur	*équatorien*
Espagne	* *espagnol*
	ou *hispanique*
Éthiopie	*éthiopien*
Europe	*européen*
Finlande	*finlandais*
	* *finnois*
Flandres	* *flamand*
France	* *français*
Franche-Comté	*franc-comtois*
Gabon	*gabonais*
Gambie	*gambien*
Gascogne	*gascon*
Gaule	*gaulois*
Genève	*genevois*
Géorgie	* *géorgien*
Ghana	*ghanéen*
Grande-Bretagne	*britannique*
Grèce	* *grec*
Guadeloupe	*guadeloupéen*
Guatemala	*guatémaltèque*
Guinée	*guinéen*
Guyane	*guyanais*
Haïti	*haïtien*
Hollande	*hollandais*
Hongrie	* *hongrois*
Inde	*indien*
Indonésie	* *indonésien*
Irak ou Iraq	*irakien*
Iran	* *iranien*
Irlande	* *irlandais*
Islande	* *islandais*
Israël	*israélien*
Italie	* *italien*
Jamaïque	*jamaïquain*
	ou *jamaïcain*
Japon	* *japonais*
Java	* *javanais*
Jordanie	*jordanien*
Jura	*jurassien*
Kenya	*kenyan*
Koweït	*koweïtien*
Languedoc	*languedocien*

Laos	*laotien*	Pologne	* *polonais*
Laponie	*lapon*	Portugal	* *portugais*
Liban	*libanais*	Provence	* *provençal*
Libéria	*libérien*	Québec	*québécois*
Libye	*libyen*	Réunion	*réunionnais*
Lille	*lillois*	Rhodésie	*rhodésien*
Limousin	*limousin*	Rome	*romain*
Londres	*londonien*	Roumanie	* *roumain*
Lorraine	*lorrain*	Ruanda	*ruandais*
Luxembourg	*luxembourgeois*	Russie	* *russe*
Lyon	*lyonnais*	Sahara	*saharien*
Madagascar	* *malgache*	Saint-Étienne	*stéphanois*
Madrid	*madrilène*	Sardaigne	*sarde*
Malaisie	* *malais*	Savoie	*savoyard*
Mali	*malien*	Scandinavie	*scandinave*
Maroc	*marocain*	Sénégal	*sénégalais*
Marseille	*marseillais*	Sibérie	*sibérien*
Martinique	*martiniquais*	Sicile	*sicilien*
Mauritanie	*mauritanien*	Soudan	*soudanais*
Mexique	*mexicain*	Sri Lanka	*sri lankais*
Monaco	*monégasque*	Strasbourg	*strasbourgeois*
Mongolie	* *mongol*	Suède	* *suédois*
Morvan	*morvandiau*	Suisse	*suisse*
Moscou	*moscovite*	Syrie	*syrien*
Népal	* *népalais*	Tahiti	*tahitien*
New York	*new-yorkais*	Tanzanie	*tanzanien*
Niger	*nigérien*	Tchad	*tchadien*
Nigeria	*nigerian*	Tchécoslovaquie	*tchécoslovaque*
Normandie	*normand*		ou * *tchèque*
Norvège	*norvégien*	Thaïlande	*thaïlandais*
Nouvelle-Guinée	*néo-guinéen*	Tibet	* *tibétain*
Nouvelle-Zélande	*néo-zélandais*	Togo	*togolais*
Océanie	*océanien*	Touraine	*tourangeau*
Ouganda	*ougandais*	Tunisie et Tunis	*tunisien*
Pakistan	*pakistanais*	Turquie	* *turc*
Paraguay	*paraguayen*	U.R.S.S.	*soviétique*
Paris	*parisien*	Uruguay	*uruguayen*
Pays-Bas	*néerlandais*	Vendée	*vendéen*
Pékin	*pékinois*	Venezuela	*vénézuélien*
Périgord	*périgourdin*	Viêt-nam	* *vietnamien*
Pérou	*péruvien*	Yémen	*yéménite*
Perse	*persan*	Yougoslavie	*yougoslave*
Philippines	*philippin*	Zaïre	*zaïrois*
Picardie	*picard*	Zambie	*zambien*
Poitou	*poitevin*	Zimbabwe	*zimbabwéen*

être propre, je lui apprends à l'être toujours (= accoutumer). *Je m'habitue à ce nouveau genre de vie,* je le supporte de mieux en mieux (= se faire, s'adapter).

■ **habituel** adj. *On nous a servi le menu habituel,* celui qu'on sert le plus souvent (= courant, ordinaire).

■ **habituellement** adv. *Habituellement, ils viennent nous voir le jeudi,* ils viennent en principe tous les jeudis (= d'habitude, d'ordinaire).

■ **déshabituer** v. *Je me suis déshabituée de fumer,* j'en ai perdu l'habitude.

■ **inhabituel** adj. *Cet incident est inhabituel* (= rare, exceptionnel).

■ **réhabituer** v. *Après cette longue maladie, il se réhabitue peu à peu à vivre normalement.*

*hâbleur n. et adj. *Bernard fait toujours l'important : c'est un **hâbleur** (= vantard).*

761 ***hache** n.f. *On fend des bûches avec une **hache**, un outil tranchant.*

■ ***hachette** n.f. *Les campeurs ont emporté une **hachette** dans leur sac,* une petite hache.

*hacher v. *La viande **est hachée**, elle est coupée en tout petits morceaux.*

■ ***haché** adj. *Cette oratrice a un débit **haché** (= heurté, saccadé).*

■ ***hachis** n.m. *On fait cette farce avec du **hachis** de volaille,* de la viande hachée.

78 ■ ***hachoir** n.m. *Un **hachoir** est un appareil qui hache.*

*hachette → hache.

*hachure n.f. *Sur certaines cartes, les reliefs sont indiqués par des **hachures**,* des traits parallèles.

■ ***hachurer** v. *Marie **a hachuré** une partie de son dessin,* elle a tracé des hachures.

*hagard adj. *Le prisonnier avait l'air **hagard**,* il semblait avoir l'esprit fortement troublé (= égaré).

73, 364 ***haie** n.f. **1.** *Le pré est entouré d'une **haie**,* d'une clôture d'arbustes. **2.** *Le coureur passe entre deux **haies** de spectateurs* (= rangée). **3.** *Qui a* 34 *gagné la **course de haies** ?,* où il faut sauter par-dessus des barrières.

*haillons n.m.pl. *Le clochard était vêtu de **haillons**,* de vêtements vieux et déchirés (= guenilles).

*haïr v. *Je **hais** le mensonge et les menteurs,* je les déteste (≠ aimer).

■ ***haine** n.f. *J'ai la **haine** du tabac,* je le déteste (= répugnance, aversion). *Ce crime est inspiré par la **haine** (≠ amour, amitié).*

■ ***haineux** adj. *Tu m'as jeté un regard*

haineux, plein de haine (= hostile ; ≠ amical).

■ ***haineusement** adv. *Tu m'as répondu **haineusement**,* très méchamment.

■ ***haïssable** adj. *Le mensonge est **haïssable** (= détestable).*
R. → Conj. n° 13

*halage → haler.

*hâle n.m. *Au **hâle** de son visage, on voit qu'elle revient du soleil,* à sa couleur brune.

■ ***hâler** v. *Elle est revenue **hâlée** de la montagne,* bronzée (= brunir).
R. Ne pas confondre *hâler* [ɑle] et *haler* [ale].

haleine n.f. **1.** *Le chien a mauvaise **haleine**,* l'air qu'il expire sent mauvais. **2.** *Il est **hors d'haleine**,* très essoufflé. **3.** *Cette autoroute est une œuvre de **longue haleine**,* elle a demandé beaucoup de temps. **4.** *Le film nous a tenus **en haleine**,* il nous a intéressés jusqu'au bout.

*haler v. *Les pêcheurs **halent** le bateau sur la plage,* ils le tirent avec une corde.

■ ***halage** n.m. *Le long du fleuve, il y a un chemin de **halage**,* qui permettait de haler les péniches.
R. *Haler* se prononce [ale] comme *aller*. → hâle.

*hâler → hâle.

*haleter v. *Le chien **halète**,* il respire très vite.
R. → Conj. n° 7.

*hall n.m. *Le **hall** d'un hôtel, d'une mairie est la grande salle qui sert d'entrée.*
R. On prononce [ol].

*halle n.f. **1.** *Dans ce port, il y a une **halle** aux poissons,* un bâtiment où les pêcheurs viennent vendre leur pêche. **2.** (au plur.) *Ces commerçantes se fournissent aux **halles**,* des grands bâtiments où l'on vend des aliments en gros.

*hallebarde n.f. Autrefois, une *halle-barde* était une arme faite d'une sorte de hache au bout d'une pique.

hallucination n.f. *J'ai eu des hallucinations,* j'ai eu la sensation de voir des choses qui n'existent pas.

■ **halluciné** adj. et n. *Vous aviez un regard halluciné,* le regard d'une personne égarée.

■ **hallucinant** adj. *Le spectacle de la catastrophe était hallucinant* (= effrayant).

*halo n.m. *La lune est entourée d'un halo,* d'un cercle légèrement lumineux.

*halte 1. n.f. *On a fait une halte pour déjeuner,* on s'est arrêté. 2. interj. *Halte-là !,* arrêtez-vous !

haltère n.m. *Le gymnaste soulève un haltère de cent kilos,* deux boules de fer réunies par une barre.

*hamac n.m. *Katy dort dans son hamac,* une couchette de toile suspendue par ses extrémités.

*hamburger n.m. *Un hamburger est un bifteck haché servi grillé sur une tranche de pain.*
R. On prononce [ãburgœr].

*hameau n.m. *Quel joli hameau !,* un groupe de maisons situé en dehors du village.

hameçon n.m. *Lori accroche un ver à l'hameçon,* au crochet pointu fixé au bout de la ligne.

*hampe n.f. *La hampe du drapeau est le manche de bois auquel il est fixé.*

*hamster n.m. *Dans notre classe, nous élevons un hamster,* un petit animal rongeur.
R. On prononce [amstɛr]

*hanche n.f. *Mon pantalon est serré aux hanches,* à la partie du corps située sous la taille.

■ **se déhancher** v. *Ce vieil homme marche en se déhanchant,* en balançant les hanches.

■ **déhanchement** n.m. *Elle a un léger déhanchement en marchant.*

*handball n.m. *Le handball est un jeu d'équipe où on lance le ballon avec les mains.*
R. On prononce [ãdbal]

*handicap n.m. *Ta mauvaise vue est un handicap pour ce métier,* elle te gêne (= désavantage).

■ ***handicaper** v. *Il est handicapé par sa blessure,* elle l'empêche de faire ce qu'il veut.

■ ***handicapé** n. et adj. *C'est une handicapée physique,* une personne diminuée (= infirme).

*hangar n.m. *On a rentré les avions dans leur hangar,* un grand abri.

*hanneton n.m. *Le hanneton est un gros insecte roux.*

*hanter v. 1. *Cette idée me hante,* elle ne me quitte pas (= obséder). 2. *On dit que cette maison est hantée,* qu'il y a des fantômes dedans.

■ ***hantise** n.f. SENS 1 *J'ai la hantise de l'accident,* je crains tout le temps d'en avoir un (= obsession).

*happer v. *Le chien happe le morceau de sucre,* il l'attrape brusquement avec la gueule (= saisir).

*hara-kiri n.m. *Certains Japonais se sont fait hara-kiri,* ils se sont suicidés en s'ouvrant le ventre.

*haranguer v. *L'orateur a harangué la foule,* il lui a parlé avec force pour la convaincre.

■ ***harangue** n.f. *La directrice a prononcé une harangue devant la classe* (= discours).

*haras n.m. *On élève les chevaux dans des haras.*

35

511,
363,
219

363

*harasser v. *Je suis harassée,* extrêmement fatiguée (= épuiser, exténuer, éreinter).

■ ***harassant** adj. *Les sauveteurs faisaient un travail harassant* (= épuisant, exténuant).

*harceler v. *Les moustiques me harcèlent,* ils m'attaquent sans arrêt.

■ *** harcèlement** n.m. *Les assiégés subissaient des tirs de harcèlement de l'artillerie,* des tirs fréquemment répétés.

R. → Conj. n° 5.

*hardes n.f.pl. *Des hardes,* ce sont de vieux vêtements.

*hardi adj. *Ce chien est hardi,* il n'a pas peur (= courageux, intrépide ; ≠ peureux).

■ ***hardiment** adv. *L'enfant s'approcha hardiment du chien* (= bravement).

■ ***hardiesse** n.f. *Tu manques de hardiesse,* tu n'es pas assez hardie (= audace).

■ **s'enhardir** v. *Je me suis enhardie jusqu'à le contredire,* j'ai pris de la hardiesse.

R. *Enhardir* se prononce [ãardir].

*harem n.m. *Les femmes du sultan vivaient dans le harem,* un endroit de la maison qui, chez les musulmans, leur est réservé.

*hareng n.m. *Au dîner, nous avons mangé des harengs,* un poisson de mer qui vit en troupes très nombreuses.

*hargne n.f. *L'employé que j'ai dérangé m'a répondu avec hargne,* avec des paroles désagréables (= agressivité, colère).

■ ***hargneux** adj. *Ma chienne est hargneuse,* elle grogne tout le temps.

*haricot n.m. *Le haricot vert* et *le haricot sec* sont des légumes.

harmonica n.m. *Jean joue un air sur son harmonica,* un petit instrument de musique.

harmonie n.f. *Ces couleurs sont en harmonie,* elles vont bien ensemble (=accord).

■ **harmonieux** adj. *Une voix harmonieuse* est agréable à écouter. *On est parvenu à une répartition harmonieuse* (= équilibré).

■ **harmonieusement** adv. *Ces couleurs sont harmonieusement assemblées.*

■ **harmoniser** v. **1.** *Marie sait harmoniser les couleurs,* les assembler avec harmonie. **2.** *Harmoniser une chanson,* c'est en composer l'accompagnement.

■ **harmonisation** n.f. **1.** *On est parvenu à une harmonisation des salaires,* à une répartition harmonieuse. **2.** *L'harmonisation de cette chanson est originale* (= accompagnement).

harmonium n.m. *Un harmonium est un petit orgue.*

*harnais n.m. **1.** *Le harnais d'un cheval* est l'ensemble des pièces composant son équipement. **2.** *Le harnais du parachutiste* est un système de sangles qui lui maintiennent le buste.

■ ***harnacher** v. SENS 1 *Harnacher un cheval,* c'est lui mettre le harnais. SENS 2 *Les cosmonautes étaient harnachés,* munis de leur équipement encombrant.

■ ***harnachement** n.m. SENS 1 *Le harnachement d'un cheval est constitué de la selle, des rênes, des sangles, des étriers.* SENS 2 *Le soldat est parti avec son harnachement sur le dos,* son équipement lourd.

*harpe n.f. *La harpe* est un grand instrument de musique triangulaire à cordes.

■ ***harpiste** n. *Cette harpiste est célèbre,* cette joueuse de harpe.

728

366

*harpie n.f. *Cette personne est une harpie,* elle est très méchante et coléreuse.

*harpiste → *harpe.*

*harpon n.m. *Les baleines sont chassées au harpon,* avec une tige de métal munie de dents, qu'on lance du bateau.
■ ***harponner** v. *On a harponné un gros poisson,* on l'a attrapé au harpon.

*hasard n.m. **1.** *Aïcha a profité d'un hasard heureux,* d'un événement inattendu (= occasion, circonstance). **2.** *La loterie est un jeu de hasard,* où l'on ne peut pas prévoir qui gagnera. **3.** *Nous nous sommes rencontrés par hasard,* sans l'avoir cherché (= accidentellement, fortuitement). **4.** *J'allais au hasard,* sans but précis, n'importe où.
■ ***hasarder** v. *Je hasardai une réponse,* je fis une réponse qui risquait de ne pas être la bonne. *Malgré la pluie, je me suis hasardée dehors,* j'ai osé y aller (= s'aventurer, se risquer).
■ ***hasardeux** adj. *Un sauvetage hasardeux* fait courir des risques (= dangereux).

*haschisch n.m. *Fumer du haschisch est interdit par la loi,* une drogue très dangereuse pour la santé.

*hâte n.f. *J'ai hâte de manger,* je suis pressé. *Je m'habille à la hâte,* à toute vitesse (≠ lentement).
■ ***hâter** v. *J'ai hâté mon départ pour arriver à l'heure,* je suis parti plus tôt (= avancer ; ≠ retarder). *Hâtez-vous, vous êtes en retard* (= se dépêcher).
■ ***hâtif** adj. *Des pommes hâtives* sont mûres avant les autres. *Un départ hâtif* est précipité.
■ ***hâtivement** adv. *L'incendie a fait partir hâtivement les habitants* (= précipitamment).

*hauban n.m. *Le mât d'un voilier est tenu droit par des haubans,* des câbles.

*haubert n.m. *Le haubert était une tunique de mailles d'acier et faisait partie de l'armure.*

*haut adj. **1.** *L'immeuble est haut,* il est élevé. *L'oiseau s'est posé sur les hautes branches de l'arbre,* au sommet (≠ bas). **2.** *Les chalutiers vont en haute mer,* loin des côtes. **3.** *J'ai une montre de haute précision,* très précise. **4.** *Parlez à voix haute* (= fort ; ≠ bas). **5.** *Cette note est trop haute pour ma voix,* trop aiguë. **6.** *Ce plat résiste aux hautes températures,* à une forte chaleur.
■ ***haut** adv. SENS 1 *L'avion vole haut,* à une grande altitude.
■ ***haut** n.m. SENS 1 **1.** *Le haut du placard* est sa partie supérieure. **2.** *Le mur fait un mètre de haut,* dans le sens vertical (= hauteur). **3.** *Comment va sa santé ? — Oh, elle connaît des hauts et des bas !,* des bonnes périodes auxquelles succèdent de mauvaises et ainsi de suite.
■ **en *haut** adv. SENS 1 *Sa chambre est en haut,* à l'étage supérieur (= là-haut).
■ **en *haut de** prép. SENS 1 *Un oiseau chante en haut de l'arbre,* à son sommet.
■ ***hautement** adv. SENS 6 *Ce travail délicat exige un ouvrier hautement qualifié* (= très).
■ ***hausser** v. SENS 1 *Jean a haussé les épaules,* il les a levées. SENS 4 *Ne hausse pas la voix !,* ne parle pas plus fort !
■ ***hausse** n.f. SENS 6 *La hausse des prix* est leur augmentation. *La température est en hausse,* elle monte (≠ baisse).
■ ***hauteur** n.f. SENS 1 **1.** *La hauteur du mont Logan est de 6 050 mètres,* sa

726, 803

dimension dans le sens vertical.
2. L'observateur monta sur une **hau-teur,** un lieu élevé (= colline). **3.** On n'a pas réussi, on n'était pas à la **hauteur,** on n'en était pas capable.
R. Haut se prononce [o] comme eau.

*hautain adj. Un air **hautain** est méprisant (= dédaigneux).

439, 438 ***hautbois** n.m. Le **hautbois** est un instrument de musique à vent.

805 ***haut-de-chausses** n.m. Autrefois, les hommes portaient des **hauts-de-chausses,** des culottes bouffantes.

804 ***haut-de-forme** n.m. Pour la cérémonie, les hommes portaient des **hauts-de-forme,** des chapeaux hauts, cylindriques et à bords.

*haute-fidélité ou **hi-fi** adj. et n.f. Les appareils **haute-fidélité** assurent une très bonne reproduction des sons.

*hauteur → haut.

*haut-fond n.m. Le bateau s'est échoué sur des **hauts-fonds,** là où la mer ou la rivière sont peu profondes (≠ bas-fond).

*haut-le-cœur n.m.inv. Cette odeur me donne des **haut-le-cœur,** elle me donne envie de vomir.

*haut-le-corps n.m.inv. Elle était si surprise qu'elle en eut un **haut-le-corps,** un mouvement brusque du corps.

509, 219 ***haut-parleur** n.m. Le discours était diffusé par des **haut-parleurs,** des appareils qui répandent les sons.

*haut-relief → relief.

39 ***hayon** n.m. Le **hayon** est une sorte de porte qui s'ouvre de bas en haut à l'arrière d'une voiture.
R. On prononce [ajɔ̃].

*hé ! interj. sert à interpeller quelqu'un : Hé ! vous, là-bas !

*heaume n.m. Au Moyen Âge, les soldats portaient le **heaume,** un casque couvrant une partie du visage.

hebdomadaire adj. et n.m. Le samedi, tu achètes ton (journal) **hebdomadaire,** qui paraît toutes les semaines (≠ quotidien et mensuel).

héberger v. Nous **hébergeons** nos amis pendant trois jours, nous les logeons chez nous (= recevoir).

hébété adj. La blessée paraissait **hébétée,** son expression montrait qu'elle avait perdu ses capacités intellectuelles (= ahuri, abruti).
■ **hébétement** n.m. ou **hébétude** n.f. Le boxeur était dans un état d'**hébétement** complet.

hébreu adj. et n. Dans l'Antiquité, le peuple **hébreu** (ou les **Hébreux**), c'était le peuple juif.
R. Pour l'adjectif, on emploie aussi le mot hébraïque.

hécatombe n.f. Les chasseurs ont fait une **hécatombe** de lapins, ils en ont tué un grand nombre (= tuerie, carnage).

hectare → are.

hecto-, placé devant un nom de mesure la multiplie par 100 : hectogramme, hectolitre, hectomètre (→ gramme, litre, mètre).

hégémonie n.f. L'**hégémonie** d'un État sur un autre, c'est sa domination, sa suprématie.

*hein interj. **1.** Il fait beau, **hein ?,** n'est-ce pas ? **2. Hein ?** qu'est-ce que tu dis ? (= quoi ?, comment ?).

*hélas ! interj. J'ai perdu, **hélas !,** j'en suis malheureuse.

*héler v. Mme Dupuis **a hélé** un taxi, elle l'a appelé de loin.

hélice n.f. Les bateaux à moteur avancent grâce à leur **hélice,** une pièce de métal faite de pales, qui tourne.

hélicoïdal adj. *Un escalier hélicoïdal* monte en tournant toujours dans le même sens (= en spirale).

hélicoptère n.m. *L'hélicoptère est un avion sans ailes qui s'élève grâce à des pales horizontales qui tournent.*
■ **héliport** n.m. *Un héliport est un* aéroport pour hélicoptères.

hellène ou **hellénique** adj. *Les cités hellènes* sont celles de la Grèce antique.

helvétique adj. *Le peuple helvétique,* c'est le peuple suisse.

*hem !, interj. *On fait hem ! hem ! pour attirer l'attention de quelqu'un.*

hématome n.m. *Un hématome est un* amas de sang sous la peau (= bleu).

hémicycle n.m. *Les députés étaient nombreux dans l'hémicycle,* la salle en demi-cercle où sont les gradins.

hémisphère n.m. *L'Australie se trouve dans l'hémisphère Sud,* dans la partie sud de la Terre.

hémorragie n.f. *Le blessé a une hémorragie,* il perd beaucoup de sang.

*hennin n.m. *Au moyen Âge, certaines femmes portaient des hennins,* des coiffures hautes en forme de cône.

*hennir v. *Le cheval hennit,* il pousse son cri.
■ ***hennissement** n.m. *Le hennissement du cheval est son cri.*

*hep ! interj. sert à appeler quelqu'un : *Hep ! taxi !*

hépatique adj. *Cette malade souffre de douleurs hépatiques,* du foie.
■ **hépatite** n.f. *Une hépatite est une* maladie de foie (= jaunisse).

*héraut n.m. *Dans l'Antiquité et au Moyen Âge, un héraut était quelqu'un* chargé de faire des proclamations.
R. *Héraut se prononce* [ero] *comme héros.*

herbe n.f. **1.** *Les vaches broutent l'herbe du pré.* **2.** *Le persil, la ciboulette sont des fines herbes,* des herbes utilisées en cuisine. **3.** *Il faut enlever les mauvaises herbes,* les plantes qui poussent toutes seules et qui empêchent les plantes cultivées de pousser. **4.** *Un musicien en herbe est un jeune* enfant qui fait de la musique.
■ **herbage** n.m. SENS 1 *Les bestiaux sont dans les herbages,* des prairies naturelles.
■ **herbeux** adj. SENS 1 *Les troupeaux paissent sur les pentes herbeuses.*
■ **herbicide** adj. et n.m. SENS 3 *est un* synonyme de désherbant.
■ **herbier** n.m. SENS 1 *Sophie ramasse des plantes pour faire un herbier,* une collection de plantes desséchées.
■ **herbivore** adj. et n.m. SENS 1 *Les bœufs sont (des) herbivores,* ils se nourrissent d'herbe.
■ **herboriser** v. SENS 1 *Nous partons herboriser,* recueillir des plantes.
■ **herboriste** n. SENS 1 *Une herboriste* est une commerçante qui vend des plantes qui servent de remèdes à certaines maladies.
■ **désherber** v. SENS 3 *Je désherbe les allées du jardin,* j'en enlève les mauvaises herbes.
■ **désherbant** n.m. SENS 3 *Un désherbant* est un produit chimique qui détruit les mauvaises herbes (= herbicide).

hercule n.m. *Cet homme est un hercule,* il est très musclé et très fort.
■ **herculéen** adj. *L'éléphant a une* force herculéenne (= énorme).

*hère n.m. *Un pauvre hère est un* malheureux.

hérédité n.f. *Les lois de l'hérédité disent la façon dont se transmettent les caractères héréditaires.*

■ **héréditaire** adj. *La couleur des yeux est un caractère héréditaire,* les parents la transmettent à leurs enfants.

hérésie n.f. *La théorie de ce physicien est une hérésie scientifique,* elle est contraire à la doctrine admise par l'ensemble des savants.

■ **hérétique** adj. *La doctrine de Luther fut déclarée hérétique,* contraire à celle de l'Église catholique.

*****hérisser** v. 1. *Le chat en colère hérisse les poils de son dos,* il les dresse. 2. *Ce problème est hérissé de difficultés,* rempli de difficultés (= truffer). 3. *Je suis hérissé,* en colère.

■ *****hérisson** n.m. SENS 1 Le *hérisson* est un petit animal au corps hérissé de piquants.

hériter v. 1. *Line hérite de son oncle,* son oncle étant mort, Line reçoit ce qu'il possédait. *Pierre a hérité de son oncle une maison,* son oncle lui a laissé après sa mort une maison. 2. *Aïcha hérite d'une maison,* le propriétaire de la maison étant mort, c'est Aïcha qui la reçoit. 3. *Elle a hérité des yeux de sa mère,* elle a les mêmes yeux qu'elle.

■ **héritage** n.m. SENS 1 ET 2 *Jean a reçu un héritage important,* il a hérité.

■ **héritier** n. SENS 1 *Elle est l'héritière de ses parents,* elle hérite de ses parents.

■ **déshériter** v. SENS 1 ET 2 *Sa tante a menacé de le déshériter,* de ne pas lui laisser d'héritage.

■ **déshérité** n. *Cet organisme porte secours aux déshérités* (= malheureux).

hermétique adj. 1. *Une fermeture hermétique* ne laisse rien passer. 2. *Des paroles hermétiques* n'ont pas un sens compréhensible.

■ **hermétiquement** adv. SENS 1 Le *flacon est hermétiquement bouché.*

hermine n.f. *As-tu remarqué le manteau en hermine ?,* fait avec la fourrure blanche de ce petit animal.

*****hernie** n.f. *Ce sac est trop lourd pour toi, tu vas te faire une hernie,* une grosseur très douloureuse.

1. héroïne → *héros.*

2. héroïne n.f. *On peut mourir d'une piqûre d'héroïne,* une piqûre d'une drogue très dangereuse pour la santé.

héroïque, héroïquement, héroïsme → *héros.*

*****héron** n.m. *Le héron a un long bec et de longues pattes,* un oiseau qui vit au bord de l'eau.

*****héros** n.m., **héroïne** n.f. 1. *Le héros de ce roman est sympathique,* le personnage principal. *L'héroïne du film a 20 ans.* 2. *Ce pompier s'est conduit en héros,* il a montré un courage exceptionnel.

■ **héroïsme** n.m. SENS 2 *Les sauveteurs ont fait preuve d'héroïsme,* ils se sont conduits en héros.

■ **héroïque** adj. SENS 2 *On l'a décorée pour son acte héroïque,* très courageux.

■ **héroïquement** adv. SENS 2 *Les soldats ont lutté héroïquement.*

R. Le *h* n'est pas aspiré dans *héroïne, héroïsme, héroïque, héroïquement* → *héraut.*

*****herse** n.f. 1. *Le fermier passe la herse dans son champ,* une sorte de grand râteau servant à égaliser le sol. 2. *Au Moyen Âge, la porte du château fort était fermée par une herse,* une grille garnie de pointes.

hésiter v. 1. *J'hésite à plonger,* je n'arrive pas à me décider. 2. *L'élève hésite en récitant sa leçon,* elle s'arrête parfois, car elle ne la sait pas bien.

■ **hésitation** n.f. SENS 1 *Il a accepté sans hésitation,* sans hésiter, tout de suite.

hétéroclite adj. *La voiture du brocanteur est pleine d'objets hétéroclites,* d'objets de toutes sortes bizarrement mélangés.

hétérogène adj. *Une classe hétérogène est composée d'élèves très différents* (≠ homogène).

*****hêtre** n.m. *Le buffet est en hêtre,* un grand arbre à l'écorce grise dont le fruit est la **faîne.**

*****heu !** ou **euh !** interj. exprime l'embarras, le doute, l'hésitation.

heur n.m. *Cette réponse n'a pas eu l'heur de lui plaire,* elle ne lui a pas plu (= chance, bonheur).

heure n.f. 1. *Un jour dure 24 heures. Une heure dure 60 minutes.* 2. *La classe commence à 9 heures,* à ce moment de la journée. 3. *C'est l'heure de dormir,* le moment.

■ **à la bonne heure** adv. *S'il est content comme ça, à la bonne heure !* voilà qui est bien, tant mieux.

■ **de bonne heure** adv. *On se lève de bonne heure,* tôt.

■ **tout à l'heure** adv. 1. *Je vais sortir tout à l'heure,* dans un moment. 2. *J'y étais tout à l'heure,* il y a un moment.

■ **horaire** 1. adj. SENS 1 *Le salaire horaire* est celui de l'heure de travail. 2. n.m. SENS 2 *Regarde l'horaire des trains !,* les heures de départ et d'arrivée. *Mes horaires ne me permettent pas d'être chez moi avant 19 heures,* mes heures de travail (= emploi du temps).

heureux adj. 1. *Marie a réussi, elle est heureuse* (= content ; ≠ triste, malheureux). 2. *Ce remède a eu un effet heureux* (= bon, favorable ; ≠ fâcheux).

■ **heureusement** adv. SENS 2 *Il ne pleut pas, heureusement,* par bonheur. SENS 2 *L'affaire a été heureusement conclue* (= avantageusement, favorablement).

■ **bienheureux** adj. SENS 1 *Nous étions bienheureux en ce temps-là,* parfaitement heureux.

*****heurter** v. 1. *La voiture a heurté un arbre,* elle l'a touché avec violence. 2. *Vos paroles l'ont heurté,* elles l'ont choqué. 3. *On s'est heurté à un refus,* on nous a dit non.

■ *****heurt** n.m. SENS 1 *Le heurt a été violent* (= choc). SENS 2 *Ces deux personnes ont des heurts,* elles se disputent souvent (= conflit).

■ *****heurté** adj. *Ces tableaux choquent par leurs couleurs heurtées,* qui offrent de violents contrastes.

hévéa n.m. *L'hévéa est un arbre dont on tire du caoutchouc.*

hexagone n.m. *Les dalles du carrelage ont la forme d'un hexagone,* elles ont six côtés. | 385

hiberner v. *Les ours hibernent,* ils passent l'hiver à dormir.

■ **hibernation** n.f. *L'hibernation des marmottes se termine au printemps.* R. → hiver.

*****hibou** n.m. *Les hiboux sont des oiseaux de nuit.*

*****hic** n.m. Fam. *Voilà le hic !,* la difficulté.

*****hideux** adj. *Il a un visage hideux,* d'une laideur repoussante (= affreux).

hier adv. 1. *Il faisait beau hier,* le jour précédant aujourd'hui. 2. *Cette situation ne date pas d'hier,* elle est déjà ancienne. | 125

■ **avant-hier** adv. *J'ai vu Mary avant-hier,* la veille d'hier. | 125

*****hiérarchie** n.f. *Elle a monté tous les degrés de la hiérarchie,* elle a occupé successivement des emplois de plus en plus importants.

■ *hiérarchique* adj. *Mon supérieur hiérarchique est très sévère,* celui qui a un grade supérieur au mien.

■ *hiérarchiquement* adv. *Elle est hiérarchiquement ma supérieure.*

806   **hiéroglyphe** n.m. *Les anciens Égyptiens écrivaient en hiéroglyphes,* au moyen de dessins.

***hi-fi** → haute-fidélité.*

hilare adj. *Les spectateurs sont hilares,* ils ont l'air réjoui.

■ **hilarant** adj. *On m'a raconté une histoire hilarante,* très drôle (= désopilant).

■ **hilarité** n.f. *L'hilarité est générale,* tout le monde rit.

hindou adj. et n. *La religion hindoue* est celle de la majorité des habitants de l'Inde.

hippique adj. *Le sport hippique,* c'est le sport du cheval.

■ **hippisme** n.m. *L'hippisme,* c'est le sport à cheval (= équitation).

■ **hippodrome** n.m. *C'est sur des hippodromes qu'ont lieu les courses de chevaux.*

724   **hippocampe** n.m. *L'hippocampe* est un petit poisson de mer qu'on appelle aussi, à cause de sa forme, *cheval marin.*

hippodrome → hippique.

434   **hippopotame** n.m. *Un hippopotame* est un gros animal qui vit dans les grands fleuves d'Afrique.

579   **hirondelle** n.f. *Au printemps, les hirondelles reviennent des pays chauds,* des oiseaux aux longues ailes.

hirsute adj. *Tu as les cheveux hirsutes,* mal peignés (= hérissé).

***hisser** v. *On a hissé le colis sur le toit de la voiture,* on l'a monté en faisant de grands efforts.

histoire n.f. **1.** *Brenda s'intéresse à l'histoire de l'Égypte,* au récit des événements qui se sont passés en Égypte au cours des siècles. **2.** *Raconte-nous une histoire !,* un récit imaginé (= conte, roman). **3.** *Je ne veux pas avoir d'histoires avec toi* (= ennuis).

■ **historien** n. SENS 1 Un *historien* est un homme qui étudie l'histoire.

■ **historiette** n.f. SENS 2 Une *historiette* est une courte histoire.

■ **historique** adj. et n.m. SENS 1 *Cette église est un monument historique,* elle a un intérêt pour l'histoire. *Davy Crockett est un personnage historique,* il a réellement existé. *Faire l'historique d'un événement,* c'est le raconter en suivant son déroulement dans le temps.

■ **préhistoire** n.f. SENS 1 *Certains hommes de la préhistoire vivaient dans des cavernes,* de la période très ancienne, quand les hommes ne savaient pas écrire.

■ **préhistorique** adj. SENS 1 *Cette grotte contient des gravures préhistoriques,* de la préhistoire.

hiver n.m. *Nous sommes en hiver, les jours sont courts.*

■ **hivernal** adj. *Il fait un froid hivernal,* comme en hiver.

■ **hiverner** v. *Le bétail hiverne,* il est à l'abri pour l'hiver.

■ **hivernage** n.m. *Mon bateau est en hivernage,* il hiverne.

R. Ne pas confondre *hiverner* et *hiberner.*

H. L. M. n.m. ou f. *Je loge dans un (une) H. L. M.,* un immeuble où on paie des loyers peu élevés.

***ho !** interj. sert à appeler, à exprimer la surprise, l'indignation, etc.

***hobereau** n.m. Un *hobereau* est un noble vivant à la campagne.

***hocher** v. *Mon interlocutrice a hoché la tête,* elle l'a remuée de haut en bas.
■ ***hochement** n.m. *Elle approuve d'un hochement de tête* (= signe).

***hochet** n.m. *Bébé agite son hochet,* un jouet fait d'une boule creuse contenant des grains qui font du bruit.

***hockey** n.m. *Le hockey est un jeu d'équipe où l'on pousse une balle ou un palet avec une crosse.*

***holà !** interj. signifie : « Attention, arrêtez-vous ! ».
■ ***holà** n.m. *J'ai mis le holà à ses dépenses,* je lui ai interdit de les continuer (= mettre fin).

***hold-up** n.m.inv. *La banque a été victime d'un hold-up,* d'une attaque à main armée.
R. On prononce [ɔldœp].

***hollande** n.m. *Le hollande* est un fromage en forme de boule ou de meule.

***homard** n.m. *Le homard est un crustacé au corps bleu et à grosses pinces qui devient rouge à la cuisson.*

***home** n.m. *Un home d'enfants* est un centre qui accueille des enfants en vacances.

homéopathie n.f. *Je me soigne par l'homéopathie,* en absorbant à toutes petites doses certains remèdes appelés *remèdes* **homéopathiques.**

homérique adj. *Elle a éclaté d'un rire homérique* (= énorme).

homicide n.m. *L'accusé a commis un homicide,* il a tué quelqu'un (= meurtre, assassinat).

hommage n.m. **1.** *Je rends hommage à votre franchise,* je vous en félicite. **2.** (au plur.) *Jean a présenté ses hom-mages à la maîtresse de maison,* il lui a témoigné son respect.

homme n.m. **1.** *Les hommes parlent des langues très diverses,* les êtres humains (hommes et femmes). **2.** *Les hommes ont de la barbe,* les adultes de sexe masculin (≠ femme). **3.** *Un curé est un homme d'Église, un avocat est un homme de loi.* 33
■ **homme-grenouille** n.m. SENS 3 *Les hommes-grenouilles* sont des plongeurs munis d'un appareil pour respirer sous l'eau.
■ **humain** adj. **1.** SENS 1 *En classe, nous avons étudié le corps humain,* celui de l'homme. **2.** *Ce juge est humain* (= compréhensif, bon). 33, 40
■ **humains** n.m.pl. SENS 1 *L'ensemble des humains forme l'humanité,* des hommes.
■ **s'humaniser** v. *Elle commence à s'humaniser,* à devenir plus humaine, plus compréhensive.
■ **humanitaire** adj. *On se consacre à des œuvres humanitaires* (= noble, généreux).
■ **humanité** n.f. **1.** SENS 1 *Cette savante est une bienfaitrice de l'humanité,* de l'ensemble des hommes. **2.** *On a traité le prisonnier avec humanité* (= bonté).
■ **inhumain** adj. *Il est inhumain de laisser la blessée sans soins* (= cruel).
■ **surhumain** adj. SENS 1 *Il a fallu faire un effort surhumain pour réussir* (= extraordinaire).

homogène adj. *Notre équipe est homogène,* ses membres vont bien ensemble (≠ hétérogène).

homologue n. *Le ministre des Relations extérieures s'est entretenu avec son homologue allemand,* avec le ministre allemand qui a les mêmes fonctions.

homologuer v. *Ce record est homologué,* il a été officiellement reconnu valable.

■ **homologation** n.f. *La fédération sportive a refusé l'homologation de ce record.*

homonyme n.m. *« Un tour » et « une tour » sont des homonymes, de même que « un sceau » et « un saut »,* ces mots se prononcent de la même façon.

homosexuel → *sexe.*

honnête adj. **1.** *C'est une personne honnête,* elle ne voudrait pas voler ou tromper les autres. **2.** *Ce repas est honnête,* de qualité moyenne (= correct, convenable, passable).

■ **honnêtement** adv. SENS 1 *Elle agit toujours honnêtement.*

■ **honnêteté** n.f. SENS 1 *Je connais ton honnêteté,* je sais que tu es honnête (= probité, loyauté).

■ **malhonnête** adj. SENS 1 *Ce commerçant est malhonnête.*

■ **malhonnêtement** adv. SENS 1 *Il s'est conduit malhonnêtement.*

■ **malhonnêteté** n.f. SENS 1 *Méfie-toi de sa malhonnêteté.*

honneur n.m. **1.** *Autrefois, les duels avaient lieu lorsqu'un homme voulait défendre son honneur,* le sentiment qu'il avait de sa dignité. **2.** *Ce qu'elle a fait est tout à son honneur,* elle mérite des éloges. **3.** *On a fait une fête en l'honneur du champion,* spécialement pour lui. **4.** *Ce bâtiment fait honneur à l'architecte,* c'est un sujet de fierté pour elle. *On a fait honneur à mon gâteau,* on en a mangé beaucoup. **5.** (au plur.) *Cette nouvelle a les honneurs de la première page du journal,* elle est assez importante pour y être placée.

■ **honorer** v. SENS 2 ET 3 *On a donné à Mme Dupont une décoration pour l'honorer,* pour montrer qu'on reconnaît son mérite.

■ **honorable** adj. **1.** SENS 2 *Un personnage honorable* mérite le respect.

2 *Ce résultat est honorable* (= convenable, honnête).

■ **honorabilité** n.f. SENS 2 *Je peux vous garantir la parfaite honorabilité de cette personne,* que c'est quelqu'un de très honorable.

■ **honorablement** adv. SENS 2 *On s'est tiré honorablement de cette situation difficile.*

■ **honorifique** adj. SENS 2 ET 3 *Une décoration est une distinction honorifique,* qui honore.

■ **déshonneur** n.m. SENS 1 *Il n'y a aucun déshonneur à reconnaître son ignorance,* il n'y a pas lieu d'avoir honte.

■ **déshonorer** v. SENS 1 *Cet acte infâme l'a déshonoré* (= discréditer).

honoraire adj. *Mme Scott est présidente honoraire,* elle en a le titre mais n'en exerce pas la fonction.

honoraires n.m.pl. *L'architecte a reçu ses honoraires,* la somme d'argent qu'on lui remet en paiement de son travail.

honorer, honorifique → *honneur.*

*honte n.f. *J'ai honte d'avoir aussi mal agi,* je sais que j'ai mal fait et le regrette.

■ ***honteux** adj. **1.** *Je suis honteuse,* j'ai honte (= confus). **2.** *Ce que tu as fait est honteux,* tu devrais en avoir honte (= odieux).

■ ***honteusement** adv. *Tu as fui honteusement.*

■ **éhonté** adj. *C'est un menteur éhonté,* il n'a pas honte de mentir.

*hop ! interj. accompagne un mouvement brusque : *Allez, hop ! saute !*

hôpital → *hospitalier.*

*hoquet n.m. *Janet a le hoquet,* des secousses involontaires soulèvent sa poitrine en produisant un petit bruit.

horaire → *heure.*

*horde n.f. *Autrefois, les voyageurs étaient parfois attaqués par des hordes de brigands,* des troupes de brigands prêts à toutes les violences (= bande).

*horion n.m. *Les gamins échangèrent quelques horions,* quelques coups violents.

horizon n.m. *Le soleil disparaît derrière l'horizon,* la ligne qui sépare le ciel de la terre.

■ **horizontal** adj. et n.f. *Le plancher est horizontal,* il n'est pas en pente (≠ vertical). *La voile du bateau se couche presque à l'horizontale* (= horizontalement).

■ **horizontalement** adv. *Le livre est posé horizontalement sur l'étagère* (= à plat ; ≠ verticalement).

horloge n.f. *L'horloge de la gare indique 8 heures,* la grosse pendule.

■ **horloger** n. *L'horloger répare et vend des pendules et des montres.*

■ **horlogerie** n.f. 1. *Marie est entrée dans une horlogerie,* une boutique d'horloger. 2. *Elle a appris l'horlogerie,* le métier d'horlogère.

*hormis prép. se dit quelquefois pour *excepté, sauf.*

horoscope n.m. *Certains journaux publient des horoscopes,* les prévisions que font les astrologues sur l'avenir des gens.

horreur n.f. 1. *Un spectacle d'horreur* provoque l'épouvante et le dégoût. 2. *J'ai horreur du tabac,* je le déteste. 3. *Ce dessin est une horreur,* il est très laid.

■ **horrible** adj. SENS 1 *Il s'est produit un accident horrible* (= épouvantable). SENS 3 *Tu portes une chemise horrible,* très laide. *Le temps est horrible,* très mauvais (= affreux).

■ **horriblement** adv. SENS 2 *C'est horriblement cher,* extrêmement.

■ **horrifier** v. SENS 1 *Je suis horrifié par ce spectacle,* très effrayé.

horripiler v. *Ce bruit m'horripile,* il m'énerve (= exaspérer).

*hors-bord n.m.inv. *On fait du ski nautique tiré par un hors-bord,* un bateau rapide à moteur extérieur. 722

*hors de prép. 1. *Le castor a la tête hors de l'eau,* à l'extérieur de l'eau. 2. *Un outil hors d'usage* ne peut plus servir. 3. *Les truffes sont hors de prix,* très chères. 4. *Elle est hors d'elle,* furieuse.

*hors-d'œuvre n.m.inv. *Comme hors-d'œuvre, nous avons des crudités ou de la charcuterie,* comme plat servi avant le plat principal du repas.

*hors-jeu n.m.inv. *L'arbitre a sifflé un hors-jeu,* une faute au football ou au rugby.

*hors-la-loi n.m.inv. *La police recherche un dangereux hors-la-loi* (= malfaiteur, bandit, gangster).

hortensia n.m. *M. Dupont a des hortensias dans son jardin,* des arbustes à fleurs blanches, roses ou bleues. 80

horticulture n.f. *À l'école d'horticulture, on apprend à cultiver les légumes, les arbres fruitiers, les fleurs.*

■ **horticulteur** n. *Mme Leduc est horticultrice,* son métier est l'horticulture.

■ **horticole** adj. *Les produits horticoles* sont ceux des jardins.

hospice n.m. *Son grand-père était dans un hospice de vieillards,* une maison où l'on accueille des vieillards pauvres.

hospitalier adj. 1. *Mme Paoli est une personne hospitalière,* elle accueille volontiers des gens chez elle. 2. *Les cliniques et les hôpitaux sont des établissements hospitaliers,* on y donne des soins aux malades.

39

■ **hôpital** n.m. SENS 2 *La blessée est à l'hôpital,* dans un établissement où l'on soigne les malades.

■ **hospitaliser** v. SENS 2 *Le blessé a été hospitalisé,* on l'a fait entrer à l'hôpital.

■ **hospitalité** n.f. SENS 1 *Je vous remercie de votre hospitalité,* de m'avoir accueilli.

■ **inhospitalier** adj. SENS 1 *Cette région désertique est inhospitalière* (≠ accueillant).

hostie n.f. *Le prêtre consacre les hosties pendant la messe,* les morceaux de pain qui servent à la communion.

hostile adj. 1. *Mon adversaire m'a jeté un regard hostile,* qui montre qu'il me veut du mal (= malveillant ; ≠ amical). 2. *Je suis hostile à votre projet,* contre ce projet (= opposé ; ≠ favorable).

■ **hostilité** n.f. 1. SENS 1 ET 2 *Le chien accueille les visiteurs avec hostilité,* d'une manière hostile. 2. (au plur.) *Les hostilités ont commencé à la frontière,* les combats entre deux pays.

****hot dog** n.m. *Les hot dogs sont des petits pains contenant une saucisse chaude.*

hôte, hôtesse 1. n. *J'ai été bien reçu par mes hôtes,* par ceux qui m'ont accueilli chez eux. *Avant de partir, les invités remercient l'hôtesse* (= maîtresse de maison). 2. n.m. *Vous êtes mon hôte,* mon invité. 3. n.f. *À l'entrée de l'exposition, je me suis renseigné auprès d'une hôtesse,* une jeune femme chargée d'accueillir les visiteurs. *Les hôtesses de l'air s'occupent des voyageurs dans les avions.*

510

hôtel n.m. 1. *Nous avons couché à l'hôtel,* dans un établissement qui loue des chambres. 2. *Notre hôtel de ville date du Moyen Âge* (= mairie). 3. *Ce riche industriel a acheté un*

218

hôtel particulier, une maison de luxe, en ville.

■ **hôtelier** n. et adj. SENS 1 *L'hôtelière est la personne qui tient l'hôtel. Dans une école hôtelière, on apprend le métier d'hôtelier.*

■ **hôtellerie** n.f. SENS 1 *L'hôtellerie est le métier d'hôtelier. Nous déjeunons dans une hôtellerie,* un hôtel d'allure élégante (= auberge).

hôtesse → hôte.

****hotte** n.f. 1. *Une hotte est un grand panier d'osier qui se fixe sur le dos par des bretelles.* 2. *On fume des jambons dans la hotte de la cheminée,* la partie évasée située au-dessus du foyer. 3. *Dans la cuisine, on a installé une hotte,* un appareil qui aspire les fumées grasses.

****hou !** interj. *Le public crie « hou ! » au chanteur,* il le hue.

****houblon** n.m. *Le houblon sert à fabriquer la bière,* une plante grimpante.

****houe** n.f. *Le jardinier travaille avec une houe,* une pioche à fer large et plat.

****houille** n.f. 1. *De cette mine, on extrait de la houille,* du charbon. 2. *Les barrages produisent de la houille blanche,* de l'électricité.

■ ****houiller** adj. SENS 1 *Un bassin houiller est une région dont le sous-sol contient de la houille.*

****houle** n.f. *Le bateau tangue à cause de la houle,* des ondulations de la mer.

■ ****houleux** adj. 1. *La mer est houleuse,* elle est agitée par la houle. 2. *La séance est houleuse,* les gens sont très agités.

****houlette** n.f. *Les écoliers étudiaient sous la houlette de leur professeur,* sous sa conduite.

****houppe** ou ****houppette** n.f. *Marie met de la poudre sur son visage avec*

une **houppe (houppette)**, une boule faite de brins de laine, de duvet.

*hourra n.m. *L'équipe gagnante est accueillie par des **hourras**, des accla-mations.*

*houspiller v. *Le fautif s'est fait **houspiller** (= gronder).*

*housse n.f. *Les sièges de la voiture sont recouverts d'une **housse**, d'une enveloppe protectrice.*

*houx n.m. *Le **houx** est un arbuste à feuilles vertes et piquantes, dont les fruits sont des petites boules rouges.*

*hublot n.m. *Les bateaux, les avions ont des **hublots**, des petites fenêtres arrondies à fermeture étanche.*

*huche n.f. *Une **huche** est un coffre à pain.*

*hue ! interj. *sert à faire avancer un cheval.*

*huer v. *Cette pièce de théâtre **a été huée**, les spectateurs ne l'ont pas ai-mée et ont crié (= siffler).*
■ ***huées** n.f.pl. *L'orateur quitte la salle sous les **huées** du public, ses cris hostiles.*

huile n.f. **1.** *L'**huile** d'arachide est un liquide gras utilisé dans la cuisine.* **2.** *On utilise une **huile** minérale pour graisser les moteurs de voiture.*
■ **huiler** v. *Dominique **a huilé** la ser-rure, elle y a mis de l'huile.*
■ **huileux** adj. *Un liquide **huileux** a l'aspect de l'huile.*

*huis n.m. *Le tribunal a rendu son juge-ment **à huis clos**, sans admettre le public dans la salle.*

huissier n.m. **1.** *Les **huissiers** d'un ministère sont les employés qui ac-cueillent les visiteurs.* **2.** *Le mobilier de cette personne a été saisi par l'**huis-sier**, celui qui fait exécuter les déci-sions de la justice.*

*huit adj. *Sylvie a été malade pendant **huit** jours. Deux fois quatre font **huit** (2 $\times$ 4 = 8).*   563
■ ***huitaine** n.f. *Tu resteras bien une **huitaine** de jours ?, environ huit jours.*   563, 125
■ ***huitante** adj. *En Suisse, on dit **hui-tante** pour quatre-vingts.*
■ ***huitième** adj. et n. *Je suis **hui-tième**. Le **huitième** d'une tarte, c'est un des morceaux de la tarte coupée en huit.*   563

huître n.f. *À Noël, nous avons mangé des **huîtres**, des coquillages.*   728

*hum ! interj. *exprime le doute, l'hé-sitation.*

humain, s'humaniser, humani-taire, humanité → homme.

humble adj. **1.** *Ce sont d'**humbles** em-ployés, ils accomplissent des petites tâches (= modeste, obscur).* **2.** *Tu te fais **humble** devant ton patron, tu t'abaisses devant lui (= soumis ; $\neq$ orgueilleux).*
■ **humblement** adv. SENS 2 *Le chien me regardait **humblement**, d'un air soumis.*
■ **humilier** v. SENS 2 *Son échec l'**a hu-milié**, l'a rendu honteux (= vexer). Je refuse de m'**humilier** devant toi, de me faire humble (= s'abaisser).*
■ **humiliant** adj. SENS 2 *Notre équipe a subi une défaite **humiliante**.*
■ **humiliation** n.f. SENS 2 *J'ai rougi d'**humiliation** (= honte, confusion).*
■ **humilité** n.f. SENS 2 *Vous baissiez les yeux avec **humilité**, humblement.*

humecter v. *On **humecte** les timbres-poste pour les coller, on les mouille légèrement.*

*humer v. *Je **hume** l'odeur du café, je la respire avec plaisir (= sentir).*

humérus n.m. *L'**humérus** est l'os du bras qui va de l'épaule au coude.*   40

humeur n.f. **1.** *Notre chien est d'humeur batailleuse,* il a envie de se battre (= caractère, tempérament). **2.** *Marie est de bonne* **humeur,** *gaie. Jean est de mauvaise* **humeur,** *mécontent.*

humide adj. *La route est* **humide,** *légèrement mouillée* (≠ sec).
■ **humidité** n.f. *Le fer rouille à l'humidité,* quand il est dans un lieu humide.
■ **humidifier** v. *On* **humidifie** *l'air d'une chambre trop chauffée,* on le rend humide.

humiliant, humiliation, humilier, humilité → humble.

humour n.m. *Ce livre est plein d'humour,* il fait sourire.
■ **humoriste** n. *L'entracte a été égayé par une* **humoriste,** *quelqu'un qui se moque des choses et des gens tout en gardant l'air sérieux.*
■ **humoristique** adj. *Ce livre contient des dessins* **humoristiques** (= amusant, drôle).

654 **humus** n.m. *Le sol de la forêt est couvert d'humus,* d'une terre produite par les débris de plantes pourries.

803 *****hune** n.f. *La* **hune** *est la plate-forme fixée sur certains mâts de bateaux.*

*****huppe** n.f. *Le paon est un oiseau qui a une* **huppe** *sur la tête,* une touffe de plumes.

*****huppé** adj. *Tu fréquentais des gens* **huppés,** *riches ou nobles.*

*****hure** n.f. *La* **hure** *du sanglier,* c'est sa tête.

*****hurler** v. **1.** *Bébé* **hurle,** *il crie très fort de colère ou de peur.* **2.** *La sirène* **hurle,** *elle émet un bruit fort et prolongé.*
■ *****hurlement** n.m. SENS 1 ET 2 *On a entendu un* **hurlement** *de douleur,* un cri très fort.

hurluberlu n. *Fernand est un* **hurluberlu,** *il agit sans réfléchir* (= étourdi, farfelu).

*****hussard** n.m. *Un* **hussard** *est un soldat d'un corps de cavalerie.*

*****hutte** n.f. *Les enfants ont construit une* **hutte,** *une petite cabane de branchages.*

hybride n.m. et adj. *Le mulet est un* **hybride,** *il est né de deux animaux d'espèce différente : le cheval et l'âne.*

hydrater v. *Cette crème* **hydrate** *la peau,* elle la rend plus souple en lui ajoutant de l'eau.
■ **déshydrater** v. *Ce voyage dans la voiture en pleine chaleur* **a déshydraté** *le bébé,* lui a fait éliminer de l'eau contenue dans son corps. *Je* **suis déshydratée,** j'ai soif.

hydraulique adj. *Les machines* **hydrauliques** *fonctionnent à l'aide d'un liquide.*

hydravion n.m. *Un* **hydravion** *est un avion qui peut se poser sur l'eau.*

hydrocution n.f. *L'eau était froide et le baigneur est mort par* **hydrocution,** *un accident qui fait que le baigneur perd connaissance et coule à pic.*

hydroélectrique adj. *L'énergie* **hydroélectrique** *est l'énergie électrique fournie par les barrages.*

hydrogène n.m. *L'hydrogène est le plus léger de tous les gaz.*

hydrographie n.f. **1.** *L'hydrographie étudie les cours d'eau et les mers du globe terrestre.* **2.** *L'hydrographie d'un pays est l'ensemble de ses cours d'eau.*

hydromel n.m. *Les Gaulois buvaient, dit-on, de l'hydromel,* une boisson faite d'eau et de miel.

hydrophile adj. *Le coton* **hydrophile** *est un coton qui absorbe facilement les liquides.*

hyène n.f. L'*hyène* est un animal sauvage d'Afrique et d'Asie qui se nourrit surtout d'animaux morts.

hygiène n.f. *Se laver, surveiller son alimentation font partie des principes de l'hygiène,* des soins par lesquels on conserve l'homme en bonne santé.

■ **hygiénique** adj. *Je fais tous les matins une promenade hygiénique,* pour me maintenir en bonne santé.

hymne n.m. *« La Marseillaise » est l'hymne national français,* le chant que les Français exécutent au cours des cérémonies officielles.

hyper-, placé au début d'un mot, indique un degré extrême : être *hypersensible,* c'est être très sensible ; un *hypermarché,* c'est un grand magasin.

hypermétrope adj. *Ma petite sœur est hypermétrope,* elle voit mal de près.

hypnose n.f. L'*hypnose* est un sommeil provoqué artificiellement.

■ **hypnotique** adj. *Tu étais dans un état hypnotique,* un état d'hypnose.

■ **hypnotiser** v. *Il a été hypnotisé,* quelqu'un l'a endormi par sa seule volonté.

hypocrite adj. *Tu es hypocrite,* tu caches ce que tu penses (≠ sincère, franc).

■ **hypocrisie** n.f. *Son sourire est plein d'hypocrisie* (= fourberie).

hypothèque n.f. *J'ai une hypothèque de dix mille dollars sur sa maison,* s'il ne peut pas me payer ce qu'il me doit, j'ai droit à dix mille dollars sur la vente de sa maison.

■ **hypothéquer** v. *Tu as hypothéqué ta maison,* tu as accepté qu'on prenne une hypothèque sur ta maison, qui sert de garantie.

hypothèse n.f. *On émet l'hypothèse que l'accident s'est produit ainsi,* on fait cette supposition.

■ **hypothétique** adj. *Mon succès à l'examen est hypothétique,* il n'est pas certain.

hystérie n.f. *Cette personne est en proie à l'hystérie,* elle est si excitée qu'elle paraît folle.

■ **hystérique** adj. et n. *Un public hystérique* ne contrôle plus ses actes.

i

ibis n.m. *Les ibis se tiennent souvent debout sur une patte,* de grands oiseaux des pays chauds.
R. On prononce le *s* final : [ibis].

iceberg n.m. *Le navire a heurté un iceberg et il a coulé,* une masse de glace flottante.
R. On prononce [ajsbɛrg] ou [isbɛrg].

ici adv. **1.** *Judith est ici,* où je suis (≠ là-bas). **2.** *Regarde ici,* à cet endroit. **3.** *Je reviendrai d'ici peu,* dans peu de temps.

icône n.f. *Une icône est une peinture à sujet religieux de l'Église orthodoxe.*

idéal 1. adj. et n.m. *Tu as trouvé la solution idéale,* la meilleure (= parfait, rêvé). *L'idéal serait de partir maintenant,* la solution la meilleure. **2.** n.m. *Maître Champagne a un idéal : la paix pour tous les hommes,* cette idée guide son action.
■ **idéaliser** v. SENS 1 *L'orateur a idéalisé une situation qui n'est pas brillante,* il l'a présentée plus belle qu'elle n'est.
■ **idéalisme** n.m. SENS 2 *J'agis non par intérêt personnel, mais par idéalisme,* par fidélité à un idéal.
■ **idéaliste** n. et adj. SENS 2 *Maïté est une idéaliste* (≠ réaliste).

idée n.f. **1.** *Jean a perdu le fil de ses idées* (= pensée). **2.** *Qu'est-ce qui t'est venu à l'idée ?,* à quoi as-tu pensé ? (= esprit). **3.** *Mme Lagarde et M. Dubois n'ont pas les mêmes idées*

politiques (= opinion). **4.** *As-tu une idée de l'heure qu'il est ?,* le sais-tu à peu près ? (= notion, aperçu).

identité n.f. **1.** *Nous avons une identité d'intérêts dans cette affaire,* les mêmes intérêts (= similitude). **2.** *On ne connaît pas l'identité des voleurs,* leur nom.
■ **identifier** v. SENS 2 *La police a identifié les voleurs,* elle a découvert qui ils étaient.
■ **identification** n.f. SENS 2 *L'enquête a permis l'identification des malfaiteurs.*
■ **identique** adj. SENS 1 *Ces deux dessins sont identiques,* il n'y a aucune différence entre eux (= semblable, pareil ; ≠ différent).

idéologie n.f. *Le racisme est une idéologie sans justification,* une doctrine inspirant les actes de certaines gens.
■ **idéologique** adj. *Ils se sont livrés à des querelles idéologiques,* des querelles d'opinions, d'idées.

idiot adj. et n. *Arrête de faire des réflexions idiotes !* (= bête, stupide ; ≠ intelligent). *Ne fais pas l'idiot !* (= imbécile).
■ **idiotie** n.f. *Dominique a encore fait une idiotie* (= bêtise).
R. *Idiotie* se prononce [idjɔsi].

idole n.f. **1.** *Les païens adoraient des idoles,* des objets représentant une divinité. **2.** *Claude est l'idole de ses parents,* ils l'aiment et le gâtent extrê-

mement. *Le public est déchaîné à l'arrivée de son idole,* de la vedette de la
chanson ou du spectacle qui l'enthousiasme.

■ **idolâtrer** v. SENS 2 *Ses parents l'ido-
lâtrent* (= adorer).

■ **idolâtrie** n.f. SENS 2 *Ils l'aiment
jusqu'à l'idolâtrie.*

idylle n.f. *Il y a une idylle entre Jacques
et Jeannine,* ils sont amoureux.

■ **idyllique** adj. *Ils s'aiment d'un
amour idyllique,* tendre et naïf.

if n.m. *On plante souvent des ifs dans les
cimetières,* des arbres à feuillage toujours vert.

igloo n.m. *Les Inuit construisent des
igloos,* des abris faits de blocs de
glace.
R. On prononce [iglu].

igname n.f. *Les ignames* sont des
plantes des pays chauds dont les longs
tubercules sont très nourrissants.

ignare adj. *Ces gens-là n'ont jamais
rien appris, ils sont ignares,* extrêmement ignorants (= inculte).

ignoble adj. **1.** *C'est un ignoble individu,* très méchant (= infâme).
2. *Cette nourriture est ignoble,* très
mauvaise (= infect ; ≠ délicieux).

ignominie n.f. *Cet individu a commis
les pires ignominies,* des actions déshonorantes (= infamie).

ignorer v. *J'ignore qui est venu,* je ne
le sais pas.

■ **ignorance** n.f. *Elle m'a laissé dans
l'ignorance de son départ,* je ne savais
pas qu'elle partait.

■ **ignorant** adj. et n. *Jacques est (un)
ignorant,* il ne sait rien (= ignare,
illettré ; ≠ instruit, savant).

iguane n.m. *Un iguane est une espèce
de très grand lézard d'Amérique.*
R. On prononce [igwan].

il(s), elle(s) pron.pers. s'emploient
pour représenter des personnes ou des
choses dont on parle : *Il vient. Elles
sont là.*

île n.f. *Anticosti est une île,* une terre
entourée d'eau. 724

■ **îlot** n.m. *Le navire a jeté l'ancre devant un îlot,* une toute petite île. 725, 578

■ **insulaire** n. *Les Antillais sont des
insulaires,* ils habitent des îles.

■ **presqu'île** n.f. *La Nouvelle-Écosse
est une presqu'île,* une terre entourée
presque entièrement par la mer. 725, 579

illégal, illégalité → *loi.*

illégitime → *légitime.*

illettré → *lettre.*

illicite → *licite.*

illico adv. Fam. *On leur a dit de partir
illico,* à l'instant même (= sur-le-
champ, aussitôt).

illimité → *limite.*

illisible → *lire* 2.

illogique → *logique.*

illumination n.f. **1.** *Nous sommes
allés voir les illuminations du nouvel
An* (= lumières). **2.** *J'ai eu soudain
une illumination,* une inspiration, une
révélation.

■ **illuminer** v. SENS 1 *La rue est illumi-
née,* brillamment éclairée.

■ **illuminé** n. et adj. SENS 2 *Ne vous fiez
pas à ce garçon, c'est un illuminé,* il
croit naïvement avoir la révélation de
la vérité.

illusion n.f. **1.** *Les mirages sont des
illusions d'optique,* des visions fausses
(≠ réalité). **2.** *Elle croit qu'elle gagnera, mais elle se fait des illusions,*
des idées fausses, elle se trompe.

■ **s'illusionner** v. SENS 2 *Il ne faut pas
s'illusionner,* se faire des illusions (=
se tromper, s'abuser).

■ **illusionniste** n. SENS 1 *L'illusionniste a fait sortir un lapin de son chapeau* (= prestidigitateur).

■ **illusoire** adj. SENS 2 *Il est illusoire d'espérer qu'elle viendra* (= vain ; ≠ réel, sûr).

■ **désillusion** n.f. SENS 2 *Son échec a été pour lui une grande désillusion* (= déception).

■ **désillusionner** v. *Elle a été désillusionnée par son échec,* elle a perdu ses illusions.

illustrer v. **1.** *Ce livre est illustré de dessins et de photos* (= orner). **2.** *Autrefois, les nobles voulaient s'illustrer,* se rendre célèbres par leurs exploits (= se distinguer).

■ **illustration** n.f. SENS 1 *Ce livre a de belles illustrations,* des dessins, des photos (= image).

■ **illustre** adj. SENS 2 se dit parfois pour *célèbre.*

■ **illustré** adj. et n.m. SENS 1 *Mehdi lit des (journaux) illustrés,* contenant surtout des images.

îlot → *île.*

image n.f. **1.** *Linda regarde les images de son livre,* les dessins, les photos (= illustration). **2.** *Jean regarde son image dans la glace* (= reflet). **3.** *Tu te fais une image fausse de la situation* (= idée, représentation). **4.** *La balance est l'image de la justice,* un objet qui la représente (= symbole).

■ **imagé** adj. SENS 4 *Elle parle d'une manière imagée,* avec des mots qui évoquent des images.

imaginer v. **1.** *Essaie d'imaginer son étonnement quand elle saura cela !,* de le représenter dans ton esprit. **2.** *Pierre s'imagine qu'il est le plus fort,* il le croit à tort.

■ **imaginable** adj. SENS 1 *On a essayé par tous les moyens imaginables.*

■ **imaginaire** adj. SENS 1 *La licorne est un animal imaginaire,* qui n'existe que dans l'esprit (= fantastique ; ≠ réel, vrai).

■ **imagination** n.f. SENS 1 *Tu as beaucoup d'imagination,* tu peux imaginer, inventer toutes sortes de choses.

■ **imaginatif** adj. *Luce a un esprit imaginatif,* capable d'inventer facilement (= inventif).

■ **inimaginable** adj. SENS 1 *Il y a ici un désordre inimaginable* (= incroyable).

imbattable → *battre.*

imbécile n. *Celle qui a inventé ça n'est pas une imbécile,* une personne sans intelligence (= idiot).

■ **imbécillité** n.f. *Arrête de dire des imbécillités !* (= sottise, bêtise).

R. Attention : *imbécile* n'a qu'un *l, imbécillité* a 2 *l.*

imberbe → *barbe.*

imbiber v. *La serviette de toilette est imbibée d'eau,* elle est mouillée, humide (= tremper, imprégner).

imbriqué adj. *Les tuiles du toit sont imbriquées,* elles se recouvrent en partie les unes les autres.

■ **s'imbriquer** v. *Ces questions s'imbriquent les unes dans les autres* (= s'enchevêtrer).

imbroglio n.m. *Je ne comprends rien à cet imbroglio,* à cette situation embrouillée (= confusion, désordre, méli-mélo).

R. On prononce parfois [ɛ̃brɔljo].

imbu adj. *M. Dupont est imbu de sa supériorité,* il en est pénétré (= infatué).

imbuvable → *boire.*

imiter v. **1.** *Lise sait imiter l'aboiement du chien* (= reproduire). **2.** *Paul cherche à imiter son père,* à le prendre pour modèle.

■ **imitation** n.f. SENS 1 *Ce tableau est une imitation,* il est faux (= copie, reproduction).

■ **imitateur** n. SENS 1 *Marie est une bonne imitatrice,* elle imite bien.

■ **inimitable** adj. SENS 1 *Tu es d'une drôlerie inimitable.*

immaculé → *maculer.*

immangeable → *manger.*

immanquable → *manquer.*

immatériel → *matière.*

immatriculer v. *Cette voiture est immatriculée à Edmonton,* elle est inscrite sur les registres officiels.

■ **immatriculation** n.f. *La plaque d'immatriculation d'une voiture porte son numéro d'immatriculation.*

immédiat adj. 1. *Les Dupont sont nos voisins immédiats,* les plus proches. 2. *Le résultat a été immédiat,* il s'est produit aussitôt (= instantané).

■ **immédiatement** adv. SENS 2 *Viens ici immédiatement !,* tout de suite, à l'instant.

immémorial → *mémoire.*

immense adj. *L'U.R.S.S. est un pays immense,* très grand (≠ minuscule). *Cette vedette a un immense succès* (= énorme, extraordinaire).

■ **immensément** adv. *Cette famille est immensément riche,* extrêmement riche.

■ **immensité** n.f. *Le bateau s'est éloigné dans l'immensité de la mer,* l'étendue immense.

immerger v. *Ces rochers sont immergés à marée haute,* ils sont sous l'eau (≠ émerger).

■ **immersion** n.f. *On a procédé à l'immersion d'un câble sous-marin,* on l'a plongé dans l'eau.

immérité → *mériter.*

immeuble n.m. *Ils habitent un appartement dans un immeuble neuf,* un bâtiment à plusieurs étages.

218, 217

immigration, immigré → *migration.*

imminent adj. *Une guerre paraissait imminente entre ces deux pays,* très proche.

■ **imminence** n.f. *L'imminence du danger a fait cesser leur dispute* (= proximité).

s'immiscer v. *Arrête de t'immiscer dans mes affaires !* (= se mêler).

immobile → *mobile.*

immobilier → *mobilier.*

immobilisation, immobiliser, immobilité → *mobile.*

immodéré → *modéré.*

immoler v. *Les Anciens immolaient des animaux en sacrifice à leurs dieux,* ils les tuaient comme offrandes.

immonde adj. *Cette famille habite un taudis immonde,* très sale (= dégoûtant, répugnant).

■ **immondices** n.f. pl. *Il y a un tas d'immondices devant la porte* (= ordures).

immoral, immoralité → *moral.*

immortaliser, immortalité, immortel → *mourir.*

immuable adj. *Tu restes immuable dans tes opinions,* tu n'en changes pas (= constant).

immuniser v. *En se faisant vacciner, on s'immunise contre les maladies,* on se met à l'abri (= se préserver).

■ **immunité** n.f. *Les députés jouissent de l'immunité parlementaire,* on ne peut leur faire un procès que dans certaines conditions.

impact n.m. 1. *Le point d'impact d'une balle* est l'endroit où elle frappe.

2. *Cette publicité a eu un grand **impact** sur le public* (= influence).

impair → *pair.*

impalpable → *palper.*

imparable → *parer.*

impardonnable → *pardon.*

imparfait, imparfaitement → *parfait.*

impartial, impartialité → *partial.*

impartir v. *Un délai très court nous est **imparti**,* nous est accordé.
R. Ce verbe ne s'emploie qu'à l'infinitif et aux formes composées.

217 **impasse** n.f. **1.** *Cette rue est une **impasse**,* elle n'a pas d'issue (= cul-de-sac). **2.** *Les discussions sont **dans** l'impasse,* elles ne progressent plus, elles sont bloquées.

impassible adj. *Dominique a un visage **impassible*** (= calme, froid).
■ **impassibilité** n.f. *Tout le monde a ri, mais elle a gardé son **impassibilité**.*

impatiemment, impatience, impatient, impatienter → *patient.*

impayable adj. *Il nous a raconté une histoire **impayable**,* très drôle.

impayé → *payer.*

impeccable adj. *Tu as toujours une tenue **impeccable**,* sans défaut (= irréprochable).
■ **impeccablement** adv. *Le départ de la fusée s'est effectué **impeccablement**,* parfaitement.

impénétrable → *pénétrer.*

impénitent → *pénitence.*

impensable → *penser.*

impératif 1. adj. *Il m'a parlé d'un ton **impératif*** (= autoritaire, impérieux). *La patience est une condition **impérative** du succès dans cette affaire* (=

absolu). **2.** n.m. *« Va » est l'**impératif** de « aller »,* la forme qui exprime l'ordre. *Il faut respecter les **impératifs** de l'horaire* (= contrainte, nécessité).

impératrice → *empire.*

imperceptible, imperceptiblement → *percevoir.*

imperfection → *parfait.*

impérial, impérialiste → *empire.*

impériale n.f. *Autrefois, les voyageurs montaient dans l'**impériale** de la diligence,* l'étage supérieur.

impérieux adj. **1.** *Tu m'as répondu d'une voix **impérieuse*** (= autoritaire). **2.** *Ce pays a un **impérieux** besoin de pétrole* (= pressant).
■ **impérieusement** adv. SENS 1 ET 2 *On nous a demandé **impérieusement** de venir.*

impérissable → *périr.*

imperméabiliser, imperméable → *perméable.*

impersonnel → *personne.*

impertinent adj. *Ce garçon m'a interpellé d'un ton **impertinent*** (= insolent, effronté ; ≠ poli).
■ **impertinence** n.f. *On l'a punie pour son **impertinence*** (= impolitesse, insolence, effronterie).

imperturbable, imperturbablement → *perturber.*

impétueux adj. *Aïcha a un caractère **impétueux*** (= vif, violent).
■ **impétueusement** adv. *L'orateur a attaqué **impétueusement** ses adversaires,* avec véhémence (= violemment).
■ **impétuosité** n.f. *Les défenseurs ont reculé sous l'**impétuosité** de l'attaque* (= violence).

impie, impiété → *pieux.*

impitoyable, impitoyablement
→ *pitié.*

implacable adj. *Claude me porte une haine* **implacable,** sans pitié (= acharné, terrible).

■ **implacablement** adv. *Je poursuis* **implacablement** *ma vengeance* (= impitoyablement).

implanter v. *Beaucoup d'Italiens se* **sont implantés** *aux États-Unis,* ils se sont fixés dans ce pays (= s'installer, s'établir).

■ **implantation** n.f. *L'implantation d'une usine dans la région a été décidée* (= établissement).

implicite adj. *Puisqu'elle n'a pas protesté, c'est qu'elle nous donne son accord* **implicite,** *un accord qu'elle n'exprime pas mais qui va de soi* (≠ explicite).

■ **implicitement** adv. *Je suis* **implicitement** *d'accord,* sans le dire (= tacitement).

impliquer v. 1. *Il a été* **impliqué** *dans un meurtre* (= mêler à). 2. *Si tu veux arriver à l'heure, cela* **implique** *que tu partes tout de suite* (= nécessiter, entraîner).

■ **implication** n.f. *Cette décision a des* **implications** *très diverses* (= conséquence, effet).

implorer v. *Le blessé* **implorait** *du secours,* il le demandait d'une voix suppliante.

impoli, impoliment, impolitesse
→ *poli.*

impondérable adj. *Notre succès dépend d'éléments* **impondérables,** impossibles à évaluer.

impopulaire, impopularité →
peuple.

1. importer v. *Ce qui* **importe** *pour eux, c'est le confort,* ce qui a de l'importance, de l'intérêt (= compter).

■ **n'importe** adv. indique l'indifférence : *N'importe qui peut faire cela,* tout le monde. *Il travaille* **n'importe** *comment,* **n'importe** *où,* **n'importe** *quand.*

■ **importance** n.f. *Ce que je vais dire a une grande* **importance** (= intérêt, gravité).

■ **important** adj. *Tu as joué un rôle* **important** *dans cette affaire,* qui compte (≠ accessoire, secondaire).

2. importer v. *Le Canada* **importe** *beaucoup de pétrole,* il le fait venir de l'étranger.

■ **importation** n.f. *L'importation de certains produits est soumise à des droits de douane.*

■ **importateur** adj. et n. *La France est* **importatrice** *de pétrole.*

■ **exporter** v. *La Californie* **exporte** *du vin,* elle le vend à l'étranger.

■ **exportation** n.f. *Ce pays cherche à développer ses* **exportations.**

■ **exportateur** adj. et n. *La France est* **exportatrice** *de vin.*

■ **import-export** n.m. *Une entreprise d'import-export est spécialisée dans l'importation et l'exportation de produits commerciaux.*

importuner v. *Tu m'importunes avec tes questions* (= ennuyer, agacer).

■ **importun** adj. et n. *Je vous laisse, je ne veux pas être (un)* **importun** (= gêneur).

imposer v. 1. *On m'a* **imposé** *de finir ce travail,* on m'y a obligée (= forcer ; ≠ dispenser). 2. *Les gens* **sont imposés** *d'après leurs revenus,* ils paient des impôts (= taxer). 3. *Son courage* **en impose,** il provoque le respect. 4. *Elle* **s'est imposée** *par son intelligence,* elle s'est fait connaître et respecter.

■ **imposable** adj. sens 2 *Les revenus trop bas ne sont pas* **imposables,** soumis à l'impôt.

■**imposant** adj. SENS 3 *Elle a parlé d'un ton imposant,* qui en impose. *Il y a un rassemblement imposant sur la place* (= impressionnant, important).

■**impôt** n.m. SENS 2 *Quand on achète un produit, on paie un impôt indirect,* une partie du prix est versée à l'État (= taxe).

impossibilité, impossible → *possible.*

imposture n.f. *L'imposture a été découverte* (= mensonge, tromperie). ■**imposteur** n.m. *L'imposteur a été démasqué* (= menteur).

impôt → *imposer.*

impotent adj. *Cette personne est impotente,* elle ne peut plus marcher, remuer ses membres (= infirme, invalide).

impraticable → *pratique.*

imprécation n.f. *Le vaincu lançait des imprécations contre ses ennemis,* des insultes, des malédictions.

imprécis, imprécision → *précis.*

imprégner v. *Il y a une fuite, le tapis est imprégné d'eau* (= tremper, imbiber).

imprenable → *prendre.*

imprésario n.m. *La chanteuse était accompagnée de son imprésario,* de celui qui s'occupe de ses intérêts.

impression n.f. 1. *Son arrivée a produit une grosse impression,* on l'a remarquée (= effet, sensation). 2. *J'ai l'impression que nous sommes en avance,* je le pense (= sentiment). 3. *Il y a dans ce journal beaucoup de fautes d'impression,* faites en imprimant.

■**impressionner** v. SENS 1 *On a voulu nous impressionner par des menaces* (= émouvoir, influencer).

■**impressionnable** adj. SENS 1 *Ce spectacle est trop violent pour un enfant impressionnable* (= émotif, sensible).

■**impressionnant** adj. SENS 1 *C'était un spectacle impressionnant* (= imposant, grandiose).

■**imprimer** v. SENS 3 *On imprime un livre en reportant sur du papier des caractères portés par des formes enduites d'encre. Ce livre est imprimé en Belgique,* fabriqué par l'imprimerie (= publier, éditer).

■**imprimante** n.f. SENS 3 *Les résultats du calcul sortent sur l'imprimante de l'ordinateur,* une machine qui imprime sur papier.

■**imprimé** n.m. SENS 3 *Les livres, les journaux, les revues sont des imprimés.*

■**imprimerie** n.f. SENS 3 *Gutenberg a inventé l'imprimerie. Mme Lauzier travaille dans une imprimerie.*

■**imprimeur** n.m. SENS 3 *M. Dupont est ouvrier imprimeur.*

■**réimprimer** v. SENS 3 *Ce livre est épuisé, mais on va le réimprimer.*

■**réimpression** n.f. SENS 3 *On attend la réimpression de cet ouvrage.*

imprévisible, imprévoyance, imprévoyant, imprévu → *prévoir.*

imprimante, imprimé, imprimer, imprimerie, imprimeur → *impression.*

improbable → *probable.*

improductif → *produire.*

impromptu adj. *Cléa m'a rendu une visite impromptue,* sans me prévenir (= inattendu).

imprononçable → *prononcer.*

impropre, improprement, impropriété → *propre.*

improviser v. *L'orateur a improvisé son discours,* il l'a dit sans l'avoir préparé.
■ **improvisation** n.f. *L'organiste a joué une improvisation,* un morceau improvisé.
■ **improvisateur** n. *C'est une habile improvisatrice,* quelqu'un qui improvise bien.

à l'improviste adv. *Elle est arrivée à l'improviste,* sans avoir prévenu.

imprudemment, imprudence, imprudent → *prudent.*

impudent adj. *Voilà un mensonge impudent !* (= insolent, effronté).
■ **impudence** n.f. *Tu m'as répondu avec impudence* (= cynisme ; ≠ discrétion).
R. Ne pas confondre *impudence* et *imprudence.*

impuissance, impuissant → *puissance.*

impulsion n.f. **1.** *J'ai donné une impulsion à la bille pour la faire rouler,* je l'ai poussée. **2.** *Tu obéis à tes impulsions,* à ce qui te passe par la tête (= instinct, penchant).
■ **impulsif** adj. SENS 2 *Jean est un garçon impulsif* (≠ calme, réfléchi).

impunément, impuni → *punir.*

impur, impureté → *pur.*

imputer v. *On lui a imputé la responsabilité de notre échec* (= attribuer).
■ **imputable** adj. *Cette faute ne m'est pas imputable,* on ne peut pas m'en rendre responsable.

imputrescible → *putréfier.*

in- au début d'un mot peut indiquer la privation, la négation : *informe, inutile.* Ce préfixe peut prendre les formes *il-, im-, ir-* : *illégal, imprudent, irrégulier.*

inabordable → *aborder.*

inacceptable → *accepter.*

inaccessible → *accès.*

inaccoutumé → *coutume.*

inachevé → *achever.*

inactif, inaction, inactivité → *agir.*

inadaptation, inadapté → *adapter.*

inadmissible → *admettre.*

par inadvertance adv. *On s'est trompé de chemin par inadvertance,* parce qu'on ne faisait pas attention (= par mégarde ; ≠ exprès).

inaliénable → *aliéner.*

inaltérable → *altérer.*

inamical → *ami.*

inamovible → *amovible.*

inanimé → *animer.*

inanition n.f. *Les naufragés sont morts d'inanition,* à cause du manque de nourriture.

inaperçu → *apercevoir.*

inapplicable → *appliquer.*

inappréciable → *apprécier.*

inapte, inaptitude → *apte.*

inarticulé → *articuler.*

inattaquable → *attaquer.*

inattendu → *attendre.*

inattentif, inattention → *attention.*

inaudible → *audition.*

inaugurer v. *Le maire a inauguré le nouvel hôpital,* il a présidé la cérémonie d'inauguration.
■ **inauguration** n.f. *L'inauguration d'une nouvelle construction* est une cérémonie qui précède sa mise en service.

■**inaugural** adj. *La présidente a pro-noncé le discours inaugural,* le dis-cours qui marque le début de la séance, de la cérémonie, etc.

inavouable → *avouer.*

incalculable → *calcul.*

incandescent adj. *Il y a des braises incandescentes au fond du fourneau,* chauffées au rouge.
■**incandescence** n.f. *Le soudeur porte le fer à l'incandescence avec son chalumeau.*

incapable, incapacité → *capable.*

incarcérer v. *L'escroc a été incar-céré,* mis en prison.
■**incarcération** n.f. *Le juge a or-donné son incarcération.*

incarnat adj. et n.m. *Un rouge incar-nat est un rouge vif.*

incarnation n.f. *Cet homme est l'in-carnation de la générosité,* c'est la générosité faite homme.

incarné adj. *Un ongle incarné a péné-tré dans la chair sur les côtés du doigt de pied.*

incarner v. *Dans ce film, le rôle princi-pal est incarné par une actrice améri-caine,* il est tenu par cette actrice (= représenter, jouer).

incartade n.f. *Elle a été punie pour une petite incartade* (= faute, bêtise).

incassable → *casser.*

incendie n.m. *Les pompiers ont réussi à éteindre l'incendie,* le feu.
■**incendiaire** adj. et n. *Une bombe incendiaire a détruit la maison. La police a arrêté une incendiaire,* quel-qu'un qui avait mis volontairement le feu.
■**incendier** v. *La forêt a été incen-diée,* détruite par le feu.

incertain, incertitude → *certain.*

incessamment adv. *Ruth va arriver incessamment,* dans très peu de temps, tout de suite.

incessant → *cesser.*

inceste n.m. *L'inceste est interdit par la loi,* le mariage entre très proches parents.

inchangé → *changer.*

incidemment adv. *Je vous rappelle incidemment votre promesse,* en pas-sant (= entre parenthèses).

incidence n.f. *Le mauvais temps a une incidence sur le prix des fruits* (= répercussion, effet).

incident n.m. *Un incident imprévu a provoqué la rupture des négociations* (= fait, événement).
R. Ne pas confondre *incident* et *accident.*

incinérer v. *On a incinéré les ordures* (= brûler).

incise adj. et n.f. *Dans la phrase « Viens, dit-il »,* on appelle « dit-il » une proposition *incise.*

incisif adj. *Tu m'as répondu d'un ton incisif* (= dur, coupant).
■**incisive** n.f. *L'homme possède 8 in-cisives,* des dents coupantes sur le devant.

incision n.f. *Le médecin a fait une inci-sion dans la peau pour extraire un éclat de verre* (= entaille, coupure).
■**inciser** v. *Il a fallu inciser la peau* (= entailler).

inciter v. *Elle m'a incité à accepter cette proposition* (= pousser, encou-rager ; ≠ empêcher, détourner).
■**incitation** n.f. *Ce journal a été condamné pour incitation à la vio-lence.*

incliner v. **1.** *Le vent incline les arbres,* il les fait pencher. *Elle s'est inclinée pour nouer ses lacets* (= se pencher).
→ p. 441

chapiteau

mât

piquets

massue

jongleur

balancier

funambule

CIRQUE

acrobate

gradins

piste

uyère

otarie

clown

trapèze
volant

voltige

trapéziste

échelle
de corde

filet

otte

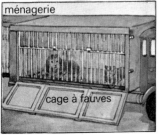

ménagerie

cage à fauves

tigre

dompteuse

434

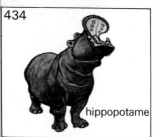

hippopotame

tigre

guépard

panthère
(léopard)

fauves

aquarium

scalaire

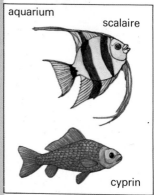

cyprin

rocher des singes

grenouille

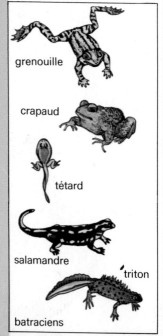

crapaud

têtard

salamandre

triton

batraciens

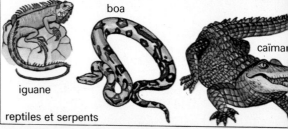

boa

iguane

caïman

reptiles et serpents

lama
(vigogne)

kangourou

orang-outan

ouistiti

singes

oiseaux

courlis

colibri

casoar

manchot

pélican

condor

toucan

cigogne

paon

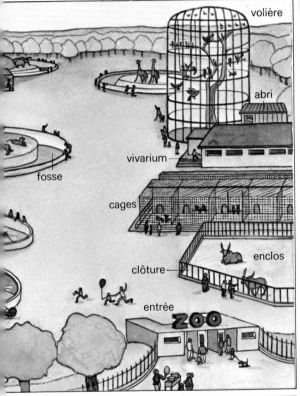

volière

abri

vivarium

fosse

cages

clôture

enclos

entrée

ZOO

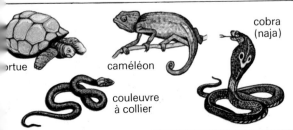

tortue

caméléon

couleuvre
à collier

cobra
(naja)

436

forain

tireur

carabine

stand de tir

jeu de croquet

maillet

arcea

boule

billard

tapis

queue

boules

bande

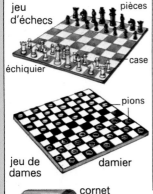

loterie

baraques

chenille

jeu d'échecs

pièces

case

échiquier

pions

jeu de dames

damier

toboggan

autos tamponneuses

cornet

dés

loto

12	39	43	59	75
6		42	55	89
15	34		64	76

cartes à jouer

pique

carreau

trèfle

cœur

jeu électronique

dominos

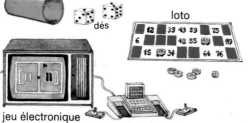

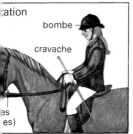

…ation

bombe

cravache

…es
(…es)

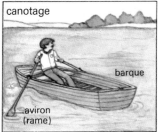

canotage

barque

aviron
(rame)

maillot
de bain

la baignade

grande roue

nacelle

balançoires

manège

la fête foraine

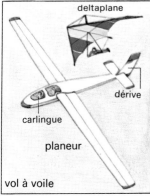

deltaplane

dérive

carlingue

planeur

vol à voile

la peinture

chevalet

tableau

boîte de
couleurs

palette

…ie
…mique)

vases

tour

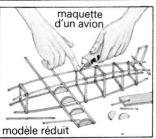

maquette
d'un avion

modèle réduit

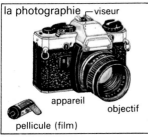

la photographie

viseur

appareil

objectif

pellicule (film)

438

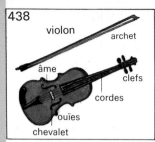

violon
archet
âme
clefs
cordes
ouïes
chevalet

bannière
fanfare
(clique)

tambour
baguet
clai

métronome
diapason

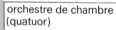

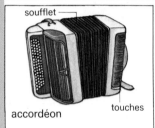

soufflet
accordéon
touches

orchestre de chambre
(quatuor)

timbales
flû
cors et
trompettes
clarinettes
violons
1er violon

notes
clef de fa   clef d'ut   noire   blanche
clef de sol
ronde
queue   dièse   bémol   bécarre
croches   portée

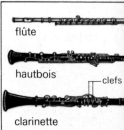

flûte
hautbois   clefs
clarinette

ielle

cornemuse

banjo

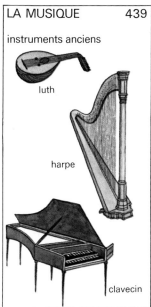

instruments anciens

luth

harpe

clavecin

position d'un orchestre symphonique

tubas

bassons

contrebasses

hautbois

altos

titions

pupitre

violoncelles

f
rchestre

estre de jazz

contrebasse

batterie   trompette

piano
à queue

saxophone

trombone
à coulisse

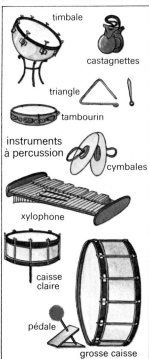

timbale

castagnettes

triangle

tambourin

instruments
à percussion

cymbales

xylophone

caisse
claire

pédale

grosse caisse

440 LE THÉÂTRE ET LE CINÉMA

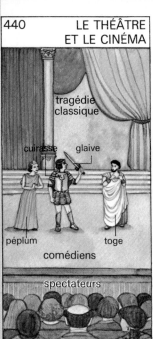

tragédie classique

cuirasse · glaive

péplum · toge

comédiens

spectateurs

théâtre de marionnettes

guignol

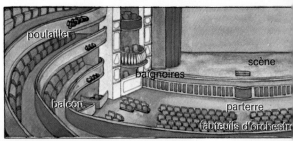

poulailler

scène

baignoires

balcon

parterre

fauteuils d'orchestre

rideau

décor

projecteur

loge

coulisses

machiniste

pompier · rampe

plateau

acteurs

trou du souffleur

fosse d'orchestre

cabine de projection

projecteur

salle de cinéma

écran

faisceau lumineux

bobines de films

2. *J'incline à penser que tu as tort,* j'ai cette tendance.

■ **inclinaison** n.f. SENS 1 *L'inclinaison du toit est très raide* (= pente).

■ **inclination** n.f. SENS 2 *Jean suit ses inclinations* (= penchant, tendance).

inclure v. *Il faut inclure cette somme dans le total de nos dépenses,* l'y mettre (= comprendre ; ≠ exclure).

■ **inclusivement** adv. *Nous serons absents jusqu'à lundi inclusivement* (= compris).

R. → Conj. n° 68.

incognito adv. et n.m. *La présidente voyage incognito,* sans se faire reconnaître (= secrètement). *Elle veut conserver l'incognito* (= anonymat).

incohérence, incohérent → cohérent.

incollable → colle.

incolore → couleur.

incomber v. *Cette dépense lui incombe,* c'est lui qui doit la faire.

incombustible → combustible.

incommensurable adj. *Vous êtes d'un orgueil incommensurable* (= immense, extrême).

incommode, incommoder, incommodité → commode 2.

incomparable → comparer.

incompatible → compatible.

incompétence, incompétent → compétent.

incomplet, incomplètement → complet 1.

incompréhensible, incompréhension → comprendre.

incompressible → comprimer.

incompris → comprendre.

inconcevable → concevoir.

inconciliable → concilier.

inconditionnel, inconditionnellement → condition.

inconduite → conduire.

inconfortable → confort.

incongru adj. *Claude m'a fait une remarque incongrue* (= impoli, déplacé ; ≠ convenable).

■ **incongruité** n.f. *Cesse de dire des incongruités !,* des choses inconvenantes (= grossièreté, incorrection).

inconnu → connaître.

inconsciemment, inconscience, inconscient → conscience.

inconséquence, inconséquent → conséquent.

inconsidéré adj. *Tu as eu tort de te lancer dans des dépenses inconsidérées* (= déraisonnable, excessif).

■ **inconsidérément** adv. *Ne t'engage pas inconsidérément dans cette affaire,* sans réfléchir (= étourdiment).

inconsistant → consistant.

inconsolable → consoler.

inconstance, inconstant → constance.

incontestable → contester.

incontrôlable, incontrôlé → contrôle.

inconvenance, inconvenant → convenir.

inconvénient n.m. *Cette maison a l'inconvénient d'être humide* (= défaut ; ≠ avantage, qualité).

incorporation, incorporer → corps.

incorrect, incorrection, incorrigible → corriger.

incorruptible → corrompre.

incrédule → *croire.*

incriminer v. *Tu l'incrimines sans preuves* (= accuser).

incroyable, incroyablement, incroyant → *croire.*

incruster v. 1. *Ce meuble est incrusté d'ivoire,* il y a des morceaux d'ivoire fixés dans le bois. 2. *Le coquillage s'est incrusté dans le rocher,* il s'y est solidement fixé (= s'enfoncer). 3. Fam. *On l'invite à dîner et elle reste tout le week-end ! c'est quelqu'un qui s'incruste !,* qui s'installe chez les autres avec sans-gêne.
■ **incrustation** n.f. SENS 1 *Ce meuble a des incrustations d'ivoire.*

incubation n.f. *L'incubation des œufs de poule dure 21 jours,* le temps où ils sont couvés, avant qu'ils n'éclosent.

inculpation n.f. *Il a été arrêté sous l'inculpation d'escroquerie* (= accusation).
■ **inculper** v. *Le juge a inculpé les gangsters* (= accuser).
■ **inculpé** n. *L'inculpée a été laissée en liberté provisoire.*

inculquer v. *On lui a inculqué les règles de la politesse,* on les lui a apprises (= enseigner).

inculte → *cultiver.*

incurable → *cure* 2.

incursion n.f. *Des soldats ont franchi la frontière et fait une incursion en territoire adverse,* ils y sont entrés brusquement pour un temps assez court (= raid).

incurver v. *En chauffant une barre de fer, on peut l'incurver,* la rendre courbe (= courber, tordre).

indécence, indécent → *décent.*

indéchiffrable → *chiffre.*

indécis, indécision → *décider.*

indéfectible adj. *Il a toujours été d'une fidélité indéfectible,* constante, à toute épreuve.
■ **indéfectiblement** adv. *Ce chien m'est resté indéfectiblement attaché.*

indéfendable → *défendre.*

indéfini, indéfiniment → *définir.*

indéformable → *forme* 1.

indélébile adj. *Cette encre fait des taches indélébiles,* impossibles à effacer.

indémaillable → *maille.*

indemne adj. *Elle est sortie indemne de l'accident,* sans blessure, saine et sauve.

indemnité n.f. *M. Gomez touche une indemnité de déplacement,* de l'argent pour le rembourser de ses frais.
■ **indemniser** v. *Après l'incendie, l'assurance nous a indemnisés* (= dédommager).
■ **indemnisation** n.f. *L'assurance se charge de l'indemnisation des dégâts.*

indéniable, indéniablement → *nier.*

indépendamment, indépendance, indépendant → *dépendre.*

indéracinable → *racine.*

indescriptible → *décrire.*

indésirable → *désirer.*

indestructible → *détruire.*

indéterminé → *déterminer.*

index n.m. 1. *On tient son stylo entre le pouce et l'index,* un des doigts. 2. *À la fin du livre, il y a un index des noms propres,* une liste de ces noms permettant de les retrouver dans le livre.

indexer v. *Les salaires étaient indexés sur la hausse des prix,* ils variaient dans les mêmes proportions.

indicateur, indicatif, indication → *indiquer.*

indice n.m. **1.** *Tu rougis : c'est un indice de timidité* (= signe, preuve, marque). **2.** *Chaque mois, on publie l'indice de la hausse des prix,* le chiffre moyen.

indicible adj. *Cette nouvelle me cause une joie indicible* (= extraordinaire, inexprimable).

indifférent adj. **1.** *Monica m'est indifférente,* elle ne m'intéresse pas. **2.** *M. Dubois est un homme indifférent,* il ne s'intéresse pas aux autres (= froid).
■ **indifféremment** adv. SENS 1 *Je prendrai indifféremment une pomme ou une poire,* cela m'est égal.
■ **indifférence** n.f. SENS 1 *Elle m'a regardé avec indifférence,* sans s'intéresser à moi (= froideur).

indigence → *indigent.*

indigène n. *En Amérique, les indigènes ce sont les Amérindiens,* les habitants d'origine du continent.

indigent n. *Cette organisation a pour but de secourir les indigents* (= pauvre).
■ **indigence** n.f. *Ces réfugiés vivent dans une extrême indigence* (= misère, dénuement).

indigeste, indigestion → *digérer.*

indigne, indignité → *digne.*

indigner v. *Cette erreur judiciaire nous a indignés,* remplis de colère (= révolter).
■ **indignation** n.f. *Il a répondu avec indignation qu'il n'était pas coupable* (= colère, révolte).

indigo n.m. et adj.inv. *J'ai acheté une chemise indigo,* bleu foncé.

indiqué adj. *Un séjour à la montagne est tout indiqué pour fortifier cet enfant,* il convient tout à fait (= recommandé).
■ **contre-indiqué** adj. *Le sel est contre-indiqué dans certaines maladies* (= interdit).
■ **contre-indication** n.f. *Ce médicament ne comporte aucune contre-indication.*

indiquer v. **1.** *Pouvez-vous m'indiquer le chemin de la gare ?* (= expliquer, montrer). **2.** *La pendule indique 3 heures* (= marquer).
■ **indicateur** adj. et n.m. SENS 1 ET 2 *Le panneau indicateur porte le nom de la prochaine ville. L'indicateur des chemins de fer* est une brochure qui indique les heures des trains.
■ **indicatif** n.m. **1.** SENS 2 *Écoute ! c'est l'indicatif de l'émission sportive,* l'air qui en indique le début. **2.** *« Je suis » est l'indicatif présent du verbe « être »,* un des modes.
■ **indication** n.f. SENS 1 *Tu n'as pas suivi mes indications* (= avis, conseil).

indirect, indirectement → *direct.*

indiscipline, indiscipliné → *discipline.*

indiscret, indiscrètement, indiscrétion → *discret.*

indiscutable → *discuter.*

indispensable → *dispenser.*

indisponibilité, indisponible → *disposer.*

indisposer v. **1.** *Essaie de ne pas indisposer les voisins !,* de ne pas leur déplaire (= gêner, ennuyer). **2.** *Cette odeur de moisi m'indispose,* elle me rend un peu malade (= incommoder).
■ **indisposition** n.f. SENS 2 *Par suite d'une indisposition, elle n'a pu venir travailler,* un petit ennui de santé.

indissociable → *associer.*

indissolubilité, indissoluble → dissoudre.

indistinct → distinguer.

individu n.m. **1.** *Dans ce pays, les individus sont opprimés* (= personne, homme ; ≠ collectivité, groupe). **2.** *Comment s'appelle cet individu ?,* cette personne peu recommandable (= type).

■ **individuel** adj. SENS 1 *Chacun des enfants a une chambre individuelle* (= personnel, particulier ; ≠ commun, collectif).

■ **individuellement** adv. SENS 1 *On nous a reçus individuellement,* l'un après l'autre (= séparément ; ≠ ensemble).

■ **individualiste** n. SENS 1 *Lori est une individualiste,* elle aime être indépendante des autres.

■ **individualisme** n.m. SENS 1 *Par individualisme, j'ai toujours refusé de me syndiquer.*

indivisible → diviser.

indocile → docile.

indolent adj. *Paul est un élève indolent* (= mou, endormi ; ≠ actif, énergique).

■ **indolence** n.f. *Ton indolence m'énerve* (= inertie ; ≠ vivacité).

indolore → douleur.

indomptable → dompter.

indu → devoir.

indubitable, indubitablement → douter.

induire v. *Jean m'a induite en erreur,* il m'a trompée.
R. → Conj. n° 70. Ne pas confondre *induire* et *enduire.*

indulgent adj. *Mme Da Silva est indulgente avec les enfants,* elle leur pardonne facilement (= patient ; ≠ sévère).

■ **indulgence** n.f. *L'accusée a demandé l'indulgence des juges* (= clémence, compréhension ; ≠ rigueur, dureté).

indûment → devoir.

industrie n.f. **1.** *L'industrie transforme les matières premières et fournit les produits fabriqués.* **2.** *Je dirige une petite industrie,* une entreprise qui fabrique des produits.

■ **industriel** adj. et n.m. *Cette région est une région industrielle,* où il y a beaucoup d'usines. *M. Dupuis est un industriel,* il possède une usine.

■ **industriellement** adv. *Cet article est fabriqué industriellement,* par grandes quantités.

■ **industrialiser** v. *Le pays s'est industrialisé,* on a construit des usines.

industrieux adj. se disait pour *actif* ou *adroit.*

inébranlable → ébranler.

inédit → éditer.

ineffable adj. *Une joie ineffable* est une joie si intense qu'on ne peut pas l'exprimer par des mots (= indicible).

ineffaçable → effacer.

inefficace, inefficacité → efficace.

inégal, inégalable, inégalement, inégalité → égal.

inélégant → élégant.

inéligible → élire.

inéluctable adj. *La mort est inéluctable,* on ne peut pas y échapper (= inévitable).

inénarrable adj. *Il m'est arrivé une aventure inénarrable,* d'une bizarrerie extraordinaire.

inepte adj. *On m'a raconté une histoire inepte* (= idiot, stupide).

■ **ineptie** n.f. *Ce livre est une ineptie* (= idiotie). *Arrête de dire des inepties* (= bêtise).
R. *Ineptie* se prononce [inɛpsi].

inépuisable → *épuiser.*

inerte adj. *Le blessé restait allongé par terre, inerte,* sans mouvement (= immobile).
■ **inertie** n.f. *Rien ne peut te faire sortir de cette inertie,* ce manque d'énergie (= indolence).
R. *Inertie* se prononce [inɛrsi].

inespéré → *espérer.*

inesthétique → *esthétique.*

inestimable → *estimer.*

inévitable, inévitablement → *éviter.*

inexact, inexactitude → *exact.*

inexcusable → *excuser.*

inexistant → *exister.*

inexorable adj. *On l'a supplié, mais il est resté inexorable* (= inflexible, impitoyable).
■ **inexorablement** adv. *La sécheresse se poursuit inexorablement* (= implacablement).

inexpérience, inexpérimenté → *expérience.*

inexplicable → *expliquer.*

inexploré → *explorer.*

inexpressif, inexprimable → *exprimer.*

inexpugnable adj. *Cette citadelle était inexpugnable,* il était impossible de la prendre d'assaut.

in extenso adv. *Lire un texte in extenso,* c'est le lire d'un bout à l'autre.

inextinguible adj. *J'ai une soif inextinguible,* impossible à faire cesser (= insatiable).

in extremis adv. *Les pompiers sont arrivés in extremis pour le sauver,* au dernier moment, à la dernière limite.
R. On prononce le *s* final : [inɛkstremis].

inextricable adj. *Cette affaire présente des complications inextricables,* très embrouillées.

infaillible adv. 1. *Voilà un remède infaillible contre la grippe,* qui réussit toujours. 2. *Personne n'est infaillible,* incapable de se tromper.
■ **infailliblement** adv. SENS 1 *Cette politique mène infailliblement à l'échec,* à coup sûr.

infâme adj. *Voilà un crime infâme !* (= horrible, ignoble).
■ **infamant** adj. *Cette condamnation n'a rien d'infamant,* de déshonorant.
■ **infamie** n.f. *Tu serais capable de commettre ces infamies ?* (= crime).

infanterie n.f. *Jean est soldat dans l'infanterie,* les troupes qui combattent à pied, les fantassins.

infanticide, infantile, infantilisme → *enfant.*

infarctus n.m. *Mme Leduc a fait un infarctus, elle doit supprimer le tabac et l'alcool,* une maladie de cœur (= crise cardiaque).

infatigable, infatigablement → *fatiguer.*

infatuer v. *M. Dupont est infatué de lui-même,* il est prétentieux.

infecter v. 1. *Ces ordures infectent le voisinage,* elles sentent très mauvais (= empester). 2. *Sa blessure s'est infectée,* elle s'est remplie de pus.
■ **infect** adj. SENS 1 *Cette viande a un goût infect,* très mauvais (= répugnant).
■ **infectieux** adj. SENS 2 *La grippe est une maladie infectieuse,* due à des microbes.

■ **infection** n.f. SENS 2 *Le manque de propreté peut provoquer une infection,* un développement des maladies.

■ **désinfecter** v. SENS 2 *On a désinfecté les habits du malade,* on a détruit les microbes qui y étaient.

■ **désinfection** n.f. SENS 2 *Le médecin a ordonné la désinfection des habits de la malade.*

R. Ne pas confondre *infecter* et *infester*.

inférieur adj. **1.** *J'habite à l'étage inférieur,* en dessous, plus bas. **2.** *6 est inférieur à 9,* plus petit. **3.** n. et adj. *Elle me traite comme un inférieur* (= subalterne ; ≠ supérieur).

■ **infériorité** n.f. SENS 3 *Paul a un sentiment d'infériorité,* il se croit moins fort que les autres (≠ supériorité).

infernal → *enfer.*

infester v. *La région est infestée de moustiques,* il y en a beaucoup (= envahir).

R. → *infecter.*

infidèle, infidélité → *fidèle.*

s'infiltrer v. *L'eau s'infiltre dans le sol,* elle y pénètre peu à peu.

■ **infiltration** n.f. *Il y a des infiltrations d'eau dans la cave.*

infime adj. *Il y a une infime différence entre ces deux dessins,* très petite (= minime ; ≠ énorme).

infini, infiniment, infinité → *fin* 1.

infinitésimal adj. *Une quantité infinitésimale* est extrêmement petite.

infinitif n.m. *« Aimer », « sortir » sont des verbes à l'infinitif,* un mode qui ne se conjugue pas.

infirme adj. et n. *Depuis son accident, elle est restée infirme* (= invalide, mutilé, estropié).

■ **infirmité** n.f. *Il est aveugle, sourd et manchot. Comment peut-il supporter toutes ces infirmités ?*

infirmer v. *Sa supposition a été infirmée par les résultats de l'expérience,* elle a été contredite, ruinée (≠ confirmer).

infirmier n. *Un infirmier est venu me faire des piqûres,* une personne qui s'occupe des malades.

■ **infirmerie** n.f. *On a transporté la blessée à l'infirmerie de l'école,* l'endroit où l'on soigne les malades, les blessés.

infirmité → *infirme.*

inflammable, inflammation → *flamme.*

inflation n.f. *Les salariés souffrent de l'inflation,* de la hausse des prix.

inflexible → *fléchir.*

inflexion n.f. *Il parlait avec de tendres inflexions dans la voix,* des modifications du ton.

infliger v. *Le tribunal lui a infligé une amende pour excès de vitesse,* il l'a punie d'une amende (= appliquer).

influence n.f. **1.** *La mer exerce une influence sur le climat* (= action, effet). **2.** *Virginia a beaucoup d'influence sur moi,* j'écoute ce qu'elle dit (= autorité, pouvoir).

■ **influencer** v. SENS 2 *Cléa se laisse facilement influencer* (= entraîner).

■ **influençable** adj. SENS 2 *Jean est influençable* (≠ têtu).

■ **influent** adj. SENS 2 *Ce ministre est très influent,* il a beaucoup de pouvoir.

■ **influer** v. SENS 1 *Les pluies influent sur les récoltes,* elles ont une influence.

informaticien → *informatique.*

information n.f. **1.** *De qui tiens-tu cette information ?* (= renseignement, nouvelle). **2.** (au plur.) *As-tu écouté les informations à la radio ?,* les nouvelles de la journée.

■**informer** v. *Les journaux nous ont informés des événements,* ils nous les ont appris (= avertir, renseigner). *T'es-tu informé de sa santé ?,* t'es-tu mis au courant ?

informatique n.f. *L'informatique est la science et la technique des ordinateurs.*
■**informaticien** n. *Une informaticienne est une spécialiste en informatique.*

informe → *forme* 1.

informer → *information.*

infortuné adj. *On plaignait le sort des infortunés prisonniers* (= malheureux).

infraction → *enfreindre.*

infranchissable → *franchir.*

infructueux → *fruit.*

infuser v. *Laisse le thé infuser quelques minutes !,* tremper dans l'eau bouillante.
■**infusion** n.f. *Tous les soirs, il boit une infusion de menthe* (= tisane).

s'ingénier v. *Elle s'est ingéniée à résoudre cette difficulté,* elle a fait tous ses efforts pour cela.

ingénieur n.m. *M. Diallo est ingénieur dans une usine chimique,* il imagine et dirige les travaux.

ingénieux adj. *Mme Durand est ingénieuse* (= intelligent, astucieux).
■**ingénieusement** adv. *Cet appareil est très ingénieusement conçu* (= astucieusement).
■**ingéniosité** n.f. *Ce problème demande de l'ingéniosité,* de la finesse d'esprit.

ingénu adj. *Marie a un air ingénu* (= naïf, simple).
■**ingénuité** n.f. *Marie me pose des questions pleines d'ingénuité* (= naïveté, candeur).

ingérer v. *Ingérer un médicament,* c'est l'avaler.
■**ingestion** n.f. *Quand a eu lieu l'ingestion de cette pilule ?*

s'ingérer v. *Il a voulu s'ingérer dans mes affaires,* s'en mêler sans en avoir le droit.
■**ingérence** n.f. *Je m'oppose à toute ingérence dans mes affaires,* à ce que d'autres s'en mêlent.

ingrat 1. n. et adj. *Quel ingrat ! il a oublié ce que j'ai fait pour lui,* il n'a pas de reconnaissance. 2. adj. *Tu fais un travail ingrat* (= désagréable ; ≠ plaisant).
■**ingratitude** n.f. SENS 1 *Je lui ai reproché son ingratitude.*

ingrédient n.m. *Pour faire cette sauce, il faut de nombreux ingrédients* (= produit).

ingurgiter v. *En une minute, j'ai ingurgité trois gâteaux,* je les ai avalés avidement (=engloutir).

inhabitable, inhabité → *habiter.*

inhabituel → *habitude.*

inhalation n.f. *Quand on a mal à la gorge, on peut faire des inhalations,* aspirer des vapeurs pour se soigner.

inhérent adj. *De nombreux avantages sont inhérents à cette fonction,* y sont liés (= attaché).

inhospitalier → *hospitalier.*

inhumain → *homme.*

inhumer v. *Mme Scott a été inhumée au cimetière de Sudbury* (= enterrer).
■**inhumation** n.f. *L'inhumation a eu lieu hier* (= enterrement).
■**exhumer** v. *Exhumer un cadavre,* c'est le sortir de terre.

inimaginable → *imaginer.*

inimitable → *imiter.*

inimitié n.f. *Je ne comprends pas son inimitié à mon égard* (= hostilité ; ≠ amitié).

ininflammable → *flamme.*

inintelligible → *intelligence.*

inintéressant → *intérêt.*

ininterrompu → *interrompre.*

inique adj. *Ce jugement est inique,* très injuste.

initial 1. adj. *Mary a renoncé à son projet initial,* qu'elle avait au début (= premier ; ≠ final). **2.** n.f. *« J. D. » sont les initiales de Jean Duval,* la première lettre de son prénom et la première lettre de son nom.
■ **initialement** adv. SENS 1 *Initialement, je voulais partir demain,* au début.

initiation → *initier.*

initiative n.f. **1.** *On a pris l'initiative de venir vous voir,* on a décidé nous-mêmes de le faire. **2.** *Jean a l'esprit d'initiative,* il sait prendre ses déci-sions tout seul, entreprendre de nou-velles choses.

initier v. *Yasmina m'a initié aux échecs,* elle m'a appris à y jouer, à aimer ce jeu.
■ **initiation** n.f. *Ce livre est une bonne initiation aux mathématiques,* un dé-but pour les apprendre (= introduc-tion).

injecter v. *Il faudra injecter ce médica-ment à la malade,* lui faire une piqûre.
■ **injection** n.f. *On fait les injections avec une seringue et une aiguille* (= piqûre).

injonction n.f. *Il a refusé de se plier aux injonctions de la directrice* (= ordre).
R. Ne pas confondre *injonction* et *injection.*

injure n.f. *Paul s'est mis en colère et m'a crié des injures* (= insulte ; ≠ compliment).
■ **injurier** v. *Il m'a injurié, en me trai-tant d'imbécile.*
■ **injurieux** adj. *Vous parlez en termes injurieux* (= offensant, outrageant ; ≠ respectueux).

injuste, injustement, injustice → *juste.*

injustifié → *justifier.*

inlassable, inlassablement → *las.*

inné adj. *Dominique a un goût inné pour la musique,* un goût spontané, naturel (≠ acquis).

innocent adj. et n. **1.** *L'accusé répétait qu'il était innocent,* qu'il n'avait rien fait de mal (≠ coupable). **2.** *Tu as pris un air innocent pour me répondre,* un peu bête (= naïf ; ≠ malin).
■ **innocemment** adv. SENS 2 *Elle est tombée innocemment dans le piège* (= naïvement, sottement).
■ **innocence** n.f. SENS 1 *Son inno-cence a été finalement reconnue* (≠ culpabilité).
■ **innocenter** v. SENS 1 *Le tribunal l'a innocentée,* l'a déclarée innocente (= disculper ; ≠ condamner).

innombrable → *nombre.*

innommable adj. *Après la bagarre, ses vêtements étaient dans un état innommable* (= répugnant, repous-sant).

innover v. *Ce fabricant a innové en lançant un modèle original,* il a créé un changement.
■ **innovation** n.f. *La direction a intro-duit des innovations dans le travail* (= changement, nouveauté).

inoccupé → *occuper.*

inoculer v. *La morsure du chien lui avait inoculé la rage,* elle l'avait intro-duite dans son corps.

inodore → *odeur.*

inoffensif → *offensif.*

inonder v. *Le fleuve en crue* ***a inondé*** *les champs,* il les a recouverts d'eau.
■ **inondation** n.f. *L'inondation a été causée par de fortes pluies.*

inopérant → *opérer.*

inopiné adj. *Son arrivée a été* ***inopinée*** (= imprévu, inattendu).
■ **inopinément** adv. *J'arrivais* ***inopinément*** *dans la pièce,* à l'improviste.

inopportun → *opportun.*

inoubliable → *oublier.*

inouï adj. *Je viens d'apprendre une chose* ***inouïe*** (= extraordinaire, incroyable).

inoxydable → *oxyde.*

inqualifiable → *qualifier.*

inquiet adj. *Je suis* ***inquiète*** *de ne pas recevoir de ses nouvelles,* je me fais du souci (= soucieux, anxieux ; ≠ tranquille).
■ **inquiétant** adj. *La situation est* ***inquiétante*** (= alarmant, menaçant ; ≠ rassurant).
■ **inquiéter** v. *Ta santé m'***inquiète***. Ne t'***inquiète*** pas, je ne cours aucun danger* (= se tracasser ; ≠ se calmer).
■ **inquiétude** n.f. *Pars sans* ***inquiétude***, *je m'occupe de tout* (= souci).

inquisition n.f. *Que de questions ! C'est une véritable* ***inquisition*** *!* une enquête approfondie et indiscrète.
■ **inquisiteur** adj. *Le policier jeta un regard* ***inquisiteur*** *sur le prévenu.*

insaisissable → *saisir.*

insalubre, insalubrité → *salubre.*

insanité n.f. *Comment voudrais-tu qu'on te croie, tu ne dis que des* ***insanités*** (= bêtise).

insatiable → *satiété.*

inscrire v. **1.** *Qu'est-ce qui* ***est inscrit*** *sur ce panneau ? — « Entrée interdite »* (= marquer, écrire). **2.** *Luce* ***s'est inscrite*** *à l'association sportive,* elle a fait mettre son nom sur les registres, elle en fait partie.
■ **inscription** n.f. SENS 1 *Les murs sont recouverts d'***inscriptions***,* de mots écrits. SENS 2 *L'***inscription*** *dans ce club coûte cher.*
R. → Conj. n° 71.

insecte n.m. *Les mouches, les abeilles, les fourmis sont des* ***insectes***. | 363
■ **insecticide** adj. et n.m. *On a mis de l'***insecticide*** *sur les cultures,* un produit pour tuer les insectes. | 362
■ **insectivore** adj. et n.m. *Les moineaux, les hirondelles sont (des)* ***insectivores***, *ils mangent des insectes pour se nourrir.*

insécurité → *sûr.*

insensé → *sens.*

insensibiliser, insensibilité, insensible, insensiblement → *sensible.*

inséparable → *séparer.*

insérer v. *Pour voter, on* ***insère*** *un bulletin dans une enveloppe* (= glisser, introduire).
■ **réinsérer** v. *Ces handicapés ont pu se* ***réinsérer*** *dans la vie professionnelle,* y revenir.
■ **réinsertion** n.f. *La* ***réinsertion*** *des handicapés pose des problèmes.*

insidieux adj. *Son adversaire lui a posé des questions* ***insidieuses*** (= trompeur, sournois).

insigne n.m. *Les soldats portent des* ***insignes*** *sur leur uniforme,* des signes distinctifs. | 763, 767

insignifiant adj. *Tu m'as chicané sur un détail* ***insignifiant***, *très peu important* (≠ considérable).

insinuer v. *On a insinué que c'était moi la coupable,* on l'a dit d'une manière sournoise (= suggérer). **2.** *Judy essaie de s'insinuer dans ce groupe,* de s'y introduire habilement.
■ **insinuation** n.f. SENS 1 *Pas d'insinuations, parle franchement !,* pas d'accusations détournées.

insipide adj. **1.** *Ce thé est insipide,* sans goût (= fade). **2.** *À la télé, il y avait un film insipide* (= ennuyeux).

insister v. *Jean a insisté pour que je vienne,* il l'a demandé plusieurs fois.
■ **insistance** n.f. *Elle a réclamé avec insistance d'aller au cinéma* (= obstination).

insolation n.f. *Si tu restes au soleil, tu vas avoir une insolation,* un grave coup de soleil.

insolent adj. et n. *Paul est (un) insolent* (= impoli, grossier, effronté).
■ **insolemment** adv. *Rien ne vous autorise à me répondre aussi insolemment.*
■ **insolence** n.f. *On l'a puni pour son insolence* (= impertinence).

insolite adj. *Cette voiture a un aspect insolite* (= bizarre, étrange, inusité ; ≠ normal).

insoluble → *solution.*

insolvable → *solvable.*

insomnie → *sommeil.*

insondable → *sonder.*

insonore, insonoriser → *son* 2.

insouciance, insouciant → *souci* 2.

insoumis, insoumission → *soumettre.*

insoupçonné → *soupçon.*

insoutenable → *soutenir.*

inspecter v. *L'architecte inspecte les travaux,* elle contrôle si tout va bien (= surveiller).

■ **inspecteur** n. *Un inspecteur est venu vérifier les aliments.*
■ **inspection** n.f. *Les douaniers ont fait une tournée d'inspection* (= examen).

inspirer v. **1.** *Tu m'inspires confiance,* j'ai confiance en toi (= donner). **2.** *Ce poète est inspiré par la campagne,* la campagne fait naître en lui des idées et des sentiments. **3.** *Ce film s'est inspiré d'un roman,* il en a repris le sujet en l'adaptant. **4.** *Inspirez lentement !,* faites entrer de l'air dans vos poumons (≠ expirer).
■ **inspiration** n.f. SENS 2 *Marie a eu soudain une inspiration* (= idée). SENS 4 *L'inspiration et l'expiration se succèdent et constituent la respiration.*

instabilité, instable → *stable.*

installer v. **1.** *On a fait installer le téléphone,* mettre en place (= poser). **2.** *Les Sampiero se sont installés à Ottawa,* ils y habitent (= s'établir). **3.** *Jean s'est installé dans un fauteuil,* il s'y est assis confortablement.
■ **installateur** n.m. SENS 1 *Si l'appareil fonctionne mal, adressez-vous à l'installateur.*
■ **installation** n.f. SENS 1 *L'installation de la maison est terminée* (= aménagement). SENS 2 *Leur installation à Toronto date du mois dernier* (= établissement).

1. instant adj. *Malgré mes demandes instantes, elle a refusé de me recevoir* (= pressant, insistant).
■ **instamment** adv. *Elle m'a prié instamment de venir* (= vivement).
■ **instances** n.f.pl. *Devant ses instances répétées, j'ai accepté* (= prières, sollicitations).

2. instant n.m. **1.** *Attendez un instant !,* un petit moment (= minute, seconde). **2.** *Il était là à l'instant,* il y a très peu de temps. **3.** *Dès l'instant que tu es d'accord, tout va bien* (= du moment que, puisque).

■ **instantané** adj. SENS 1 *La mort a été instantanée* (= immédiat, brusque, soudain).

■ **instantanément** adv. SENS 1 *J'ai répondu instantanément* (= tout de suite, aussitôt).

instaurer v. *La révolution chinoise a instauré un nouveau régime* (= établir, instituer).

instigation n.f. *Elle a agi à l'instigation de son frère,* poussée par lui.

■ **instigateur** n. *Marie est l'instigatrice de cette surprise,* c'est elle qui a poussé à la faire.

instinct n.m. **1.** *Les animaux sont guidés par leur instinct,* une force intérieure qui les fait agir. **2.** *D'instinct, je me suis méfiée,* sans réfléchir, spontanément.

■ **instinctif** adj. *Tu as fait un geste instinctif de défense* (= involontaire, machinal ; ≠ réfléchi).

■ **instinctivement** adv. *Je me suis jeté de côté instinctivement.*
R. *Instinct* se prononce [ɛ̃stɛ̃].

instituer v. *Cette loi a institué de nouveaux règlements* (= établir, créer).

institut n.m. *De nombreux savants travaillent dans cet institut,* cet établissement scientifique.

instituteur n. *Marie a une nouvelle institutrice,* une maîtresse d'école, une enseignante au cours primaire.

institution n.f. **1.** (au plur.) *Un référendum a modifié les institutions,* les lois fondamentales (= régime). **2.** *Il est professeur dans une institution religieuse,* un établissement d'enseignement.

instruire v. **1.** *On va à l'école pour s'instruire,* acquérir des connaissances (= apprendre, étudier). **2.** *On*

m'a instruite des difficultés de ce travail, on m'a mise au courant (= renseigner). **3.** *Le juge instruit le procès,* il rassemble toutes les informations à connaître.

■ **instructeur** adj. et n.m. SENS 1 *Un officier instructeur* est chargé d'instruire les jeunes soldats.

■ **instructif** adj. SENS 1 *Ce livre est instructif* (= éducatif).

■ **instruction** n.f. SENS 1 *Mme Lebel a de l'instruction,* elle a des connaissances étendues. SENS 2 (au plur.) *Il m'a donné des instructions précises,* il m'a dit ce qu'il fallait faire (= ordres, directives, consignes). SENS 3 *Le juge d'instruction a interrogé les témoins,* celui qui dirige l'enquête.
R. → Conj. n° 70.

instrument n.m. **1.** *Le râteau, la bêche sont des instruments de jardinage,* des objets servant à jardiner (= outil, ustensile). **2.** *Le violon, la guitare sont des instruments à cordes ; la trompette, la flûte sont des instruments à vent.*

■ **instrumental** adj. SENS 2 *J'ai assisté à un concert de musique instrumentale,* faite avec des instruments (≠ vocal).

■ **instrumentiste** n. SENS 2 *Une instrumentiste* est quelqu'un qui joue d'un instrument de musique.

à l'insu de prép. *Elle est sortie à l'insu de son père,* sans que celui-ci le sache.

insubmersible → submerger.

insubordination → subordonner.

insuccès → succès.

insuffisamment, insuffisance, insuffisant → suffire.

insuffler v. *Ces encouragements nous ont insufflé une ardeur nouvelle,* il nous l'ont donnée.

insulaire → île.

39

439

insulter v. *Kareen s'est énervée et elle m'a insulté* (= injurier).

■ **insultant** adj. *Tu as prononcé des paroles insultantes à notre égard* (= injurieux).

■ **insulte** n.f. *« Imbécile », « crétin », « idiot » sont des insultes* (= injure).

insupportable → *supporter*.

s'insurger v. *Le peuple s'est insurgé contre cette loi* (= se révolter, se soulever).

■ **insurrection** n.f. *Une insurrection a éclaté dans ce pays* (= révolte).

insurmontable → *surmonter*.

intact adj. *Malgré la tempête, le bateau est intact*, en bon état (≠ abîmé, endommagé).

intangible adj. *Est-ce que le règlement est intangible ?*, est-ce qu'on ne peut rien y changer ? (= sacré).

intarissable → *tarir*.

intégral adj. *L'assurance a effectué le remboursement intégral de l'accident* (= complet, total ; ≠ partiel).

■ **intégralement** adv. *Cette personne a été remboursée intégralement*, en totalité.

intégrant → *intégrer*.

intègre adj. *Voici une personne intègre* (= honnête ; ≠ corrompu, vénal).

■ **intégrité** n.f. *Son intégrité lui vaut le respect général* (= honnêteté).

intégrer v. **1.** *L'écrivain a intégré un nouveau chapitre dans son livre*, il l'y a mis (= ajouter, incorporer). **2.** *Lori s'est mal intégrée dans sa nouvelle école*, elle s'y sent mal à l'aise.

■ **intégrant** adj. *L'étang fait partie intégrante de la propriété*, il y est totalement compris.

intégrité → *intègre*.

intelligence n.f. **1.** *En agissant ainsi, tu as fait preuve d'intelligence* (= réflexion, clairvoyance ; ≠ bêtise, stupidité). **2.** *La famille Truong vit en bonne intelligence avec ses voisins* (= entente, accord).

■ **intellectuel** adj. et n. SENS 1 *Ce travail demande un effort intellectuel*, de l'intelligence (= cérébral ; ≠ manuel). *Les savants, les professeurs sont des intellectuels*, ils ne travaillent pas de leurs mains.

■ **intellectuellement** adv. SENS 1 *Cette candidate est intellectuellement supérieure aux autres*, par son intelligence.

■ **intelligent** adj. SENS 1 *Jean est un enfant très intelligent*, il comprend vite (= éveillé, astucieux ; ≠ bête, sot).

■ **intelligemment** adv. SENS 1 *Marie a répondu intelligemment* (≠ bêtement).

■ **intelligible** adj. SENS 1 *Ce que tu racontes n'est pas intelligible* (= compréhensible, clair).

■ **intelligiblement** adv. SENS 1 *Parle plus intelligiblement !*

■ **inintelligible** adj. SENS 1 *Ce texte est inintelligible*, on ne peut pas le comprendre.

intempérance, intempérant → *tempérance*.

intempéries n.f. pl. *Le match a été reporté en raison des intempéries*, du mauvais temps.

intempestif adj. *La séance a été troublée par une manifestation intempestive*, mal à propos (= déplacé, inconvenant).

intenable → *tenir*.

intendant n. *L'intendant administrait jadis une colonie du royaume*.

■ **intendance** n.f. *À l'armée, l'intendance est le service du ravitaillement des troupes*.

intense adj. *J'écoute cette musique avec un plaisir intense,* très grand (= vif ; ≠ faible).

■ **intensément** adv. *Tous les regards fixaient intensément la pendule.*

■ **intensif** adj. *Cet examen demande une préparation intensive,* il faut faire des efforts intenses.

■ **intensifier** v. *Il faut intensifier tes efforts* (= augmenter).

■ **intensification** n.f. *On signale une intensification des combats.*

■ **intensité** n.f. *L'intensité de ce bruit est difficile à supporter* (= force).

intenter v. *Mme Smith a intenté un procès à son voisin,* elle l'a poursuivi en justice.

intention n.f. *J'ai l'intention de partir demain,* je veux le faire (= projet, dessein).

■ **intentionné** adj. *Paul est bien (mal) intentionné à mon égard,* ses intentions sont bonnes (mauvaises) [= bienveillant ; ≠ malveillant].

■ **intentionnel** adj. *Si je t'ai fait mal, ce n'était pas intentionnel* (= voulu).

■ **intentionnellement** adv. *J'ai laissé la porte ouverte intentionnellement,* exprès.

R. *Mal intentionné* peut aussi s'écrire en un seul mot : *malintentionné.*

inter-, placé au début d'un mot, indique une relation ou une situation entre plusieurs choses : *intercontinental, interligne.*

intercaler v. *Une voiture est venue s'intercaler entre nous et la voiture de devant,* se mettre dans la place vide.

intercéder v. *J'ai intercédé en ta faveur,* je suis intervenue pour te soutenir.

intercepter v. *L'adversaire a réussi à intercepter la balle,* à la prendre au passage.

■ **interception** n.f. *Une escadrille de chasse a été chargée d'une mission d'interception,* chargée de couper la route à des avions adverses.

interchangeable → *changer.*

interclasse → *classe.*

interdépendance, interdépendant → *dépendre.*

interdire v. *Il est interdit de marcher sur les pelouses* (= défendre ; ≠ permettre, autoriser).

■ **interdiction** n.f. *Elle est sortie malgré mon interdiction* (= défense ; ≠ permission).

R. → Conj. n° 72.

interdit adj. *Cette réponse inattendue l'a laissé interdite,* très étonnée (= ébahi).

intérêt n.m. **1.** *Ce livre a beaucoup d'intérêt,* il n'est pas ennuyeux, il ne laisse pas indifférent. **2.** *Un détail a éveillé mon intérêt* (= attention, curiosité ; ≠ indifférence). **3.** *J'ai agi dans ton intérêt* (= avantage). **4.** *Quand on emprunte de l'argent, on paie des intérêts,* une certaine somme proportionnelle à la somme empruntée.

■ **intéressant** adj. SENS 1 ET 2 *Quand un cours est intéressant, tout le monde écoute* (= passionnant, captivant ; ≠ ennuyeux). SENS 3 *Cette voiture est en très bon état, on a fait une affaire intéressante* (= avantageux).

■ **intéressé** adj. SENS 3 *M. Dupont est un homme intéressé,* il agit dans son seul intérêt (≠ généreux).

■ **intéresser** v. **1.** SENS 1 ET 2 *Lori s'intéresse à la musique. La danse l'intéresse aussi* (= passionner ; ≠ ennuyer). **2.** *Cette loi intéresse les paysans,* elle a de l'importance pour eux (= concerner).

■ **désintéressé** adj. SENS 3 *Mme Scott est une personne désintéressée,* elle

507

ne recherche pas des avantages pour elle-même (= généreux ; ≠ avare).
■ **désintéressement** n.m. SENS 3 *Dominique a agi avec désintéressement* (= générosité).
■ **se désintéresser** v. SENS 1 ET 2 *Je me désintéresse de ce travail,* il n'a plus d'intérêt pour moi (= se moquer, négliger).
■ **inintéressant** adj. SENS 1 *Ce travail monotone est inintéressant,* sans intérêt.

intérieur adj. **1.** *Je mets mon argent dans la poche intérieure de ma veste,* celle qui est dedans. **2.** *Nous avons parlé de la politique intérieure,* de ce qui se passe dans le pays (≠ extérieur).
■ **intérieur** n.m. SENS 1 *Regarde à l'intérieur du tiroir,* dans le tiroir. SENS 2 *Le ministre de l'Intérieur est chargé de l'administration du pays.*
■ **intérieurement** adv. SENS 1 *Intérieurement, la maison est en mauvais état.*
■ **extérieur** adj. SENS 1 *On va au premier étage par un escalier extérieur,* qui passe dehors. SENS 2 *Le ministre des Affaires étrangères dirige la politique extérieure du pays.*
■ **extérieur** n.m. SENS 1 *Ne reste pas à l'extérieur, entre !,* dehors.
■ **extérieurement** adv. SENS 1 *Extérieurement, Judy est très gaie,* en apparence.

intérim n.m. *J'exerce cette fonction par intérim,* je remplace quelqu'un.
■ **intérimaire** adj. *J'ai des fonctions intérimaires* (= provisoire).

interjection n.f. *« Ah ! », « oh ! », « hélas » sont des interjections.*

interligne → *ligne.*

interlocuteur n. *N'interromps pas sans arrêt ton interlocutrice !,* la personne avec laquelle tu parles.

interloquer v. *Cette réplique brutale nous a interloqués,* elle nous a beaucoup surpris.

interlude n.m. *Un interlude est une courte séquence pour faire patienter le spectateur entre deux émissions de télévision.*

intermède n.m. *La séance a été coupée par un intermède comique,* un moment de détente.

intermédiaire n. **1.** *J'ai servi d'intermédiaire pour les réconcilier,* de lien entre eux. **2.** *J'ai eu ce livre par l'intermédiaire de quelqu'un,* grâce à quelqu'un.
■ **intermédiaire** adj. SENS 1 *L'orangé est une couleur intermédiaire entre le jaune et le rouge,* entre les deux.

interminable → *terminer.*

intermittent adj. *Qu'est-ce que c'est que ce bruit intermittent ?,* qui s'arrête et recommence (≠ continu).
■ **intermittence** n.f. *Ce signal s'allume par intermittence,* irrégulièrement.

international → *nation.*

interne 1. adj. *Le cœur est un organe interne,* situé à l'intérieur du corps (≠ externe). **2.** adj. et n. *Les (élèves) internes mangent et couchent dans le collège* (= pensionnaire ; ≠ externe). **3.** n. *Ingrid est interne en médecine,* elle est médecin dans un hôpital.
■ **internat** n.m. SENS 2 *Mary est élève dans un internat* (= pensionnat). SENS 3 *L'internat est un concours pour devenir médecin dans les hôpitaux.*

interner v. *L'assassin a été interné à la prison de Kingston* (= enfermer).
■ **internement** n.m. *Sa crise de démence a nécessité un internement.*

interpeller v. *Lori m'a rencontré dans la rue et elle m'a interpellé,* appelé brusquement (= apostropher).

interphone n.m. *Le directeur appuie sur l'interphone pour parler à sa secrétaire,* une sorte de téléphone.
R. C'est un nom de marque.

interplanétaire → *planète.*

s'interposer v. 1. *Mme Bellini s'est interposée dans la dispute,* elle est intervenue pour y mettre fin. 2. *Ils ont réglé cette affaire par personne interposée,* par l'intermédiaire de quelqu'un.

interpréter v. 1. *Je ne sais comment interpréter ses paroles,* comment il faut les comprendre (= expliquer). 2. *L'orchestre a interprété une symphonie* (= jouer).
■ **interprétation** n.f. SENS 1 *Chacun avait son interprétation de l'accident* (= explication). SENS 2 *Cet acteur a eu le prix de la meilleure interprétation,* il a le mieux joué.
■ **interprète** n. 1. SENS 2 *Les interprètes de la pièce ont été applaudis* (= acteur). 2. *Mme Gomez ne sait pas le français, elle a besoin d'un interprète,* de quelqu'un qui traduit pour elle le français et l'anglais.

interroger v. *Mme Chang m'a interrogé sur ce que je voulais faire,* elle m'a posé des questions.
■ **interrogateur** adj. *Elle m'a regardé d'un air interrogateur,* comme si elle voulait m'interroger.
■ **interrogatif** adj. *« Est-ce que tu viens ? » est une phrase interrogative,* qui contient une question.
■ **interrogation** n.f. *Une phrase interrogative finit par un point d'interrogation.*
■ **interrogatoire** n.m. *La police lui a fait subir un interrogatoire,* elle lui a posé de nombreuses questions.

interrompre v. 1. *J'ai interrompu mon voyage* (= arrêter ; ≠ continuer). 2. *Jean a interrompu le professeur,* il lui a coupé la parole.

■ **interrupteur** n.m. SENS 1 *Un interrupteur sert à couper le courant électrique.* 290
■ **interruption** n.f. *Tu as parlé sans interruption pendant une heure* (= arrêt, coupure).
■ **ininterrompu** adj. SENS 1 *Quel est ce bruit ininterrompu ?* (= continuel).
R. → Conj. n° 53.

intersection n.f. *La boulangerie se trouve à l'intersection des deux rues,* là où elles se croisent (= croisement). 507

interstice n.m. *La pluie pénètre par des interstices du toit,* des petites fentes.

intervalle n.m. 1. *Laisse plus d'intervalle entre tes mots* (= espace, place, distance). 2. *Il y a un intervalle d'une heure entre l'arrivée et le départ du train* (= durée).

intervenir v. *Aïcha est intervenue pour me défendre,* elle est entrée en action, elle s'en est occupée.
■ **intervention** n.f. *Je te remercie de ton intervention* (= action).
R. *Intervenir* se conjugue avec *être.* → Conj. n° 22.

intervertir v. *Tu as interverti deux mots dans ta phrase,* tu as mis l'un à la place de l'autre.

interview n.f. *Le ministre a accordé une interview à une journaliste* (= entrevue, entretien).
■ **interviewer** v. *Le journaliste a interviewé le ministre,* il lui a posé des questions.
R. On prononce [ɛ̃tɛrvju, ɛ̃tɛrvjuve].

intestin n.m. *La digestion des aliments se termine dans l'intestin,* dans un organe en forme de tube contenu dans le ventre (= boyau). 40
■ **intestinal** adj. *J'ai des douleurs intestinales.*

intime adj. **1.** *Ma vie intime ne te regarde pas* (= personnel, privé). **2.** *Maïté est mon amie intime,* très chère, très proche. **3.** *J'ai le sentiment intime que tu te trompes,* un sentiment qui est au plus profond de moi.

■ **intimement** adv. SENS 2 *Nous nous connaissons intimement,* très bien. SENS 3 *J'en suis intimement convaincue* (= profondément).

■ **intimité** n.f. SENS 2 *Je vis en grande intimité avec Pierre,* nous sommes très amis.

intimer v. *On m'a intimé l'ordre de sortir* (= ordonner).

intimider → timide.

intimité → intime.

intituler → titre.

intolérable, intolérance, intolérant → tolérer.

intonation n.f. *À ton intonation, j'ai senti que tu étais en colère,* au ton de ta voix.

intoxication, intoxiquer → toxique.

intra-, au début d'un mot, indique l'intérieur : *intramusculaire, intraveineux.*

intraduisible → traduire.

intraitable → traiter.

intramusculaire → muscle.

intransigeance, intransigeant → transiger.

intransitif → transitif.

intraveineux → veine.

intrépide adj. *Tu es une personne intrépide,* tu n'as pas peur du danger (= courageux, brave ; ≠ peureux).

■ **intrépidité** n.f. *J'admire ton intrépidité* (= hardiesse ; ≠ lâcheté).

intrigue n.f. **1.** *L'intrigue de ce film est compliquée,* le déroulement des évé-nements (= action). **2.** *Ce député a mené des intrigues pour devenir ministre,* des manœuvres secrètes (= machination, combine).

■ **intriguer** v. **1.** SENS 2 *Elle a intrigué pour se faire nommer à ce poste* (= manœuvrer). **2.** *Ce que tu fais m'intrigue* (= surprendre, étonner).

■ **intrigant** n. SENS 2 *Ce député est un intrigant* (= arriviste).

introduire v. **1.** *Un écureuil s'est introduit dans la maison,* il y est entré (= pénétrer). **2.** *Pour ouvrir la porte, on introduit la clé dans la serrure,* on l'y fait entrer (= enfoncer).

■ **introduction** n.f. **1.** SENS 1 *J'ai apporté une lettre d'introduction,* pour me faire admettre. **2.** *L'introduction de ton devoir est trop longue* (= début ; ≠ conclusion).

R. → Conj. n° 70.

introuvable → trouver.

intrus n. *Tout le monde l'a regardée comme une intruse,* quelqu'un qui est là sans en avoir le droit (= indésirable).

■ **intrusion** n.f. *Pardonnez mon intrusion dans votre petit groupe,* mon arrivée intempestive.

intuition n.f. *J'ai l'intuition que tu réussiras,* je le pense sans pouvoir le prouver (= pressentiment).

■ **intuitif** adj. *Tu as tout deviné, tu es très intuitif,* tu as de l'intuition.

■ **intuitivement** adv. *Je me méfie intuitivement de cette proposition* (= instinctivement).

inuit n.pl. *Les Inuit sont les habitants des terres arctiques.* On les appelait autrefois des Esquimaux.

R. Le singulier est *Inuk.*

inusable → user 1.

inusité → user 2.

inutile, inutilement, inutilisable, inutilisé, inutilité → utile.

invaincu → *vaincre.*

invalide, invalider, invalidité → *valide.*

invariable, invariablement → *varier.*

invasion → *envahir.*

invectives n.f.pl. *Les deux adversaires se lançaient des invectives* (= injures).
■ **invectiver** v. *L'ivrogne invectivait les passants* (= injurier).

invendable → *vendre.*

inventaire n.m. *La commerçante a fait l'inventaire de ce qui lui restait,* la liste précise.
■ **inventorier** v. *On a inventorié tous les moyens de résoudre le problème,* on les a passés en revue.

inventer v. **1.** *Gutenberg a inventé l'imprimerie* (= trouver, découvrir, créer). **2.** *Tu as inventé cette histoire pour me rassurer* (= imaginer).
■ **inventeur** n.m. SENS 1 *Gutenberg est l'inventeur de l'imprimerie.*
■ **inventif** adj. SENS 1 ET 2 *Tu as un esprit inventif* (= ingénieux).
■ **invention** n.f. SENS 1 *L'électricité est une belle invention* (= découverte).

inventorier → *inventaire.*

inverse adj. et n.m. *On est reparti en sens inverse* (= opposé, contraire). *Tu te trompes, il faut faire l'inverse.*
■ **inverser** v. *Inversons nos rôles : tu feras mon travail et je ferai le tien* (= changer, échanger, intervertir).
■ **inversion** n.f. *Dans « viendra-t-il ? »,* il y a une *inversion du sujet,* le sujet, qui est d'habitude avant le verbe, est après.

invertébré → *vertèbre.*

investigation n.f. *Les investigations de la police ont été sans résultat,* les recherches minutieuses.

investir v. **1.** *J'ai investi de l'argent dans cette entreprise,* je l'ai placé pour qu'il rapporte. **2.** *L'ennemi a investi la ville,* il en fait le siège (= assiéger). **3.** *La nouvelle présidente a été investie de ses fonctions,* elle en a été officiellement chargée.
■ **investissement** n.m. SENS 1 *Son banquier lui a conseillé un bon investissement,* un bon placement d'argent.
■ **investiture** n.f. SENS 3 *Le gouvernement a obtenu l'investiture de l'Assemblée* (= confiance, approbation).

invétéré adj. *Plusieurs maladies guettent les fumeurs invétérés,* les fumeurs chez qui cette habitude est enracinée (= endurci).

invincible, invinciblement → *vaincre.*

invisible → *voir.*

inviter v. *Jean a invité ses amis pour son anniversaire,* il les a priés de venir chez lui.
■ **invitation** n.f. *As-tu reçu une invitation à son mariage ?*
■ **invité** n. *Mme Durand reçoit des invités.*

invivable → *vie.*

invocation → *invoquer.*

involontaire, involontairement → *vouloir.*

invoquer v. **1.** *Invoquer une divinité,* c'est l'appeler à son aide. **2.** *Il a invoqué sa fatigue pour ne pas venir,* il a donné cela comme explication (= alléguer).
■ **invocation** n.f. SENS 1 *Cette prière est une invocation à la Vierge.*

invraisemblable, invraisemblance → *vrai.*

invulnérable → *vulnérable.*

807

iode n.m. *On met de la **teinture d'iode** sur les blessures pour les désinfecter,* un produit antiseptique.

ipso facto adv. *Si tu ne te présentes pas devant le tribunal, tu seras condamnée **ipso facto**,* de ce fait même (= automatiquement).

irascible adj. *Tu es une personne **irascible**,* tu te mets facilement en colère (= irritable).

80

33

iris n.m. **1.** *Marie a acheté un bouquet d'**iris**,* de fleurs le plus souvent mauves. **2.** *La pupille de l'œil est située au centre de l'**iris**,* du rond coloré au milieu de l'œil.
R. On prononce le *s* final : [iris].

irisé adj. *Ce verre a des reflets **irisés**,* qui ont toutes les couleurs de l'arc-en-ciel.

ironie n.f. *Il y avait de l'**ironie** dans ses paroles* (= moquerie, raillerie).
■ **ironique** adj. *Tu m'as regardé d'un air **ironique*** (= narquois, moqueur ; ≠ sérieux).
■ **ironiquement** adv. *Elle m'a demandé **ironiquement** où j'allais.*
■ **ironiser** v. *L'orateur **a ironisé** sur l'attitude de son adversaire,* il s'en est moqué, il a fait des plaisanteries à ce sujet.

irraisonné, irrationnel → raison.

irréalisable → réaliser.

irrécupérable → récupérer.

irrécusable → récuser.

irréductible → réduire.

irréel → réel.

irréfléchi → réfléchir.

irréfutable → réfuter.

irrégularité, irrégulier, irrégulièrement → régulier.

irréligieux → religion.

irrémédiable, irrémédiablement → remède.

irremplaçable → remplacer.

irréparable → réparer.

irréprochable → reproche.

irrésistible, irrésistiblement → résister.

irrésolu, irrésolution → résoudre.

irrespirable → respirer.

irresponsable → responsable.

irréversible → réversible.

irrévocable → révoquer.

irriguer v. *Ces jardins **sont irrigués**,* ils sont arrosés par un système de canaux, de tuyaux.
■ **irrigation** n.f. *Sans **irrigation**, cette région serait un désert* (= arrosage).

irriter v. **1.** *Mes remarques l'**ont irritée**,* elles l'ont mise en colère (= contrarier, impatienter, exaspérer). **2.** *Cette fumée m'**irrite** les yeux,* elle me pique.
■ **irritable** adj. SENS 1 *Dominique est très **irritable*** (= coléreux, irascible).
■ **irritation** n.f. SENS 1 *On a essayé de calmer son **irritation*** (= colère). SENS 2 *Tu te plaignais d'une **irritation** de la gorge* (= inflammation).

irruption n.f. *Lori a fait **irruption** dans la chambre,* elle est entrée brusquement.
R. Ne pas confondre *irruption* et *éruption.*

isard n.m. *L'**isard** est un chamois des Pyrénées.*

islam n.m. *L'**islam** est la religion de Mahomet.*
■ **islamique** adj. *Ali est de religion **islamique*** (= musulman).

isocèle adj. *Un triangle **isocèle** a deux côtés égaux.*

isoler v. **1.** *Quand je veux travailler, je m'**isole** dans ma chambre,* je me mets à l'écart des autres. **2.** *Les murs épais nous **isolent** du bruit de la rue* (= séparer).

■ **isolant** n.m. SENS 2 *Le liège est un bon isolant.*

■ **isolé** adj. SENS 1 *Ils habitent dans une maison isolée,* à l'écart des autres.

■ **isolement** n.m. SENS 1 *Jean se plaint de son isolement,* d'être tout seul.

■ **isolément** adv. SENS 1 *Ils ont travaillé isolément,* chacun de leur côté.

■ **isoloir** n.m. SENS 1 *Pour voter, il faut entrer dans l'isoloir,* une cabine où l'on est tout seul.

israélite adj. et n. *David est de religion israélite* (= juif).
R. Ne pas confondre *israélite* et *israélien* (→ p. 406).

issu adj. *Céline est issue d'une famille pauvre,* ce sont ses origines (= né, originaire).

issue n.f. **1.** *Les issues de la maison sont surveillées par la police,* les portes et les fenêtres (= sortie). **2.** *La situation est sans issue* (= solution). *La discussion a eu une issue heureuse* (= résultat).

isthme n.m. *L'isthme de Panama est traversé par le canal de Panama,* la bande de terre entre deux mers.
R. On prononce [ism].

italique n.f. *Ce passage est en italique,* en lettres d'imprimerie penchées.

itinéraire n.m. *Pour venir, on a choisi l'itinéraire le plus court* (= chemin, trajet).

ivoire n.m. *Les défenses de l'éléphant sont en ivoire,* une matière blanche et dure.

ivraie n.f. *L'ivraie est une herbe qui gêne la croissance des céréales.*

ivre adj. **1.** *À moitié ivre, il s'est mis à chanter,* il avait l'esprit troublé par l'alcool (= soûl). **2.** *Marie était ivre de joie,* très joyeuse (= fou).

■ **ivresse** n.f. SENS 1 *Conduire en état d'ivresse est très dangereux.*

■ **ivrogne** n. SENS 1 *Cette personne est une ivrogne,* elle a l'habitude de boire.

■ **ivrognerie** n.f. SENS 1 *Ne sombre pas dans l'ivrognerie !* (= alcoolisme).

■ **enivrer** v. SENS 1 *Ils se sont enivrés avec du vin* (= se soûler). SENS 2 *Marie est enivrée par son succès,* très contente (= transporter).

■ **enivrant** adj. SENS 2 *On a connu un succès enivrant* (= grisant).
R. *Enivrer, enivrant* se prononcent [ãnivre], [ãnivrã].

290

40

j

j n.m. *Le jour J,* c'est le jour précis prévu pour quelque chose.

j' → *je.*

jabot n.m. *Les oiseaux gardent leur nourriture dans le jabot,* avant qu'elle ne passe dans l'estomac, la poche qu'ils ont dans le cou.

jacasser v. **1.** *La pie jacasse,* elle pousse son cri. **2.** Fam. *Alain et Catherine jacassent,* ils parlent bruyamment.

jachère n.f. *Une terre en jachère* est laissée momentanément sans culture pour qu'elle se repose.

jacinthe n.f. *La jacinthe embaume toute la pièce,* une fleur en grappe poussant sur un oignon.

jade n.m. *Un vase en jade* est en pierre de couleur verdâtre.

jadis adv. *Jadis, cette ville n'existait pas* (= autrefois, dans le temps).
R. On prononce le *s* final : [ʒadis].

jaguar n.m. *Le jaguar est plus grand que la panthère,* une bête fauve dont le pelage a des taches noires.
R. On prononce [ʒagwar].

jaillir v. *L'eau jaillit du tuyau,* elle sort avec force (= gicler).
■**jaillissement** n.m. *Du feu d'artifice est sorti un jaillissement d'étincelles.*

jais n.m. *Maria a des cheveux de jais,* d'un noir très foncé.

R. *Jais* se prononce [ʒɛ] comme *geai, jet* ou *j'ai* (de *avoir*).

jalon n.m. **1.** *Pour tracer une route, on plante d'abord des jalons,* des piquets servant de repères. **2.** *J'espère être nommée à ce poste, j'ai déjà posé des jalons,* pris des précautions pour réussir (= préparer le terrain).
■**jalonner** v. SENS 1 *Ce parcours est jalonné d'obstacles,* des obstacles sont placés de distance en distance.

jaloux adj. et. n. **1.** *Certains époux sont jaloux,* ils craignent d'être trompés. **2.** *Marie est jalouse du succès de sa sœur,* elle lui en veut de son succès (= envieux).
■**jalousement** adv. SENS 1 *Le secret a été jalousement gardé,* avec la plus grande attention.
■**jalouser** v. SENS 2 *Jacques jalouse son frère,* il en est jaloux (= envier).
■**jalousie** n.f. SENS 1 ET 2 *C'est la jalousie qui l'a poussée au crime. Son succès a excité la jalousie des autres,* leur envie.

jamais adv. **1.** *Je ne triche jamais,* à aucun moment. **2.** *Elle est partie à tout jamais,* pour toujours. **3.** *Si jamais il apprend la chose, il sera furieux,* si cela arrive.

jambage n.m. *La lettre « n » a deux jambages,* deux traits verticaux.

jambe n.f. **1.** *Pierre boite : il a mal à une jambe.* **2.** *Quand le taureau a eu l'air* de foncer sur lui, Paul **a pris ses jambes à son cou,** il s'est mis à courir très vite (= détaler).

■ **enjambée** n.f. *Maïté marche à grandes enjambées,* à grands pas.

■ **enjamber** v. *On peut facilement enjamber ce ruisseau,* passer par-dessus d'une enjambée.

■ **unijambiste** n.m. *Un unijambiste est une personne qui a perdu une jambe.*

jambon n.m. *Tu veux manger une tranche de jambon ?,* de la cuisse ou de l'épaule du porc préparée pour être conservée.

■ **jambonneau** n.m. *Un jambonneau est un petit jambon cuit, fait avec le jarret du porc.*

jante n.f. *La jante d'une roue de vélo est le cercle sur lequel le pneu est fixé.*

janvier n.m. *Bonne année !, c'est aujourd'hui le 1er janvier.*

japper v. *Quand un jeune chien aboie, on dit qu'il jappe.*

■ **jappement** n.m. *Tu entends les jappements des chiots ?,* les petits cris brefs et aigus.

jaquette n.f. *Pour le mariage de sa fille, M. Dubois était en jaquette,* une sorte de veste descendant derrière jusqu'au jarret.

jardin n.m. **1.** *Il y a un jardin devant la maison,* un terrain où l'on cultive des fleurs ou des légumes. **2.** *Un jardin public est un terrain avec des pelouses, des bancs, des fleurs, des arbres.* **3.** *Marie a quatre ans, elle va au jardin d'enfants,* à l'école maternelle.

■ **jardiner** v. SENS 1 *Le dimanche, M. Dupont jardine,* il s'occupe de son jardin.

■ **jardinage** n.m. SENS 1 *Brenda fait du jardinage,* elle jardine.

■ **jardinier** n. SENS 1 ET 2 *Le jardinier ratisse les allées,* celui dont le métier est de s'occuper des jardins. | 367

■ **jardinière** n.f. **1.** *Une jardinière de légumes est un plat de légumes coupés en petits morceaux.* **2.** *Une jardinière de fleurs est un bac où on les cultive.* | 80

jargon n.m. *Je ne comprends rien au jargon de ces savants,* à leur langage obscur (= charabia).

jarre n.f. *Une jarre est un grand vase de grès.* | 579
R. *Jarre se prononce [ʒar] comme jars.*

jarret n.m. *Le jarret est la partie arrière du genou.* | 368, 33

jars n.m. *Le jars est le mâle de l'oie.*
R. → *jarre.*

jaser v. *On reçoit beaucoup d'amis, ça fait jaser les voisins,* parler pour critiquer.

jasmin n.m. *Sens-tu cette odeur de jasmin ?,* un arbuste à fleurs.

jatte n.f. *Le chat boit son lait dans une jatte,* une sorte d'écuelle ronde. | 75

jauge n.f. *La jauge d'huile d'un moteur est la baguette graduée servant à mesurer le niveau.*

■ **jauger** v. *Du premier coup d'œil, elle a jaugé le candidat,* elle a jugé sa valeur.

jaune **1.** adj. et n.m. *Le cœur des marguerites est jaune. Les murs de la chambre sont peints en jaune.* **2.** n.m. *Pour faire la mayonnaise, on sépare les blancs des jaunes,* de la partie jaune des œufs. **3.** adv. *Rire jaune,* c'est avoir un rire forcé. | 721

■ **jaunâtre** adj. SENS 1 *Ce tissu blanc est devenu jaunâtre,* d'une couleur vaguement jaune.

■ **jaunir** v. SENS 1 *Les feuilles d'arbres jaunissent en automne,* elles deviennent jaunes.

■ **jaunisse** n.f. SENS 1 *Paul a une jaunisse,* une maladie du foie qui donne un teint jaune.

javelliser v. *L'eau de la piscine est javellisée,* on y a ajouté de l'eau de Javel pour la désinfecter.

javelot n.m. *L'athlète a lancé le javelot à 90 mètres,* une sorte de lance.

439 | **jazz** n.m. *Si on écoutait un disque de jazz ?,* de musique rythmée venant des Noirs d'Amérique.
R. On prononce [dʒaz].

je pron.pers. s'emploie pour représenter la personne qui parle quand elle est sujet du verbe : *Je suis ici.*
R. *Je* devient *j'* devant une voyelle ou un *h* muet.

36 | **jean** ou **blue-jean** n.m. *Les jeunes portent des jeans,* des pantalons collants, en toile ou en velours.
R. On prononce [dʒin, bludʒin].

762 | **jeep** n.f. *Pour traverser ce terrain boueux, il faudrait une jeep,* une automobile tout terrain.
R. On prononce [dʒip]. C'est un nom de marque.

jérémiades n.f.pl. *Arrête tes jérémiades !,* tes plaintes continuelles.

jerrican n.m. *J'ai demandé à la pompiste de remplir d'essence le jerrican,* un gros bidon à poignée.
R. On prononce [ʒerikan].

jersey n.m. *Marie a une jupe en jersey,* en tissu tricoté.

jésuite n.m. *Un jésuite est un prêtre appartenant à un ordre religieux, la Compagnie de Jésus.*

1. jet → *jeter.*

2. jet n.m. *Un jet est un avion à réaction.*
R. On prononce [dʒɛt].

jetée n.f. *La jetée protège le port,* le grand mur qui s'avance dans la mer (= digue).

jeter v. 1. *Les enfants jettent des pierres dans l'eau* (= lancer). 2. *J'ai jeté tous les vieux journaux,* je m'en suis débarrassé. 3. *Les alliés se sont jetés dans la bataille,* ils s'y sont engagés avec ardeur (= se lancer, se précipiter). *Le Saint-Laurent se jette dans l'Atlantique,* il s'y déverse.
■ **jet** n.m. 1. SENS 1 *L'athlète a réussi un jet de 90 mètres au javelot.* 2. *Il y a un jet d'eau au milieu du bassin,* de l'eau qui jaillit avec force.
R. → Conj. n° 8. → *jais.*

jeton n.m. *As-tu des jetons pour le pont Champlain ?,* une pièce de métal, ronde et plate, qui remplace la pièce de monnaie.

jeu → *jouer.*

jeudi n.m. *Si tu ne peux pas venir mercredi, on se verra le lendemain, jeudi.*

à jeun → *jeûner.*

jeune adj. et n. *Katy a dix ans, elle est plus jeune que Jacques, qui en a quinze,* moins âgée (≠ vieux). *Cette musique plaît aux jeunes,* aux garçons et aux filles (= jeunesse).
■ **jeunesse** n.f. 1. *Grand-mère parle souvent de sa jeunesse,* de l'époque où elle était jeune (≠ vieillesse). 2. *Une émission pour la jeunesse* s'adresse aux enfants et aux adolescents.
■ **rajeunir** v. *Ta coiffure te rajeunit,* elle te fait paraître plus jeune (≠ vieillir).
■ **rajeunissement** n.m. *Cette crème provoquera un rajeunissement de votre peau !* (≠ vieillissement).

jeûner v. *Jeûner, c'est se priver de manger.*

■ **jeûne** n.m. *Autrefois, l'Église prescrivait de nombreux jours de jeûne,* de privation de nourriture.

■ **à jeun** adv. *Pour la prise de sang, vous serez à jeun,* vous n'aurez rien mangé.

R. *À jeun* se prononce [aʒœ̃].

jeunesse → *jeune.*

joaillerie, joaillier → *joyau.*

jockey n.m. *Pour la course, ce cheval sera monté par un célèbre jockey,* un cavalier professionnel.

R. On prononce [ʒɔkɛ].

jogging n.m. *Le dimanche matin, nous faisons du jogging dans les bois,* nous courons à petite vitesse.

R. On prononce [dʒɔgiŋ].

joie n.f. *C'est avec joie que j'accepte votre invitation,* j'en suis heureux (= plaisir ; ≠ tristesse).

■ **joyeux** adj. *Cette fête était très joyeuse,* pleine de joie (= gai ; ≠ triste).

■ **joyeusement** adv. *On a fêté joyeusement son anniversaire* (= gaiement).

joindre v. **1.** *C'est en joignant leurs efforts qu'ils ont réussi,* en les réunissant (= associer). **2.** *Je joins le chèque à ma lettre,* je le mets avec (= ajouter). **3.** *Impossible de te joindre au téléphone !,* de parvenir à t'atteindre (= toucher).

■ **joint** adj. SENS 1 *Mettez-vous debout, les pieds joints* (= réuni ; ≠ écarté). SENS 2 *Ci-joint un chèque de 10 dollars,* joint à mon envoi.

■ **joint** n.m. SENS 1 *L'eau du tuyau fuit par le joint,* la rondelle qui réunit les deux éléments.

■ **jointure** n.f. SENS 1 *Quand je me baisse, j'ai des douleurs aux jointures,* aux endroits où les os se joignent (= articulation).

■ **jonction** n.f. SENS 1 *L'accident s'est produit à la jonction de deux routes,* à l'endroit où elles se joignent (= croisement).

■ **disjoindre** v. SENS 1 *Il faut disjoindre cette question des autres* (= séparer).

■ **rejoindre** SENS 1 *Nos routes se rejoignent* (= se réunir). SENS 3 *On a rejoint le peloton de tête* (= rattraper). *Rejoignez votre place !,* retournez-y.

R. → Conj. n° 55. *Ci-joint* s'accorde avec le nom qui le précède *(la lettre ci-jointe),* mais non avec celui qui le suit *(ci-joint la lettre).*

joker n.m. *Chic ! j'ai un joker dans mon jeu !,* une carte qui remplace toutes les autres à certains jeux.

R. On prononce le *r* final : [ʒɔkɛr].

joli adj. *Ce tableau est joli,* agréable à regarder (= beau ; ≠ laid).

■ **joliment** adv. *Ta chambre est joliment installée,* agréablement.

■ **enjoliver** v. *Elle a ajouté quelques détails pour enjoliver son histoire* (= embellir).

jonc n.m. *Il y a des joncs au bord de la rivière,* une sorte d'herbe à grandes tiges minces.

R. On ne prononce pas le *c* final : [ʒɔ̃].

joncher v. *Le sol est jonché de feuilles d'arbres,* il en est recouvert.

jonction → *joindre.*

jongler v. *Le clown jongle avec les balles,* il les lance en l'air et les rattrape.

■ **jongleur** n. *Au cirque, il y avait des jongleurs très adroits.* 433

jonque n.f. *En Extrême-Orient, une jonque est une sorte de voilier.*

jonquille n.f. *Les jonquilles sont des fleurs jaunes qui poussent au printemps dans les bois et les prés.* 80

joue n.f. *On s'est embrassé sur les deux joues,* chacun des deux côtés du visage. 33

■ **joufflu** adj. *Ce bébé est **joufflu,** il a de grosses joues.*
R. → *joug.*

jouer v. 1. *Les enfants, allez **jouer** dehors !,* vous amuser. *On **joue** aux cartes ?,* on se distrait avec ce jeu ? 2. *Cette personne **joue** au tiercé,* elle risque de l'argent en misant sur des chevaux. 3. *Marie **joue** du piano,* elle fait de la musique avec cet instrument. 4. *De grands acteurs **jouent** dans ce film,* ils y ont un rôle. 5. *Pierre a voulu me **jouer** un tour en se cachant, mais je l'ai vu !,* me faire une farce. 6. *La porte **joue,*** elle ne ferme pas bien.

■ **jeu** n.m. 1. SENS 1 *Qu'est-ce que c'est que ce nouveau **jeu** ?,* cette façon de jouer. *Tu as un **jeu** de cartes ?,* des cartes pour jouer. *J'ai eu un **jeu** d'échecs** pour Noël et mon frère un **jeu vidéo.*** SENS 2 *Elle a perdu beaucoup d'argent au **jeu,*** à des distractions où les gains dépendent du hasard. *C'est mon honneur qui est **en jeu,*** en question. SENS 4 *Les critiques ont admiré le **jeu** des acteurs,* leur façon de jouer. SENS 6 *Il y a du **jeu** dans la porte,* un trop grand espace qui fait qu'elle ferme mal. 2. *Un **jeu** de clés* est une série de clés. 3. *Lori fait souvent des **jeux** de mots,* des plaisanteries utilisant les ressemblances de mots (= calembour).

■ **jouet** n.m. SENS 1 *Qu'est-ce que tu as eu comme **jouets** à Noël ?,* comme objets servant à jouer.

■ **joueur** n. SENS 1 *Une **joueuse** de l'équipe de basket a été blessée.* SENS 3 *Jean est **joueur** de flûte.*

■ **joujou** n.m. SENS 1 *Oh ! bébé, regarde les beaux **joujoux** !,* jouets.

■ **enjeu** n.m. SENS 2 *Jacques a perdu tout son **enjeu,*** l'argent qu'il avait joué. *Quel est l'**enjeu** de cette bataille ?,* ce qu'on peut y perdre ou y gagner.

joufflu → *joue.*

joug n.m. *On met un **joug** sur la tête des bœufs pour les atteler,* une pièce de bois.
R. *Joug* se prononce [ʒu] comme *joue.*

jouir v. *M. Duval **jouit** d'une bonne santé,* il en profite, il en tire de l'agrément.

■ **jouissance** n.f. *Les locataires ont la **jouissance** du jardin,* ils peuvent en profiter.

joujou → *jouer.*

jour n.m. 1. *Je prends ce médicament deux fois par **jour,*** dans un espace de 24 heures, de minuit à minuit. *Quel **jour** sommes-nous ? — Lundi.* 2. *De nos **jours,*** on voyage beaucoup, à notre époque. 3. *Marie vit **au jour le jour,*** sans se soucier du lendemain. 4. *Il fait **jour** de bonne heure en été,* il fait clair (≠ nuit). *Vous verrez mieux la couleur de cette jupe au **jour,*** à la lumière du soleil. 5. *Au cours des fouilles, on **a mis au jour** plusieurs statues anciennes* (= découvrir). 6. *Il faut **mettre à jour** vos connaissances,* vous mettre au courant des nouveautés (= actualiser). 7. *Je brode des draps **à jours,*** qui sont ornés de trous brodés.

■ **journalier** adj. SENS 1 *La cuisine fait partie des occupations **journalières,*** de chaque jour (= quotidien).

■ **journellement** adv. SENS 1 *Ce sont des choses qui arrivent **journellement,*** chaque jour (= quotidiennement).

■ **contre-jour** n.m. SENS 4 *On ne distingue pas bien les détails des objets à **contre-jour,*** quand ils sont éclairés par-derrière.

journal n.m. 1. *Tu serais au courant, si tu lisais les **journaux,*** les feuilles imprimées paraissant chaque jour. 2. *Tu as écouté le **journal** ?,* les informations à la radio ou à la télévision. 3. *Tu tiens un **journal,** toi ?,* un cahier où l'on écrit chaque jour ses réflexions.

436

808

77

808

■ **journaliste** n. SENS 1 ET 2 Les *journalistes* écrivent dans les journaux ou donnent les informations à la radio ou à la télévision.

■ **journalisme** n.m. SENS 1 ET 2 *Marie veut faire du journalisme,* avoir le métier de journaliste.

journalier → *jour.*

journée n.f. *La journée a été chaude,* l'espace de temps entre le matin et le soir (≠ soir, soirée).

journellement → *jour.*

joute n.f. Une *joute* est une lutte entre deux adversaires.

jovial adj. *Ce gros bonhomme a un air jovial,* gai et sympathique.
R. Attention au pluriel : des *hommes joviaux.*

joyau n.m. *Au musée, on a vu les joyaux de la reine,* des bijoux de grande valeur.

■ **joaillier** n. Le *joaillier* fabrique ou vend des joyaux (= bijoutier).

■ **joaillerie** n.f. La *joaillerie* consiste à fabriquer et à vendre des joyaux.

joyeux → *joie.*

jubiler v. *Quand je pense aux vacances, je jubile !,* j'éprouve une grande joie.

jucher v. *Le chat s'est juché sur le toit,* il s'y est perché.

judaïsme n.m. Le *judaïsme* est la religion des descendants du peuple hébreu.

■ **judaïque** adj. *La loi judaïque* est la loi religieuse des Juifs.

■ **juif** adj. et n. *Sarah est juive,* elle est d'une famille qui a pour religion le judaïsme (= israélite).

judas n.m. *N'ouvre pas la porte, regarde d'abord par le judas,* le petit trou qui permet de voir sans être vu.

judiciaire adj. *L'enquête judiciaire n'avance pas,* l'enquête de la justice.

judicieux adj. *Ta remarque est judicieuse,* elle résulte d'un bon jugement (= pertinent).

judo n.m. *Je fais du judo,* un sport de combat.

■ **judoka** n. *Le malfaiteur a été maîtrisé par une judoka,* quelqu'un qui pratique le judo.

juger v. **1.** *L'accusé sera jugé prochainement,* il passera devant les juges qui diront s'il est coupable. **2.** *La chirurgienne n'a pas jugé utile d'opérer le malade* (= penser, estimer).

■ **juge** n.m. SENS 1 *Les juges ont condamné l'accusée,* ceux qui sont chargés de rendre la justice (= magistrat).

■ **jugement** n.m. SENS 1 *Le jugement du tribunal a été sévère,* sa décision (= sentence). SENS 2 *Je me fie au jugement de Catherine,* à la façon dont elle juge les choses (= avis).

■ **jugeote** n.f. Fam. SENS 2 *Si tu avais eu plus de jugeote, tu n'aurais pas fait cette bêtise,* de bon sens.

■ **préjugé** n.m. SENS 2 *Mon grand-père a un préjugé défavorable contre les produits étrangers,* une opinion établie avant tout examen (= idée préconçue).

■ **préjuger** v. SENS 2 *On ne peut pas préjuger du résultat de cette entreprise,* émettre une opinion dessus (= pronostiquer).

jugulaire n.f. *La jugulaire du casque passe sous le menton,* la courroie qui le maintient.

juguler v. *Le gouvernement s'efforce de juguler la hausse des prix,* de l'arrêter (= maîtriser).

juif → *judaïsme.*

juillet n.m. *Le 14-Juillet, en France, c'est le jour de la fête nationale.*

juin n.m. *L'été commence le 21 juin cette année.*

34

763

125

125

juke-box n.m. Un *juke-box* est un électrophone automatique qu'on met en marche avec une pièce de monnaie. **R.** On prononce [dʒukbɔks].

jumeau, jumelle 1. adj. et n. *Comme ils se ressemblent ! Ce sont des (frères) jumeaux ?,* des frères nés en même temps. **2.** adj. *Des lits jumeaux* sont deux lits semblables placés côte à côte.

jumeler v. *Ces deux villes sont jumelées,* on les a associées pour favoriser des échanges culturels.
■ **jumelage** n.m. *On a fêté le jumelage de ces deux villes,* leur association.
R. → Conj. n° 6.

649 **jumelles** n.f. *Prends des jumelles, tu verras mieux le bateau,* une lunette double pour voir loin.

jument n.f. *Voilà la jument avec son poulain,* la femelle du cheval.

jungle n.f. *Le tigre vit dans la jungle,* la forêt tropicale.

junior 1. adj. et n. *Un junior* est un jeune sportif entre 17 et 21 ans. **2.** adj. *Dupont junior,* c'est le plus jeune des deux Dupont.

36 **jupe** n.f. *Marie a mis sa jupe plissée,* un vêtement qui va de la taille à mi-jambe.
■ **jupon** n.m. *Un jupon se porte sous une jupe.*

juré → *jury.*

jurer v. **1.** *Je te jure que c'est vrai,* je t'en fais le serment (= promettre). **2.** *Nom de Dieu, qu'est-ce que c'est que ça ! — Oh ! ne jure pas comme ça !,* ne prononce pas de juron. **3.** *Le rouge et l'orange jurent ensemble,* sont mal assortis.
■ **juron** n.m. SENS 2 Un *juron* est une exclamation grossière ou qui choque les sentiments religieux.

juridique adj. *J'ai fait des études juridiques,* des études de droit.

juron → *jurer.*

jury n.m. *Vous êtes reçu avec les félicitations du jury,* de l'ensemble des personnes chargées de juger.
■ **juré** n.m. Les *jurés* sont des membres d'un jury.

jus n.m. *J'ai bu du jus d'orange,* le liquide extrait du fruit.
■ **juteux** adj. *Cette poire est juteuse,* elle a du jus.

jusque prép. **1.** *Reste là jusqu'à ce que je revienne,* en attendant ce moment. **2.** *La plaine s'étend jusqu'à la mer,* c'est sa limite.

justaucorps n.m. **1.** Un *justaucorps* était une sorte de veste longue portée au XVIIᵉ et au XVIIIᵉ s. **2.** *Au cours de danse, on met des justaucorps,* des sortes de maillots à manches courtes ou longues.

juste adj. **1.** *Ces calculs sont justes,* sans erreur (= exact ; ≠ faux). **2.** *Mes chaussures sont un peu justes,* serrées (= étroit). **3.** *9 heures et demie, ce sera juste pour être à la gare à 10 heures,* à peine suffisant (= peu). **4.** *Paul a eu un cadeau et pas moi, ce n'est pas juste !* (= équitable ; ≠ injuste).
■ **juste** adv. SENS 1 **1.** *C'est juste ce que je voulais,* exactement (= précisément, justement). **2.** *Tu chantes juste,* sans fausses notes (≠ faux).
■ **justement** adv. SENS 1 *Te voilà ! Je pensais justement à toi !,* précisément.
■ **justesse** n.f. SENS 1 *Le succès dépendra de la justesse des calculs* (= exactitude). SENS 3 *J'ai évité la voiture de justesse,* de peu.
■ **justice** n.f. **1.** SENS 4 *Il n'y a pas de justice, j'aurais dû gagner !,* ce n'est pas juste, j'aurais dû avoir ce à quoi j'avais

droit (= équité ; ≠ injustice). **2.** *La justice rendra son verdict,* les juges.

■ **injuste** adj. SENS 4 *Cette punition est injuste,* elle n'est pas méritée.

■ **injustement** adv. SENS 4 *Il a été injustement accusé,* il était innocent.

■ **injustice** n.f. SENS 4 *On a commis une injustice en ne lui donnant pas ce qu'elle méritait.*

justifier v. *Les événements justifient mes craintes,* ils montrent que j'avais raison de craindre (= vérifier, confirmer).

■ **justification** n.f. *Il nous faut une justification de votre paiement,* une preuve.

■ **injustifié** adj. *Vos réclamations sont injustifiées* (= inacceptable, sans fondement).

juteux → *jus.*

juvénile adj. *Ce vieil acteur a encore une silhouette juvénile,* jeune.

juxtaposer v. *Ne juxtapose pas ce vert et ce rouge, ça ne va pas,* ne les mets pas côte à côte.

k

kaki adj. et n.m.inv. *Des uniformes kaki sont de couleur brun jaunâtre.*

kaléidoscope n.m. *Marie a passé des heures à jouer avec son kaléidoscope, un tube à l'intérieur duquel on peut voir des images changeantes de verres colorés.*

435 **kangourou** n.m. *La mère kangourou porte ses petits dans la poche qu'elle a sur le ventre, un animal d'Australie qui avance en sautant.*

karaté n.m. *Le karaté est un sport de combat d'origine japonaise.*
■ **karatéka** n. *Une karatéka est quelqu'un qui pratique le karaté.*

kart n.m. *Un kart est un petit véhicule à moteur très bas et très rapide.*
■ **karting** n.m. *Paul aime faire du karting, piloter un kart.*
R. On prononce le *t* : [kart].

721 **kayak** n.m. *Ils ont descendu la rivière en kayak, en canoë de toile.*

képi n.m. *Les agents de police, les militaires français portent un képi, une casquette à visière.*

kermesse n.f. *Les gens du village ont organisé une kermesse, une fête de charité.*

kérosène n.m. *L'avion a fait le plein de kérosène, un carburant.*

ketchup n.m. *Le ketchup est une sauce tomate très épicée.*
R. On prononce [kɛtʃœp]

kibboutz n.m. *Un kibboutz est une ferme collective en Israël.*

kidnapper v. *Les bandits qui ont kidnappé l'enfant réclament une rançon de 100 millions, qui l'ont enlevé.*
■ **kidnapping** n.m. *Un kidnapping est un rapt.*

kif-kif adj.inv. Fam. *C'est kif-kif, c'est pareil.*

kilo-, placé devant une unité de mesure, la multiplie par 1 000 : *kilomètre, kilogramme, kilowatt.*

kilogramme → *gramme.*

kilométrage, kilomètre, kilométrique → *mètre.*

kilt n.m. *Les Écossais portent un kilt, une jupe plissée.*

kimono n.m. *Le kimono est une tunique japonaise à larges manches.*

kinésithérapie n.f. *Après son accident, on lui a fait des séances de kinésithérapie, des soins consistant à faire certains mouvements.*
■ **kinésithérapeute** n. *Un kinésithérapeute est spécialisé dans la pratique de la kinésithérapie.*

kiosque n.m. **1.** *Le kiosque à journaux de ma rue est fermé le dimanche, l'abri où l'on vend des journaux.* **2.** *L'orchestre donne un concert* *sous le **kiosque** à musique,* un abri ouvert de tous côtés.

kirsch n.m. *On met du **kirsch** dans la salade de fruits,* de l'eau-de-vie de cerise.

kit n.m. *Mary s'est achetée des meubles de cuisine en **kit**,* en éléments à monter soi-même.
R. On prononce le *t* : [kit].

kiwi n.m. *Le **kiwi** est un fruit de Nouvelle-Zélande* à la peau recouverte de poils soyeux et à la chair verte très parfumée.

klaxon n.m. *Donne un coup de **klaxon**, ce croisement est dangereux* (= avertisseur).
■ **klaxonner** v. *On n'a pas le droit de **klaxonner** dans les villes,* d'utiliser le klaxon.

R. *Klaxon* se prononce [klaksɔn]. C'est un nom de marque.

K.-O. adj. et n.m.inv. *Le boxeur a mis **K.-O.** son adversaire,* il l'a mis hors de combat.
R. C'est l'abréviation de l'anglais *knock-out* [nɔkaut].

koala n.m. *Un **koala** est un petit animal d'Australie aux mouvements très lents,* qui vit dans les arbres.

kung-fu n.m. *Le **kung-fu** est un sport de combat d'origine chinoise.*
R. On prononce [kungfu].

kyrielle n.f. *On nous a posé une **kyrielle** de questions,* un très grand nombre.

kyste n.m. *Un **kyste** est un renflement qui se forme sous la peau.*

l', la → *le* 1 et 2.

la n.m. Le *la* est la sixième note de la gamme.

là adv. **1.** *Viens là !,* à cet endroit. **2.** *Cette fille-là, c'est Marie,* celle dont je parle. **3.** *Regarde là-bas, il y a quelqu'un qui vient,* au loin. **4.** *Il va falloir grimper là-haut,* à cet endroit élevé.

label n.m. Un *label* est une garantie de qualité.

labeur n.m. se disait pour *travail intense.*

laboratoire n.m. Un *laboratoire* est un local où l'on fait des recherches scientifiques.

laborieux adj. *La recherche a été laborieuse, mais j'ai fini par trouver,* difficile et longue.
■ **laborieusement** adv. *Le programme a été laborieusement mis au point,* au prix de grands efforts (= péniblement).

labourer v. *Assis sur son tracteur, le fermier laboure son champ,* il en retourne la terre.
■ **labour** n.m. *C'est la saison des labours,* du labourage. *Les chasseurs marchent dans les labours,* les terres labourées.
■ **labourable** adj. *Dans ces régions montagneuses, les terres labourables sont rares* (= cultivable).
■ **labourage** n.m. *Aujourd'hui, les*

bœufs sont remplacés par le tracteur pour le labourage de la terre.
■ **laboureur** n.m. se disait pour *cultivateur.*

labyrinthe n.m. Un *labyrinthe* est un ensemble de couloirs ou de rues dans lesquels on se perd.

lac n.m. **1.** *On a fait du bateau sur le lac,* une grande étendue d'eau douce. **2.** *Tous ces projets sont tombés dans le lac,* ils ont été abandonnés.
■ **lacustre** adj. *Les cités lacustres* étaient des villages sur pilotis au bord d'un lac.

lacer → *lacet.*

lacérer v. *À coups de couteau, il a lacéré le coussin,* il l'a mis en lambeaux (= déchirer).
■ **lacération** n.f. *La lacération des affiches électorales est punie d'une amende.*

lacet n.m. **1.** *J'ai cassé mon lacet de chaussure,* le cordon qui sert à l'attacher. **2.** *Cette route est pleine de lacets,* de virages.
■ **lacer** v. SENS 1 *Line, veux-tu lacer tes chaussures !,* les attacher avec les lacets.
■ **délacer** v. SENS 1 *Je n'arrive pas à délacer mes chaussures,* à en défaire les lacets.
R. *Lacer* se prononce [lase] comme *lasser.*

lâche adj. **1.** *C'est lâche de s'attaquer à plus faible que soi,* ce n'est pas courageux. **2.** *La corde est trop* **lâche,** molle (≠ tendu).

■ **lâche** n.m. SENS 1 *Quel* **lâche,** *il a fui !,* quel poltron ! (= peureux ; ≠ brave).

■ **lâchement** adv. SENS 1 *Ce malheureux vieillard a été* **lâchement** *assassiné.*

■ **lâcheté** n.f. SENS 1 *En attaquant par-derrière, il a montré sa* **lâcheté,** *son manque de courage* (= poltronnerie). *S'enfuir serait une* **lâcheté,** *une action lâche.*

lâcher v. **1.** *Ne* **lâche** *pas le ballon, il va s'envoler !,* ne cesse pas de le tenir. **2.** *La corde qui retenait le bateau a* **lâché,** elle a cédé (= casser). **3.** *Tu ne vas pas nous* **lâcher** *maintenant ?,* nous quitter (= abandonner).

■ **lâcher** n.m. SENS 1 *À la kermesse, il y a eu un* **lâcher** *de ballons,* on en a lâché beaucoup à la fois dans l'air.

■ **lâchage** n.m. SENS 3 *Elle a été très peinée du* **lâchage** *de ses amis* (= abandon).

■ **lâcheur** n. SENS 3 Fam. *Quelle* **lâcheuse,** *elle s'en va !*

lâcheté → **lâche.**

lacis n.m. *J'ai failli me perdre dans ce* **lacis** *de ruelles* (= dédale, labyrinthe).
R. Le *s* final ne se prononce pas : [lasi].

laconique adj. *Une réponse* **laconique** *est brève* (≠ long).

■ **laconiquement** adj. *Elle a répondu* **laconiquement** *: non.*

■ **laconisme** n.m. *Sa réponse nous a déconcertés par son* **laconisme** (= brièveté, concision).

lacrymogène adj. *Les grenades* **lacrymogènes** *contiennent des gaz qui font pleurer.*

lacté → **lait.**

lacune n.f. *Il y a des* **lacunes** *dans son récit,* il manque des éléments (= trou).

lacustre → **lac.**

lad n.m. *Un* **lad** *est un garçon qui soigne les chevaux de course.*

ladre adj. et n. *Un* **ladre** *est un avare.*

■ **ladrerie** n.f. *C'est par* **ladrerie** *que tu vis le soir dans l'obscurité ?* (= avarice).

lagon n.m. *Un* **lagon** *est une étendue d'eau fermée vers le large par un récif de corail.*

lagune n.f. *Une* **lagune** *est une étendue d'eau salée séparée de la mer par une bande de terre.*   724

laïc, laïcité → **laïque.**

laid adj. *Je trouve ce tableau très* **laid,** désagréable à voir (≠ beau, joli).

■ **laideur** n.f. *Ce tableau est d'une* **laideur** *!* (≠ beauté).

■ **enlaidir** v. *Ces usines* **enlaidissent** *le paysage,* elles le rendent laid. *Avec l'âge, il* **enlaidit,** il devient laid (≠ embellir).

■ **enlaidissement** n.m. *Nous protestons contre l'* **enlaidissement** *de notre quartier.*
R. → **laie.**

laie n.f. *La* **laie** *est la femelle du sanglier.*
R. *Laie* se prononce [lɛ] comme *laid* et *lait.*

laine n.f. *Je me tricote un pull de* **laine,** fait avec du poil de mouton.   296, 361

■ **lainage** n.m. *Prends un* **lainage,** *il fait froid,* un vêtement en laine tricotée (= tricot, pull).

■ **laineux** adj. *Un tissu* **laineux** *contient beaucoup de fils de laine.*

■ **lainier** adj. *L'industrie* **lainière** *est celle de la laine.*

laïque adj. *Cette école est* **laïque,** *elle est indépendante de toutes les religions* (≠ religieux, confessionnel).

■ **laïc** n. *À la messe, la quête est faite par des* **laïcs,** *des chrétiens qui ne sont pas des membres du clergé.*

■**laïcité** n.f. La *laïcité* est l'absence d'engagement religieux.

laisse n.f. *Mets sa laisse au chien,* la lanière que l'on attache à son collier pour le retenir.

laisser v. **1.** *Je te laisse !,* je ne t'emmène pas (= quitter). **2.** *Tu as laissé ton parapluie au restaurant* (= oublier ; ≠ prendre). **3.** *Laisse-moi du gâteau,* ne prends pas tout (= garder). **4.** *J'ai laissé les clefs à la concierge,* je les lui ai confiées. *Sa tante lui a laissé une fortune importante en héritage* (= léguer). **5.** *Le camelot m'a laissé le foulard pour 2 dollars,* il me l'a cédé. **6.** *Laisse-moi partir, je vais être en retard,* ne m'en empêche pas. **7.** *Tu mets ton poulet au four et tu le laisses cuire une heure,* tu le fais cuire sans y toucher. **8.** *Zut, j'ai laissé tomber une assiette !,* je l'ai fait tomber sans le faire exprès. **9.** *Depuis sa maladie, Pierre s'est laissé aller,* il est découragé, il ne fait plus rien.

■**laisser-aller** n.m.inv. SENS 9 *Alors, on arrive en retard, maintenant ? Quel laisser-aller !,* quel relâchement !

■**laissez-passer** n.m.inv. SENS 6 *Pour entrer au ministère, il fallait un laissez-passer,* une permission écrite de passer.

lait n.m. *Le veau tète le lait de la vache,* le liquide blanc qui sort des mamelles.

■**lacté** adj. **1.** *Les produits lactés* contiennent du lait. **2.** *La Voie lactée* est un amas d'étoiles qui a l'aspect d'une grande bande blanche.

■**laitage** n.m. *Je n'aime pas les laitages,* les aliments à base de lait.

■**laiteux** adj. *Un blanc laiteux* a la teinte du lait.

■**laitier 1.** adj. *Les fromages sont des produits laitiers,* fabriqués avec du lait. **2.** n.m. *Le laitier passe tous les matins,* celui qui livre ou ramasse le lait.

■**laiterie** n.f. Une *laiterie* est une usine où l'on fabrique des produits laitiers.

■**petit-lait** n.m. Le *petit-lait* est un liquide clair qui se sépare du lait caillé.

■**allaiter** v. *La chienne allaite ses petits,* elle les nourrit avec son lait.

R. → laie.

laiton n.m. Le *laiton* est un alliage de cuivre et de zinc de couleur jaune (= cuivre jaune).

laitue n.f. *Qu'est-ce que j'achète comme salade ? — Prends une laitue.*

laïus n.m. Fam. *Assez de laïus, il faut agir,* de discours.

1. lama n.m. *Un lama* est un prêtre bouddhiste.

2. lama n.m. *Dans les Andes, il y a des lamas,* des animaux ressemblant à des chameaux, mais plus petits.

lambeau n.m. *Qu'as-tu fait ? Ta chemise est en lambeaux,* déchirée en morceaux.

lambin adj. et n. Fam. *Que tu es lambine, dépêche-toi !,* tu ne sais pas agir vite (= lent ; ≠ rapide, vif).

■**lambiner** v. Fam. *Ne lambine pas, on est pressés* (= traîner).

lambris n.m. *Un lambris* est un panneau qui décore les murs ou le plafond d'une salle.

■**lambrissé** adj. *Un plafond lambrissé* est revêtu de lambris.

lame n.f. **1.** *Une lame de métal, de verre* est un morceau plat, mince et allongé. **2.** *Il faut aiguiser la lame du couteau,* la partie coupante. **3.** *Une lame de rasoir* est un petit rectangle d'acier tranchant. **4.** *Une lame de fond a fait chavirer le bateau,* une très grosse vague.

■**lamelle** n.f. SENS 1 *On se sert de lamelles de verre pour examiner quel-*

que chose au microscope, de lames
très minces.

■ **laminer** v. SENS 1 *Laminer du métal,
c'est le réduire en lames.*

■ **laminoir** n.m. SENS 1 Le *laminoir* sert
à laminer des métaux entre des rouleaux d'acier.

lamentable adj. 1. *Le sort de ces malheureux réfugiés est* **lamentable** (=
pitoyable, navrant). 2. *Il a obtenu des
notes* **lamentables** *à l'examen,* très
mauvaises (= minable ; ≠ brillant).

■ **lamentablement** adv. SENS 1 *La tentative a échoué* **lamentablement.**

se lamenter v. *Marie se lamente sur
son sort à longueur de journée,* elle se
plaint (≠ se réjouir).

■ **lamentations** n.f.pl. *Arrête tes lamentations !,* tes plaintes (= jérémiades).

laminer, laminoir → *lame.*

lampe n.f. *Éteins la lampe !,* l'appareil
qui sert à éclairer.

■ **lampadaire** n.m. Un *lampadaire* est
une lampe avec un grand pied.

■ **lampion** n.m. *C'est la fête, les lam-
pions sont allumés,* des lampes en
papier.

■ **lampiste** n.m. 1. Dans une gare, le
lampiste est chargé de l'entretien des
lampes. 2. *C'est une directrice qui a
fait l'erreur, mais c'est un* **lampiste** *qui
a été rendu responsable,* un employé
subalterne.

lance n.f. 1. La *lance* était une arme
faite d'un long manche à bout de fer
pointu. 2. *Les pompiers éteignent le
feu avec la* **lance** *à incendie,* le tube en
métal monté au bout d'un tuyau pour
envoyer de l'eau.

■ **lancier** n.m. SENS 1 Un *lancier* était
un soldat armé d'une lance.

lancer v. 1. *Lance-moi le ballon !,* en-
voie-le-moi (= jeter). 2. *Tu as vu la
publicité pour lancer ce nouveau par-*

fum ?, le faire connaître. 3. *Il faut
toujours qu'elle se lance dans de longues explications !,* qu'elle s'y engage
(= entrer).

■ **lancer** n.m. SENS 1 *Ce sportif s'exerce
au* **lancer** *du javelot,* un exercice
d'athlétisme.

■ **lancée** n.f. SENS 3 *Il parlait toujours
et, sur sa* **lancée,** *il nous a raconté
toute sa vie,* dans son élan.

■ **lancement** n.m. SENS 1 *On a vu le
lancement de la fusée à la télévision.*
SENS 2 *Le* **lancement** *d'un nouveau
produit se fait par la publicité.*

■ **lanceur** n.m. SENS 1 *Paul est lanceur
de javelot. L'armée est équipée de
lanceurs d'engins,* d'appareils pour
lancer des engins.

■ **lance-pierres** n.m.inv. SENS 1 *Il est
imprudent de jouer avec un* **lance-
pierres,** *un instrument qui sert à lancer
des pierres.*

■ **relancer** v. 1. SENS 1 *Relance-moi
la balle !,* lance-la-moi de nouveau.
2. *Lori me doit de l'argent, il faut que
je la* **relance** *à ce sujet,* que je le lui
rappelle.

lancier → *lance.*

lanciner v. *La crainte d'un accident me
lancinait,* me tourmentait.

■ **lancinant** adj. *Une douleur lanci-
nante* est vive et répétée.

lançon n.m. Un *lançon* est un petit
poisson appelé aussi *équille.*

landau n.m. *Papa promène bébé
dans son landau,* une voiture avec
une capote.

R. Noter le pluriel : des *landaus.*

lande n.f. *La lande bretonne est couverte de bruyères,* le terrain inculte.

langage → *langue.*

lange n.m. *Autrefois, on emmaillotait
les bébés dans des langes,* des rectangles de tissu en coton ou en laine.

582

■ **langer** v. *La maman lange son bébé,* elle l'enveloppe dans un lange.

langoureux → *languir.*

723 **langouste** n.f. *La langouste diffère du homard en ce qu'elle n'a pas de pinces.*
■ **langoustine** n.f. *À midi, on a mangé des langoustines,* des petits crustacés roses, aux pattes terminées par des pinces.

33 **langue** n.f. **1.** *Ouvre la bouche et tire la langue.* **2.** *« Bouquin » est un mot de la langue familière* (= langage, vocabulaire). **3.** *Lysa parle deux langues étrangères : l'anglais et l'allemand. Le latin est une langue morte, l'anglais est une langue vivante,* le latin ne se parle plus, l'anglais est parlé de nos jours.
■ **langage** n.m. SENS 2 *Les scientifiques ont un langage parfois difficile à comprendre,* une façon de parler (= langue).
■ **languette** n.f. SENS 1 *Tire la languette de tes chaussures !,* un petit morceau de cuir qui rappelle la forme d'une langue.

languir v. **1.** *Je commençais à languir toute seule en vous attendant,* à m'ennuyer, à me sentir déprimée (= se morfondre). **2.** *Comme la conversation languissait, on est parti,* elle s'arrêtait presque (= traîner ; ≠ s'animer).
■ **languissant** adj. SENS 2 *La conversation était languissante,* elle traînait (= morne ; ≠ vivant).
■ **langueur** n.f. SENS 1 *La langueur,* c'est un manque d'énergie, de dynamisme, une tendance à la rêverie (= abattement, mélancolie).
■ **langoureux** adj. SENS 1 *Ils dansaient sur un rythme langoureux,* qui exprime la langueur (= lent ; ≠ vif).

649 **lanière** n.f. *Une lanière est une bande étroite et souple de cuir, de tissu.*

lanterne n.f. **1.** *Le veilleur de nuit fait sa ronde, une lanterne à la main,* avec une sorte de boîte transparente contenant une lumière. **2.** *Ce cycliste est la lanterne rouge de la course,* il est le dernier.

lapalissade n.f. *Tu me dis qu'un grand verre contient plus qu'un petit verre : c'est une lapalissade,* une réflexion d'une banalité niaise.

laper v. *Le chat lape son lait,* il le boit à petits coups de langue.

lapereau → *lapin.*

1. lapidaire adj. *Elle a mis fin à la conversation en une formule lapidaire,* brève et expressive.

2. lapidaire n.m. *Un lapidaire est un artisan qui taille les pierres précieuses autres que le diamant.*

lapider v. *L'assassin faillit être lapidé par la foule,* tué à coups de pierres.

lapin n.m., **lapine** n.f. *À midi, on a mangé un lapin,* un petit animal à longues oreilles. *La lapine a eu trois petits.*
■ **lapereau** n.m. *Un lapereau est un jeune lapin.*

laps n.m. *Un laps de temps est un espace de temps, une durée.*

lapsus n.m. *Tu as dit « mouche » au lieu de « bouche », c'est un lapsus,* une erreur commise en parlant.
R. On prononce le s final : [lapsys].

laquais n.m. *Un laquais était un valet habillé d'une livrée.*

laque n.f. **1.** *On a verni le bureau avec de la laque,* un enduit transparent. **2.** *La coiffeuse a vaporisé de la laque sur mes cheveux,* un produit qui sert à les maintenir en place.
■ **laquer** v. SENS 1 *On a laqué le bureau.* SENS 2 *Marie se laque les*

cheveux, elle les enduit de laque pour maintenir sa coiffure.

laquelle → *lequel.*

larcin n.m. *Un larcin a été commis dans le magasin,* un vol de peu d'importance.

lard n.m. *Va chez la charcutière acheter du lard,* de la graisse de porc.
■ **larder** v. *Larder un rôti,* c'est y piquer des lardons.
■ **lardon** n.m. *Une omelette aux lardons* est cuite avec des petits morceaux de lard.

large adj. **1.** *La route est large ici, tu peux doubler,* étendue dans le sens opposé à la longueur (≠ étroit). **2.** *Cette veste est trop large pour moi,* grande (= ample). **3.** *Tu es trop large avec les enfants* (= généreux). **4.** *Il y a une large part de mensonge dans ce récit* (= grand, important ; ≠ petit). **5.** *Vous ne me choquez pas, j'ai l'esprit large* (= tolérant).
■ **large** n.m. **1.** SENS 1 *La rue a 5 mètres de large,* de largeur (≠ long). SENS 2 *Ici au moins, on est au large,* on a de la place (≠ à l'étroit). **2.** *Les marins sont allés pêcher au large,* loin des côtes (= en pleine mer). **3.** *Le voleur a pris le large,* il a pris la fuite.
■ **largement** adv. SENS 3 *Encore du poulet ? — Non, merci, j'ai été largement servi,* avec abondance (≠ peu).
■ **largesses** n.f.pl. SENS 3 *Faire des largesses,* c'est se montrer généreux.
■ **largeur** n.f. SENS 1 *J'ai mesuré la largeur de la table : elle est de 60 centimètres,* l'espace compris entre les deux côtés les plus rapprochés (≠ longueur ou hauteur). SENS 5 *On s'entend facilement avec elle, car elle a une grande largeur d'esprit* (= tolérance ; ≠ étroitesse d'esprit).
■ **élargir** v. **1.** SENS 1 ET 2 *Il faut élargir ce manteau,* le rendre plus large (≠

rétrécir). **2.** *Élargir un prisonnier,* c'est le libérer.
■ **élargissement** n.m. SENS 1 *Les ouvriers travaillent à l'élargissement de la chaussée.*

larguer v. *Larguez les amarres !,* détachez-les. *Larguer des bombes,* c'est les lâcher.

larme n.f. **1.** *En nous quittant, Marie avait les larmes aux yeux,* elle pleurait. **2.** *Tu veux du vin ? — Oui, une larme,* un tout petit peu (= goutte).
■ **larmoyer** v. SENS 1 *Ses yeux larmoient,* ils sont pleins de larmes.

larve n.f. *La chenille est une larve qui devient ensuite un papillon,* une forme du développement de certains insectes avant l'état adulte.

larvé adj. *Une révolte larvée ne s'exprime pas pleinement* (= latent).

larynx n.m. *Le larynx est la partie du cou où se trouvent les cordes vocales qui permettent de parler.*

las adj. **1.** *Oh ! que je suis lasse après cette journée !,* fatiguée. **2.** *Pascal, je suis las de te répéter tous les jours la même chose,* j'en ai assez.
■ **lasser** v. SENS 2 *Tu te lasseras vite de cette couleur,* tu en auras vite assez (= se fatiguer).
■ **lassant** adj. SENS 2 *Pierre raconte toujours les mêmes histoires, c'est lassant à la fin !,* c'est fatigant (= ennuyeux).
■ **lassitude** n.f. SENS 1 ET 2 *Tu refais chaque jour le même travail sans lassitude ?,* sans fatigue.
■ **délasser** v. SENS 1 *Prends un bain pour te délasser,* pour faire disparaître ta fatigue (= se détendre).
■ **délassement** n.m. SENS 1 *Lire un livre est pour moi un délassement,* ça me repose (= détente).
■ **inlassable** adj. SENS 1 ET 2 *Tu as une patience inlassable* (= infatigable).

■ **inlassablement** adv. *On répète inlassablement la même chose.*
R. Au masculin, on ne prononce pas le *s* de *las* : [lɑ]. → *lacet* et *lacer.*

lascar n.m. Fam. *Ce type-là, c'est un drôle de lascar, un homme débrouillard, qui ne s'embarrasse pas de scrupules.*

laser n.m. *Un laser est une source de lumière pouvant produire des rayons très intenses.*
R. On prononce [lazɛr].

lassant, lassitude → *las.*

lasso n.m. *Les cow-boys capturent les chevaux avec un lasso, une corde terminée par un nœud coulant.*

latent adj. *Une révolte est latente, elle va bientôt éclater (= caché ; ≠ apparent).*

latéral adj. *Ne passez pas par l'allée centrale, mais par les allées latérales, celles qui sont sur le côté.*
■ **bilatéral** adj. *Dans cette rue, le stationnement bilatéral est interdit, des deux côtés.*
■ **équilatéral** adj. *Un triangle équilatéral a ses trois côtés égaux.*
■ **unilatéral** adj. **1.** *Stationnement unilatéral autorisé !, d'un seul côté.* **2.** *Ne prends pas une décision unilatérale, seul sans consulter les autres.*
■ **unilatéralement** adv. *Elle s'est mise dans son tort en rompant unilatéralement l'accord, par sa seule décision.*

latin adj. et n.m. *Jacques apprend le latin (la langue latine), la langue parlée autrefois par les Romains.*
■ **latiniste** n. *Jeanne est une bonne latiniste, elle connaît bien le latin.*
■ **latinité** n.f. *La latinité, c'est la civilisation des peuples latins.*

latitude n.f. **1.** *Montréal est à 45 degrés de latitude Nord, à cette distance de l'équateur (≠ longitude).* **2.** *Vous aurez toute latitude pour faire ce travail, vous serez libre.*

latrines n.f.pl. *Des latrines sont des toilettes en plein air.*

latte n.f. *Les tuiles du toit sont soutenues par des lattes de bois, des baguettes.*

laudatif adj. *J'ai été très flatté de cet article laudatif (= élogieux).*

lauréat n. *Aïcha est une des lauréates du concours, une de celles qui ont remporté un prix.*

laurier n.m. **1.** *Je parfume la sauce avec deux feuilles de laurier, un arbuste.* **2.** *Ne te repose pas sur tes lauriers !, sur tes succès passés.*

lavable, lavabo, lavage → *laver.*

lavallière n.f. *Certains artistes peintres portent un large chapeau et une lavallière, une cravate faite d'un gros nœud de soie flottant.*

lavande n.f. *On parfume le linge de l'armoire avec des sachets de lavande, d'une plante à petites fleurs bleues.*

lave n.f. *Une coulée de lave s'échappe de la bouche du volcan, de matière minérale visqueuse et brûlante.*

lavement n.m. *Le médecin a ordonné des lavements, des injections de liquide dans l'intestin.*

laver v. **1.** *Cette chemise est sale, il faut la laver, la nettoyer avec de l'eau.* **2.** *Allons, va te laver !, faire ta toilette (= se débarbouiller).*
■ **lavable** adj. SENS 1 *Les murs de la cuisine sont recouverts d'une peinture lavable, que l'on peut laver facilement.*
■ **lavage** n.m. SENS 1 *Mon pantalon a rétréci au lavage, quand il a été lavé.*
■ **lavabo** n.m. **1.** SENS 2 *Le robinet du lavabo coule, de la cuvette fixée au mur et qui sert à la toilette.* **2.** (au plur.)

149

*Où sont les **lavabos**, s'il vous plaît ?,* les toilettes (= waters).

■ **laverie** n.f. SENS 1 *Une **laverie** est un établissement où on lave le linge à la machine (= blanchisserie).*

■ **lavette** n.f. SENS 1 *Une **lavette** est un carré de tissu-éponge pour laver, essuyer une table.*

■ **laveur** n. SENS 1 *M. Da Silva est **laveur** de carreaux.*

■ **lavoir** n.m. SENS 1 *Dans ce village, il y a un **lavoir**,* un bassin où on lave le linge.

■ **lave-linge** n.m.inv. SENS 1 *Un **lave-linge** est une machine à laver le linge.*

■ **lave-vaisselle** n.m.inv. SENS 1 *Mets les assiettes sales dans le **lave-vaisselle**,* la machine à laver la vaisselle.

lavis n.m. *L'architecte a fait un dessin au **lavis**,* un dessin colorié avec de l'encre de Chine ou une couleur délayée avec de l'eau.
R. On ne prononce pas le *s* final : [lavi].

laxatif adj. et n.m. *Une tisane **laxative** combat la constipation.*

layette n.f. *Maman tricote la **layette** de bébé,* ses vêtements.

1. le, la, les articles définis *Dans « c'est la fille de Paul », **la** indique que le nom qui suit est déterminé.*
R. *Le, la* s'écrivent *l'* devant une voyelle ou un *h* aspiré *(tu as vu l'homme ?, j'aime l'eau).*

2. le, la, les pron.pers. *Dans « n'embête pas le chat, laisse-le ! » ou « ma leçon, je la sais », **le, la** remplacent des groupes du nom (le chat, ma leçon).*
R. *Le, la* s'écrivent *l'* devant une voyelle *(Paul, je ne l'ai jamais vu).*

leader n.m. *Un **leader** est une personne qui est à la tête d'un parti, d'un mouvement (= chef de file, meneur).*
R. On prononce [lidœr].

lèche n.f. Fam. *Faire de la **lèche** à son supérieur,* c'est le flatter bassement.

lécher v. *Le chat **lèche** sa patte,* il passe sa langue dessus.

leçon n.f. **1.** *Je prends des **leçons** de conduite,* j'apprends à conduire (= cours). **2.** *Mehdi, viens me réciter ta **leçon**,* le texte que tu dois apprendre. **3.** *Tu t'es fait mal ? Que ça te serve de **leçon** !,* que cette expérience t'apprenne à ne plus recommencer !

lecteur, lecture → *lire* 2.

légal, légalement, légaliser, légalité → *loi.*

légat n.m. *Un **légat** du pape* est son représentant.

légataire → *léguer.*

légende n.f. **1.** *Ma grand-mère me raconte souvent de vieilles **légendes** amérindiennes (= histoire, conte).* **2.** *Elle représente quoi, cette photo ? — Tu n'as qu'à lire la **légende** pour le savoir,* le texte qui est écrit dessous.

■ **légendaire** adj. **1.** SENS 1 *Ulysse est un héros **légendaire**,* de légende. **2.** *Ses gaffes sont **légendaires**,* connues de tous (= proverbial).

léger adj. **1.** *Ma valise est **légère**, elle est presque vide (≠ lourd).* **2.** *L'été, je mets des vestes **légères**,* en tissu fin (≠ épais). **3.** *Dans l'avion, on nous a servi un repas **léger**,* peu abondant (= frugal ; ≠ copieux). **4.** *Je voudrais un café **léger** (≠ fort).* **5.** *Lise est un esprit **léger**,* elle manque de sérieux (= insouciant, superficiel, frivole). **6.** *Heureusement, tu n'as eu que des blessures **légères**,* peu importantes (≠ grave). **7.** *Un rien me réveille, j'ai le sommeil **léger** (≠ profond, lourd).*

■ **à la légère** adv. SENS 5 *Il ne faut pas prendre cette maladie **à la légère**,* c'est grave, avec insouciance.

■ **légèrement** adv. **1.** SENS 2 *Tu es habillée trop **légèrement** (≠ chaudement).* SENS 3 *Je déjeunerai **légère-***

ment (≠ copieusement). SENS 6 // *n'est que légèrement blessé* (≠ gravement). **2.** *Tourne-toi légèrement vers moi,* un petit peu.

■ **légèreté** n.f. SENS 1 *Le liège flotte à cause de sa légèreté.* SENS 5 *Tu as pris cette décision avec trop de légèreté* (= insouciance).

■ **alléger** v. SENS 1 *Pour alléger la valise, j'ai enlevé quelques affaires,* pour la rendre plus légère (≠ alourdir).

légion n.f. **1.** *Les soldats de la Légion étrangère ont défilé le 14-Juillet,* de la troupe composée de volontaires surtout étrangers. **2.** *M. Dubois a eu la Légion d'honneur,* une décoration.

■ **légionnaire** n.m. SENS 1 *Un légionnaire est un soldat de la Légion.*

législatif adj. *Une assemblée législative* est chargée de faire les lois.

■ **législation** n.f. *La législation* est l'ensemble des lois.

légiste adj. *Un médecin légiste* est chargé de faire des expertises dans des affaires criminelles.

légitime adj. *Ta protestation est légitime,* tu as raison de protester (= justifié, fondé).

■ **légitimement** adv. *Tu protestes légitimement contre cet abus* (= à juste titre).

■ **légitimer** v. *Il s'est efforcé de légitimer sa conduite* (= justifier).

■ **illégitime** adj. *Ce qui est illégitime n'est pas permis.*

léguer v. *Elle a légué toute sa fortune à son neveu,* elle la lui a donnée par testament.

■ **légataire** n. *Mes nièces seront mes légataires,* elles bénéficieront de mon testament.

légume n.m. *Que veux-tu manger comme légume :* haricots, carottes, pommes de terre, asperges ?

leitmotiv n.m. *Je prêche l'union : c'est le leitmotiv de mes discours,* ce que je répète sans cesse.

R. On prononce [lajtmɔtif].

lendemain → demain.

lent adj. *Le vieillard marchait d'un pas lent* (≠ rapide). *Que tu es lente ! Dépêche-toi, on est en retard !,* tu ne vas pas assez vite (≠ vif).

■ **lentement** adv. *Marie mange lentement* (≠ vite).

■ **lenteur** n.f. *La lenteur de ses progrès est décourageante* (≠ rapidité).

■ **ralentir** v. *La voiture ralentit,* car le feu va passer au rouge, elle va plus lentement (≠ accélérer).

■ **ralentissement** n.m. *On signale un ralentissement de la circulation sur l'autoroute,* les voitures ralentissent (≠ accélération).

■ **ralenti** n.m. *Vous allez revoir au ralenti le but marqué par le joueur,* à une vitesse moins grande que la vitesse normale.

lentille n.f. **1.** *À midi, on a mangé des lentilles,* des graines rondes. **2.** *Une lentille est un disque de verre* utilisé dans les instruments d'optique pour grossir ou réduire l'image des objets.

léopard n.m. *La panthère d'Afrique à fourrure tachetée s'appelle le léopard.*

lèpre n.f. *La lèpre est une maladie* contagieuse dans laquelle la peau se couvre de plaies.

■ **lépreux** n. et adj. *Un lépreux est une personne atteinte de la lèpre.*

■ **léproserie** n.f. *Une léproserie est un hôpital ou l'on soigne les lépreux.*

lequel, laquelle, lesquels, lesquelles pron. relatifs et interrogatifs **1.** *Il y a des questions sur lesquelles je ne reviendrai pas,* je ne reviendrai pas sur ces questions. **2.** *J'hésite entre ces*

222

deux voitures ; **laquelle** *préfères-tu ?,* quelle voiture ?

R. *Lequel* se contracte avec les prépositions *à* et *de* : *auquel, auxquels, duquel, desquels.*

les → *le* 1 et 2.

lèse-majesté n.f.inv. *Un crime de* **lèse-majesté** *est une grave faute envers un roi ou une reine, un grave manque de respect envers quelqu'un.*

léser v. *Paul n'a pas eu la même part d'héritage que les autres : il* **a été lésé,** désavantagé.

lésiner v. *Pourquoi* **lésiner** *sur toutes les dépenses ?,* se montrer avare.

lésion n.f. *Un coup, une blessure, une inflammation sont des* **lésions.**

lessive n.f. **1.** *Peux-tu m'acheter un paquet de* **lessive** *?,* du produit en poudre pour laver. **2.** *Quand feras-tu la* **lessive** *?,* quand laveras-tu le linge ?

■ **lessiver** v. SENS 2 *Le carrelage de la cuisine est sale, il faut le* **lessiver,** le nettoyer.

■ **lessivage** n.m. SENS 2 *On a fait le* **lessivage** *des murs avant de les repeindre.*

■ **lessiveuse** n.f. SENS 2 *Autrefois, on faisait bouillir le linge dans une* **lessiveuse,** un grand récipient.

lest n.m. *On lâche du* **lest** *pour que le ballon s'élève plus haut,* de lourds sacs de sable.

■ **lester** v. *Lester un bateau,* c'est le garnir de matières lourdes pour qu'il soit stable.

■ **délester** v. *Délester un navire,* c'est l'alléger.

leste adj. *Cette gamine est* **leste** *comme un singe,* agile dans ses mouvements.

R. Ne pas confondre *leste* et *lest* : [lɛst].

lester → *lest.*

léthargie n.f. *La marmotte passe l'hiver en état de* **léthargie,** de sommeil profond (= engourdissement).

■ **léthargique** adj. *La drogue l'a mis dans un état* **léthargique,** un état de torpeur.

lettre n.f. **1.** *L'alphabet français comprend 26* **lettres,** des caractères d'écriture. **2.** *J'ai reçu une* **lettre** *de Judy,* elle m'a écrit. **3.** (au plur.) *Sékou fait des études de* **lettres,** de langue et de littérature. **4.** *J'ai suivi vos instructions* **à la lettre,** exactement (= ponctuellement).

■ **lettré** n. et adj. SENS 3 *Ma grand-mère a beaucoup lu, c'est une* **lettrée,** une personne cultivée.

■ **lettrine** n.f. SENS 1 *Sur les manuscrits anciens, le chapitre ou le paragraphe commençait par une* **lettrine,** une grande lettre ornée.

■ **illettré** n. et adj. SENS 1 *Cet homme est un* **illettré,** il ne sait ni lire ni écrire.

leucémie n.f. *La* **leucémie** *est une maladie du sang.*

1. leur pron.pers. s'emploie pour représenter les personnes dont on parle : *Je* **leur** *ai dit de venir,* à eux.

2. leur adj. et pron.possessif *Ce sont* **leurs** *affaires, laissez-les,* elles sont à eux. *Notre voiture est mieux que* **la leur,** que celle qui leur appartient.

R. → *leurre.*

leurre n.m. **1.** *On peut pêcher le brochet avec un* **leurre,** un appât artificiel. **2.** *Ce qu'on te propose n'est qu'un* **leurre,** un faux espoir.

■ **se leurrer** v. SENS 2 *Si tu crois que Dominique va t'aider, tu* **te leurres,** tu te fais des illusions (= se tromper).

R. *Leurre* se prononce [lœr] comme *leur.*

lever v. **1.** *Levez le bras droit !,* bougez-le vers le haut (≠ baisser). **2.** *La*

292

806

*séance **est levée** !,* elle est terminée (≠ ouvrir). *L'interdiction de circuler dans cette rue **a été levée,*** elle a cessé. **3.** *Le facteur **lève** le courrier à 15 heures,* il le prend dans la boîte aux lettres pour le porter à la poste. **4.** *En marchant, on **a levé** un lièvre,* on l'a fait partir de son gîte. **5.** *Le blé commence à **lever,*** à sortir de terre (= pousser). **6.** *La fermentation fait **lever** la pâte,* elle la fait se gonfler. **7.** *Allons, **lève-toi,** il est 8 heures,* sors du lit (≠ se coucher). **8.** *En été, le soleil **se lève** tôt,* il apparaît dans le ciel (≠ se coucher). **9.** *Le vent **se lève,*** il commence à souffler.

■ **lever** n.m. SENS 1 *On est arrivé au théâtre juste avant le **lever** du rideau,* le moment où on le lève. SENS 8 *Dès le **lever** du jour, les chasseurs se mettent en route,* le moment où le jour commence.

■ **levage** n.m. SENS 1 *Une grue est un appareil de **levage,*** qui sert à soulever des charges.

■ **levain** n.m. SENS 6 *Le **levain** est une substance qui fait lever la pâte.*

■ **levant** n.m. SENS 8 *Il faut s'orienter vers le **levant,*** la direction où le soleil se lève (= est, orient).

■ **levée** n.f. **1.** SENS 2 *La **levée** de la séance a eu lieu à 16 heures,* la fin. *La **levée** des punitions a été décidée.* SENS 3 *Les heures des **levées** sont indiquées sur la boîte aux lettres,* les heures où le courrier est levé. **2.** *Aux cartes, **faire une levée,*** c'est ramasser les cartes des autres après avoir gagné un coup (= pli).

■ **levure** n.f. SENS 6 *Zut, on a oublié de mettre de la **levure** dans le gâteau,* un produit qui fait lever la pâte.

levier n.m. **1.** *Cette barre va me servir de **levier** pour soulever le rocher.* **2.** *Le **levier** du changement de vitesse est cassé,* la barre qui sert à changer de vitesse.

lèvre n.f. *Maman se met du rouge sur les **lèvres.***

lévrier n.m. *Les **lévriers** courent très vite,* des grands chiens très maigres.

levure → *lever.*

lexique n.m. **1.** *Un **lexique** français-latin est un petit dictionnaire.* **2.** *Le **lexique** du français est l'ensemble des mots français* (= vocabulaire).

■ **lexicographie** n.f. *La **lexicographie** est la fabrication des dictionnaires.*

■ **lexicographe** n. *Un **lexicographe** est un rédacteur de dictionnaire.*

lézard n.m. *Un **lézard** est un petit reptile à quatre pattes et à longue queue.*

lézarde n.f. *Il y a des **lézardes** dans le mur,* des fentes (= crevasse, fissure).

■ **se lézarder** v. *Le plafond **s'est lézardé,*** il s'est fissuré.

liaison → *lier.*

liane n.f. *Dans la jungle, Tarzan s'élançait d'une **liane** à l'autre,* de l'une à l'autre des longues tiges souples qui pendent des arbres.

liant → *lier.*

liasse n.f. *Une **liasse** de billets de banque est un paquet de billets attachés ensemble.*

libations n.f.pl. *Après ces copieuses **libations,** il était très gai,* après avoir bien bu du vin.

libeller v. *Libeller un télégramme,* c'est le rédiger.

■ **libellé** n.m. *Le **libellé** d'un texte,* ce sont les mots exacts avec lesquels il est rédigé.

libellule n.f. *Cet insecte aux longues ailes transparentes qui vole au bord de l'eau est une **libellule.***

libéral adj. **1.** *Tu as des idées **libérales,*** tu préconises la plus grande liberté pour tous (= tolérant). **2.** *Être avocat, médecin, c'est avoir une **profession libérale**.*

libéralité n.f. *Vous avez longtemps profité des **libéralités** de la patronne, de ses dons généreux* (= largesse).

libération, libérer, liberté → *libre.*

librairie n.f. *Une **librairie** est un magasin où l'on vend des livres.*
■ **libraire** n. *Le **libraire** est celui qui tient une librairie.*

libre adj. **1.** *Après un an de prison, cet homme est **libre**,* il n'est plus emprisonné (≠ détenu). **2.** *Tu es **libre** de partir,* rien ne t'en empêche. **3.** *Ce soir, je suis **libre**, je peux dîner avec toi* (≠ occupé, pris). **4.** *La voie est **libre**,* on peut passer.
■ **librement** adv. SENS 1 ET 2 *Ici, on peut aller et venir **librement**,* sans interdiction.
■ **libérer** v. SENS 1 *Le prisonnier a été **libéré**,* on lui a rendu la liberté (= libérer, élargir). *La France a été **libérée** de l'occupation allemande en 1945,* délivrée. SENS 3 *J'ai une réunion jusqu'à midi, mais j'essaierai de me **libérer** un peu avant,* de me rendre libre.
■ **libérateur** adj. et n. SENS 1 *Les soldats alliés sont entrés en **libérateurs** dans la ville occupée.*
■ **libération** n.f. SENS 1 *La prisonnière attend sa **libération*** (≠ emprisonnement).
■ **liberté** n.f. SENS 1 *Le prisonnier a retrouvé la **liberté**,* il est libre. *Ces animaux vivent en **liberté*** (≠ captivité). SENS 2 *Tu peux parler en toute **liberté**,* tu as le droit de dire ce que tu veux.
■ **libre-service** n.m. SENS 2 *Un **libre-service** est un magasin où l'on se sert soi-même.*
R. Noter le pluriel : des *libres-services.*

licence n.f. **1.** *Patrick s'est fait faire une **licence** de football,* une carte qui donne le droit de jouer. **2.** *Marie prépare une **licence** de lettres,* un diplôme universitaire.
■ **licencié** n. et adj. SENS 1 *Dans notre club sportif, il y a beaucoup de **licenciés**,* de sportifs ayant une licence. SENS 2 *Pierre est **licencié** en lettres,* il a obtenu la licence.

licencier v. *L'usine a **licencié** des ouvriers,* elle les a renvoyés (≠ embaucher).
■ **licenciement** n.m. *On a protesté contre le **licenciement** d'une employée* (= renvoi).

lichen n.m. *Sur ces rochers, il y a des algues et des **lichens**,* des végétaux.
R. On prononce [likɛn].

licite adj. *Ce qui est **licite** est permis par la loi* (= légal).
■ **illicite** adj. *Passer de l'alcool en fraude est **illicite**,* défendu (= illégal).

lie n.f. *La **lie** du vin est le dépôt qui se forme au fond de la bouteille ou du tonneau.*
R. → *lit.*

lied n.m. *Un **lied** est un chant d'origine allemande.*
R. On prononce [lid].

liège n.m. *Le **liège** flotte sur l'eau,* l'écorce du chêne-liège.

lier v. **1.** *Le prisonnier avait les mains **liées** derrière le dos,* attachées. **2.** *Les Da Silva et nous, on est très **liés**,* nous sommes amis (= unir). **3.** *Ces deux affaires de meurtre sont **liées**,* en rapport l'une avec l'autre.
■ **liaison** n.f. **1.** SENS 3 *Il y a un manque de **liaison** entre ces deux paragraphes,* de rapport. **2.** *La **liaison** a été rétablie entre l'avion et la tour de contrôle,* le contact par radio. **3.** *Ce bateau assure la **liaison** entre la France et l'Angle-*

terre, il fait le trajet (= communication). **4.** *Faire une* **liaison,** c'est prononcer la consonne qui termine un mot quand le mot suivant commence par une voyelle.

■ **liant** adj. SENS 2 *Cette persònne est très* **liante,** elle se lie facilement (= sociable).

■ **lien** n.m. SENS 1 *Une corde, une ficelle sont des* **liens,** des choses qui servent à lier. SENS 2 *Nous n'avons aucun* **lien** *de parenté avec ces gens,* nous ne sommes pas liés par la parenté. SENS 3 *Il y a un* **lien** *entre ces deux crimes,* un rapport.

■ **délier** v. **1.** SENS 1 *La ficelle s'est* **déliée,** le nœud s'est défait (= se détacher, se dénouer). **2.** *Je me considère comme* **déliée** *de ma promesse,* je ne suis plus liée à elle (= dégager). **R.** → *lie.*

lierre n.m. Le *lierre* est une plante grimpante aux feuilles toujours vertes.

liesse n.f. *La* **liesse** *populaire,* c'est une grande joie qui se manifeste.

1. lieu n.m. **1.** *On a retrouvé un couteau sur le* **lieu** *du crime,* à l'endroit où il s'est produit. **2.** *L'examen* **aura lieu** *le 26 juin,* il se produira, on le fera. **3.** *Cet avis* **tient lieu de** *faire-part,* il remplace un faire-part. **4.** *C'est Maïté qui est venue* **au lieu de** *Sandra,* à sa place.

■ **lieu commun** n.m. *Tu ne dis que des* **lieux communs,** des banalités.

2. lieu n.m. est un autre nom du *colin.* **R.** Noter le puriel : des *lieus.*

lieue n.f. **1.** *La* **lieue** *est une ancienne mesure de longueur correspondant à peu près à 4 kilomètres.* **2.** *J'étais* **à cent lieues** *d'imaginer cela,* très éloigné.

lieutenant n.m. Un *lieutenant* est l'officier au-dessous du capitaine.

■ **lieutenant-colonel** n.m. Un *lieutenant-colonel* est l'adjoint du colonel.

lièvre n.m. *Le chasseur a tué un* **lièvre,** une sorte de lapin sauvage.

lifté adj. *Au tennis, une balle* **liftée** *est une balle qu'on fait tournoyer d'une façon qui la fait mieux rebondir.*

ligament n.m. *À la suite d'une entorse, j'ai des douleurs aux* **ligaments,** aux fibres qui rattachent les articulations.

ligature n.f. *L'arbuste est fixé à son tuteur par une* **ligature,** une attache.

■ **ligaturer** v. *On a* **ligaturé** *les deux bouts de corde,* on les a attachés ensemble.

ligne n.f. **1.** *Trace une* **ligne** *droite avec ta règle,* un trait. **2.** *Lis la première* **ligne** *en haut de la page,* la suite de mots les uns à côté des autres. **3.** *Les enfants, mettez-vous en* **ligne,** les uns à côté des autres (= rang, file). **4.** *Quelle* **ligne** *de métro prends-tu ?,* quel trajet fais-tu ? **5.** *Allô !... Ah ! la* **ligne** *est coupée !,* le contact téléphonique. **6.** *J'ai cassé ma* **ligne,** le fil attaché au bout d'une canne à pêche. **7.** *On a toujours suivi la même* **ligne de conduite,** le même principe (= règle). **8.** *Je mange peu pour garder la* **ligne,** rester mince. **9.** *On descend en droite* **ligne** *des Bourbons,* de la suite des descendants des Bourbons.

■ **lignée** n.f. SENS 9 *Une* **lignée** *est l'ensemble des descendants d'une personne.*

■ **linéaire** adj. SENS 1 *Un dessin* **linéaire** *est fait de simples lignes.*

■ **aligner** v. SENS 3 *Les coureurs* **se sont alignés** *au poteau de départ,* ils se sont mis en ligne.

■ **alignement** n.m. SENS 3 *Mettez-vous à l'*alignement,* alignez-vous.

■ **interligne** n.m. SENS 2 *Le texte est dactylographié avec de grands* **inter-**

lignes, de grands espaces entre les lignes.

ligneux adj. *Une tige ligneuse est une tige qui a des fibres dures comme celles du bois.*

ligoter v. *Ligoter quelqu'un,* c'est l'attacher avec des cordes.

ligue n.f. *Une ligue est une association militante.*
■ **se liguer** v. *Ils se sont tous ligués contre moi,* unis.

lilas n.m. *Le lilas est un arbuste à fleurs parfumées violettes ou blanches.*

limace n.f. *Des limaces ont mangé les fraises du jardin,* des mollusques sans coquille.

limaille → *lime.*

limande n.f. *La limande est un poisson de mer plat.*

lime n.f. *Tu n'aurais pas une lime à ongles ?,* un instrument qui sert à user, à polir.
■ **limer** v. *Le prisonnier avait limé les barreaux de sa cellule,* il les avait frottés avec une lime pour les couper.
■ **limaille** n.f. *La limaille de fer,* c'est la poussière de fer obtenue en limant ce métal.

limite n.f. **1.** *Le ballon est sorti des limites du terrain,* des lignes qui déterminent son étendue. **2.** *C'est aujourd'hui la dernière limite pour s'inscrire,* le dernier moment où c'est possible.
■ **limiter** v. SENS 2 *La vitesse est limitée à 130 kilomètres à l'heure sur l'autoroute,* il n'est pas permis d'aller plus vite.
■ **limitation** n.f. SENS 2 *Un panneau de limitation de vitesse indique la vitesse à ne pas dépasser.*
■ **limitrophe** adj. SENS 1 *Le Mexique est un pays limitrophe des États-Unis,*

ces pays ont une frontière commune (= voisin).
■ **délimiter** v. SENS 1 *On va délimiter le terrain,* en fixer les limites.
■ **illimité** adj. SENS 2 *J'ai une confiance illimitée en toi,* qui n'a pas de limites (= total, absolu).

limoger v. *Ce général a été limogé,* privé de son emploi, renvoyé.

limonade n.f. *J'ai bu un verre de limonade,* une boisson gazeuse.

limpide adj. *Une eau limpide est très claire* (≠ trouble).
■ **limpidité** n.f. *Quelle limpidité dans son explication !* (= clarté ; ≠ obscurité).

lin n.m. *Le lin sert à faire des tissus et de l'huile,* une plante. | 80

linceul n.m. *On enveloppe les morts dans un linceul,* une sorte de drap.

linéaire → *ligne.*

linge n.m. *On va laver le linge sale,* | 79 les pièces de tissu dont on se sert dans une maison (draps, serviettes, torchons, etc.) ou les vêtements en tissu léger (chaussettes, chemises, etc.).
■ **lingerie** n.f. **1.** *Dans un magasin de lingerie féminine, on vend des chemises de nuit, des sous-vêtements, des bas.* **2.** *Sylvie repasse à la lingerie,* | 77 dans la pièce où on range et où on entretient le linge.

lingot n.m. *Un lingot est une grosse barre d'un métal précieux.*

linguistique n.f. *La linguistique est l'étude des langues, du langage.*
R. On prononce [lɛ̃ɡɥistik].

linoléum ou **lino** n.m. *On a recouvert le plancher avec du linoléum,* une toile épaisse revêtue d'un produit imperméable.
R. On prononce [linɔleɔm].

linotte n.f. *Quelle **tête de linotte**, il a encore oublié le pain !,* quel étourdi !

linteau n.m. *Le **linteau** d'une porte ou d'une fenêtre est la pièce horizontale de bois, de pierre, etc.,* qui soutient la maçonnerie au-dessus de l'ouverture.

581 **lion** n.m., **lionne** n.f. *Au cirque, le dompteur dresse les **lions**,* de grands animaux au pelage fauve. *La **lionne** veille sur ses petits,* la femelle du lion.
■ **lionceau** n.m. *Les **lionceaux** sont les petits du lion.*

liquéfier → liquide.

liqueur n.f. *Après le dîner, papa a pris un verre de **liqueur**,* une boisson alcoolisée sucrée (= digestif).

liquidation → liquider.

liquide adj. **1.** *Ta sauce est trop **liquide**, ajoute de la farine,* elle n'est pas assez épaisse. **2.** *J'ai payé en argent **liquide**,* en billets, en pièces de monnaie.
■ **liquide** n.m. SENS 1 *L'eau, le lait, l'essence sont des **liquides**,* des substances qui coulent. SENS 2 (au sing.) *Je n'ai plus de **liquide**,* d'argent liquide.
■ **liquéfier** v. SENS 1 *La cire **se liquéfie** à la chaleur,* elle devient liquide.

liquider v. **1.** *Cette affaire **est liquidée**,* elle est terminée (= régler). **2.** *Avant sa fermeture définitive, le magasin **liquide** tout son stock,* il le vend à bas prix.
■ **liquidation** n.f. SENS 1 *Il faut attendre la **liquidation** du procès.* SENS 2 *La **liquidation** des marchandises a été rapide.*

1. lire n.f. *La **lire** est la monnaie italienne.*

2. lire v. **1.** *Maria apprend à **lire**,* à comprendre ce qui est écrit. **2.** *Lis-moi la lettre de Chantal,* dis-moi tout haut ce qui y est écrit. **3.** *Tu as déjà **lu** ce livre ?,* pris connaissance de ce qui y est écrit.
■ **lecture** n.f. SENS 1 *Pascal apprend la **lecture**,* il apprend à lire. SENS 2 *Je vais te faire la **lecture** de ce texte,* te le lire. SENS 3 *J'aime la **lecture**,* lire des livres. *Quelles sont tes **lectures** préférées ?,* tes livres préférés.
■ **lecteur** n. n. SENS 1 *Beaucoup de **lectrices** du journal nous ont écrit,* de femmes qui le lisent. **2.** n.m. On appelle **lecteurs** des appareils qui servent à reproduire des sons *(lecteur de cassette)* ou à lire des informations *(lecteur de disquette).*
■ **lisible** adj. SENS 1 *Que tu écris mal, c'est à peine **lisible** !,* on peut à peine te lire.
■ **lisiblement** adv. SENS 1 *Écris plus **lisiblement**,* de façon plus lisible.
■ **lisibilité** n.f. SENS 1 *Il faut espacer les lignes pour améliorer la **lisibilité**,* pour rendre le texte plus lisible.
■ **illisible** adj. SENS 1 *Cette signature est **illisible**,* on ne peut pas la lire.
■ **relire** v. SENS 2 *Relis ce passage,* lis-le de nouveau. SENS 3 *Je **relis** toujours mes lettres,* je lis ce que j'ai écrit.
R. → Conj. n° 73. → lit.

lis ou **lys** n.m. *Le **lis** est une plante à fleurs blanches odorantes.*
R. *Lis* se prononce [lis] comme *lisse.*

liseré ou **liséré** n.m. *Maman a brodé un **liseré** au bas de ma robe,* un ruban étroit.

liseron n.m. *Le **liseron** est une plante grimpante dont les fleurs sont en forme d'entonnoir.*

lisibilité, lisible, lisiblement → lire 2.

lisière n.f. *Sa maison est à la **lisière** de la forêt,* au bord (= limite).

lisse adj. *Bébé a la peau lisse* (= doux ; ≠ rugueux).

■ **lisser** v. *Lisser ses cheveux,* c'est les rendre lisses.

R. → *lis.*

liste n.f. *Dupont ?... Non, vous n'êtes pas sur la liste,* la suite de noms écrits les uns au-dessous des autres.

lit n.m. **1.** *Il est l'heure d'aller au lit,* de se coucher sur le meuble prévu pour cela. **2.** *Le lit d'un cours d'eau* est le creux dans lequel il coule.

■ **literie** n.f. SENS 1 *Le sommier, le matelas, les oreillers, les draps, etc., constituent la literie.*

■ **s'aliter** v. SENS 1 *Jean s'est alité avec de la fièvre,* il s'est mis au lit.

R. *Lit* se prononce [li] comme *lie, [je] lie* (de *lier), [je] lis* (de *lire).*

litanie n.f. *Il a repris la litanie de ses réclamations,* la longue liste.

lithographie ou **litho** n.f. *J'ai acheté cette lithographie chez un antiquaire,* une reproduction d'un dessin.

litière n.f. **1.** *La litière des vaches* est la paille sur laquelle elles se couchent. **2.** Autrefois, une *litière* était une sorte de lit posé sur des brancards.

litige n.m. *Ce litige peut se régler facilement,* ce petit conflit (= différend).

■ **litigieux** adj. *Quels sont les points litigieux ?,* qui font l'objet du litige (= contesté).

litre n.m. **1.** *Le litre* est l'unité de mesure des liquides. *Il y a 100 centilitres et 10 décilitres dans un litre ; il faut 10 litres pour faire un décalitre et 100 litres pour faire un hectolitre.* **2.** *Rebouche le litre de vin,* la bouteille contenant 1 litre.

littéraire → *littérature.*

littéral adj. *Au sens littéral, « mille façons » signifie « dix fois cent façons », au sens large, cela signifie*

« de nombreuses façons » (= propre, rigoureux, strict).

■ **littéralement** adv. *J'ai été littéralement stupéfaite,* absolument.

littérature n.f. *Ce roman est un des chefs-d'œuvre de la littérature,* de l'ensemble des livres écrits par des écrivains.

■ **littéraire** adj. *Une émission littéraire* concerne la littérature, les livres.

littoral n.m. *Le littoral* est le bord de mer (= côte). 725

liturgie n.f. *La liturgie* est la façon dont se déroulent les cérémonies religieuses.

■ **liturgique** adj. *Une cérémonie liturgique* est conforme à la liturgie.

livide adj. *Tu as froid ? Tu es livide,* très pâle.

living ou **living-room** n.m. *Les invités sont dans le living,* la salle de séjour.

R. On prononce [liviŋ, liviŋrum].

livraison → *livrer.*

1. livre n.m. *Papa a beaucoup de livres dans sa bibliothèque,* de volumes imprimés (= volume ; fam. bouquin). 221, 295

■ **livret** n.m. **1.** *Un livret* est un livre mince où l'on inscrit quelque chose (= carnet). **2.** *Le livret d'un opéra,* c'est le texte mis en musique, les paroles.

2. livre n.f. **1.** *La livre* est la monnaie anglaise. **2.** *La livre* est une ancienne unité de masse qui valait 16 onces.

livrée n.f. *Une livrée* est un costume spécial porté autrefois par certains domestiques, aujourd'hui par le personnel de certains hôtels.

livrer v. **1.** *Le coupable a été livré à la police,* remis. **2.** *Le meuble que vous avez commandé vous sera livré sa-*

medi, apporté à domicile. **3.** *Livrer bataille,* c'est engager le combat. **4.** *Ils se sont livrés au pillage,* ils se sont mis à piller.

■ **livraison** n.f. SENS 2 *J'attends une livraison,* qu'on me livre ce que j'ai acheté. *C'est demain que je prends livraison de ma nouvelle voiture,* que je vais la recevoir.

■ **livreur** n. SENS 2 *Ingrid, donne un pourboire au livreur !,* à celui qui livre.

livret → *livre* 1.

lob n.m. *Au tennis ou au football, faire un lob,* c'est faire passer la balle au-dessus du joueur adverse.

lobe n.m. *Le lobe de l'oreille* est la partie arrondie du bas de l'oreille.

local adj. **1.** *Tu lis le journal local ?,* celui de la région. **2.** *Une anesthésie locale* s'applique à une partie du corps seulement (≠ général). **3.** n.m. *Vous voulez visiter les nouveaux locaux ?,* les bâtiments ou parties de bâtiments (= salle).

■ **localement** adv. SENS 1 ET 2 *Le temps sera localement pluvieux,* par endroits.

■ **localiser** v. SENS 2 *La douleur est localisée dans le dos,* limitée à cet endroit.

■ **localité** n.f. SENS 1 *Une localité* est une petite ville (= agglomération).

locataire, locatif, location → *louer.*

locomotion n.f. *La voiture, le train, l'avion sont des moyens de locomotion,* pour aller d'un lieu à un autre.

locomotive n.f. *La locomotive* est la machine qui tire les trains.

locution n.f. *« Sous »* est une préposition, *« au-dessus de »* est une *locution prépositive,* un groupe de mots qui a le sens d'un seul mot.

loge n.f. **1.** *La loge de la concierge* est près de l'entrée de l'immeuble, l'endroit où elle habite. **2.** *La loge d'un artiste* est la pièce où il s'habille et se maquille. **3.** *J'ai loué une loge au théâtre,* un compartiment contenant plusieurs sièges.

loger v. **1.** *Pour l'instant, je loge à l'hôtel,* j'y habite. **2.** *Cet appartement est trop petit, nous sommes mal logés,* installés. **3.** *La balle s'est logée dans le mur,* elle s'y est placée (= se mettre).

■ **logement** n.m. SENS 1 *Je cherche un logement,* un endroit où habiter (= appartement, habitation).

■ **logeur** n. SENS 1 *Ma logeuse demande à être payée tout de suite,* la personne qui me loue un logement meublé.

■ **logis** n.m. SENS 1 *Chaque soir, je rentre au logis,* chez moi.

■ **déloger** v. *Nos troupes ont délogé l'ennemi,* elles l'ont chassé de ses positions.

loggia n.f. *Une loggia* est un balcon fermé sur les côtés.

logique adj. *Ton explication est logique,* cohérente, raisonnable (≠ absurde).

■ **logiquement** adv. *Logiquement, votre assurance devrait vous rembourser les dégâts* (= normalement).

■ **illogique** adj. *Ses arguments sont illogiques,* incohérents.

logis → *loger.*

loi n.f. **1.** *Les citoyens doivent obéir à la loi,* à l'ensemble des règles concernant les droits et les devoirs des gens. **2.** *Le Parlement a voté une nouvelle loi,* un nouveau règlement. **3.** *La chute des objets obéit aux lois de la physique,* aux principes selon lesquels se produisent les phénomènes physiques.

■ **légal** adj. SENS 1 *Ce qui est légal* est conforme à la loi (= réglementaire).

■ **légalement** adv. SENS 1 *Légalement, vous n'avez pas le droit d'agir ainsi,* selon la loi.

■ **légalité** n.f. SENS 1 *Il faut rester dans la légalité,* dans le cadre de la loi.

■ **légaliser** v. SENS 1 *Légaliser une situation,* c'est la rendre légale.

■ **illégal** adj. SENS 1 *Ces mesures sont illégales,* contraires à la loi.

■ **illégalité** n.f. SENS 1 *Ils vivent dans l'illégalité* (≠ légalité).

loin adv. 1. *Tu habites loin ?,* à une grande distance d'ici. *L'école est loin de chez moi* (≠ près de). 2. *On entend le tonnerre au loin,* dans un endroit éloigné. 3. *Loin de se plaindre, elle riait,* non seulement elle ne se plaignait pas, mais elle riait. *Il n'est pas malheureux, loin de là,* il s'en faut (= au contraire).

■ **lointain** adj. et n.m. *Bombay est une ville lointaine,* à une grande distance de nous (= éloigné ; ≠ proche). *On aperçoit les montagnes dans le lointain,* au loin (= à l'horizon).

■ **éloigner** v. *Les enfants, ne vous éloignez pas trop,* n'allez pas trop loin (= s'écarter ; ≠ s'approcher).

■ **éloigné** adj. *J'habite un quartier éloigné du centre de la ville* (≠ proche).

■ **éloignement** n.m. *À l'étranger, Paul souffrait de l'éloignement,* d'être loin des siens.

loir n.m. Le *loir* est un petit animal d'Europe et d'Asie qui dort tout l'hiver.

loisirs n.m.pl. *Je travaille beaucoup, j'ai peu de loisirs,* de moments libres pour me distraire.

lombaire adj. *La région lombaire est* celle des reins.

long adj. 1. *Ta robe est trop longue* (≠ court). 2. *La corde est longue de 2 mètres,* elle a 2 mètres de longueur (≠ large ou haut). 3. *En été, les journées sont plus longues qu'en hiver, elles durent plus longtemps* (≠ bref).

■ **long** n.m. 1. SENS 2 *Le mur a 10 mètres de long,* de longueur (≠ large ou haut). 2. *Yves a glissé et il est tombé de tout son long,* tout son corps étendu par terre. 3. *J'ai parcouru le boulevard tout du long,* dans toute sa longueur. 4. *Tu marchais de long en large dans la pièce,* en tous sens. 5. *Elle m'a raconté l'histoire en long et en large,* avec tous les détails.

■ **le long de, au long de** prép. *On va se promener le long de la rivière ?,* en suivant le bord de la rivière. *Il a plu tout au long de la journée,* pendant toute la journée.

■ **à la longue** adv. SENS 3 *À la longue, tu t'habitueras,* avec le temps (= petit à petit).

■ **longuement** adv. SENS 3 *On a longuement parlé* (= longtemps ; ≠ brièvement).

■ **longueur** n.f. SENS 2 *Quelle est la dimension de la pièce en longueur ?,* dans son plus grand côté (= long ; ≠ largeur ou hauteur). SENS 3 *La réunion a été d'une longueur !,* elle a duré longtemps (≠ brièveté). *Marie chante à longueur de journée,* toute la journée.

■ **longer** v. *Si on longeait la côte en bateau ?,* si on allait le long de la côte ? *Le chemin longe la mer,* il suit le bord de la mer.

■ **allonger** v. 1. SENS 1 ET 2 *Cette robe est trop courte, il faudrait l'allonger,* la rendre plus longue (= rallonger ; ≠ raccourcir). SENS 3 *N'allongeons pas plus la discussion !,* ne la faisons pas durer plus longtemps (≠ abréger). *Les jours allongent,* ils deviennent plus longs. 2. *Allongez les bras devant vous,* tendez-les. *Allonge-toi sur le lit,* étends-toi.

■ **allongement** n.m. SENS 1, 2 ET 3 *Ce serait bien s'il y avait un allongement* des vacances, si elles étaient plus longues.

■ **rallonger** v. SENS 1 ET 2 *J'ai rallongé mon manteau* (= allonger ; ≠ raccourcir). SENS 3 *En été, les jours rallongent,* leur durée augmente (= allonger ; ≠ diminuer).

■ **rallonge** n.f. SENS 1 ET 2 *Nous sommes huit à table, mets la rallonge,* une planche qui rend la table plus longue.

longe n.f. *On dresse un cheval avec une longe,* une grande courroie pour le conduire.

longer → *long.*

longévité n.f. *Il a cent ans, quelle longévité !,* quelle longue vie !

longitude n.f. *Le bateau est à 60 degrés de longitude Ouest,* à 60 degrés à l'ouest du méridien de Greenwich (≠ latitude).

longitudinal adj. *Faire une coupe longitudinale d'une tige,* c'est la couper dans le sens de la longueur (≠ transversal).

longtemps adv. *Il y a longtemps que je n'ai pas vu Chantal,* un long espace de temps.

longue, longuement, longueur → *long.*

764 | **longue-vue** n.f. *Une longue-vue est une lunette pour voir très loin.*
R. Noter le pluriel : des *longues-vues.*

766 | **looping** n.m. *L'avion a fait un looping,* une acrobatie qui consiste à faire une boucle dans le plan vertical.
R. On prononce [lupiŋ].

lopin n.m. *M. Durand cultive un lopin de terre,* un petit morceau de terrain.

loquace adj. *Tu n'es pas très loquace aujourd'hui,* tu ne parles pas beaucoup (= bavard).
R. On prononce [lɔkas].

loque n.f. *Tu t'es battu ? Ta veste est en loques,* en lambeaux.

■ **loqueteux** adj. *Des vêtements loqueteux* sont en loques.

loquet n.m. *Pour ouvrir la porte, il suffit de lever le loquet,* la petite barre qui sert de fermeture.

lorgner v. *Ce sont les chocolats que tu lorgnes ?,* que tu regardes avec envie (= convoiter).

lorgnette n.f. *Voir par le petit bout de la lorgnette,* c'est accorder trop d'importance à des détails secondaires.

lorgnon n.m. *Sur cette photo, la vieille dame porte un lorgnon,* des lunettes qui tiennent sur le nez par un ressort.

lors adv. et prép. 1. *Je l'ai vue l'année dernière, mais depuis lors, pas de nouvelles,* depuis ce moment. 2. *Ça se passait lors de notre voyage en Italie,* au moment de. 3. *Elle était absente ce jour-là ; dès lors, on ne peut pas l'accuser,* dans ces conditions, par conséquent.

lorsque conj. *Lorsque tu seras à Moncton, téléphone-moi,* quand tu y seras.

losange n.m. *Un losange est une figure géométrique à quatre côtés égaux, mais dont les angles ne sont pas droits.*

lot n.m. 1. *Ce terrain a été vendu en plusieurs lots,* en parts séparées. 2. *J'espère qu'on va gagner le gros lot à la loterie,* l'argent ou les choses auxquels on a droit quand on a le billet gagnant. 3. *À vendre, tout un lot de casseroles,* plusieurs casseroles (= ensemble).

■ **loterie** n.f. SENS 2 *J'ai acheté un billet de loterie,* d'un jeu où l'on tire au sort les numéros des billets gagnants.

■ **lotir** v. 1. SENS 1 *Lotir un terrain,* c'est le diviser en lots. 2. *Être mal loti,* c'est ne pas avoir de chance.

■**lotissement** n.m. SENS 1 Un *lotissement* est un grand terrain divisé en lots sur lesquels on construit des maisons individuelles.

lotion n.f. *Frictionnez-vous avec cette lotion,* une eau de toilette pour les soins de la peau, des cheveux.

lotir, lotissement → *lot.*

loto n.m. 1. *Veux-tu faire une partie de loto ?,* un jeu où l'on tire des pions numérotés et où on doit les poser sur les cases correspondantes d'un carton. 2. *Papa joue au loto chaque semaine,* une loterie où les numéros gagnants rapportent de l'argent.

lotte n.f. *On a mangé de la lotte,* un gros poisson de mer.

lotus n.m. Le *lotus* est une sorte de nénuphar.
R. On prononce [lɔtys].

louable → *louer* 2.

louage → *louer* 1.

louange → *louer* 2.

1. louche adj. *Il ne veut pas dire où il va, c'est louche,* il faut se méfier (= suspect, bizarre ; ≠ clair).

2. louche n.f. *On sert le potage avec une louche,* une grande cuillère.

loucher v. *Jacques louche,* ses deux yeux ne regardent pas dans la même direction.

1. louer v. 1. *Chaque été, on loue une villa un mois au bord de la mer,* on y habite un mois, en payant une somme au propriétaire. *Ma propriétaire me loue le studio 300 dollars par mois,* elle me permet d'y habiter moyennant cette somme. 2. *J'ai loué trois places de théâtre,* je les ai payées à l'avance (= retenir, réserver).
■**louage** n.m. SENS 1 *Une voiture de louage* est louée pour un certain temps.

■**loueur** n. SENS 1 *Le loueur de voitures* a pour métier de louer des voitures aux autres.

■**locataire** n. SENS 1 La *locataire* est la personne qui loue un appartement, une maison, en payant un loyer (≠ propriétaire).

■**locatif** adj. SENS 1 *La valeur locative d'une maison,* c'est le prix qu'on peut la louer.

■**location** n.f. SENS 1 *Quel est le prix de location de cette villa ?,* le prix auquel on la loue. SENS 2 *La location d'une place de théâtre,* c'est sa réservation.

■**loyer** n.m. SENS 1 *Je paie 300 dollars de loyer par mois à ma propriétaire,* je lui verse cette somme pour louer.

■**sous-louer** v. SENS 1 *Il sous-loue une chambre de son appartement,* il la laisse en location à quelqu'un (un **sous-locataire**) alors qu'il est lui-même locataire.

2. louer v. *Il faut la louer de cette initiative,* la féliciter (≠ blâmer). *Je n'ai qu'à me louer de cet élève,* j'en suis très satisfaite (= se féliciter).
■**louable** adj. *Son attitude est tout à fait louable,* elle mérite d'être louée (≠ blâmable).
■**louange** n.f. *Quelles louanges j'ai entendues à ton sujet !* (= compliment, éloge).

louis n.m. *Un louis d'or* est une pièce d'or.

loup n.m. 1. Le *loup* est un animal sauvage qui ressemble au chien. 2. *Au menu, il y a du loup au fenouil,* un poisson qu'on appelle aussi *bar.* 3. *Au bal masqué, elle portait un loup,* un masque noir qui couvre les yeux. 4. *Un vieux loup de mer* est un marin qui a beaucoup navigué.
■**louve** n.f. SENS 1 La *louve* est la femelle du loup.
■**louveteau** n.m. 1. SENS 1 Les *louveteaux* sont les petits du loup. 2. Un

582

579

louveteau est un jeune scout de moins de douze ans.

■ **loup-garou** n.m. SENS 1 Les *loups-garous* étaient des sorciers qui, croyait-on, se changeaient en loups la nuit.

loupe n.f. Une *loupe* est un morceau de verre bombé qui fait paraître les objets plus gros.

louper v. Fam. *Zut ! J'ai loupé mon autobus !,* je l'ai manqué (= rater).

loup-garou → *loup.*

lourd adj.**1.** *Laisse-moi porter cette valise, elle est trop lourde pour toi,* d'un grand poids (= pesant ; ≠ léger). *Les impôts sont lourds,* difficiles à supporter. **2.** *Cet oiseau a un vol lourd,* lent et sans souplesse. **3.** *Ta plaisanterie est plutôt lourde !,* elle manque de finesse (= gros ; ≠ fin). *C'est une lourde erreur,* une erreur grossière. **4.** *Tu n'as rien entendu ? Eh bien, tu as le sommeil lourd !* (= profond ; ≠ léger). **5.** *Ce repas est lourd,* difficile à digérer (= indigeste). **6.** *Il fait un temps lourd,* chaud et orageux.

■ **lourd** adv. SENS 1 *Ça pèse lourd,* ça a un grand poids.

■ **lourdaud** adj. et n. SENS 2 ET 3 *Une personne lourdaude* est gauche, maladroite dans ses mouvements, ou lente à comprendre.

■ **lourdement** adv. SENS 2 *Tu marchais trop lourdement* (= pesamment). SENS 3 *Tu te trompes lourdement* (= grossièrement).

■ **lourdeur** n.f. SENS 3 *Elle est d'une lourdeur, cette plaisanterie !* (≠ finesse). SENS 5 (au plur.) *Avoir des lourdeurs d'estomac,* c'est avoir du mal à digérer.

■ **alourdir** v. SENS 1 *Je sens mes paupières s'alourdir, tellement j'ai sommeil,* devenir lourdes.

■ **alourdissement** n.m. SENS 1 *On annonçait un alourdissement des impôts* (= accroissement).

loustic n.m. Fam. *C'est un drôle de loustic,* un garçon malin, qui aime plaisanter.

loutre n.f. La *loutre* est un petit animal qui se nourrit de poissons et que l'on chasse pour sa fourrure.

louve, louveteau → *loup.*

louvoyer v. *Faire louvoyer un voilier,* c'est le faire avancer contre le vent, en faisant des zigzags.

se lover v. *Le serpent se love,* il s'enroule sur lui-même.

loyal adj. *Nos adversaires se sont montrés très loyaux, ils ont reconnu leur faute* (= honnête ; ≠ déloyal).

■ **loyalement** adv. *Ce boxeur ne se bat pas loyalement* (= régulièrement).

■ **loyalisme** n.m. *Elle a toujours été d'un loyalisme irréprochable à l'égard de son parti* (= fidélité).

■ **loyauté** n.f. *Tu as agi avec loyauté* (= honnêteté, droiture).

■ **déloyal** adj. *Tricher au jeu est une attitude déloyale,* malhonnête.

■ **déloyauté** n.f. *On lui a reproché sa déloyauté* (= fourberie).

loyer → *louer 1.*

L. S. D. n.m. Le *L. S. D.* est une drogue très dangereuse.

lubie n.f. *Brenda a une nouvelle lubie : elle veut s'acheter une voiture de course,* une envie un peu folle (= fantaisie, toquade).

lubrifier v. *Lubrifier une pièce de machine,* c'est y mettre de l'huile ou de la graisse.

■ **lubrifiant** n.m. Un *lubrifiant* est un produit pour graisser les machines.

lucarne n.f. Une *lucarne* est un panneau vitré dans un toit.

lucide adj. *Marc a bu trop d'alcool, il n'est plus très lucide,* conscient.

■**lucidement** adv. *Il faut examiner lucidement la situation,* en cherchant à y voir clair.

■**lucidité** n.f. *Marie a toute sa lucidité,* elle est capable de comprendre et de raisonner (≠ inconscience).

lucratif adj. *Une affaire lucrative* rapporte de l'argent.

lueur n.f. **1.** *On aperçoit des lueurs au loin,* des lumières faibles. **2.** *Il reste une lueur d'espoir de la sauver,* un faible espoir.

luge n.f. *Lise fait de la luge,* elle glisse sur la neige avec un petit traîneau.

lugubre adj. *Il fait sombre ici, c'est lugubre* (= sinistre ; ≠ gai).

lui pron.pers. *Dans « j'ai vu Judy, je lui ai dit bonjour »,* **lui** désigne Judy, la personne dont je parle.
R. *Lui* se prononce [lɥi] comme [*le soleil*] *luit* (de *luire*).

luire v. *Le soleil luit,* il brille.

■**luisant** adj. *Tu as la peau luisante,* brillante. *Un ver luisant* est un insecte qui brille la nuit.

■**reluire** v. *Jean fait reluire ses chaussures* (= briller).
R. → Conj. n° 69. → *lui.*

lumbago n.m. *Papa marche courbé, il a un lumbago,* il a mal aux reins.
R. On prononce [lɔ̃bago].

lumière n.f. **1.** *Il y a beaucoup de lumière dans cette pièce,* elle est très éclairée (= clarté). **2.** *En partant, éteins les lumières,* les lampes allumées (= électricité, éclairage). **3.** *Nous ferons toute la lumière sur cette affaire mystérieuse,* nous l'éclaircirons.

■**lumignon** n.m. SENS 2 *Ce bout de chandelle n'est qu'un lumignon,* une lumière qui éclaire mal.

■**luminaire** n.m. SENS 2 *Dans un magasin de luminaires,* on vend des appareils d'éclairage.

■**lumineux** adj. SENS 1 *Ma montre a un cadran lumineux,* qui brille dans l'obscurité. SENS 3 *Ton explication est lumineuse,* très claire (= ingénieux).

■**lumineusement** SENS 3 *Cette affaire a été lumineusement expliquée.*

294, 217

lunaire → *lune.*

lunatique → *luné.*

lunch n.m. *Après le mariage, il y a eu un lunch,* un repas froid.
R. On prononce [lœnʃ] ou [lœ̃ʃ]. Noter le pluriel : *des lunches* ou *des lunchs.*

lundi n.m. *La boucherie est fermée le lundi,* le lendemain du dimanche.

125

lune n.f. **1.** *C'est le 21 juillet 1969 que les premiers hommes ont marché sur la Lune,* la planète qui tourne autour de la Terre. **2.** *Le clair de lune* est la lumière que cet astre envoie, la nuit, sur la Terre. **3.** *Être dans la lune,* c'est être distrait, rêveur. **4.** *Demander, promettre la lune,* c'est demander, promettre des choses impossibles.

■**lunaire** adj. SENS 1 *Le sol lunaire* est celui de la Lune.

■**alunir** v. SENS 1 *L'engin spatial a aluni,* il s'est posé sur la Lune.

■**alunissage** n.m. SENS 1 *L'alunissage de l'engin spatial s'est bien effectué.*

luné adj. Fam. *Jean est mal (bien) luné aujourd'hui,* de mauvaise (de bonne) humeur.

■**lunatique** adj. *Ce matin tu étais de bonne humeur et cet après-midi tu boudes : comme tu es lunatique !,* d'humeur changeante (= fantasque).

lunette n.f. **1.** (au plur.) *Anne porte des lunettes,* des verres pour mieux voir ou pour se protéger les yeux. **2.** *Une lunette d'approche* est un tube avec des lentilles pour voir au

290, 649

loin (= lon gue-vue). **3.** *La **lunette** arrière d'une voiture* est sa vitre arrière.

80 **lupin** n.m. Le *lupin* est une plante à fleurs en épi.

lurette n.f. Fam. *Il y a **belle lurette** que je ne l'ai pas vue,* il y a longtemps.

luron n. *C'est une bande de joyeux **lurons**,* de personnes gaies et insouciantes.

224 **1. lustre** n.m. *Dans le salon, il y a un **lustre** en cristal,* un appareil d'éclairage à plusieurs lampes, suspendu au plafond.

2. lustre n.m. *La présence de la présidente a donné du **lustre** à la cérémonie* (= éclat, solennité).

lustré adj. *Ton costume est **lustré**,* il a un aspect brillant, dû à l'usure.

439 **luth** n.m. Le *luth* est un instrument de musique ancien à cordes.
■ **luthier** n.m. Le *luthier* fabrique des luths, des violons, des guitares.

lutin n.m. *Dans les contes de fées, les **lutins** sont des petits bonshommes surnaturels.

146 **lutrin** n.m. *Le livre de chants religieux est posé sur le **lutrin**,* un pupitre.

lutte n.f. **1.** *La **lutte** est un sport de combat où chacun des deux adversaires cherche à mettre l'autre à terre. **2.** *La **lutte** contre le cancer,* c'est la recherche des moyens de le vaincre.
■ **lutter** v. SENS 1 ET 2 *La petite chèvre a **lutté** toute la nuit contre le méchant loup,* elle s'est battue. *Ils **luttent** contre la faim dans le monde* (= combattre).
■ **lutteur** n. SENS 1 *Un **lutteur** est un sportif qui pratique la lutte.

luxe n.m. **1.** *Il y a un grand **luxe** dans cet appartement,* des choses chères qui ne sont pas indispensables. **2.** *Le caviar*

est un produit *de **luxe**,* très cher. **3.** *Son récit contient **un luxe de** détails,* une grande abondance.
■ **luxueux** adj. SENS 1 *Dans une maison **luxueuse**,* il y a du luxe (= somptueux). SENS 2 *Un produit **luxueux*** est très coûteux.
■ **luxueusement** adv. SENS 1 *Son appartement est **luxueusement** décoré.*
■ **luxuriant** adj. SENS 3 *Une végétation **luxuriante*** pousse abondamment (= surabondant).

luxer v. *En tombant, je **me suis luxé** une épaule,* je me suis démis un os.
■ **luxation** n.f. *Depuis sa **luxation** du genou,* elle porte un bandage.

luzerne n.f. La *luzerne* est une herbe qui sert à nourrir les lapins, les vaches.

lycée n.m. En France, le *lycée* est un établissement d'enseignement secondaire qui va de la seconde à la terminale.
■ **lycéen** n. *Sarah est encore **lycéenne**,* élève d'un lycée.

lymphe n.f. La *lymphe* est un liquide incolore du corps.

lymphatique adj. *Une personne **lymphatique*** est peu énergique (= mou, nonchalant).

lyncher v. *L'assassin a failli se faire **lyncher** par la foule,* tuer.
R. On prononce [lɛ̃ʃe].

lynx n.m. Le *lynx* est une sorte de grand chat sauvage.

lyre n.f. La *lyre* est un instrument de musique ancien.

lyrique adj. **1.** *Un style **lyrique*** est plein de poésie, d'émotion, de passion. **2.** *Une artiste **lyrique*** est une chanteuse d'opéra.
■ **lyrisme** n.m. SENS 1 *Jean m'a décrit son voyage avec **lyrisme**,* de manière lyrique (= enthousiasme).

lys → *lis.*

m

m' → *me.*

ma → *mon.*

macabre adj. *On m'a raconté une histoire macabre,* une histoire qui parle de la mort (= sinistre).

macadam n.m. *Les pas résonnent sur le macadam du trottoir,* le revêtement du trottoir, constitué de pierres et de sable tassés par un rouleau compresseur (= bitume, asphalte).
R. On prononce [makadam].

macaque n.m. Le *macaque* est une sorte de singe.

macaron n.m. **1.** *À la pâtisserie, on a acheté des macarons,* des petits gâteaux ronds. **2.** *Tante Adèle a des macarons sur les oreilles,* des nattes de cheveux roulés sur les oreilles.

macaroni n.m. *Nous avons mangé des macaronis à la sauce tomate,* des pâtes allongées et creuses.

macédoine n.f. La *macédoine* est un mélange de légumes (ou de fruits) coupés en petits morceaux.

macérer v. *On fait macérer des fruits dans de l'alcool,* on les laisse tremper pour qu'ils s'en imprègnent.

mach n.m. *Cet avion vole à mach 2,* à deux fois la vitesse du son.
R. On prononce [mak].

mâche n.f. La *mâche* est une salade à petites feuilles vert foncé.

mâchefer n.m. Le *mâchefer* est un résidu de charbon qu'on répand sur les routes et les voies ferrées.

mâcher v. *Mâche bien ta viande avant de l'avaler !,* écrase-la avec tes dents (= mastiquer).
■ **mâchoire** n.f. *Les dents sont plantées dans la mâchoire.*
■ **mâchonner** v. *Je mâchonne le bout de mon crayon,* je le mords machinalement.

machette n.f. Une *machette* est une sorte de très grand couteau, utilisé surtout dans les régions tropicales.

machiavélique adj. *Attention ! C'est une personne machiavélique,* rusée et perfide.
■ **machiavélisme** n.m. *Il s'est conduit avec machiavélisme* (≠ franchise).
R. On prononce [makjavelik, makjavelism].

mâchicoulis n.m. *Au Moyen Âge, les mâchicoulis étaient des ouvertures dans la partie supérieure d'une tour d'un château fort.*

machin n.m. Fam. *Où as-tu trouvé ce machin ?,* cet objet dont je ne sais pas le nom (= truc).

machinal, machinalement → *machine.*

machination n.f. *J'ai pu déjouer ses machinations,* ce qu'elle préparait

146

en secret contre moi (= manœuvre, intrigue).

293

79, 296

machine n.f. *Pierre écrit une lettre à la machine* (≠ à la main). *Une machine à laver lave, une machine à coudre coud automatiquement.*

■ **machinal** adj. *Marie a fait un geste machinal,* sans s'en rendre compte, un peu comme une machine (= mécanique ; ≠ volontaire).

■ **machinalement** adv. *Tu as freiné machinalement.*

■ **machinerie** n.f. *Une machinerie* est un ensemble de machines.

■ **machinisme** n.m. *Le machinisme s'est développé depuis un siècle,* l'emploi généralisé des machines, l'emploi des machines dans l'industrie.

■ **machiniste** n.m. **1.** *Un machiniste* fait fonctionner une machine. **2.** *Le machiniste met en place et démonte les décors de théâtre, de cinéma,* l'ouvrier chargé de cette fonction.

440

mâchoire, mâchonner → *mâcher.*

151

maçon n.m. *Les maçons ont commencé la construction de la maison,* des ouvriers dont le métier est de construire.

■ **maçonnerie** n.f. *Un mur de maçonnerie est fait de pierres (ou de briques) assemblées avec du ciment.*

maculer v. *Ton pantalon est maculé de cambouis,* il est taché, sali.

■ **immaculé** adj. *Tu portes une chemise immaculée,* sans une tache.

madame → *dame.*

madeleine n.f. *Une madeleine* est un petit gâteau léger.

mademoiselle → *demoiselle.*

madone n.f. *Marie a un visage de madone,* qui ressemble à celui des Vierges des tableaux.

madras n.m. *Aux Antilles, les femmes portent des jupes et des foulards en madras,* un tissu aux couleurs vives.
R. On prononce [madras].

madré adj. *Un vieux bonhomme madré* est rusé et peu scrupuleux.

madrier n.m. *Le mur est renforcé par des madriers,* des planches épaisses.

madrigal n.m. *Un madrigal* est un petit poème tendre.

maestria n.f. *Aliocha joue du violon avec maestria,* très bien (= brio, virtuosité).
R. On prononce [maestrija].

mafia ou **maffia** n.f. *La police a arrêté un des chefs de la mafia,* d'une association de bandits.

magasin n.m. **1.** *Nous sommes allés dans les magasins faire des courses* (= boutique). **2.** *Le magasin d'un théâtre est l'endroit où l'on range les décors, les costumes, etc.*

■ **magasinier** n.m. SENS 2 *Le magasinier* est chargé de s'occuper des objets emmagasinés dans une entreprise.

■ **emmagasiner** v. SENS 2 *On a emmagasiné la récolte de blé,* on l'a mise en dépôt dans une réserve.

magazine n.m. **1.** *J'ai acheté un magazine illustré* (= revue). **2.** *Le magazine sportif de la télé est à 8 heures* (= émission).

magie n.f. *D'un coup de baguette, la fée a transformé la sorcière en citrouille, c'est de la magie !,* l'art de faire des choses qui semblent surnaturelles au moyen d'actes et de mots mystérieux.

■ **mage** n.m. **1.** *Les mages de l'Antiquité* étaient à la fois des prêtres et des magiciens. **2.** *Les Rois mages s'appelaient Melchior, Gaspard et Balthazar,* les personnages qui vinrent, guidés par une étoile, adorer Jésus à Bethléem.

■ **magicien** n. *Les sorciers, les prestidigitateurs sont des magiciens.*

■ **magique** adj. *Elle a prononcé une formule magique,* qui est destinée à avoir un effet mystérieux.

magistral adj. *Tu as réussi un coup magistral,* un coup de maître (= magnifique).

■ **magistralement** adv. *Tu as magistralement réussi ton coup.*

magistrat n.m. **1.** *Le père de Lise est magistrat* (= juge). **2.** *Les préfets, les maires sont des magistrats,* ils possèdent une autorité publique.

■ **magistrature** n.f. SENS 1 *Le père de Jean est dans la magistrature.* SENS 2 *Au Canada, la plus haute magistrature est le juge en chef de la Cour suprême.*

magma n.m. *Cet exposé n'est qu'un magma confus d'idées,* un mélange.

magnanime adj. *Les vainqueurs se sont montrés magnanimes,* généreux envers les vaincus.

■ **magnanimité** n.f. *Elle a pardonné avec magnanimité* (= grandeur d'âme).

magnésium n.m. *Le magnésium est un corps qui brûle avec une flamme éblouissante.*

magnétique adj. **1.** *On a acheté des bandes magnétiques,* des rubans servant à enregistrer les sons avec un magnétophone ou les sons et les images avec un magnétoscope. **2.** *L'aimant a des propriétés magnétiques,* il attire le fer. **3.** *Tu as un regard magnétique,* très attirant et mystérieux.

■ **magnétiser** v. SENS 3 *Magnétiser quelqu'un,* c'est exercer sur lui une attirance très grande (= hypnotiser).

■ **magnétisme** n.m. SENS 2 *Le magnétisme est l'ensemble des propriétés des aimants.* SENS 3 *Elle exerce sur* son entourage un véritable *magnétisme* (= fascination).

■ **magnéto** n.f. SENS 2 *Une magnéto est un appareil contenant un aimant et produisant du courant électrique.*

■ **magnétophone** n.m. SENS 1 *On a écouté une cassette sur le magnétophone,* un appareil qui enregistre et reproduit les sons.

76, 806

■ **magnétoscope** n.m. SENS 1 *On s'est passé un film au magnétoscope,* un appareil qui enregistre et reproduit les sons et les images sur un écran de télévision.

806

magnifique adj. *Ce paysage est magnifique,* très beau (= splendide, superbe ; ≠ affreux).

■ **magnifiquement** adv. *Elle a magnifiquement réussi,* très bien.

■ **magnificence** n.f. *On a admiré la magnificence du spectacle* (= splendeur).

magnolia n.m. *Le magnolia est un arbre à grandes fleurs parfumées.*

magnum n.m. *Un magnum de champagne est une grande bouteille équivalant à deux bouteilles normales.* **R.** On prononce [magnɔm].

magot n.m. Fam. *L'avare avait caché son magot dans la cave,* l'argent qu'il avait accumulé (= trésor).

magouille n.f. ou **magouillage** n.m. Fam. *On l'a accusée de magouilles électorales,* de combines louches.

■ **magouiller** v. Fam. *C'est une personne honnête, qui a toujours refusé de magouiller,* de faire des manœuvres malhonnêtes.

maharadjah n.m. *Maharadjah était le titre des rois, des grands princes de l'Inde.*

mahométan n. est un équivalent ancien de *musulman.*

125 **mai** n.m. *Le mois de mai est le cinquième mois de l'année.*
R. *Mai se prononce* [mɛ] *comme mais, mes, un mets et* [je] *mets,* [il] *met (de mettre).*

maigre adj. 1. *Seydou ne mange pas assez, il est très maigre* (≠ gros, gras). 2. *L'enquête n'a donné que de maigres résultats,* des résultats peu importants (= médiocre).
■ **maigrement** adv. SENS 2 *C'est un travail maigrement payé* (= peu).
■ **maigreur** n.f. SENS 1 *Seydou est d'une extrême maigreur.*
■ **maigrichon** adj. SENS 1 *Marie est maigrichonne,* un peu trop maigre.
■ **maigrir** v. SENS 1 *Depuis un an tu as beaucoup maigri,* tu es devenu maigre. *Cette robe te maigrit,* elle te fait paraître maigre.
■ **amaigrir** v. SENS 1 *La maladie l'a amaigri,* elle l'a rendu maigre.
■ **amaigrissant** adj. SENS 1 *Maman se trouve trop grosse, elle suit un régime amaigrissant,* un régime pour maigrir.
■ **amaigrissement** n.m. SENS 1 *Son amaigrissement est inquiétant.*

296 **1. maille** n.f. 1. *Marie compte les mailles de son tricot,* les boucles de laine qui le forment. 2. *Ce filet de pêche a de larges mailles,* des trous formés par les mailles (au sens 1).
■ **maillon** n.m. SENS 1 *Un maillon de la chaîne est cassé,* une des boucles qui la constituent.
■ **se démailler** v. SENS 1 *Mon collant s'est démaillé,* des mailles ont sauté.
■ **indémaillable** adj. SENS 1 *Cette robe est en tissu indémaillable,* les mailles ne peuvent pas se défaire.

2. maille n.f. *Lori a eu maille à partir avec Paul,* elle s'est disputée avec lui.

291, **maillet** n.m. Un *maillet* est un marteau
436 en bois.

maillon → maille.

maillot n.m. 1. *Les danseuses portent un maillot,* un vêtement collant qui leur couvre tout le corps. 2. *Pierre a mis un maillot de corps,* un vêtement qui couvre le buste. 3. *Si tu vas à la piscine, n'oublie pas ton maillot,* ton vêtement de bain. 4. *Autrefois, on enveloppait les bébés dans un maillot,* un tissu qui entourait les jambes et le buste.
■ **emmailloter** v. 1. SENS 4 *Emmailloter un bébé,* c'était l'envelopper d'un maillot. 2. *Tu as un doigt emmailloté d'un pansement* (= bander).

main n.f. 1. *Pierre écrit de la main droite et Marie de la main gauche.* 2. *On a la haute main sur ce projet,* on le dirige. 3. *Les voleurs ont fait main basse sur le magot,* ils s'en sont emparés. 4. *Il a préparé cela de longue main,* depuis longtemps. 5. *On m'a forcé la main,* on m'a forcée à accepter. 6. *Paul et Jean en sont venus aux mains,* ils se sont battus. 7. *Cette maison a changé de mains,* de propriétaire. 8. *Elle a pris ce travail en main,* elle s'en est chargée. 9. *Avez-vous eu ces renseignements de première main ou de seconde main ?,* directement ou par un intermédiaire. 10. *J'ai mis la dernière main à mon travail,* j'en ai soigné tous les détails (= parachever). 11. *Je suis fatigué, il est temps que je passe la main,* que je confie mon travail à quelqu'un d'autre. 12. *Je n'ai pas sous la main tous les documents que vous demandez,* je n'en dispose pas immédiatement. 13. *On a gagné haut la main,* sans difficulté.
R. → manuel.

main-d'œuvre n.f. *Cette usine emploie de la main-d'œuvre étrangère,* des ouvriers.

main-forte n.f. *Tu nous as prêté main-forte,* tu nous as aidés.

maint adj. se dit parfois pour *beaucoup de* : *J'ai remarqué cela en maintes occasions.*

maintenant adv. *Maintenant je m'en vais,* en ce moment (= à présent).

maintenir v. 1. *Ces poutres maintiennent la toiture,* elles l'empêchent de tomber (= soutenir). 2. *Les agents maintenaient la foule,* ils l'empêchaient d'avancer (= retenir). 3. *Il faut maintenir la paix,* la faire continuer. 4. *Je maintiens que j'ai raison,* je le dis encore une fois (= soutenir).
■ **maintien** n.m. 1. SENS 3 *La police veille au maintien de l'ordre.* 2. *Le maintien d'une personne,* c'est son attitude, sa tenue.
R. → Conj. n° 22.

maire n.m. *M. Durand est le maire d'une petite ville,* il a été élu pour l'administrer.
■ **mairie** n.f. *La mairie est sur la place du village,* la maison où se trouve l'administration municipale.
R. *Maire* se prononce [mɛr] comme *mer* et *mère.*

mais conj. marque une opposition à ce qui précède : *C'est difficile, mais nous devons réussir.*
R. → *mai.*

maïs n.m. *J'ai mangé du maïs grillé,* une plante qui donne des épis de gros grains jaunes.

maison n.f. 1. *Les Durand habitent dans une belle maison.* 2. *Viens à la maison,* chez moi. 3. *Luce est une amie de la maison* (= famille). 4. *Un casino est une maison de jeu,* une prison est une *maison d'*arrêt, une entreprise commerciale est une *maison de commerce.*
■ **maisonnée** n.f. SENS 3 *Toute la maisonnée est réunie pour le repas* (= famille).
■ **maisonnette** n.f. SENS 1 *Il y a une*

maisonnette au fond du jardin, une petite maison.

maître n.m., **maîtresse** n.f. 1. *M. Durand est habitué à parler en maître* (= chef). *Comment s'appelle la maîtresse de maison ?,* celle qui dirige la famille. 2. *Ce chien a perdu son maître,* celui auquel il appartient. 3. *La maîtresse a posé avec nous pour la photo de classe. Pierre aime bien son maître d'école* (= instituteur). 4. *Je suis resté maître de moi,* j'ai gardé mon sang-froid, je me suis dominé. 5. *Je ne suis pas maître de refuser,* je n'en ai pas le pouvoir (= libre). 6. *Les attaquants se sont rendus maîtres de la ville,* ils s'en sont emparés. 7. (au masc. seulement) *Pour ce qui est de dessiner, c'est un maître,* il le fait très bien. *Un coup de maître* est un coup très bien réussi. 8. *J'ai écrit à maître Dubois* (Me Dubois est un notaire ou un avocat). 9. *À la piscine, nous prenons des leçons avec le maître nageur,* le professeur de natation. 10. (au fém. seulement) *Jeanne est la maîtresse de M. Durand,* elle vit avec lui comme si elle était sa femme, bien qu'il ne soit pas marié avec elle.
■ **maîtrise** n.f. SENS 1 *Un agent de maîtrise* est un employé qui surveille le travail des ouvriers. SENS 4 *Anne a conservé sa maîtrise devant le danger,* elle était maître d'elle-même (= sang-froid). SENS 7 *Ce travail est exécuté avec maîtrise* (= habileté).
■ **maîtriser** v. SENS 4 *Saïd était en colère et il n'a pas réussi à se maîtriser,* à garder son calme (= se contrôler, se dominer). SENS 6 *Les pompiers ont maîtrisé le feu,* ils s'en sont rendus maîtres (= arrêter, éteindre).
R. *Maître* se prononce [mɛtr] comme *mètre* et *mettre.* → *magistral.*

majesté n.f. 1. *Le visage de cette vieille dame est plein de majesté,*

218

de noblesse et de dignité. **2.** *Autrefois, on appelait les rois « Votre Majesté ».*

■**majestueux** adj. SENS 1 *Elle marchait d'un pas **majestueux,** d'un pas lent et digne, avec solennité.*

majeur adj. **1.** *Leur souci **majeur** est de trouver un logement,* le plus important (≠ mineur). **2.** *La **majeure** partie des élèves est malade,* le plus grand nombre (= majorité). **3.** *Brenda sera **majeure** dans un mois,* elle aura dix-huit ans (≠ mineur). **4.** n.m. *Le **majeur** est le doigt du milieu.*

■**majorité** n.f. SENS 2 *La candidate n'a pas eu la **majorité** des voix,* plus de la moitié (≠ minorité). SENS 3 *Pierre a atteint sa **majorité,*** l'âge où il a les mêmes droits et les mêmes devoirs qu'un adulte.

■**majoritaire** adj. SENS 2 *Ce parti est **majoritaire** dans le pays,* il est soutenu par la majorité des citoyens (≠ minoritaire).

major n.m. **1.** *Un **major** est un officier de l'armée.* **2.** *Autrefois, on appelait **major,** un médecin militaire.* **3.** *Mon grand-frère a été reçu **major** à ce concours* (= premier).

majoration → *majorer.*

majordome n.m. *Chez des gens très riches, un **majordome** commande les autres domestiques.*

majorer v. *Virginia voudrait que son salaire **soit majoré*** (= augmenter, élever, hausser ; ≠ réduire, diminuer).

■**majoration** n.f. *On annonce une **majoration** du prix des transports* (= augmentation).

majorette n.f. *À la fête, des **majorettes** marchaient en tête du défilé,* des jeunes filles en uniforme.

majoritaire, majorité → *majeur.*

majuscule n.f. *Les noms propres commencent par une **majuscule*** (≠ minuscule).

mal n.m. **1.** *Les animaux ne distinguent pas le bien du **mal,** de ce qui est contraire à la morale. Qui t'a dit du **mal** de moi ?* (≠ bien). **2.** *Sonia se donne du **mal** pour réussir,* elle fait des efforts (= peine). **3.** *Maria a **mal** à la tête, sa tête lui **fait mal,*** elle souffre de la tête. **4.** *Jean a des **maux** de dents* (= douleur). **5.** *La guerre est un des pires **maux** de l'humanité* (= malheur, fléau).

■**mal** adj.inv. SENS 1 *Il a menti, c'est **mal*** (≠ bien).

■**mal** adv. **1.** SENS 1 *Tu écris **mal*** (≠ bien). **2.** *Il y a **pas mal** de gens dans les rues* (= beaucoup).

R. Le pluriel de *mal* est *maux*, mais n'est employé qu'aux sens 4 et 5. *Mal* se prononce [mal] comme *malle* ; *maux* se prononce [mo] comme *mot.* Employé comme préfixe, *mal* sert à former de nombreux mots où il exprime une idée contraire.

malachite n.f. *La **malachite** est une pierre d'un beau vert vif.*
R. On prononce [malakit].

malade adj. et n. *Pierre est **malade** depuis deux jours,* il n'est plus en bonne santé (≠ bien portant). *Ne réveillez pas le **malade** !*

■**maladie** n.f. *La **maladie** de Mary n'est pas grave.*

■**maladif** adv. *Marie est une enfant **maladive,*** souvent malade.

maladresse, maladroit, maladroitement → *adroit.*

malaise n.m. *Un **malaise** est une impression de gêne, de trouble.*

malaisé, malaisément → *aisance.*

malaria n.f. est un équivalent de *paludisme.*

malaxer v. *La pâtissière malaxe du beurre, de la farine et des œufs,* elle les mélange et remue la pâte (= pétrir).

malchance, malchanceux → *chance.*

malcommode → *commode.*

maldonne → *donner.*

mâle n.m. et adj. *Le coq est le mâle de la poule, le taureau est le mâle de la vache,* l'animal de sexe masculin (≠ femelle).

malédiction → *maudire.*

maléfice n.m. *Paul est superstitieux, il croit aux maléfices* (= mauvais sort, sortilège).
■ **maléfique** adj. *Une action maléfique* exerce une mauvaise influence (= néfaste, nuisible).

malencontreux adj. *Tu as eu des paroles malencontreuses,* dites mal à propos (= fâcheux).
■ **malencontreusement** adv. *J'étais malencontreusement sorti quand vous êtes arrivée,* par malchance.

malentendu n.m. *On s'est disputé, mais ce n'était qu'un malentendu,* on s'était mal compris.

malfaçon → *façon 2.*

malfaisant adj. *Tu as sur Jean une influence malfaisante* (= nuisible ; ≠ bienfaisant).
R. On prononce [malfəzã].

malfaiteur n.m. *La police a arrêté les malfaiteurs,* les bandits, les voleurs, les gangsters.

malfamé adj. *Ce quartier est malfamé,* on y rencontre des gens de mauvaise réputation, des bandits.

malformation n.f. *J'ai une malformation de la hanche,* un défaut qui existe depuis ma naissance.

malgré prép. indique que quelqu'un ou quelque chose s'oppose à l'action : *Je suis venue malgré la pluie.*

malhabile → *habile.*

malheur n.m. **1.** *Il vient de lui arriver un malheur,* un deuil, un accident, un échec, etc. **2.** *On dit que le malheur des uns fait le bonheur des autres* (= malchance). *Si par malheur il m'arrivait quelque chose, voici qui prévenir.*
■ **malheureux** adj. et n. SENS 1 *Aïcha est très malheureuse,* son père est mort (≠ heureux). *Il faut aider les malheureux.* SENS 2 *Un mot malheureux l'a fait se mettre en colère* (= malencontreux, regrettable).
■ **malheureusement** adv. SENS 2 *Je voulais voir Pierre, malheureusement il est parti* (≠ heureusement).

malhonnête, malhonnêtement, malhonnêteté → *honnête.*

malice n.f. *Tes paroles étaient pleines de malice,* tu te moquais gentiment de moi (= raillerie).
■ **malicieux** adj. *Marie a fait une réflexion malicieuse* (= espiègle, ironique).

malin adj. et n. **1.** *Pierre est malin comme un singe,* il est très rusé (= astucieux, débrouillard). *Marie est une maligne.* **2.** *Il éprouve un malin plaisir à agacer sa sœur* (= méchant).

malingre adj. *Jean est un enfant malingre,* il ne paraît pas en bonne santé (= chétif, fragile ; ≠ robuste).

malintentionné → *intention.*

malle n.f. *Une malle* est un grand coffre.
■ **mallette** n.f. *Une mallette* est une petite valise.
R. → *mal.*

malléable adj. *La cire, le plomb sont malléables,* faciles à modeler, à déformer (= souple ; ≠ cassant).

802

malle-poste n.f. *Autrefois, la **malle-poste** acheminait le courrier,* une voiture tirée par des chevaux.
R. Noter le pluriel : *des malles-postes.*

mallette → *malle.*

malmener v. *Jean a été malmené par des voyous,* ils l'ont traité durement (= brutaliser).

malodorant → *odeur.*

malotru n. *En voilà un malotru !,* un personnage mal élevé, grossier.

malpoli → *poli.*

malpropre, malpropreté → *propre.*

malsain → *sain.*

malséant adj. *Tu insistes de façon malséante,* inconvenante, déplacée.

malt n.m. *Le malt sert à faire de la bière,* l'orge préparée spécialement.

maltraiter → *traiter.*

malveillant adj. *Tu as dit sur moi un mot malveillant* (= méchant, mal-intentionné, désobligeant ; ≠ bien-veillant).

■ **malveillance** n.f. *Elle m'a regardé avec malveillance* (= hostilité ; ≠ sympathie).

malversation n.f. *La caissière a été accusée de malversations,* d'avoir détourné de l'argent à son profit.

maman n.f. *Bonjour maman ! Où est ta maman ?* (= mère).

mamelle n.f. *La vache a des mamelles remplies de lait* (= pis ; on dit *sein* en parlant de la mamelle de la femme).

■ **mamelon** n.m. 1. *Le mamelon est le bout de la mamelle.* 2. *La maison est située sur un mamelon,* une petite colline arrondie (= butte).

■ **mammifère** n.m. *L'homme, le chien, la baleine sont des mammi-* fères, des animaux dont la femelle a des mamelles.

mammouth n.m. *Les mammouths étaient d'énormes éléphants de l'époque préhistorique.*

manager n.m. *Le boxeur monte sur le ring suivi de son manager,* de la personne qui s'occupe de lui.
R. On prononce [managɛr].

manant n.m. se disait autrefois pour *paysan.*

1. manche n.f. 1. *Je porte une chemise à manches longues,* mon bras est recouvert jusqu'au poignet. 2. *On a perdu la première manche, mais on a gagné la revanche et la belle,* la première partie du jeu. 3. *Sur un terrain d'aviation, la manche à air indique la direction du vent,* une étoffe située en haut d'un mât dans laquelle l'air s'engouffre.

■ **manchette** n.f. 1. SENS 1 *Des boutons de manchettes servent à fermer les manches de certaines chemises.* 2. *Dans un journal, une manchette est un titre en grosses lettres.*

■ **manchon** n.m. SENS 1 *Un manchon est une fourrure dans laquelle on mettait les mains pour les protéger du froid.*

■ **emmanchure** n.f. SENS 1 *L'emmanchure d'un vêtement,* c'est l'endroit où sont fixées les manches.

2. manche n.m. 1. *Prends le couteau par le manche, pas par la lame,* la partie servant à le tenir. 2. *Le pilote actionne le manche à balai,* le levier de commande manuel de l'avion.

■ **démancher** v. SENS 1 *Le marteau s'est démanché,* le manche ne tient plus.

■ **emmancher** v. 1. SENS 1 *Cette pioche est mal emmanchée,* le manche est mal fixé. 2. *L'affaire s'emmanche bien* (= commencer).

368

manchot n.m. **1.** Un *manchot* est une personne qui a perdu un bras (ou les deux). **2.** Le *manchot* est un oiseau à ailes très courtes vivant dans les régions froides.

mandarine n.f. *La mandarine ressemble à une petite orange,* un fruit.

mandat n.m. **1.** *Pierre a rempli le mandat qu'on lui avait confié,* il a fait ce qu'on l'avait chargé de faire (= mission). **2.** *Ma grand-mère m'a envoyé un mandat de 10 dollars,* elle m'a envoyé de l'argent par la poste.

■ **mandataire** n. SENS 1 *En mon absence, vous serez mon mandataire,* je vous charge d'agir à ma place.

■ **mandater** v. SENS 1 *Je ne suis pas mandatée pour prendre cette décision,* cela ne fait pas partie de ma mission.

mandibule n.f. **1.** *Les criquets coupent les tiges avec leurs mandibules,* les pinces de leur bouche. **2.** On dit familièrement *les mandibules* pour *les mâchoires.*

mandoline n.f. *La mandoline* est une sorte de guitare bombée.

manège n.m. **1.** *Un manège* est un endroit où l'on apprend à monter à cheval. **2.** *Stéphanie a fait un tour de manège à la fête,* elle est montée sur un appareil tournant dont la plate-forme porte des animaux, des véhicules sur lesquels on s'assoit. **3.** *J'ai compris ton manège,* ce que tu préparais pour me tromper (= manœuvres).

manette n.f. *Appuie sur cette manette pour mettre l'appareil en route,* cette poignée ou ce levier.

manger v. *J'ai mangé un bifteck,* je l'ai mâché et avalé. *Pierre mange trop.*

■ **mangeable** adj. *Cette viande n'est pas mangeable,* bonne à manger.

■ **mangeoire** n.f. *Une mangeoire* est un récipient où mangent les animaux.

■ **mangeur** n. *M. Costaud est un gros mangeur,* il mange beaucoup.

■ **immangeable** adj. *Ce gâteau est brûlé, il est immangeable.*

R. *Immangeable* se prononce [ɛ̃mɑ̃ʒabl].

mangouste n.f. *Une mangouste* est un petit animal qui attaque les serpents.

mangue n.f. *La mangue* est un fruit tropical.

maniable → *manier.*

maniaque adj. et n. **1.** *M. Duval est un peu maniaque,* il est très attaché à ses petites habitudes. **2.** *La police a arrêté un dangereux maniaque,* un fou.

■ **manie** n.f. SENS 1 *Elle a la manie de se gratter l'oreille,* l'habitude bizarre (= tic).

manier v. **1.** *Il faut manier ce vase avec précaution,* le prendre dans ses mains pour le déplacer (= manipuler). **2.** *Cette voiture est difficile à manier* (= manœuvrer, conduire).

■ **maniable** adj. SENS 2 *Cet outil est peu maniable,* il est difficile à utiliser.

■ **maniement** n.m. SENS 2 *Connais-tu le maniement de cet appareil ?,* la manière de s'en servir.

■ **remanier** v. *L'auteur a remanié son livre,* il l'a repris et corrigé (= retoucher).

manière n.f. **1.** *Je n'aime pas sa manière de conduire,* la façon dont il le fait. **2.** *Elle s'est levée tôt, de manière à ne pas rater le train* (= pour). **3.** (au plur.) *Je n'aime pas ses manières,* la façon dont il agit (= attitude). **4.** *Lori fait des manières,* elle manque de simplicité (= embarras).

■ **maniéré** adj. SENS 4 *Jacques est maniéré* (= poseur).

manifester v. **1.** *Mary a manifesté son intention de partir,* elle l'a fait connaître clairement (= exprimer, montrer). **2.** *Les ouvriers ont manifesté dans la rue,* ils ont défilé dans la rue pour montrer ce qu'ils pensent. ■ **manifestant** n. SENS 2 *Les manifestants* ont défilé pendant trois heures. ■ **manifestation** n.f. SENS 1 *Son arrivée est accueillie par des manifestations de joie* (= démonstration). SENS 2 *La manifestation a été interdite par les autorités,* le rassemblement et le défilé.

■ **manifeste** adj. SENS 1 *Sa joie est manifeste,* elle apparaît clairement (= évident).

■ **manifeste** n.m. SENS 1 *Un manifeste* est une déclaration par laquelle on fait connaître son opinion.

■ **manifestement** adv. SENS 1 *Manifestement, tu as tort,* cela apparaît clairement.

manigancer v. *C'est toi qui a manigancé l'affaire ?,* qui l'a préparée en secret (= combiner).

■ **manigance** n.f. *Je n'aime pas ses manigances* (= manœuvre).

manille n.f. *Bianca joue à la manille avec ses amis,* un jeu de cartes.

manioc n.m. *Le manioc sert à faire le tapioca,* une plante tropicale.

manipuler v. *Ne manipule pas cet appareil, il est fragile* (= toucher, tripoter).

■ **manipulation** n.f. *La manipulation des explosifs est dangereuse.*

manitou n.m. Fam. *M. Durand est le grand manitou de l'usine* (= patron, chef).

manivelle n.f. *Une manivelle* est une tige coudée qui sert à faire tourner un mécanisme, un appareil, un moteur.

manne n.f. *La manne* est une nourriture miraculeuse que Dieu envoya du ciel aux Hébreux selon la Bible.

mannequin n.m. **1.** *Les robes sont exposées sur des mannequins,* des sortes de statues aux dimensions humaines. **2.** *Ce journal de mode contient des photos de mannequins,* des personnes qui présentent les nouveaux modèles de vêtements.

1. manœuvre n.f. **1.** *La manœuvre de cet appareil est difficile,* la manière de le faire marcher (= fonctionnement). *L'accident est dû à une fausse manœuvre du conducteur du train,* une manœuvre inverse de celle qui devait être faite ou une manœuvre mal exécutée. **2.** *Les soldats font la manœuvre dans la cour de la caserne,* ils font des exercices pour s'entraîner. **3.** *Il a atteint son but par des manœuvres,* des moyens plus ou moins honnêtes. ■ **manœuvrer** v. SENS 1 *Je ne sais pas manœuvrer cette grue,* la faire fonctionner (= conduire). SENS 3 *Tu as habilement manœuvré pour réussir,* tu as fait tout ce qu'il fallait.

2. manœuvre n.m. *Un manœuvre* est un ouvrier qui fait un travail simple mais souvent pénible.

manoir n.m. *Un manoir* est un petit château.

manomètre n.m. *Un manomètre* sert à mesurer la pression d'un liquide ou d'un gaz dans un appareil, un circuit.

manquer v. **1.** *En cette période de sécheresse, l'eau manque,* il n'y en a pas assez. *Je manque de patience,* je n'en ai pas assez. **2.** *Aujourd'hui, deux élèves manquent,* ils ne sont pas là. **3.** *Il te manque un bouton,* il n'est plus à sa place. **4.** *Aïcha a manqué la classe,* elle n'est pas venue. **5.** *Le gardien de but a manqué la balle,* il ne l'a pas attrapée (= rater). **6.** *Maïté a manqué de se faire écraser,* elle en a été très près (= faillir). **7.** *Si tu pars, ne manque pas de m'avertir,* fais-le absolument. **8.** *Il me l'avait promis, mais il **a manqué à** sa parole,* il ne l'a pas tenue.

■ **manquant** adj. SENS 2 ET 3 *Il y a deux élèves manquants* (= absent).

■ **manque** n.m. SENS 2 *Cette région souffre du **manque** d'eau* (= pénurie).

■ **manquement** n.m. SENS 2 *Tout **manquement** à la discipline sera puni,* toute faute contre la discipline.

■ **immanquable** adj. SENS 7 *C'est un moyen **immanquable** de réussir,* grâce auquel on ne peut pas manquer de réussir.

mansarde n.f. *J'habite dans une **mansarde**,* une chambre située sous le toit.

■ **mansardé** adj. *Dans le grenier, on a fait une chambre **mansardée**,* dont une partie du plafond est en pente.

mansuétude n.f. se disait surtout autrefois pour *indulgence, douceur de caractère.*

mante n.f. *La **mante religieuse** est un insecte des régions chaudes.*

R. *Mante* se prononce [mãt] comme *men-the* et [qu'il] *mente* (de *mentir*).

manteau n.m. **1.** *Il fait froid, mets ton **manteau**.* **2.** *Cléa a posé ses clés sur le **manteau** de la cheminée,* la partie de la cheminée au-dessus du feu.

■ **portemanteau** n.m. SENS 1 *Accroche ton imperméable au **portemanteau**.*

mantille n.f. *Mme Lopez porte une **mantille** sur la tête,* une écharpe de dentelle.

manucure n. *Dans ce salon de coiffure, une **manucure** soigne les mains et surtout fait les ongles des clientes.*

1. manuel adj. *Pierre aime le travail **manuel**,* le travail qu'on fait à la main (≠ intellectuel).

2. manuel n.m. *Prenez votre **manuel** de français,* votre livre de classe.

manufacture n.f. se disait autrefois pour *usine.*

■ **manufacturé** adj. *Des produits **manufacturés** ont été fabriqués en usine.*

manuscrit 1. adj. *Une lettre **manuscrite** est écrite à la main* (≠ imprimé ou dactylographié). **2.** n.m. *Au Moyen Âge, les moines copiaient des histoires sur les **manuscrits**,* des livres écrits à la main, avant l'invention de l'imprimerie. *L'auteur a envoyé son **manuscrit** à l'imprimerie,* le texte qu'il a écrit. | 806

manutention n.f. *Une équipe importante est chargée de la **manutention**,* de manipuler, d'emballer les marchandises.

■ **manutentionnaire** n. *M. Martin a été embauché comme **manutentionnaire**,* comme employé chargé de la manutention.

mappemonde n.f. *Une **mappemonde** est une sphère représentant la carte de l'ensemble de la Terre.*

maquereau n.m. *J'aime les **maquereaux** grillés,* des poissons de mer. | 728

maquette n.f. *Lori fait des **maquettes** d'avions,* des modèles réduits. | 437, 145

maquignon n.m. *Un **maquignon** est un marchand de chevaux.* | 361

maquiller v. *Veux-tu que je te **maquille** en clown ?,* que je te mette des produits de beauté, des fards sur le visage (= farder, grimer).

■ **maquillage** n.m. *Son **maquillage** la change beaucoup.*

■ **démaquiller** v. *Marie **se démaquille** avant de se coucher,* elle enlève son maquillage.

■ **démaquillant** n.m. *Un **démaquillant** est un produit pour se démaquiller.*

maquis n.m. **1.** *Les **maquis** de Corse sont très touffus,* des terrains couverts de broussailles. **2.** *Pendant la guerre, les résistants formaient des **maquis** contre les occupants,* ils se regroupaient dans des endroits secrets.

■**maquisard** n.m. SENS 2 *Des **maquisards** avaient attaqué un poste allemand,* des combattants d'un maquis (= partisan).

maraîcher 1. adj. *Cette région est connue pour ses **cultures maraîchères**,* de légumes et de primeurs. **2.** n. *Un **maraîcher** est une personne qui cultive des légumes pour les vendre.

marais n.m. *Beaucoup de **marais** ont été asséchés,* des étendues couvertes d'eau stagnante (= marécage).

marasme n.m. *L'économie est dans le **marasme**,* dans une situation difficile.

marathon n.m. *Il faut beaucoup d'endurance pour courir le **marathon**,* une course à pied d'environ 42 kilomètres.

marâtre n.f. *Une **marâtre** est une mauvaise mère.

marauder v. *Des soldats **maraudaient** dans les villages,* ils volaient de la volaille, des fruits, des objets dans les maisons, etc.

■**maraudage** n.m. *Le **maraudage** est le vol de fruits et de légumes dans les jardins.

■**maraudeur** n. *Le **maraudeur** a été surpris par la fermière.

marbre n.m. *Le dallage de la terrasse est en **marbre**,* en une pierre dure aux couleurs variées, qui se polit bien.

■**marbré** adj. *Un papier **marbré** présente des taches semblables à celles du marbre.

■**marbrure** n.f. *Tu as des **marbrures** rouges sur la figure* (= tache).

marc n.m. **1.** *Le **marc** de raisin est ce qui reste du raisin pressé.* **2.** *Après le* repas, ils ont bu un **marc**, un alcool de raisin.

R. On ne prononce pas le *c* : [mar]. → *mare.*

marcassin n.m. *Le **marcassin** est le petit du sanglier.

marchand, marchandage, marchander, marchandise → *marché.*

marche n.f. **1.** *La **marche** est un exercice sain,* l'action de marcher. *Tu as une **marche** rapide,* une façon de marcher. **2.** *Ce bouton commande la **marche** de l'appareil* (= fonctionnement). **3.** *On m'a indiqué la **marche** à suivre,* comment il fallait faire. **4.** *Cet escalier a 39 **marches**.* **5.** *Les soldats défilent au son d'une **marche** militaire,* d'un air de musique.

■**marcher** v. **1.** SENS 1 *Nous avons **marché** tout l'après-midi,* nous nous sommes déplacés à pied. SENS 2 *Ma montre ne **marche** plus,* elle est arrêtée (= fonctionner). **2.** Fam. *Je voulais partir avec lui mais il n'a pas **marché*** (= accepter).

■**marchepied** n.m. SENS 4 *Le **marchepied** d'un train,* ce sont les quelques marches qui permettent d'y monter.

■**marcheur** n. SENS 1 *Marie est bonne **marcheuse**,* elle peut marcher longtemps.

R. → *marché.*

marché n.m. **1.** *Tous les samedis, il y a un **marché** sur cette place,* des marchands y viennent pour proposer leurs marchandises. *M. Durand **fait son marché** le samedi,* il va acheter des produits alimentaires (= faire des courses). **2.** *J'ai conclu un **marché** avec Dominique,* je lui ai acheté, vendu ou échangé quelque chose (= affaire). **3.** *Le **marché** de l'or est très actif,* l'ensemble des achats et des ventes de ce produit. **4.** *Elle arrive en*
→ p. 513

150

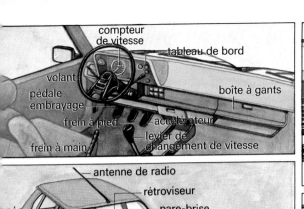

compteur de vitesse

tableau de bord

volant

pédale embrayage

boîte à gants

frein à pied

accélérateur

frein à main

levier de changement de vitesse

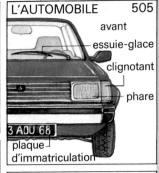

avant

essuie-glace

clignotant

phare

3 AOU 68

plaque d'immatriculation

arrière

coffre

feu arrière

feu de stop

23 AOU 68

tuyau d'échappement

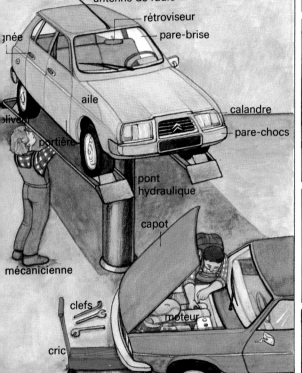

antenne de radio

rétroviseur

pare-brise

gnée

aile

calandre

oliveur

portière

pare-chocs

pont hydraulique

capot

mécanicienne

clefs

moteur

cric

batterie (accus)

borne

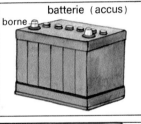

amortisseur

ressort

ceinture de sécurité

réservoir d'essence

pneu

chambre à air

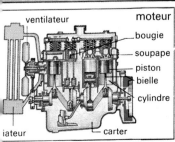

ventilateur

moteur

bougie

soupape

piston

bielle

cylindre

iateur

carter

506

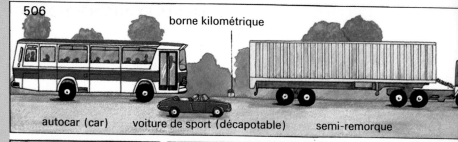

autocar (car)   voiture de sport (décapotable)   borne kilométrique   semi-remorque

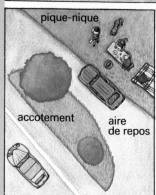

pique-nique

accotement   aire de repos

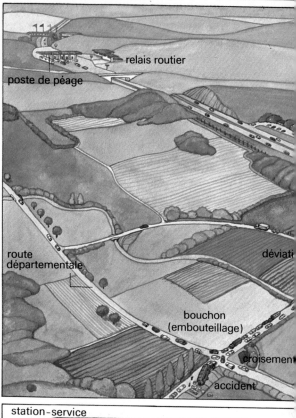

relais routier

poste de péage

route départementale

déviati

bouchon (embouteillage)

croisement

accident

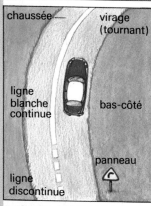

chaussée   virage (tournant)

ligne blanche continue   bas-côté

ligne discontinue   panneau

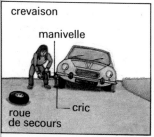

crevaison

manivelle

cric

roue de secours

station-service

pompe à essence

compteur

tuyau

pompiste

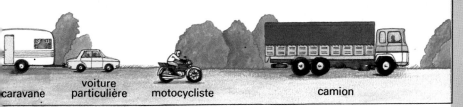

caravane   voiture particulière   motocycliste   camion

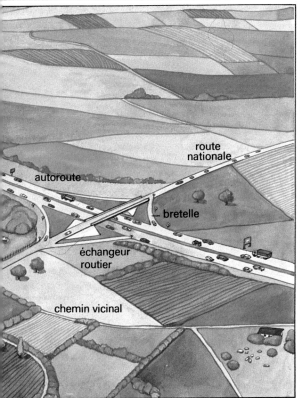

route nationale

autoroute

bretelle

échangeur routier

chemin vicinal

route

couloir (voie)

glissière de sécurité

terre-plein

panneaux de signalisation

arrêt obligatoire

accès interdit

dépassement interdit

obligation de céder le passage (à gauche comme à droite)

stationnement interdit

demi-tour interdit

manœuvre obligatoire

passer à droite

carrefour giratoire

signal avancé d'un terrain de jeu

essence

restaurant

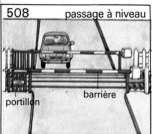

508   passage à niveau

portillon   barrière

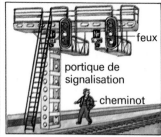

feux

portique de signalisation

cheminot

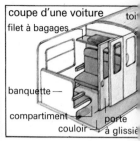

coupe d'une voiture   toi

filet à bagages

banquette

compartiment

couloir

porte à glissiè

station de métro
rame

quai

salle des pas perdus

horaires

guichet

BILLETS

composteurs

consigne automatique   buffet

wagon de marchandises

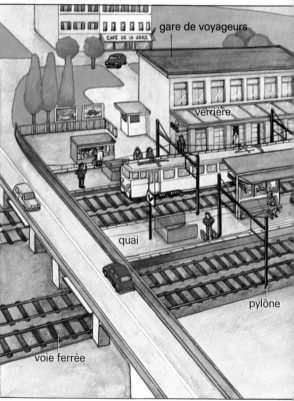

gare de voyageurs

verrière

quai

pylône

voie ferrée

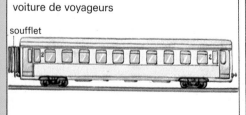

voiture de voyageurs

soufflet

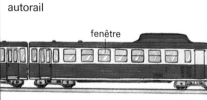

autorail

fenêtre

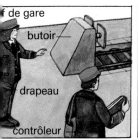

f de gare
butoir
drapeau
contrôleur

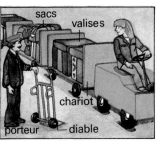

sacs valises
chariot
porteur diable

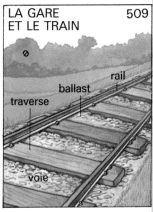

rail
ballast
traverse
voie

viaduc
poste d'aiguillage
passerelle rame tunnel
ri
aiguillage
gare de marchandises
quai de chargement

sur le quai
horloge
haut-parleur
SORTIE QUAIS 1.2
passage souterrain

wagon-citerne

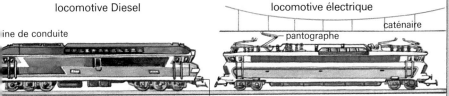

locomotive Diesel
ine de conduite

locomotive électrique
caténaire
pantographe
tampon

510

pilote   tableau   copilote

personnel navigant

radio   navigateur   copilote   commandant de bord (pilote)   agent de bord

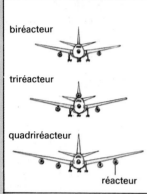

biréacteur

triréacteur

quadriréacteur

réacteur

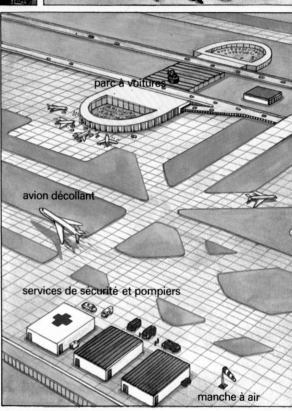

parc à voitures

avion décollant

services de sécurité et pompiers

manche à air

aérogare   horaire des vols

3   4   4

enregistrement des bagages

avion de ligne

sièges-couchettes   couloir   éclairage

passagers

hublot

hôtesse

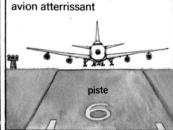

avion atterrissant

piste

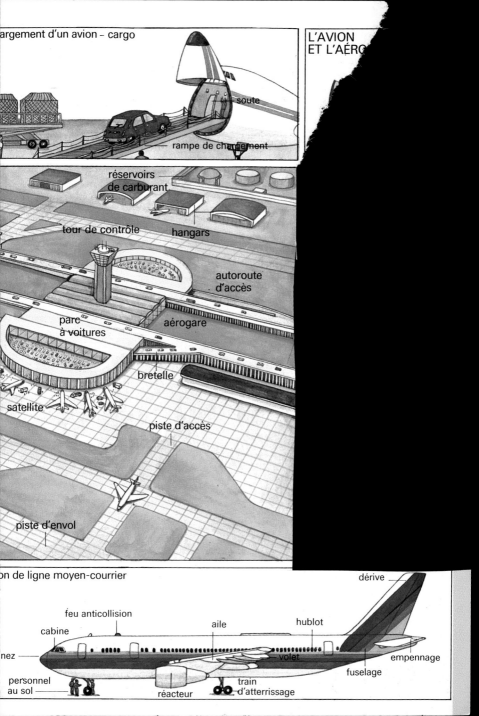

argement d'un avion – cargo

soute

rampe de chargement

réservoirs
de carburant

tour de contrôle

hangars

autoroute
d'accès

parc
à voitures

aérogare

bretelle

satellite

piste d'accès

piste d'envol

on de ligne moyen-courrier

dérive

feu anticollision

cabine

aile

hublot

nez

volet

empennage

personnel
au sol

réacteur

train
d'atterrissage

fuselage

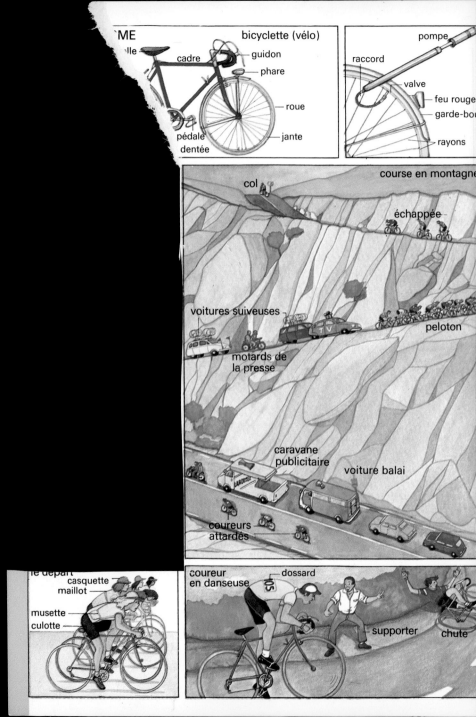

ME

bicyclette (vélo)

cadre
guidon
phare
roue
jante
pédale
dentée
elle

pompe
raccord
valve
feu rouge
garde-boue
rayons

course en montagne
col
échappée
voitures suiveuses
peloton
motards de la presse
caravane publicitaire
voiture balai
coureurs attardés

le départ
casquette
maillot
musette
culotte

coureur en danseuse
dossard
supporter
chute

retard et **par-dessus le marché** elle se plaint (= en plus, en outre). **5.** *En ce moment les fruits sont* **bon marché,** *leur prix est bas* (≠ cher).

■**marchand** n. SENS 2 *M. Paoli est* **marchand de** *chaussures,* il en vend (= commerçant).

■**marchand** adj. SENS 2 *La marine* **marchande** *transporte les marchandises,* celle qui sert au commerce.

■**marchandise** n.f. SENS 2 *Le navire est plein de* **marchandises,** de produits destinés à être vendus.

■**marchander** v. SENS 5 *Je* **marchande** *le prix des légumes,* je discute pour les obtenir moins cher.

■**marchandage** n.m. SENS 5 *Le* **marchandage** *a duré une heure* (= discussion).

■**supermarché** n.m. SENS 1 *Un* **supermarché** *est un grand magasin qui vend en libre service.*

■**hypermarché** n.m. SENS 1 *Un* **hypermarché** *est plus grand qu'un supermarché.*

R. *Marché* se prononce [marʃe] comme *marcher.*

marchepied, marcher, marcheur → **marche.**

mardi n.m. *Nous sommes le* **mardi** *7 février.*

mare n.f. *Des canards barbotent dans la* **mare,** *une petite étendue d'eau stagnante.*

R. *Mare* se prononce [mar] comme *marc.*

marécage n.m. *Nous pataugions dans les* **marécages,** *les terrains très humides* (= marais).

■**marécageux** adj. *Ce terrain* **marécageux** *a été asséché.*

maréchal n.m. **1.** *Dans plusieurs pays, la dignité de* **maréchal** *est la plus haute dans l'armée.* **2.** *Le métier du* **maréchal-ferrant** *consiste essentiellement à ferrer les chevaux.*

maréchaussée n.f se disait autrefois pour *gendarmerie.*

marée n.f. **1.** *La* **marée** *est le mouvement des eaux de la mer qui, tous les jours, montent et descendent.* **2.** *Une* **marée** *humaine arrive sur la place,* beaucoup de gens (= flot). — 725

marelle n.f. *Yasmina joue à la* **marelle,** *elle pousse un palet en sautant sur un pied.* — 294

margarine n.f. *Je préfère le beurre à la* **margarine,** *une graisse faite avec des plantes.*

marge n.f. **1.** *Laissez une* **marge** *à gauche de la page,* un espace blanc. **2.** *Il est 8 heures, cela nous laisse une* **marge** *de 5 minutes* (= délai). **3.** *Vivre en* **marge** *de la société,* c'est ne pas s'y intégrer, rester en dehors.

■**marginal** adj. SENS 1 *Une note* **marginale** *est faite dans la marge.* SENS 3 *Un travail* **marginal** *est un travail accessoire, secondaire, non officiel.*

■**émarger** v. SENS 1 *Voulez-vous* **émarger** *ce document,* signer dans la marge.

margelle n.f. *La* **margelle** *d'un puits,* ce sont les pierres qui en forment le rebord.

marginal → **marge.**

marguerite n.f. *Dominique a cueilli des* **marguerites** *dans les prés,* des fleurs à pétales blancs et à cœur jaune. — 363

mari n.m. *Connais-tu le* **mari** *de Mme Dupont ?* (= époux ; ≠ femme). — 603

■**marier** v. *Pierre et Jeanne* **se marient** *demain,* ils deviennent mari et femme.

■**mariage** n.m. *Ils nous ont invités à leur* **mariage** (= noces).

■**marié** n. et adj. *On a bu à la santé des jeunes* **mariés.**

■**se remarier** v. *M. Dupont vient de* **se remarier,** *il était veuf ou divorcé.*

R. → **matrimonial.**

marin 1. n.m. *M. Cloarec est marin, son métier est de naviguer en mer.* **2.** adj. *Les courants marins,* ce sont les courants de la mer.

765, 394

■ **marine** n.f. SENS 1 *M. Cloarec est dans la marine,* il est marin. *La marine des États-Unis est la première du monde,* l'ensemble des bateaux (= flotte).

■ **marinier** n.m. SENS 1 *Les mariniers naviguent sur les fleuves et les canaux dans des péniches,* c'est leur métier (= batelier).

764, 152

764

■ **sous-marin** adj. et n. SENS 2 *La navigation sous-marine se fait sous l'eau.* Un *sous-marin* est un navire capable de naviguer sous l'eau.

mariner v. *On a mis les harengs saurs à mariner dans l'huile* (= tremper, s'imprégner).

■ **marinade** n.f *La marinade est le liquide plus ou moins aromatisé dans lequel on fait mariner un aliment.*

marinier → *marin.*

440

marionnette n.f. *Marie aime les spectacles de marionnettes,* de poupées que l'on anime avec les mains ou au moyen de fils.

maritime adj. *Halifax est un port maritime,* au bord de la mer. *Le commerce maritime se fait par la mer.*

marjolaine n.f. *La marjolaine est une plante odorante.*

mark n.m. *Le mark est la monnaie allemande.*

marketing n.m. *Le marketing est un ensemble d'activités favorisant la vente d'un produit commercial.*

marmaille → *marmot.*

marmelade n.f. *Mary aime la marmelade d'oranges* (= confiture).

224

marmite n.f. *L'eau bout dans la marmite,* un grand récipient à couvercle muni de deux poignées.

marmiton n.m. *Un marmiton est un apprenti cuisinier dans un restaurant.*

marmonner ou **marmotter** v. *Qu'est-ce que tu marmonnes entre tes dents ?* (= murmurer).

marmot n.m. Fam. *Une dizaine de marmots s'amusent dans la cour,* de petits enfants.

■ **marmaille** n.f. Fam. *Je dois m'occuper de la marmaille,* des jeunes enfants.

marmotte n.f. *La marmotte est un petit animal de montagne, qui dort tout l'hiver.*

marmotter → *marmonner.*

maroquinier n.m. *Le maroquinier vend des objets de cuir.*

■ **maroquinerie** n.f. *J'ai acheté ce portefeuille dans une maroquinerie.*

■ **maroquin** n.m. *Un sac en maroquin est fait en peau de chèvre.*

marotte n.f. *Maïté collectionne les timbres, c'est sa marotte,* son idée fixe.

marquer v. **1.** *Le professeur marque les fautes à l'encre rouge,* il les indique par un signe particulier (= signaler). *Bianca marque toutes ses dépenses,* elle les indique par écrit (= inscrire). **2.** *L'horloge marque 5 heures* (= indiquer). **3.** *Son enfance l'a beaucoup marquée,* elle lui a laissé des souvenirs durables. **4.** *L'été a été marqué par une grande sécheresse,* celle-ci a été un événement important. **5.** *Pierre a marqué un but,* il l'a réussi. **6.** *Au football, marquer un joueur,* c'est le surveiller de près.

■ **marquant** adj. SENS 3 *Quels sont les faits marquants de la semaine ?,* ceux dont on se souvient.

■ **marque** n.f. **1.** SENS 1 *Il y a des marques de pas sur la neige* (= trace). *Elle m'a donné des marques de confiance*

(= signe). **2.** *De quelle marque est cette voiture ?,* quel est le nom du fabricant ?

■ **marqueur** n.m. SENS 1 *Un marqueur est un gros crayon-feutre.*

■ **démarquer** v. **1.** SENS 6 *Un joueur démarqué a pris le ballon,* un joueur qu'on ne surveillait pas. **2.** *Démarquer un vêtement, un objet,* c'est en ôter la marque (au sens 2) pour les vendre moins cher.

marquis n.m., **marquise** n.f. *Un marquis* était un noble d'un degré supérieur à celui d'un comte.

marraine n.f. *La marraine d'un enfant* est celle qui, le jour de son baptême, s'est engagée à veiller sur lui et à l'aider dans la vie.

R. Le masculin correspondant est *parrain*.

marre adv. Très fam. *J'en ai marre de ce travail,* j'en ai assez, j'en suis excédée.

R. On n'emploie pas cette expression quand on surveille sa façon de parler.

se marrer v. est un équivalent de *s'amuser,* ou de *rire ;* on évite toujours ce mot, ainsi que **marrant** (= amusant, drôle), quand on surveille sa façon de parler.

marron n.m. **1.** *J'aime bien les marrons grillés* (= châtaigne). **2.** *On m'a offert des marrons glacés,* des marrons (au sens 1) confits dans du sucre. **3.** *Le marron d'Inde n'est pas bon à manger,* le fruit du marronnier.

■ **marron** adj.inv. et n.m. *Jean a des chaussures marron,* de la couleur des marrons (= brun).

■ **marronnier** n.m. SENS 3 *La route est bordée de marronniers,* de grands arbres.

mars n.m. *Le printemps commence à la fin du mois de mars.*

marsouin n.m. Le *marsouin* est un animal marin qui ressemble au dauphin.

marsupial n.m. *Le kangourou, le koala sont des marsupiaux,* des animaux dont la femelle a une poche sur le ventre pour abriter ses petits.

marte → *martre.*

marteau n.m. **1.** *On enfonce les clous avec un marteau,* un outil à manche. **2.** *Un marteau piqueur* fonctionne à l'air comprimé et sert à casser la pierre.

■ **marteler** v. SENS 1 *Le forgeron est en train de marteler une barre de fer,* de frapper dessus à coups de marteau.

■ **martèlement** n.m. SENS 1 *On entend le martèlement des gros souliers sur le plancher.*

291, 289

217, 150

martel n.m. *Ne vous mettez pas martel en tête pour cette affaire,* ne vous tracassez pas.

martial adj. *Tu marches d'un pas martial,* avec la fermeté d'un soldat.

R. On prononce [marsjal].

martien n. *J'ai lu une histoire de martiennes,* les habitants imaginaires de la planète Mars.

R. On prononce [marsjɛ̃].

martinet n.m. **1.** *Autrefois, on menaçait les enfants du martinet* (= fouet). **2.** *Le martinet* est un oiseau qui ressemble à l'hirondelle.

martingale n.f. *La martingale d'un manteau,* c'est la demi-ceinture placée dans le dos.

martin-pêcheur n.m. *Un martin-pêcheur* est un petit oiseau qui vit près des cours d'eau.

martre ou **marte** n.f. *La martre* est un petit animal, voisin de la fouine, dont la fourrure est appréciée.

martyr n. et adj. **1.** Un *martyr* est une personne qui souffre pour défendre sa foi, son idéal. **2.** *Il y a malheureusement encore des enfants martyrs,* des enfants cruellement maltraités.

■ **martyre** n.m. SENS 1 ET 2 *Sa maladie a été un long martyre* (= souffrance, supplice).

■ **martyriser** v. SENS 2 *Arrête de martyriser ce chien,* de le maltraiter cruellement, de le faire souffrir (= torturer).

marxisme n.m. Le *marxisme* est une philosophie qui propose une nouvelle organisation de la société et de l'économie.

■ **marxiste** n. et adj. *Les marxistes combattent le capitalisme.*

mas n.m. En Provence, un *mas* est une ferme, une maison à la campagne.
R. On prononce [mɑs] ou [mɑ] comme *mât.*

mascarade n.f. *Ce procès sans avocats n'a été qu'une mascarade,* une démonstration hypocrite (= simulacre).

mascaret n.m. Le *mascaret* est une grande vague qui se forme parfois à l'embouchure d'un grand fleuve.

mascotte n.f. *Ce chien est la mascotte du régiment,* le porte-bonheur.

masculin adj. et n.m. *M. Durand est du sexe masculin,* c'est un homme (≠ féminin). *Chien est le masculin de chienne.*

maskinongé n.m. *Le maskinongé est vorace,* un poisson d'eau douce, très proche du brochet.

masque n.m. **1.** *Au mardi gras, on se déguise, on met des masques,* des objets qui cachent le visage. **2.** *Pour faire de l'escrime, il faut porter un masque,* un objet qui protège le visage.

■ **masquer** v. **1.** SENS 1 *Des bandits masqués ont attaqué la banque.*

2. *Cette maison masque le paysage,* elle empêche de le voir (= cacher).

■ **démasquer** v. SENS 1 *L'escroc a été démasqué,* on a découvert qui il était.

massacre n.m. **1.** *La bataille a été un massacre,* beaucoup de gens y sont morts (= tuerie, carnage). **2.** *Un jeu de massacre* consiste à renverser des pantins avec des balles.

■ **massacrer** v. **1.** SENS 1 *Les prisonniers ont été massacrés* (= tuer). **2.** *Ces immeubles affreux massacrent le paysage* (= abîmer).

■ **massacrant** adj. *Je suis d'une humeur massacrante,* de très mauvaise humeur.

massage n.m. Le *massage* consiste à pétrir les muscles quand ils sont raides, fatigués ou douloureux.

■ **masser** v. *Brenda a une entorse, elle doit se faire masser la cheville.*

■ **masseur** n. *M. Hernandez est le masseur de l'équipe de football.*

masse n.f. **1.** *Les montagnes forment une masse à l'horizon,* un gros bloc compact. **2.** *Tu as des masses de livres,* un très grand nombre (= quantité). *Les électeurs ont voté en masse,* en très grand nombre. **3.** *Les masses populaires,* c'est l'ensemble des gens du peuple. **4.** *Une masse* est un gros marteau que l'on doit manier à deux mains. **5.** *Ce poisson a une masse de 2 kilogrammes,* son poids est de 2 kilogrammes.

■ **masser** v. SENS 2 *Les gens s'étaient massés près de la sortie,* rassemblés en grand nombre.

■ **massif** adj. SENS 1 *Ce bijou est en or massif,* entièrement en or. SENS 2 *Elle a pris une dose massive de médicament,* très forte.

■ **massif** n.m. SENS 1 *Un massif de fleurs* est un ensemble compact de fleurs. *Un massif montagneux* est un bloc de montagnes.

■ **massivement** adv. SENS 2 *Demain, les gens partiront massivement en vacances* (= en masse).

masser → *massage* et *masse*.

masseur → *massage*.

massif, massivement → *masse*.

massue n.f. Une *massue* est un gros bâton avec lequel on peut tuer ou assommer.

mastic n.m. Le *mastic* est une pâte durcissante qui sert à boucher les trous, à fixer les vitres.
■ **mastiquer** v. *Il faudrait mastiquer les fentes,* les boucher au mastic.

1. mastiquer → *mastic*.

2. mastiquer v. *Mastique bien ta viande avant de l'avaler* (= mâcher).

mastoc adj.inv. Fam. *Ce bâtiment est mastoc,* il est trop massif.

mastodonte n.m. 1. Un *mastodonte* est un mammifère fossile voisin de l'éléphant. 2. *Fam.* Un *mastodonte* est une personne ou une chose énorme.

masure n.f. Une *masure* est une maison misérable.

1. mat adj. 1. *Le zinc a un aspect plus mat que l'or* (= terne ; ≠ brillant, luisant). 2. *La balle a rebondi avec un bruit mat* (= sourd ; ≠ sonore).
R. *Mat se prononce* [mat] *comme maths* → aussi *mât*.

2. mat adj.m.inv. *Aux échecs, le roi est mat quand il ne peut plus se déplacer.*
R. *Mat se prononce* [mat] *comme maths.* → aussi *mât*.

mât n.m. 1. *Un coup de vent a cassé le mât du bateau,* le poteau qui porte les voiles. 2. *La tente est soutenue par un mât,* une pièce de bois ou de métal verticale plantée en terre.
R. *Mât se prononce* [mɑ] *comme mas.* Ne pas confondre avec *mat*.

matamore n.m. Un *matamore* est quelqu'un qui n'est courageux qu'en paroles (= fanfaron).

match n.m. *As-tu regardé le match de base-ball à la télé ?,* la rencontre des deux équipes. 34

matelas n.m. *Le matelas, les draps et les couvertures forment la literie.* 77, 723

matelot n.m. *Les matelots lavent le pont du navire* (= marin). 803

mater v. *Il voulait résister mais on l'a maté,* on l'a soumis par la force (= dompter).

se matérialiser, matérialisme, matériaux, matériel → *matière*.

maternel, maternellement, maternité → *mère*.

mathématiques ou, fam., **maths** n.f.pl. *L'arithmétique, l'algèbre, la géométrie font partie des mathématiques,* de la science des nombres et des grandeurs.
■ **mathématique** adj. *Elle est arrivée avec une précision mathématique,* très rigoureuse.
■ **mathématicien** n. *Pascal fut un grand mathématicien,* un savant en mathématiques.
R. → *mat* 1 et 2.

matière n.f. 1. *La matière peut être perçue par les sens,* ce qu'on peut voir, toucher (≠ esprit). 2. *La craie est une matière friable* (= substance, corps). 3. *Lori est brillante dans les matières scientifiques mais faible dans les matières littéraires* (= sujet, discipline, domaine).
■ **matériel** adj. SENS 2 *L'accident a fait des dégâts matériels,* qui ont atteint les objets et non les personnes (≠ corporel).
■ **matériel** n.m. SENS 2 *Le matériel agricole,* ce sont tous les objets qui servent à l'agriculture. 361

■ **matériau** n.m. SENS 2 *La pierre, le ciment, le bois, le fer sont des **matériaux** (de construction).*

■ **se matérialiser** v. SENS 1 *Son rêve s'est **matérialisé**,* il est devenu réalité (= se réaliser, se concrétiser).

■ **matérialisme** n.m. SENS 1 *Le **matérialisme** est une philosophie qui affirme l'importance fondamentale de la matière.*

■ **immatériel** adj. SENS 1 *Dieu est **immatériel**,* il est uniquement esprit.

matin n.m. *Tous les **matins**, je vais à l'école* (≠ après-midi et soir).

■ **matinal** adj. *Cléa est **matinale**,* elle se lève tôt.

■ **matinée** n.f. *J'ai travaillé toute la **matinée**,* entre le lever du jour et midi. **R.** *Matin* indique plutôt un moment, *matinée* une durée.

matois adj. *Un air **matois*** est un air rusé, finaud.

matou n.m. Un *matou* est un gros chat.

matraque n.f. *J'ai reçu un coup de **matraque** sur la tête,* d'un bâton destiné à frapper les gens.

■ **matraquer** v. *La police a **matraqué** les manifestants* (= brutaliser).

matricule n.m. *Le **matricule** d'un soldat, d'un prisonnier,* c'est son numéro d'inscription sur un registre.

matrimonial adj. *Une agence **matrimoniale*** s'occupe de marier les gens.

matrone n.f. Une *matrone* est une grosse femme vulgaire.

maturité → *mûr.*

maudire v. *Il **maudissait** sa malchance,* il en était furieux, exaspéré.

■ **maudit** adj. *Quel **maudit** temps !* (= exaspérant).

■ **malédiction** n.f. *Une **malédiction** s'acharne sur eux,* une malchance exaspérante.

maugréer v. *Qu'as-tu à **maugréer** entre tes dents ?,* à murmurer des paroles de mécontentement (= grogner, ronchonner).

mausolée n.m. Un *mausolée* est un tombeau monumental.

maussade adj. **1.** *Pierre est d'humeur **maussade**,* il est grognon, morose. **2.** *Le temps est **maussade**,* il est triste, gris, couvert.

mauvais adj. **1.** *Cette viande est **mauvaise**,* elle a un goût désagréable (= exécrable ; ≠ bon). *Ta santé est **plus mauvaise** que la mienne* (= pire). **2.** *Jean est **mauvais** en mathématiques* (= faible). **3.** *Quand elle se met en colère, elle devient **mauvaise*** (= méchant).

■ **mauvais** adv. SENS 1 *Berk ! ça sent **mauvais** ici !,* il y a une odeur infecte. *Il a **fait** très **mauvais** en Bretagne,* il y eu de la pluie, du vent (≠ beau).

mauve adj. *Marie a une robe **mauve*** (= violet pâle).

mauviette n.f. *Pierre est une **mauviette**,* il est faible et peureux.

maxillaire n.m. *Les dents sont implantées dans les **maxillaires**,* les deux os qui constituent la mâchoire.

maximal → *maximum.*

maxime n.f. *« Qui vivra verra » est une **maxime**,* une phrase courte qui exprime une vérité générale (= proverbe, dicton).

maximum n.m. et adj. *Elle a voulu mettre le **maximum** de chances de son côté,* le plus grand nombre. *Ne dépassez pas la vitesse **maximum** autorisée,* la plus grande vitesse (≠ minimum).

■ **maximal** adj. *Les températures **maximales** ne dépasseront pas 10°,* les plus élevées (= maximum ; ≠ minimal).

R. On prononce [maksimɔm]. Le pluriel est des *maximums* ou des *maxima*.

mayonnaise n.f. La *mayonnaise* est une sauce froide faite d'œufs et d'huile mélangés.

mazout n.m. *Notre chauffage fonctionne au mazout,* un liquide tiré du pétrole (= fuel).

me est le pronom de la première personne quand il est complément : *Elle me voit.*

R. *Me* devient *m'* devant une voyelle ou un h muet : *Il m'a parlé.*

mea culpa n.m.inv. *Faire son mea culpa,* c'est reconnaître qu'on est coupable.

R. On prononce [meakylpa ou meakulpa].

méandre n.m. *Cette rivière fait de nombreux méandres,* elle ne coule pas en ligne droite (= boucle).

mécanique adj. 1. *Un jouet mécanique fonctionne grâce à un mécanisme* (≠ électrique). 2. *Cette voiture a eu un incident mécanique,* de fonctionnement. 3. *J'ai fait un geste mécanique,* sans y penser (= machinal).
■ **mécanique** n.f. SENS 1 ET 2 1. La *mécanique* est la science des mouvements. 2. *Cette montre est une mécanique compliquée* (= machine).
■ **mécaniquement** adv. SENS 3 *J'ai répondu mécaniquement,* sans réfléchir (= machinalement).
■ **mécaniser** v. SENS 1 ET 2 *Les agriculteurs se mécanisent de plus en plus,* ils utilisent des machines pour travailler.
■ **mécanisme** n.m. SENS 1 ET 2 *Le mécanisme d'un appareil* est l'ensemble de ses rouages, des pièces qui lui permettent de fonctionner.

■ **mécanicien** ou, fam., **mécano** n. SENS 1 ET 2 *Un mécanicien entretient et répare les machines et les moteurs.* 36, 291, 505, 802

mécène n.m. Un *mécène* est une personne riche qui aide financièrement les artistes et les écrivains.
■ **mécénat** n.m. *Autrefois, de nombreux artistes vivaient grâce au mécénat,* grâce à la protection de personnes riches.

méchant adj. et n. *Attention, ce chien est méchant,* il attaque les gens. *Les méchants cherchent à nuire à leur prochain* (≠ bon).
■ **méchamment** adv. *Tu as ri méchamment quand je suis tombée* (≠ gentiment).
■ **méchanceté** n.f *Il a fait cela par méchanceté* (= cruauté ; ≠ bonté). *Pourquoi me dis-tu des méchancetés ?,* des paroles méchantes.

mèche n.f. 1. *La mèche d'une bougie,* c'est le cordon qui dépasse et qu'on allume. 2. *Tiens ! tu as une mèche qui dépasse,* une touffe de cheveux. 3. *Sophie met une mèche à la perceuse,* une tige de métal pour faire des trous. 4. Fam. *Le gardien était de mèche avec les gangsters,* d'accord avec eux. 5. *Un des conspirateurs a vendu la mèche,* a révélé le complot. 224

289

méchoui n.m. *Nous avons mangé un méchoui,* un mouton rôti à la broche.

mécompte n.m. *Mme Scott a eu de graves mécomptes financiers* (= déception, déboires).

méconnaître v. *Je ne méconnais pas ton courage,* je le reconnais.
■ **méconnaissable** adj. *Tu es méconnaissable avec tes nouvelles lunettes,* on a de la peine à te reconnaître.
■ **méconnaissance** n.f. *La méconnaissance de cette règle a fait échouer le projet,* le fait qu'on l'ignorait ou qu'on n'en a pas tenu compte.

■ **méconnu** adj. *Cette comédienne est méconnue,* elle n'est pas appréciée à sa juste valeur.

mécontent, mécontentement, mécontenter → *content.*

mécréant n. Un *mécréant* est une personne qui ne croit pas en Dieu.

220
763
médaille n.f. **1.** *Je porte une médaille au cou,* un bijou ressemblant à une pièce de monnaie. **2.** *On a obtenu deux médailles aux jeux Olympiques,* deux récompenses sous forme de pièces de métal précieux.

■ **médaillé** n. et adj. SENS 2 *Les médaillés sont sur le podium,* ceux qui ont été décorés d'une médaille.

■ **médaillon** n.m. SENS 1 Un *médaillon* est un bijou qui peut contenir un portrait, un souvenir.

médecine n.f. *La médecine fait sans cesse des progrès,* l'art de soigner les malades.

38
■ **médecin** n.m. *Claude est malade, il faut appeler le médecin* (= docteur).

■ **médical** adj. *À l'école, nous avons passé la visite médicale,* le médecin nous a examinés pour vérifier notre état de santé.

■ **médicament** n.m. *Marie est allée à la pharmacie acheter les médicaments prescrits par le médecin* (= remède).

38
■ **médicinal** adj. *Les plantes médicinales sont bonnes pour la santé.*
R. Pour une femme, on dit un *médecin* ou une *femme médecin.*

média n.m. *La radio, la télévision, la presse sont des médias,* des moyens de diffusion de la pensée.

385
médian adj. *Une ligne médiane est au milieu.*

médical, médicament, médicinal → *médecine.*

médiéval adj. *La littérature médiévale* est celle du Moyen Âge.

médiocre adj. *M. Durand a un salaire médiocre* (= faible, insuffisant).

■ **médiocrement** adv. *Tu travailles médiocrement,* plutôt mal.

■ **médiocrité** n.f. *Pierre est d'une grande médiocrité en mathématiques.*

médire v. *Médire de quelqu'un,* c'est dire du mal de lui pour lui faire du tort.

■ **médisance** n.f. *Ne croyez pas cela, ce sont des médisances* (= ragot).

■ **médisant** n. *Des médisants l'ont accusé de vol.*
R. → Conj. n° 72, sauf au participe *(médit).*

méditer v. *Il faudrait méditer ce projet plus longuement,* y réfléchir.

■ **méditation** n.f. *Elle semble plongée dans ses méditations* (= pensée, réflexion).

■ **préméditer** v. *L'assassin avait prémédité son crime,* il y avait pensé pour le préparer.

■ **préméditation** n.f. *La préméditation aggrave la faute.*

méditerranéen adj. *Les pays méditerranéens* sont situés près de la Méditerranée. *Le climat méditerranéen* est chaud l'été et doux l'hiver.

méduse n.f. *Ce nageur s'est fait piquer par une méduse,* un animal marin au corps transparent et mou, qui avance dans l'eau à l'aide de filaments.

méduser v. *Maïté était médusée par le spectacle,* très étonnée (= fasciner, stupéfier).

meeting n.m. *Le meeting électoral a été très animé,* la réunion publique.
R. On prononce [mitiŋ].

méfait n.m. *Le vase est cassé : quel est l'auteur du méfait ?,* de la faute, de la mauvaise action.

se méfier v. *Il faut se méfier de lui,* c'est un sournois, ne pas lui faire confiance (= se défier ; ≠ se fier à).

■ **méfiance** n.f. *J'éprouve envers lui une grande* **méfiance** (= défiance ; ≠ confiance).

■ **méfiant** adj. *Marie est très* **méfiante** (= soupçonneux).

mégalomane n. et adj. *C'est une* **mégalomane**, *elle se prend pour la plus grande architecte du monde,* quelqu'un qui a un désir anormal de supériorité, de gloire, de puissance.

par mégarde adv. *Par* **mégarde**, *il a pris une mauvaise route,* sans le vouloir (= par inadvertance).

mégère n.f. *Une* **mégère** *est une femme méchante.*

mégot n.m. Fam. *Mets ton* **mégot** *dans le cendrier,* le bout qui reste de ta cigarette fumée.

meilleur adj. et n. *Ce vin est bon mais celui-là est* **meilleur** (≠ pire). *Aïcha est ma* **meilleure** *amie. Que le meilleur gagne !*

■ **améliorer** v. *Tes résultats sont passables, il faudrait les* **améliorer**, *les rendre meilleurs.*

■ **amélioration** n.f. *On espère une* **amélioration** *de sa santé.*

R. *Meilleur est le comparatif et le meilleur le superlatif de bon.* (On ne dit pas *plus bon, le plus bon.*)

mélancolie n.f. *Il pense avec* **mélancolie** *que les vacances sont finies,* avec une tristesse vague.

■ **mélancolique** adj. *Pourquoi es-tu si* **mélancolique** ? (= triste, sombre).

■ **mélancoliquement** adv. *Nous regardions* **mélancoliquement** *tomber la pluie.*

mélanger v. 1. *On a* **mélangé** *du sucre, des œufs et de la farine pour faire un gâteau,* on a mis le tout ensemble (≠ séparer). 2. *Qui a* **mélangé** *mes papiers ?,* les a mis en désordre (= mêler).

■ **mélange** n.m. SENS 1 *Cette boisson est un* **mélange** *de sirop et d'eau.*

■ **mélangeur** n.m. SENS 1 *Le lavabo a un* **mélangeur**, un robinet permettant de mélanger l'eau froide et l'eau chaude.

mélasse n.f. *La* **mélasse** *est du sirop de sucre.*

melba adj.inv. *Une pêche* **melba** *est une pêche servie avec de la glace à la vanille.*

mêler v. 1. *Le chat a* **mêlé** *les fils du tricot,* mis en désordre (= embrouiller, mélanger). 2. *Jean* **s'est mêlé** *à notre groupe,* il s'y est joint. 3. *De quoi te* **mêles**-tu ? **Mêle**-toi de *tes affaires* (= s'occuper de).

■ **mêlée** n.f. SENS 1 *Une* **mêlée** *est un combat désordonné. Au rugby, il y a* **mêlée** *lorsque les joueurs s'arc-boutent pour récupérer le ballon.*

■ **démêler** v. 1. SENS 1 *J'ai mis une heure à* **démêler** *cette pelote de laine* (≠ emmêler). 2. *Cette affaire est difficile à* **démêler** (= résoudre, débrouiller).

■ **démêlé** n.m. *M. Durand a eu des* **démêlés** *avec ses voisins,* des disputes.

■ **emmêler** v. SENS 1 *Tu as les cheveux* **emmêlés**, *mis les uns dans les autres.*

■ **entremêler** v. SENS 1 *Les dates* **s'entremêlent** *dans ma tête,* elles sont en désordre.

■ **méli-mélo** n.m. SENS 1 Fam. *Quel* **méli-mélo** *sur ce bureau !,* quel mélange confus (= fouillis).

■ **pêle-mêle** adv. SENS 1 *Ses vêtements sont* **pêle-mêle** *sur le tapis,* en désordre (= en vrac).

mélèze n.m. *Le* **mélèze** *est un arbre proche du sapin mais à aiguilles caduques* (= épinette rouge).

mélodie n.f. *Marie chante une* **mélodie**, *une jolie chanson.*

■ **mélodieux** adj. *Une voix* **mélo-**

650

dieuse est agréable à entendre (= musical).

■ **mélodieusement** adv. *Les oiseaux chantaient mélodieusement.*

mélodramatique, mélodrame
→ drame.

mélomane n. et adj. Un *mélomane* est un passionné de musique.

melon n.m. **1.** *Marika aime les melons bien sucrés,* un gros fruit sphérique. **2.** *Nos grands-pères portaient des chapeaux melons,* ronds et bombés.

mélopée n.f. Une *mélopée* est un chant triste.

membrane n.f. *Les poumons sont enveloppés par une membrane,* une peau très mince.

membre n.m. **1.** *Les bras sont les membres supérieurs, les jambes les membres inférieurs.* **2.** *Je suis membre d'un club sportif,* j'en fais partie.

même adj. et pron. **1.** *Ils ont des cheveux de la même couleur* (= semblable, identique, pareil ; ≠ différent). *Tu as un beau stylo, je veux le même* (≠ autre). **2.** *M. Durand c'est la bonté même,* il est très bon (= en personne).
■ **même** adv. **1.** *Tout le monde est coupable, même moi,* moi aussi. **2.** *Il pleuvait, mais elle est partie quand même* (ou *tout de même*), malgré la pluie. **3.** *Lise a ri, Pierre a fait de même,* de la même façon, pareillement. **4.** *Tu n'es pas à même de juger* (= capable). **5.** *Il a bu à même la bouteille,* directement à la bouteille.
R. *Même* se place avec un trait d'union derrière *moi, toi, lui, soi, nous, vous, eux* pour renforcer le sens de ces pronoms personnels : *J'ai fait cela moi-même,* tout seul, en personne.

mémento n.m. *J'écris mes rendez-vous sur mon mémento* (= agenda).
R. On prononce [memɛ̃to]

mémoire n.f. **1.** *Yaelle a une bonne mémoire,* elle se rappelle bien. **2.** *On a élevé un monument en mémoire de la victoire,* pour qu'on s'en souvienne (= souvenir).
■ **mémoire** n.m. **1.** *On a publié un mémoire sur cette maladie* (= étude). **2.** *Cette actrice a écrit ses Mémoires,* ses souvenirs.
■ **mémorable** adj. *Tu as prononcé des paroles mémorables,* dont on se souviendra (= inoubliable).
■ **mémorial** n.m. Un *mémorial* est un monument élevé en mémoire d'un événement.
■ **se remémorer** v. *Je n'arrive pas à me remémorer son nom,* à m'en souvenir.
■ **immémorial** adj. *Une coutume immémoriale* est si ancienne qu'on ne peut pas se rappeler son origine.

menacer v. **1.** *Son voisin l'a menacée d'un procès,* il le lui a fait craindre. **2.** *La pluie menace de tomber,* on craint qu'elle ne tombe.
■ **menaçant** adj. SENS 1 *Il a pris un air menaçant* (≠ rassurant).
■ **menace** n.f. SENS 1 *Ses menaces ne me font pas peur,* ses gestes ou ses paroles annonçant l'intention de faire du mal. SENS 2 *On parle de menaces de guerre* (= danger).

ménage n.m. **1.** *M. et Mme Durand forment un ménage uni* (= couple). **2.** *Je fais le ménage,* je nettoie mon logement. **3.** *Cette personne fait des ménages,* elle gagne sa vie en faisant le ménage chez les autres. **4.** *Notre chien et nos chats font bon ménage,* ils s'entendent bien (≠ faire mauvais ménage).
■ **ménager** adj. SENS 2 *Je m'occupe des travaux ménagers,* qui concernent l'entretien, la propreté de la maison.
■ **ménagère** n.f. SENS 2 *Tu es une*

367,
578

804

bonne **ménagère,** tu t'occupes bien de ta maison.

1. ménager v. **1.** *On lui a dit de ménager sa santé, de se ménager,* de ne pas faire d'efforts excessifs. **2.** *Par cette sécheresse, il faut ménager l'eau* (= économiser). **3.** *On nous a ménagé une surprise* (= préparer, réserver). **4.** *Le boxeur ménageait son adversaire,* il le traitait avec modération (≠ accabler).
■ **ménagement** n.m. SENS 4 *On l'a traitée sans ménagement,* avec brutalité (= égard).

2. ménager → *ménage.*

ménagerie n.f. *Nous avons visité la ménagerie du cirque,* l'endroit où se trouvent les animaux du cirque. *Qui s'occupe de la ménagerie ?,* de l'ensemble des animaux.

mendier v. *Un vieil homme mendie au coin de la rue,* il demande la charité.
■ **mendiant** n. *Pierre a donné une pièce à une mendiante.*
■ **mendicité** n.f. *La mendicité est interdite,* l'action de mendier.

menées n.f.pl. *On l'a accusée de menées révolutionnaires,* de manœuvres secrètes (= agissements, machinations).

mener v. **1.** *Cette route mène à la mer,* elle y va (= conduire). **2.** *Elle mène son entreprise à la baguette,* elle la dirige, la conduit. **3.** *La police mène l'enquête,* elle s'en occupe. **4.** *On mène une vie heureuse,* on vit heureux (= passer). **5.** *Notre équipe mène par 2 buts à 1,* elle est en tête.
■ **meneur** n. SENS 2 *La police a arrêté les meneurs,* ceux qui dirigeaient, entraînaient les autres.

ménestrel n.m. *Au Moyen Âge, un ménestrel était un joueur d'instrument de musique.*

menhir n.m. *Un menhir est une grande pierre dressée par les hommes préhistoriques.*
R. On prononce [mėnir].

méninges n.f.pl. Fam. *Ne te fatigue pas les méninges* (= cerveau).
■ **méningite** n.f. *La méningite est une grave maladie du cerveau.*

menottes n.f.pl. *Le bandit a été conduit en prison menottes aux poignets,* les poignets attachés par des bracelets d'acier.

mensonge, mensonger → *mentir.*

mensualiser, mensualité, mensuel, mensuellement → *mois.*

mensurations n.f.pl. *Quelles sont tes mensurations ? — 60 cm de tour de taille, 90 cm de tour de hanches et de tour de poitrine,* quelles sont tes mesures.

mental adj. *Le calcul mental se fait de tête. Un malade mental est une personne à l'esprit dérangé.*
■ **mentalement** adv. *J'ai fait ce calcul mentalement,* dans mon esprit, sans l'écrire (= de tête).
■ **mentalité** n.f. *Ces gens ont une mentalité différente de la nôtre,* un état d'esprit.

menteur → *mentir.*

menthe n.f. *La menthe est une plante très odorante dont on fait des tisanes, des sirops, des bonbons.*
R. *Menthe* se prononce [mãt] comme *mante* et [qu'il] *mente* (de *mentir*).

mention n.f. **1.** *Ce journal fait mention d'un incendie,* il le signale. **2.** *J'ai obtenu une mention à mon examen,* une appréciation favorable.
■ **mentionner** v. SENS 1 *N'oubliez pas de mentionner votre adresse* (= indiquer, signaler).

mentir v. *Tout cela est faux, le témoin a menti,* il n'a pas dit la vérité.

■ **mensonge** n.m. *Ne la crois pas, elle dit des* **mensonges,** *elle ment.*

■ **mensonger** adj. *Il nous a fait un récit* **mensonger** *de son aventure* (= faux ; ≠ vrai).

■ **menteur** n. *Marie est une* **menteuse,** *elle ment souvent.*
R. → Conj. n° 19. → *menthe.*

33 **menton** n.m. *Jean a reçu un coup de poing au* **menton,** à la base du visage.

1. menu adj. **1.** *Jeanne est une fillette* **menue,** petite et mince (≠ fort, corpulent, gras). **2.** *Il nous ennuie avec de* **menus** *détails,* des détails sans importance.

2. menu n.m. *Le garçon nous a apporté le* **menu,** la liste des plats.

menuet n.m. *Le* **menuet** *est une ancienne danse.*

291 **menuisier** n.m. *Le métier du* **menuisier** consiste à travailler le bois et à faire des meubles.

■ **menuiserie** n.f. *Je travaille dans une* **menuiserie,** un atelier de menuisier. *On fait de la* **menuiserie,** un travail de menuisier.

se méprendre v. *Je* **me suis méprise** *sur le sens de cette phrase,* je me suis trompée.

■ **méprise** n.f. *Veuillez excuser ma* **méprise** *!* (= erreur, confusion).
R. → Conj. n° 54. → *mépriser.*

mépriser v. **1.** *Jean est un lâche, tout le monde le* **méprise,** personne n'a d'estime pour lui (≠ admirer). **2.** *Tu* **méprises** *le danger,* tu n'en as pas peur (≠ craindre).

■ **mépris** n.m. SENS 1 *Nous n'avons que du* **mépris** *pour des gens aussi lâches* (= dédain ; ≠ estime).

■ **méprisable** adj. SENS 1 *Ces flatteurs sont* **méprisables,** ils méritent qu'on les méprise (≠ respectable).

■ **méprisant** adj. SENS 1 *Elle s'est détournée d'un air* **méprisant** (= dédaigneux, hautain).
R. Ne pas confondre *mépris* et [*il s'est*] *mépris* (de *se méprendre*).

mer n.f. **1.** *Une* **mer** *est une étendue d'eau salée plus petite qu'un océan.* **2.** *Nous avons passé nos vacances à la* **mer,** près d'une mer ou d'un océan (= plage).

■ **amerrir** v. SENS 2 *L'hydravion a* **amerri** *près de la côte,* il s'est posé sur l'eau.

■ **outre-mer** loc.adv. *L'Espagne et l'Italie sont des pays d'***outre-mer,** d'au-delà des mers (par rapport au Canada).
R. → *maire* et *marin, maritime.*

mercantile adj. *Tu as l'esprit* **mercantile,** tu ne penses qu'à l'argent (= cupide ; ≠ désintéressé).

mercenaire n.m. *Un* **mercenaire** *est un soldat qu'un gouvernement étranger paie pour combattre à son profit.*

mercerie n.f. *Dans une* **mercerie,** on peut acheter du fil, des boutons, des rubans.

■ **mercier** n. *Chez la* **mercière,** *nous avons acheté des aiguilles et du fil.*

merci n.f. **1.** *Le combat a été* **sans merci,** sans pitié. **2.** *Elle* **est à la merci** *d'un accident,* elle y est exposée. **3.** n.m. et interj. *Je vous dois un grand* **merci,** de la reconnaissance. **Merci** *de vos vœux !,* je vous en suis reconnaissant.

■ **remercier** v. **1.** SENS 3 *Je ne sais comment vous* **remercier,** vous dire merci. **2.** *On* **a remercié** *la secrétaire,* on l'a congédiée, renvoyée.

■ **remerciement** n.m. SENS 3 *Paul a écrit à sa marraine une lettre de* **remerciement,** pour remercier.

mercier → *mercerie.*

mercredi n.m. *Demain, nous serons mercredi 8 février.*

mercure n.m. *Le mercure est un métal liquide et brillant.*

mère n.f. **1.** *Pierre aime beaucoup sa mère,* celle qui l'a mis au monde (= maman). **2.** *Les petits chats tètent leur mère,* l'animal femelle qui les a mis au monde. **3.** *On dit que « prudence est mère de sûreté »,* qu'elle la produit.
■ **maternel** adj. **1.** SENS 1 *L'amour maternel* est l'amour de la mère pour ses enfants. **2.** *Les enfants de moins de six ans vont à l'école maternelle.* **3.** *Le français est ma langue maternelle,* celle que je parle depuis que je suis tout petit et que l'on parle dans ma famille.
■ **maternité** n.f. SENS 1 *La maternité l'a rendue heureuse,* le fait de devenir mère. **2.** *Les femmes accouchent dans une maternité,* un établissement spécialisé dans les accouchements.
R. → *maire.*

merguez n.f. *Nous avons mangé du couscous avec des merguez,* des petites saucisses pimentées.

méridien n.m. *On calcule l'heure à partir du méridien de Greenwich,* d'une ligne imaginaire qui va d'un pôle à l'autre à la surface de la Terre.

méridional adj. et n. *Nous avons passé nos vacances en Italie méridionale,* du Sud. *Les Méridionaux ont l'accent du Midi,* les gens du sud de la France.

meringue n.f. *Marie aime les meringues,* des gâteaux légers à base de blancs d'œufs battus et sucrés.

merisier n.m. *Le merisier est un cerisier sauvage.*
■ **merise** n.f. *Les merises ont un goût un peu amer.*

mériter v. **1.** *Tu as été sage, tu mérites une récompense,* tu en es digne.
2. *Cette nouvelle mérite d'être vérifiée,* il faut la vérifier (= valoir).
■ **méritant** adj. SENS 1 *Ce sont des gens méritants,* qui ont du mérite.
■ **mérite** n.m. SENS 1 *M. Durand a beaucoup de mérite,* il est digne d'être récompensé.
■ **méritoire** adj. SENS 1 *Voilà un travail méritoire* (= louable).
■ **immérité** adj. SENS 1 *Il a reçu des reproches immérités,* qu'il ne méritait pas (= injuste).

merlan n.m. *Le merlan est un poisson de mer.*

merle n.m. *Un merle siffle devant ma fenêtre,* un oiseau noir à bec jaune.

mérou n.m. *Un mérou est un gros poisson des mers chaudes.*

merveille n.f. **1.** *Regarde ce bijou ciselé, c'est une merveille,* une chose très belle. **2.** *Pierre et Ruth s'entendent à merveille,* très bien (= parfaitement).
■ **merveilleux** adj. SENS 1 ET 2 *Ce paysage de montagnes est merveilleux* (= magnifique, admirable).
■ **merveilleusement** adv. SENS 2 *Lise se porte merveilleusement,* très bien (= admirablement).
■ **émerveiller** v. SENS 1 *Les enfants étaient émerveillés par le spectacle,* ils l'admiraient beaucoup.
■ **émerveillement** n.m. SENS 1 *Cécile a regardé tous ces jouets avec émerveillement.*

mes → *mon.*

mésange n.f. *Il y a une mésange sur le poirier,* un petit oiseau.

mésaventure → *aventure.*

mesdames → *dame.*

mesdemoiselles → *demoiselle.*

mésentente → *entendre.*

mésestimer → *estimer.*

mesquin adj. *Il faudrait être mesquin pour lui reprocher ce petit défaut,* avoir l'esprit étroit.

■ **mesquinerie** n.f. *Tu as agi avec mesquinerie.*

mess n.m. *Le colonel Dupont mange au mess des officiers,* dans la salle qui leur est réservée.

message n.m. *On m'a chargé de vous transmettre un message,* une lettre, une information.

■ **messager** n. Un *messager* est une personne chargée d'un message.

messageries n.f. Les *messageries* sont un organisme de transport de marchandises.

messe n.f. *Nous allons à la messe tous les dimanches,* à la cérémonie essentielle du culte catholique.

messie n.m. *Il est très populaire, on l'attend comme le Messie,* comme s'il était envoyé par Dieu.

messieurs → *monsieur.*

messire → *sire.*

mesure n.f. **1.** *Prendre les mesures d'une pièce,* c'est voir quelle est sa longueur, sa largeur, sa hauteur. *L'heure est l'unité de mesure du temps,* celle qui sert à évaluer une durée. **2.** *Tu ne joues pas en mesure,* en suivant le rythme de la musique. **3.** *Tu manges trop, tu n'as pas le sens de la mesure,* tu agis sans modération. **4.** *Il faut prendre des mesures énergiques contre le chômage,* il faut agir énergiquement (= décision). **5.** *Je ne suis pas en mesure de te répondre,* je n'en suis pas capable. **6.** *Il faut économiser dans la mesure du possible,* en proportion des possibilités. **7.** *Je dépense mon argent (au fur et) à mesure que je le gagne,* en même temps.

■ **mesurer** v. **1.** SENS 1 *Le mètre sert à mesurer les longueurs, le mètre carré*

les surfaces, le mètre cube les volumes. SENS 3 *Brenda ne mesure pas ses efforts,* elle les fait sans se modérer. **2.** *Se mesurer avec quelqu'un,* c'est se battre contre lui.

■ **mesuré** adj. SENS 3 *Elle parle d'un ton mesuré,* avec modération.

■ **démesure** n.f. SENS 3 *Elle a choqué tout le monde par la démesure de ses paroles* (= excès, outrance).

■ **démesuré** adj. SENS 3 *Dominique est d'un orgueil démesuré* (= exagéré, excessif ; ≠ modéré).

■ **démesurément** adv. SENS 3 *Ce roman est démesurément long* (= exagérément).

■ **demi-mesure** n.f. SENS 4 *Ces demi-mesures sont insuffisantes,* ces décisions imparfaites.

métairie n.f. Autrefois, une *métairie* était une exploitation agricole louée en métayage.

■ **métayage** n.m. Le *métayage* est un système de location d'une terre dans lequel le paysan partage la récolte avec le propriétaire.

■ **métayer** n.m. *Les métayers* étaient alors des paysans pauvres.

métal n.m. *Le fer est le métal le plus courant ; l'or et l'argent sont des métaux précieux ; d'autres métaux sont le cuivre, l'aluminium, le zinc.*

■ **métallique** adj. *On a acheté des meubles métalliques,* en fer ou en acier.

■ **métallisé** adj. *Sa voiture est gris métallisé,* une couleur qui rappelle l'éclat brillant du métal.

■ **métallurgie** n.f. La *métallurgie* est l'industrie qui produit les métaux.

■ **métallurgique** adj. *Il y a beaucoup d'usines métallurgiques dans cette région.*

■ **métallurgiste** adj. et n.m. *Son père est ouvrier métallurgiste,* dans la métallurgie.

■**métallo** n.m. Fam. *Les métallos se sont mis en grève,* les ouvriers métallurgistes.

métamorphose n.f. **1.** *Le papillon est le résultat de la métamorphose de la chenille,* de sa transformation complète. **2.** *Aïcha a beaucoup grandi, quelle métamorphose !,* quel grand changement.

■**métamorphoser** v. SENS 1 *Les têtards se métamorphosent en grenouilles.* SENS 2 *Sa nouvelle coupe de cheveux l'a métamorphosé.*

métaphore n.f. *Quand on dit « un torrent d'injures » pour « une grande abondance d'injures », on emploie une métaphore,* une comparaison abrégée (= image).

■**métaphorique** adj. *Le mot « brûler » dans « brûler de désir », est pris dans un sens métaphorique.*

métaphysique n.f. *La métaphysique est une partie de la philosophie.*

métayage, métayer → *métairie.*

météo → *météorologie.*

météore n.m. *Les étoiles filantes sont des météores,* des phénomènes lumineux qui se produisent dans le ciel.

■**météorite** n.f. *Les météorites sont des cailloux venus de l'espace et tombés sur la Terre.*

météorologie ou, fam., **météo** n.f. *La météorologie est la science qui étudie le temps et le climat.*

■**météorologique** adj. *Et voici les prévisions météorologiques pour demain,* concernant le temps qu'il fera.

méthode n.f. **1.** *Agissons avec méthode,* en suivant un ordre logique et raisonné. **2.** *Voulez-vous m'indiquer la méthode à employer* (= moyen, procédé).

■**méthodique** adj. SENS 1 *Jean est un garçon méthodique* (= soigneux, réfléchi, organisé ; ≠ désordonné).

■**méthodiquement** adv. SENS 1 *Tu travailles méthodiquement,* avec méthode.

méticuleux adj. *Mme Dubois est une femme méticuleuse,* elle fait attention à chaque détail (= minutieux ; ≠ négligent).

■**méticuleusement** adv. *Il enlevait méticuleusement la poussière.*

métier n.m. **1.** *M. Durand est professeur, c'est son métier,* le travail dont il vit (= profession). **2.** *Un métier est une machine servant à fabriquer des tissus.*

métis n. *Un métis est une personne dont les parents sont de races différentes.*

R. On prononce le *s* final : [metis].

mètre n.m. **1.** *Le mètre est la principale unité de mesure des longueurs. Je mesure 1,60 m,* 1 mètre et 60 centimètres. **2.** *La couturière mesure son tissu avec un mètre,* un ruban de la longueur d'un mètre. | 871 | 296, 289 |

■**métrage** n.m. SENS 1 *Le métrage d'un tissu ou d'un film,* c'est sa longueur en mètres.

■**métrique** adj. SENS 1 *Le système métrique est le système des poids et mesures qui a pour base le mètre.*

■**centimètre** n.m. SENS 1 *Ce ruban mesure un centimètre de large,* la centième partie d'un mètre. | 871 |

■**décamètre** n.m. SENS 1 *Ce jardin a trois décamètres de côté* (10 m × 3). | 871 |

■**décimètre** n.m. SENS 1 *Le mur a un décimètre d'épaisseur* (1 m : 10). SENS 2 *Prête-moi ton double décimètre,* ta règle mesurant 20 cm. | 871 |

■**hectomètre** n.m. SENS 1 *Cette forêt a un hectomètre de large* (1 m × 100).

■**kilomètre** n.m. SENS 1 *Il y a 240 kilomètres de Québec à Montréal* (1 000 m × 240). | 871 |

■**kilométrage** n.m. SENS 1 *Cette voiture a un kilométrage important,* beaucoup de kilomètres parcourus.

■**kilométrique** adj. SENS 1 *Je n'ai pas pu lire la borne kilométrique,* celle que l'on trouve à chaque kilomètre.

506

■**millimètre** n.m. SENS 1 *Cet insecte mesure un millimètre* (1 m : 1 000).

871

■**millimétrique** adj. SENS 1 *Le papier millimétrique est quadrillé par des carrés de 1 mm de côté.*

R. → *maître.*

217, 508

métro n.m. Le *métro* est un train, souvent souterrain, qui sert à se déplacer dans les grandes villes.

438

métronome n.m. Un *métronome* est un instrument qui indique le rythme d'un morceau de musique.

métropole n.f. **1.** *Toronto est la métropole de l'Ontario,* la plus grande ville. **2.** *La métropole est le pays auquel se rattache un département ou un territoire d'outre-mer.*

■**métropolitain** n. et adj. SENS 2 *La Guadeloupe, la Martinique, la Réunion accueillent les touristes métropolitains,* de la métropole.

mets n.m. *Le caviar est un mets apprécié* (= aliment, plat).

R. → *mai.*

mettre v. **1.** *Mets ce livre sur la table* (= placer, poser ; ≠ enlever). **2.** *Pierre s'est mis à côté de moi* (= s'installer). **3.** *Ruth a mis un pantalon bleu,* elle s'est habillée avec. **4.** *J'ai mis du sucre dans le café,* je l'y ai ajouté et mélangé. **5.** *J'ai mis deux heures à venir,* il m'a fallu ce temps-là. **6.** *Pierre s'est mis à pleurer,* il a commencé à le faire. **7.** *Ce livre vient d'être mis en vente,* sa vente vient de commencer.

■**mettable** adj. SENS 3 *Je ne jette pas ce manteau, il est encore mettable,* on peut encore le mettre.

■**metteur** n.m. SENS 7 *Le metteur en scène d'un film* est celui qui en dirige la réalisation.

■**mise** n.f. SENS 1 *Mme Scott a doublé sa mise,* l'argent qu'elle avait mis au départ. SENS 3 *Tu soignes ta mise,* ta manière de t'habiller. SENS 7 *La mise en scène de ce film est très réussie.*

■**miser** v. SENS 1 *M. Durand a misé dix dollars sur un cheval,* il a placé cette somme d'argent pour parier.

R. → Conj. n° 57. → *maître, mai* et *mi.*

1. meuble n.m. *J'essuie les meubles du salon,* les chaises, la table, les fauteuils, etc.

■**meubler** v. *Son appartement est bien meublé,* il y a de beaux meubles.

■**ameublement** n.m. *Elle a acheté une armoire et un lit dans un magasin d'ameublement,* qui vend des meubles.

R. → *mobilier.*

2. meuble adj. *Cette terre est meuble,* elle est facile à labourer (≠ compact).

■**ameublir** v. *Les labours ameublissent le sol.*

meugler v. *La vache meugle,* elle pousse son cri (= beugler, mugir).

■**meuglement** n.m. *On entend le meuglement des vaches à l'étable.*

meule n.f. **1.** Une *meule* est une grosse pierre plate et ronde qui sert à moudre le grain dans les anciens moulins. **2.** *J'ai aiguisé mon couteau sur la meule,* un disque de pierre ou d'une matière minérale qui affûte les outils en tournant. **3.** *Il y a une meule de foin dans ce champ,* un gros tas.

meulière n.f. La *meulière* est une pierre utilisée en construction.

meunier n. Un *meunier* est une personne qui possède un moulin et qui moud le grain.

meurtre n.m. *Un meurtre a été commis hier,* quelqu'un a été assassiné (= crime).

■ **meurtrier** n. et adj. *La police a arrêté le* **meurtrier** (= assassin). *Des combats* **meurtriers** *ont eu lieu,* qui ont causé des morts (= sanglant).

meurtrière n.f. *Une* **meurtrière** *est une étroite ouverture dans une fortification.*

meurtrir v. *Un coup de poing lui a* **meurtri** *la lèvre* (= blesser).
■ **meurtrissure** n.f. *Tu as des* **meurtrissures** *sur le visage,* des traces de coups.

meute n.f. **1.** *Une* **meute** *est une troupe de chiens de chasse.* **2.** *Il courait, poursuivi par une* **meute** *de gens,* un grand nombre (= bande).

mévente → *vente.*

1. mi n.m. *Mi est la troisième note de la gamme.*
R. *Mi se prononce* [mi] *comme* mie *et* [je] *mis,* [il] *mit* (de *mettre*).

2. mi- est un préfixe qui, placé devant un nom, signifie « à moitié », « à demi » *(s'arrêter à* **mi-côte,** *à* **mi-chemin**).

miasme n.m. *Cette ruelle est empestée par les* **miasmes** *des égouts,* des odeurs malsaines.

miauler v. *Le chat* **miaule,** *il doit avoir faim,* il pousse son cri.
■ **miaulement** n.m. *Le* **miaulement** *est le cri du chat.*

mica n.m. *Le* **mica** *est un minéral brillant et transparent.*

mi-carême → *carême.*

miche n.f. *Une* **miche** *est un gros pain rond.*

micmac n.m. Fam. *Qu'est-ce que c'est que ce* **micmac** *?,* cette affaire louche et embrouillée.

1 micro → *micro-ordinateur.*

2. micro ou **microphone** n.m. *Parle devant le* **micro,** l'appareil qui amplifie la voix.

3. micro- placé au début d'un mot signifie « tout petit » : *Un* **microfilm** *est une photographie de tout petit format ;* un **microsillon** *est un disque dont les sillons, très petits, sont nombreux et permettent une audition de longue durée.*

microbe n.m. *Les* **microbes** *sont des êtres vivants microscopiques qui sont les causes de certaines maladies.*
■ **microbien** adj. *La tuberculose est une maladie* **microbienne,** *causée par un microbe.*

microfilm → *micro-3.*

micro-ordinateur ou **micro** n.m. *Un* **micro-ordinateur** *est un petit ordinateur.*

microscope n.m. *Leïla a un* **microscope** *qui grossit cent fois,* un appareil qui permet de voir les objets invisibles à l'œil nu.
■ **microscopique** adj. *Les globules du sang sont* **microscopiques,** *visibles seulement au microscope tellement ils sont petits.*

microsillon → *micro-3.*

midi n.m. **1.** *Nous déjeunons à* **midi,** à 12 heures. **2.** *Cette maison est exposée au* **midi,** *au sud.* **3.** *Nous avons passé nos vacances dans le* **Midi,** *dans le sud de la France.*
■ **après-midi** n.m. ou f. SENS 1 *Je passerai vous voir cet* **après-midi,** *entre midi et le soir.*
R. → *méridional.*

mie n.f. *Mon arrière-grand-père n'a plus de dents, il mange la* **mie** *et laisse la croûte,* la partie intérieure et tendre du pain.
R. → *mi.*

807

808

294

362 **miel** n.m. 1. *Le* **miel** *est fabriqué par les abeilles avec le suc des fleurs.* 2. *Jean s'est montré* **tout miel,** trop poli.

■ **mielleux** adj. SENS 2 *Tu parles d'une voix* **mielleuse,** douce et hypocrite.

le mien 1. pron.possessif *Cette robe n'est pas à toi, c'est* **la mienne.** 2. n.m. *J'aime* **les miens,** mes parents.

miette n.f. 1. *Marie a jeté des* **miettes** *de pain aux oiseaux,* de petites parcelles. 2. *Oh, le vase est tombé et il est en* **miettes** *!,* en mille morceaux.

■ **émietter** v. SENS 1 *Lori* **émiette** *une biscotte dans son potage,* elle en fait des miettes.

■ **émiettement** n.m. SENS 1 *L'* **émiettement** *des responsabilités,* c'est leur dispersion, leur éparpillement.

mieux 1. adv. *Tu travailles* **mieux** *que Pierre,* d'une manière meilleure. 2. adj. *Cet appartement est* **mieux** *que le précédent,* il est plus joli, plus agréable. 3. n.m. *J'ai fait* **de mon mieux,** aussi bien que j'ai pu. *On a fait* **pour le mieux,** de la meilleure façon possible. **R.** *Mieux* est le comparatif et *le mieux* le superlatif de *bien.*

mièvre adj. *Il a prononcé des paroles* **mièvres,** gentilles mais fades, banales.

mignon adj. *Ce bébé est très* **mignon,** charmant et gentil.

migraine n.f. *J'ai la* **migraine,** mal à la tête.

migration n.f. *Il se produit une* **migration** *quand des gens quittent leur pays pour aller vivre dans un autre.*

■ **migrateur** adj. *L'hirondelle est un oiseau* **migrateur,** elle change de région selon les saisons.

■ **émigrer** v. *Beaucoup d'Haïtiens* **ont émigré** *au Canada,* ils ont quitté leur pays pour venir s'établir au Canada.

802 ■ **émigrant** n. *Beaucoup d'* **émigrants** *vivent dans ce quartier,* des gens d'origine étrangère.

■ **émigration** n.f. *L'* **émigration** *est souvent causée par le chômage,* le départ vers un pays étranger.

■ **immigration** n.f. *L'* **immigration** *est contrôlée par l'État,* l'arrivée de travailleurs étrangers.

■ **immigré** adj. et n. *Il y a au pays beaucoup de travailleurs* **immigrés,** venus de l'étranger.

mijaurée n.f. *Marie fait la* **mijaurée,** elle a une attitude prétentieuse.

mijoter v. *Je fais* **mijoter** *un ragoût,* je le fais cuire doucement.

mil → **mille** et **millet.**

milan n.m. *Le* **milan** *est une sorte de faucon.*

mildiou n.m. *Le* **mildiou** *est une maladie de la vigne.*

milice n.f. *Une* **milice** *est une troupe de volontaires qui renforcent l'armée régulière.*

■ **milicien** n.m. *Une milice est composée de* **miliciens.**

milieu n.m. 1. *Il y a une table au* **milieu** *de la pièce,* à l'endroit qui est à égale distance des bords ou du tour (= centre). 2. *Bianca est née au* **milieu** *du XXᵉ siècle,* en 1950 (≠ début et fin). 3. *Tu vis dans un* **milieu** *bourgeois,* les gens qui t'entourent sont des bourgeois.

militaire adj. et n. *Nous avons croisé un convoi de camions* **militaires,** de camions de l'armée. *M. Dupuis est* **militaire** *de carrière* (= soldat).

■ **militairement** adv. *Un soldat en uniforme salue* **militairement.**

■ **antimilitariste** adj. et n. *Yaelle est* **antimilitariste,** elle est hostile à l'armée.

■ **démilitariser** v. *Une zone* **démilitarisée** *est une zone sans éléments militaires,* sans armée.

militer v. *Mme Trudel milite dans un syndicat,* elle y joue un rôle actif.
■ **militant** adj. et n. *M. Durand est un militant syndical.*

mille adj. 1. *Cette ville est à mille mètres d'altitude. 10 × 100 = 1 000.* 2. *Je t'ai dit cela mille fois,* de très nombreuses fois.
■ **mille** n.m. 1. *Le mille est une ancienne mesure de distance au Canada.* 2. *Le mille marin est une unité de distance valant 1 852 mètres.*
■ **millénaire** n.m. SENS 1 *Il s'est écoulé un millénaire depuis le Xe siècle,* mille ans.
■ **milli-** placé devant une unité la divise par 1 000 : *milligramme, millimètre.*
■ **millième** adj. et n.m. SENS 1 *10 est la millième partie* (ou *le millième*) *de 10 000.*
■ **millier** n.m. SENS 1 *Il y avait un millier de personnes sur la place,* environ mille.
■ **millefeuille** n.m. SENS 2 *Un millefeuille est un gâteau formé de nombreuses couches de pâte et de crème.*
■ **mille-pattes** n.m. inv. SENS 2 *Le mille-pattes est un insecte qui a beaucoup de pattes.*
R. Dans les dates on peut écrire *mil* : *mil neuf cent cinquante (1950).*

millésime n.m. *Cette bouteille porte le millésime de 1976,* cette date est écrite dessus.

millet ou **mil** n.m. *Le millet,* ou *mil,* est une céréale à grains très petits.

milliard n.m. *Il y a environ trois milliards d'êtres humains sur la terre* (3 000 000 000).
■ **milliardaire** n. *Cet industriel est milliardaire,* sa fortune se compte en milliards.

millième, millier → *mille.*

milligramme → *gramme.*

millimètre, millimétrique → *mètre.*

million n.m. *Paris a trois millions d'habitants* (3 000 000).
■ **millionnaire** n. *Mme Dupuis est millionnaire,* elle est très riche.

mime n.m. *Un mime est un acteur qui joue en s'exprimant par gestes, sans parler.*
■ **mimer** v. *Pierre s'amuse à mimer son professeur,* à l'imiter.
■ **mimique** n.f. *Marie a fait une mimique de dégoût* (= expression, geste).
■ **pantomime** n.f. *Une pantomime est une pièce de théâtre jouée par des mimes.*

mimétisme n.m. 1. *Par mimétisme, les papillons prennent la couleur de l'objet sur lequel ils se posent,* par imitation. 2. *À force de vivre avec sa tante, il a fini par lui ressembler, c'est du mimétisme !,* une ressemblance due à une imitation inconsciente des gestes, des attitudes, etc.

mimosa n.m. *Le mimosa est un arbre à fleurs jaunes et parfumées.*

minable adj. Fam. *Ce devoir est minable,* très médiocre (≠ excellent).

minaret n.m. *Le minaret d'une mosquée est la tour du haut de laquelle on appelle les fidèles à la prière.*

minauder → *mine 1.*

mince adj. 1. *Le papier de ce livre est très mince* (= fin ; ≠ épais). 2. *Entre ces deux textes, il n'y a qu'une mince différence* (= insignifiant, faible, infime).
■ **minceur** n.f. SENS 1 *Sa taille est d'une minceur extrême.* SENS 2 *L'avocat souligné la minceur des preuves de l'accusation.*
■ **amincir** v. SENS 1 *Marie s'est amincie en suivant un régime amaigrissant* (≠ grossir).

563

578

1. mine n.f. **1.** *Pierre a mauvaise mine,* son visage indique une mauvaise santé. **2.** *Il ne faut pas juger les gens sur leur mine,* leur aspect extérieur (= physionomie). **3.** *Jean a fait mine de partir,* il a fait semblant. **4.** (au plur.) *Tu fais des mines,* tu as une attitude affectée (= manières).

■**minauder** v. SENS 4 *Tu minaudes en parlant,* tu fais des mines.

■**minois** n.m. SENS 1 *Dominique a un joli minois* (= visage).

801,
581

2. mine n.f. *Il y a des mines de charbon dans le Nord,* des exploitations souterraines.

■**minerai** n.m. *Le minerai de cuivre est extrait dans les mines de cuivre,* la roche qui contient ce métal.

■**mineur** n.m. *Les mineurs font un travail pénible,* les ouvriers des mines.

■**minier** adj. *L'Abitibi est une région minière.*

764

3. mine n.f. *Le navire a sauté sur une mine,* sur un engin explosif.

■**miner** v. **1.** *Les soldats ont miné le pont,* ils y ont placé une mine. **2.** *Il est miné par les soucis,* affaibli peu à peu (= ronger).

■**déminer** v. *Le port est déminé, les bateaux peuvent y entrer sans crainte,* il est débarrassé des mines qu'on y avait mises.

■**déminage** n.m. *Le déminage est une opération dangereuse.*

4. mine n.f. *J'ai cassé la mine de mon crayon,* la partie centrale qui sert à écrire.

minéral **1.** adj. *Les roches et les métaux sont des matières minérales,* ni animales ni végétales. *L'eau minérale contient des substances minérales.* **2.** n.m. *Les minéraux sont les éléments dont sont formées les roches.*

■**minéralogie** n.f. SENS 2 *La minéralogie est la science qui étudie les minéraux.*

minet n.m. *Viens ici, minet !* (= chat)

1. mineur → mine 2.

2. mineur **1.** adj. *Ceci est un problème mineur,* peu important (= secondaire ; ≠ majeur). **2.** adj. et n.m. *Pierre est mineur,* il n'a pas dix-huit ans. *Les mineurs n'ont pas le droit de vote* (≠ majeur).

■**minoritaire** adj. *Ce projet de loi est minoritaire,* il n'est soutenu que par une minorité d'avis favorables (≠ majoritaire).

■**minorité** n.f. **1.** SENS 2 *La minorité finit à dix-huit ans.* **2.** *Le gouvernement a été mis en minorité,* moins de la moitié des députés l'ont approuvé (≠ majorité).

mini- au début d'un mot indique la petitesse : *Un minibus* (ou *minicar*) est un car de dimensions réduites, etc.

miniature n.f. **1.** *Ce peintre fait des miniatures,* des tableaux tout petits. **2.** *Nadia joue avec des autos (en) miniature,* des modèles réduits d'autos.

■**miniaturiser** v. SENS 1 *L'électronique a permis de miniaturiser de très nombreux appareils,* de leur donner de très petites dimensions.

minibus, minicar → mini-.

minier → mine 2.

minime adj. *J'ai payé cela une somme minime,* très petite (≠ important).

■**minimum** n.m. et adj. *Je veux faire le minimum de dépenses,* le moins possible. *18 ans est l'âge minimum pour voter,* le plus bas (≠ maximum).

■**minimal** adj. *Les températures minimales seront stationnaires,* les températures les plus faibles (= minimum ; ≠ maximal).

■**minimiser** v. *On aurait tort de minimiser les conséquences de cet inci-*

dent, d'en diminuer l'importance (= réduire, sous-estimer ; ≠ exagérer).
R. *Minimum* se prononce [minimɔm]. Le pluriel est des *minimums* ou des *minima.*

ministre n.m. **1.** *Les ministres constituent le gouvernement sous la direction du Premier ministre.* **2.** *Un prêtre est un ministre du culte,* il accomplit des actes religieux.
■ **ministère** n.m. SENS 1 *Le ministère s'est réuni,* l'ensemble des ministres (= gouvernement). *Son ministère a duré six mois,* ses fonctions de ministre. *Où se trouve le ministère des Finances ?,* les bâtiments, les bureaux. SENS 2 *Ce prêtre a exercé son ministère dans notre paroisse,* son activité de prêtre.
■ **ministériel** adj. SENS 1 *Une crise ministérielle,* c'est un changement de gouvernement.

minium n.m. *Le minium sert à protéger les métaux de la rouille,* une peinture rouge.
R. On prononce [minjɔm].

minois → *mine* 1.

minoritaire, minorité → *mineur* 2.

minoterie n.f. *Une minoterie est une usine où l'on moud le grain pour faire de la farine.*

minuit n.m. *Lori s'est couchée à minuit,* à 24 heures ou 0 heure.

minus n.m. Fam. *Il est nul, laisse-le tomber, c'est un minus,* une personne minable, incapable, bonne à rien.

minuscule **1.** adj. *J'ai une écriture minuscule,* très petite (≠ énorme). **2.** n.f. *Tu as écrit le mot avec un M majuscule, il fallait une minuscule,* une petite lettre.

minute n.f. *Il y a 60 minutes dans une heure et 60 secondes dans une minute.*

■ **minuter** v. *Mon emploi du temps est minuté,* il est compté à la minute près.
■ **minuterie** n.f. *Une minuterie est une lumière électrique qui s'éteint automatiquement après quelques minutes.*

minutieux adj. *Marie est très minutieuse,* elle fait attention à chaque détail (≠ négligent).
■ **minutieusement** adv. *Tu as noté minutieusement tout ce que je lui ai dit ?*
■ **minutie** n.f. *Il travaille toujours avec minutie,* un très grand soin.
R. On prononce [minysjø, minysi].

mioche n. Fam. *Les Durand promènent leurs mioches,* leurs enfants.

mirabelle n.f. *Marie aime la confiture de mirabelles,* de petites prunes rondes et jaunes.

miracle n.m. **1.** *Dans l'Évangile, on raconte l'un des miracles du Christ, qui change l'eau en vin,* un événement qu'on ne peut pas expliquer avec notre raison et qui nous paraît surnaturel. **2.** *Elle a échappé à la mort par miracle,* de façon heureuse et très inattendue.
■ **miraculeux** adj. SENS 1 *Les Apôtres firent une pêche miraculeuse,* qui tient du miracle. SENS 2 *Tu as une chance miraculeuse* (= extraordinaire ; ≠ naturel).
■ **miraculeusement** adv. SENS 2 *Il a miraculeusement échappé à un attentat* (= par miracle).

mirador n.m. *Une sentinelle est postée sur le mirador de la prison,* le poste d'observation surélevé.

mirage n.m. *Dans les déserts on voit quelquefois des mirages,* des paysages qui n'existent pas, dus à des couches d'air surchauffé par le soleil.

mire n.f. **1.** *Le cran de mire d'un fusil,* c'est ce qui sert à viser. *La ligne de mire est la ligne droite qui va de l'œil* de l'observateur à l'objet visé. **2.** *Tu es le **point de mire** de tous les regards,* tout le monde te regarde.

se mirer v. *Le clocher **se mire** dans le lac,* il s'y reflète.

mirifique ou **mirobolant** adj. Fam. *Elle nous a fait des promesses **mirifiques*** (ou ***mirobolantes***), *trop belles pour être vraies.*

79, 77, 224, 801

miroir n.m. *Tu aimes te regarder dans ton **miroir** ?* (= glace).

■ **miroiter** v. *L'eau de la rivière **miroite** au soleil,* le soleil s'y réfléchit (= briller).

■ **miroitement** n.m. *Je contemple le **miroitement** du lac,* les reflets.

■ **miroitier** n.m. *Un **miroitier** est un fabricant ou un marchand de miroirs.*

803

misaine n.f. *Le mât de **misaine** d'un bateau à voiles,* c'est le mât de l'avant.

misanthrope adj. et n. *Mon grand-père devient **misanthrope**,* il n'aime pas la compagnie des autres gens.

mise, miser → *mettre.*

misère n.f. **1.** *Ces gens vivent dans la **misère**,* ils sont très pauvres. **2.** *Elle est toujours à se plaindre de ses **misères**,* de ses malheurs, de ses souffrances.

■ **misérable** adj. **1.** SENS 1 *Ces gens vivent dans des conditions **misérables**,* dans la misère (= pitoyable). **2.** *Ils se sont battus pour une **misérable** question d'argent* (= insignifiant).

■ **misérablement** adv. SENS 1 *Cette famille vit **misérablement**,* très pauvrement.

■ **miséreux** n. SENS 1 *Un **miséreux** demandait l'aumône* (= pauvre).

miséricorde n.f. *Les pénitents imploraient la **miséricorde** divine,* le pardon de leurs fautes. *À tout péché **miséricorde**,* on ne doit pas toujours refuser de pardonner à celui qui regrette ses fautes.

■ **miséricordieux** adj. *Un regard **miséricordieux** exprime la pitié.*

misogyne n. et adj. *Un **misogyne** est quelqu'un qui a une hostilité particulière envers les femmes.*

missel n.m. *Un **missel** est un livre qui contient les prières et les chants de la messe.*

missile n.m. *Un **missile** est une fusée transportant une bombe.*

mission n.f. **1.** *David a reçu la **mission** d'accueillir les invités,* on l'a chargé de le faire. **2.** *Une **mission** scientifique est partie étudier le pôle Sud,* un groupe de savants chargés de cette étude. **3.** *Une **mission** est un établissement où vivent des missionnaires.*

■ **missionnaire** n. et adj. SENS 3 *Cette paroisse d'Afrique avait été créée par des **missionnaires**,* des religieux, des religieuses ou des pasteurs qui vont dans des pays lointains pour faire connaître Dieu.

missive n.f. *Dominique m'a écrit une longue **missive*** (= lettre).

mistral n.m. *Le **mistral** est un vent violent et froid qui souffle dans le Midi.*

mitaine n.f. *Des **mitaines** sont des gants qui ne couvrent pas le bout des doigts.*

mite n.f. *Cette couverture a été mangée par les **mites**,* des petits insectes.

■ **mité** adj. *La couverture est **mitée**,* trouée par les mites.

■ **antimite** n.m. *On met de l'**antimite** dans l'armoire,* un produit qui protège le linge des mites.

R. *Mite se prononce [mit] comme mythe.*

mi-temps n.f.inv. *Le but a été marqué pendant la seconde **mi-temps**,* la seconde partie du match.

■ **à mi-temps** adv. ou adj. *J'ai trouvé un travail **à mi-temps**,* qui occupe la moitié du temps normal de travail.

miteux adj. *On habite un appartement miteux,* de pauvre apparence (= minable).

mitigé adj. *Les journalistes ont fait des éloges mitigés de ce livre,* des éloges avec des réserves, mêlés de critiques.

mitonner v. *J'ai mitonné un bon pot-au-feu,* je l'ai préparé avec soin (= mijoter).

mitoyen adj. *Un mur mitoyen* fait la limite de deux propriétés.

mitrailler v. *Les avions ennemis mitraillaient la ville,* ils tiraient dessus avec des armes à feu.
■ **mitraille** n.f. *Les soldats fuyaient sous la mitraille,* les balles, les obus, etc.
■ **mitraillette** n.f., **mitrailleur** adj., **mitrailleuse** n.f. *La mitraillette, le fusil et le pistolet mitrailleur,* la *mitrailleuse* sont des armes à feu qui tirent très vite.

mitre n.f. *Une mitre* est une coiffure haute et pointue que les évêques portent dans certaines cérémonies.

mitron n.m. *Un mitron* est un apprenti boulanger ou pâtissier.

à mi-voix → *voix.*

mixeur n.m. *Un mixeur* est un appareil qui sert à broyer et à mélanger les aliments.

mixte adj. *Marie va dans une école mixte,* où il y a des filles et des garçons.

mixture n.f. *Je n'ai pas pu avaler cette mixture,* ce mélange au goût désagréable.

mobile 1. adj. *Notre mâchoire inférieure est mobile,* elle peut bouger. *Les parachutistes sont des soldats très mobiles,* ils peuvent se déplacer rapidement. 2. adj. *Pâques est une fête mobile,* elle ne tombe pas à la même date chaque année. 3. n.m. *Je ne comprends pas le mobile de ton action,* ce qui t'a poussé à agir (= raison, motif). 4. n.m. *On a suspendu un mobile au dessus du lit du bébé,* un objet dont les éléments bougent sous l'effet du moindre souffle d'air.
■ **mobilité** n.f. SENS 1 *Une douleur à l'épaule diminue la mobilité de mon bras,* la possibilité de le déplacer.
■ **immobile** adj. SENS 1 *Le chien est resté immobile,* sans bouger.
■ **immobiliser** v. SENS 1 *La voiture a été immobilisée* par une panne.
■ **immobilisation** n.f. SENS 1 *Son accident lui a valu un mois d'immobilisation.*
■ **immobilisme** n.m. SENS 1 *Le gouvernement a été accusé d'immobilisme,* d'opposition à tout changement.
■ **immobilité** n.f. SENS 1 *Cette maladie me condamne à l'immobilité,* à ne pas me déplacer.

mobilier 1. n.m. *On a changé le mobilier du salon,* l'ensemble des meubles. 2. adj. *Je possède des biens mobiliers,* des marchandises, des meubles, des autos, des rentes, etc. (≠ immobilier).
■ **immobilier** adj. SENS 2 *Les Truong ont une fortune immobilière,* des terres, des maisons. *Une société immobilière s'occupe de construire des maisons et des immeubles.*

mobiliser v. *En cas de guerre, les hommes valides sont mobilisés,* ils sont appelés à l'armée. *On a mobilisé tout le village pour secourir les sinistrés,* on a fait appel à la participation de tous.
■ **mobilisation** n.f. *M. Durand a reçu sa feuille de mobilisation,* la lettre qui le mobilise.
■ **démobiliser** v. *À la fin de la guerre, les soldats sont démobilisés,* ils retournent à la vie civile.

■**démobilisation** n.f. *Les soldats attendent leur démobilisation.*

mobilité → *mobile.*

mocassin n.m. *Je porte des mocassins,* des chaussures basses sans lacets.

moche adj. Fam. *Qu'est-ce qu'elle est moche, cette chemise !* (= laid).

modalité n.f. *Un texte précise les modalités de remboursement de cet emprunt,* les conditions dans lesquelles il sera remboursé.

1. mode n.f. *Marie est habillée à la dernière mode,* ses vêtements sont au goût du jour.
■**démoder** v. *Cette robe est démodée,* elle n'est plus à la mode.

2. mode n.m. 1. *Nous avons changé notre mode de vie,* la manière dont nous vivons (= genre). 2. *Le mode d'emploi d'un appareil* indique la manière de s'en servir. 3. *L'indicatif, le subjonctif, le conditionnel, l'impératif, l'infinitif et le participe sont les six modes du verbe,* les manières d'exprimer l'action.

modelage → *modeler.*

modèle n.m. 1. *Pierre dessine d'après un modèle,* un objet qu'il doit imiter. 2. *On a fait des modèles réduits d'avions,* des petits avions qui imitent exactement les vrais (= maquette). 3. *Paul est un modèle d'honnêteté,* il est digne d'être imité (= exemple). 4. *Cette voiture est un nouveau modèle* (= type, sorte).
■**modélisme** n.m. SENS 2 *Le modélisme occupe tous ses loisirs,* les modèles réduits.
■**modéliste** n. 1. SENS 2 *Les modélistes se retrouvent au club,* ceux qui font des modèles réduits. 2. *Elle est modéliste dans une maison de haute couture,* elle crée des modèles de vêtements.

modeler v. *Le sculpteur modèle de l'argile pour faire une statue,* il la pétrit et lui donne une forme.
■**modelage** n.m. *Sandra fait des modelages avec de la pâte à modeler.*
R. → Conj. n° 5.

modélisme, modéliste → *modèle.*

modéré adj. 1. *Aïcha est modérée dans ses prétentions,* elles ne sont pas trop grandes (≠ excessif). *Les prix de ce restaurant sont modérés* (= raisonnable ; ≠ exagéré). 2. *Les partis modérés ne sont ni de droite ni de gauche.*
■**modérément** adv. SENS 1 *Dominique fume modérément* (≠ trop).
■**modérateur** adj. SENS 1 *Marie a une influence modératrice sur son frère,* elle l'empêche de faire des excès.
■**modération** n.f. SENS 1 *Elle mange et boit avec modération,* en quantité raisonnable (= mesure ; ≠ excès).
■**modérer** v. SENS 1 *Claude a de la peine à modérer sa colère,* à en diminuer la violence (= retenir, calmer).
■**immodéré** adj. SENS 1 *Il faut diminuer ces dépenses immodérées* (= excessif).

moderne adj. *J'aime l'art moderne,* celui de l'époque actuelle (= nouveau ; ≠ ancien).
■**moderniser** v. *Cette usine s'est modernisée,* elle a adopté des techniques modernes.
■**modernisation** n.f. *La modernisation de l'usine permet une meilleure production.*
■**modernisme** n.m. *Le modernisme est le goût de ce qui est moderne.*

modeste adj. 1. *Malgré sa réussite, ce chanteur est resté modeste* (= simple ; ≠ orgueilleux). 2. *Ils habitent un*

logement **modeste,** sans luxe (= médiocre).

■ **modestement** adv. SENS 1 *Tu as re-*
fusé modestement ces honneurs.
SENS 2 *C'est un travail modestement*
rémunéré (= médiocrement).

■ **modestie** n.f. SENS 1 *Tu agis toujours*
avec modestie (= humilité ; ≠ vanité,
prétention).

modicité → *modique.*

modifier v. *Tu devrais modifier la fin*
de ton devoir (= changer). *La situation*
s'est modifiée, elle a changé, évolué.

■ **modification** n.f. *Ce projet a subi de*
nombreuses modifications (= transformation, changement).

modique adj. *J'ai acheté cette voiture*
pour une somme modique (= faible ;
≠ important).

■ **modicité** n.f. *Il se plaint de la modi-*
cité de son salaire (= médiocrité).

modiste n.f. *Une modiste fait des*
chapeaux de femmes.

moduler v. *Moduler un air de musique,*
c'est le chanter d'une voix changeante.

■ **modulation** n.f. **1.** *Il y a des modu-*
lations dans sa voix, elle est tantôt
haute, tantôt basse. **2.** *La modulation*
de fréquence est un procédé d'émission radiophonique qui permet des
auditions de très bonne qualité.

moelle n.f. *La moelle des os,* c'est la
substance molle et grasse qui se
trouve dedans. *La moelle du sureau*
est une substance blanche et légère
qui est dans les branches.
R. On prononce [mwal].

moelleux adj. *Cette couverture est*
moelleuse, très douce au toucher.
R. On prononce [mwalø].

moellon n.m. *Le mur du jardin est en*
moellons, en pierres de grosseur
moyenne.
R. On prononce [mwalɔ̃].

mœurs n.f.pl. *Les mœurs changent*
avec les époques et les pays, la manière de vivre (= coutume, habitudes).
R. On prononce [mœrs] ou [mœr] comme
[*je*] *meurs* (de *mourir*).

mohair n.m. *Je tricote un pull en mo-*
hair, avec une laine très douce.

moi pron.pers. peut s'employer :
a) pour renforcer le sujet *je* ou après
c'est : *Moi, je pars. C'est moi le chef ;*
b) comme complément après une préposition : *Elle est partie sans moi.*
R. *Moi* se prononce [mwa] comme *mois.*

moignon n.m. *Le manchot avait un*
crochet au bout de son moignon, de
son bras amputé.

moindre adj. *La nuit, le moindre bruit*
me réveille, le plus petit, le plus faible.

■ **amoindrir** v. *La maladie l'a amoin-*
dri, l'a rendu plus faible (= diminuer).

■ **amoindrissement** n.m. *On observe*
un amoindrissement de son influence
(= diminution, baisse, affaiblissement ; ≠ accroissement).

moine n.m. *Les moines vivent dans*
les monastères et passent leur vie à
prier Dieu.

■ **monacal** adj. *Elle mène une vie mo-*
nacale, qui ressemble à celle des
moines.

■ **monastère** n.m. *Il s'est retiré dans*
un monastère, il s'est fait moine (=
abbaye, couvent).

■ **monastique** adj. *Il a pris l'habit mo-*
nastique, celui de moine.

moineau n.m. *Mme Durand donne du*
pain aux moineaux, des petits oiseaux
bruns très nombreux.

moins adv. **1.** *Ruth travaille peu, mais*
Pierre travaille encore moins. L'alumi-
nium est moins lourd que le plomb (≠
plus). **2.** *Sept moins trois font quatre*
(7 – 3 = 4). **3.** *Il y a au moins*
une heure que je suis là, une heure
sinon plus (= au minimum). **4.** *Elle est*

venue, *du moins* elle le dit (= en tout cas). **5.** *Je vais me promener,* **à moins qu'il ne pleuve,** seulement s'il ne pleut pas (= sauf si).

moire n.f. La *moire* est un tissu à reflets changeants.

■ **moiré** adj. *Un bateau glisse sur l'eau* **moirée** *du lac,* l'eau qui a des reflets variés.

125 | **mois** n.m. **1.** *Janvier est le premier* **mois** *de l'année.* **2.** *Virginia vient de toucher son* **mois,** son salaire pour le travail d'un mois.

■ **mensuel** adj. SENS 1 *Cette revue est* **mensuelle,** elle paraît tous les mois.

■ **mensuellement** adv. SENS 1 *M. Durand est payé* **mensuellement,** tous les mois.

■ **mensualiser** v. SENS 2 *Les ouvriers étaient payés à l'heure, on les a* **mensualisés,** payés au mois.

■ **mensualité** n.f. SENS 1 *Je paie mon appartement par* **mensualités,** je paie une somme chaque mois.

■ **bimensuel** adj. SENS 1 *Une revue* **bimensuelle** paraît deux fois par mois. **R.** → *moi.*

moisir v. **1.** *Il faisait trop humide, le pain* **a moisi,** il a commencé à se gâter. **2.** Fam. *Je ne vais pas* **moisir** *ici toute la journée,* y rester sans rien faire.

■ **moisi** n.m. SENS 1 *Ça sent le* **moisi** *ici,* l'odeur aigre de ce qui a moisi.

■ **moisissure** n.f. SENS 1 *Le fromage est couvert de* **moisissures** *vertes,* de taches formées par de petits champignons.

583 | **moisson** n.f. *En juillet, les paysans font la* **moisson,** ils coupent le blé, l'orge, l'avoine, etc.

■ **moissonner** v. *On a mis deux heures à* **moissonner** *ce champ de blé,* à le couper.

■ **moissonneur** n.m. *Le soir, les* **moissonneurs** *sont fatigués,* ceux qui font la moisson.

■ **moissonneuse-batteuse** n.f. *Une* **moissonneuse-batteuse** *est une machine qui coupe et bat automatiquement le blé.*

moite adj. *Ton front est* **moite,** *tu dois avoir de la fièvre,* un peu humide.

■ **moiteur** n.f. *La* **moiteur** *de ses mains était la marque de son émotion.*

moitié n.f. **1.** *Dix est la* **moitié** *de vingt,* 10 + 10 = 20 (≠ double). **2.** *Son verre est* **à moitié** *vide,* en partie (= à demi ; ≠ complètement).

moka n.m. **1.** *Le* **moka** *est un café très parfumé.* **2.** *Au dessert, on a servi un* **moka,** un gâteau au café.

molaire n.f. *J'ai mal à une* **molaire,** une grosse dent du fond de la bouche.

■ **prémolaire** n.f. *Les* **prémolaires** *se trouvent entre les molaires et les canines.*

môle n.m. *Les passagers se dirigent vers le* **môle** *d'embarquement,* l'endroit où est amarré le navire (= quai).

molécule n.f. *Tous les corps sont formés de* **molécules,** de très petites parties.

■ **moléculaire** adj. *Le poids* **moléculaire** *d'un corps est celui d'une molécule de ce corps.*

molester v. *Jean* **a été molesté** *par des voyous* (= brutaliser, malmener).

molette n.f. **1.** *La* **molette** *d'un briquet,* c'est la roulette dentée que l'on actionne avec le doigt. **2.** *Serre l'écrou avec la clé à* **molette,** un outil dont on peut écarter ou rapprocher les branches en tournant une molette.

molle, mollement, mollesse → *mou.*

1. mollet n.m. *Yaelle a eu le* **mollet** *mordu par un chien,* le muscle entre la cheville et le genou.

2. mollet → *mou.*

molleton n.m. Le *molleton* est une étoffe épaisse de laine ou de coton.
■ **molletonné** adj. *J'ai une robe de chambre molletonnée,* garnie de molleton.

mollir → *mou.*

mollusque n.m. *Les huîtres, les moules, les escargots, les pieuvres sont des mollusques,* des animaux sans squelette.

molosse n.m. Un *molosse* est un gros chien de garde.

môme n. Fam. *Ces mômes sont trop bruyants* (= enfant).

moment n.m. 1. *On nous a dit d'attendre un moment,* un espace de temps (= instant). 2. *Ce sera bientôt le moment de partir,* il faudra le faire bientôt. 3. *L'orage a éclaté au moment où nous partions* (= quand, lorsque). 4. *Du moment que tu le dis, je te crois* (= puisque, si). 5. *Pour le moment, tout va bien,* actuellement (mais cela peut changer). 6. *En ce moment, il fait beau,* maintenant, au moment où je parle.
■ **momentané** adj. SENS 1 *Son absence a été momentanée,* elle n'a duré qu'un moment (= court).
■ **momentanément** adv. SENS 1 *Elle est partie momentanément* (= provisoirement).

momie n.f. *Pierre a vu au musée des momies égyptiennes,* des cadavres conservés.

mon, ma, mes adj.possessifs indiquent ce qui est à moi, ce qui m'appartient : *Mon père, ma mère, mes parents.*
R. → *mont* et *mai.* On emploie *mon* au lieu de *ma* devant un nom féminin commençant par une voyelle ou un *h* muet : *Mon oreille.*

monacal → *moine.*

monarchie n.f. *Autrefois, la France était une monarchie,* un régime politique dans lequel c'est un roi (ou une reine) qui gouverne.
■ **monarchique** adj. *Les rois, les empereurs exercent un pouvoir monarchique.*
■ **monarchiste** n. *Les monarchistes veulent le renversement de la République et le retour du roi.*
■ **monarque** n.m. *Les rois de France étaient jadis des monarques absolus et héréditaires* (= souverain).

monastère, monastique → *moine.*

monceau n.m. *Il y a un monceau d'ordures devant la porte,* un gros tas.
■ **amonceler** v. *Elle a amoncelé les livres sur son bureau,* elle les a mis en tas (= entasser). *Les preuves s'amoncellent* (= s'accumuler).
■ **amoncellement** n.m. *Il y a un amoncellement de vieux journaux au grenier* (= entassement, tas).
R. *Amonceler* → conj. n° 6.

monde n.m. 1. *On croyait autrefois que la Terre était au centre du monde,* de tout ce qui existe (= univers). 2. *Cette musicienne est connue dans le monde entier,* sur toute la Terre. 3. *Mettre au monde un enfant,* c'est le faire venir à la vie ; *venir au monde,* c'est naître ; *être seul au monde,* c'est être seul dans la vie. 4. *Cette nouvelle a bouleversé le monde des affaires,* l'ensemble des gens d'affaires (= milieu). 5. *M. Durand est un homme du monde,* il fait partie de la haute société (= aristocratie). 6. *Il y avait beaucoup de monde à la réunion,* beaucoup de gens. 7. *Tout le monde est parti,* tous les gens.
■ **mondial** adj. SENS 2 *Une guerre mondiale* concerne le monde entier (= international).

■ **mondialement** adv. SENS 2 *Cette artiste est* **mondialement** *connue* (= universellement).

■ **mondain** adj. SENS 5 *Tu aimes la vie* **mondaine** *?, celle de la haute société.*

■ **mondanités** n.f.pl. SENS 5 *Pour fuir les* **mondanités**, *elle se retire à la campagne,* les manières de la haute société.

monétaire → *monnaie.*

moniteur n. 1. *Sylvie est* **monitrice** *de ski,* elle enseigne le ski. 2. *Les* **moniteurs** *de la colonie de vacances sont très gentils,* les personnes chargées de s'occuper des enfants.

221 **monnaie** n.f. 1. *La* **monnaie** *française s'appelle le franc, la* **monnaie** *canadienne, le dollar,* les pièces et les billets (= argent). 2. *Peux-tu me faire la* **monnaie** *de ce billet de 10 dollars ?,* me l'échanger contre des pièces ou des billets de plus faible valeur.

■ **monétaire** adj. SENS 1 *Le dollar est l'unité* **monétaire** *des États-Unis et du Canada,* l'unité de monnaie.

■ **monnayer** v. SENS 1 *Tu as* **monnayé** *tes services un bon prix,* tu les as vendus pour de l'argent.

■ **faux-monnayeur** n.m. SENS 1 *Des* **faux-monnayeurs** *ont été arrêtés,* des fabricants de fausse monnaie.

■ **porte-monnaie** n.m.inv. SENS 2 *Mary a perdu son* **porte-monnaie**, *le petit sac où elle met son argent.*

mono- placé au début d'un mot signifie « seul » : *Faire du* **monoski**, *c'est skier sur un seul ski.*

monocle n.m. *Mon arrière-grand-père portait un* **monocle**, *un verre de lunette fixé sous le sourcil d'un seul œil.*

monocorde adj. *Une voix* **monocorde** *est une voix ennuyeuse par son uniformité.*

monogamie n.f. *La loi canadienne impose la* **monogamie**, *on ne peut avoir qu'une épouse à la fois.*

■ **bigamie** n.f. *Il a été arrêté pour* **bigamie**, *il avait deux femmes, il était* **bigame**.

■ **polygamie** n.f. *La* **polygamie** *existe chez les musulmans,* ils peuvent avoir plusieurs épouses.

monogramme n.m. *Son* **monogramme** *est brodé sur sa chemise,* ses initiales entrelacées.

monolithe n.m. *Un dolmen, un menhir, un obélisque sont des* **monolithes**, *des monuments faits d'un seul bloc de pierre.*

■ **monolithique** adj. *Une statue* **monolithique** *est taillée dans un seul bloc.*

monologue n.m. *Yasmina continue son* **monologue**, *elle parle toute seule.*

■ **monologuer** v. *Il* **monologuait** *à mi-voix en marchant,* il parlait tout seul.

monopole n.m. *L'État a le* **monopole** *de la vente des alcools,* il est le seul à en vendre.

■ **monopoliser** v. *Pierre* **monopolise** *le téléphone,* il est le seul à s'en servir (= accaparer).

monoski → *mono-.*

monosyllabe → *syllabe.*

monotone adj. *Nous menons une vie* **monotone**, *où il ne se passe rien* (= banal, plat, ennuyeux ; ≠ varié).

■ **monotonie** n.f. *Elle se plaint de la* **monotonie** *de son travail* (≠ variété).

monseigneur n.m. *Lorsqu'on parle à un évêque, on dit «*Monseigneur *».*

monsieur n.m. *Le père de Pierre s'appelle* **monsieur** *Durand (*M. Durand*). Bonjour* **messieurs**.

monstre n.m. 1. *Un veau né avec deux têtes est un* **monstre**, *un être qui est né avec une grave malformation.*

2. *Les chimères, les centaures sont des monstres,* des êtres imaginaires. **3.** *Le chef des pillards était un monstre,* il était très cruel. **4.** *Lori est un monstre de travail,* elle travaille beaucoup.

■ **monstre** adj. SENS 4 *Ce film a eu un succès monstre,* très grand (= énorme, prodigieux).

■ **monstrueux** adj. SENS 3 *Il est d'une laideur monstrueuse* (= horrible).

■ **monstrueusement** adv. SENS 3 *Tu es monstrueusement égoïste.*

■ **monstruosité** n.f. SENS 3 *Tu as commis des monstruosités,* des actes horribles (= atrocité, horreur).

mont → *montagne.*

montage → *monter.*

montagne n.f. *Le sommet de cette montagne dépasse 4 000 mètres.*

■ **mont** n.m. se disait autrefois pour *montagne* ; suivi d'un nom propre, il désigne une montagne *(le mont McKinley)* ou une colline *(le mont Royal).*

■ **montagnard** n. *Les montagnards* sont les habitants des montagnes.

■ **montagneux** adj. *Les Rocheuses sont une région montagneuse,* où il y a des montagnes.

monter v. **1.** *Jean est monté sur la colline,* il est allé de bas en haut (= grimper). *Marie a monté l'escalier* (≠ descendre). **2.** *Peux-tu monter la valise au grenier,* la porter de bas en haut. **3.** *Nadia sait monter à cheval* (= aller). *Jean monte un cheval blanc,* il est dessus. **4.** *Yasmina est montée en grade,* elle a eu de l'avancement (= progresser). **5.** *Les prix ne cessent de monter,* de devenir plus élevés (= augmenter). *Mes achats se montent à 20 dollars* (= s'élever). **6.** *Les campeurs montent leur tente,* ils en assemblent les parties. **7.** *C'est Pierre qui t'a monté contre moi,* qui t'a mis en colère (= exciter).

■ **montage** n.m. SENS 6 *Le montage de cet appareil n'est pas difficile* (= assemblage). 290

■ **montant** adj. SENS 1 *C'est l'heure de la marée montante,* la mer monte vers le rivage.

■ **montant** n.m. **1.** SENS 5 *Quel est le montant de tes dépenses ?,* à quelle somme se montent-elles (= chiffre). **2.** *Les montants d'une échelle,* ce sont les deux pièces verticales. 77, 151

■ **montée** n.f. SENS 1 *La montée au sommet nous a fatigués* (= ascension). *La voiture a ralenti dans la montée* (= côte). SENS 5 *La radio annonce une montée de la température* (= augmentation).

■ **monteur** n. SENS 6 *Le métier du monteur de films* est d'assembler les morceaux de pellicule.

■ **monture** n.f. SENS 3 *La cavalière est descendue de sa monture,* de la bête sur laquelle elle était montée. SENS 6 *La monture d'une paire de lunettes,* c'est l'armature sur laquelle les verres sont montés.

■ **monte-charge** n.m.inv. SENS 2 *Un monte-charge sert à monter de lourds fardeaux.* 151

■ **démonter** v. **1.** SENS 3 *Le cheval a démonté son cavalier,* il l'a jeté par terre. SENS 6 *Esther a démonté le poste de radio,* elle en a séparé les éléments. **2.** *Il a été démonté par mes paroles,* très étonné. **3.** *La mer est démontée,* très agitée.

■ **démontable** adj. SENS 6 *Nous avons acheté un bateau démontable,* qui peut se monter et se démonter.

■ **démontage** n.m. SENS 6 *Le démontage du moteur m'a pris deux heures.*

■ **remonter** v. **1** SENS 1 *Nous avons remonté l'escalier,* monté de nouveau. SENS 6 *Kathy a remonté l'appareil,* remis en état après l'avoir démonté. SENS 5 *Les températures remontent,* montent après avoir baissé. **2.** *Cette* *histoire **remonte** loin,* son origine est lointaine (= dater de). **3.** *Ta **montre** est arrêtée, il faut la **remonter,*** actionner le remontoir pour tendre le ressort. **4.** *Bois cela pour te **remonter,*** pour te donner de la force (= réconforter).

■ **remontant** n.m. *Une tasse de café est un bon **remontant,*** elle remonte (au sens 4) [= tonique].

■ **remontée** n.f. SENS 1 *Les téléskis, les télésièges, les téléphériques sont des **remontées mécaniques,*** ils montent les skieurs en haut des pentes.

653

■ **remonte-pente** n.m. SENS 1 est un synonyme de ***téléski.***

220

■ **remontoir** n.m. *Le **remontoir** d'une montre,* c'est le mécanisme que l'on actionne pour remonter (au sens 3) le ressort.

R. *Monter* se conjugue tantôt avec *être,* tantôt avec *avoir.* Noter le pluriel : *des remonte-pentes.*

monticule n.m. *Un **monticule** est une petite colline ou un tas de terre, de pierres, etc.

220

1. montre n.f. *Quelle heure est-il ? — Je ne sais pas, ma **montre** est arrêtée.*

2. montre → *montrer.*

montrer v. **1.** *À la frontière, il faut **montrer** ses papiers aux douaniers,* les leur faire voir (= présenter ; ≠ cacher). **2.** *Tu n'as pas **montré** ton émotion,* tu ne l'as pas laissé paraître (= manifester). **3.** *Je lui **ai montré** qu'elle avait tort,* je le lui ai expliqué (= démontrer).

■ **montre** n.f. *Faire **montre** de courage,* c'est se montrer courageux (= faire preuve).

■ **démontrer** v. SENS 3 *Bianca m'a **démontré** qu'elle avait raison,* elle me l'a montré de manière incontestable (= prouver).

■ **démonstrateur** n. SENS 1 *Le **démonstrateur** nous a fait voir comment fonctionne l'appareil* (= vendeur).

■ **démonstratif** adj. et n. SENS 1 *Les (pronoms et adjectifs) **démonstratifs** servent à montrer une personne ou une chose.* SENS 2 *Pierre est très **démonstratif,*** il manifeste ses sentiments (≠ renfermé).

■ **démonstration** n.f. SENS 2 *Il m'a accueilli avec des **démonstrations** de joie,* il a manifesté sa joie. SENS 3 *Sa **démonstration** est très convaincante,* les preuves qu'il a données.

monture → *monter.*

monument n.m. **1.** *Yaelle nous a montré les plus beaux **monuments** de Paris,* les églises, les palais, les théâtres, etc. **2.** *Un **monument** aux morts sert à rappeler aux vivants le souvenir de ceux qui sont morts à la guerre.*

■ **monumental** adj. SENS 1 *Il y a sur la place une statue **monumentale*** (= énorme). *C'est là un contresens **monumental*** (= colossal).

se moquer v. **1.** *Pierre **se moque** de sa sœur,* il l'ennuie en la tournant en ridicule. **2.** *Tu **te moques** de mes conseils,* tu n'en tiens aucun compte.

■ **moquerie** n.f. SENS 1 *Dominique ne supporte pas les **moqueries,*** les plaisanteries à son sujet (= raillerie).

■ **moqueur** adj. SENS 2 *Sonia m'a regardé d'un air **moqueur*** (= railleur, ironique).

moquette n.f. *Il y a une tache sur la **moquette** du salon,* le tapis fixé au sol.

moqueur → *moquer.*

moraine n.f. *La **moraine** d'un glacier,* ce sont les roches et la terre qu'il entraîne en avançant.

moral adj. **1.** *Notre conscience **morale** nous fait distinguer le bien du mal.* **2.** *Tu as une grande force **morale,*** de caractère (≠ physique).

■ **moral** n.m. SENS 2 *Claude n'a pas le **moral,*** elle se sent sans force morale, elle est découragée.

■ **morale** n.f. SENS 1 **1.** *Il a agi selon la morale,* selon ce que l'on considère comme étant bien. **2.** *La morale d'une fable, d'une histoire,* c'est la conclusion morale qu'on peut en tirer.

■ **moralement** adv. SENS 1 *Je ne peux pas moralement t'approuver* (= honnêtement, en conscience).

■ **moraliser** v. SENS 1 *Essayer de moraliser la vie politique,* c'est essayer d'y faire respecter davantage des principes moraux.

■ **moralisateur** adj. SENS 1 *Elle me parlait d'un ton moralisateur,* comme si elle voulait me dire ce qui est mal.

■ **moralité** n.f. SENS 1 *C'est une personne sans moralité,* elle se conduit mal. *Quelle est la moralité de cette histoire ?,* la conclusion morale (= leçon).

■ **démoraliser** v. SENS 2 *Jean était démoralisé par son échec à l'examen* (= décourager).

■ **démoralisant** adj. SENS 2 *Ce nouvel échec est démoralisant.*

■ **immoral** adj. SENS 1 *Ce livre est immoral,* contraire à la morale.

■ **immoralité** n.f. SENS 1 *L'immoralité de sa conduite m'a indigné* (≠ honnêteté).

moraliste n.m. *Un moraliste est un écrivain qui décrit les mœurs, c'est-à-dire les caractères et la conduite des gens.*

morbide adj. *Lori a un goût morbide pour la solitude,* un goût si grand qu'il est anormal (= malsain, maladif).

morceau n.m. **1.** *Donne-moi un morceau de pain* (= bout). **2.** *Le vase est cassé, il faut ramasser les morceaux,* les différentes parties (= fragment). **3.** *Un recueil de morceaux choisis rassemble des textes d'auteurs différents.*

■ **morceler** v. SENS 2 *La propriété a été morcelée,* divisée en plusieurs parties.

■ **morcellement** n.m. SENS 2 *Les héritages successifs ont abouti au morcellement du domaine.*

mordre v. **1.** *Le chien m'a mordu,* il m'a blessé avec ses dents. **2.** *Lise mord dans un morceau de pain,* elle y enfonce ses dents. **3.** Fam. *Pierre ne mord pas aux mathématiques,* il ne s'y intéresse pas.

■ **mordant** adj. SENS 1 *Elle m'a parlé avec une ironie mordante,* blessante.

■ **mordiller** v. SENS 1 ET 2 *Marie mordille son crayon,* elle le mord légèrement.

■ **morsure** n.f. SENS 1 *La morsure de la vipère peut être mortelle,* la plaie faite en mordant.

R. → Conj. n° 52. → *mourir.*

mordu n. *Jean est un mordu de hockey,* il s'y intéresse beaucoup.

se morfondre v. *Enfin, te voilà ! Je me morfonds depuis trois heures,* je m'ennuie en t'attendant.

R. → Conj. n° 51.

1. morgue n.f. *Vous êtes plein de morgue avec vos employés,* vous les traitez avec mépris (= arrogance).

2. morgue n.f. *Une morgue est un endroit où l'on dépose provisoirement les cadavres.*

moribond → *mourir.*

morigéner v. est un équivalent savant de *réprimander.*

morille n.f. *Édith a trouvé des morilles dans la forêt,* une variété de champignon comestible au chapeau qui ressemble un peu à une éponge.

morne adj. *Nous avons passé une morne journée* (= triste, ennuyeux ; ≠ gai).

morose adj. *Pourquoi as-tu cet air morose ?* (= triste ; ≠ joyeux).

656

morphine n.f. *On a fait au blessé une piqûre de **morphine,** un médicament contre la douleur.*

morphologie n.f. 1. *La **morphologie** étudie la forme des mots.* 2. *Cette athlète a une **morphologie** tout à fait adaptée à la course,* un corps.

368 **mors** n.m. *Les brides du harnais sont attachées au **mors,** à une barre de métal placée dans la bouche du cheval.*
R. → *mourir.*

584 **1. morse** n.m. *Un **morse** est un grand animal des mers polaires.*

806 **2. morse** n.m. *Le **morse** est un code qui sert à envoyer des messages télégraphiques.*

morsure → *mordre.*

mort → *mourir.*

mortadelle n.f. *J'aime la **mortadelle,** une sorte de très gros saucisson.*

291 **mortaise** n.f. *Le tenon de la pièce doit s'enfoncer dans la **mortaise,** l'entaille.*

mortalité, mortel, mortellement, mort-né → *mourir.*

mort-aux-rats n.f.inv. *La **mort-aux-rats** est un produit destiné à empoisonner les rats et les souris.*

morte-saison n.f. *Dans cet hôtel, en novembre c'est la **morte-saison,** la période où il y a moins de travail qu'à l'ordinaire.*

150 **1. mortier** n.m. *Le maçon prépare du **mortier** pour construire son mur,* un mélange de chaux ou de ciment, de sable et d'eau qui durcira peu à peu.

2. mortier n.m. *Dominique écrase de l'ail dans un **mortier,** un gros bol.*

762 **3. mortier** n.m. *Un **mortier** est un canon à tir courbe.*

mortifier v. *Luce **était mortifiée** par mes critiques,* très vexée (= humilier).
■ **mortification** n.f. *Elle a subi des **mortifications** de toutes sortes,* des blessures d'amour-propre.

mortuaire → *mourir.*

morue n.f. *La **morue** est un poisson de mer que l'on peut conserver séché et salé.*

morve n.f. *Essuie ta **morve** avec ton mouchoir,* le liquide qui coule de ton nez.
■ **morveux** adj. et n. *Jeannot est sale et **morveux,** il a de la morve au nez.*

mosaïque n.f. *La salle de bains a un sol en **mosaïque,** fait de petits carreaux de céramique assemblés de manière décorative.*

mosquée n.f. *Les musulmans vont prier à la **mosquée,** un bâtiment réservé au culte.*

mot n.m. 1. *La phrase : « Les oiseaux chantent dans les bois » contient six **mots.*** 2. *Ils **ont eu des mots,** ils se sont disputés.* 3. *Julien est mal élevé, il dit des **gros mots,** des mots grossiers.* 4. *Maïté a dit un **bon mot,** une plaisanterie.* 5. *Ils ont obéi à un **mot d'ordre** (= consigne). On **s'était** tous **donné le mot** pour lui faire la surprise,* on s'était secrètement mis d'accord. 6. *Quand on discute, tu veux toujours **avoir le dernier mot,** tu veux avoir raison.* 7. *Répète-moi **mot-à-mot** ce qu'elle a dit,* en employant exactement les mêmes mots (= textuellement). 8. *Cela va coûter mille dollars **au bas mot,** au moins.* 9. *J'aime faire des **mots croisés,** un jeu qui consiste à trouver des mots d'après leurs définitions et à les écrire dans les cases d'une grille.*
R. → *mal.*

motard → *moto.*

motel n.m. *Nous avons couché dans un motel,* un hôtel pour automobilistes.

moteur 1. n.m. *Nous avons eu une panne de moteur,* du mécanisme qui fait avancer la voiture. **2.** adj. *Cette auto a quatre roues motrices,* qui transmettent le mouvement.

■ **motoriser** v. SENS 1 *L'agriculture est de plus en plus motorisée,* on utilise de plus en plus d'engins à moteur (= mécaniser).

■ **motoculteur** n.m. SENS 1 *Nous avons acheté un motoculteur pour cultiver notre jardin,* un engin à moteur.

■ **motrice** n.f. SENS 1 *La motrice d'un train est la voiture à moteur qui le tire.*

■ **automoteur** adj. SENS 2 *Une péniche automotrice n'a pas besoin d'être remorquée,* elle se déplace grâce à son propre moteur.

■ **bimoteur** n.m., **quadrimoteur** n.m. SENS 1 *Un bimoteur est moins puissant qu'un quadrimoteur,* un avion à deux, à quatre moteurs.

1. motif n.m. *Pour quel motif es-tu partie si vite ?,* quelle raison t'a poussée à le faire ?

■ **motiver** v. *Son départ était motivé par la fatigue* (= causer).

■ **motivation** n.f. *On comprend mal ses motivations,* l'ensemble des raisons qui le font agir.

2. motif n.m. *Les deux tableaux représentent le même motif* (= sujet).

motion n.f. *L'Assemblée a voté une motion,* un texte proposé par l'un de ses membres.

motiver → *motif.*

moto ou **motocyclette** n.f. *Une moto nous a doublés sur l'autoroute,* un véhicule à deux roues ayant un moteur puissant.

■ **motocycliste** n.m. *Les motocyclistes doivent porter un casque,* ceux qui font de la moto.

■ **motocross** n.m. *Le motocross est une course de motos sur tous terrains.*

■ **motard** n. Fam. **1.** *Une motarde nous a fait un signe de remerciement sur l'autoroute* (= motocycliste). **2.** *Un motard nous a arrêtés sur l'autoroute pour excès de vitesse,* un gendarme à moto.

motoculteur, motoriser, motrice → *moteur.*

motte n.f. **1.** *Le jardinier casse une motte de terre avec sa bêche,* une petite masse. **2.** *Le beurre se vend en motte ou en plaquette,* en masse arrondie.

motus ! interj. *s'emploie pour demander à quelqu'un de ne rien dire.*

mou adj. **1.** *Mets le beurre dans le réfrigérateur, il est tout mou* (≠ dur). **2.** *Jeanne est une grande fille molle,* lente, nonchalante (≠ énergique).

■ **mou 1.** n. SENS 2 *Pierre est un mou,* un garçon sans énergie. **2.** n.m. *J'ai acheté du mou de bœuf pour le chat,* du poumon. **3.** *Il faut donner du mou à cette corde,* la laisser se détendre.

■ **mollement** adv. SENS 2 *Tu travailles mollement* (= lentement).

■ **mollesse** n.f. SENS 2 *Sa mollesse est exaspérante* (= lenteur, paresse).

■ **mollet** adj. SENS 1 *Des œufs mollets sont des œufs cuits, mais dont le jaune n'est pas coagulé.*

■ **mollir** v. SENS 2 *On a senti son courage mollir* (= faiblir).

■ **amollir** ou **ramollir** v. SENS 1 *La chaleur a ramolli le beurre,* l'a rendu mou. SENS 2 *Depuis sa maladie, elle est un peu ramollie,* sans énergie.

R. *Mou se prononce* [mu] *comme moue, moût et* [je] *mouds,* [il] *moud (de moudre).*

mouchard n. *Cette personne est une moucharde,* elle a dénoncé ses camarades.

■ **moucharder** v. *Gare à toi si tu mouchardes !* (= rapporter).

mouche n.f. 1. *Des mouches se sont posées sur le pain, puis se sont envolées,* des insectes ailés très répandus. 2. *Pierre a pris la mouche,* il s'est brusquement mis en colère. *Quelle mouche te pique ?,* pourquoi te fâches-tu soudain ? 3. *Elle a tiré et a fait mouche,* elle a touché le but.

■ **moucheron** n.m. SENS 1 *Un moucheron est une toute petite mouche.*

moucher v. *Paul est enrhumé, il ne cesse de se moucher,* de débarrasser son nez de ce qui l'encombre.

■ **mouchoir** n.m. *Dominique s'essuie les yeux avec son mouchoir,* un carré de tissu.

moucheron → *mouche.*

moucheté adj. *Ce cheval est noir moucheté de blanc,* avec des taches blanches.

mouchoir → *moucher.*

moudre v. *On moud le café,* on transforme les grains en poudre.

■ **moulin** n.m. *Les moulins à vent servaient à moudre le grain.*

■ **mouture** n.f. *Le café sera plus fort si la mouture est très fine* (= poudre). R. → Conj. n° 58. → *mou.*

moue n.f. *Tu as fait la moue quand je t'ai demandé de l'argent* (= grimace). R. → *mou.*

mouette n.f. *Des mouettes volent au-dessus du port,* des oiseaux de mer.

moufette n.f. *Notre chien a attaqué une moufette, maintenant, il sent très mauvais !*

moufle n.f. *Des moufles sont des gants dont le pouce seul est séparé des autres doigts.*

mouflon n.m. *Le mouflon est un mouton sauvage des montagnes.*

mouiller v. 1. *Le linge a été mouillé par la pluie,* rendu humide (= tremper). 2. *Le bateau mouille dans la baie,* il s'y est arrêté (= jeter l'ancre).

■ **mouillage** n.m. SENS 2 *Cette rade abritée est un bon mouillage pour les voiliers,* un endroit pour s'arrêter.

■ **mouillette** n.f. SENS 1 *Je trempe des mouillettes dans mon œuf à la coque,* des morceaux de pain.

■ **mouilleur** n.m. SENS 1 *Un mouilleur est un ustensile de bureau qui sert à mouiller la surface collante des timbres, des étiquettes.*

moujik n.m. *Autrefois, on appelait les paysans russes des moujiks.*

moulage, moulant → *moule* 2.

1. moule n.f. *Pierre ramasse des moules sur les rochers,* des coquillages allongés d'un noir bleuté.

2. moule n.m. *Quand on veut reproduire un objet, on verse une pâte durcissante dans un moule,* un récipient qui a en creux la forme de l'objet.

■ **mouler** v. 1. *Mouler une statue,* c'est en prendre l'empreinte avec une pâte qui, une fois durcie, servira de moule pour la reproduire. 2. *Sa robe lui moule le corps,* elle est très étroite, collante.

■ **moulage** n.m. *On a fait un moulage de cette statue* (= reproduction).

■ **moulante** adj. *Elle porte une robe moulante* (≠ large, ample).

■ **démouler** v. *Démouler un objet,* c'est le retirer du moule quand la pâte a durci.

moulin → *moudre.*

moulinet n.m. 1. *Faire des moulinets avec un bâton,* c'est le faire tourner. 2. *Un moulinet permet d'enrouler et de dérouler le fil d'une canne à pêche.*

moulu adj. *Après cette longue marche, nous étions tous moulus,* très fatigués, épuisés.

moulure n.f. *Il y a des moulures au plafond du salon,* des ornements en creux ou en relief.

mourir v. **1.** *Il est mort après une longue maladie,* il a cessé de vivre (= décéder). **2.** *Je meurs de faim et de soif,* j'ai très faim et très soif.

■ **mourant** ou **moribond** adj. et n. SENS 1 *La blessée est mourante,* elle va mourir.

■ **mort** adj. SENS 1 *Les feuilles mortes tombent à l'automne. Le latin est une langue morte,* qui n'est plus parlée.

■ **mort** n. SENS 1 *L'accident a fait deux morts et trois blessés.*

■ **mort** n.f. SENS 1 *La mort de sa mère lui a causé un grand chagrin* (= décès).

■ **mortel** adj. SENS 1 *Tous les hommes sont mortels,* ils meurent tous. *Ce liquide est un poison mortel,* il cause la mort. SENS 2 *Ce travail est mortel,* il est très ennuyeux.

■ **mortellement** adv. SENS 1 *Il a été mortellement blessé,* il est mort de sa blessure. SENS 2 *Ce livre est mortellement ennuyeux* (= très, horriblement).

■ **mortalité** n.f. SENS 1 *La mortalité infantile a beaucoup diminué,* le nombre des enfants qui meurent.

■ **mort-né** adj. SENS 1 *Un enfant mort-né est mort en venant au monde. Un projet mort-né est abandonné avant même d'être réalisé.*

■ **mortuaire** adj. SENS 1 *Avant l'enterrement, on s'est réunis à la maison mortuaire,* à la maison où était le mort.

■ **immortel** adj. SENS 1 **1.** *Dieu, dit-on, est immortel,* il ne peut pas mourir. **2.** *Ce chef-d'œuvre l'a rendu immortel,* on se souvient de lui après sa mort.

■ **immortaliser** v. *Ce livre l'a immortalisée,* l'a rendue immortelle (au sens 2).

■ **immortalité** n.f. SENS 1 *Les chrétiens croient à l'immortalité de l'âme,* à une vie après la mort.

R. → Conj. n° 25. *Mourir* se conjugue avec *être. Mort* se prononce [mɔr] comme *mors* et *[je] mords, [il] mord* (de *mordre*). → **mœurs.**

mouron n.m. *Le mouron est une plante des prés et des chemins à petites fleurs.*

mousquet n.m. *Un mousquet est un fusil d'autrefois.*

■ **mousquetaire** n.m. *Les mousquetaires étaient des soldats qui gardaient le roi et qui étaient armés d'un mousquet.*

mousqueton n.m. **1.** *Un mousqueton est un fusil court.* **2.** *La corde de l'alpiniste passe dans un mousqueton,* une sorte de crochet à ressort qui forme une boucle.

1. mousse n.m. *Un mousse est un apprenti marin.*

2. mousse n.f. **1.** *Le champagne fait de la mousse quand on le débouche,* des bulles. **2.** *Nous avons mangé une mousse au chocolat,* du chocolat mélangé à des blancs d'œufs fouettés. **3.** *Il y a de la mousse au pied de cet arbre,* une petite plante verte formant une sorte de tapis.

■ **mousser** v. SENS 1 *Ce shampooing mousse beaucoup,* il fait de la mousse.

■ **mousseux** adj. et n.m. SENS 1 *Le (vin) mousseux est un vin qui pétille.*

■ **moussu** adj. SENS 3 *Ce chêne a un tronc moussu,* recouvert de mousse.

mousseline n.f. *Quel joli foulard en mousseline !,* en tissu léger et transparent.

mousser, mousseux → *mousse* 2.

649

mousseron n.m. Le *mousseron* est un petit champignon comestible.

mousson n.f. La *mousson* est un vent qui souffle en Inde.

moussu → *mousse 2.*

33 **moustache** n.f. *M. Durand a laissé pousser sa moustache* (ou *ses moustaches*), les poils de sa lèvre supérieure.
■ **moustachu** adj. et n. *M. Durand est moustachu.*

moustique n.m. *Aie ! J'ai été piquée par un moustique,* un insecte volant au corps très mince.
■ **moustiquaire** n.f. *Une moustiquaire* est un tissu léger sous lequel on dort pour se protéger des moustiques.

moût n.m. *On appelle moût le jus de raisin qui sort du pressoir.*
R. ↪ *mou.*

moutarde n.f. *J'aime le rosbif avec de la moutarde,* un condiment au goût piquant.

361, 364 **mouton** n.m. **1.** *La bergère conduit ses moutons au pâturage. La femelle du mouton s'appelle la brebis et son petit l'agneau.* **2.** *Il y a du vent, on voit des moutons sur la mer,* des vagues qui font une écume blanche.
■ **moutonner** v. SENS 2 *La mer moutonne,* elle fait des moutons.
■ **moutonneux** adj. SENS 2 *Le ciel est moutonneux,* les nuages blancs font penser à des moutons.
■ **moutonnier** adj. SENS 1 *Pierre est moutonnier,* il suit aveuglément les autres, comme le font les moutons.

mouture → *moudre.*

mouvement n.m. **1.** *Les vagues sont des mouvements de la mer, les vents des mouvements de l'air* (= déplacement). **2.** *Kathy a fait un mouvement*

du bras pour regarder l'heure, elle a bougé le bras (= geste). **3.** *Jean a eu un mouvement de colère, il s'est mis en colère* (= impulsion). **4.** *Elle a agi de son propre mouvement,* d'elle-même (= inspiration). **5.** *Dominique appartient à un mouvement politique* (= organisation). **6.** *Cette symphonie comporte trois mouvements* (= partie).
■ **mouvementé** adj. SENS 1 *Nous avons une vie mouvementée,* agitée.
■ **mouvoir** v. SENS 2 *Je ne peux plus mouvoir le bras,* le mettre en mouvement (= bouger).
■ **mouvant** adj. *Attention ! sur cette plage il y a des sables mouvants,* dans lesquels on s'enfonce.
R. *Mouvoir* → conj. n° 36.

1. moyen adj. **1.** *Aïcha est de taille moyenne,* ni grande ni petite, entre les deux. **2.** *Jean est moyen en mathématiques,* ni bon ni mauvais (= passable). **3.** *M. Durand est un citoyen moyen,* il n'est pas connu (= ordinaire). **4.** *On calcule la vitesse moyenne d'une auto en divisant le nombre de kilomètres parcourus par le temps mis à les parcourir.*
■ **moyenne** n.f. SENS 2 *Cléa n'a pas eu la moyenne en français,* elle n'a pas eu 10 sur 20. SENS 4 *Nous avons fait 320 kilomètres en quatre heures, ça fait du 80 de moyenne.*
■ **moyennement** adv. SENS 2 *Je travaille moyennement,* ni bien ni mal.

2. moyen n.m. **1.** *Par quel moyen es-tu entrée dans cette maison ?,* comment es-tu arrivée à le faire ? (= procédé). **2.** *Elle est montée sur le toit au moyen d'une échelle* (= avec, grâce à, à l'aide de). **3.** (au plur.) *Je n'ai pas les moyens de partir en vacances,* assez d'argent pour le faire. **4.** *Quand il est fatigué, il perd ses moyens* (= capacités).

Moyen Âge n.m. *On appelle Moyen Âge la période historique qui est entre l'Antiquité et l'époque moderne.*
■ **moyenâgeux** adj. *Nous avons visité un château moyenâgeux (= médiéval).*
R. On prononce [mwajɛnaʒ], [mwajɛnaʒø].

moyennant prép. *Elle a accepté de venir moyennant une forte somme*, à condition qu'on la lui donne (= pour, en échange de).

moyeu n.m. *Le moyeu d'une roue* est sa partie centrale.

mucosité → *muqueuse.*

muer v. 1. *Les serpents muent tous les ans,* ils changent de peau. 2. *Pierre a douze ans, sa voix mue,* elle devient plus grave.
■ **mue** n.f. SENS 1 ET 2 La *mue* est l'action de muer.

muet adj. 1. *Cet enfant est sourd et muet de naissance,* il ne peut pas parler. 2. *Quand on l'a interrogé, il est resté muet,* il n'a pas voulu (ou pu) parler (= silencieux ; ≠ bavard). 3. *Dans « carte », le « e » reste muet,* on ne le prononce pas. *« Homme » commence par un « h » muet,* qui n'empêche pas la liaison (≠ aspiré).
■ **mutisme** n.m. SENS 2 *Lori est restée enfermée dans son mutisme,* son refus de parler (= silence).

mufle n.m. 1. *Le mufle de la vache, du chien,* c'est le bout de leur museau. 2. *M. Duval s'est conduit comme un mufle,* très grossièrement (= goujat).
■ **muflerie** n.f. SENS 2 *Sa muflerie dépasse les bornes* (= grossièreté).

mugir v. *On entend mugir les vaches dans l'étable* (= meugler, beugler).
■ **mugissement** n.m. *Le mugissement* est le cri de la vache et du taureau.

muguet n.m. *Le 1er mai, j'ai offert un bouquet de muguet à ma mère,* de fleurs à clochettes blanches parfumées.

mulâtre n.m. *Beaucoup d'Antillais sont des mulâtres,* l'un de leurs parents est noir et l'autre blanc.
R. Le féminin est *mulâtresse.*

mulet n.m. 1. *Nous avons loué des mulets pour faire une promenade en montagne,* des animaux plus petits que le cheval et plus grands que l'âne. 2. *On a pêché un mulet,* un grand poisson de mer.
■ **mule** n.f. 1. SENS 1 La *mule* est un mulet femelle, née d'un âne et d'une jument. 2. *Une mule est une sorte de pantoufle à haut talon.*
■ **muletier** 1. adj. SENS 1 *Un chemin muletier est étroit et escarpé.* 2. n.m. SENS 1 *Un muletier est un conducteur de mulets.*

mulot n.m. *Le mulot* est un petit rat des champs.

multi- au début d'un mot a le sens de « plusieurs » : *Une multimillionnaire a plusieurs millions.*

multicolore → *couleur.*

multiple 1. adj. *Cet accident a des causes multiples* (= nombreux ; ≠ unique). 2. n.m. *20 est un multiple de 2, de 4, de 5 et de 10,* tous ces nombres sont contenus plusieurs fois dans 20 (4×5 et $10 \times 2 = 20$).
■ **multiplier** v. SENS 1 *Jean a multiplié les erreurs,* il en a fait beaucoup. SENS 2 *Si on multiplie 3 par 6 on obtient 18 ($3 \times 6 = 18$).*
■ **multiplicateur** n.m. et **multiplicande** n.m. SENS 2 *Dans la multiplication $3 \times 4 = 12$, 3 est le multiplicande et 4 le multiplicateur.*
■ **multiplication** n.f. SENS 2 *La multiplication de 3 par 6 donne 18* (≠ division).

■**démultiplier** v. *Quand une petite roue entraîne une plus grande roue, la vitesse est démultipliée,* la grande roue tourne moins vite.

multiracial → *race.*

multitude n.f. *Il y avait une multitude de gens dans les rues,* un très grand nombre (= foule, masse).

municipal adj. *Les employés municipaux sont ceux qui travaillent pour la ville.*

318

■**municipalité** n.f. *La municipalité est la plus petite unité administrative.*

munir v. *Il pleut, n'oublie pas de te munir d'un parapluie,* de le prendre avec toi. *La porte d'entrée est munie d'un système d'alarme,* elle en a un (= doter, pourvoir).

■**démunir** v. *Lise est démunie d'argent,* elle n'en a pas.

munitions n.f.pl. *Les soldats n'avaient plus de munitions,* de quoi charger leurs armes.

muqueuse n.f. *Le nez, la bouche, l'estomac sont tapissés par des muqueuses,* de la peau très fine.

■**mucosité** n.f. *Une mucosité est un liquide visqueux qui s'écoule d'une muqueuse,* en particulier du nez.

73

mur n.m. 1. *La propriété est entourée d'un mur de pierre.* 2. *Les murs de la pièce sont tapissés de papier peint.*

292, 294

■**mural** adj. SENS 2 *Une carte murale est au fond de la classe,* accrochée au mur.

■**murer** v. SENS 1 *On a muré la deuxième porte de cette chambre,* on a construit un mur à la place.

147

■**muraille** n.f. SENS 1 *Cette ville est entourée de murailles,* de très gros murs.

■**murette** n.f. ou **muret** n.m. SENS 1 *Dans cette région, les champs sont séparés par des murettes,* des petits murs.

■**emmurer** v. SENS 1 *Les mineurs ont été emmurés par un éboulement* (= enfermer).
R. *Mur* se prononce [myr] comme *mûr* et *mûre.*

mûr adj. 1. *Les cerises sont rouges, elles sont mûres,* elles peuvent être cueillies et mangées. 2. *M. Durand est un homme mûr,* il a fini de se développer, c'est un adulte.

■**mûrement** adv. SENS 2 *J'ai mûrement réfléchi à la question,* longtemps et en examinant tout.

■**mûrir** v. SENS 1 *Le raisin mûrit en septembre.* SENS 2 *Cette idée a mûri lentement dans sa tête,* elle s'est développée.

■**maturité** n.f. SENS 1 *Les cerises sont arrivées à maturité,* elles sont mûres. SENS 2 *Sonia a beaucoup de maturité pour son âge,* elle se conduit comme une personne mûre (= sagesse).
R. → *mur.*

muraille, mural → *mur.*

mûre n.f. *Papa fait de la confiture de mûres,* avec les fruits noirs des ronces.
R. → *mur.*

murer, muret, murette → *mur.*

mûrier n.m. *Le mûrier est un arbre des régions chaudes qui sert à l'élevage des vers à soie.*

mûrir → *mûr.*

murmure n.m. 1. *On entend un murmure derrière la cloison,* un faible bruit de voix. 2. *Elle a obéi sans murmure* (= protestation).

■**murmurer** v. SENS 1 *Jean m'a murmuré quelque chose à l'oreille,* Il l'a dit tout bas (= chuchoter). SENS 2 *Elle a accepté de partir sans murmurer* (= protester).

musaraigne n.f. *La musaraigne est un animal qui ressemble à la souris et qui se nourrit de vers et d'insectes.*

musarder v. *Anne a passé son après-midi à* **musarder,** *à ne rien faire, à perdre son temps* (= flâner, traîner).

musc n.m. *Le* **musc** *est un parfum très fort.*

muscade n.f. *La* **noix muscade** *sert à parfumer les aliments.*

muscadet n.m. *Le* **muscadet** *est un vin blanc de la Loire.*

muscat n.m. *Le* **muscat** *est une sorte de raisin dont on fait un vin parfumé appelé lui aussi* **muscat.**

muscle n.m. *Je fais de la gymnastique pour développer mes* **muscles.**
■ **musclé** adj. *Tu as des bras* **musclés,** *tu as de gros muscles.*
■ **musculaire** adj. *La force* **musculaire** *est celle de nos muscles.*
■ **musculature** n.f. *La* **musculature** *d'une personne* est l'ensemble de ses muscles.
■ **intramusclaire** adj. *On lui a fait une piqûre* **intramusculaire,** *dans un muscle* (≠ sous-cutané ou intraveineux).

muse n.f. *Les* **Muses** *étaient neuf déesses grecques qui protégeaient les artistes et les poètes.*

museau n.m. *Le chien a avancé son* **museau** *et m'a léché la main,* la partie avant de sa tête.
■ **museler** v. *Il faut* **museler** *ce chien pour l'empêcher de mordre,* lui mettre une muselière.
■ **muselière** n.f. *Une* **muselière** *sert à emprisonner le museau d'un animal.*

musée n.m. *On a visité un* **musée** *de la préhistoire,* un endroit où sont rassemblés et exposés des objets préhistoriques.
■ **muséum** n.m. *Un* **muséum** *est un musée consacré aux sciences naturelles.*
R. *Muséum se prononce* [myzeɔm].

museler, muselière → *museau.*

musette n.f. 1. *La pêcheuse porte une* **musette** *en bandoulière,* un sac de toile. 2. *Un* **bal musette** *est un bal populaire,* où l'on danse au son de l'accordéon.

muséum → *musée.*

musique n.f. *Cléa apprend la* **musique,** l'art d'assembler harmonieusement les sons, de jouer d'un instrument. *J'aime la* **musique** *de cette chanson* (= air).
■ **musical** adj. *Il y avait à la télé une émission* **musicale,** de musique.
■ **musicien** n. *M. Dupuis est* **musicien** *dans un orchestre de jazz,* il joue de la musique.
■ **music-hall** n.m. *On va au* **music-hall** *pour écouter des chanteurs, des acteurs comiques.*
R. *Music-hall se prononce* [myzikol].

musulman adj. et n. *Mahomet a fondé la religion* **musulmane.** *Le dieu des* **musulmans** *s'appelle Allah.*

mutation n.f. *J'ai demandé ma* **mutation,** *qu'on me change de lieu de travail.*
■ **muter** v. *On l'a* **muté** *à Vancouver,* on l'a nommé à un nouveau poste à Vancouver.

mutiler v. 1. *Après cet accident, j'ai été* **mutilé** *des deux jambes,* je les ai perdues. 2. **Mutiler** *un texte,* c'est en retrancher certaines parties.
■ **mutilation** n.f. SENS 1 *Le corps de la victime portait des traces de* **mutilation** (= blessure). SENS 2 *Ce texte a subi des* **mutilations** *qui le dénaturent* (= coupure).
■ **mutilé** n. SENS 1 *Les* **mutilés** *de guerre touchent une pension,* ceux qui ont perdu un membre à la guerre.

mutin n.m. *Les* **mutins** *se sont emparés de la prison,* les prisonniers révoltés (= rebelle).

■ **se mutiner** v. *Les marins se sont mutinés* (= se révolter).

■ **mutinerie** n.f. *La mutinerie a été durement réprimée* (= révolte, rébellion).

mutisme → *muet*.

mutuel 1. adj. *Ruth et Pierre se portent une amitié mutuelle* (= partagé, réciproque). 2. n.f. *Une mutuelle est une association d'entraide.*

■ **mutuellement** adv. SENS 1 *Stephen et Jeanne s'aident mutuellement à travailler,* ils s'aident l'un l'autre.

■ **mutualiste** n. SENS 2 *Un mutualiste est une personne qui est membre d'une mutuelle.*

mycologie n.f. *La mycologie est l'étude des champignons.*

mygale n.f. *La mygale est une grosse araignée dont la piqûre est très dangereuse.*

myope adj. *Tu es myope, tu vois mal les objets éloignés.*

■ **myopie** n.f. *Sa myopie a augmenté, il lui faut des lunettes plus fortes.*

myosotis n.m. *Le myosotis est une petite fleur bleue.*

myriade n.f. *Il y a des myriades d'étoiles dans le ciel,* des quantités innombrables.

myrrhe n.f. *La myrrhe est un parfum tiré d'un arbre d'Arabie.*

myrtille n.f. *Nous avons ramassé des myrtilles dans la forêt,* de petits fruits sauvages bleu-noir (= bleuet).

mystère n.m. 1. *On n'a pas réussi à éclaircir ce mystère,* cette chose impossible à comprendre. 2. Au Moyen Âge, un *mystère* était une pièce de théâtre à sujet religieux.

■ **mystérieux** adj. SENS 1 *Cette disparition est mystérieuse* (= inexplicable).

■ **mystérieusement** adv. SENS 1 *Elle a disparu mystérieusement.*

mysticisme → *mystique*.

mystifier v. *Il a mystifié tout le monde en racontant cette histoire* (= tromper, berner).

■ **mystification** n.f. *Nous avons été victimes d'une mystification* (= farce).

mystique adj. et n. *Les mystiques ont conscience d'être en communication avec Dieu.*

■ **mysticisme** n.m. *Le mysticisme recherche l'union intime de l'homme et de la divinité.*

mythe n.m. *Un mythe est un récit qui met en scène des personnages imaginaires* (= légende).

■ **mythique** adj. *Ce récit est mythique,* légendaire.

■ **mythologie** n.f. *Jupiter, Mars, Vénus sont des dieux de la mythologie romaine,* de l'ensemble des récits légendaires des Romains.

■ **mythologique** adj. *Hercule est un héros mythologique.*

R. *Mythe* se prononce [mit] comme *mite*.

n

n' → ne.

nabot n.m. *M. Duval mesure à peine un mètre, c'est un **nabot*** (= nain).

nacelle n.f. *On aperçoit deux passagers dans la **nacelle** du ballon aérien,* le panier suspendu à ce ballon. *Claire s'assoit dans la **nacelle** de la balançoire,* la coque.

nacre n.f. *J'ai des boutons de **nacre** à mon corsage,* d'une matière brillante d'un blanc rosé.

nager v. *Marie apprend à **nager**,* à se soutenir et à avancer dans l'eau.
■ **nage** n.f. **1.** *Le crawl est la **nage** la plus rapide,* la manière de nager. **2.** *Jean a couru, il est **en nage*** (= en sueur).
■ **nageoire** n.f. *Les **nageoires** des poissons leur permettent de se déplacer dans l'eau.*
■ **nageur** n. *Jeanne est une bonne **nageuse**,* elle nage bien.
■ **natation** n.f. *Pierre va à la piscine faire de la **natation**,* nager pour faire du sport.
■ **natatoire** adj. *La vessie **natatoire** est une poche pleine d'air qui permet aux poissons de garder leur équilibre.*

naguère adv. est un équivalent rare de *récemment.*

naïf adj. et n. *Marie est **naïve**,* elle croit tout ce qu'on lui dit.
■ **naïvement** adv. *Pierre a souri naïvement,* un peu bêtement.

■ **naïveté** n.f. *On s'est moqué de sa naïveté* (= crédulité).

nain n. *Un des clowns du cirque était un **nain**,* un homme très petit (≠ géant).

naître v. **1.** *Mon petit frère **est né** à Chicoutimi en 1985,* il est venu au monde (≠ mourir). **2.** *Une grande amitié **est née** entre Jeanne et Marie,* elle a commencé (≠ finir). **3.** *La venue au monde de son petit frère **a fait naître** chez cette petite fille une sorte de sentiment maternel* (= provoquer, causer).
■ **naissance** n.f. SENS 1 *Écrivez votre lieu de **naissance**,* où vous êtes née. SENS 2 *Ils sont partis à la **naissance** du jour* (= début).
■ **natal** adj. SENS 1 *Il est retourné dans son pays **natal**,* le pays où il est né.
■ **natalité** n.f. SENS 1 *L'Inde a une très forte **natalité**,* le nombre des naissances y est très grand.
■ **natif** adj. SENS 1 *Marie est **native** de Toronto,* elle y est née.
■ **nouveau-né** adj. et n. SENS 1 *Mme Durand berce son **nouveau-né**,* son enfant qui vient de naître (= nourrisson).
■ **renaître** v. SENS 1 *Les fleurs **renaissent** au printemps,* elles poussent de nouveau. SENS 2 *L'espoir **renaît** de voir la guerre finir,* il recommence à apparaître (= revenir).

■ **renaissance** n.f. SENS 2 1. *Après la crise, il y a eu une* **renaissance** *de l'industrie* (= reprise). 2. *La* **Renaissance** *est une période historique qui a vu un grand développement des arts, des lettres et des sciences.*
R. → Conj. n° 65. *Naître se conjugue avec être. Nouveau reste invariable : des nouveau-nés, une fille nouveau-née.* → *nez.*

naïvement, naïveté → *naïf.*

naja n.m. *Le* **naja** *est un serpent très dangereux d'Asie et d'Afrique.*

nantir v. *est un équivalent rare de munir, doter.*

naphtaline n.f. *On met de la* **naphtaline** *dans les tissus pour les protéger des mites,* un produit blanc à odeur forte.

nappe n.f. 1. *La* **nappe** *sert à protéger la table sur laquelle on mange,* une pièce de tissu. 2. *Un étang, un lac, une mer sont des* **nappes** *d'eau,* des couches de liquide très étendues.
■ **napperon** n.m. SENS 1 *Mets un* **napperon** *sous le vase de fleurs,* une petite nappe.

narcisse n.m. *Le* **narcisse** *est une fleur parfumée à fleurs jaunes ou blanches.*

narcotique n.m. *est un équivalent savant de* **somnifère.**

narguer v. *Le malfaiteur* **nargue** *la police par ses coups de téléphone,* il se moque d'elle avec insolence (= braver).

narine n.f. *Les* **narines** *sont les ouvertures du nez.*

narquois adj. *Marie me regardait d'un air* **narquois,** *elle semblait se moquer de moi* (= ironique, railleur).

narration n.f. *Le professeur nous a demandé de faire une* **narration** *sur nos vacances,* de les raconter par écrit (= rédaction). *Le témoin a fait une* **narration** *fidèle de l'accident* (= récit).

■ **narrateur** n. *N'interrompez pas la* **narratrice** *!,* celle qui raconte.
■ **narrer** v. *se disait autrefois pour raconter.*

nasal, naseau, nasillard, nasiller → *nez.*

nasse n.f. *Les poissons viennent se prendre dans la* **nasse,** *une sorte de panier servant de piège à poissons.*

natal, natalité → *naître.*

natation, natatoire → *nager.*

natif → *naître.*

nation n.f. *La* **nation** *canadienne, c'est à la fois le peuple canadien, son territoire et son gouvernement.*
■ **national** adj. *L'Assemblée* **nationale** *représente le peuple. En France, le 14 Juillet est la fête* **nationale,** *la fête de la nation, du pays. Une route* **nationale** *parcourt une grande partie du pays* (≠ rural, local).
■ **nationalité** n.f. *Mark est de* **nationalité** *américaine,* il est américian.
■ **nationaliser** v. *Ces usines atomiques* **sont nationalisées,** *elles appartiennent à l'État canadien.*
■ **nationalisation** n.f. *La* **nationalisation** *de l'électricité au Québec date de 1962.*
■ **nationalisme** n.m. *Le* **nationalisme** *est la doctrine de ceux qui placent leur nation au-dessus des autres nations.*
■ **nationaliste** n. et adj. *Les* **nationalistes** *veulent une nation puissante.*
■ **international** adj. *L'O. N. U. est une organisation* **internationale,** *où se rencontrent les nations du monde.*

natte n.f. 1. *Jeanne a de belles* **nattes** *blondes,* ses cheveux sont tressés. 2. *Les Japonais dorment sur des* **nattes,** *sur des tapis de paille tressée.*

naturaliser v. 1. *Ahmed veut se faire* **naturaliser** *canadien,* il veut devenir citoyen canadien. **2.** *Naturaliser un animal,* c'est lui faire subir, quand il est mort, une préparation qui lui conserve l'aspect d'un animal vivant (= empailler).

■ **naturalisation** n.f. SENS 1 *Il a attendu trois ans sa naturalisation.*

nature n.f. **1.** La *nature,* c'est l'ensemble de tout ce qui existe dans le monde en dehors de l'intervention des hommes (≠ civilisation). **2.** *Nous nous sommes promenés dans la nature* (= campagne). **3.** *La nature humaine est différente de la nature animale,* les caractères propres à l'homme ou à l'animal. *Quelle est la nature de cette roche ?* (= caractéristique). **4.** *Brenda a menti ? Ce n'est pas dans sa nature* (= caractère, tempérament). **5.** *Cet objet est dessiné grandeur nature,* aussi grand que le modèle. **6.** Une *nature morte* est un tableau représentant des objets.

■ **naturel** adj. **1.** SENS 1 *Les sciences naturelles étudient les choses de la nature (les êtres vivants, les plantes, les roches). Ce corsage est en soie naturelle* (≠ artificiel). SENS 3 *Une mort naturelle est causée par l'âge ou la maladie* (≠ accidentel). **2.** *Ne me remercie pas, ce que j'ai fait est tout naturel* (= normal).

■ **naturel** n.m. **1.** SENS 4 *Paul est d'un naturel honnête* (= caractère). **2.** *Lise s'exprime avec naturel* (= spontanéité, simplicité).

■ **naturellement** adv. **1.** SENS 4 *Marie est naturellement gaie,* c'est sa nature. **2.** *Tu connais Jean ? — Naturellement* (= bien sûr, évidemment).

■ **naturaliste** n. SENS 1 *Un naturaliste* est un savant qui étudie les sciences naturelles.

■ **dénaturer** v. SENS 3 *On a dénaturé mes paroles,* on en a changé le sens, le caractère.

■ **surnaturel** adj. SENS 1 *Un miracle est un événement surnaturel,* qui ne peut exister dans la nature (= extraordinaire).

naufrage n.m. *Le navire a fait naufrage à cause de la tempête,* il a coulé ou s'est échoué.

■ **naufragé** n. *Les naufragés ont été recueillis par un bateau de pêche,* ceux qui ont fait naufrage.

nausée n.f. *Cette odeur me donne la nausée,* envie de vomir.

■ **nauséabond** adj. *Le dépôt d'ordures répand une odeur nauséabonde* (= dégoûtant, écœurant).

nautique adj. *Le canotage, la croisière, la planche à voile, le ski nautique sont des sports nautiques,* qui se pratiquent sur l'eau. | 722

■ **nautisme** n.m. *Le nautisme,* c'est l'ensemble des sports nautiques.

naval adj. *Il y a des chantiers navals à Saint-Nazaire,* qui fabriquent des navires. | 726

R. Noter le pluriel : *navals.*

navet n.m. **1.** *Je n'aime pas les navets,* un légume blanc dont on mange la racine. **2.** Fam. *Ce film est un navet,* il est sans valeur, sans intérêt. | 367

navette n.f. **1.** *Une navette* est un outil du tisserand qui va et vient pour passer le fil. **2.** *Dominique fait la navette entre Montréal et New York,* elle voyage régulièrement entre ces villes. **3.** *Une navette spatiale* est un véhicule conçu pour aller dans l'espace et revenir sur terre.

naviguer v. *Nous avons navigué pendant huit jours sur l'océan,* voyagé sur l'eau.

■ **navigable** adj. *Cette rivière n'est pas navigable,* on ne peut y naviguer.

■ **navigant** adj. *Le pilote, les hôtesses de l'air font partie du personnel navigant,* de l'équipage de l'avion. | 510

■ **navigateur** n.m. *Christophe Colomb fut un grand navigateur* (= marin). *Le navigateur seconde le commandant de bord d'un avion en déterminant la route à suivre.*

■ **navigation** n.f. *La navigation maritime,* c'est le transport par bateaux ; *la navigation aérienne,* c'est le transport par avions.
R. On distingue, dans l'orthographe, *navigant* (adj.) et *naviguant* (participe).

navire n.m. *Les cargos, les paquebots, les pétroliers sont des navires,* de grands bateaux.

navrer v. *Je suis navrée de vous avoir dérangé,* très ennuyée (= désoler).

■ **navrant** adj. *Cet échec est vraiment navrant* (= désolant, affligeant).

nazisme n.m. *Le nazisme* est une doctrine nationaliste, raciste et guerrière fondée en Allemagne par Hitler.

■ **nazi** n. *Les nazis ont déclenché la Seconde Guerre mondiale.*

ne adv. indique une négation et est souvent suivi de *pas, jamais, plus, rien, aucun : Je ne viendrai pas. Je ne veux plus.*

néanmoins adv. marque une opposition : *Il était malade, néanmoins il est venu* (= pourtant, cependant, toutefois).

néant n.m. 1. *Le néant,* c'est ce qui n'existe pas. 2. *On a réduit mes espoirs à néant,* on les a anéantis.

nébuleuse n.f. *Une nébuleuse* est une masse d'étoiles très nombreuses en forme de spirale.

nébuleux adj. 1. *Le ciel est nébuleux,* couvert de nuages. 2. *Les idées de Lise sont nébuleuses,* elles ne sont pas nettes (= confus ; ≠ clair).

nécessaire adj. *Il est nécessaire de partir tôt demain matin,* il le faut (= indispensable ; ≠ inutile).

■ **nécessaire** n.m. 1. *On manque même du nécessaire,* de ce qu'il faut absolument pour vivre (≠ superflu). 2. *Un nécessaire de toilette* contient les objets nécessaires pour faire sa toilette.

■ **nécessairement** adv. *Tu viendras nécessairement* (= forcément).

■ **nécessité** n.f. *Vous pouvez venir, mais ce n'est pas une nécessité* (= obligation).

■ **nécessiter** v. *Ce projet nécessite une longue réflexion,* il la rend nécessaire (= exiger).

■ **nécessiteux** adj. et n. *Une personne nécessiteuse* manque même du nécessaire (= très pauvre).

nécrologie n.f. *J'ai lu dans le journal la nécrologie de M. Dupuis,* un article sur cet homme qui vient de mourir.

■ **nécrologique** adj. *Les journaux ont consacré des articles nécrologiques à cette grande artiste.*

nécropole n.f. *Une nécropole* est un grand cimetière.

nectar n.m. 1. *Les abeilles recueillent le nectar des fleurs,* le liquide sucré qu'elles contiennent. 2. *Ce vin est un nectar,* il est délicieux.

nef n.f. 1. *La nef d'une église* est l'espace qui va du portail au chœur. 2. *Nef* se disait autrefois pour *navire.*

néfaste adj. *Le tabac est néfaste pour la santé* (= nuisible).

négatif 1. adj. *Il m'a donné une réponse négative,* il a refusé (≠ affirmatif, positif). 2. n.m. *Sur le négatif d'une photo, les parties claires correspondent aux teintes sombres, et inversement* (= pellicule).

■ **négative** n.f. SENS 1 *Elle a répondu par la négative,* elle a dit non. SENS 2 *Si vous êtes d'accord, nous aussi, dans la négative nous nous adresserons ailleurs,* dans le cas contraire.

■**négation** n.f. SENS 1 *« Non » est un adverbe de **négation**, qui sert à nier* (≠ affirmation).

négliger v. *Ruth **néglige** son travail, elle ne s'en occupe pas avec soin* (≠ s'intéresser).

■**négligé** n.m. *Tu te fais remarquer par le **négligé** de tes vêtements* (= laisser-aller).

■**négligeable** adj. *La différence de prix entre ces deux articles est **négligeable**, il n'y a pas lieu d'en tenir compte* (= minime, insignifiant ; ≠ important, considérable).

■**négligence** n.f. *On lui a reproché sa **négligence**, son manque de soin* (≠ application).

■**négligent** adj. *Paul est un élève **négligent*** (≠ consciencieux).

■**négligemment** adv. *Tu as répondu **négligemment** à mes questions, sans t'appliquer* (≠ soigneusement).

R. On distingue, dans l'orthographe, *négligent* (adj.) et *négligeant* (participe).

négocier v. **1.** *Les deux pays ont **négocié** un traité de paix, ils se sont mis d'accord pour faire la paix.* **2.** *Mme Chang a **négocié** des valeurs boursières, elle les a vendues.*

■**négoce** n.m. SENS 2 se disait autrefois pour *commerce.*

■**négociant** n. SENS 2 *M. Dupont est **négociant** en vins, il vend du vin en gros* (≠ détaillant).

■**négociateur** n. SENS 1 *Les **négociateurs** du cessez-le-feu se sont rencontrés, les diplomates chargés de négocier.*

■**négociation** n.f. SENS 1 *L'échec des **négociations** a rouvert les hostilités* (= discussion).

nègre n.m., **négresse** n.f. sont des mots péjoratifs pour désigner des personnes de race noire.

■**négrier** n.m. *Les **négriers** étaient des marchands d'esclaves noirs.*

■**negro-spiritual** n.m. *Un **negro-spiritual** est un chant religieux des Noirs d'Amérique.*

neige n.f. *La **neige** tombe depuis ce matin, de l'eau congelée en flocons blancs.* | 653, 652, 650

■**neiger** v. *Il a **neigé** hier dans les Laurentides.*

■**neigeux** adj. **1.** *On voit au loin les sommets **neigeux** des Rocheuses,* blancs de neige. **2.** *Une mousse **neigeuse** a l'aspect de la neige.*

■**enneigé** adj. *Les toits sont **enneigés**, couverts de neige.*

■**enneigement** n.m. *L'**enneigement** des pistes est insuffisant pour faire du ski, la couche de neige.*

nénuphar n.m. *Le **nénuphar** est une plante à grandes fleurs qui pousse dans l'eau.* | 73

néo- au début d'un mot signifie « nouveau ».

néologisme n.m. *« Deltaplane » est un **néologisme**, un mot nouveau dans la langue française.*

néon n.m. *La pièce est éclairée par un tube au **néon**, un gaz lumineux sous l'effet de décharges électriques.*

néophyte n. *Je suis encore un **néophyte** dans ce domaine, un adepte récent* (= novice).

népotisme n.m. Pour un homme politique, le *népotisme* consiste à favoriser sa famille.

nerf n.m. **1.** *Les **nerfs** relient le cerveau au reste du corps et nous permettent de sentir, de voir, d'entendre, de toucher.* **2.** *Jean est **à bout de nerfs**, il est très excité.* **3.** *Maïté **a du nerf**, elle est active, dynamique.*

■**nerveux** adj. SENS 1 *Le système **nerveux** est constitué par les nerfs, le cerveau et la moelle épinière.* SENS 2 *Tu es trop **nerveuse**, détends-toi* (=

excité, agité). SENS 3 *Jessica a une voiture* **nerveuse** (= rapide).

■ **nerveusement** adv. SENS 2 *Jean s'agite* **nerveusement** (≠ calmement).

■ **nervosité** n.f. SENS 2 *Marie est d'une grande* **nervosité,** *elle est toujours surexcitée.*

■ **énerver** v. SENS 2 *Arrête de t'agiter, tu m'*énerves *!,* tu me rends nerveux (= agacer).

■ **énervement** n.m. SENS 2 *Je n'arrivais pas à cacher mon* **énervement** (= irritation, agacement).

R. *Nerf se prononce* [nɛr].

655 **nervure** n.f. *Les* **nervures** *d'une feuilles* sont des lignes qui ressortent à sa surface.

n'est-ce pas adv. sert à interroger, à demander un avis : *Ce café est bon,* **n'est-ce pas ?**

net adj. 1. *Le col de ta chemise n'est pas* **net** (= propre). 2. *Cette photo est très* **nette,** on y voit tous les détails avec précision (≠ flou, brouillé). 3. *Son refus a été très* **net** (= brutal, catégorique ; ≠ vague). 4. *Un prix* **net** est un prix dont on a enlevé tous les frais supplémentaires (≠ brut).

■ **net** adv. SENS 3 *La voiture s'est arrêtée* **net** (= brutalement, pile).

■ **nettement** adv. 1. SENS 2 *On voit* **nettement** *tous les détails de la photo* (= clairement). 2. *Cette voiture va* **nettement** *trop vite* (= beaucoup).

■ **netteté** n.f. SENS 2 *Maïté parle avec* **netteté** (= précision).

nettoyer v. *Nous avons passé la journée à* **nettoyer** *la maison,* à la rendre propre (≠ salir).

218 ■ **nettoyage** n.m. *Le* **nettoyage** *des meubles se fait avec un chiffon.*

563 **1. neuf** adj. *Pierre a* **neuf** *ans. Les bureaux ouvrent à* **9** *heures.* 8 + 1 = 9.

563 ■ **neuvième** adj. et n. *Septembre est* *le* **neuvième** *mois de l'année. J'habite au* **neuvième** *étage.*

R. On prononce *neuf ans* [nœvã], *neuf heures* [nœvœr].

2. neuf adj. *Marie s'est acheté une robe* **neuve** *et un pull* **neuf** (= nouveau ; ≠ usé, vieux).

neurasthénie n.f. La **neurasthénie** est une maladie qui se manifeste par une profonde tristesse.

■ **neurasthénique** adj. *M. Durand est* **neurasthénique,** *il est toujours triste, abattu.*

neurologie n.f. La **neurologie** est la partie de la médecine qui soigne le système nerveux.

■ **neurologue** n. *Le* **neurologue** *lui a prescrit des calmants.*

neutre adj. 1. *La Suisse est un pays* **neutre,** qui ne prend pas parti au cours des guerres. 2. *Le gris est une couleur* **neutre,** sans éclat (≠ vif).

■ **neutraliser** v. 1. SENS 1 *Ce territoire a été* **neutralisé,** placé hors du conflit. 2. *Ses efforts* **ont été neutralisés** (= annuler, paralyser).

■ **neutralité** n.f. SENS 1 *Certains pays sont partisans de la* **neutralité,** ils veulent rester neutres.

neuvième → *neuf* 1.

névé n.m. En montagne, un **névé** est une plaque de neige transformée en glace.

neveu n.m., **nièce** n.f. *Pierre est le* **neveu** *de M. Durand,* le fils du frère ou de la sœur de M. Durand. *Marie est sa* **nièce,** la fille de son frère ou de sa sœur.

névralgie n.f. *Mme Durand souffre de* **névralgie** *faciale,* de vives douleurs des nerfs de la face.

■ **névralgique** adj. 1. *J'ai des douleurs* **névralgiques,** des nerfs. 2. *C'est* *là une question **névralgique**,* extrêmement délicate, sensible.

névrose n.f. *Une **névrose** est une maladie mentale qui provoque des troubles nerveux.*

■ **névrosé** n. et adj. *Dans ce centre, on soigne des **névrosés**.*

nez n.m. **1.** *Respire profondément par le **nez**. M. Durand parle du **nez**,* comme s'il avait le nez bouché. **2.** *Je me suis trouvée **nez à nez** avec Paul,* en face de lui. **3.** *L'avion a piqué du **nez**,* de sa partie avant.

■ **nasal** adj. SENS 1 *Les fosses **nasales*** sont à l'intérieur du nez.

■ **naseau** n.m. SENS 1 *Les **naseaux** d'un cheval,* ce sont ses narines.

■ **nasiller** v. SENS 1 *Ruth est enrhumée, elle **nasille**,* elle parle du nez.

■ **nasillard** adj. SENS 1 *Pierre a une voix **nasillarde**.*

R. *Nez* se prononce [ne] comme *[il est]* né (de *naître*).

ni conj. indique qu'on ajoute quelque chose de négatif : *Je n'ai rien vu **ni** rien entendu. Il n'est **ni** bon **ni** méchant.*
R. → *nid.*

niais adj. et n. *Jean est (un) **niais**,* il est ignorant et sot.

■ **niaiserie** n.f. *Elle ne raconte que des **niaiseries*** (= sottise).

1. niche n.f. **1.** *Le chien dort dans sa **niche**,* une petite cabane. **2.** *La statue est placée dans une **niche**,* un renfoncement du mur.

2. niche n.f. Fam. *Pierre a fait une **niche** à sa sœur,* il lui a joué un tour (= farce).

nichée, nicher → *nid.*

nickel n.m. *Le **nickel** est un métal brillant très résistant.*

■ **nickelé** adj. *Un outil **nickelé** est recouvert de nickel.*

nicotine n.f. *La **nicotine** est un poison contenu dans le tabac.*

nid n.m. *Il y a au bord du toit un **nid** d'hirondelles,* une sorte d'abri pour leurs œufs et leurs petits.

■ **nicher** v. **1.** *Des corbeaux **nichent** dans ce grand arbre,* ils y ont fait leur nid. **2.** *La bille est allée **se nicher** dans un trou* (= se mettre, se loger).

■ **nichée** n.f. *Une **nichée**,* ce sont des petits oiseaux qui sont encore au nid.

■ **dénicher** v. **1.** *On a **déniché** des œufs de corneille,* on les a pris dans le nid. **2.** Fam. *Où **as-tu déniché** ce stylo ?* (= trouver).

R. *Nid* se prononce [ni] comme *ni* et *[je] nie, [tu] nies* (de nier).

nièce → *neveu.*

nier v. *Je t'ai donné des preuves, mais tu continues à **nier**,* à dire que ce n'est pas vrai (≠ affirmer, avouer).

■ **dénier** v. *On ne peut lui **dénier** du courage,* dire qu'elle n'est pas courageuse (= refuser, contester).

■ **indéniable** adj. *Ce que tu me dis est **indéniable**,* on ne peut pas le nier (= incontestable, indiscutable).

■ **indéniablement** adv. *Ce fait est **indéniablement** exact* (= incontestablement, indiscutablement).

R. → *négatif, négation* et *nid.*

nigaud n.m. *Pierre est un grand **nigaud**,* il est bête, trop naïf (≠ malin).

nippes n.f.pl. Fam. *Où t'es-tu acheté ces **nippes** ?,* ces vieux vêtements.

■ **nipper** v. *Vous **êtes nippés** comme des clochards,* mal habillés.

nippon adj. et n. est un équivalent de *japonais.*

nitrate n.m. *Les **nitrates** sont des produits chimiques utilisés comme engrais.*

nitroglycérine n.f. La *nitroglycérine* est un explosif très violent qui sert à fabriquer la dynamite.

niveau n.m. **1.** *Le sommet du mont Blanc est à 4 807 mètres au-dessus du niveau de la mer,* de la surface horizontale de celle-ci. **2.** *L'eau lui arrive au niveau des genoux,* à la hauteur. **3.** *Le niveau des prix a encore monté,* ils sont plus élevés. **4.** *Un niveau est un instrument qui sert à vérifier qu'une surface est horizontale.* **5.** *Elle cherche à améliorer son niveau de vie,* ses conditions de vie.

■ **niveler** v. SENS 1 *On a nivelé le terrain,* on en a fait une surface horizontale, sans creux ni bosses. SENS 3 *Certains pensent qu'il faut niveler les salaires,* les mettre au même niveau.

■ **niveleuse** n.f. SENS 1 *La niveleuse est un engin de travaux publics qui nivelle les terrains.*

■ **nivellement** n.m. SENS 1 ET 5 *Des engins réalisent le nivellement du terrain. On observe un nivellement progressif des salaires.*

■ **déniveler** v. SENS 1 *La route est dénivelée par rapport à la plaine,* elle ne se trouve pas au même niveau.

■ **dénivellation** n.f. SENS 1 *Dans une plaine, les collines et les vallées forment des dénivellations,* des différences de niveau.

R. *Niveler, déniveler* → conj. n° 6.

noble **1.** n. et adj. *Sous l'Ancien régime, les nobles avaient de nombreux privilèges* (= aristocrate, seigneur ; ≠ roturier). **2** adj. *Ces nobles sentiments lui valent le respect de tous,* ces sentiments généreux, élevés (≠ bas, vil).

■ **noblement** adv. SENS 2 *Tu as pardonné noblement à tes ennemis* (= généreusement).

■ **noblesse** n.f. SENS 1 *« Duc », « marquis », « comte », « baron » sont des titres de noblesse.* SENS 2 *Tu as montré*

une grande noblesse d'âme (≠ bassesse).

■ **nobiliaire** adj. SENS 1 *« De » placé devant un nom propre est une particule nobiliaire,* indiquant qu'on est noble.

■ **anoblir** v. SENS 1 *Le roi pouvait anoblir les bourgeois,* les faire nobles.

■ **ennoblir** v. SENS 2 *On dit que le travail ennoblit la personne,* qu'il la rend plus noble moralement (= grandir).

noce n.f. **1.** *Les Durand ont invité cent personnes à la noce de leur fille,* à la fête qu'ils ont donnée pour son mariage. *Toute la noce s'est rendue à l'église à pied,* le cortège qui accompagne les mariés. **2.** Fam. *Ils ont fait la noce toute la nuit,* ils ont fait la fête, ont bu, mangé, se sont amusés.

nocif → *nuire.*

nocturne → *nuit.*

Noël n.m. **1.** *Nous avons fêté Noël en famille,* le 25 décembre, anniversaire de la naissance du Christ. **2.** *Nous avons décoré l'arbre de Noël,* le sapin que l'on garnit de boules, de guirlandes pour Noël. **3.** *Le père Noël est un personnage imaginaire qui est censé distribuer des cadeaux aux enfants pendant la nuit de Noël.*

nœud n.m. **1.** *Fais un nœud très serré pour que le paquet soit solide,* bloque la ficelle en la nouant. **2.** *Voilà le nœud de la question,* le point important. **3.** *Cette ville est un important nœud routier,* beaucoup de routes s'y croisent. **4.** *Cette planche est pleine de nœuds,* de parties de bois rondes et dures. **5.** *Le bateau file 10 nœuds,* sa vitesse est de 10 milles marins à l'heure (environ 18 kilomètres à l'heure).

■ **nouer** v. **1.** SENS 1 *Nouer ses lacets de chaussures,* c'est les entrelacer pour les attacher ensemble. **2.** *Une pro-*

fonde amitié **s'est nouée** entre Pierre et Lori, elle s'est solidement établie.

■ **noueux** adj. 1. SENS 5 *Ce vieux chêne a un tronc noueux,* il y a des nœuds dans son bois. 2. *Mon grand-père a les doigts noueux,* aux articulations renflées.

■ **dénouer** v. SENS 1 *Maïté a dénoué ses lacets pour enlever ses chaussures,* elle a défait les nœuds. SENS 3 *Dénouer une question,* c'est en trouver le point important pour le résoudre.

■ **dénouement** n.m. SENS 3 *Cette affaire a eu un heureux dénouement,* les difficultés ont été résolues et elle s'est bien terminée.

■ **renouer** v. 1. SENS 1 *Tu devrais re-nouer ta cravate,* refaire le nœud. 2. *Aïcha et Paul ont renoué leurs relations,* ils les ont reprises après une interruption.

R. → *nous.*

noir n.m. 1. *Le noir est la couleur la plus foncée ; c'est aussi la couleur représentant le deuil, la tristesse* (≠ blanc). 2. *Mon petit frère a peur dans le noir,* quand il fait sombre. 3. *Tu vois tout en noir,* tu es pessimiste, triste. 4. *L'Afrique est peuplée en majorité par des Noirs,* des gens à la peau très foncée.

■ **noir** adj. SENS 1 *Le charbon est noir.* SENS 2 *Nous sommes sortis à la nuit noire.* SENS 3 *Tu as des idées noires* (= triste). SENS 4 *Les Africains sont de race noire.*

■ **noirâtre** adj. SENS 1 *Tu as une tache noirâtre sur ta veste,* presque noire (= très foncée).

■ **noiraud** adj. SENS 1 *Mon petit chien est noiraud,* d'une couleur d'un brun noir.

■ **noirceur** n.f. SENS 1 *La noirceur de son teint est impressionnante.* SENS 3 *Je suis écœurée par la noirceur de cette trahison* (= méchanceté, perfidie).

■ **noircir** v. SENS 1 *Le plafond est noirci par la fumée,* taché de noir.

■ **noire** n.f. En musique, une *noire* est une note égale au quart de la ronde. | 438

noise n.f. *Chercher noise à quelqu'un,* c'est trouver un prétexte pour se disputer avec lui.

noisette n.f. *Jean est allé cueillir des noisettes,* de petits fruits recouverts d'une coquille. | 655

■ **noisetier** n.m. Le *noisetier* est un arbuste. | 655

noix n.f. 1. *Une noix est un fruit recouvert d'une coquille.* 2. *La noix de coco,* la *noix muscade* sont des fruits qui possèdent aussi une coquille. | 365 580

■ **noyer** n.m. SENS 1 *Le noyer est l'arbre qui produit des noix.*

R. *Noix* se prononce [nwa] comme [*je me*] *noie* (du verbe *noyer*).

nom n.m. 1. *Quel est ton nom ?* — *Je m'appelle Dominique Durand,* comment t'appelles-tu. *Durand est mon nom, Dominique est mon prénom.* 2. *« France »* et *« Durand »* sont des *noms propres,* ils désignent une seule chose, une seule personne ; *« chien »* et *« table »* sont des *noms communs,* ils désignent un ensemble d'êtres ou de choses. 3. *Tu as agi en mon nom,* je suis responsable de ce que tu as fait à ma place.

■ **nommer** v. 1. SENS 1 *Je me nomme Dupont,* c'est mon nom (= s'appeler). 2. *Fatima a été nommée directrice,* désignée à cette fonction.

■ **nommément** adv. SENS 1 *On l'a nommément accusé,* en le désignant par son nom.

■ **nominal** adj. SENS 1 *Le professeur a fait l'appel nominal des élèves,* il les a appelés par leur nom.

■ **nominatif** adj. SENS 1 *Une liste nominative* indique tous les noms d'un ensemble de personnes ou de choses.

■ **nomination** n.f. *M. Durand attend sa nomination de professeur,* qu'on le nomme (au sens 2) professeur.

■ **dénommer** v. SENS 1 *Comment dénomme-t-on cette plante ?* (= nommer, appeler).

■ **dénommé** n. SENS 1 *Connaissez-vous le dénommé Pierre Durand ?,* celui qui a ce nom.

■ **prénom** n.m. SENS 1 *Durand est mon nom de famille et Dominique mon prénom.*

■ **surnom** n.m. SENS 1 *Tout le monde l'appelle Bobby, c'est son surnom.*

■ **surnommer** v. SENS 1 *Ses camarades l'ont surnommée « Chèvre » à cause de sa voix bêlante,* ils lui ont donné ce surnom.

R. *Nom* se prononce [nɔ̃] comme *non.*

nomade n. *Des nomades se sont installés à l'entrée du village,* des gens qui n'ont pas d'habitation fixe.

nombre n.m. **1.** *6 est un nombre entre 5 et 10.* **2.** *Quel est le nombre d'habitants de cette ville ?,* combien y en a-t-il ? **3.** *Il y a un grand nombre de personnes sur la place,* beaucoup. **4.** *Elle compte au nombre de mes amis,* parmi mes amis. **5.** *Les soldats ont succombé sous le nombre,* la grande quantité, la masse.

■ **nombreux** adj. SENS 3 ET 5 *Ils ont de nombreux amis,* ils en ont beaucoup (≠ rare).

■ **numéral** adj. SENS 1 *Deux, trois, quatre, etc., sont des adjectifs numéraux,* qui désignent un nombre.

■ **numération** n.f. SENS 1 *Les Romains avaient un système de numération différent du nôtre,* une manière de représenter les nombres.

■ **numérique** adj. SENS 3 ET 5 *La supériorité numérique de l'ennemi était écrasante,* ils étaient plus nombreux.

■ **numéro** n.m. **1.** SENS 1 *Mon billet de loterie porte le numéro 3720,* il y a ce nombre écrit dessus. **2.** *Le prochain numéro de cette revue paraît dans un mois* (= exemplaire). **3.** Au cirque, un *numéro,* c'est une partie du spectacle.

■ **numéroter** v. SENS 1 *J'ai numéroté les pages de mon cahier,* j'ai marqué chaque page d'un numéro.

■ **dénombrer** v. SENS 2 *On cherchait à dénombrer les gens qui étaient dans la salle,* à en évaluer le nombre (= compter).

■ **dénombrement** n.m. SENS 2 *Le dénombrement de la population a lieu tous les six ans,* l'évaluation de son nombre (= recensement).

■ **innombrable** SENS 2, 3 ET 5 *Les étoiles sont innombrables,* si nombreuses qu'on ne peut pas les compter.

■ **surnombre** n.m. SENS 2, 3 ET 4 *Il y a deux voyageurs en surnombre,* en plus du nombre prévu (= excédent).

nombril n.m. Le *nombril* est la cicatrice que chacun a au milieu du ventre et qui est la marque de la coupure du cordon ombilical.

R. On prononce [nɔ̃bril] et parfois [nɔ̃bri].

nominal, nominatif, nomination, nommer → *nom.*

non adv. sert à nier, à refuser, à s'opposer : *Veux-tu venir ? — Non* (≠ oui).

R. *Non* se place avec un trait d'union devant certains mots pour indiquer leur contraire *(non-sens).* → *nom.*

nonagénaire adj. et n. *Mon arrière-grand-père est nonagénaire,* il a quatre-vingt-dix ans ou plus.

non-agression → *agression.*

nonante adj. est employé pour *quatre-vingt-dix* en Belgique et en Suisse.

nonce n.m. Un *nonce* est un ambassadeur du pape.

Les nombres

CHIFFRES	NOMBRES CARDINAUX	NOMBRES ORDINAUX
1	un	premier
2	deux	deuxième (second)
3	trois	troisième
4	quatre	quatrième
5	cinq	cinquième
6	six	sixième
7	sept	septième
8	huit	huitième
9	neuf	neuvième
10	dix	dixième
11	onze	onzième
12	douze	douzième
13	treize	treizième
14	quatorze	quatorzième
15	quinze	quinzième
16	seize	seizième
17	dix-sept	dix-septième
18	dix-huit	dix-huitième
19	dix-neuf	dix-neuvième
20	vingt	vingtième
21	vingt et un	vingt et unième
22	vingt-deux	vingt-deuxième
29	vingt-neuf	vingt-neuvième
30	trente	trentième
40	quarante	quarantième
50	cinquante	cinquantième
60	soixante	soixantième
70	soixante-dix	soixante-dixième
71	soixante et onze	soixante et onzième
73	soixante-treize	soixante-treizième
80	quatre-vingt	quatre-vingtième
81	quatre-vingt-un	quatre-vingt-unième
90	quatre-vingt-dix	quatre-vingt-dixième
91	quatre-vingt-onze	quatre-vingt-onzième
100	cent	centième
101	cent un	cent unième
110	cent dix	cent dixième
200	deux cents	deux centième
220	deux cent vingt	deux cent vingtième
600	six cents	six centième
1 000	mille	millième
2 000	deux mille	deux millième
100 000	cent mille	cent millième
1 000 000	un million	millionième
1 000 000 000	un milliard	milliardième

R. Sur les nombres ordinaux, on forme, avec le suffixe *-ment*, des adverbes qui servent à énumérer ou à classer : *premièrement, deuxièmement, troisièmement,* etc.

FRACTIONS	MULTIPLES (multiplié par)	QUANTITÉ APPROXIMATIVE
	× 2 (le) double (adv. : doublement)	une huitaine (de jours)
$\frac{1}{2}$ un demi ; la moitié	× 3 (le) triple (adv. : triplement)	une dizaine
$\frac{1}{3}$ un (le) tiers	× 4 (le) quadruple	une douzaine
$\frac{1}{4}$ un (le) quart	× 5 (le) quintuple	une vingtaine
$\frac{1}{5}$ un (le) cinquième	× 6 (le) sextuple	une (la) trentaine
$\frac{1}{6}$ un (le) sixième	× 10 (le) décuple	une (la) quarantaine
$\frac{2}{3}$ (les) deux tiers	× 100 (le) centuple	une (la) cinquantaine
$\frac{3}{4}$ (les) trois quarts		une (la) soixantaine
$\frac{4}{5}$ (les) quatre cinquièmes, etc.		une (la) centaine ou un cent
		un (le) millier

nonchalant adj. *Marie est noncha-lante,* elle agit mollement ($\neq$ actif, énergique).

■ **nonchalance** n.f. *Pierre fait son travail avec nonchalance* (= négligence ; $\neq$ zèle).

■ **nonchalamment** adv. *Elle feuilletait nonchalamment un album* (= négligemment, paresseusement).

non-lieu n.m. *L'accusé a bénéficié d'un non-lieu,* le juge a décidé d'arrêter les poursuites contre lui.

nonne n.f. se disait autrefois pour *religieuse.*

non-sens $\rightarrow$ *sens.*

non-violence, non-violent $\rightarrow$ *violence.*

nord n.m. et adj.inv. *La Belgique est au nord de la France,* plus près du pôle Nord et plus loin de l'équateur ($\neq$ sud). *Le pôle Nord est une région très froide.*

■ **nordique** adj. *La Suède et la Norvège sont des pays nordiques,* du nord de l'Europe.

R. *Nord* se place avec un trait d'union devant *est* (nord-est) et *ouest* (nord-ouest) pour indiquer les directions intermédiaires entre ces points cardinaux. $\rightarrow$ *septentrional.*

normal adj. 1. *La température normale de notre corps est d'environ 37° (=* ordinaire, habituel ; $\neq$ anormal, exceptionnel). 2. *Une école normale prépare les jeunes gens au métier d'instituteur.*

■ **normale** n.f. SENS 1 *Les températures sont inférieures à la normale pour un mois d'août,* au niveau normal, habituel.

■ **normalement** adv. SENS 1 *Normalement, elle rentre chez elle à 5 heures* (= ordinairement).

■ **normalien** n. SENS 2 Un *normalien* est un élève d'une école normale.

■ **anormal** adj. SENS 1 *Le moteur fait un bruit anormal* (= inhabituel).

■ **anormalement** adv. SENS 1 *Il fait anormalement chaud pour un mois de janvier.*

norme n.f. *Ce travail ne correspond pas aux normes prévues,* à ce qui avait été décidé (= règle).

nos $\rightarrow$ *notre.*

nostalgie n.f. *J'ai la nostalgie des dernières vacances,* je suis triste en y pensant.

■ **nostalgique** adj. *Un chant nostalgique* est triste, mélancolique.

notable 1. adj. *Tu as fait à l'école des progrès notables,* dignes d'être remarqués (= considérable, important). 2. n.m. *Le maire, l'avocate, le directeur de l'usine sont les notables de cette petite ville,* les gens importants (= personnalité).

■ **notablement** adv. SENS 1 *Son travail à l'école s'est notablement amélioré* (= considérablement).

notaire n.m. *Quand on vend ou qu'on achète une maison, on va chez un notaire,* quelqu'un qui est chargé de ces formalités administratives.

notamment adv. *Claire est une bonne élève, notamment en français* (= en particulier, spécialement).

note n.f. 1. *« Do », « ré », « mi », « fa », « sol », « la », « si » sont les sept notes* de la gamme, les sons et les signes servant à composer la musique, à l'écrire. 2. *Regarde la note au bas de la page,* la remarque explicative. 3. *Pendant la conférence, on a pris des notes,* on a écrit des remarques sur ce qu'on entendait. 4. *Jean a eu 6 sur 20 en français, c'est une mauvaise note,* une appréciation de son travail. 5. *La décoratrice nous a envoyé sa note,* un papier qui indique ce que nous devons payer pour son travail (= facture).

■**noter** v. **1.** SENS 3 *As-tu noté ce que le professeur a dit ?* (= écrire). SENS 4 *L'enseignante a noté les devoirs,* elle leur a mis une note. **2.** *On a noté qu'il est arrivé en retard* (= remarquer, observer).

■**notation** n.f. SENS 1 *La notation musicale* est la représentation des sons par des notes.

■**annoter** v. SENS 3 *La directrice a annoté le rapport qu'on lui a remis,* elle y a porté des remarques.

■**annotation** n.f. SENS 3 *J'ai lu les annotations en marge du rapport* (= remarque, note).

notice n.f. *Cet appareil est vendu avec une notice,* un texte qui explique comment s'en servir.

notifier v. *Il m'a notifié sa décision,* il me l'a fait connaître (= annoncer).

notion n.f. *Je n'ai aucune notion sur ce sujet* (= connaissance, idée).

notoire adj. *Sa vanité est notoire,* tout le monde la connaît (= connu, évident).

■**notoriété** n.f. *Cette pianiste jouit d'une grande notoriété,* elle est très connue (= réputation, célébrité).

notre, nos adj.possessifs indiquent ce qui est à nous, ce qui nous concerne : *Notre père, nos parents.*

■**nôtre (le, la), nôtres (les)** pron. possessifs *Voici vos affaires et voilà les nôtres,* celles qui sont à nous.

nouer, noueux → *nœud.*

nougat n.m. *Marie aime le nougat,* une pâte plus ou moins dure faite d'amandes et de miel.

nouilles n.f.pl. *Nous avons mangé des nouilles à la sauce tomate* (= pâtes).

nourrir v. **1.** *La mère nourrit son bébé,* elle lui donne son lait (= allaiter). **2.** *Il se nourrit surtout de légumes et de fruits* (= s'alimenter). **3.** *Mme Scott a*

cinq personnes à *nourrir,* elle doit leur procurer de quoi vivre (= entretenir). **4.** *Il nourrissait l'espoir d'être reçu à l'examen,* il avait en lui cet espoir.

■**nourrice** n.f. **1.** SENS 1 *Une nourrice* est une femme qui nourrit un bébé autre que le sien. **2.** *Maman emmène chaque matin ma petite sœur chez la nourrice,* la personne qui garde des enfants chez elle quand les parents travaillent. **3.** *Une épingle de nourrice* est une épingle à deux tiges parallèles.

■**nourricier** adj. SENS 3 *Les parents nourriciers d'un enfant sont ses parents adoptifs.*

■**nourrissant** adj. SENS 2 *Le beurre est un aliment nourrissant,* qui nourrit bien.

■**nourrisson** n.m. SENS 1 *Un nourrisson* est un bébé.

■**nourriture** n.f. SENS 2 *Cette nourriture est immangeable* (= aliments). **R.** → *nutritif.*

nous pron.pers. s'emploie pour représenter la personne qui parle *(moi)* et une ou plusieurs autres personnes *(toi, lui, vous, eux).*
R. *Nous* se prononce [nu] comme [*je*] *noue* (de *nouer*).

nouveau adj. **1.** *Cette machine à laver est un modèle nouveau,* qui n'existait pas auparavant (= récent ; ≠ ancien). **2.** *Bianca a acheté une nouvelle voiture,* une voiture pour remplacer celle qu'elle avait.

■**nouveau** n. SENS 1 *Un nouveau vient d'arriver dans notre classe,* un nouvel élève.

■**de (à) nouveau** adv. *Pierre est de nouveau en retard,* encore une fois.

■**nouveauté** n.f. SENS 1 *J'aime la nouveauté,* les choses nouvelles (= changement).

R. *Nouveau* devient *nouvel* devant une voyelle ou un *h* muet : *mon nouvel ami, un nouvel hôpital.*

nouveau-né → *naître.*

nouvelle n.f. **1.** *Connais-tu la nouvelle ? Jacques se marie,* ce qu'on vient d'apprendre. **2.** (au plur.) *On est sans nouvelles de Lori,* sans renseignements sur elle. **3.** *Une nouvelle est un récit moins long qu'un roman.*

novateur adj. *Karin est un esprit novateur,* elle aime les idées nouvelles (= audacieux).

125 **novembre** n.m. *Il pleut souvent en novembre.*

novice adj. et n. *Yasmina est encore novice dans son métier,* elle n'a pas d'expérience (= débutant, inexpérimenté).

noyade → *noyer* 1.

noyau n.m. **1.** *La pêche, la prune, la cerise sont des fruits à noyau,* contenant une partie dure au centre. **2.** *L'ennemi a rencontré des noyaux de résistance,* des groupes qui résistaient.

■ **dénoyauter** v. SENS 1 *Jeanne dénoyaute des olives,* elle en ôte les noyaux.

1. noyer v. **1.** *Trois personnes se sont noyées dans cet étang,* sont mortes asphyxiées dans l'eau. **2.** *Tu nous as noyés dans des explications invraisemblables* (= embrouiller).

■ **noyade** n.f. SENS 1 *On l'a sauvée de la noyade,* de la mort dans l'eau.

■ **noyé** n. SENS 1 *On a repêché un noyé.*

2. noyer → *noix.*

nu adj. **1.** *Pierre s'est mis tout nu pour se laver,* il a enlevé ses vêtements (≠ habillé). **2.** *Lise se promène pieds nus,* sans chaussures ni chaussettes. **3.** *Les murs de cette chambre sont nus,* sans ornements. **4.** *Les microbes ne sont pas visibles à l'œil nu,* il faut un instrument pour les voir. **5.** *Elle a mis à nu tout ce qu'elle avait sur la conscience* (= découvrir, dévoiler). *L'électricien*

a mis à nu le fil électrique, il a enlevé ce qui le recouvre.

■ **nudisme** n.m. SENS 1 *Faire du nudisme,* c'est vivre nu en plein air.

■ **nudiste** n. SENS 1 *Les nudistes préfèrent vivre nus.*

■ **nudité** n.f. SENS 1 *Tu as mis une chemise pour cacher ta nudité,* ton corps nu.

■ **dénuder** v. SENS 1 *Il s'est dénudé pour se baigner,* il s'est mis nu. SENS 5 *Dénuder du fil électrique,* c'est enlever la gaine isolante qui le recouvre (= mettre à nu).

nuage n.m. **1.** *Le ciel est couvert de nuages gris,* il va pleuvoir. **2.** *Un nuage de fumée s'échappe de la cheminée,* une masse. **3.** *Ils ont connu un bonheur sans nuages,* sans difficultés.

■ **nuageux** adj. SENS 1 *Le ciel est nuageux aujourd'hui* (≠ clair).

nuance n.f. **1.** *Le bleu clair, le bleu marine, le bleu roi sont des nuances de la couleur bleue,* des degrés. **2.** *Il y a des nuances entre leurs opinions,* de légères différences.

■ **nuancer** v. SENS 2 *Il faut nuancer ce jugement,* l'exprimer plus délicatement.

nucléaire adj. *L'énergie nucléaire est celle qui existe dans les atomes* (= atomique).

nudisme, nudiste, nudité → *nu.*

nuée n.f. *Une nuée de gens a pénétré dans la salle,* un très grand nombre (= foule, multitude).

nuire v. *On a cherché à me nuire,* à me faire du tort. *La sécheresse nuit aux cultures* (= abîmer, faire tort).

■ **nuisible** adj. *Ce climat est nuisible à la santé* (= mauvais ; ≠ favorable).

■ **nocif** adj. *La fumée de cigarette est nocive,* dangereuse pour la santé (≠ inoffensif).

R. → Conj. n° 69. → *nuit.*

nuit n.f. *En hiver, les **nuits** sont plus longues,* les périodes d'obscurité entre le coucher et le lever du soleil.
■ **nocturne** adj. *Les voisins ont fait du tapage **nocturne**, pendant la nuit.*
R. Nuit se prononce [nɥi] comme [*il*] *nuit* (de *nuire*).

nul 1. adj. et pron. indéfini *Je n'ai **nul** besoin de toi* (= aucun). ***Nul** n'a le droit d'entrer ici* (= personne). **2.** adj. *Les deux équipes ont fait match **nul**,* le match s'est terminé sans vainqueur ni vaincu. **3.** adj. *Pierre est **nul** en maths,* très mauvais (≠ brillant).
■ **nullement** adv. SENS 1 *Tu n'es **nullement** coupable,* pas du tout.
■ **nullité** n.f. SENS 3 *Cet élève est une **nullité**,* il est nul.
■ **annuler** v. SENS 2 *Comme j'étais malade, j'ai **annulé** mon rendez-vous* (= supprimer).

numéraire n.m. *On a tout payé en **numéraire**,* avec de l'argent (≠ chèque).

numéral, numération, numérique, numéro, numéroter → **nombre**.

nuptial adj. *Nous avons assisté à la cérémonie **nuptiale**,* à la cérémonie du mariage.
R. On prononce [nypsjal].

nuque n.f. *Cléa a mis un coussin sous sa **nuque**,* l'arrière de son cou.

nurse n.f. *Une **nurse** est une femme chargée de s'occuper des enfants au domicile de quelqu'un.*
R. On prononce [nœrs].

nutritif adj. *La viande est un aliment **nutritif*** (= nourrissant).
■ **nutrition** n.f. *La malade souffre de troubles de la **nutrition**,* son système digestif fonctionne mal.
■ **dénutrition** n.f. *Ces populations sont dans un état d'épuisement causé par la **dénutrition**,* le manque de nourriture.
■ **malnutrition** n.f. *La **malnutrition** est une alimentation mal adaptée aux besoins.*

nylon n.m. *Pierre a une chemise en **nylon**,* une sorte de tissu artificiel.
R. C'est un nom de marque.

nymphe n.f. *Chez les anciens Grecs, les **nymphes** étaient des déesses des bois et des fontaines.*

O

oasis n.f. *Dans les déserts, les oasis sont les seuls lieux cultivés et habités, parce qu'il y a de l'eau.*
R. On prononce [ɔazis].

obéir v. *Pierre obéit à ses parents,* il fait ce qu'ils lui disent.
■ **obéissant** adj. *Marie est une fillette obéissante,* disciplinée, docile.
■ **obéissance** n.f. *Ce soldat a été puni pour refus d'obéissance* (= soumission).
■ **désobéir** v. *C'était défendu de sortir, mais tu as désobéi* (≠ obéir). *Il ne faut pas désobéir au règlement* (= enfreindre).
■ **désobéissant** adj. *Kareen est désobéissante* (= indocile).
■ **désobéissance** n.f. *Sa désobéissance a été punie* (= indiscipline).

obélisque n.m. Un *obélisque* est une grande pierre dressée en forme de colonne et terminée en pointe.

obèse adj. *M. Dupont est obèse,* il est très gros.
■ **obésité** n.f. *Il suit un régime contre l'obésité* (≠ maigreur).

objecter, objecteur → *objection.*

1. objectif n.m. 1. *Tu as atteint ton objectif,* le but que tu t'étais fixé. 2. *L'objectif d'un appareil photo,* ce sont ses lentilles.

2. objectif adj. *Ce journal est objectif,* il raconte les faits tels qu'ils se sont passés (= impartial ; ≠ tendancieux).

■ **objectivement** adv. *Décris-moi objectivement la situation* (= honnêtement).
■ **objectivité** n.f. *Tu as parlé avec objectivité,* sans parti pris.

objection n.f. *Elle a fait plusieurs objections à mes demandes,* elle s'y est opposée (= critique).
■ **objecter** v. *Tu n'as rien objecté contre nos projets,* tu n'as rien dit contre.
■ **objecteur** n.m. *Les objecteurs de conscience* refusent de faire leur service militaire.

objectivement, objectivité → *objectif 2.*

objet n.m. 1. *J'ai des tas d'objets dans mes poches* (= chose). 2. *Quel est l'objet de ta visite ?* (= but, sujet). 3. *Dans la phrase « Laura regarde Paul », « Paul » est le complément d'objet du verbe.*

obliger v. 1. *On m'a obligé à partir,* on m'a forcé à le faire. 2. *Vous m'obligeriez en me prêtant ce livre,* vous me feriez plaisir.
■ **obligation** n.f. SENS 1 *Je suis dans l'obligation d'aller à ce rendez-vous,* il faut que j'y aille (= nécessité).
■ **obligatoire** adj. SENS 1 *Votre présence est obligatoire* (= indispensable ; ≠ facultatif).
■ **obligatoirement** adv. SENS 1 *Il faut obligatoirement avoir un passeport*

pour aller dans ce pays (= nécessairement).

■ **obligeance** n.f. SENS 2 *Ayez l'obligeance de parler moins fort!* (= amabilité).

■ **obligeant** adj. SENS 2 *Pierre est un garçon très obligeant,* aimable et serviable.

■ **désobliger** v. SENS 2 *Elle m'a désobligé en ne venant pas* (= contrarier).

■ **désobligeant** adj. *Je n'ai pas apprécié ses réflexions désobligeantes* (= blessant, injurieux).

oblique adj. *Une ligne est oblique par rapport à une autre ligne quand elle s'en écarte.*

■ **obliquer** v. *Vous allez jusqu'au pont, puis vous obliquez à droite,* vous ne continuez pas en ligne droite.

oblitérer v. *Quand un timbre a été oblitéré il ne peut plus servir,* marqué par le cachet de la poste.

oblong adj. *Les dattes ont une forme oblongue,* allongée.

obnubiler v. *Mme Joannis est obnubilée par ses soucis d'argent,* elle ne pense qu'à cela (= obséder).

obole n.f. *J'ai donné mon obole à la quête,* une petite somme d'argent.

obscène adj. *Une phrase obscène était écrite sur le mur,* une phrase très grossière.

■ **obscénité** n.f. *Arrête de dire des obscénités,* des mots orduriers.

obscur adj. **1.** *Cette rue est très obscure,* il n'y a pas de lumière (= sombre ; ≠ éclairé). **2.** *Il y a dans ce livre des passages obscurs,* difficiles à comprendre (≠ clair). **3.** *Quel est cet écrivain obscur?,* peu connu (≠ célèbre).

■ **obscurcir** v. SENS 1 *La nuit s'obscurcit de plus en plus,* elle devient de plus en plus noire.

■ **obscurément** adv. SENS 2 *Je sentais obscurément qu'un danger nous menaçait* (= confusément, vaguement).

■ **obscurité** n.f. SENS 1 *La maison est plongée dans l'obscurité* (= noir, nuit).

obséder v. *Maïté est obsédée par son échec à l'examen,* elle y pense sans cesse (= obnubiler).

■ **obsession** n.f. *Tu as l'obsession de ne pas grossir* (= idée fixe).

obsèques n.f.pl. *Les obsèques de son grand-père ont lieu demain* (= enterrement).

obséquieux adj. *Tu as des manières obséquieuses,* tu es d'une politesse exagérée (= servile).

■ **obséquiosité** n.f. *On a accueilli le visiteur avec obséquiosité* (= servilité, platitude).

observer v. **1.** *J'aime observer les fourmis,* les regarder attentivement pour les étudier (= examiner). **2.** *Vous êtes priée d'observer le règlement,* de vous y conformer (= respecter, obéir).

■ **observable** adj. SENS 1 *L'éclipse sera observable de Moncton* (= visible).

■ **observateur 1.** adj. SENS 1 *Marie est très observatrice,* elle sait observer. **2.** n. *Un observateur assiste à une réunion sans participer aux décisions.*

■ **observation** n.f. **1.** SENS 1 *Tu as l'esprit d'observation,* tu sais observer. **2.** *Je lui ai fait des observations sur sa conduite* (= reproche, critique).

■ **observatoire** n.m. SENS 1 *Un observatoire sert à observer le ciel, les étoiles.*

■ **inobservation** n.f. SENS 2 *L'accident est dû à l'inobservation des règles de priorité* (= non-respect).

obsession → *obséder.*

obstacle n.m. *Tu n'as pas rencontré d'obstacle dans tes études,* de difficulté t'empêchant de continuer.

s'obstiner v. *Elle s'obstine à continuer malgré les difficultés,* elle continue quand même (= s'entêter, s'acharner).

■ **obstination** n.f. *J'ai réussi à force d'obstination* (= acharnement, persévérance, ténacité).

■ **obstinément** adv. *Je refuse obstinément de partir* (= absolument).

obstruer v. *Le passage est obstrué par la foule,* on ne peut pas passer (= boucher).

■ **obstruction** n.f. *Pierre fait de l'obstruction,* il empêche les autres de parler, d'agir.

obtempérer v. *Les ordres sont formels, il faut obtempérer* (= obéir).

obtenir v. *En discutant beaucoup, j'ai pu obtenir une réduction,* réussir à l'avoir.
R. → Conj. n° 22.

obturer v. *Obturer un trou,* c'est le boucher.

obtus adj. **1.** *Un angle obtus est plus ouvert qu'un angle droit,* il mesure plus de 90 degrés (≠ aigu). **2.** *Jeanne a l'esprit obtus,* elle est peu intelligente (≠ fin).

762 **obus** n.m. *Un obus a explosé sur la maison,* un projectile lancé par un canon.

oc n.m. *La langue d'oc est parlée dans le midi de la France,* l'ensemble des langues ou des dialectes de cette région, sauf le basque.
■ **occitan 1.** n.m. *L'occitan est la langue d'oc.* **2.** adj. *Nous avons écouté des chansons occitanes,* en langue d'oc.

occasion n.f. **1.** *Je profite de l'occasion pour vous faire ce cadeau,* de la circonstance qui se présente. **2.** *À l'occasion de l'Ascension, il y a eu*

deux jours de congé (= pour, à cause de). **3.** *On a acheté une voiture d'occasion,* qui a déjà servi (≠ neuf). **4.** *Cet appareil est une occasion,* son prix est intéressant.

■ **occasionnel** adj. SENS 1 *Je fais un travail occasionnel,* qui s'est présenté par hasard (≠ habituel, durable).

■ **occasionner** v. SENS 2 *Qui a occasionné l'accident ?* (= causer, provoquer).

occident n.m. **1.** *Occident* est un équivalent ancien de *ouest* (= couchant). **2.** *On appelle Occident les pays de l'Europe de l'Ouest* (≠ Orient).

■ **occidental** adj. et n. SENS 1 ET 2 *La Bretagne est la partie la plus occidentale de la France,* la plus à l'ouest (≠ oriental). *Les Occidentaux sont les habitants des pays de l'Occident.*

occitan → **oc.**

occulte adj. **1.** *Cette personne a un pouvoir occulte,* secret et mystérieux. **2.** *L'astrologie, l'alchimie, la magie sont des sciences occultes,* qui s'occupent de choses mystérieuses.

■ **occultisme** n.m. SENS 2 *Mme Mage s'intéresse à l'occultisme,* aux sciences occultes.

occuper v. **1.** *C'est le jardinier qui s'occupe des fleurs,* qui en prend soin, qui leur consacre son temps, son activité. **2.** *Ils occupent tout le premier étage de cette maison,* ils y habitent. **3.** *La table occupe le milieu de la pièce,* elle s'y trouve. **4.** *Pendant la guerre, les Allemands ont occupé la France,* ils y sont restés par la force.

■ **occupant** n.m. SENS 2 *Comment s'appellent les occupants de cet appartement ? — Les Dupont.* SENS 4 *Les occupants ont été chassés du pays,* les ennemis qui l'occupaient.

■ **occupation** n.f. SENS 1 *Ma principale occupation est la lecture,* je passe mon temps à lire. SENS 4 *L'armée d'**oc-cupation** a été vaincue,* celle qui oc-cupait le pays.

■ **occupé** adj. SENS 1 *Laissez-moi, je suis très **occupée**,* je n'ai pas le temps (= pris). SENS 4 *Les troupes ennemies ont été chassées de la zone **occupée**,* la zone qu'elles occupaient de force (≠ libre).

■ **inoccupé** adj. SENS 1 *Pour le moment, je suis **inoccupé**,* je n'ai rien à faire. SENS 2 *Cette maison est **inoc-cupée**,* il n'y a pas d'habitants dedans.

occurrence n.f. *On a gagné le premier prix, **en l'occurrence** une automobile,* dans le cas présent, en cette circonstance.

océan n.m. *L'**océan** Atlantique sépare l'Europe de l'Amérique,* une mer très étendue.

■ **océanique** adj. *Le climat **océanique*** est celui des régions proches de l'océan.

■ **océanographie** n.f. *L'**océanogra-phie*** est la science des océans.

ocre adj.inv. et n. *Dans cette région, la terre est **ocre**,* d'une couleur entre le jaune et le brun.

octave n.f. En musique, une *octave* est l'intervalle entre les deux notes extrêmes d'une gamme.

octobre n.m. *Les feuilles tombent en **octobre**,* c'est l'automne.

octogénaire adj. et n. *Son grand-père est **octogénaire**,* il a entre quatre-vingts et quatre-vingt-dix ans.

octogone n.m. Un *octogone* est une figure de géométrie à huit côtés.

octroi n.m. 1. *Autrefois, il y avait des **octrois** aux portes des villes,* des douanes pour les marchandises. 2. *La direction a décidé l'**octroi** d'une prime au personnel* (= attribution).

■ **octroyer** v. SENS 2 *On nous a **octroyé** deux jours de congé,* on nous les a donnés par faveur (= accorder).

oculaire, oculiste → *œil*.

ode n.f. Une *ode* est un long poème.

odeur n.f. *Sens-tu cette **odeur** de fumée ?*

■ **odorat** n.m. *Ce chien a un **odorat** très développé,* il sent bien les odeurs avec son nez.

■ **odorant** adj. *Ces fleurs sont **odo-rantes**,* elles ont une bonne odeur (= parfumé).

■ **déodorant** n.m. Un *déodorant* est un produit pour chasser les odeurs corporelles de transpiration.

■ **désodorisant** n.m. *On a mis un **désodorisant** dans les toilettes,* un produit qui chasse les odeurs désagréables.

■ **inodore** adj. *L'eau pure est **inodore**,* sans odeur.

■ **malodorant** adj. *Cette poubelle est **malodorante**,* elle sent mauvais.

odieux adj. *Tu as un caractère **odieux*** (= détestable ; ≠ charmant).

■ **odieusement** adv. *On nous a **odieu-sement** menti.*

odorant, odorat → *odeur*.

odyssée n.f. *Elle m'a raconté son **odyssée**,* son voyage plein d'aventures.

œcuménique adj. *Le mouvement **œcuménique** veut rapprocher les différentes religions.*
R. On prononce [ekymenik].

œil n.m., **yeux** n.m.pl. 1. *Je ne vois pas de l'**œil** gauche. Tu as les **yeux** bleus.* 2. *J'ai jeté un **coup d'œil** sur son travail,* un regard rapide. 3. Fam. *Il travaille **à l'œil**,* gratuitement. 4. *Il faut **avoir l'œil à tout**,* être attentif à tout. 5. *Vous ne semblez pas **voir** ce projet **d'un bon œil**,* y être favorable.

33

6. *À mes yeux, tu n'es pas coupable,* selon moi, à mon point de vue. **7.** *Je veux bien fermer les yeux sur vos erreurs passées,* ne pas en tenir compte.

■ **œillade** n.f. SENS 2 *Pierre a lancé une œillade à Marie,* un coup d'œil aimable.

■ **œillère** n.f. **1.** SENS 1 *Les œillères sont des pièces de cuir qui empêchent les chevaux de regarder de côté.* **2.** *On dit de quelqu'un qu'il a des œillères quand il a des préjugés qui l'empêchent de comprendre certaines choses.*

■ **oculaire** SENS 1 **1.** adj. *J'ai été témoin oculaire de l'accident,* je l'ai vu. **2.** n.m. *L'oculaire d'une longue-vue est l'endroit où l'on met l'œil.*

■ **oculiste** n. SENS 1 *Un oculiste est un médecin qui soigne les maladies des yeux* (= ophtalmologiste).
R. On prononce *un œil* [œ̃nœj]*, des yeux* [dezjø]. → *optique.*

œil-de-bœuf n.m. *Un œil-de-bœuf est une petite fenêtre ronde ou ovale.*
R. Noter le pluriel : des *œils-de-bœuf.*

œillère → *œil.*

œillet n.m. **1.** *Ces œillets sentent très bon,* des fleurs. **2.** *On passe le lacet de la chaussure dans des œillets,* des trous cerclés de métal.
R. On prononce [œjɛ].

œsophage n.m. *Les aliments passent par l'œsophage avant d'arriver à l'estomac.*
R. On prononce [ezɔfaʒ].

œuf n.m. *La poule a pondu un œuf et Pierre l'a mangé à la coque.*
R. On prononce *un œuf* [œ̃nœf]*, des œufs* [dezø].

œuvre n.f. **1.** *Regarde ce dessin, c'est mon œuvre,* c'est moi qui l'ai fait (= travail). **2.** *J'ai lu plusieurs œuvres de Marie-Claire Blais,* des livres écrits par

elle (= ouvrage). **3.** *Il faut tout mettre en œuvre pour réussir* (= employer, utiliser).

■ **œuvrer** v. *Œuvrer pour la paix,* c'est agir en faveur de la paix, y travailler.

■ **désœuvré** adj. et n. SENS 1 *Dans les grandes cités, les jeunes sont souvent désœuvrés,* ils n'ont rien à faire, ne savent pas quoi faire (= oisif ; ≠ occupé).

■ **désœuvrement** n.m. SENS 1 *Il feuilletait un catalogue par désœuvrement* (= inaction ; ≠ activité).

offense n.f. se dit parfois pour *injure, insulte.*

■ **offenser** v. *Vous l'avez offensé sans le vouloir* (= blesser, froisser).

■ **offensant** adj. *Ces soupçons sont offensants* (= injurieux, blessant).

offensif adj. *Les armes offensives servent à attaquer* (≠ défensif).

■ **offensive** n.f. *L'ennemi a lancé une offensive,* une attaque.

■ **inoffensif** adj. *N'aie pas peur, ce chien est inoffensif* (≠ dangereux).

■ **contre-offensive** n.f. *Notre contre-offensive a surpris l'ennemi* (= contre-attaque).

office n.m. **1.** *Adressez-vous à l'office de tourisme,* à l'organisation qui renseigne les touristes. **2.** *En l'absence de Mme Chang, M. Dubois fait office de directeur,* il remplit cette fonction. **3.** *On a assisté à l'office de 10 heures,* à la cérémonie religieuse. **4.** *Tu as eu recours à nos bons offices,* à nos services. **5.** *Luce a été désignée d'office,* sans qu'on lui demande son avis.

officiel 1. adj. *Cette décision est officielle,* elle a été prise par les autorités, elle est reconnue publiquement (≠ officieux). **2.** n.m. *Les officiels sont sur la tribune,* les gens importants (= autorité).

■ **officiellement** adv. SENS 1 *On a averti* **officiellement** *ses parents,* de manière officielle.

■ **officialiser** v. SENS 1 *Sa nomination n'est pas encore* **officialisée,** rendue officielle.

officier n.m. 1. *Un lieutenant, un capitaine, un colonel sont des* **officiers,** ils ont un grade élevé dans l'armée. 2. *Un* **officier** *municipal a une fonction dans l'administration de la commune.*

■ **sous-officier** n.m. SENS 1 *Un sergent, un adjudant sont des* **sous-officiers,** des militaires de grade peu élevé.

officieux adj. *La démission du gouvernement est encore* **officieuse,** *elle n'a pas été confirmée par les autorités* (≠ officiel).

officine n.f. *Une* **officine** *est une pharmacie.*

■ **officinal** adj. *Les plantes* **officinales** *sont celles qu'on utilise en pharmacie.*

offrir v. 1. *Mes parents m'ont* **offert** *une montre,* ils m'en ont fait cadeau (= donner). 2. *Tu* **as offert** *de nous aider,* tu nous l'as proposé. 3. *Cette solution* **offre** *de nombreux avantages* (= présenter).

■ **offrande** n.f. SENS 1 *Les* **offrandes** *recueillies à cette fête de charité aideront à soulager des misères* (= don, cadeau).

■ **offre** n.f. SENS 2 *Tu as refusé mon* **offre,** ce que je te proposais.
R. → Conj. n° 16.

offusquer v. *Sa conduite nous* **a** *tous* **offusqués,** elle nous a beaucoup déplu (= choquer).

ogive n.f. 1. *Les fenêtres des cathédrales gothiques sont en* **ogive,** en forme d'arc brisé. 2. *Une* **ogive** *nucléaire est l'extrémité pointue d'un projectile nucléaire.*

■ **ogival** adj. SENS 1 *Cette église est de style* **ogival,** les voûtes et les vitraux sont en ogives.

ogre n.m., **ogresse** n.f. *Tu manges comme un* **ogre,** un géant cruel des contes de fées.

oh ! interj. sert à marquer la joie, la douleur, l'impatience, l'indignation.

oie n.f. 1. *La fermière élève des* **oies,** de gros oiseaux de basse-cour. 2. *Jeanne est une* **oie** (= sotte). | 362

oignon n.m. 1. *Nous avons mangé une soupe à l'* **oignon,** un légume. 2. *L'oignon d'une tulipe,* c'est sa racine. | 367
R. On prononce [ɔɲɔ̃].

oïl n.m. *Autrefois, on parlait la* **langue d'oïl,** dans la partie nord de la France (≠ langue d'oc).
R. On prononce [ɔjl].

oindre v. *L'évêque* **oint** *le front des enfants à qui il administre le sacrement de confirmation,* il le touche avec de l'huile bénite.

■ **onction** n.f. *Les rois de France recevaient l'* **onction** *du sacre,* un évêque leur oignait le front.
R. → Conj. n° 82.

oiseau n.m. 1. *Le moineau, le merle, la poule, l'aigle sont des* **oiseaux,** des animaux munis d'ailes. 2. *À vol d'oiseau,* il y a 10 km d'ici au village, en ligne droite. | 435

■ **oisillon** n.m. SENS 1 *Il y a quatre* **oisillons** *dans le nid,* quatre petits oiseaux.

oiseux adj. *Tu poses des questions* **oiseuses,** sans intérêt.

oisif adj. *M. Durand mène une vie* **oisive,** c'est un **oisif,** il ne travaille pas (= désœuvré, inactif ; ≠ actif).

■ **oisiveté** n.f. *Je n'aime pas rester dans l'* **oisiveté,** sans rien faire.

O.K. ! interj. se dit familièrement pour d'accord.
R. On prononce [ɔke].

365 **oléagineux** adj. et n.m. *L'arachide, l'olive, le colza sont des plantes oléagineuses (des oléagineux),* on en tire de l'huile.

577 **oléoduc** n.m. *Un oléoduc est un pipeline.*

olfactif adj. *Le nez est un organe olfactif,* il sert à percevoir les odeurs.

olibrius n.m. Fam. *Qu'est-ce que c'est que cet olibrius ?,* cette personne bizarre.
R. On prononce [ɔlibrijys].

oligarchie n.f. *Une oligarchie est un groupe de personnes qui accaparent le pouvoir.*

578 **olive** n.f. **1.** *En Italie, on fait la cuisine à l'huile d'olive,* un petit fruit ovale de couleur verte ou noire. **2.** *L'olive*
290 *de la lampe est cassée,* le petit interrupteur qui se trouve sur le fil électrique.
■ **olivâtre** adj. SENS 1 *Le malade avait un teint olivâtre* (= verdâtre).
578 ■ **olivier** n.m. SENS 1 *Il y a des oliviers dans le midi de la France.*
■ **oliveraie** n.f. SENS 1 *Une oliveraie est une plantation d'oliviers.*

olympique adj. *Les jeux Olympiques sont une compétition sportive internationale qui a lieu tous les quatre ans.*
■ **olympiade** n.f. *Une olympiade est une période de 4 ans qui s'écoule entre deux jeux olympiques.*

ombilical adj. *La coupure du cordon ombilical laisse une cicatrice sur le ventre qu'on appelle le nombril (ou ombilic),* du cordon qui reliait le fœtus à la mère.

ombre n.f. **1.** *Mets-toi à l'ombre de cet arbre,* ne reste pas au soleil. **2.** *La*
75 *lumière de la lampe dessine des ombres sur le mur,* des silhouettes sombres. **3.** *Pierre n'aime pas rester dans l'ombre,* il aime qu'on parle de lui (=

obscurité). **4.** *C'est lui que j'ai vu, il n'y a pas l'ombre d'un doute,* le plus petit doute.
■ **ombrage** n.m. **1.** SENS 1 *Ce chêne donne un bel ombrage* (= ombre). **2.** *Il a pris ombrage de mes paroles,* il s'en est vexé.
■ **ombragé** adj. SENS 1 *Un chemin ombragé mène à la rivière,* bordé d'arbres qui donnent de l'ombre.
■ **ombrageux** adj. **1.** SENS 2 *Un cheval ombrageux* peut prendre peur d'une ombre qui bouge. **2.** *Une personne ombrageuse* se vexe facilement.
■ **ombrelle** n.f. SENS 1 *Marie se protège du soleil avec une ombrelle.*

omelette n.f. *Nous avons mangé une omelette aux champignons,* un plat fait avec des œufs battus et cuits dans une poêle.

omettre v. *Tu as omis de me dire ton nom,* tu ne l'as pas fait, volontairement ou non.
■ **omission** n.f. *Il y a plusieurs omissions dans votre compte rendu,* plusieurs choses omises (= oubli, négligence).
R. → Conj. n° 57.

omni- placé au début d'un mot signifie « tout » : *Être omniscient,* c'est tout savoir.

omnibus adj. et n.m. *Un (train) omnibus s'arrête à toutes les gares* (≠ rapide, express).
R. On prononce [ɔmnibys].

omnisports adj.inv. *Dans un stade omnisports,* on pratique toute sorte de sports.

omnivore adj. *L'homme est omnivore,* il peut manger à la fois de la viande (comme les carnivores) et des végétaux (comme les herbivores).

omoplate n.f. *Les omoplates sont les os plats des épaules.*

on pron.indéfini **1.** *On me l'a dit* (= quelqu'un, des gens). **2.** *On doit penser aux autres* (= chacun, tout le monde).

once n.f. **1.** *L'once* est une ancienne mesure de masse (environ 30 grammes). **2.** *Il n'y a pas une once de vérité dans ses paroles,* la plus petite partie.

oncle n.m. *M. Durand est l'oncle de Cléa,* il est le frère ou le beau-frère de son père ou de sa mère.

onction → *oindre.*

onctueux adj. *Cette sauce est onctueuse,* d'une consistance douce (= velouté, lié).

onde n.f. **1.** *Quand on jette un caillou dans l'eau, il se produit des ondes,* l'eau s'élève et s'abaisse en formant des cercles. **2.** *Le son, l'électricité, la lumière sont constitués par des ondes,* des sortes de vibrations. **3.** *Quelle est la longueur d'onde de cette station de radio ?,* le chiffre qui permet de la trouver sur le cadran du poste. (Au plur.) *La nouvelle a été annoncée sur les ondes,* à la radio.

■ **ondoyer** v. SENS 1 *Les hautes herbes ondoient au vent,* elles font des sortes de vagues (= onduler).

■ **ondoyant** adj. SENS 1 *Hélène a une démarche ondoyante* (= souple, dansant).

■ **onduler** v. SENS 1 *Les hautes herbes ondulent* (= ondoyer). *Mais tes cheveux ondulent ?* (= friser, boucler). *Sur la cabane, il y a un toit en tôle ondulée,* dont la surface présente comme des plis en creux et en relief.

■ **ondulation** n.f. SENS 1 *Les ondulations de la route empêchent qu'on aille vite,* l'alternance des creux et des bosses.

ondée n.f. *Nous avons été surpris par une ondée,* une pluie soudaine et courte (= averse).

on-dit n.m.inv. *Il ne faut pas se fier à ces on-dit* (= rumeur, racontar).

ondoyant, ondoyer, ondulation, onduler → *onde.*

onéreux adj. *Ces travaux sont très onéreux* (= coûteux, cher ; ≠ bon marché).

ongle n.m. *Elle m'a griffé avec ses ongles trop longs !,* la partie dure qui recouvre l'extrémité des doigts. *La manucure fait les ongles des clientes du Salon de coiffure,* elle les coupe, les lime, y met du vernis.

■ **onglée** n.f. *Avoir l'onglée,* c'est avoir mal au bout des doigts à cause du froid.

onguent n.m. *Un onguent* est une sorte de pommade pharmaceutique.

onomatopée n.f. *« Coucou », « boum » sont des onomatopées,* des mots imitant par leur son ce qu'ils représentent.

onyx n.m. *Cette broche est en onyx,* une pierre rare.

onze adj. *Pierre va avoir onze ans.* 10 + 1 = 11.

■ **onzième** adj. et n. SENS 1 *Ce coureur est arrivé onzième.*

opale n.f. *Marie a une bague avec une opale,* une pierre précieuse à reflets changeants.

opaque adj. *Le bois, le fer, le carton sont des matières opaques,* qui ne laissent pas passer la lumière (≠ transparent).

opéra n.m. **1.** *Nous avons écouté un opéra de Wagner,* une pièce de théâtre chantée. **2.** *L'Opéra de Paris était plein,* le théâtre où l'on joue des opéras.

■ **opéra-comique** n.m. SENS 1 *Dans un opéra-comique, il y a des passages chantés et des passages parlés.*

■ **opérette** n.f. SENS 1 *Une opérette* est un petit opéra à sujet amusant.

33

563

563

opération n.f. **1.** *Vous pouvez essayer de réparer la voiture, mais c'est une* **opération** *difficile* (= travail, action). **2.** *On a fait une mauvaise* **opération** *financière* (= affaire). **3.** *J'ai subi l'***opération** *de l'appendicite, une chirurgienne m'a enlevé l'appendice.* **4.** *L'addition, la soustraction, la multiplication et la division sont les quatre* **opérations. 5.** *Les* **opérations** *se sont terminées par la victoire de nos troupes* (= combats).

■ **opérer** v. SENS 1 *Elle rangeait ses papiers et* **opérait** *avec rapidité* (= agir, travailler). SENS 3 *Jean* **a été opéré** *à l'hôpital de la ville.*

■ **opérable** adj. SENS 3 *La malade est trop faible : elle n'est pas* **opérable** *actuellement.*

■ **opérateur** n. SENS 1 *Un* **opérateur** *est un homme qui fait fonctionner un appareil.*

■ **opérationnel** adj. SENS 1 *L'appareil n'est pas encore au point, mais il sera bientôt* **opérationnel,** *en état de fonctionner.*

■ **opératoire** adj. SENS 3 *Le malade a bien résisté au choc* **opératoire,** *causé par l'opération.*

■ **inopérant** adj. SENS 1 *Tous les remèdes sont restés* **inopérants,** *sans efficacité* (= inefficace).

opérette → *opéra.*

ophtalmie n.f. *Je souffre d'une* **ophtalmie,** *d'une maladie des yeux.*

■ **ophtalmologie** n.f. *L'***ophtalmologie** *est une spécialité médicale qui s'occupe des maladies des yeux.*

■ **ophtalmologiste** n. *J'irai chez l'***ophtalmologiste,** *un médecin spécialiste des yeux* (= oculiste).

opiner → *opinion.*

opiniâtre adj. *On a réussi au prix d'un travail* **opiniâtre** (= acharné).

■ **opiniâtreté** n.f. *Par son* **opiniâtreté,** *elle est venue à bout des difficultés* (= acharnement, obstination).

opinion n.f. **1.** *Tout le monde a donné son* **opinion,** *a dit ce qu'il pensait* (= avis, idée). **2.** *Ce meurtre a indigné l'***opinion (publique),** *la majorité des gens.*

■ **opiner** v. SENS 1 *Tout le monde a* **opiné** *dans le même sens,* *a donné son opinion.*

opium n.m. *L'***opium** *est une drogue dangereuse qui provoque une sorte d'assoupissement.*

■ **opiomane** n. *Les* **opiomanes** *sont des drogués qui ne peuvent plus se passer d'opium.*

R. *Opium* se prononce [ɔpjɔm].

opportun adj. *On a choisi le moment* **opportun** *pour partir,* *le moment qui convenait* (= propice, approprié, bon ; ≠ déplacé, importun).

■ **opportunément** adv. *Tu arrives* **opportunément** (= à propos).

■ **opportunisme** n.m. *On lui reproche son* **opportunisme,** *d'agir sans scrupule en suivant ses seuls intérêts du moment.*

■ **opportuniste** n. et adj. *Cet homme politique est un* **opportuniste.**

■ **opportunité** n.f. *Je ne vois pas l'***opportunité** *de cette démarche* (= utilité).

■ **inopportun** adj. *Ton arrivée a été* **inopportune** (= malencontreux, fâcheux).

opposer v. **1.** *Dans la discussion, Pierre* **s'est opposé** *à moi,* *il est entré en lutte contre moi* (= affronter). **2.** *Je* **m'oppose** *à ce que tu partes demain,* *je ne le veux pas, je suis contre* (≠ permettre). **3.** *Tu n'as rien pu* **opposer** *à mes arguments,* *tu n'as rien pu dire contre eux.* **4.** *Dans son devoir, Paul* **a opposé** *la ville et la campagne,* *il a dit en quoi elles sont différentes* (≠ rapprocher).

→ p. 585

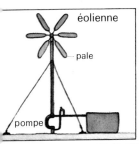

éolienne

pale

pompe

caravane

LE DÉSERT

577

ballots

chamelier

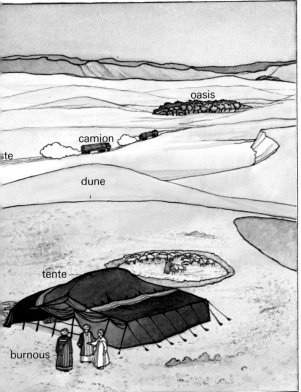

palmier (dattier)

dattes

épines

cactus

oasis

camion

ste

dune

tente

burnous

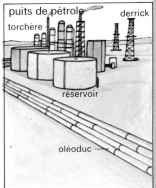

puits de pétrole

torchère

derrick

réservoir

oléoduc

criquet

dard

orpion

vipère des sables

fennec

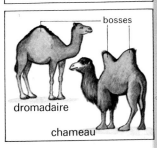

bosses

dromadaire

chameau

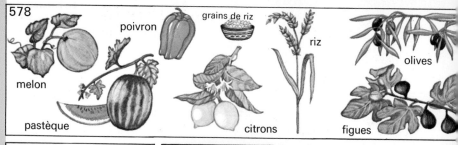

melon

poivron

grains de riz

riz

olives

pastèque

citrons

figues

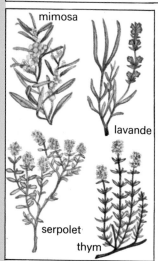

mimosa

lavande

serpolet

thym

îlot

culture en terras

oliviers

aloès

la pétanque

boule — cochonnet

vignoble

sulfatage

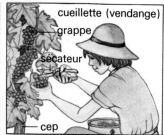

cueillette (vendange)

grappe

sécateur

cep

hotte

vigne

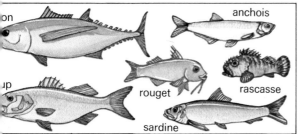

anchois

on

rouget

rascasse

up

sardine

hirondelle

aigrette

flamant
rose

grue

pieds
palmés

presqu'île

ruines

corniche

cyprès

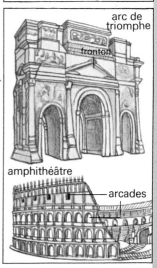

arc de
triomphe

fronton

amphithéâtre

arcades

pressoir

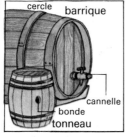

cercle barrique

cannelle
bonde
tonneau

bouteille

bouchon

goulot

étiquette

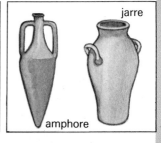

jarre

amphore

580

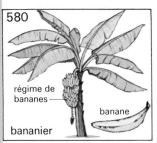

régime de bananes — banane

bananier

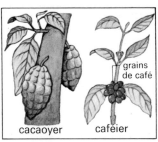

grains de café

cacaoyer   caféier

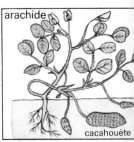

arachide

cacahouète

noix de coco

cocotier

baobab

forêt équatoriale

lianes

giraf

zèbre

antilope

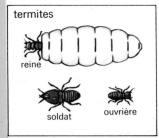

termites

reine

soldat   ouvrière

python

crocodile

chimpanzé

gor

upeau
buffles

pasteur

grenier ou
réserve
lacustre

pilotis

pirogue

pagaie

éruption

coulée de lave

volcan

savane

feu de
brousse

éléphants

rhinocéros

buffles

lion

chacal

hyène

lionne

gazelle

exploitation forestière

grume

roues jumelées

mine de diamants

excavatrice

diamant brut   diamant taillé

utruche

ibis

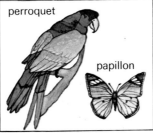

perroquet

papillon

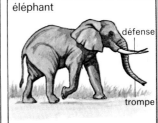

éléphant

défense

trompe

582

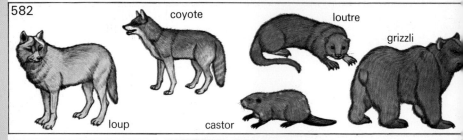

coyote
loutre
grizzli
loup
castor

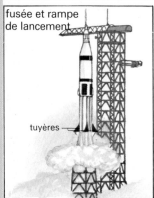

fusée et rampe
de lancement

tuyères

gratte-ciel (buildings)

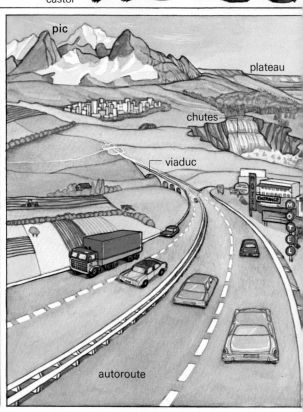

pic
plateau
chutes
viaduc
autoroute

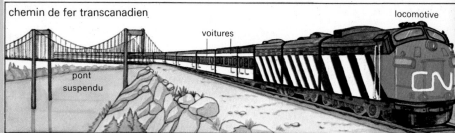

chemin de fer transcanadien
locomotive
voitures
pont
suspendu

puma
bison
alligator

flottage du bois

piton

cañon

geyser

silos à grains

lac

embarcadère

panneau publicitaire

conifères

Far West

ranch

cow-boy

bœufs

grande culture

récolte du blé (moisson)

e d'érable   cabane à sucre

fumeau

érablière

feuille d'érable

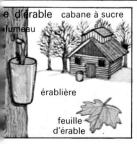

coton

soja

gousse

épi

maïs

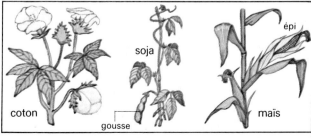

584 PAYSAGE POLAIRE

baleinier

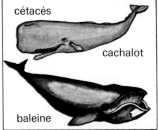
cétacés
cachalot
baleine

phoque
mor

construction d'un igloo

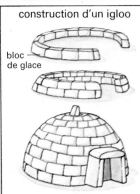
bloc
de glace

inuit

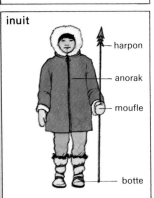
harpon
anorak
moufle
botte

aurore boréale
station météorologique
banquise
brise-glace
iceberg

attelage

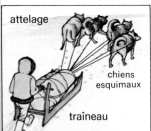
chiens
esquimaux
traîneau

bois
manchots
renne
(caribou
ours blanc

■**opposant** n. SENS 1, 2 ET 3 *Le ministre a essayé de convaincre les opposants,* ceux qui sont contre sa politique.

■**opposé** adj. et n.m. SENS 4 *Aïcha et Saïd sont d'avis opposés,* très différents (= contraire). *L'opposé du nord est le sud,* la direction contraire.

■**opposition** n.f. SENS 1, 2 ET 3 *Elle a fait opposition à mes projets,* elle s'y est opposée. *L'opposition a voté contre le gouvernement,* ceux qui sont contre sa politique. SENS 4 *L'opposition entre leurs caractères est totale* (= différence, contraste).

oppression n.f. 1. *Le peuple s'est révolté contre l'oppression,* l'abus d'autorité. 2. *Le malade a de l'oppression,* de la difficulté à respirer.

■**oppresser** v. SENS 2 *Karin est oppressée par la chaleur,* elle respire difficilement.

■**oppresseur** n.m. SENS 1 *Les oppresseurs ont été chassés du pouvoir* (= tyran).

■**oppressif** adj. SENS 1 *On a protesté contre ces mesures oppressives* (= injuste).

■**opprimer** v. SENS 1 *Opprimer des gens,* c'est les soumettre à une autorité injuste, les empêcher de s'exprimer.

opprobre n.m. *De tels individus sont l'opprobre de l'humanité,* la honte, le déshonneur.

opter → *option.*

opticien → *optique.*

optimiste adj. et n. *Pierre est un (garçon) optimiste,* il voit les choses du bon côté (≠ pessimiste).

■**optimisme** n.m. *Tu vois l'avenir avec optimisme* (= confiance ; ≠ pessimisme).

■**optimal** adj. *L'expérience a eu lieu dans des conditions optimales,* dans les meilleurs conditions. (On dit aussi *des conditions* **optimums**.)

option n.f. *Tu as le choix entre plusieurs options,* tu peux choisir.

■**optionnel** adj. *À cet examen, le latin est une matière optionnelle,* une matière qu'on a le droit de choisir ou de laisser.

■**opter** v. *Francesca a opté pour la nationalité anglaise,* elle l'a choisie.

optique n.f. 1. *Les jumelles, la loupe, le microscope sont des instruments d'optique,* permettant de mieux voir. 2. *Tu as une optique différente de la mienne,* une manière de voir les choses (= point de vue).

■**optique** adj. SENS 1 *Le nerf optique relie l'œil et le cerveau.*

■**opticien** n. SENS 1 *Seydou est allé se faire faire des lunettes chez l'opticien.*

R. Ne pas confondre *l'oculiste* et *l'opticien.*

opulent adj. *Être opulent,* c'est être très riche.

■**opulence** n.f. *Nous vivons dans l'opulence* (≠ misère).

opuscule n.m. *Un opuscule est un petit livre.*

1. or n.m. 1. *Pierre a un bracelet en or,* en métal précieux jaune. 2. *Myriam a un cœur d'or,* elle est très généreuse. R. *Or* se prononce [ɔr] comme *hors.*

2. or conj. relie les idées dans un raisonnement, en soulignant une opposition : *Nous devons partir,* **or** *nous ne sommes pas prêts.*

oracle n.m. *Tout le monde t'écoute comme un oracle,* comme si tu annonçais la volonté d'un dieu.

orage n.m. 1. *On entend du tonnerre, un orage va éclater,* une pluie avec des éclairs et du vent. 2. *Le directeur est furieux, il y a de l'orage dans l'air,* sa colère va éclater.

365

■ **orageux** adj. SENS 1 *L'été a été orageux,* il y a eu beaucoup d'orages. SENS 2 *Nous avons eu une discussion orageuse* (= agité ; ≠ calme).

oraison n.f. *Le prêtre lit des oraisons,* des prières.

oral adj. *On m'a donné une promesse orale,* en paroles, non écrite (= verbal).
■ **oral** n.m. *Sandra a été collée aux oraux de son examen,* aux épreuves orales (≠ écrit).
■ **oralement** adv. *Répondez oralement* (≠ par écrit).

orange 1. n.f. *J'ai épluché une orange,* un fruit des pays chauds dont la peau a une couleur jaune proche du rouge. **2.** adj.inv. *Marie a une robe orange,* de la couleur de l'orange.
■ **orangé** adj. et n.m. SENS 2 *Cette peinture a une teinte orangée,* qui se rapproche de l'orange.
■ **orangeade** n.f. SENS 1 Une *orangeade* est une boisson faite de jus d'orange, de sucre et d'eau.
■ **oranger** n.m. SENS 1 *Les orangers poussent dans les pays chauds.*
■ **orangeraie** n.f. SENS 1 Une *orangeraie* est un lieu planté d'orangers.
■ **orangerie** n.f. SENS 1 *Nous avons visité l'orangerie de Versailles,* un bâtiment où l'on cultive des orangers.

orang-outan ou **orang-outang** n.m. *Au zoo, nous avons vu un orang-outan,* un très grand singe.
R. On prononce [ɔrãutã]. Noter le pluriel : des *orangs-outans.*

orateur n. *Laissez parler l'orateur,* celui qui prononce un discours.
■ **oratoire** adj. *Cette avocate aime les effets oratoires,* les effets d'éloquence.

orbite n.f. **1.** *L'orbite d'un œil,* c'est la cavité où il se trouve. **2.** *La Terre* décrit une *orbite* autour du Soleil, une trajectoire courbe.
■ **exorbité** adj. SENS 1 *Tu me regardes avec des yeux exorbités,* très grands ouverts, comme s'ils allaient sortir de leur orbite.

orchestre n.m. **1.** *Nous sommes allés écouter un orchestre de jazz,* un groupe de musiciens. **2.** *Au théâtre, nous avions des fauteuils d'orchestre,* près de la scène (≠ balcon).
■ **orchestrer** v. *Sa campagne électorale a été très bien orchestrée,* elle a été organisée, conduite méthodiquement.
R. On prononce [ɔrkɛstr].

orchidée n.f. *On lui a offert une gerbe d'orchidées,* de fleurs rares.
R. On prononce [ɔrkide].

ordinaire adj. **1.** *Tu n'as pas aujourd'hui ta gaieté ordinaire* (= habituel, coutumier, normal ; ≠ exceptionnel). **2.** *Les Dupont sont des gens ordinaires,* ils ne se distinguent pas des autres (= banal ; ≠ distingué).
■ **ordinaire** n.m. SENS 2 *Ce livre sort de l'ordinaire,* il est supérieur aux autres. SENS 1 *D'ordinaire, je me lève à 7 heures* (= habituellement).
■ **ordinairement** adv. SENS 1 *Ordinairement, je viens le jeudi* (= d'ordinaire, généralement).
■ **extraordinaire** adj. SENS 1 *Le parti a tenu un congrès extraordinaire* (= exceptionnel). SENS 2 *Tu as une mémoire extraordinaire,* très bonne (= remarquable).
■ **extraordinairement** adv. *Cette question est extraordinairement compliquée* (= incroyablement, formidablement).

ordinal adj. *Premier, second, dixième, centième sont des nombres ordinaux* (≠ cardinal).

ordinateur n.m. Les *ordinateurs* sont des machines électroniques pouvant faire toutes sortes de calculs.

ordre n.m. **1.** Les chiffres 6, 9, 7, 4 ne sont pas dans l'ordre, ils ne sont pas rangés régulièrement, ils ne se suivent pas. **2.** Josée a mis de l'ordre dans ses affaires, elle les a rangées. **3.** Pierre a de l'ordre, il range toujours ses affaires. **4.** La police a rétabli l'ordre, elle a fait cesser les troubles. **5.** Elle m'a donné l'ordre de partir, elle m'a dit qu'il fallait le faire (= commandement ; ≠ interdiction). **6.** À quel ordre appartient ce moine ? (= congrégation). L'ordre des médecins regroupe tous les médecins (= association). **7.** L'ordre est un sacrement que l'on reçoit pour devenir prêtre catholique.

■ **ordonnance** n.f. **1.** SENS 1, 2 ET 3 *Elle a troublé l'ordonnance de la cérémonie,* elle y a mis du désordre (= organisation, arrangement). SENS 5 *Une ordonnance ministérielle contient des mesures qui doivent être appliquées.* Le médecin a fait une *ordonnance,* elle a indiqué sur une feuille de papier (qui s'appelle aussi *ordonnance*) les médicaments à prendre. **2.** Les officiers ont une *ordonnance,* un soldat qui leur sert de domestique.

■ **ordonné** adj. SENS 2 ET 3 *Lori est une fille ordonnée,* elle a de l'ordre.

■ **ordonner** v. SENS 1, 2 ET 3 *Claude ne sait pas ordonner ses idées,* les mettre en ordre (= classer). SENS 5 *Je vous ordonne de sortir* (= commander). SENS 7 *Le séminariste a été ordonné prêtre par l'évêque,* il a reçu le sacrement de l'ordre.

■ **ordination** n.f. SENS 7 *Les prêtres reçoivent l'ordination,* le sacrement de l'ordre.

■ **contrordre** n.m. SENS 5 *Un contrordre nous a empêchés de partir,* un ordre contraire.

■ **désordre** n.m. SENS 1, 2 ET 3 *La maison est en désordre, il faudrait la ranger.*

■ **désordonné** adj. SENS 1, 2 ET 3 *Cette maison est désordonnée* (≠ rangé).

ordures n.f.pl. *Le dépôt d'ordures sent mauvais* (= saletés, déchets). 217

■ **ordurier** adj. *Il a un langage ordurier,* il dit des gros mots.

orée n.f. *On a trouvé des champignons à l'orée du bois* (= bordure, lisière).

oreille n.f. **1.** *Il y avait tellement de bruit qu'il fallait se boucher les oreilles.* 33 *Lise a l'oreille fine,* elle entend bien. **2.** *Faire la sourde oreille,* c'est faire semblant de ne pas entendre.

oreiller n.m. *Marie aime mieux dormir sur un oreiller que sur un traversin,* une sorte de coussin pour la tête. 77, 38

oreillette n.f. *Les oreillettes* sont les compartiments supérieurs du cœur.

oreillons n.m.pl. *Mon petit frère a eu les oreillons,* une maladie contagieuse qui fait enfler le cou, sous les oreilles.

d'ores et déjà adv. *Je peux d'ores et déjà vous prédire un échec,* dès maintenant.

orfèvre n.m. *Les orfèvres fabriquent des objets en métal précieux.*

■ **orfèvrerie** n.f. *Ce vase d'argent est un travail d'orfèvrerie.*

organdi n.m. *J'ai reçu une écharpe d'organdi,* un tissu très léger.

organe n.m. **1.** *Les yeux sont les organes de la vue, les oreilles sont les organes de l'ouïe,* les parties du corps qui servent à voir, à entendre. **2.** *Ce journal est l'organe du parti socialiste,* il exprime les idées de ce parti.

■ **organique** adj. SENS 1 *Les matières organiques proviennent des êtres vivants* (≠ chimique).

■**organisme** n.m. **1.** SENS 1 *L'ensemble des organes constitue l'organisme* (= corps). **2.** *Je travaille dans un organisme de tourisme,* une association qui s'occupe de tourisme.

organisation n.f. **1.** *L'organisation de ton travail n'était pas bonne,* la manière dont tu l'organises. **2.** *Les partis sont des organisations politiques* (= association, groupement).

■**organiser** v. SENS 1 *Cette agence organise des voyages à l'étranger,* elle les prépare pour qu'ils se passent bien.

■**organisé** adj. SENS 1 *M. Muller est très organisé,* il règle très bien sa vie, ses affaires (= ordonné). *Cet été, nous avons fait un voyage organisé,* un voyage en groupe, préparé d'avance.

■**organisateur** n. SENS 1 *Mme Durand est l'organisatrice de la fête,* elle l'a préparée.

■**désorganiser** v. SENS 1 *Il est venu désorganiser notre travail,* y mettre du désordre (= déranger).

■**réorganiser** v. SENS 1 *Il faut réorganiser ce bureau,* y remettre de l'ordre.

organisme → *organe.*

organiste → *orgue.*

364 **orge** n.f. *L'orge sert à alimenter le bétail et à fabriquer la bière,* une sorte de céréale.

orgelet n.m. *Un orgelet est un petit furoncle sur le bord de la paupière.*

orgie n.f. *La fête s'est terminée par une orgie,* les gens mangeaient, buvaient trop et se tenaient mal.

148 **orgue** n.m. *Dans cette église, il y a un orgue magnifique,* un grand instrument de musique à vent.

148 ■**organiste** n. *L'organiste s'est assis devant son clavier,* le joueur d'orgue.
R. On emploie aussi *orgue* au féminin pluriel : *Elle a joué une fugue aux grandes orgues.*

orgueil n.m. *Son orgueil l'a fait détester par tout le monde,* sa trop grande fierté (≠ modestie).

■**orgueilleux** adj. et n. *C'est une personne orgueilleuse* (= prétentieux ; ≠ humble).

■**s'enorgueillir** v. *Pierre s'enorgueillit de son succès,* il en est fier (= se vanter).
R. *S'enorgueillir* se prononce [sɑ̃nɔrgœjir]. Attention à l'orthographe : le *u* est avant le *e.*

orient n.m. **1.** *Orient* se dit quelquefois pour *est* (= levant ; ≠ occident). **2.** L'*Orient,* ce sont les pays d'Asie, les pays à l'est de l'Europe.

■**oriental** adj. et n. SENS 1 ET 2 *New York est sur la côte orientale des États-Unis* (≠ occidental). *Les Orientaux ont des coutumes différentes des Occidentaux.*

orienter v. **1.** *Il est difficile de s'orienter dans l'obscurité,* de trouver la bonne direction (= se diriger). **2.** *On a orienté les recherches vers une nouvelle piste,* on les a poussées de ce côté.

■**orientable** adj. SENS 1 *Le mât de la planche à voile est orientable,* on peut l'orienter.

■**orientation** n.f. SENS 1 *Quelle est l'orientation de cette maison ?,* comment est-elle disposée par rapport aux points cardinaux ?

■**désorienter** v. SENS 1 *Elle a été désorientée par mes paroles,* elle ne savait plus quoi faire (= déconcerter, dérouter).

orifice n.m. *L'orifice de la canalisation est bouché,* son ouverture vers l'extérieur.

oriflamme n.f. *Une oriflamme est un drapeau long et étroit fixé au haut d'un mât.*

originaire → *origine.*

original 1. adj. *Tu as des idées originales,* qui sortent de l'ordinaire (= personnel, nouveau ; ≠ banal, ordinaire). **2.** adj. et n.m. *Ce dessin ressemble exactement à l'original (au dessin original),* à celui qui a servi de modèle (≠ copie). **3.** n. *M. Durand est un original,* un personnage bizarre, excentrique.
■ **originalité** n.f. SENS 1 *Dominique manque d'originalité* (= personnalité).

origine n.f. **1.** *Pour trouver l'erreur, on a repris les calculs à l'origine,* au point de départ (= début). **2.** *Son travail est à l'origine de sa réussite,* il en est la cause. **3.** *Ses parents sont d'origine anglaise,* ils sont nés anglais.
■ **originaire** adj. SENS 3 *Carlos est originaire d'Espagne,* il y est né (= natif).
■ **originel** adj. SENS 1 *Le péché originel* est le premier péché commis par l'homme, selon la Bible.

original n.m. *L'original* est un animal de nos forêts, à grandes cornes.

oripeaux n.m.pl. *Des oripeaux sont* de vieux habits de mauvais goût.

orme n.m. *L'allée est bordée d'ormes,* de grands arbres.

ormeau n.m. *L'ormeau* est un coquillage de mer.

orner v. *Ce livre est orné de belles photos,* celles-ci l'embellissent (= décorer).
■ **ornement** n.m. *Marie porte une robe sans aucun ornement,* sans bijou, sans élément décoratif.
■ **ornemental** adj. *Marie a des plantes ornementales sur son balcon,* servant à l'orner.

ornière n.f. *Le chemin est plein d'ornières,* de trous, de sillons creusés par des roues de voitures.

ornithologie n.f. *L'ornithologie* est la science qui étudie les oiseaux.
■ **ornithologue** n. *L'ornithologue a enregistré les cris des oiseaux dans la forêt.*

oronge n.f. *L'oronge* est un type de champignon.

orphelin n. *Karim est orphelin,* ses parents sont morts.
■ **orphelinat** n.m. *Un orphelinat* est un établissement où l'on élève les orphelins.

orteil n.m. *Les orteils* sont les doigts des pieds. *Le gros orteil* est le plus gros doigt de pied.

orthodoxe 1. adj. *Des idées orthodoxes sont conformes à la doctrine officielle* (≠ hérétique). **2.** n. et adj. *Les orthodoxes sont les chrétiens d'Orient qui n'obéissent pas au pape.*

orthographe n.f. *Si tu hésites sur l'orthographe d'un mot, regarde dans le dictionnaire,* sur la manière de l'écrire.
■ **orthographier** v. *Tu as mal orthographié ce mot,* tu as fait une faute d'orthographe.
■ **orthographique** adj. *Cette dictée contient plusieurs difficultés orthographiques.*

orthopédique adj. *Jean boite et il doit porter un appareil orthopédique,* qui lui permet de mieux marcher.

orthophoniste n. *Une orthophoniste* est une spécialiste qui corrige les défauts de prononciation.

ortie n.f. *Lori s'est piquée en arrachant une ortie,* une plante.

ortolan n.m. *Les ortolans* sont de petits oiseaux à la chair très appréciée.

orvet n.m. *Un orvet* est un petit lézard sans pattes.

os n.m. *L'ensemble des os forme le squelette.*

33

■**osselet** n.m. Un *osselet* est un petit os.

■**ossements** n.m.pl. Les *ossements* sont les os décharnés d'un cadavre.

■**osseux** adj. *J'ai une maladie osseuse,* des os. *Le casoar porte un casque osseux au-dessus de la tête,* en os, constitué par de l'os.

■**ossuaire** n.m. *On conserve les ossements des morts dans un ossuaire,* un local spécial.

■**désosser** v. *Le cuisinier a désossé le poulet,* il a enlevé les os.
R. On prononce *des os* [dezo] au pluriel.

osciller v. *Le fauteuil à bascule oscille d'avant en arrière,* il a un mouvement de va-et-vient (= se balancer).

■**oscillation** n.f. *Les oscillations du bateau l'ont rendue malade,* les mouvements de va-et-vient.

366 **oseille** n.f. *J'aime bien la soupe à l'oseille,* un légume acide.

oser v. *Il a osé dire ce qu'il pensait,* il en a eu le courage (≠ craindre).

■**osé** adj. *Ses plaisanteries sont parfois osées,* elles sont hardies, lestes.

osier n.m. *Je fais mon marché avec un panier d'osier,* fait de tiges souples tressées.

osselet, ossements, osseux, ossuaire → *os.*

ostensible adj. *Elle est partie de façon ostensible,* sans se cacher (≠ discret).

■**ostensiblement** adv. *Tu as ostensiblement refusé de lui serrer la main,* sans te cacher, de façon voyante.

149 **ostensoir** n.m. *L'hostie consacrée par le prêtre est dans l'ostensoir,* un vase sacré.

ostentation n.f. *Ils étalent avec ostentation leur luxe* (≠ discrétion).

otage n.m. *Les pirates de l'air ont gardé les passagers comme otages,* ils les ont gardés prisonniers pour obtenir quelque chose en échange.

otarie n.f. Une *otarie* est une sorte de phoque.

ôter v. 1. *Il a ôté ses gants pour me dire bonjour* (= enlever, retirer ; ≠ garder). 2. *La fatigue m'ôte tout mon courage* (= enlever ; ≠ laisser).

otite n.f. *Marie a une otite,* une maladie des oreilles.

oto-rhino-laryngologiste n. Une *oto-rhino-laryngologiste* (ou une *oto-rhino*) est un médecin qui soigne les maladies des oreilles, du nez et de la gorge.

ou conj. sert à indiquer soit un choix, soit une équivalence : *Que préfères-tu : la pêche ou la poire ? Je partirai demain ou bien après-demain.*
R. *Ou* se prononce [u] comme *août, houe, houx* et *où.*

où 1. adv. sert à interroger sur le lieu, la direction : *Où es-tu ? Où va-t-il ?* 2. pron.relatif sert à représenter un complément de lieu : *La ville où j'habite est Sudbury ;* ou de temps : *Il part à l'heure où j'arrive.*
R. *Où* se distingue de *ou* par l'accent grave.

ouailles n.f.pl. *Les ouailles d'un curé,* ce sont les fidèles de sa paroisse.

ouate n.f. *À la pharmacie, on a acheté un paquet d'ouate,* de coton pour faire des pansements.
R. On peut dire : *de la ouate* ou *de l'ouate.*

oublier v. 1. *J'ai oublié le nom de cette dame,* il m'est sorti de la mémoire (≠ se rappeler, se souvenir). 2. *Il a oublié de porter cette lettre à la poste,* il n'a pas pensé à le faire (= négliger).

■**oubli** n.m. SENS 1 ET 2 *J'ai commis un oubli fâcheux* (= étourderie, négligence).

■ **oubliettes** n.f.pl. SENS 1 ET 2 *Autrefois, on laissait des prisonniers dans des **oubliettes**, des cachots.*

■ **oublieux** adj. SENS 2 *Jean est oublieux de ses devoirs, il les oublie.*

■ **inoubliable** adj. SENS 1 *Nous avons passé une journée **inoubliable**, nous nous en souviendrons.*

oued n.m. *Un **oued** est un cours d'eau qui s'assèche à certaines périodes dans des régions arides.*

ouest n.m. et adj.inv. *Aujourd'hui, le vent vient de l'**ouest**. Le Manitoba est à l'**ouest** de l'Ontario. Nous avons passé nos vacances sur la côte **ouest** (≠ est).*
R. → *occident.*

ouf ! interj. exprime le soulagement : *Ouf ! c'est fini !*

oui adv. sert à affirmer, à accepter : *Tu viens ? — Oui.*

ouïe n.f. **1.** *Lise a une bonne **ouïe**, elle perçoit bien les sons, elle a l'oreille fine.* **2.** (au plur.) *J'ai pris le poisson par les **ouïes**, les trous qui sont de chaque côté de la tête.* **3.** (au plur.) *Les **ouïes** d'un violon, d'un violoncelle sont les deux ouvertures en forme de S de chaque côté des cordes.*

■ **ouï-dire** n.m.inv. SENS 1 *J'ai su la nouvelle par **ouï-dire**, pour l'avoir entendu dire.*

■ **ouïr** v. SENS 1 se disait autrefois pour *entendre.*

ouistiti n.m. *Un **ouistiti** est un tout petit singe.*

oukase → *ukase.*

ouragan n.m. *Un **ouragan** a dévasté la côte, une très violente tempête (= cyclone, typhon).*

ourdir v. *Ils avaient **ourdi** un complot contre le gouvernement (= préparer, organiser).*

ourlet n.m. *L'**ourlet** de ta robe est décousu, la partie repliée et cousue sur le bord.* | 296

■ **ourler** v. *Tu sais **ourler** les mouchoirs ?, leur faire un ourlet.*

ours n.m. **1.** *Nous avons vu les **ours** du zoo, des animaux sauvages au corps massif.* **2.** *M. Ronchon est un **ours**, il a mauvais caractère.* | 584

■ **ourse** n.f. SENS 1 *L'**ourse** est la femelle de l'ours.*

■ **ourson** n.m. SENS 1 *L'**ourson** est le petit de l'ours.*

oursin n.m. *Les **oursins** sont des animaux marins dont la carapace est couverte de piquants.* | 722

ourson → *ours.*

oust ! interj. sert à chasser quelqu'un : *Allez **oust** !*

outarde n.f. *L'**outarde** ou bernache du Canada est une sorte d'oie sauvage.*

outil n.m. *Le marteau, la pioche, la pelle sont des **outils**, des objets servant à travailler.* | 367, 289

■ **outillage** n.m. *La truelle et le fil à plomb font partie de l'**outillage** du maçon, de ses outils.*

■ **outiller** v. *Je suis mal **outillée** pour faire ce travail, je n'ai pas les outils qu'il faut.*
R. *Outil* se prononce [uti].

outrage n.m. *Je ne lui pardonnerai jamais cet **outrage**, cette grave injure (= offense).*

■ **outrager** v. *Ces accusations l'ont **outragé**, gravement offensé, insulté.*

outrance n.f. **1.** *Ruth s'est excusée de ses **outrances** de langage (= excès).* **2.** *Il faudra travailler à **outrance** pour achever à temps (= intensément, beaucoup).*

■ **outrancier** adj. SENS 1 *Ses propos **outranciers** ont scandalisé tout le monde (= excessif).*

1. outre 1. prép. *Outre leur chien, ils ont deux chats* (= en plus de). *Je ne m'inquiète pas outre mesure* (= plus qu'il ne faut). **2.** adv. *Elle est arrivée en retard, et en outre elle ne s'est pas excusée* (= de plus). **3.** adv. *Je lui ai dit mon avis, mais il a passé outre,* il n'en a pas tenu compte. **R.** Placé devant un nom avec un trait d'union, *outre* signifie « au-delà de » *(outre-Atlantique, outre-Rhin).*

2. outre n.f. *Il ne reste plus d'eau dans l'outre,* un sac en peau de bouc.

outrecuidance n.f. *Sa réponse est d'une outrecuidance insupportable,* elle fait preuve d'une excessive confiance en soi (= présomption, suffisance).

outremer n.m. *L'outremer* est une nuance de bleu.

outre-mer → *mer.*

outrepasser v. *Joyce a outrepassé ses droits,* elle n'avait pas le droit d'agir ainsi, elle a dépassé la limite de ses droits.

outrer v. *Les paroles de Jean m'ont outré* (= indigner, scandaliser). *Je suis outrée d'un tel sans-gêne !* **R.** Ce verbe ne s'emploie qu'aux temps composés.

outsider n.m. *La course a été gagnée par un outsider,* par un concurrent inattendu (≠ favori). **R.** On prononce [awtsajdœr].

ouvert adj. **1.** *Il fait froid, ne laisse pas la fenêtre ouverte* (≠ fermé). **2.** *La chasse est ouverte depuis hier,* la période de la chasse a commencé hier. **3.** *Jean est un garçon ouvert,* il est franc et cordial (≠ renfermé, secret). ■ **ouvertement** adv. SENS 3 *Dominique agit toujours ouvertement,* sans se cacher (≠ secrètement).

■ **ouverture** n.f. **1.** SENS 1 *L'ouverture de ce magasin a lieu à 8 heures,* il ouvre à 8 heures. SENS 2 *L'ouverture de la pêche a lieu demain* (= début). **2.** *Il y a trois ouvertures dans ce mur* (= passage, trou).

■ **ouvrir** v. SENS 1 *On frappe, va ouvrir la porte* (≠ fermer). *Ce magasin n'ouvre pas le lundi.* SENS 2 *La police a ouvert une enquête* (= commencer).

■ **ouvre-boîtes** n.m.inv. SENS 1 *Un ouvre-boîtes sert à ouvrir les boîtes de conserve.*

■ **entrouvrir** v. SENS 1 *Marie a entrouvert la fenêtre,* elle l'a ouverte un petit peu.

■ **rouvrir** v. SENS 1 *Rouvrez votre livre à la page 10.*

■ **réouverture** n.f. SENS 1 *La réouverture du magasin est prévue début septembre.* **R.** *Ouvrir, entrouvrir, rouvrir* → conj. n° 16.

ouvrable adj. *Les jours ouvrables,* ce sont les jours de travail (≠ férié).

ouvrage n.m. **1.** *Maria a terminé un ouvrage difficile* (= travail, tâche). **2.** *As-tu le dernier ouvrage de cet écrivain ?* (= livre, œuvre). ■ **ouvragé** adj. SENS 1 *Ce buffet est très ouvragé,* travaillé avec beaucoup de soin.

ouvre-boîtes → *ouvert.*

ouvreuse n.f. *L'ouvreuse* est la personne qui place les spectateurs.

ouvrier adj. et n. *La classe ouvrière est formée par l'ensemble des ouvriers,* de ceux qui travaillent de leurs mains. *M. Sanchez est ouvrier dans une usine.* ■ **ouvrière** n.f. *Chez les abeilles, les fourmis, les termites, les ouvrières travaillent activement,* les femelles qui ont pour fonction de travailler.

ouvrir → *ouvert.*

ovaire n.m. L'*ovaire* d'une fleur est la partie du pistil qui contient les ovules.

ovale adj. *On joue au football avec un ballon* ***ovale****, en forme d'œuf.*

ovation n.f. *Les acteurs ont reçu une* ***ovation*** *du public,* ils ont été acclamés.

ovin adj. *La race* ***ovine****,* c'est la race des moutons.

ovipare adj. *Les oiseaux sont* ***ovipares****,* ils se reproduisent en pondant des œufs (≠ vivipare).

ovni n.m. *Tu prétends avoir vu un* ***ovni*** *dans le ciel ?,* un engin volant d'origine mystérieuse.

ovule n.m. L'*ovule* d'une fleur est l'organe qui se transformera en graine.

oxyde n.m. *Dans ce garage fermé, ne fais pas marcher le moteur de la voiture, on risque de respirer de l'*oxyde *de carbone,* un mélange d'oxygène et de carbone.

■ **oxyder** v. *Le fer* ***s'oxyde*** *à l'humidité,* il s'abîme quand il est en contact avec l'oxygène de l'air (= rouiller).

■ **oxydation** n.f. *Le minium protège le fer de l'*oxydation (= rouille).

■ **inoxydable** adj. *Ce couteau est en acier* ***inoxydable****,* il ne peut pas s'oxyder.

oxygène n.m. *Les êtres vivants respirent de l'*oxygène*,* un gaz contenu dans l'air.

■ **oxygéné** adj. *On met de l'*eau ***oxygénée*** *sur les écorchures,* un produit désinfectant.

38, 152

p

pacha n.m. *Ce gros paresseux se fait servir comme un **pacha**,* comme un noble de l'ancienne Turquie.

pachyderme n.m. *L'éléphant, l'hippopotame, le rhinocéros sont des **pachydermes**,* des animaux à la peau épaisse.

pacifier, pacifique, pacifiste → **paix.**

pacotille n.f. *Tu t'es acheté une montre de **pacotille**,* de mauvaise qualité.

pacte n.m. *Les deux pays ont signé un **pacte**,* ils ont décidé de s'allier (= traité, accord).
- **pactiser** v. *On l'accuse d'avoir pactisé avec l'adversaire,* d'avoir trahi son pays, son parti.

pactole n.m. *Elle a trouvé le **pactole**,* une source de grand enrichissement.

paella n.f. *La **paella** est un plat de riz, de poissons, de crustacés et de viandes.*
R. On prononce [paela] ou [paelja].

pagaie n.f. *On fait avancer un canoë avec une **pagaie**,* une sorte de rame, qui n'est pas fixée au bord de l'embarcation.
- **pagayer** v. *Dominique **pagaie** énergiquement* (= ramer).

pagaille n.f. Fam. *Qui a mis cette **pagaille** dans mes affaires ?* (= désordre). *J'ai reçu des lettres **en pagaille**,* en grand nombre.

paganisme → **païen.**

pagayer → **pagaie.**

1. page n.f. *Ouvrez votre livre à la **page** 100,* à la feuille marquée du numéro 100.
- **paginer** v. *Paginer un cahier,* c'est en numéroter les pages.
- **pagination** n.f. *On passe de la page 25 à la page 28, il y a une erreur de **pagination**.*

2. page n.m. *Autrefois, les seigneurs avaient des **pages**,* des jeunes gens qui les escortaient.

pagne n.m. *À Tahiti, on porte des **pagnes**,* des sortes de jupes.

pagode n.f. *En Extrême-Orient, les **pagodes** sont les temples des dieux.*

paie, paiement → **payer.**

païen adj. et n. *Les **païens** de l'Antiquité adoraient de nombreux dieux* (≠ chrétien).
- **paganisme** n.m. *Le christianisme a remplacé le **paganisme** dans de nombreuses régions,* les croyances des païens.

paille n.f. 1. *Quand on bat le blé, on sépare le grain de la **paille**.* 2. *Je bois ma limonade avec une **paille**,* un petit tuyau.
- **paillasse** n.f. SENS 1 *Les réfugiés ont couché sur des **paillasses**,* des sacs remplis de paille.

223

581

■ **paillasson** n.m. SENS 1 *Essuie tes pieds sur le **paillasson** avant d'entrer,* le tapis de paille ou de fibre tressée.

■ **paillote** n.f. SENS 1 *Une **paillotte** est une cabane de paille.*

■ **empailler** v. SENS 1 *Pour **empailler** un animal, on remplit sa peau de paille.*

■ **rempailler** v. SENS 1 *Rempailler une chaise,* c'est la garnir d'une nouvelle paille.

paillette n.f. *Marie a une robe à **paillettes** d'argent,* décorée de lamelles brillantes.

pain n.m. **1.** *Va acheter du **pain** chez le boulanger.* **2.** *Prends un **pain** et une baguette.* **3.** *Le **pain** d'épice est un gâteau au miel.* **4.** *Tout ce linge à repasser, j'ai du pain sur la planche !,* beaucoup de travail à faire.

■ **pané** adj. SENS 1 *Nous avons mangé des escalopes **panées**,* recouvertes de chapelure.

R. *Pain* se prononce [pɛ̃] comme *pin* et [*i/*] *peint* (de *peindre*).

1. pair adj. *2, 4, 6, 10 sont des nombres **pairs**,* divisibles par deux.

■ **impair** adj. *3, 7, 11 sont des nombres **impairs**.*

R. *Pair* se prononce [pɛr] comme *paire, père* et [*je*] *perds* (de *perdre*).

2. pair n.m. **1.** *Autrefois, les nobles étaient jugés par leurs **pairs**,* leurs égaux. **2.** *M. Dubois est un menuisier hors (de) **pair**,* sans égal (= supérieur). **3.** *Mme Legrand a pris une jeune fille **au pair**,* une jeune fille, en général étrangère, qui fait un peu de ménage et s'occupe des enfants en échange du logement et de la nourriture.

R. → *pair* 1.

paire n.f. **1.** *Une **paire** de chaussures* est formée de deux chaussures qui vont ensemble. **2.** *Une **paire** de lu-*

nettes est constituée de deux parties symétriques.

R. → *pair* 1.

paisible, paisiblement → *paix.*

paître v. *On fait **paître** les vaches dans le pré,* manger l'herbe (= brouter).

R. → Conj. n° 80. → *paix.*

paix n.f. **1.** *La **paix** est rétablie entre les deux pays,* il n'y a plus de guerre. **2.** *Je voudrais bien dormir en **paix**,* dans le calme (≠ agitation).

■ **pacifier** v. SENS 1 *L'armée a **pacifié** la région,* elle y a ramené l'ordre.

■ **pacifique** adj. SENS 1 *Ce pays a une politique **pacifique**,* il veut la paix (≠ guerrier). SENS 2 *Pierre est un garçon **pacifique*** (= tranquille).

■ **pacifiste** n. SENS 1 *Les **pacifistes** ont manifesté contre les fusées nucléaires,* les partisans de la paix.

■ **paisible** adj. SENS 2 *Je mène une vie **paisible*** (= calme ; ≠ agité).

■ **paisiblement** adv. SENS 2 *Marie s'est endormie **paisiblement*** (= tranquillement).

■ **apaiser** v. SENS 2 *Sa colère s'est enfin **apaisée**,* elle s'est calmée.

■ **apaisement** n.m. SENS 2 *On lui a donné des **apaisements**,* des promesses pour le calmer.

R. *Paix* se prononce [pɛ] comme [*i/*] *paît* (de *paître*) et [*i/*] *paie* (de *payer*).

palabres n.f.pl. *Ces **palabres** m'ennuient,* ces longues discussions sans intérêt.

■ **palabrer** v. *Ils **palabrent** depuis deux heures* (= discuter, discourir).

palace n.m. *Dominique passe ses vacances dans un **palace**,* un hôtel de luxe.

paladin n.m. *Les **paladins** du Moyen Âge* étaient d'héroïques chevaliers.

palais n.m. **1.** *Cette maison est un véritable **palais**,* elle est grande et luxueuse (= château). **2.** *En mangeant son potage, Pierre s'est brûlé le* **palais,** l'intérieur de la bouche. **R.** → *palet.*

palan n.m. *Un palan sert à soulever des charges.*

577 **pale** n.f. *Une hélice est formée de pales.*

pâle adj. **1.** *Pierre vient d'être malade, il est tout pâle,* son visage est blanc. **2.** *Marie a une robe bleu pâle* (= clair ; ≠ vif).
■ **pâleur** n.f. SENS 1 *Ta pâleur m'inquiète,* ton teint pâle (≠ couleurs).
■ **pâlir** v. SENS 1 *Tu as pâli de colère* (= blêmir). SENS 2 *Les couleurs pâlissent au soleil* (= ternir).
■ **pâlot** ou **pâlichon** adj. SENS 1 *Marie est pâlotte* (= pâle).

802 **palefrenier** n.m. *Le métier de palefrenier consiste à s'occuper des chevaux.*

paléontologie n.f. *La paléontologie est la science des fossiles.*

652, 294 **palet** n.m. *J'ai envoyé le palet près du but,* la pierre plate et ronde qui sert à jouer. **R.** *Palet se prononce* [palɛ] *comme palais.*

paletot n.m. *Mets ton paletot sur un cintre,* un manteau court.

437 **palette** n.f. **1.** *Le peintre étale ses couleurs sur sa palette,* une plaque de bois. **2.** *Ce peintre a une agréable palette,* un ensemble de couleurs qu'il a l'habitude d'employer.

palétuvier n.m. *Le palétuvier est un grand arbre des pays tropicaux.*

pâleur, pâlichon → *pâle.*

75 **palier** n.m. *Leurs appartements donnent sur le même palier,* la plate-forme qui est à chaque étage. **R.** *Palier se prononce* [palje] *comme pallier.*

pâlir → *pâle.*

palissade n.f. *Le chantier est entouré d'une palissade,* une clôture de planches.

palissandre n.m. *Chez cette antiquaire, on trouve des meubles en palissandre,* un bois exotique très dur.

pallier v. *Il faudrait pallier ces inconvénients par des mesures correctes, y remédier.*
■ **palliatif** n.m. *Cette solution n'est qu'un palliatif,* une mesure insuffisante. **R.** *Pallier à est familier.* → *palier.*

palmarès n.m. *Tu figures au palmarès du championnat,* sur la liste de ceux qui ont eu un prix.

palme n.f. **1.** *Les feuilles du palmier s'appellent des palmes.* **2.** *Ce film a obtenu la palme d'or,* la plus haute récompense. **3.** *Aïcha nage avec des palmes,* des nageoires de caoutchouc qui s'adaptent aux pieds.
■ **palmé** adj. SENS 3 *Les canards ont les pattes palmées,* en forme de nageoire.
■ **palmeraie** n.f. SENS 1 *Une palmeraie est une plantation de palmiers.*
■ **palmier** n.m. SENS 1 *Les palmiers du Sahara donnent des dattes.*
■ **palmipède** n.m. SENS 3 *Les canards, les cygnes, les mouettes sont des palmipèdes,* ils ont les pattes palmées.

pâlot → *pâle.*

palourde n.f. *Nous avons mangé des palourdes,* des coquillages vivant dans le sable.

palper v. *Le médecin a palpé le bras de Pierre,* il l'a touché avec la main (= tâter).
■ **impalpable** adj. *Une poussière impalpable nous suffoque,* on ne peut pas la saisir entre les doigts (= très fin).

palpiter v. *Mon cœur palpite de joie,* il bat très fort.

■ **palpitant** adj. *Marie a vu un film palpitant,* très intéressant.

■ **palpitations** n.f.pl. *Dominique a des palpitations,* son cœur bat trop fort.

paludisme n.m. *Le paludisme est une maladie des pays chauds causée par la piqûre d'un moustique* (= malaria).

se pâmer v. *se disait autrefois pour s'évanouir.*

pampa n.f. *On élève du bétail dans les pampas d'Argentine,* de vastes prairies.

pamphlet n.m. *M. Duval a écrit un pamphlet contre le gouvernement,* un petit livre qui l'attaque et s'en moque.

■ **pamphlétaire** n. *M. Duval est un pamphlétaire,* il écrit des pamphlets.

pamplemousse n.m. *Marie mange un pamplemousse à son petit déjeuner,* un fruit jaune pâle qui ressemble à une grosse orange.

pan n.m. **1.** *Claude m'a retenu par un pan de mon manteau,* sa partie flottante. **2.** *Le tableau occupe un pan de mur,* une partie du mur.
R. *Pan se prononce* [pã] *comme paon et* [i/] *pend* (de *pendre*).

panacée n.f. *Ce médicament n'est pas une panacée,* il ne guérit pas toutes les maladies.

panache n.m. **1.** *Un panache ornait le casque des chevaliers,* un assemblage de plumes. **2.** *Un panache de fumée sort de la cheminée,* une masse épaisse.

panaché adj. *Une glace panachée est faite de plusieurs parfums.*

panaris n.m. *J'ai un panaris au pouce,* un gros bouton douloureux, situé près de l'ongle.
R. *On prononce* [panari].

pancarte n.f. *Qu'est-ce qui est écrit sur cette pancarte ? — Entrée interdite* (= écriteau, plaque).

pancréas n.m. *Le pancréas est une glande située près du foie.*
R. *On prononce le s final:* [pãkreas].

panda n.m. *Le panda est une sorte d'ours noir et blanc qui vit dans l'Himālaya.*

pané → *pain.*

panégyrique n.m. *Jean m'a fait le panégyrique de son amie,* il m'en a dit beaucoup de bien (= éloge, apologie).

panier n.m. **1.** *M. Mertens met ses achats dans un panier d'osier,* un récipient à anses. **2.** *Au basket-ball, il faut envoyer le ballon dans le panier,* le filet sans fond. *Linda a réussi un panier* (= but). **3.** *Ma sœur est un panier percé,* elle dépense tout son argent. 222, 363 / 35

panique n.f. *L'explosion a provoqué la panique,* tout le monde a eu très peur (= affolement, terreur).

■ **paniquer** v. *Il est paniqué à l'idée de l'examen,* il a très peur.

1. panne n.f. *Notre voiture est en panne,* elle ne fonctionne plus.

■ **dépanner** v. *La garagiste a dépanné la voiture,* elle l'a remise en route (= réparer).

■ **dépannage** n.m. *Un ouvrier fera le dépannage du réfrigérateur.*

■ **dépanneur** n. *Le téléviseur ne marche plus : nous attendons le dépanneur.*

■ **dépanneuse** n.f. *Le mécanicien est arrivé avec sa dépanneuse,* une voiture pouvant remorquer un véhicule en panne.

2. panne n.f. *La panne est de la graisse de porc.*

panneau n.m. **1.** *Les portes de l'armoire sont formées de deux panneaux,* des surfaces planes entourées 806, 294

507,
506

583

d'une bordure. **2.** *Les* **panneaux** *indicateurs* portent des indications, *les* **panneaux** *publicitaires* portent des publicités.

panonceau n.m. *Un* **panonceau** *indique l'entrée de l'hôtel,* une enseigne, une plaque.

147 **panoplie** n.f. *Brenda a reçu comme jeu une* **panoplie** *de pompier,* l'ensemble des objets qui forment l'équipement du pompier.

panorama n.m. *De la colline, on découvre un vaste* **panorama,** *une belle vue générale* (= paysage).
■ **panoramique** adj. *Du sommet, on a une vue* **panoramique** (= d'ensemble).

panse n.f. Fam. *Ce goinfre est encore en train de se remplir la* **panse** (= ventre, estomac).

panser v. **1.** *Le médecin a* **pansé** *ma blessure,* il m'a fait un pansement. **2.** *Le palefrenier* **panse** *les chevaux,* il les soigne, leur brosse le poil.

39 ■ **pansement** n.m. SENS 1 *Maman a mis un* **pansement** *sur ma blessure,* un coton, une compresse ou une bande. **R.** *Panser* se prononce [pãse] comme *penser.*

pantagruélique adj. *On a fait un repas* **pantagruélique,** *très abondant.*

765,
36 **pantalon** n.m. *Ton* **pantalon** *est déchiré aux genoux,* ta culotte longue.

pantelant adj. *Les rescapés étaient tout* **pantelants** *d'émotion,* ils respiraient difficilement (= haletant, palpitant).

434 **panthère** n.f. *Nous avons vu la* **panthère** *du zoo,* un animal féroce à la fourrure tachetée.

pantin n.m. *Tu t'agites comme un* **pantin,** un jouet articulé (= marionnette).

pantographe n.m. *En frottant sur la caténaire, le* **pantographe** *capte le courant,* une sorte de bras articulé sur les trains, les trolleybus.

pantois adj.m. *Ses paroles m'ont laissé* **pantois** (= stupéfait).

pantomime → *mime.*

pantoufle n.f. *Le soir, on met ses* **pantoufles,** ses chaussures d'intérieur (= chausson).

paon n.m. *Il y a des* **paons** *magnifiques dans le parc du château,* de grands oiseaux qui étalent leur queue. **R.** → *pan.*

papa n.m. *Bonjour !* **Papa** *! Comment s'appelle ton* **papa** *?* (= père).

papal, papauté → *pape.*

papaye n.f. *Une* **papaye** *est un fruit des pays chauds ressemblant à un melon et produit par un* **papayer.** **R.** On prononce [papaj].

pape n.m. *Le* **pape** *est le chef de l'Église catholique* (= souverain pontife).
■ **papal** adj. *On a écouté le discours* **papal,** du pape.
■ **papauté** n.f. *La* **papauté** *de Jean XXIII a duré cinq ans, ses fonctions de pape* (= pontificat).

papier n.m. **1.** *Prenez une feuille de* **papier** *et écrivez votre nom.* **2.** *J'ai perdu un* **papier** *important* (= document). **3.** *Dominique colle du* **papier peint** *sur les murs de sa chambre,* des bandes de papier pour tapisser le mur. **4.** (au plur.) *L'agent m'a demandé mes* **papiers** *(d'identité),* ma carte d'identité, mon permis de conduire, etc.
■ **paperasse** n.f. SENS 2 *Marie a jeté des* **paperasses** *à la poubelle,* des papiers sans valeur.
■ **paperasserie** n.f. SENS 2 *Il se perd dans la* **paperasserie,** l'accumulation de papiers.

■**papeterie** n.f. SENS 1 *Lucie est allée à la papeterie acheter un cahier,* à la boutique du papetier.

■**papetier** n.m. SENS 1 *Le papetier vend du papier, des cahiers, des crayons, des stylos, etc.*

papille n.f. *La langue est recouverte de papilles,* de petits points en saillie.

papillon n.m. **1.** *Maria fait collection de papillons,* d'insectes aux grandes ailes colorées. **2.** *M. Durand a trouvé un papillon sur son pare-brise,* un avis de contravention. **3.** *Le clown avait mis un gros nœud papillon,* une sorte de cravate dont le nœud imite la forme des ailes de papillon.

■**papillonner** v. SENS 1 *Tu papillonnes d'un sujet à l'autre,* tu vas de l'un à l'autre sans te fixer.

■**papillote** n.f. SENS 1 *Jeanne s'amuse à faire des papillotes,* à plier des morceaux de papier en forme d'ailes.

■**papilloter** v. SENS 1 *Tu es fatigué, tes yeux papillotent,* ils se ferment et s'ouvrent très vite, comme un battement d'ailes de papillon (= clignoter).

papoter v. *Jean et Marie passent leur temps à papoter* (= bavarder).

papyrus n.m. *Les anciens Égyptiens écrivaient sur du papyrus,* une sorte de papier fabriqué avec une plante portant ce nom.
R. On prononce [papirys].

pâque n.f. *La pâque est une fête de la religion juive.*
R. Ne pas confondre la *pâque* et *Pâques.*

paquebot n.m. *Autrefois, on traversait l'Atlantique sur un paquebot,* un grand navire.

pâquerette n.f. *La pelouse est couverte de pâquerettes,* des petites fleurs blanches à cœur jaune.

Pâques n.m. *Cette année, Pâques tombe en mars,* la fête chrétienne qui rappelle la résurrection du Christ.

■**pascal** adj. *Les vacances pascales ont duré quinze jours,* les vacances de Pâques.
R. → *pâque.*

paquet n.m. *Vite, défais le paquet !,* un ou plusieurs objets enveloppés dans un emballage (= colis).

■**paquetage** n.m. *Le soldat prépare son paquetage,* ses affaires.

■**dépaqueter** v. *Il faudrait dépaqueter ces livres,* défaire le paquet qui les contient.

■**empaqueter** v. *La vendeuse a empaqueté tous mes achats,* elle en a fait un paquet.

par prép. indique un lieu : *Il est passé par la fenêtre ;* un moyen : *Je voyage par le train ;* un retour périodique, une répartition : *Il gagne 600 dollars par mois ;* un complément d'agent : *Elle est aimée par ses amis.*
R. *Par* se prononce [par] comme *part,* [*il*] *pare* (de *parer*) et [*je*] *pars* (de *partir*).

1. parabole n.f. *L'Évangile contient de nombreuses paraboles,* des histoires renfermant un enseignement, une morale.

2. parabole n.f. *Une parabole est une courbe géométrique.* 385

parachever → *achever.*

parachute n.m. *Les soldats ont sauté de l'avion en parachute,* avec un appareil de toile servant à ralentir leur chute. 766

■**parachuter** v. *Des troupes ont été parachutées en pays ennemi,* lancées d'un avion.

■**parachutage** n.m. *Un parachutage de médicaments a été réalisé.*

■**parachutiste** n. *Mélina est parachutiste,* elle saute en parachute.

1. parade → *parer.*

2. parade n.f. **1.** *À la citadelle, il y a une parade militaire* (= défilé, revue). **2.** *Et maintenant, voici la grande parade du cirque !,* le défilé de tous les gens qui ont participé au spectacle de cirque. **3.** *Elle fait parade de son savoir,* elle en fait étalage par vanité (= étaler).

■ **parader** v. SENS 3 *Il parade pour attirer l'attention,* il se montre (= se pavaner).

paradis n.m. **1.** Selon la religion chrétienne, le *paradis* est le bonheur parfait de vivre pour toujours avec Dieu et les saints (= ciel ; ≠ enfer). **2.** *Ce petit village est un paradis,* un endroit très beau, très agréable.

■ **paradisiaque** adj. SENS 2 *Ils ont passé leurs vacances dans un endroit paradisiaque,* très agréable (= enchanteur ; ≠ infernal).

paradoxe n.m. *Tu aimes soutenir des paradoxes,* des idées bizarres, inattendues.

■ **paradoxal** adj. *Ses idées paradoxales ont étonné tout le monde* (= bizarre ; ≠ normal).

parafe, parafer → *paraphe.*

paraffine n.f. *La paraffine sert à fabriquer les bougies.*

parages n.m.pl. *Est-ce que Dominique est dans les parages ?,* près d'ici (= environs, voisinage).

paragraphe n.m. *Ce texte contient trois paragraphes,* on va trois fois à la ligne (= division, partie).

paraître v. **1.** *Le soleil paraît à l'horizon,* il se montre (= apparaître ; ≠ disparaître). **2.** *Cette revue paraît tous les mois,* elle est mise en vente. **3.** *Cela paraît facile* (= avoir l'air, sembler). **4.** *Il paraît que l'essence va augmenter,* on le dit.

■ **parution** n.f. SENS 2 *Dès sa parution, ce livre a connu un grand succès* (= publication).

■ **reparaître** v. SENS 1 *Depuis sa maladie, Paul n'a pas reparu à l'école.* **R.** → Conj. n° 64.

parallèle 1. adj. et n.f. *Deux (lignes) parallèles ne se croisent jamais.* **2.** n.m. *On peut établir un parallèle entre leurs deux vies,* les comparer point par point.

■ **parallèlement** adv. SENS 1 *Les arbres sont alignés parallèlement à la route.*

■ **parallélisme** n.m. SENS 1 *La mécanicienne vérifie le parallélisme des roues de la voiture.*

■ **parallélépipède** n.m. SENS 1 *Une boîte à chaussures est un parallélépipède,* un objet ayant six faces parallèles deux à deux.

■ **parallélogramme** n.m. SENS 1 *Un parallélogramme est une figure qui a quatre côtés parallèles deux à deux.*

paralyser v. **1.** *Cette personne est paralysée,* elle est atteinte de paralysie. **2.** *L'usine est paralysée par la grève,* elle ne fonctionne plus (= bloquer).

■ **paralysie** n.f. SENS 1 *M. Dupont est atteint de paralysie,* d'une maladie qui l'empêche de bouger.

■ **paralytique** adj. et n. SENS 1 *Lori est (une) paralytique.*

parapet n.m. *Pierre s'est accoudé au parapet du pont,* au petit mur qui empêche de tomber.

paraphe ou **parafe** n.m. *Mme Scott a mis son paraphe à la fin de la lettre,* sa signature simplifiée.

■ **parapher** ou **parafer** v. *On a paraphé le contrat* (= signer).

parapluie n.m. *Il commence à pleuvoir, ouvre ton parapluie.*

parasite n.m. **1.** *Le gui est un parasite des arbres,* il pousse sur les arbres et se nourrit de leur sève. **2.** *M. Duval est un* **parasite,** *il vit sans travailler, aux dépens des autres.* **3.** (au plur.) *Les paroles de la journaliste étaient couvertes par des* **parasites,** *des bruits, des crissements troublant l'émission.*

parasol n.m. *Il y a des* **parasols** *à la terrasse du café,* des sortes de parapluies protégeant du soleil.

paratonnerre n.m. *On a mis un* **paratonnerre** *sur le toit,* une grande aiguille protégeant de la foudre.

paravent n.m. *La chambre est divisée en deux par un* **paravent,** *une petite cloison mobile faite de plusieurs panneaux.*

parbleu !, pardi ! interj. servent à renforcer une affirmation : *Tu es contente ? — Parbleu ! oui* (= bien sûr !).

parc n.m. **1.** *Nous nous sommes promenés dans le* **parc** *du château,* le très grand jardin avec des pelouses, des arbres. **2.** *Le berger a enfermé ses moutons dans un* **parc,** *un terrain fermé par une clôture.* **3.** *Il n'y avait plus de place dans le* **parc de stationnement** (= parking).
■ **parcmètre** ou **parcomètre** n.m. SENS 3 *Mets 25 cents dans le* **parcomètre,** dans l'appareil qui mesure le temps de stationnement.
■ **parquer** v. SENS 2 *Des vaches sont* **parquées** *dans le pré* (= enfermer).
■ **parking** n.m. SENS 3 *Il y a un grand* **parking** *près de ce magasin,* un endroit pour garer les voitures.

parcelle n.f. **1.** *Mme Lévy cultive une* **parcelle** *de terrain,* une petite surface. **2.** *Il n'y a pas une* **parcelle** *de vérité dans ses paroles,* la plus petite partie.

parce que conj. indique la cause : *Pourquoi êtes-vous rentrés ? — Parce qu'il pleuvait.*

parchemin n.m. *Autrefois, on écrivait sur des* **parchemins,** *des peaux de moutons spécialement préparées.*
■ **parcheminé** adj. *Son grand-père a un visage* **parcheminé,** qui a l'aspect du parchemin (= ridé).

parcimonie n.f. *Mme Brown prête son argent avec* **parcimonie,** *elle en prête peu* (≠ générosité).
■ **parcimonieux** adj. *M. Dupont est un homme* **parcimonieux,** *un peu avare.*

par-ci par-là adv. *J'ai trouvé quelques fautes* **par-ci par-là** *dans ce texte,* dans quelques endroits dispersés.

parcmètre → *parc.*

parcourir v. **1.** *Nous* **avons parcouru** *l'Italie,* nous l'avons traversée d'un bout à l'autre. **2.** *On a* **parcouru** *10 kilomètres à pied,* on a fait cette distance. **3.** *Je n'ai fait que* **parcourir** *ce livre,* l'examiner rapidement.
■ **parcours** n.m. SENS 1 ET 2 *Le* **parcours** *de l'autobus passe devant la maison,* le chemin qu'il suit (= trajet). **R.** → Conj. n° 29.

pardessus n.m. *Un* **pardessus** *est un manteau d'homme.*

pardi → *parbleu.*

pardon 1. n.m. *Greta est venue demander* **pardon** *de son retard,* demander qu'on l'excuse. **2.** interj. *Tu m'as dérangée. — Oh !* **pardon !,** *excuse-moi !*
■ **pardonner** v. SENS 1 *Veuillez me* **pardonner** *cet oubli* (= excuser).
■ **pardonnable** adj. SENS 1 *Son erreur n'est pas* **pardonnable** (= excusable).
■ **impardonnable** adj. SENS 1 *Tu as commis une faute* **impardonnable,** très grave.

pare-brise, pare-chocs → *parer.*

pareil adj. **1.** *Ces deux statues sont* **pareilles,** *elles se ressemblent exacte-*

ment (= semblable, identique ; ≠ différent). **2.** *Pourquoi arrives-tu à une heure* **pareille** *?* (= tel).

parent 1. n.m.pl. *Fatima aime ses pa-rents,* son père et sa mère. **2.** adj. et n. *Mon père est le frère du tien, nous sommes* **parentes,** de la même famille.

■**parenté** n.f. SENS 2 *Il y a un lien de* **parenté** *entre Jeanne et Marie,* elles sont parentes.

■**apparenté** adj. SENS 2 *Ils ont le même nom, mais ils ne sont pas* **appa-rentés,** ils ne sont pas parents.

■**apparenter** v. *L'aspect de la gre-nouille s'***apparente** *à celui du cra-paud,* elle a des traits communs avec lui.

parenthèse n.f. **1.** *(Cette phrase est mise entre* **parenthèses),** entre les signes ( ). **2.** *Je reviens d'Italie où,* **entre parenthèses,** *il faisait un temps affreux* (= soit dit en passant).

parer v. **1.** *On* **a paré** *la princesse de sa plus belle toilette,* on la lui a mise comme ornement (= habiller, vêtir). **2.** *Le boxeur n'arrivait pas à* **parer** *les coups,* à s'en protéger (= éviter).

■**parade** n.f. SENS 2 *Il a trouvé une bonne* **parade** *contre ces ennuis,* un moyen pour les éviter.

■**parure** n.f. SENS 1 *Mme Dupont por-tait une* **parure** *de diamants,* des bijoux.

■**pare-brise** n.m.inv. SENS 2 *Le* **pare-brise** *de la voiture est sale,* la plaque de verre qui protège du vent.

■**pare-chocs** n.m.inv. SENS 2 *Les* **pare-chocs** *d'une auto servent à la protéger des chocs.*

■**déparer** v. SENS 1 *Ce tas d'ordures* **dépare** *le paysage,* il le rend moins beau (= enlaidir).

■**imparable** adj. SENS 2 *Le but a été marqué par un tir* **imparable,** impossi-ble à parer.

R. → *par.*

paresse n.f. *Pierre a des habitudes de* **paresse,** il n'aime pas travailler, faire des efforts (≠ énergie, cou-rage).

■**paresseux** adj. et n. *Marie est très* **paresseuse** (= fainéant ; ≠ travail-leur).

■**paresser** v. *Dominique aime* **pares-ser** *dans son lit,* ne rien faire.

parfait adj. **1.** *Voilà un travail* **parfait,** sans défaut (= excellent ; ≠ mau-vais). **2.** *Cette réponse est d'un* **parfait** *ridicule* (= complet).

■**parfaitement** adv. SENS 1 *Tu joues* **parfaitement** *du violon,* très bien, à la perfection.

■**parfaire** v. SENS 1 *Voici dix dollars pour* **parfaire** *la somme promise* (= compléter).

■**perfection** n.f. SENS 1 *Tu parles l'an-glais* **à la perfection,** très bien.

■**perfectionner** v. SENS 1 *Il faudrait te* **perfectionner** *en français,* devenir meilleur.

■**perfectionnement** n.m. SENS 1 *Ma-rie suit des cours de* **perfectionne-ment,** pour se perfectionner.

■**imparfait 1.** adj. SENS 1 *J'ai une connaissance* **imparfaite** *de l'italien* (= incomplet). **2.** n.m. *Dans « je par-tais »,* le verbe est à l'**imparfait,** un temps du passé.

■**imparfaitement** adv. SENS 1 *Je parle* **imparfaitement** *l'italien.*

■**imperfection** n.f. SENS 1 *Il y a des* **imperfections** *dans ce travail* (= défaut).

R. *Parfaire s'emploie surtout à l'infinitif et au participe passé.*

parfois adv. *J'arrive* **parfois** *en retard à l'école,* de temps en temps (= quel-quefois ; ≠ souvent).

parfum n.m. **1.** *Ces roses ont beaucoup de* **parfum,** une odeur agréable. **2.** *Do-minique s'est mis du* **parfum,** un pro-duit qui sent bon. **3.** *À quel* **parfum**

LA PARENTÉ

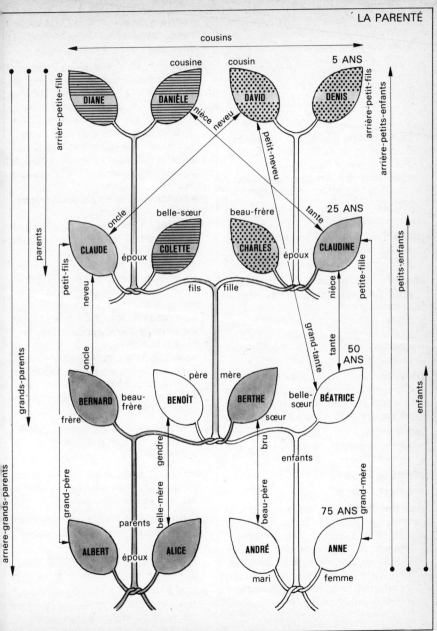

veux-tu ta glace ? — À la fraise (= goût, arôme).

■**parfumer** v. SENS 1, 2 ET 3 *Jeanne a parfumé son mouchoir avec de l'eau de Cologne,* elle lui a donné une odeur agréable. *Tu t'es parfumé aujourd'hui ?,* tu t'es mis du parfum. *J'adore le dentifrice parfumé à la fraise.*

■**parfumerie** n.f. SENS 2 *Dans une parfumerie,* on achète des parfums et des produits de beauté.

■**parfumeur** n. SENS 2 Un *parfumeur* est un fabricant ou un marchand de parfums.

pari → *parier.*

paria n.m. *Autrefois, certains ouvriers étaient traités comme des parias,* comme des hommes méprisés.

parier v. *Je te parie 2 dollars que cette équipe gagnera,* si elle gagne, tu me donneras 2 dollars.

■**pari** n.m. *Cette équipe n'a pas gagné, j'ai perdu mon pari.*

■**parieur** n. *On a payé les parieurs gagnants.*

parjure 1. n.m. *Kathy a fait un parjure,* elle a juré une chose fausse ou n'a pas respecté son serment. 2. n. *Kathy est un parjure,* elle a violé son serment.

parka n.m. ou f. *Il fait froid, mets ton parka,* une sorte de manteau court à capuche.

parking → *parc.*

parlant → *parler.*

parlementaire 1. adj. et n. *Les débats parlementaires ont duré toute la nuit,* du Parlement. *Les parlementaires se sont réunis* (= député). 2. n. *Le général a reçu les parlementaires,* les gens envoyés pour parlementer.

■**parlement** n.m. SENS 1 *Le Parlement a voté le projet de loi,* l'ensemble des députés et des sénateurs (= Assemblée législative).

■**parlementer** v. SENS 2 *On a parlementé pour se mettre d'accord* (= discuter, négocier).

parler v. 1. *Mon petit frère a deux ans, il commence à parler,* à exprimer sa pensée par des paroles. 2. *Mélina parle le français et l'allemand,* elle s'exprime dans ces deux langues. 3. *As-tu parlé à Marie de nos projets ?,* lui as-tu dit quelque chose à ce sujet ?

■**parler** n.m. SENS 2 *Il existe différents parlers régionaux* (= langue, dialecte patois).

■**parlant** adj. SENS 1 *Ce dessin est très parlant* (= expressif).

■**parleur** n.m. SENS 1 *M. Durand est un beau parleur,* il fait des beaux discours trompeurs.

■**parloir** n.m. SENS 3 *Les prisonniers reçoivent leur famille au parloir,* dans une salle où on parle avec les visiteurs.

■**parlote** n.f. SENS 3 *Ils passent leur temps en parlotes,* à parler inutilement (= bavardage).

■**pourparlers** n.m.pl. SENS 3 *Les adversaires ont entamé des pourparlers,* ils se sont mis à discuter.

■**reparler** v. SENS 3 *On reparlera de cette affaire une autre fois.*

parmesan n.m. *Bianca met du parmesan râpé sur ses spaghettis,* un fromage italien.

parmi prép. indique que quelque chose ou quelqu'un appartient à un ensemble : *On l'a choisi parmi eux.*

parodie n.f. *Ce procès était une parodie de justice,* une imitation grossière (= caricature).

■**parodier** v. *Sandra parodie la voix de Jean,* elle l'imite pour s'en moquer.

paroi n.f. 1. *Cet immeuble a des parois de verre* (= mur). *La paroi de la falaise est à pic.* 2. *Les parois de ce récipient sont étanches* (= côté).

paroisse n.f. *Le curé a invité à la fête tous les habitants de la **paroisse**,* du territoire dont il a la charge.
■ **paroissial** adj. *L'église **paroissiale** est sur la place du village.*
■ **paroissien** n. *Un **paroissien** est un chrétien d'une paroisse.*

parole n.f. **1.** *Les animaux ne sont pas doués de la **parole**,* ils ne peuvent pas parler (= langage). **2.** *Dis-moi une **parole** aimable,* un mot ou une phrase. **3.** (au plur.) *Je ne connais pas les **paroles** de cette chanson,* le texte. **4.** *J'ai demandé la **parole**,* le droit de parler. *Tu m'**as coupé la parole**,* tu m'as interrompu. **5.** *Elle m'a donné sa **parole** qu'elle viendrait demain,* elle me l'a promis.
■ **porte-parole** n.m.inv. SENS 2 ET 4 *Tu es le **porte-parole** de tes camarades auprès des professeurs,* tu parles en leur nom.

paronyme n.m. *« Allocution » et « allocation » sont des **paronymes**,* des mots qui se ressemblent.

paroxysme n.m. *La tempête a atteint son **paroxysme**,* son moment le plus violent.

parpaing n.m. *Un **parpaing** est une sorte de brique moulée en ciment.*

parquer → *parc.*

parquet n.m. **1.** *M. Durand cire le **parquet** de la chambre,* les lames de bois constituant le sol (= plancher). **2.** *Le **parquet** est en train de délibérer,* l'ensemble des juges.

parrain n.m. *Au moment du baptême, le **parrain** s'engage à veiller sur son filleul (ou sa filleule) et à l'aider dans la vie.*
■ **parrainer** v. *Une grande avocate **parraine** cette association,* elle lui sert de garant, de répondant (= patronner).

parricide **1.** n. *La police a arrêté un **parricide**,* quelqu'un qui a tué son père ou sa mère. **2.** n.m. *L'accusée a commis un **parricide**,* le crime de tuer son père ou sa mère.

parsemer v. *La pelouse **est parsemée** de fleurs,* elle en est couverte çà et là.

part n.f. **1.** *Chacun a eu une **part** de la tarte* (= morceau, portion, partie). **2.** *Line **a pris part** à la réunion,* elle y a participé. **3.** *Pierre m'**a fait part** de ses projets,* il me les a fait connaître. **4.** *On a mis vos affaires **à part**,* on les a séparées du reste. **5.** *À **part** toi, tout le monde était content* (= excepté, sauf). **6.** *Voilà un livre **de la part de** Lori,* venant d'elle. **7.** *Je ne peux pas t'aider : **d'une part** je n'y connais rien, **d'autre part** je n'ai pas le temps, d'abord..., et puis aussi...* **8.** *As-tu vu mon manteau ? — Oui, je l'ai vu **quelque part*** (= à un certain endroit). *Dans l'armoire ? — Non, **autre part*** (= dans un autre endroit, ailleurs). *Je ne le vois **nulle part*** (= en aucun endroit ; ≠ partout). **9.** *Les nouvelles arrivent de **toute(s) part(s)**,* de tous les côtés. *On a fait des concessions **de part et d'autre**,* des deux côtés. *La balle a traversé la cloison **de part en part**,* d'un côté à l'autre.
■ **partager** v. SENS 1 *Mme Durand a **partagé** le gâteau,* elle en a fait des parts (= diviser). SENS 2 *Je **partage** votre tristesse,* j'y prends part, je m'y associe.
■ **partage** n.m. SENS 1 *Ce **partage** n'est pas égal* (= division, répartition).
R. → *par.*

partance → *partir.*

partenaire n. *Qui était ta **partenaire** au double de tennis ?,* celle qui jouait avec toi (≠ adversaire).

parterre n.m. **1.** *Ce **parterre** de fleurs est magnifique,* cette partie de jardin.

440 **2.** *Du balcon, on voit bien les specta-teurs du **parterre**,* la partie d'une salle de spectacle située au rez-de-chaus-sée (≠ balcon, loges).

parti n.m. **1.** *Les **partis** présentent des candidats aux élections,* les groupes politiques. **2.** *On a pris **parti** pour moi,* on m'a soutenu. *Pierre a un **parti** pris contre moi,* il m'est hostile (= préjugé). **3.** *En cuisine, il faut savoir tirer **parti** des restes,* les utiliser. **4.** *J'ai dû prendre mon **parti** de cet échec,* m'y résigner.

■ **partial** adj. SENS 2 *Cet arbitre est par-tial,* il a des préférences injustifiées pour une des deux équipes (= injuste).

■ **partialité** n.f. SENS 2 *On l'a jugée avec **partialité*** (= injustice, parti pris).

■ **impartial** adj. SENS 2 *Ce journal est impartial,* il n'a pas de parti pris (= objectif).

■ **impartialité** n.f. SENS 2 *J'ai con-fiance en votre **impartialité**.*

R. *Parti* se prononce [parti] comme *partie* et [il] *partit* (de *partir*).

participant, participation → *par-ticiper.*

participe n.m. *« Aimant » est un parti-cipe présent, « aimé » est un **participe** passé,* des formes du verbe.

participer v. *Zara et Jean **ont parti-cipé** à la course,* ils l'ont faite avec d'autres (= prendre part à).

■ **participant** n. *Il y avait quinze parti-cipants à l'excursion,* quinze per-sonnes y ont participé.

■ **participation** n.f. *Je vous remercie de votre **participation*** (= collabora-tion).

particule → *partie.*

particulier adj. **1.** *Gita a une manière particulière de parler,* elle ne parle pas comme les autres (= personnel, spé-cial ; ≠ ordinaire). **2.** *On a examiné* les cas **particuliers** (= individuel ; ≠ général). **3.** *J'aime les fruits, **en particulier** les poires* (= surtout, spécialement).

■ **particulier** n.m. SENS 1 *M. Durand est un simple **particulier**,* une per-sonne comme les autres (≠ person-nalité).

■ **particulièrement** adv. **1.** SENS 3 *J'aime lire, **particulièrement** des romans* (= en particulier). **2.** *Cette affaire est **particulièrement** intéres-sante* (= très, spécialement).

■ **particulariser** v. SENS 1 *Myriam aime se **particulariser**,* ne pas faire comme les autres.

■ **particularité** n.f. SENS 1 *Cette mai-son a plusieurs **particularités**,* des ca-ractères particuliers.

partie n.f. **1.** *Je consacre une partie de mon temps à la musique* (= part ; ≠ totalité, tout). **2.** *Je **fais partie** d'un club sportif,* j'en suis membre (= ap-partenir à). **3.** *Nous avons fait une partie de tennis,* nous avons joué à ce jeu. **4.** *Le juge a renvoyé les deux parties,* les adversaires en présence. **5.** *On a été **pris à partie** par des voyous* (= attaquer).

■ **particule** n.f. **1.** SENS 1 *Cette eau contient des **particules** de calcaire,* de très petits éléments. **2.** *« De Mon-zie » est un nom à **particule**,* précédé de *de.*

■ **partiel** adj. SENS 1 *Je n'ai en Claude qu'une confiance **partielle*** (= in-complet ; ≠ total).

■ **partiellement** adv. SENS 1 *Tu as **partiellement** réussi,* en partie (≠ totalement).

R. → *parti.*

partir v. **1.** *Maïté veut **partir** demain pour Paris,* s'en aller (≠ arriver ou rester). **2.** *Vous prenez la rue qui **part** de l'église* (= commencer ; ≠ abou-tir). **3.** *Si vous appuyez sur la détente,*

le coup **part** (= se déclencher).
4. *Cette affaire* **part** *mal* (= s'engager, débuter). **5.** *Cette tache* **partira** *au lavage* (= disparaître).
■ **à partir de** prép. SENS 2 *On habitera ici* **à partir de** *demain,* en commençant demain.
■ **partance** n.f. SENS 1 *Le train* **en partance** *pour Sidney est en gare,* celui qui va partir.
■ **départ** n.m. SENS 1 *Le* **départ** *de l'avion aura lieu dans une heure* (≠ arrivée).
■ **repartir** v. SENS 1 *Arrivés à midi, nous* **sommes repartis** *à 2 heures.*
R. → Conj. n° 26. *Partir se conjugue avec* **être**. → *parti et* **par**.

partisan n. **1.** *Le candidat est applaudi par tous ses* **partisans,** ceux qui sont du même avis que lui (≠ adversaire). **2.** *Des* **partisans** *ont attaqué un convoi ennemi* (= maquisard).
■ **partisan** adj. SENS 1 *Je suis* **partisane** *de rester,* c'est mon avis.

partitif adj. *Dans la phrase « Veux-tu du chocolat ? », « du » est un article* **partitif.**

partition n.f. *La pianiste étudie sa* **partition,** la feuille où est noté le morceau de musique qu'elle doit jouer.

partout adv. *On l'a cherché* **partout,** dans tous les endroits (≠ nulle part).

parure → **parer**.

parution → **paraître**.

parvenir v. *John ne* **parvient** *pas à se faire comprendre* (= réussir, arriver).
■ **parvenu** n. *M. Richard est un* **parvenu,** il s'est rapidement enrichi (= nouveau riche).
R. → Conj. n° 22. *Parvenir se conjugue avec* **être**.

parvis n.m. *Le* **parvis** *d'une église est l'espace qui est devant la façade.*

1. pas n.m. **1.** *Sur la glace, on marche à petits* **pas.** *J'entends des* **pas** *dans le couloir,* quelqu'un qui marche. *Il y a des* **pas** *sur la neige,* les traces de quelqu'un qui a marché. **2.** *Les soldats marchent au* **pas,** ils avancent le même pied tous en même temps. **3.** *Le* **pas** *d'une porte est l'espace qui est devant.* **4.** *Chut ! Avancez* **à pas de loup,** sans faire de bruit. *J'y vais* **de ce pas,** à l'instant même. *Lori* **fait les cent pas** *dans la pièce,* elle va et vient sans arrêt. *On était fâchés, j'ai* **fait les premiers pas** *pour me réconcilier,* j'ai pris l'initiative de la réconciliation. *Je suis dans un* **mauvais pas,** dans une situation difficile.

2. pas adv. s'emploie avec *ne (n')* pour marquer la négation : *Il* **n'est pas** *venu.*

pascal → **Pâques**.

passable adj. *10 sur 20, c'est une note* **passable,** ni bonne ni mauvaise (= moyen).
■ **passablement** adv. *J'ai vu un film* **passablement** *ennuyeux* (= assez).

passage, passager, passant, passe, passé → **passer**.

passe-droit n.m. *C'était interdit, mais tu as eu un* **passe-droit** (= faveur).
R. Noter le pluriel : des *passe-droits*.

passe-montagne n.m. *Passe-montagne* est un mot un peu vieilli aujourd'hui qui désigne un bonnet en tricot entourant la tête et le cou (= cagoule).
R. Noter le pluriel : des *passe-montagnes*.

passe-partout n.m.inv. *Le serrurier a ouvert avec un* **passe-partout,** une clef pouvant ouvrir plusieurs serrures.

passe-passe n.m.inv. *Le prestidigitateur a fait un* **tour de passe-passe,** il a fait disparaître un objet, il l'a escamoté.

passeport n.m. *À la frontière, on nous a demandé nos passeports,* nos papiers pour aller à l'étranger.

passer v. **1.** *Nous n'avons pas pu passer,* continuer à avancer. **2.** *Pour aller de Montréal à Ottawa, il faut passer par Hull* (= traverser). **3.** *Nous avons passé la frontière,* nous sommes allés de l'autre côté. **4.** *Le temps passe vite,* il s'écoule. **5.** *Où as-tu passé tes vacances ?,* où étais-tu pendant ce temps? **6.** *Tout s'est bien passé* (= se dérouler). **7.** *Jean est passé en sixième,* il y a été admis. **8.** *Marie a passé une visite médicale,* elle l'a subie. **9.** *Ce film passe au cinéma voisin,* on le joue. **10.** *Passe-moi le sel,* donne-le-moi. **11.** *Il faut passer le thé,* le filtrer. **12.** *La douleur va passer* (= s'arrêter). **13.** *Yaelle est arrivée à se passer de tabac* (= s'abstenir, se priver). **14.** *Pierre passe pour un spécialiste,* on le considère ainsi. **15.** *Ce tissu a passé au soleil,* il a perdu sa couleur.

■ **passage** n.m. **1.** SENS 1, 2 ET 3 *On attend le passage de l'autobus,* que celui-ci passe. *Tu bouches le passage,* l'endroit par où l'on passe. *Ce panneau annonce un passage à niveau,* un croisement entre une route et une voie ferrée. *Il faut traverser dans le passage pour piétons* (ou *passage clouté*), l'endroit de la rue marqué par deux bandes blanches. **2.** *J'ai lu un passage du livre,* un extrait.

■ **passager 1.** adj. SENS 4 *C'était un malaise passager,* qui a vite passé (= momentané ; ≠ durable). **2.** n. *Les passagers sont montés dans l'avion* (= voyageur).

■ **passant** n. SENS 1 *Josefa a demandé l'heure à un passant,* à quelqu'un qui passait dans la rue.

■ **passe** n.f. **1.** SENS 1 *Connais-tu le mot de passe ?,* le mot convenu pour

507, 508

803, 511, 510

qu'on te laisse passer. SENS 10 *Jean a fait une passe au goal,* il lui a passé le ballon. **2.** *Je suis dans une mauvaise passe* (= situation). *Marie est en passe de gagner* (= sur le point de).

■ **passé** n.m. SENS 4 *L'imparfait est un temps du passé* (≠ présent ou futur).

■ **passeur** n.m. SENS 1 *Un passeur nous a fait traverser la rivière.*

■ **passoire** n.f. SENS 11 *Une passoire sert à filtrer les liquides.*

■ **passe-temps** n.m.inv. SENS 4 *La lecture est mon passe-temps favori* (= occupation).
R. *Passer* se conjugue tantôt avec *être,* tantôt avec *avoir.*

passereau n.m. *Le moineau est un passereau,* un petit oiseau.

passerelle n.f. **1.** *On traverse cette rivière sur une passerelle,* un petit pont. **2.** *Kathy est sur la passerelle du navire,* une plate-forme à l'avant de la cheminée.

passe-temps, passeur → *passer.*

passible adj. *L'accusée est passible d'une amende,* elle l'a méritée.

passif 1. adj. *Pourquoi es-tu aussi passif ?,* sans énergie (= indifférent, apathique ; ≠ actif). **2.** adj. et n.m. *« Il est aimé »* est la forme *passive,* le *passif de « il aime »* (≠ actif).

■ **passivement** adv. SENS 1 *Dominique obéit passivement,* sans réagir.

passion n.f. **1.** *M. Durand aime sa femme avec passion,* d'un amour très fort. **2.** *J'ai la passion des échecs,* je m'y intéresse beaucoup.

■ **passionnel** adj. SENS 1 *Un crime passionnel* est inspiré par la passion.

■ **passionner** v. SENS 2 *Ce roman m'a passionnée,* il m'a beaucoup intéressée.

■ **passionnant** adj. SENS 2 *J'ai vu un film passionnant* (= captivant).

■ **passionnément** adv. SENS 1 *Je l'aime passionnément,* avec passion.

■ **dépassionner** v. SENS 2 *Cette proposition conciliante a dépassionné le débat* (= calmer, apaiser).

passivement → *passif.*

passoire → *passer.*

pastel n.m. *Ce dessin est fait au pastel,* avec une sorte de crayon de couleur.

pastèque n.f. *La pastèque est rafraîchissante,* une espèce de gros melon à chair rouge.

pasteur n.m. **1.** *Un pasteur est un gardien de troupeaux dans certains pays.* **2.** *Chez les protestants, le pasteur est celui qui dirige le culte.*

pasteuriser v. *Ils n'achètent que du lait pasteurisé,* purifié de ses microbes par une température élevée (= stériliser).

pastiche n.m. *Cette fantaisiste a fait un pastiche amusant d'un discours politique,* elle en a imité le style (= imitation).

■ **pasticher** v. *Il a pastiché un discours politique.*

pastille n.f. *Nous suçons des pastilles de menthe,* des petits bonbons de forme aplatie.

pastis n.m. *Le pastis est un apéritif parfumé à l'anis.*
R. On prononce le *s* final : [pastis].

patate n.f. Fam. *Pierre et Marie épluchent les patates* (= pomme de terre).

patatras interj. Fam. *Le plateau était en équilibre instable : patatras ! tout est tombé par terre !*
R. On prononce [patatra].

pataud adj. *Jacques est un gros garçon pataud* (= empoté, maladroit).

patauger v. *Les enfants pataugent dans la boue,* ils y marchent.

pâte n.f. **1.** *Je fais une pâte à tarte,* je mélange et pétris de la farine avec de l'eau. **2.** *Les pâtes de fruits, la pâte dentifrice, la pâte à modeler sont des matières molles.* **3.** (au plur.) *Les macaronis, les spaghettis, etc., sont des variétés de pâtes,* des aliments préparés à partir de semoule de blé dur (= nouilles).

■ **pâteux** adj. SENS 2 *Ce gâteau est pâteux,* trop mou.

pâté n.m. **1.** *J'ai préparé un pâté de lapin,* du lapin haché cuit dans une terrine. **2.** *On habite dans ce pâté de maisons* (= groupe). **3.** *Les enfants font des pâtés de sable avec un seau,* ils remplissent le seau de sable mouillé et le démoulent. 222 723

pâtée n.f. *Le chien mange sa pâtée,* sa nourriture.

1. patelin adj. *M. Tartuffe m'a parlé d'un ton patelin,* doux mais hypocrite.

2. patelin n.m. Fam. *Comment s'appelle ce patelin ?* (= village).

patent adj. *Tu as menti, c'est un fait patent* (= évident ; ≠ douteux).

patère n.f. *Accrochez vos manteaux à la patère,* au porte-manteau fixé au mur. 295

paternalisme, paternel, paternité → *père.*

pâteux → *pâte.*

pathétique adj. *Ce film d'aventures est pathétique,* très émouvant.

pathologie n.f. *La pathologie est la science qui étudie les maladies.*

■ **pathologique** adj. *Ses migraines sont pathologiques,* elles tiennent de la maladie, ne sont pas normales.

patibulaire adj. *Cet individu a une mine patibulaire,* il n'inspire pas confiance (= louche).

patient 1. adj. *Marie a un caractère patient,* elle est calme, persévérante (≠ irritable, emporté). **2.** n. *Le médecin visite ses patients,* ses malades, ses clients.

■ **patience** n.f. SENS 1 *Voilà deux heures que j'attends, ma patience a des limites* (= persévérance, calme).

■ **patiemment** adv. SENS 1 *Paul attendait patiemment,* sans s'énerver.

■ **patienter** v. SENS 1 *Voulez-vous patienter quelques instants ?,* attendre calmement.

■ **impatient** adj. SENS 1 *Pierre est impatient de te voir,* il veut te voir le plus vite possible.

■ **impatience** n.f. SENS 1 *Marie a eu un mouvement d'impatience* (= énervement).

■ **impatiemment** adv. SENS 1 *Nous attendons impatiemment votre arrivée.*

■ **impatienter** v. SENS 1 *Dépêche-toi, je commence à m'impatienter,* à perdre patience.

R. On prononce [pasjã, pasjamã, etc.].

patiner v. **1.** *Pierre apprend à patiner,* à se servir de patins. **2.** *Les roues patinent dans la boue,* elles tournent sans avancer. **3.** *Le manche de ce marteau est patiné,* la couleur montre qu'il a servi.

■ **patin** n.m. SENS 1 *Marie fait du patin à glace, Pierre du patin à roulettes,* ils se déplacent en glissant grâce à des semelles spéciales. SENS 2 *Un patin de frein sert à ralentir une roue.*

■ **patinage** n.m. SENS 1 *Nous avons vu un spectacle de patinage.*

■ **patine** n.f. SENS 3 *Sur cette armoire, on voit la patine du temps,* une couleur foncée qui montre son ancienneté.

■ **patinette** n.f. *Aïcha fait de la patinette,* un jouet composé d'une planche montée sur deux roues et d'un guidon, qu'on fait avancer en poussant du pied (= trottinette).

■ **patineur** n. SENS 1 *C'est une patineuse suédoise qui a gagné la course.*

■ **patinoire** n.f. SENS 1 *Les patineurs s'entraînent sur la patinoire,* sur un endroit aménagé pour patiner.

pâtir v. est un équivalent rare de *souffrir.*

pâtisserie n.f. **1.** *En passant devant la pâtisserie, on n'a pas pu résister au plaisir d'acheter des gâteaux,* la boutique du pâtissier. **2.** *Nous avons mangé de la pâtisserie,* des gâteaux.

■ **pâtissier** n. *Mme Durand est bonne pâtissière,* elle fait bien les gâteaux. *M. Duval est pâtissier,* il tient une pâtisserie.

patois n.m. *Les paysans du village parlent le patois auvergnat,* une langue particulière d'une région.

patraque adj. Fam. *Marie se sent patraque,* un peu malade.

pâtre n.m. se disait pour *berger.*

patriarche n.m. *Abraham est un patriarche de la Bible,* un chef d'une vaste famille, qui a vécu très longtemps.

patricien n. Les *patriciens* étaient les nobles de la Rome antique.

R. Ne pas confondre *patricien* et *praticien.*

patrie n.f. *Pierre est français, la France est sa patrie,* son pays natal.

■ **patriote** adj. et n. *Zara est patriote,* elle aime sa patrie.

■ **patriotique** adj. *Le « Ô Canada » est un chant patriotique,* exprimant l'amour de la patrie.

■ **patriotisme** n.m. Le *patriotisme* est l'amour de la patrie.

■ **apatride** adj. *Cet homme est apatride,* il n'a pas de patrie.

■ **compatriote** n. *En Italie, nous avons rencontré des compatriotes,* des gens du même pays que nous.

■ **s'expatrier** v. *Elle s'est expatriée à cause de ses idées politiques,* elle a quitté son pays (= s'exiler).

■ **rapatrier** v. *Les prisonniers ont été rapatriés,* ramenés dans leur pays.

patrimoine n.m. *Le patrimoine national,* c'est l'ensemble des richesses de la nation.

patriote, patriotique, patriotisme → *patrie.*

patron n. **1.** *Carita est la patronne de l'usine,* elle la dirige. **2.** *Sainte Catherine est la patronne des couturières,* la sainte qui les protège. **3.** n.m. *Tu as fait cette robe d'après un patron ?,* un modèle en papier.

■ **patronage** n.m. **1.** SENS 2 *Être sous le patronage de quelqu'un,* c'est être protégé par lui. **2.** *Un patronage est une organisation de loisirs pour les enfants.*

■ **patronal** adj. SENS 1 *Le syndicat patronal défend les intérêts patronaux.* SENS 2 *Une fête patronale* est dédiée à un saint.

■ **patronat** n.m. SENS 1 *Les représentants du patronat ont été reçus par le ministre,* les représentants de l'ensemble des patrons.

■ **patronner** v. SENS 2 *Ce rallye est patronné par une grande marque de voitures,* il est organisé grâce à son aide.

patrouille n.f. *Le bandit a été arrêté par une patrouille de police,* un petit groupe de policiers effectuant une ronde.

■ **patrouiller** v. *Des soldats patrouillent dans les rues,* ils circulent par groupes pour surveiller.

■ **patrouilleur** n.m. *Un patrouilleur* est un navire ou un avion chargé de surveiller les côtes, les convois, etc.

patte n.f. **1.** *Les hommes ont des bras et des jambes, les animaux ont des pattes,* des membres. **2.** Une *patte* est une languette ou une petite bande de tissu.

pâturage n.m. *La Beauce est une région de pâturages,* de champs couverts d'herbe (= prairie). [364, 368]

■ **pâture** n.f. *Le chien cherche sa pâture dans la poubelle,* sa nourriture.

paume n.f. **1.** *Mary m'a montré un insecte dans la paume de sa main,* le dedans (≠ dos). **2.** *Le jeu de paume* consiste à se renvoyer une balle avec une raquette (autrefois, avec la paume de la main), un peu comme au tennis. [33]

paupière n.f. *Les cils bordent les paupières,* les replis de la peau qui protègent l'œil.

paupiette n.f. *Les paupiettes de veau* sont des tranches roulées et farcies.

pause n.f. *Nous ferons une pause à 10 heures,* nous nous arrêterons (= interruption). **R.** *Pause* se prononce [poz] comme *pose.*

pauvre adj. et n. **1.** *M. Dupont est un (homme) pauvre,* il a peu d'argent (≠ riche). **2.** *Ayez pitié de ce pauvre homme !* (= malheureux). *La pauvre, elle a encore perdu !*

■ **pauvrement** adv. SENS 1 *Les Dupont vivent pauvrement.*

■ **pauvresse** n.f. SENS 1 *Une pauvresse demandait l'aumône,* une femme pauvre.

■ **pauvreté** n.f. SENS 1 *Ce pays est d'une grande pauvreté* (≠ richesse).

■ **appauvrir** v. SENS 1 *La guerre a appauvri le pays,* elle l'a rendu pauvre (= ruiner ; ≠ enrichir).

■ **appauvrissement** n.m. SENS 1 *la crise a entraîné un appauvrissement du pays.*

se pavaner v. *Le ministre se pavane au salon,* il se donne des airs importants.

pavé n.m. *Attention ! les pavés sont glissants,* les blocs de pierre qui recouvrent la rue.

■ **paver** v. *On a pavé la terrasse avec des dalles* (= recouvrir).

803 **pavillon** n.m. **1.** *Le bateau avait un pavillon anglais* (= drapeau). **2.** *Les Dupont habitent un pavillon en banlieue,* une petite maison.

219

pavoiser v. *On pavoise les édifices publics, le jour de la fête nationale,* on les orne de drapeaux.

80 **pavot** n.m. *Le coquelicot est une sorte de pavot,* une fleur.

payer v. **1.** *Jean a payé ce livre 8 dollars,* il a donné cette somme pour l'avoir. **2.** *As-tu payé le boucher ?,* lui as-tu versé l'argent que tu lui devais ? **3.** *Lori a été mal payée de ses efforts* (= récompenser).

■ **payable** adj. SENS 1 *Vos achats sont payables à la sortie,* ils doivent être payés.

■ **payant** adj. SENS 1 *Ce spectacle est payant* (≠ gratuit).

■ **paye** ou **paie** n.f. SENS 2 *M. Durand touche sa paye à la fin du mois,* il est payé de son travail (= salaire).

■ **paiement** n.m. SENS 2 *Mme Dubois fait ses paiements par chèques,* elle paie (= versement).

■ **payeur** n.m. SENS 2 *M. Dupont est un mauvais payeur,* il ne paie pas ce qu'il doit.

■ **impayé** adj. SENS 2 *Plusieurs factures sont restées impayées,* elles n'ont pas été payées.

R. → Conj. n° 4. → *paix.*

pays n.m. **1.** *La France est un pays d'Europe* (= nation, territoire). **2.** *La Colombie britannique est un pays de montagnes* (= région).

584, **paysage** n.m. *De la colline, on découvre un beau paysage,* une vue d'ensemble sur la région.
579

paysan n. *J'ai passé mes vacances chez des paysans,* des gens qui travaillent la terre (= cultivateur, agriculteur).

■ **paysannerie** n.f. *La paysannerie est l'ensemble des paysans.*

péage n.m. **1.** *Nous avons pris une autoroute à péage,* sur laquelle il faut payer. **2.** *Il y avait beaucoup de monde au péage de l'autoroute,* à l'endroit où l'on paie.

peau n.f. **1.** *Tu as la peau brunie par le soleil.* **2.** *Mme Durand a un manteau en peau de mouton* (= cuir). **3.** *Avant de manger cette pêche, enlève la peau,* l'enveloppe extérieure. **4.** *Marie déteste la peau du lait,* la couche qui se forme à la surface du lait bouilli.

■ **peler** v. SENS 1 *Après son coup de soleil, son dos a pelé,* la peau est partie. SENS 3 *Jean a pelé son orange avec un couteau,* il a enlevé la peau (= éplucher).

■ **pelé** adj. SENS 2 *Ce chien a le cou pelé,* sans poils.

■ **pellicule** n.f. SENS 1 *J'ai des pellicules dans les cheveux,* des petits morceaux de peau desséchée. SENS 3 *Les grains de raisin sont recouverts d'une pellicule,* d'une peau très mince. **2.** *Maria a mis une pellicule dans son appareil photo,* un film.

■ **pelure** n.f. SENS 3 *Jette à la poubelle ces pelures de pommes de terre* (= épluchure).

R. *Peau se prononce* [po] *comme pot. Peler* → conj. n° 5. → *pelle.*

peccadille n.f. *Marie a été grondée pour une peccadille,* une très petite faute.

1. pêche n.f. *Cette pêche est très juteuse,* un fruit.

■ **pêcher** n.m. *M. Dupont a un pêcher dans son jardin,* un arbre qui donne des pêches.

R. → *péché.*

2. pêche n.f. *Jessica va à la pêche tous les dimanches,* elle va essayer de prendre du poisson.
■ **pêcher** v. *M. Durand a pêché deux truites,* il les a prises.
■ **pêcheur** n. *Des pêcheuses à la ligne sont assises au bord de l'eau,* des personnes qui pêchent.
■ **repêcher** v. **1.** *On a repêché un noyé,* on l'a retiré de l'eau. **2.** *Pierre a été repêché à l'examen,* il a été reçu malgré des notes insuffisantes.
R. → *péché.*

péché n.m. *L'orgueil, la colère, la paresse sont des péchés,* des fautes selon la religion.
■ **pécher** v. *Yaelle a péché par ignorance,* elle a commis une faute.
■ **pécheur** n. *Les pécheurs doivent se repentir,* ceux qui ont péché.
R. Le féminin de *pécheur* est *pécheresse.* Ne pas confondre *pêcher* et *pécher, pêcheur* et *pécheur.* (→ *pêche* 1 et 2.)

pécher → *péché.*

pêcher → *pêche* 1 et 2.

pécheur → *péché.*

pêcheur → *pêche* 2.

pécore n.f. *Ne t'en laisse pas imposer par cette pécore !,* cette fille sotte et prétentieuse.

pectoral adj. et n.m. *Tu as des (muscles) pectoraux très forts,* des muscles de la poitrine.

pécule n.m. *On a amassé un petit pécule,* on a épargné une petite somme d'argent.

pécuniaire adj. *Nous avons des ennuis pécuniaires,* d'argent.
■ **pécuniairement** adv. *Je peux vous aider pécuniairement,* en ce qui concerne l'argent (= financièrement).

pédagogie n.f. *La pédagogie est la science de l'éducation des enfants.*

■ **pédagogique** adj. *Dans cette classe, on essaie de nouvelles méthodes pédagogiques,* d'enseignement.
■ **pédagogue** n. *Ce professeur est un bon pédagogue,* il enseigne bien.

pédale n.f. *La pédale d'embrayage est à gauche,* le levier manœuvré avec le pied. 148, 505, 512
■ **pédaler** v. *Marie essayait de pédaler plus vite,* de manœuvrer les pédales de sa bicyclette.
■ **pédalier** n.m. *Le pédalier d'une bicyclette* est le mécanisme actionné par les pédales.
■ **pédalo** n.m. *Un pédalo est une embarcation à pédales montée sur des flotteurs.* 723
R. *Pédalo* est un nom de marque.

pédant adj. et n. *Jacques a pris un ton pédant pour me répondre ; c'est un pédant* (= prétentieux).
■ **pédantisme** n.m. *Son pédantisme m'agace,* ses manières pédantes (≠ simplicité).

pédestre → *pied.*

pédiatre n. *Une pédiatre est un médecin spécialiste des enfants.*

pédicure n. *Ruth s'est fait enlever un cor au pied par un pédicure,* un spécialiste des soins des pieds.

pedigree n.m. *Ce chien a un bon pedigree,* il est de bonne race.
R. On prononce [pedigre] ou [pedigri].

pègre n.f. *Ce café est fréquenté par des gens de la pègre,* des voleurs et des bandits.

peigne n.m. **1.** *Pierre se donne un coup de peigne dans les cheveux avant de sortir.* **2.** *Les policiers ont passé le quartier au peigne fin,* ils l'ont examiné en détail. 79
■ **peigner** v. SENS 1 *Marie se peigne devant la glace,* elle arrange ses

cheveux avec un peigne (= se coiffer).

■ **dépeigner** v. SENS 1 *Le vent m'a dépeignée* (= décoiffer).

peignoir n.m. *En sortant du bain, Julie met un peignoir,* un vêtement en tissu-éponge.

peindre v. 1. *On a peint en jaune les murs de la chambre,* on les a recouverts d'une matière colorante. 2. *Connais-tu l'artiste qui a peint ce tableau ?,* qui l'a fait. ■ **peintre** n.m. SENS 1 *M. Durand est peintre en bâtiment,* il peint les murs. SENS 2 *Léonard de Vinci fut un grand peintre,* un artiste peignant des tableaux. ■ **peinture** n.f. SENS 1 ET 2 *On a acheté des pots de peinture,* de couleur pour peindre. SENS 2 *Nous avons visité une exposition de peinture moderne,* de tableaux. ■ **peinturlurer** v. SENS 1 Fam. *Mary se promène dans une vieille voiture, toute peinturlurée,* barbouillée de peinture. ■ **pictural** adj. SENS 2 *L'art pictural* est l'art de la peinture. ■ **repeindre** v. SENS 1 *On a repeint la salle de bains.* **R.** *Peindre* → conj. n° 55. → *pain.*

peine n.f. 1. *Jean a de la peine à se lever le matin,* il le fait difficilement, avec effort (= mal). 2. *Il n'est que 8 heures, ce n'est pas la peine de se presser,* ce n'est pas utile. 3. *La mort de Jeanne nous a causé beaucoup de peine* (= chagrin, douleur ; ≠ plaisir). 4. *L'accusé a été condamné à une peine de prison,* à subir cette punition. *Affichage interdit, sous peine d'amende,* sinon vous risquez d'avoir une amende. 5. *On y voit à peine,* presque pas, très peu. 6. *Ne soyez pas (ne vous mettez pas) en peine pour si peu,* ne vous inquiétez pas.

■ **peiner** v. SENS 1 *Les coureurs peinaient dans la côte,* ils faisaient des efforts. SENS 3 *Cette nouvelle nous a beaucoup peinés* (= attrister ; ≠ réjouir). ■ **pénal** adj. SENS 4 *Le Code pénal* fixe les peines applicables quand on enfreint la loi. ■ **pénaliser** v. SENS 4 *Ce joueur de tennis a été pénalisé pour avoir insulté l'arbitre* (= sanctionner, punir). ■ **pénalité** n.f. SENS 4 *Ceux qui font cela s'exposent à des pénalités* (= sanction, punition). ■ **pénible** adj. SENS 1 *Vous faites un travail pénible,* difficile et fatigant. SENS 3 *Maria m'a aidé dans cette période pénible* (= triste, douloureux). ■ **péniblement** adv. SENS 1 *Mon grand-père marche péniblement,* avec peine. **R.** *Peine* se prononce [pεn] comme *pêne* et *penne.*

peintre, peinture, peinturlurer → *peindre.*

péjoratif adj. *« Chauffard » est un mot péjoratif,* il exprime une idée défavorable.

pelage n.m. *Ce chat a un beau pelage* (= poil).

pelé → *peau.*

pêle-mêle → *mêler.*

peler → *peau.*

pèlerinage n.m. *Lourdes est un lieu de pèlerinage célèbre,* on y va dans un but religieux. ■ **pèlerin** n.m. *À Pâques, il y avait beaucoup de pèlerins à Rome,* de personnes venues en pèlerinage.

pèlerine n.f. *Une pèlerine est un manteau sans manches.*

pélican n.m. *Les pélicans sont des oiseaux avec un gros bec, où ils mettent* de la nourriture en réserve pour leurs petits.

pelisse n.f. *M. Vladimir a une **pelisse** à col de mouton,* un manteau fourré.

pelle n.f. *Les ouvriers déchargent le camion de sable avec des **pelles**,* des outils à long manche.

■ **pelletée** n.f. *Mets une **pelletée** de charbon dans le feu,* le contenu d'une pelle.

■ **pelleter** v. *Il faudrait **pelleter** ce tas de terre,* le déplacer avec des pelles.

■ **pelleteuse** n.f. *Une **pelleteuse** est une machine qui sert à pelleter la terre.*

R. *Pelle* se prononce [pɛl] comme [*je*] *pèle* (de *peler*). *Pelleter* → conj. n° 8.

pellicule → *peau.*

pelote n.f. **1.** *J'ai acheté une **pelote** de laine,* de la laine roulée en boule. **2.** *Maïka m'apprend à jouer à la **pelote** basque,* un sport où les joueurs envoient une balle contre un mur (le fronton), puis la rattrapent.

peloton n.m. **1.** *Un coureur s'est échappé du **peloton**,* du groupe formé par les autres coureurs. **2.** *Un **peloton** de soldats monte la garde* (= groupe).

se pelotonner v. *Le chat s'est pelotonné dans le fauteuil,* il s'est roulé sur lui-même.

pelouse n.f. *Il est interdit de marcher sur la **pelouse**,* sur le terrain couvert de gazon.

peluche n.f. **1.** *Le bébé joue avec son ours en **peluche**,* un ours fait d'une sorte d'étoffe épaisse et douce. **2.** *Ma petite sœur a eu une **peluche** pour Noël,* un animal en peluche.

■ **pelucheux** adj. *Ce tissu est pelucheux,* poilu et duveteux.

pelure → *peau.*

pénal, pénaliser, pénalité → *peine.*

pénates n.m.pl. *Nous allons rejoindre nos **pénates**,* rentrer chez nous.

penaud adj. *Pris en faute, Jean était tout **penaud*** (= honteux, confus ; ≠ fier).

penchant n.m. *Pierre a un **penchant** à la paresse,* il a tendance à être paresseux.

pencher v. **1.** *Regarde l'arbre comme il **penche** !,* il est incliné, oblique. **2.** *Ne te **penche** pas par la fenêtre* (= s'incliner, se baisser). **3.** *On va se **pencher** sur ce problème,* on va l'examiner, l'étudier.

pendable adj. *Tu m'as joué un tour pendable,* un mauvais tour.

pendaison → *pendre.*

1. pendant → *pendre.*

2. pendant prép. indique le moment où se passe une action : *Il est arrivé **pendant** la nuit.*

pendre v. **1.** *Des fruits **pendent** aux branches de l'arbre,* sont suspendus. **2.** *Laura a **pendu** son manteau* (= accrocher, suspendre). **3.** *Autrefois, on **pendait** les condamnés à mort,* on les suspendait par le cou.

■ **pendaison** n.f. SENS 3 *Elle est morte par **pendaison**,* on l'a pendue ou elle s'est pendue.

■ **pendant** n.m. SENS 1 *Ce sont de jolis **pendants** d'oreilles* (= boucles d'oreilles).

■ **pendentif** n.f. SENS 1 *On m'a offert un **pendentif** en argent,* un bijou suspendu à une chaîne.

■ **penderie** n.f. SENS 2 *Une **penderie** est un placard où l'on pend des vêtements.*

■ **pendu** n. SENS 3 *Cette histoire de **pendu** est horrible,* de personne qu'on a pendue ou qui s'est pendue.

R. → Conj. n° 50. → *pan.*

1. pendule n.m. *Certains recherchent des sources au moyen d'un pendule,* un poids suspendu à un fil.

■**pendulaire** adj. *Une balançoire a un mouvement pendulaire,* elle oscille de part et d'autre de la verticale.

220 **2. pendule** n.f. *La pendule s'est arrêtée, il faut la remonter,* une sorte de petite horloge.

220, 292 ■**pendulette** n.f. *Grand-mère a une pendulette auprès de son lit,* une petite pendule.

74 **pêne** n.m. *Le pêne d'une serrure,* c'est la partie qui sert à la bloquer.
R. → *peine.*

pénétrer v. **1.** *Il est interdit de pénétrer dans cette pièce,* d'entrer dedans. **2.** *Je n'ai pas réussi à pénétrer ses intentions,* à les comprendre.

■**pénétrant** adj. SENS 2 *Tu as un regard pénétrant, un esprit pénétrant* (= perçant, clairvoyant).

■**pénétration** n.f. SENS 2 *Tu as montré beaucoup de pénétration,* de facilité à comprendre (= intelligence).

■**pénétré** adj. *Pierre est pénétré de son importance,* il a le sentiment d'être important (= convaincu, imprégné).

■**impénétrable** adj. SENS 2 *Marie a eu un sourire impénétrable,* qui ne permet pas de comprendre ce qu'elle pense (= mystérieux).

pénible, péniblement → *peine.*

801, 727, 218 **péniche** n.f. *Les péniches servent à transporter les marchandises sur les fleuves et les canaux,* de longs bateaux.

725 **péninsule** n.f. *La Gaspésie forme une péninsule,* une grande presqu'île.

pénitence n.f. **1.** *Pour faire pénitence, un chrétien doit se repentir de ses fautes.* **2.** *Tu as encore cassé un verre ! Comme pénitence, tu vas ra-*

masser tous les morceaux, pour ta peine (= punition).

■**pénitencier** n.m. SENS 2 *Un pénitencier est une prison,* un bagne.

■**pénitent** n. SENS 1 *Une pénitente est une personne qui va se confesser pour recevoir l'absolution.*

■**pénitentiaire** adj. SENS 2 *L'organisation pénitentiaire,* c'est l'organisation des prisons.

■**impénitent** adj. SENS 1 *Pierre est un menteur impénitent,* il continue à mentir sans se repentir.

penne n.f. *Les pennes d'un oiseau* sont les longues plumes de ses ailes et de sa queue.
R. → *peine.*

pénombre n.f. *La chambre est dans la pénombre,* la lumière y est faible.

pense-bête → *penser.*

1. pensée → *penser.*

2. pensée n.f. *Les pensées sont des fleurs ressemblant un peu à des violettes.*

penser v. **1.** *On ne sait si les animaux pensent,* s'ils forment des idées dans leur esprit (= réfléchir). **2.** *Je pense que tu as raison,* c'est mon idée, mon opinion (= croire). **3.** *Je pense souvent à toi,* je ne t'oublie pas (= songer). **4.** *Marie pense venir demain,* elle en a l'intention (= compter).

■**pense-bête** n.m. Fam. SENS 3 *Faire un nœud à son mouchoir me sert de pense-bête,* d'indication pour me faire penser à quelque chose. *On a mis un pense-bête au mur de la cuisine,* un papier sur lequel on note ce qu'on a à faire.

■**pensée** n.f. SENS 1 *Cela m'est venu à la pensée* (= esprit). SENS 2 *Sarah m'a confié ses pensées* (= idée, opinion).

■**penseur** n.m. **1.** SENS 1 *Einstein fut un grand penseur,* un homme très intelligent. **2.** *Les libres penseurs pensent que Dieu n'existe pas.*

■**pensif** adj. SENS 1 *Pia me regarde d'un air pensif,* elle a l'air de réfléchir (= songeur).

■**arrière-pensée** n.f. SENS 2 *En faisant cela, vous aviez des arrière-pensées,* des idées cachées.

■**impensable** adj. SENS 2 *Ce que tu me dis est impensable* (= incroyable, inconcevable, inimaginable).

■**repenser** v. SENS 1 *Tout ce projet doit être repensé,* être examiné d'un point de vue nouveau (= revoir, reconsidérer).
R. Noter le pluriel : des *pense-bêtes.*
→ *panser.*

pension n.f. **1.** *Quel est le tarif de la pension complète dans cet hôtel ?,* de la chambre et des deux repas. **2.** *Ses parents l'ont mis en pension,* dans une école où les élèves sont logés et nourris. **3.** *Ma grand-mère touche une pension de retraite,* une somme d'argent (= allocation).

■**pensionnaire** n. SENS 1 *Les pensionnaires de l'hôtel sont très satisfaits,* les gens qui y sont en pension. SENS 2 *Dominique est pensionnaire dans cette école* (= interne).

■**pensionnat** n.m. SENS 2 *Je suis élève dans un pensionnat,* une école qui reçoit des pensionnaires (= internat).

■**pensionner** v. SENS 3 *Mon grand-père est pensionné par le gouvernement,* il en reçoit une pension.

■**demi-pension** n.f. SENS 1 **1.** *Nous sommes en demi-pension dans cet hôtel,* nous n'y prenons qu'un repas par jour. **2.** *Au collège, Carole est inscrite à la demi-pension,* elle déjeune à l'école.

■**demi-pensionnaire** n. SENS 1 *Les demi-pensionnaires sont priés d'apporter leur serviette de table à l'école,* les élèves qui y prennent leur repas de midi.

pensum n.m. *Ce devoir, quel pensum !,* quel travail ennuyeux !
R. On prononce [pɛ̃sɔm].

pentagone n.m. *Un pentagone est une figure géométrique à cinq côtés.*
R. On prononce [pɛ̃tagɔn]. 385

pente n.f. *La route est en pente,* elle est inclinée, elle monte (ou descend). *La pente est raide* (= côte).

Pentecôte n.f. *Chez les chrétiens, la fête de la Pentecôte est célébrée cinquante jours après Pâques.*

pénurie n.f. *Il y avait une pénurie de pétrole,* on en manquait (≠ abondance).

pépier v. *Les moineaux pépient sur le balcon,* ils poussent leurs petits cris.

pépin n.m. *Les pommes et les poires ont des pépins,* des petites graines.

pépinière n.f. *Dans une pépinière, on fait pousser des arbres jeunes.*

■**pépiniériste** n. *Nous avons acheté des plants de rosiers chez une pépiniériste.*

pépite n.f. *Le chercheur d'or a trouvé une pépite,* un morceau d'or pur.

péplum n.m. *Chez les Romains, le péplum était un vêtement féminin.* 440, 804
R. On prononce [peplɔm].

percepteur, perceptible, perception → *percevoir.*

percer v. **1.** *On a percé le mur pour faire une fenêtre,* on y a fait un trou. **2.** *Ce bruit nous perce les oreilles,* il est très aigu (= déchirer). **3.** *On n'a pas réussi à percer le mystère* (= comprendre, pénétrer). **4.** *Le bébé a sa première dent qui perce,* qui pousse, qui commence à sortir de la gencive.

■ **perçant** adj. SENS 2 *Ce sifflet produit un son perçant* (= aigu).

■ **percée** n.f. SENS 1 *Le chemin fait une percée dans la forêt* (= ouverture, trouée).

289, 291

■ **perceuse** n.f. SENS 1 *Une perceuse est un outil pour faire des trous.*

■ **perce-neige** n.m. ou f.inv. SENS 1 *Le perce-neige est une fleur qui pousse à travers la neige.*

■ **transpercer** v. SENS 1 ET 2 *La pluie a transpercé la toile de tente* (= traverser).

percevoir v. 1. *Je perçois les battements de ton cœur,* je les sens. 2. *L'État perçoit des taxes sur l'essence,* il les reçoit.

■ **percepteur** n.m. SENS 2 *Le percepteur est chargé de percevoir les impôts.*

■ **perceptible** adj. SENS 1 *Le bateau n'est plus perceptible à l'œil nu* (= visible).

■ **perception** n.f. SENS 1 *Les yeux, les oreilles, le nez sont des organes de la perception,* des sens. SENS 2 *Mme Truong est allée payer ses impôts à la perception,* au bureau du percepteur.

■ **imperceptible** adj. SENS 1 *Il y a une différence imperceptible entre ces deux couleurs* (= insensible, minime, infime).

■ **imperceptiblement** adv. SENS 1 *La fissure s'est élargie imperceptiblement,* un tout petit peu.

R. → Conj. n° 34. → *précepteur.*

34

1. perche n.f. 1. *Je pratique le saut à la perche,* avec un long bâton. 2. *Par sa question, le journaliste lui a tendu la perche,* il l'a aidé à sortir d'embarras.

■ **perchiste** n. SENS 1 *Norma est perchiste,* elle fait du saut à la perche.

2. perche n.f. *La perche est un poisson d'eau douce.*

percher v. *Le moineau est allé se percher sur la branche* (= se poser).

■ **perchoir** n.m. *Les poules dorment sur un perchoir,* un endroit où elles se perchent.

perchiste → *perche* 1.

perclus adj. *Mon grand-père est perclus de rhumatismes,* immobilisé par ceux-ci.

percuter v. *La voiture a percuté (contre) un mur,* elle l'a heurté violemment.

■ **percutant** adj. *C'est cet argument percutant qui a emporté la décision* (= frappant, convaincant, péremptoire).

■ **percussion** n.f. *Le tambour, les cymbales sont des instruments à percussion,* on en joue en les frappant.

perdre v. 1. *Jean a perdu son stylo,* il ne l'a plus (≠ retrouver). 2. *Notre équipe a perdu (le match),* elle a été vaincue (≠ gagner). 3. *Yasmina vient de perdre son père,* celui-ci est mort. 4. *En restant ici, on perd son temps,* on ne l'utilise pas bien (= gaspiller). 5. *Ils ont attendu longtemps, mais ils n'ont pas perdu patience,* ils n'ont pas cessé d'être patients. 6. *Nous nous sommes perdus dans la forêt,* nous n'avons pas trouvé le bon chemin (= s'égarer).

■ **perdant** adj. et n. SENS 2 *Dans cette affaire, nous avons été perdants* (≠ gagnant).

■ **perdition** n.f. SENS 3 *Le navire est en perdition,* il va faire naufrage.

■ **perdu** adj. SENS 3 *Le malade est perdu,* il va mourir. SENS 6 *J'habite dans un village perdu,* difficile à atteindre.

■ **perte** n.f. SENS 1 *Lori est désolée par la perte de son stylo.* SENS 3 *L'ennemi*

*a eu de nombreuses **pertes,** des soldats tués.* **SENS 4** *Ce commerce fonctionne à **perte,** il perd de l'argent* (≠ gain). *Tout ce travail a été fait en pure **perte,** sans profit, pour rien.*
■ **déperdition** n.f. **SENS 1 ET 4** *On a posé un double vitrage pour éviter une **déperdition** de chaleur* (= perte).
R. → Conj. n° 52. → **pair** 1.

perdrix n.f. *La chasseuse a abattu une **perdrix** qui s'envolait, un oiseau gris.*
■ **perdreau** n.m. *Un **perdreau** est une jeune perdrix.*

perdu → *perdre.*

père n.m. **1.** *M. Durand est **père** de trois enfants.* **2.** *Graham Bell est le **père** du téléphone, il l'a inventé.* **3.** *J'ai rencontré le **père** François, un vieil homme nommé François.* **4.** *On dit « mon **père** » à certains religieux.*
■ **paternel** adj. **SENS 1** *Le professeur a eu pour Jean des paroles **paternelles,** dignes d'un père* (= gentil).
■ **paternellement** adv. **SENS 1** *Cet homme accueille **paternellement** les enfants réfugiés, avec la bienveillance d'un père.*
■ **paternalisme** n.m. **SENS 1** *Cette directrice traite ses employés avec **paternalisme,** elle se montre bienveillante pour renforcer son autorité.*
■ **paternité** n.f. **SENS 2** *Qui a la **paternité** de ce projet ?, qui en est l'auteur ?*
R. → **pair** 1.

pérégrination n.f. *Marie m'a raconté ses **pérégrinations,** ses déplacements, ses voyages.*

péremptoire adj. *Tu m'as répondu d'un ton **péremptoire,** sans réplique* (= tranchant).

perfection, perfectionnement, perfectionner → *parfait.*

perfide adj. *On a été victime d'une machination **perfide*** (= déloyal).

■ **perfidie** n.f. *On lui a reproché sa **perfidie*** (= fourberie, traîtrise).

perforer v. *Cette machine **perfore** automatiquement les billets,* elle y fait un trou.
■ **perforateur** n.m. *Avec un **perforateur,** on peut faire des trous sur le bord d'une feuille de papier pour pouvoir la classer ensuite.*
■ **perforation** n.f. *Il est mort d'une **perforation** intestinale,* quelque chose lui a percé l'intestin.

performance n.f. *La nageuse a battu le record, c'est une belle **performance*** (= résultat, exploit).
■ **contre-performance** n.f. *Le sauteur n'a pas égalé son précédent record : cette **contre-performance** est due à une fatigue passagère* (= échec).

perfusion n.f. *On a fait une **perfusion** de sang à la malade,* on a fait passer du sang dans son corps à l'aide d'un appareil spécial.

pergola n.f. *Nous avons mangé sous la **pergola,** sous un petit abri dans le jardin.*

péricliter v. *L'économie de ce pays est en train de **péricliter,** elle va à la ruine* (≠ prospérer).

péril n.m. *La tempête a mis le navire en **péril,** en danger.*
■ **périlleux** adj. *Attention, le virage est **périlleux** !* (= dangereux). *Les acrobates font des **sauts périlleux,** ils sautent en faisant des tours complets sur eux-mêmes.*

périmé adj. *Ces tickets de métro sont **périmés,** ils ne sont plus valables.*

périmètre n.m. *Le **périmètre** de mon jardin est de 100 mètres,* la somme de ses côtés, la longueur de son pourtour.

293

période n.f. *Cela s'est passé pendant la* **période** *des vacances* (= temps, durée).

■ **périodique** adj. *Marie a des crises* **périodiques** *de bronchite,* à intervalles plus ou moins réguliers.

■ **périodique** n.m. *Un* **périodique** *est un journal ou une revue qui paraît régulièrement.*

■ **périodiquement** adv. *Les hirondelles reviennent* **périodiquement** (= régulièrement).

péripétie n.f. *Notre voyage a été marqué par de nombreuses* **péripéties,** *des événements imprévus.*
R. On prononce [peripesi].

périphérie n.f. *La banlieue se trouve à la* **périphérie** *de la ville,* tout autour.

■ **périphérique** adj. et n.m. *Il y a un encombrement sur le (boulevard)* **périphérique,** celui qui fait le tour de la ville.

périphrase n.f. *« Le plus fidèle ami de l'homme »* *est une* **périphrase** *désignant le chien,* une expression, un groupe de mots.

périple n.m. *Les Durand ont fait un* **périple** *en Italie,* un long voyage.

périr v. *Un si beau souvenir ne peut pas* **périr** (= disparaître, mourir).

■ **périssable** adj. *On met les produits* **périssables** *au réfrigérateur,* ceux qui risquent de pourrir.

■ **impérissable** adj. *Cet écrivain a laissé une œuvre* **impérissable,** dont le souvenir ne peut pas disparaître.

périscope n.m. *Le* **périscope** *d'un sous-marin permet de regarder à la surface de la mer,* un appareil composé d'un tube et de miroirs.

périssable → **périr.**

périssoire n.f. *Une* **périssoire** *est un* long canot manœuvré à la pagaie.

péristyle n.m. *Les temples grecs étaient entourés d'un* **péristyle,** d'une galerie à colonnes.

perle n.f. **1.** *Admirez ce joli collier de* **perles,** de petites boules brillantes. **2.** *Ce tableau est la* **perle** *de ma collection,* une chose très précieuse.

■ **perler** v. SENS 1 *La sueur* **perle** *sur son front,* elle forme des gouttes.

■ **perlière** adj.f. SENS 1 *Dans les huîtres* **perlières,** *on trouve des perles précieuses.*

permanent adj. *Cette machine fait un bruit* **permanent,** qui ne cesse pas (= continu ; ≠ provisoire).

■ **permanente** n.f. *Marie est allée chez le coiffeur se faire faire une* **permanente,** un traitement qui donne une ondulation durable aux cheveux.

■ **permanence** n.f. **1.** *Le spectacle continue* **en permanence,** sans s'arrêter. **2.** *Un employé tient une* **permanence** *pour renseigner les visiteurs,* il reste à la même place.

perméable adj. *Un terrain sablonneux est* **perméable,** il laisse passer l'eau.

■ **imperméable** adj. et n.m. *La toile cirée est un tissu* **imperméable.** *Il pleut, prends ton* **imperméable,** ton manteau de pluie.

■ **imperméabiliser** v. *Je ne crains pas la pluie, mon blouson* **a été imperméabilisé,** il a été rendu imperméable par un traitement spécial.

permettre v. **1.** *Le médecin m'a* **permis** *de sortir,* il m'en a donné l'autorisation (≠ défendre, interdire). **2.** *Mon travail ne me* **permet** *pas de sortir,* il ne m'en donne pas la possibilité (≠ empêcher). **3.** *Je me* **permets** *de vous faire une observation,* je prends cette liberté.

■ **permis** n.m. SENS 2 *Gita a passé son* **permis** *de conduire,* elle a le droit de conduire.

■ **permission** n.f. SENS 1 *Pierre est venu sans permission* (= autorisation).

■ **permissionnaire** n.m. SENS 1 Un *permissionnaire* est un soldat qui a la permission de sortir de la caserne. **R.** → Conj. n° 57.

permuter v. *En recopiant, Lori a permuté deux mots,* elle les a mis l'un à la place de l'autre (= intervertir).

■ **permutation** n.f. *« Gare » devient « rage » par la permutation de deux lettres.*

pernicieux adj. *Dominique m'a donné des conseils pernicieux* (= mauvais, nuisible ; ≠ salutaire).

péroné n.m. *Le péroné est un os de la jambe.*

péronnelle n.f. Fam. *Jeanne est une petite péronnelle,* elle est sotte et prétentieuse.

pérorer v. *M. Durand pérore devant ses invités,* il parle d'une manière prétentieuse.

perpendiculaire adj. *Deux lignes sont perpendiculaires quand elles se coupent à angle droit.*

perpétrer v. *L'accusé avait perpétré un crime horrible,* il l'avait commis.

perpétuel adj. *Cette affaire nous a causé des ennuis perpétuels,* sans fin (= continuel, incessant, constant ; ≠ momentané).

■ **perpétuellement** adv. *Tu es perpétuellement triste* (= toujours, constamment).

■ **perpétuer** v. *Perpétuer une tradition,* c'est la faire durer (= maintenir, poursuivre).

■ **perpétuité** n.f. *L'accusé a été condamné à la prison à perpétuité,* pour toute sa vie.

perplexe adj. *Marie a l'air perplexe* (= inquiet, embarrassé).

■ **perplexité** n.f. *Ta question nous a plongés dans une grande perplexité* (= embarras).

perquisition n.f. *La police a fait une perquisition chez la suspecte,* elle a fouillé son logement.

■ **perquisitionner** v. *Le juge a ordonné de perquisitionner chez M. Duval* (= fouiller).

perron n.m. *Le perron d'une maison est un petit escalier se terminant par une plate-forme sur laquelle donne la porte d'entrée.* 74

perroquet n.m. **1.** *Les perroquets peuvent imiter la voix humaine,* des oiseaux très colorés. **2.** *Le perroquet est une des voiles d'un voilier.* 581

■ **perruche** n.f. SENS 1 *Une perruche est un oiseau ressemblant à un perroquet, mais plus petit.*

perruque n.f. *Je porte une perruque blonde,* de faux cheveux. 805

persécuter v. *Jean est persécuté par ses camarades,* ceux-ci le tourmentent, le martyrisent.

■ **persécuteur** n. *Le chien a mordu ses persécuteurs.*

■ **persécution** n.f. *Les premiers chrétiens furent victimes de persécutions,* de cruautés.

persévérer v. *Ne te décourage pas, persévère !,* continue ton action (= s'obstiner ; ≠ abandonner, renoncer).

■ **persévérant** adj. *Elle a réussi grâce à un effort persévérant.*

■ **persévérance** n.f. *Sa persévérance a été récompensée* (= ténacité, obstination).

persienne n.f. *La nuit tombe, il faut fermer les persiennes,* les volets. 74

persifler v. *Elle s'est permis de persifler son professeur,* de s'en moquer de façon ironique.

persil n.m. *M. Durand met du persil dans la salade de tomates,* une plante odorante.
R. On prononce [pɛrsi].

persister v. *Ruth persiste à penser qu'elle a raison* (= continuer, s'obstiner ; ≠ cesser).
■ **persistant** adj. *Le froid est persistant,* il continue (= durable, tenace).
■ **persistance** n.f. *La radio annonce la persistance du mauvais temps* (≠ arrêt).

personne n.f. **1.** *Il y avait cinq personnes dans le compartiment,* cinq êtres humains (hommes ou femmes). **2.** *Il est venu en personne,* lui-même. **3.** *« Nous allons » est une phrase à la première personne du pluriel.*
■ **personne** pron.indéfini SENS 1 *As-tu vu quelqu'un ? — Non, je n'ai vu personne,* aucun être humain.
■ **personnage** n.m. SENS 1 *Cléopâtre est un personnage historique,* une personne importante. *Dans cette pièce de théâtre, il n'y a que trois personnages,* trois personnes imaginées par l'auteur.
■ **personnalité** n.f. SENS 1 *Luce a une forte personnalité,* c'est une personne de caractère. *Le maire est une personnalité officielle,* une personne importante.
■ **personnel** adj. SENS 2 *Jean ne pense qu'à son intérêt personnel* (= individuel, privé ; ≠ commun). SENS 3 *L'indicatif est un mode personnel,* qui a des personnes.
■ **personnel** n.m. SENS 1 *Cette usine engage du personnel,* des personnes pour y travailler.

■ **personnellement** adv. SENS 2 *Je connais Marie personnellement,* en personne.

■ **personnaliser** v. SENS 2 *Ces accessoires permettent de personnaliser votre voiture,* de lui donner un caractère personnel, distinctif.
■ **personnifier** v. SENS 1 *Dans son tableau, le peintre a personnifié le printemps,* il l'a représenté par une personne.
■ **impersonnel** adj. SENS 1 *Tu parlais d'un ton impersonnel,* sans caractère (≠ original). SENS 3 *L'infinitif est un mode impersonnel,* sans personnes.

perspective n.f. **1.** *Cette maison est dessinée en perspective,* telle qu'elle apparaît aux yeux (≠ plan, schéma). **2.** *Tes perspectives de réussite sont faibles* (= espérance).

perspicace adj. *Tu as deviné ? Tu es perspicace* (= clairvoyant, pénétrant).
■ **perspicacité** n.f. *Ta réponse fait preuve de perspicacité,* de finesse d'esprit.

persuader v. *M. Durand nous a persuadés qu'il avait raison,* il nous a amenés à l'admettre (= convaincre).
■ **persuasif** adj. *M. Durand est un homme persuasif,* il sait persuader.
■ **persuasion** n.f. *Tu as parlé avec une grande force de persuasion* (= conviction).

perte → perdre.

pertinent adj. *Bianca a posé une question pertinente,* qui montre son intelligence (= judicieux).
■ **pertinemment** adv. *Je sais pertinemment que cette histoire est fausse,* de façon certaine.

perturber v. *Vous perturbez la classe en bavardant,* vous mettez du désordre (= troubler).
■ **perturbateur** n. *Les perturbateurs ont été expulsés de la salle.*
■ **perturbation** n.f. *La grève des douaniers a causé des perturbations*

aux postes frontières (= trouble, dérangement).

■ **imperturbable** adj. *Zara est restée imperturbable,* elle ne s'est pas troublée (= calme ; ≠ ému).

■ **imperturbablement** adv. *Il a poursuivi imperturbablement son discours malgré les protestations.*

pervenche n.f. *Les pervenches* sont des petites fleurs bleues.

pervers adj. *Une personne perverse aime faire le mal* (≠ bon).

■ **perversité** n.f. *Tu as agi avec perversité* (= méchanceté).

■ **pervertir** v. *Les mauvais exemples l'ont perverti,* ils l'ont poussé à faire le mal.

peser v. 1. *Un litre d'eau pèse 1 kg,* il a cette masse. 2. *Le boulanger a pesé le pain sur sa balance,* il en a mesuré la masse. 3. *Ce sac me pèse sur les épaules,* il est lourd (= appuyer). 4. *Elle a longuement pesé sa décision,* elle a tout examiné avec attention. 5. *Son mensonge lui pèse,* il est pénible à supporter.

■ **pesage** n.m. SENS 2 *Avant la course, on procède au pesage des jockeys.*

■ **pesamment** adv. SENS 3 *Tu marches pesamment* (= lourdement).

■ **pesant** adj. SENS 1 *Tous les corps sont pesants,* ils ont une masse. SENS 3 *Je porte un sac pesant* (= lourd ; ≠ léger).

■ **pesanteur** n.f. SENS 1 La *pesanteur* est une force qui entraîne les corps vers le bas et qui fait qu'ils ont une masse.

■ **pesée** n.f. SENS 2 *On fait une pesée avec une balance,* on pèse les objets. SENS 3 *Line a exercé une pesée sur le levier,* elle a appuyé dessus (= poussée).

■ **pèse-lettre** n.m. SENS 2 *À la poste, le pèse-lettre sert à peser les lettres.*

■ **apesanteur** n.f. SENS 1 *Les astronautes s'exercent en apesanteur,* dans un endroit sans pesanteur.

■ **s'appesantir** v. SENS 3 *Je ne veux pas m'appesantir sur ce sujet* (= appuyer, insister).

R. Attention : *s'appesantir* a deux *p, apesanteur* n'en a qu'un. Noter le pluriel : des *pèse-lettres.*

peseta n.f. La *peseta* est la monnaie espagnole.

R. On prononce [pezeta].

pessimiste adj. et n. *M. Dupont est un (homme) pessimiste,* il pense que tout va mal (≠ optimiste).

■ **pessimisme** n.m. *Yaelle voit l'avenir avec pessimisme,* elle n'a pas confiance.

peste n.f. 1. *Autrefois, les épidémies de peste faisaient beaucoup de morts.* 2. *Marie est une petite peste,* elle est insupportable.

■ **pestiféré** n. SENS 1 *On le fuit comme un pestiféré,* comme on fuyait autrefois un malade de la peste.

pester v. *M. Durand peste contre le mauvais temps,* il parle avec colère (= jurer, grogner).

pestiféré → *peste.*

pestilentiel adj. *Il y a ici une odeur pestilentielle* (= infect).

pet → *péter.*

pétale n.m. *Les marguerites ont des pétales blancs, les coquelicots ont des pétales rouges.* 294

pétanque n.f. *Ruth et Pierre font une partie de pétanque,* de jeu de boules. 578

pétarade n.f. *On entend dans la rue une pétarade de motos,* une suite de détonations.

■ **pétarader** v. *L'auto est partie en pétaradant.*

pétard n.m. *Pour s'amuser, les enfants font éclater des **pétards**,* des petites charges explosives.

péter v. Fam. *Ça sent mauvais : quelqu'un **a pété**,* a laissé échapper un gaz de son derrière.

■ **pet** n.m. Fam. *Lâcher un **pet**,* c'est péter.

R. *Pet* se prononce [pɛ].

pétiller v. **1.** *Le feu **pétille** dans la cheminée,* il fait des petits bruits. **2.** *Le champagne **pétille**,* il fait des petites bulles. **3.** *Ses yeux **pétillent** d'impatience* (= briller).

petit adj. **1.** *Jean est plus **petit** que Sonia,* sa taille est inférieure (≠ grand). **2.** *Kathy est encore trop **petite** pour aller à l'école* (= jeune). **3.** *Qu'est-ce qui fait ce **petit** bruit ?* (= faible, léger ; ≠ fort). **4.** *M. Durand est un **petit** commerçant,* peu important (≠ gros).

■ **petit** n. SENS 2 *Jeannot est dans la classe des **petits**,* des plus jeunes (≠ grand). *La chatte a eu des **petits**,* des chatons.

■ **petit à petit** adv. *L'eau s'est évaporée **petit à petit*** (= peu à peu, insensiblement).

■ **petitesse** n.f. SENS 1 ET 3 *Elle se plaint de la **petitesse** de son salaire* (= faiblesse).

■ **rapetisser** v. SENS 1 *Mon pantalon a **rapetissé** au lavage* (= diminuer, rétrécir ; ≠ s'agrandir).

petit-beurre n.m. *Les **petits-beurre** sont des petits biscuits plats faits de crème et de beurre.*

petit-fils n.m., **petite-fille** n.f., **petits-enfants** n.m.pl. *M. Durand a trois **petits-enfants** : deux **petits-fils** et une **petite-fille**,* il est leur grand-père. | 603

■ **arrière-petit-fils** n.m., **arrière-petite-fille** n.f., **arrière-petits-enfants** n.m.pl. *Les petits-enfants de* | 603

*M. Durand ont eu chacun un enfant, cet **arrière-petit-fils** et cette **arrière-petite-fille** sont ses **arrière-petits-enfants**.*

petit four → four.

pétition n.f. *Les employées ont signé une **pétition** pour l'augmentation des salaires,* une demande écrite.

petit-lait → lait.

petits-enfants → petit-fils.

petit-suisse n.m. *Les **petits-suisses** sont des petits fromages blancs en forme de cylindre.*

pétoncle n.m. *Le **pétoncle** est un mollusque comestible.*

pétrel n.m. *Le **pétrel** est un oiseau marin.*

pétrifier v. *Kathy **était pétrifiée** par l'émotion,* elle ne bougeait plus (= immobiliser, figer).

pétrir v. *Le pâtissier **pétrit** la pâte pour faire une tarte,* il la presse et la remue avec ses mains.

■ **pétrin** n.m. *Un **pétrin** est un grand récipient où les boulangers pétrissent le pain.*

pétrole n.m. *Le Canada importe beaucoup de **pétrole**,* un liquide qui sert de source d'énergie.

■ **pétrolier** adj. et n.m. *L'essence, le mazout sont des produits **pétroliers**,* à base de pétrole. *Un **pétrolier** a fait naufrage,* un bateau transportant du pétrole.

pétulant adj. *Pierre est un garçon **pétulant*** (= vif, dynamique ; ≠ mou).

pétunia n.m. *Dominique a des pots de **pétunias** sur son balcon,* une sorte de fleur.

peu adv. **1.** *Il y a **peu** d'élèves dans la classe* (≠ beaucoup). *Paul est **peu***

attentif (≠ très). **2.** *Aimes-tu les ca-rottes ? — Un peu* (≠ beaucoup).
3. *Peu à peu, tu fais des progrès* (= lentement, petit à petit).
R. *Peu se prononce* [pø] *comme* [*je*] *peux*, [*il*] *peut* (de *pouvoir*).

peuple n.m. **1.** *Le peuple italien va voter dimanche*, l'ensemble des habitants du pays. **2.** *M. Durand est issu du peuple*, de la partie la plus nombreuse et la moins riche de la population (≠ bourgeoisie).

■ **peuplade** n.f. SENS 1 Une *peuplade* est un groupe de gens qui vivent en tribus.

■ **peupler** v. SENS 1 *Cette région est peuplée par des émigrés* (= habiter).

■ **peuplement** n.m. SENS 1 *Le peuplement de ce pays est très faible*, le nombre des habitants.

■ **populace** n.f. SENS 2 *Populace* est un terme de mépris pour parler du peuple.

■ **populaire** adj. **1.** SENS 2 *Les ouvriers et les paysans forment les classes populaires* (≠ bourgeois, privilégié). **2.** *Ruth est très populaire dans sa classe*, elle est connue et aimée de tout le monde.

■ **populariser** v. SENS 2 *Les journaux ont popularisé son nom*, ils l'ont fait connaître très largement.

■ **popularité** n.f. *Ce parti politique a une grande popularité*, il est populaire (au sens 2) [= célébrité].

■ **population** n.f. SENS 1 *La population du Canada dépasse 25 millions d'habitants*, le nombre des habitants.

■ **populeux** adj. SENS 1 *Nous habitons un quartier populeux*, très peuplé.

■ **dépeupler** v. SENS 1 *Les campagnes se dépeuplent*, elles perdent leur population.

■ **dépeuplement** n.m. ou **dépopulation** n.f. SENS 1 *Cette région souffre d'un grave dépeuplement*, d'une diminution de sa population.

■ **impopulaire** adj. SENS 2 *Ce pays a un gouvernement impopulaire*, qui ne plaît pas à la majorité du peuple.

■ **impopularité** n.f. SENS 2 *En annonçant ce nouvel impôt, le gouvernement savait qu'il s'exposait à l'impopularité.*

■ **repeupler** v. SENS 1 *Depuis la guerre, le pays s'est repeuplé*, il s'est peuplé de nouveau.

■ **sous-peuplé** adj. SENS 1 *Cette région est sous-peuplée*, la population est insuffisante.

■ **surpeuplé** adj. SENS 1 *Ils habitent un quartier surpeuplé*, trop peuplé.

■ **surpeuplement** n.m. ou **surpopulation** n.f. SENS 1 *On craint en l'an 2000 un surpeuplement de la Terre*, une population trop nombreuse.

peuplier n.m. *Les arbres qui bordent cette route sont des peupliers.* 655, 218

peur n.f. *Jean a peur dans le noir*, il est inquiet, effrayé. *Tu m'as fait peur*, tu m'as inquiété, effrayé. *J'ai pu surmonter ma peur* (= crainte).

■ **peureux** adj. *Cette chatte est peureuse* (= craintif ; ≠ brave).

■ **apeuré** adj. *Tu as eu un geste apeuré*, causé par la peur.

peut-être adv. indique une possibilité : *Tu viendras ? — Peut-être.*

phalange n.f. *Linda s'est cassé une phalange du pouce*, l'un des os.

pharaon n.m. Les *pharaons* étaient les rois de l'ancienne Égypte.

phare n.m. **1.** *Il y a un phare à l'entrée du port*, une tour lumineuse pour guider les navires. **2.** *J'ai été ébloui par les phares d'une voiture*, ses lumières placés à l'avant. 727 512, 505
R. *Phare se prononce* [far] *comme fard*.

pharmacie n.f. **1.** *Je fais des études de pharmacie*, j'apprends à connaître les médicaments. **2.** *Va à la pharmacie* *acheter des médicaments,* à la boutique qui en vend. **3.** *Maman a fait un tri dans la* **pharmacie,** l'armoire où l'on met les médicaments chez soi.

■ **pharmacien** n. *M. Dupont est pharmacien,* c'est son métier.

■ **pharmaceutique** adj. *L'aspirine est un* **produit pharmaceutique,** un médicament.

pharynx n.m. *Le* **pharynx** *se trouve au fond de la bouche* (= gosier).

phase n.f. **1.** *Le combat s'est déroulé en plusieurs* **phases** (= période). **2.** *Les* **phases** *de la Lune sont ses divers aspects* (pleine lune, quartier).

phénomène n.m. **1.** *Les marées sont des* **phénomènes** *naturels,* des faits naturels. **2.** Fam. *Dominique est un* **phénomène,** un personnage bizarre, peu ordinaire.

■ **phénoménal** adj. SENS 2 *Tu es d'une force* **phénoménale** (= extraordinaire).

philanthrope n. *Cet hôpital a été fondé par une* **philanthrope,** une personne généreuse.

■ **philanthropie** n.f. *M. Dupont agit par* **philanthropie,** par amour des autres hommes.

philatélie n.f. *Je m'intéresse à la* **philatélie,** à la collection des timbres.

■ **philatéliste** n. *Je fais des échanges avec un autre* **philatéliste,** un collectionneur de timbres.

philosophale adj.f. *Les alchimistes du Moyen Âge cherchaient la* **pierre philosophale,** une substance qui devait, pensaient-ils, transformer le plomb en or.

philosophie n.f. **1.** *La* **philosophie** *est une réflexion sur les grands problèmes de l'homme et de l'univers* (Dieu, l'âme, le bien et le mal, etc.). **2.** *Claude supporte sa maladie avec* **philosophie,** avec calme et fermeté.

■ **philosophe** SENS 1 n. *Platon et Aristote sont de grands* **philosophes** *grecs.* SENS 2 adj. *Elle ne se plaint jamais, elle est très* **philosophe,** elle est résignée et courageuse.

■ **philosophique** adj. SENS 1 *On a acheté un ouvrage* **philosophique,** de philosophie.

philtre n.m. *Un* **philtre** *est une boisson magique.*
R. *Philtre* se prononce [filtr] comme *filtre.*

phlegmon n.m. *Un* **phlegmon** *est une sorte d'abcès.*

phobie n.f. *J'ai la* **phobie** *du feu,* une peur irraisonnée.

phonétique 1. n.f. *La* **phonétique** *est l'étude scientifique des sons du langage.* **2.** adj. *Les signes* **phonétiques** *servent à transcrire les sons.*

phono ou **phonographe** n.m. *Claude nous a passé des disques sur un vieux* **phono.**
R. Aujourd'hui, on dit *électrophone.*

phoque n.m. *Nous avons vu les* **phoques** *du zoo,* des animaux venant des mers froides.

phosphate n.m. *Les* **phosphates** *sont de bons engrais,* des produits chimiques.

phosphore n.m. *Le* **phosphore** *est un corps qui émet une lueur bleuâtre dans l'obscurité.*

■ **phosphorescent** adj. *Dominique a une montre* **phosphorescente,** qui est lumineuse dans l'obscurité.

photo ou **photographie** n.f. **1.** *Pour faire de la* **photo,** *il faut un appareil contenant une pellicule sensible à la lumière.* **2.** *Claude regarde les* **photos** *des vacances* (= image, vue).

■ **photographe** n. *Rita est* **photographe,** elle fait de la photo.

■ **photographier** v. *Jean a* **photographié** *ses amis,* il les a pris en photo.

■ **photographique** adj. *J'ai acheté des pellicules photographiques pour mon appareil photographique (ou appareil photo).*

■ **photocopie** n.f. *Une photocopie est une reproduction photographique d'un document.*

■ **photocopier** v. *Faites photocopier ce certificat* (= reproduire).

■ **photocopieuse** n.f. *La photocopieuse est l'appareil de photocopie.*

■ **photogénique** adj. *Cette personne est très photogénique, elle paraît toujours belle sur les photos.*

photo-électrique adj. *Une cellule photo-électrique sert à mesurer l'intensité de la lumière.*

phrase n.f. *« Viendras-tu demain ? » est une phrase interrogative,* une suite de mots ayant un sens et finissant par un point.

phylloxéra n.m. *Le phylloxéra est un insecte qui détruit la vigne.*

physicien → *physique.*

physiologie n.f. *La physiologie est la science qui étudie le fonctionnement des organes des êtres vivants.*

■ **physiologique** adj. *Claude a des troubles physiologiques,* du corps.

physionomie n.f. **1.** *Marie a une physionomie intelligente,* un visage. **2.** *La physionomie de Montréal a beaucoup changé en trente ans* (= aspect).

■ **physionomiste** adj. SENS 1 *Pierre est très physionomiste,* il reconnaît bien les visages.

physique adj. **1.** *Le son, l'électricité, la lumière sont des phénomènes physiques,* de la nature. **2.** *Je ressentais une grande fatigue physique* (= corporel ; ≠ intellectuel ou moral). *Tous les matins, nous faisons de la culture physique,* de la gymnastique.

■ **physique** n.f. SENS 1 *La physique est la science qui étudie les lois de la nature.*

■ **physique** n.m. SENS 2 *Tu as un physique agréable,* une apparence extérieure (≠ esprit).

■ **physiquement** adv. SENS 2 *Physiquement, il est très beau,* par son physique.

■ **physicien** n. SENS 1 *Les physiciens et les chimistes étudient la matière.*

piaffer v. *Les chevaux piaffent quand ils frappent le sol avec leur pied.*

piailler ou **piauler** v. Fam. *Les enfants piaillent dans la cour,* ils poussent des cris.

■ **piaillement** n.m. *On entend les piaillements des poules* (= cri).

piano n.m. *J'apprends à jouer du piano,* d'un instrument de musique à clavier. 439

■ **pianiste** n. *Nous sommes allés écouter une grande pianiste.*

■ **pianoter** v. *Qui pianote une valse ?,* qui la joue maladroitement.

piastre n.f. **1.** *La piastre est la monnaie de certains pays d'Orient.* **2.** *La piastre est le nom familier du dollar au Canada français.*

piauler → *piailler.*

pic n.m. **1.** *Le maçon démolit le mur avec un pic,* un outil pointu. **2.** *Les pics des Rocheuses apparaissent au loin,* les sommets pointus. **3.** *Le pic frappe les troncs d'arbres de son bec pointu,* une sorte d'oiseau. **4.** *La falaise tombe à pic dans la mer,* verticalement. **5.** Fam. *Pia est tombée à pic pour nous voir,* très bien (= à propos). 649 582

■ **pivert** ou **picvert** n.m. SENS 3 *Le pivert est un oiseau de la famille des pics.*

R. *Pic se prononce* [pik] *comme pique et* [*il*] *pique (de piquer).*

pichenette n.f. *Tu lui as donné une pichenette sur le nez ?* (= chiquenaude).

pichet n.m. *On a bu un pichet de vin,* un petit broc.

pickpocket n.m. *Un pickpocket lui a volé son portefeuille,* un voleur habile. **R.** On prononce [pikpɔkɛt].

pick-up n.m.inv. est un équivalent vieilli de *électrophone.* **R.** On prononce [pikœp].

picorer v. *Les moineaux picorent des miettes de pain,* ils les mangent en les piquant de leur bec.

picoter v. *Les yeux me picotent,* ils me piquent légèrement.
■ **picotement** n.m. *Je sens un picotement sous les pieds* (= démangeaison).

picotin n.m. *Le cheval a eu son picotin d'avoine,* sa ration.

pictural → *peindre.*

picvert → *pic.*

pie n.f. *Cette personne est bavarde comme une pie,* un oiseau noir et blanc.
■ **pie** adj.inv. *Un cheval pie est noir et blanc.*

pièce n.f. **1.** *Marie a un maillot de bain deux pièces,* formé de deux parties. **2.** *Une pièce de bois, de tissu* est un morceau de bois, de tissu. *Le vase a été mis en pièces par le choc,* il a été brisé. *On a mis en pièces son projet* (= démolir). *Ce garçon est tout d'une pièce,* il est simple, sans façons. *Son programme est fait de pièces et de morceaux,* il manque d'unité, il est disparate. *Cette histoire est inventée de toutes pièces,* en totalité, sans aucun fondement dans la réalité. **3.** *Le jeu d'échecs contient 32 pièces* (= figurine). **4.** *Ces fruits coûtent*

10 *cents pièce,* chacun. **5.** *L'agent nous a demandé nos pièces d'identité* (= document, papier). **6.** *Nous habitons un appartement de quatre pièces,* de quatre chambres ou salles. **7.** *On m'a rendu la monnaie en pièces de 5 cents* (≠ billet). **8.** *Jean a une pièce à son pantalon,* un morceau de tissu cousu. **9.** *Au théâtre, nous avons vu une pièce de Michel Tremblay* (= œuvre).
■ **piécette** n.f. SENS 7 *J'ai dans ma poche quelques piécettes de 5 cents,* des petites pièces.
■ **rapiécer** v. SENS 8 *Je porte des vêtements qu'on a rapiécés,* réparés avec des pièces.

pied n.m. **1.** *Claude s'est tordu le pied gauche en courant.* **2.** *On a fait 10 kilomètres à pied,* en marchant. **3.** *Un des pieds de la table est cassé,* une des parties par laquelle elle s'appuie sur le sol. **4.** *Nous nous sommes reposés au pied de la montagne,* en bas (= base). **5.** *Le pied est une ancienne mesure qui valait 12 pouces.* **6.** *L'alexandrin est un vers de 12 pieds* (= syllabe). **7.** *Un pied à coulisse est un instrument qui sert à mesurer des objets.* **8.** *Si tu t'écartes davantage du rivage, tu n'auras plus pied,* tu ne pourras plus toucher le fond avec tes pieds en gardant la tête hors de l'eau. **9.** *J'attends les critiques de pied ferme,* sans crainte, prêt à résister. **10.** *Nos troupes se sont défendues pied à pied,* en ne reculant que peu à peu. **11.** *Il a fallu faire des pieds et des mains pour réussir,* employer tous les moyens possibles. **12.** *Nous avons mis sur pied un nouveau projet,* nous l'avons préparé, élaboré.
■ **pédestre** adj. SENS 2 *Une randonnée pédestre* est une randonnée à pied.
■ **piétiner** v. **1.** SENS 2 *Attention, tu vas piétiner les fleurs,* marcher dessus.

223

436

2. SENS 1 *Les gens piétinent devant l'entrée du cinéma,* ils remuent les pieds en avançant peu ou sans avancer. *L'affaire piétine,* elle ne fait pas de progrès.
■ **piéton** n.m. SENS 2 *Le trottoir est réservé aux piétons,* à ceux qui vont à pied.
■ **piéton** ou **piétonnier** adj. *Une rue piétonne* (ou *piétonnière*) *est réservée aux piétons.*

pied-à-terre n.m. *Les Dupont ont un pied-à-terre à la campagne,* une petite maison ou un petit appartement.
R. On prononce [pjetatɛr].

piédestal n.m. *La statue repose sur un piédestal* (= support).
R. Noter le pluriel : des *piédestaux.*

piège n.m. **1.** *On a posé des pièges à souris dans la cuisine,* des engins pour les attraper. **2.** *Fais attention, sa question cache un piège,* elle cherche à te tromper.
■ **piéger** v. SENS 1 *Une voiture piégée* comporte un dispositif qui provoque l'explosion si on y entre. SENS 2 *La question était habile, mais je ne me suis pas laissé piéger,* prendre à ce piège.

pierre n.f. **1.** *Cette maison est construite en pierre.* **2.** *Quelqu'un a jeté une pierre : le carreau est cassé* (= caillou). **3.** *Les diamants et les rubis sont des pierres précieuses.*
■ **pierreux** adj. SENS 2 *Ce chemin est pierreux,* couvert de pierres.
■ **pierreries** n.f.pl. SENS 3 *Ce coffret est orné de pierreries,* de pierres précieuses.
■ **empierrer** v. SENS 2 *On a empierré le chemin,* on l'a recouvert d'une couche de pierres.

piété → *pieux.*

piétiner, piéton, piétonnier → *pied.*

piètre adj. *Rita est une piètre chanteuse* (= médiocre).

pieu n.m. *Le cheval est attaché à un pieu,* à un morceau de bois enfoncé dans le sol (= piquet).
R. → *pieux.* Noter le pluriel : des *pieux.*

pieuvre n.f. *La pieuvre est un animal marin possédant huit tentacules.*   724

pieux adj. *Cette personne est très pieuse,* très attachée à la religion.
■ **pieusement** adv. *Je conserve pieusement les souvenirs d'autrefois,* avec un respect presque religieux.
■ **piété** n.f. *Tu es d'une grande piété* (= dévotion).
■ **impie** adj. *Des paroles impies sont contraires à la religion.*
■ **impiété** n.f. *Tu avais scandalisé les voisins par ton impiété.*
R. *Pieux* se prononce [pjø] comme *pieu.*

pigeon n.m. *Les pigeons sont des oiseaux assez gros, au vol rapide.*   362
■ **pigeonnier** n.m. *Un pigeonnier est un bâtiment pour les pigeons.*   362

piger v. est un équivalent familier de *comprendre.*

pigment n.m. *La chlorophylle est le pigment des feuilles,* la substance qui les colore.

pignon n.m. **1.** *Le pignon d'une maison est la partie supérieure du mur formant un angle à cause des deux pentes du toit.* **2.** *Le pignon d'une roue de bicyclette est une roue dentée qui est entraînée par la chaîne.*   75 / 512

pile n.f. **1.** *Il y a une pile de livres sur la table,* des livres entassés (= tas). **2.** *Les piles d'un pont sont les piliers qui le soutiennent.* **3.** *J'ai acheté des piles pour mon poste de radio,* des appareils donnant de l'électricité. **4.** adj. *Le côté pile d'une pièce de monnaie est celui où est indiquée sa valeur* (≠ face). *Pour savoir lequel de*   152 *nous deux va rester, jouons à pile ou face,* laissons tomber une pièce de monnaie et regardons sur quel côté le hasard la fera tomber. **5.** adv. Fam. *La voiture s'est arrêtée pile* (= brusquement). *Il est 3 heures pile* (= exactement).

■**empiler** v. SENS 1 *Les maçons ont empilé des briques,* ils les ont entassées.

piler v. *On pile des amandes dans un mortier,* on les écrase avec un pilon.

■**pilon** n.m. *Un pilon est un instrument à bout arrondi servant à écraser.*

■**pilonner** v. *Les canons ont pilonné la ville,* ils l'ont écrasée sous les obus.

pileux adj. *Le système pileux est formé des poils, des cheveux, de la barbe.*

pilier n.m. *Le toit du hangar est soutenu par quatre piliers de béton* (= poteau, colonne).

152, 149, 75

piller v. *Des voleurs ont pillé l'appartement,* ils ont tout emporté.

■**pillage** n.m. *Autrefois, les villes conquises étaient souvent livrées au pillage,* les soldats les pillaient.

■**pillard** adj. et n. *Des (soldats) pillards ont tout saccagé.*

pilon, pilonner → *piler.*

pilori n.m. *Autrefois, certains condamnés étaient attachés au pilori,* à un poteau sur la place publique.

767, 510

pilote n.m. *Le pilote de l'avion a réussi à se poser,* celui qui le conduit.

■**piloter** v. *Cette voiture est difficile à piloter* (= conduire).

803, 510

■**pilotage** n.m. *Le poste de pilotage se trouve à l'arrière du bateau,* l'endroit d'où on le pilote.

510

■**copilote** n.m. *Le copilote est le pilote en second.*

581

pilotis n.m. *La maison est construite sur pilotis,* sur de gros piliers de bois.

pilule n.f. *Antonio prend des pilules contre la toux,* des médicaments en forme de petites boules.

pimbêche n.f. *Marie est une pimbêche,* elle est prétentieuse et désagréable.

piment n.m. *On met du piment rouge dans certains plats pour leur donner un goût piquant.*

■**pimenter** v. *Cette sauce est trop pimentée,* trop piquante.

pimpant adj. *Quelle allure pimpante !,* élégante, coquette.

pin n.m. *Nous nous sommes promenés dans un bois de pins.*

■**pinède** n.f. *Des pinèdes ont brûlé cet été,* des bois de pins.

R. → *pain.*

pinacle n.m. *Ses amis la portent au pinacle,* ils disent beaucoup de bien d'elle.

pinailler v. Fam. *On ne va pas pinailler pour quelques cents,* discuter, critiquer sur de menus détails (= ergoter).

pince, pincé → *pincer.*

pinceau n.m. *Le peintre nettoie ses pinceaux avec de l'essence,* les instruments faits de poils au bout d'un manche et lui servant à peindre.

pincer v. **1.** *Jean m'a pincé le bras,* il m'a serré la peau avec les doigts. **2.** *Marie pince les lèvres, quand elle est en colère,* elle les serre. **3.** Fam. *La voleuse s'est fait pincer par la police* (= prendre, arrêter).

■**pince** n.f. SENS 1 *Une pince est un instrument qui sert à serrer. Les crabes, les homards, les écrevisses ont des pinces,* des pattes qui peuvent serrer.

■**pincé** adj. SENS 2 *Tu as pris un air pincé pour me répondre* (≠ souriant).

■ **pincée** n.f. SENS 1 *Jean a pris une pincée de sel entre ses doigts,* une petite quantité.

■ **pincettes** n.f.pl. 1. SENS 1 *On attise le feu avec des pincettes,* de longues pinces. 2. *Tu n'es pas à prendre avec des pincettes aujourd'hui !,* tu es de très mauvaise humeur.

■ **pinçon** n.m. SENS 1 *Tu as un pinçon noir sur le bras,* une marque faite en pinçant.

■ **pince-sans-rire** n.inv. SENS 2 *Jeanne est une pince-sans-rire,* elle plaisante sans sourire.

pinède → *pin.*

pingouin n.m. *Les pingouins sont des oiseaux des régions froides qui se tiennent dressés verticalement et qui ressemblent aux manchots.*

ping-pong n.m. *On joue au ping-pong sur une table avec une balle légère et des raquettes* (= tennis de table).
R. On prononce [piŋpɔ̃g].

pingre adj. et n. *M. Duval est (un) pingre,* il est très avare.

pinson n.m. *Marie chante comme un pinson, elle est gaie comme un pinson,* un oiseau.

pintade n.f. *Nous avons mangé une pintade aux choux,* une volaille.

pinte n.f. *John s'est servi une pinte de bière,* un grand verre.

piocher v. 1. *Les terrassiers piochent la chaussée,* ils la creusent avec une pioche. 2. Fam. *Brenda pioche son examen,* elle y travaille avec ardeur.
■ **pioche** n.f. SENS 1 *Les ouvriers ont défoncé le sol à coups de pioche,* avec un outil fait pour creuser.

piolet n.m. *Un piolet est une sorte de canne utilisée par les alpinistes.*

pion 1. n.m. *On joue aux dames avec des pions,* de petites pièces rondes. *Au jeu d'échecs, il y a 8 pions,* 8 petites figurines. 2. n. Fam. *Sylvie est pionne dans un lycée,* elle est surveillante.

pionnier n. 1. *Des pionniers ont défriché cette région déserte,* des gens qui s'y sont installés les premiers (= colon). 2. *Les frères Wright furent des pionniers de l'aviation,* parmi les premiers aviateurs.

pipe n.f. *Je ne fume ni la cigarette ni la pipe.*   652

pipeau n.m. *J'apprends à jouer du pipeau,* d'une sorte de petite flûte.   294

pipeline ou **pipe-line** n.m. *Un pipeline est une canalisation pour le transport du pétrole.*
R. On prononce [pajplajn] ou [piplin]. Noter le pluriel : *des pipe-lines* (ou *pipelines*).

piper v. 1. *Cléa n'a pas pipé,* elle n'a rien dit. 2. *On l'accuse d'avoir pipé les cartes* (= truquer).

pipette n.f. *Une pipette est un tube de verre servant à prélever des liquides.*

pipi n.m. Fam. *Bébé a fait pipi dans ses couches,* il a uriné.

piquant, pique, piqué → *piquer.*

pique-assiette n.inv. *Un pique-assiette est une personne qui cherche toujours à se faire inviter chez les autres.*

pique-nique n.m. *Nous avons fait un pique-nique sur la plage,* un repas en plein air.   506
■ **pique-niquer** v. *Les Durand vont pique-niquer le dimanche,* manger en plein air.
R. Noter le pluriel : *des pique-niques.*

piquer v. 1. *Jean s'est piqué le doigt avec un clou,* il s'est enfoncé la pointe dedans. *Marie a été piquée par une guêpe.* 2. *Pierre a été piqué contre la grippe,* on lui a fait une piqûre. 3. *Je pique à la machine* (= coudre). 4. *La fumée pique les yeux,* elle produit une sensation désagréable (= irriter). **5.** *Paul a piqué une crise de colère,* il s'est mis brusquement en colère. **6.** *L'avion pique vers le sol,* il descend rapidement. **7.** Fam. *Qui est-ce qui m'a piqué mon stylo ?* (= voler, chiper). *Le voleur s'est fait piquer,* il s'est fait prendre. **8.** *Jeanne se pique de tout savoir,* elle le prétend.

■ **piquant** SENS 1 n.m. *Les roses ont des piquants* (= épine). SENS 4 adj. *Cette sauce est trop piquante,* elle pique la langue.

■ **pique 1.** n.f. SENS 1 Une *pique* est une arme ancienne à bout pointu. **2.** n.m. *J'ai joué l'as de pique,* une des couleurs aux cartes.

■ **piqué** n.m. SENS 6 *L'avion descend en piqué,* il pique vers le sol.

■ **piquette** n.f. SENS 4 *Ce vin, c'est de la piquette,* c'est un vin médiocre, qui pique la langue.

■ **piqûre** n.f. SENS 1 *Marie gratte ses piqûres de moustique.* SENS 2 *L'infirmière a fait une piqûre au malade,* une injection de médicament. SENS 3 *La piqûre de ton pantalon se découd* (= couture).

R. → *pic.*

piquet n.m. **1.** *Ne reste pas là planté comme un piquet !,* un pieu enfoncé dans le sol. **2.** *Pierre a été mis au piquet,* debout dans un coin comme punition. **3.** *Un piquet de grève,* ce sont des grévistes qui surveillent l'exécution des consignes de grève.

piqueter v. *Ta chemise est piquetée de taches* (= parsemer).

piquette, piqûre → *piquer.*

pirate n.m. **1.** *Autrefois, les navires pouvaient être attaqués par des pirates,* des bandits. *Des pirates de l'air ont détourné un avion sous la menace de leurs armes.* **2.** adj. *Une émission pirate ne respecte pas les règlements.*

■ **pirater** v. SENS 2 *Pirater une cassette,* c'est en faire une reproduction illégale.

■ **piraterie** n.f. SENS 1 *La flotte royale combattait la piraterie,* le brigandage sur mer. *La piraterie aérienne est sévèrement punie.*

pire adj. et n.m. *Ce vin est mauvais, mais celui-là est encore pire,* plus mauvais (≠ meilleur). *C'est la pire chose qui pouvait nous arriver. On a réussi à éviter le pire,* la plus mauvaise solution.

■ **empirer** v. *L'état du malade a empiré* (≠ s'améliorer).

pirogue n.f. *Les indigènes d'Océanie naviguent sur des pirogues,* des embarcations légères allongées.

pirouette n.f. *Kathy fait des pirouettes sur le sable,* elle tourne vivement sur elle-même.

1. pis n.m. *Les pis d'une vache ou d'une chèvre,* ce sont ses mamelles.

2. pis adv. *Les choses vont de mal en pis,* de plus en plus mal.

pis-aller n.m.inv. *Il a fallu recourir à un pis-aller,* à une solution adoptée faute de mieux.

R. On prononce [pizale].

pisciculture n.f. *La pisciculture est l'élevage des poissons.*

piscine n.f. *Les enfants sont partis se baigner à la piscine.*

pisé n.m. *Le mur de cette chaumière est en pisé,* en terre sèche.

pissenlit n.m. *Nous avons mangé une salade de pissenlits,* des plantes à fleurs jaunes dont les graines volent légèrement au vent.

pisser v. Fam. *Le chien a pissé sur le tapis* (= uriner).

■ **pisseux** adj. Fam. *Ce papier peint est d'un jaune pisseux* (= terne).

pistache n.f. *Les glaces à la* **pistache** *sont parfumées avec les fruits du* **pistachier** *(un arbuste).*

piste n.f. **1.** *Le chien a trouvé la* **piste** *du lapin,* la trace de son passage. **2.** *Une* **piste** *de ski est un terrain sur lequel on skie, une* **piste** *d'atterrissage est un endroit où atterrissent les avions.* **3.** *La caravane suit la* **piste** *dans le désert,* un vague chemin marqué seulement par les traces de passage. **4.** *Les clowns entrent sur la* **piste** *du cirque,* l'espace qui sert de scène. ■ **dépister** v. SENS 1 *Les policiers ont dépisté le voleur,* ils ont découvert sa piste. *Le lièvre a* **dépisté** *les chiens,* il leur a fait perdre sa piste.

pistil n.m. *Le* **pistil** *d'une fleur est l'endroit où se trouve le pollen.*

pistole n.f. *La* **pistole** *est une ancienne monnaie.*

pistolet n.m. *Les gangsters ont tiré plusieurs coups de* **pistolet** *(= revolver).*

piston n.m. **1.** Dans un moteur, le *piston* est une pièce qui se déplace dans le cylindre. **2.** Fam. *Graziella a obtenu son poste par* **piston,** *grâce à des protections.* ■ **pistonner** v. SENS 2 Fam. *M. Durand s'est fait* **pistonner** *pour obtenir son poste* (= recommander, appuyer).

pitance n.f. *Le chien réclame sa* **pitance** *(= nourriture).*

piteux adj. *Après l'accident, la voiture était en* **piteux** *état* (= mauvais, pitoyable). ■ **piteusement** adv. *Ces beaux projets ont* **piteusement** *échoué* (= lamentablement, pitoyablement).

pitié n.f. *J'ai eu* **pitié** *de ce malheureux chien,* j'ai été ému par ses souffrances (= compassion).

■ **pitoyable** adj. *Ces réfugiés sont dans une situation* **pitoyable,** ils font pitié.
■ **pitoyablement** adv. *L'affaire s'est achevée* **pitoyablement** (= piteusement, lamentablement).
■ **apitoyer** v. *Vous avez réussi à m'apitoyer,* à me faire pitié (= attendrir).
■ **apitoiement** n.m. *Il ne suffit pas de verser des larmes d'***apitoiement** *sur le sort des sinistrés* (= pitié).
■ **impitoyable** adj. *Le jury a été impitoyable pour l'accusée,* il n'a pas eu de pitié.
■ **impitoyablement** adv. *L'accusé a été condamné* **impitoyablement.**

piton n.m. **1.** *J'ai planté un* **piton** *dans le mur,* un clou ou une vis coudés. **2.** *À l'île de la Réunion, il y a de nombreux* **pitons,** des sommets de montagne pointus (= pic). — 289, 649, 583

pitoyable → *pitié.*

pitre n.m. *Tu fais le* **pitre** *en classe,* tu fais rire les autres (= clown). ■ **pitrerie** n.f. *Tu te fais remarquer par tes* **pitreries.**

pittoresque adj. *Ce village est très* **pittoresque,** il attire l'attention par son originalité (≠ banal).

pivert → *pic.*

pivoine n.f. *La* **pivoine** *est une grosse fleur rouge, rose ou blanche.* — 80

pivot n.m. *L'aiguille d'une boussole repose sur un* **pivot,** une pointe qui lui permet de tourner. ■ **pivoter** v. *Claude a* **pivoté** *sur ses talons* (= tourner).

pizza n.f. *Nous avons mangé une* **pizza** *dans un restaurant italien,* une sorte de tarte aux tomates. ■ **pizzeria** n.f. *Une* **pizzeria** *est un restaurant qui sert principalement des pizzas.* **R.** On prononce [pidza], [pidzerja].

79

placard n.m. **1.** *Le balai est dans le placard de la cuisine,* l'armoire aménagée dans le mur. **2.** *Nous avons fait paraître un placard publicitaire dans plusieurs journaux,* une annonce très voyante.

■ **placarder** v. SENS 2 *Des affiches ont été placardées sur les murs* (= mettre, coller).

place n.f. **1.** *Ce livre n'est pas à la bonne place* (= endroit). **2.** *Il y a huit places assises dans le compartiment,* huit endroits pour s'asseoir. *Veuillez prendre place,* vous installer. **3.** *Pierre a eu la première place en français,* il a été classé premier (= rang). **4.** *Tu as perdu ta place ?* (= emploi, poste). **5.** *La mairie se trouve sur la place du village.* **6.** *Cette ville est une place forte,* elle est fortifiée. **7.** *Aïcha viendra à la place de Jean,* pour le remplacer. **8.** *La pluie a fait place au soleil,* la pluie a cessé et il y a du soleil. **9.** *Il faut faire place nette,* débarrasser cet endroit de ce qui l'encombre.

219

■ **placer** v. **1.** SENS 1 *J'avais placé mon stylo sur la table,* je l'avais mis à cette place (= poser). SENS 3 *Ruth s'est placée première* (= se classer). **2.** *Placer de l'argent,* c'est le prêter pour qu'il rapporte des intérêts.

■ **placement** n.m. **1.** SENS 4 *Un bureau de placement* est chargé de fournir des emplois. **2.** *J'ai fait un mauvais placement,* j'ai mal placé mon argent.

■ **déplacer** v. SENS 1 *Qui a déplacé mes affaires ?,* les a changées de place (= déranger).

■ **déplacé** adj. *Tu as eu des paroles déplacées* (= inconvenant).

■ **déplacement** n.m. SENS 1 *M. Dupont a fait un déplacement à Ottawa,* il s'est déplacé (= voyage).

■ **emplacement** n.m. SENS 1 ET 2 *Je cherche un emplacement pour garer ma voiture* (= place).

■ **replacer** v. SENS 1 *As-tu replacé le livre au bon endroit ?* (= remettre, reposer, ranger).

placide adj. *Ce paysan est un homme placide,* calme.

■ **placidité** n.f. *Rien ne trouble sa placidité* (= calme).

plafond n.m. **1.** *Des guirlandes sont suspendues au plafond de la salle* (≠ plancher). **2.** *Les prix ont atteint un plafond,* une limite supérieure.

■ **plafonner** v. SENS 2 *Cette voiture plafonne à 120 kilomètres à l'heure,* c'est sa plus grande vitesse.

■ **plafonnier** n.m. *Éteins le plafonnier de la voiture,* la lampe qui éclaire d'en haut.

plage n.f. *Les enfants font des pâtés de sable sur la plage.*

plagiat n.m. *Ce livre est un plagiat,* une imitation sans scrupule d'un autre livre.

■ **plagier** v. *On l'accuse d'avoir plagié cet écrivain* (= copier).

plaider v. *L'accusé s'est adressé à une avocate pour plaider sa cause,* pour la défendre en justice.

■ **plaideur** n.m. *Les plaideurs ne se sont pas mis d'accord,* les adversaires en justice.

■ **plaidoirie** n.f. ou **plaidoyer** n.m. *L'avocat a fait une longue plaidoirie,* un discours devant le tribunal.

plaie n.f. **1.** *Yaelle s'est coupée, et sa plaie s'est infectée* (= blessure). **2.** *Elle a fait une bêtise, d'accord, ça ne sert à rien de lui retourner le fer dans la plaie,* d'insister lourdement en revenant sur ce sujet.

plaindre v. **1.** *Mark est malade, je le plains,* j'ai pitié de lui. **2.** *Marie se plaint,* elle a mal, elle exprime sa souffrance (= se lamenter, gémir).

3. *Les voisins **se sont plaints** du bruit,* ils ont fait savoir qu'ils n'étaient pas contents (= protester, réclamer).

■ **plaignant** n. SENS 3 *Le **plaignant** a perdu son procès,* celui qui avait déposé une plainte.

■ **plainte** n.f. SENS 2 *Le blessé pousse des **plaintes*** (= gémissement). SENS 3 *M. Durand a déposé une **plainte** contre Mme Scott,* il l'a accusée devant la justice.

■ **plaintif** adj. SENS 2 *On entend des cris **plaintifs**,* qui sont comme des plaintes

R. → Conj. n° 55. → ***plein*** et ***plinthe.***

plaine n.f. *Le Manitoba est une région de **plaine**,* le sol y est plat.

R. → ***plein.***

de plain-pied adv. *La cuisine et la salle à manger ne sont pas **de plain-pied**,* au même niveau.

plainte, plaintif → ***plaindre.***

plaire v. **1.** *Est-ce que tes vacances t'ont **plu** ?,* en es-tu contente ? (= satisfaire). *Jean ne **se plaît** pas à la campagne,* il n'est pas content d'y être. **2.** *S'il te (vous) **plaît**, passe(z)-moi le pain* (formule de politesse).

■ **plaisir** n.m. SENS 1 *J'ai eu le **plaisir** de faire la connaissance de Claude* (= joie, bonheur, agrément). *Sa bonne mine **fait plaisir** à voir,* elle est agréable.

■ **plaisance** n.f. SENS 1 *Christina pratique la navigation de **plaisance**,* elle navigue pour son plaisir.

■ **plaisancier** n.m. SENS 1 *Les **plaisanciers** sont ceux qui font de la navigation de plaisance.*

■ **déplaire** v. SENS 1 *Ce film m'a beaucoup **déplu**,* il m'a été désagréable.

■ **déplaisant** adj. SENS 1 *Quel caractère **déplaisant** !* (= désagréable, antipathique).

R. → Conj. n° 77. Attention : *plu* peut être le participe de *plaire* ou de *pleuvoir.*

plaisanter v. *Tu étais d'humeur à **plaisanter**,* à dire des choses drôles pour amuser les autres.

■ **plaisant** adj. et n.m. *On m'a raconté une histoire **plaisante*** (= drôle, amusant). *Jean est un **mauvais plaisant**,* il fait ou dit des plaisanteries de mauvais goût.

■ **plaisamment** adv. *Ingrid m'a **plaisamment** appelé « Monsieur le Président »,* pour plaisanter.

■ **plaisanterie** n.f. *Sa **plaisanterie** a fait rire tout le monde* (= blague).

■ **plaisantin** n.m. *Ne l'écoutez pas, c'est un **plaisantin**,* il n'est pas sérieux (= farceur).

plaisir → ***plaire.***

plan n.m. **1.** *L'architecte a fait le **plan** de la maison,* un dessin simplifié qui en représente la disposition. **2.** *Claude a un **plan** pour réussir,* un projet. **3.** *Quel est le **plan** de ton devoir ?,* la disposition des différentes parties. **4.** *Sur cette photo, tu vois Marie au premier **plan** et Ruth au deuxième **plan**,* Marie est devant Ruth. **5.** *Ces deux affaires ne sont pas sur le même **plan**,* l'une est plus importante que l'autre, ou d'une nature différente (= niveau). **6.** *Le toit forme un **plan** incliné,* une surface unie. 145, 148

■ **plan** adj. SENS 6 *Cette table est une surface **plane*** (= uni, plat). 78, 150

■ **planifier** v. SENS 2 *On a **planifié** la production d'acier,* on a prévu ce qu'elle devra être.

■ **planification** n.f. SENS 2 *La **planification** de l'économie peut éviter des crises.*

■ **planning** n.m. SENS 2 *La direction a établi un nouveau **planning**,* un nouveau plan de production. 292

■ **aplanir** v. **1.** SENS 6 *On a **aplani** le terrain pour faire une route,* on l'a rendu uni (= niveler). **2.** *Les difficultés **ont été aplanies**,* elles ont été supprimées.

■**arrière-plan** n.m. SENS 4 ET 5 *Ce projet est à l'arrière-plan de nos préoccupations,* il est secondaire. **R.** *Plan* se prononce [plã] comme *plant.* Noter le pluriel : des *arrière-plans.*

291, 151

planche n.f. **1.** *Le menuisier rabote des planches pour faire une table,* de longues plaques de bois. **2.** *Ce livre*

367 *contient de belles planches en couleurs,* des illustrations. **3.** *M. Durand cultive une planche de salades,* une partie de son jardin. **4.** *Je sais faire la planche,* flotter sur le dos à la surface de l'eau. **5.** *Au bord de la mer, on fait de la planche à voile,* un sport qui consiste à faire de la voile en se maintenant debout sur une planche dont on actionne le mât mobile. **6.** (au plur.) *Cette comédienne rêve de monter sur les planches,* sur la scène d'un théâtre pour y jouer.

■**plancher** n.m. SENS 1 *On a recouvert le plancher d'un tapis,* le sol en planches (= parquet).

■**planchette** n.f. SENS 1 *M. Durand découpe la viande sur une planchette,* une petite planche.

■**planchiste** n. SENS 5 *Un planchiste est un sportif qui pratique la planche à voile.*

plancton n.m. *Le plancton sert de nourriture aux poissons,* un ensemble d'animaux microscopiques vivant dans la mer.

planer v. **1.** *Un épervier plane dans le ciel,* il vole sans agiter les ailes. **2.** *Maïté plane au-dessus de ces détails,* elle les voit superficiellement. **3.** *Un mystère plane toujours sur cette affaire,* il subsiste.

437 ■**planeur** n.m. SENS 1 *Kathy apprend à piloter un planeur,* un avion sans moteur qui plane dans l'air.

planète n.f. *La Terre est une des planètes du Soleil,* elle tourne autour de lui.

■**planétaire** adj. *Une guerre planétaire pourrait détruire la Terre* (= mondial).

■**interplanétaire** adj. *Les voyages interplanétaires sont-ils pour demain ?,* entre les planètes.

planeur → *planer.*

planification, planifier → *plan.*

planisphère n.m. *Un planisphère est une carte qui représente la Terre entière.*

planning → *plan.*

plant, plantation → *planter.*

plante n.f. **1.** *Les plantes sont fixées au sol par des racines,* les végétaux. **2.** *J'ai tellement marché que j'ai mal à la plante des pieds,* la face inférieure.

■**plantaire** adj. SENS 2 *La voûte plantaire* est le dessous du pied.

■**plantigrade** n.m. SENS 2 *L'ours est un plantigrade,* il marche en posant sur le sol la plante des pieds.

planter v. **1.** *M. Dupont a planté des salades,* il les a mises en terre pour qu'elles poussent. **2.** *Qui plante des clous dans le mur ?* (= enfoncer). **3.** *Gita est plantée devant la fenêtre,* elle reste debout, immobile.

■**plant** n.m. SENS 1 *Lori a acheté des plants de tomate,* des tomates jeunes pour les transplanter.

■**plantation** n.f. SENS 1 *Ses plantations ont gelé,* ce qu'il a planté. *M. Diallo possède une plantation de bananiers,* une exploitation agricole.

■**planteur** n.m. SENS 1 *Les planteurs possédaient des plantations dans les colonies.*

■**plantoir** n.m. SENS 1 *Le plantoir est un instrument qui sert à planter.*

■**transplanter** v. SENS 1 *Transplanter un rosier,* c'est le déterrer pour le planter ailleurs.

■ **transplantation** n.f. *Ce chirurgien a fait une* **transplantation** *cardiaque, il a greffé à une malade le cœur d'une personne décédée* (= greffe). **R.** → *plan.*

plantigrade → *plante.*

plantureux adj. *Nous avons fait un repas* **plantureux** (= abondant ; ≠ maigre).

plaque n.f. **1.** *J'ai mis des photos sous une* **plaque** *de verre, une feuille plate, mince et rigide.* **2.** *Toutes les voitures doivent avoir une* **plaque** *d'immatriculation, une pièce de métal portant leur numéro.* **3.** *Tu as des* **plaques** *rouges sur la figure* (= tache).

■ **plaquer** v. **1.** SENS 1 *Ce bracelet est* **plaqué** *avec de l'or, recouvert d'une couche d'or.* **2.** *J'ai* **plaqué** *Pierre contre le sol, je l'y ai jeté et appuyé avec force.*

■ **plaquette** n.f. SENS 1 *Les* **plaquettes** *de freins sont usées,* des petites plaques.

plastic n.m. *Le* **plastic** *est un explosif puissant.*

■ **plastiquer** v. *Des inconnus* **ont plastiqué** *une maison, ils l'ont fait sauter avec du plastic.* **R.** → *plastique.*

plastique adj. **1.** *L'argile est* **plastique**, *on peut la pétrir, la modeler* (= malléable). **2.** *Les* **arts plastiques** *sont la peinture, la sculpture et l'architecture.* **3.** adj. et n.m. *Le nylon est une* **matière plastique**, *un produit fabriqué artificiellement par des procédés chimiques. Ces assiettes sont en* **plastique.**

■ **plastifier** v. SENS 3 *Ce livre a une couverture* **plastifiée**, *recouverte d'une mince couche de plastique.* **R.** *Ne pas confondre* plastique *et* plastic : [plastik].

plastiquer → *plastic.*

plastron n.m. *Autrefois les chemises avaient un* **plastron**, *un devant rigide.*   35

plat adj. **1.** *Le Manitoba est une région* **plate**, *sans creux ni bosse* (= uni ; ≠ accidenté). **2.** *On met les assiettes* **plates** *sous les assiettes à soupe* (≠ creux). **3.** *La sole est un poisson* **plat** (≠ épais). **4.** *Claude écrit mal, son style est* **plat** (= banal ; ≠ original). **5.** *M. Duval est* **plat** *devant ses supérieurs* (= soumis, obséquieux).

■ **plat** n.m. **1.** SENS 1 *J'aime marcher sur le* **plat** (≠ côte). SENS 2 *On a apporté le rôti sur un* **plat**, *une sorte de grande assiette.* **2.** *La tourtière est un* **plat** *du Québec, on en mange au Québec* (= mets). **3.** *Le* **plat** *d'un livre,* c'est chacun des deux côtés de la couverture.   221

■ **à plat** adv. **1.** SENS 1 *Le livre est posé* **à plat** *sur l'étagère, sur une face plate* (= horizontalement). **2.** *Le pneu est* **à plat**, *il est dégonflé. La batterie est* **à plat**, *elle est déchargée.* Fam. *Je me sens* **à plat**, *très fatiguée* (= épuisé).

■ **plateau** n.m. **1.** SENS 2 *Le garçon apporte les boissons sur un* **plateau**, *une sorte de grand plat.* SENS 1 *De la vallée, nous sommes montés sur le* **plateau**, *une région haute mais plate.*   582, 650

2. *Les* **plateaux** *de la balance sont les deux supports sur lesquels on met les objets à peser ou les poids.*   223 **3.** *Au théâtre, les acteurs évoluent sur le* **plateau** (= scène). *Les techniciens s'affairent sur le* **plateau** *du studio, le* 440 *lieu où se trouvent les décors et où les acteurs jouent.*

■ **plate-bande** n.f. SENS 1 *Il est interdit de marcher sur les* **plates-bandes,** *les* 366 *parties cultivées du jardin.*

■ **plate-forme** n.f. SENS 1 *Une* **plate-forme** *est une surface plate sur la-* 152 *quelle on peut se tenir ou installer quelque chose.*

■ **platitude** n.f. SENS 5 *Dominique s'adresse à ses supérieurs avec platitude* (= obséquiosité). SENS 4 *Tu ne dis que des platitudes,* des choses sans intérêt (= banalité).

■ **aplatir** v. SENS 1 *On a aplati la terre avec une pelle* (= écraser). SENS 5 *Dominique s'aplatit devant ses supérieurs* (= s'humilier).
R. Noter le pluriel : des *plates-bandes,* des *plates-formes.*

platane n.m. *Les arbres de la place sont des platanes.*

plateau, plate-bande, plate-forme → *plat.*

1. platine n.m. *On m'a offert un bracelet en platine,* un métal précieux de couleur grise.

2. platine n.f. *Mets un disque sur la platine de l'électrophone,* la plaque qui porte le disque.

platitude → *plat.*

150, 224
plâtre n.m. **1.** Le *plâtre* est une poudre blanche qui, mélangée à l'eau, forme une pâte qui durcit. *Le plafond est en plâtre.* **2.** (au plur.) *Les plâtres de la maison sont finis,* les parties recouvertes de plâtre. **3.** *Mary s'est cassé la jambe, on lui a mis un plâtre,* un bandage rigide en plâtre.

■ **plâtras** n.m. SENS 1 *Des plâtras se détachent du plafond,* des morceaux de Claude.

■ **plâtrer** v. SENS 1 *Les ouvriers ont plâtré les murs,* ils les ont recouverts de plâtre. SENS 3 *On a plâtré la jambe de Claude.*

151
■ **plâtrier** n.m. SENS 1 *Un plâtrier est un ouvrier qui sait travailler le plâtre.*

■ **replâtrer** v. SENS 1 *Il faudrait replâtrer la cloison,* la réparer avec du plâtre.

plausible adj. *On a donné une explication très plausible de ce phénomène* (= acceptable, vraisemblable).

play-boy n.m. *Ne prends pas un air de play-boy,* de garçon qui veut paraître élégant et séduisant.
R. Noter le pluriel : des *play-boys.*

plèbe n.f. Dans la Rome antique, la *plèbe* était la classe populaire.

■ **plébéien** n. et adj. *Les plébéiens s'opposaient aux patriciens.*

plébiscite n.m. *La dictatrice a organisé un plébiscite,* un vote populaire pour se faire confier le pouvoir absolu.

■ **plébisciter** v. *Le général a été plébiscité,* il a été élu par plébiscite.

plein adj. **1.** *Cette bouteille est pleine de vin* (= rempli ; ≠ vide). **2.** *Le ministre a reçu les pleins pouvoirs* (= total, complet ; ≠ partiel). **3.** *Ta chemise est pleine de taches,* il y en a beaucoup. **4.** *La voiture s'est arrêtée en plein milieu de la place,* juste au milieu.

■ **plein** n.m. SENS 1 *Mélina a fait le plein d'essence,* elle a rempli le réservoir. SENS 2 *La fête bat son plein,* elle est à son point maximum.

■ **plein** prép. SENS 3 *J'ai des billes plein les poches,* j'en ai beaucoup.

■ **pleinement** adv. SENS 2 *La monitrice était pleinement satisfaite* (= tout à fait, totalement).

■ **plénier** adj. SENS 2 *Dans une réunion plénière, tout le monde est présent.*

■ **plénipotentiaire** n.m. SENS 2 *Le gouvernement a envoyé des plénipotentiaires,* des gens ayant les pleins pouvoirs.

■ **plénitude** n.f. SENS 2 *Ce vieillard a gardé la plénitude de ses facultés intellectuelles.*

■ **trop-plein** n.m. SENS 1 *On a vidé le trop-plein du réservoir,* le liquide qui était en trop. *Un trop-plein évite que la baignoire déborde,* un dispositif d'écoulement.
R. *Plein* se prononce [plɛ̃] comme [*je*] *plains* (de *plaindre*) ; *pleine* se prononce [plɛn] comme *plaine.*

pléonasme n.m. *« Monter en haut »
est un pléonasme,* on exprime la
même idée avec plusieurs mots sans
nécessité.

pléthore n.f. *Il y a pléthore de raisin
cette année,* il y en a trop (= surabondance ; ≠ manque).

pleurer v. **1.** *Jean s'est fait mal, il
pleure,* il verse des larmes. **2.** *Kanta
pleure la mort de son père,* elle la
regrette.

■ **pleurs** n.m.pl. SENS **1** *Je l'ai trouvée
en pleurs,* en larmes.

■ **pleurard** adj. SENS **1** Fam. *Jean parle
d'une voix pleurarde* (= plaintif).

■ **pleurnicher** v. SENS **1** *Pourquoi
pleurniches-tu sans arrêt ?* (= pleurer,
geindre).

■ **éploré** adj. SENS **1** *Son visage éploré
m'a fait pitié,* en larmes (= désolé).

pleurésie n.f. La *pleurésie* est une maladie des poumons.

pleurnicher, pleurs → *pleurer.*

pleutre adj. et n.m. se disait pour
lâche.

pleuvoir → *pluie.*

plexiglas n.m. *La vitre est en plexiglas,* en matière plastique transparente.
R. C'est un nom de marque. On prononce
le *s* final : [plɛksiglas].

plexus n.m. *J'ai reçu un coup de poing
dans le plexus solaire,* au creux de
l'estomac.
R. On prononce le *s* final : [plɛksys].

plier v. **1.** *Marie a plié une feuille de
papier,* elle a rabattu une partie sur
l'autre. **2.** *On peut plier ce lit, il tiendra
moins de place,* rapprocher les éléments qui le constituent. **3.** *Il est si fort
qu'il arrive à plier cette barre de fer,* à
la rendre courbe. *Attention, la branche
plie !,* elle se courbe (= fléchir).

4. *Lori est têtue, tu n'arriveras pas à la
faire plier* (= céder). *Il a dû se plier
aux ordres du directeur* (= se soumettre, obéir).

■ **pli** n.m. **1.** SENS **1** *Peux-tu repasser le
pli de mon pantalon ?,* l'endroit où le
tissu a été plié. SENS **3** *Le terrain fait des
plis* (= ondulation). **2.** *J'ai fait tous
les plis de la partie,* j'ai ramassé tous
les petits paquets de cartes de chaque
tour du jeu (= levée). **3.** *J'ai reçu un
pli recommandé* (= lettre).

■ **pliable** ou **pliant** adj. SENS **2** *Ce lit est
pliable,* on peut le plier.

■ **pliant** n.m. SENS **2** *Un pliant est un
petit siège que l'on peut plier.*

■ **plisser** v. SENS **1** *On a plissé du papier pour faire un éventail,* on a fait des
plis. SENS **2** *Jean plisse les yeux,* il les
ferme à demi. SENS **3** *Les Apalaches
sont une région plissée,* le terrain fait
des plis que les géographes appellent
des **plissements.**

■ **pliure** n.f. SENS **1** *La carte routière se
déchire à la pliure,* à l'endroit des plis.

■ **déplier** v. SENS **1** *Noémie déplie son
journal,* elle l'ouvre.

■ **dépliant** n.m. SENS **1** *On nous a remis
un dépliant publicitaire,* une feuille
pliée plusieurs fois.

■ **replier** v. **1.** SENS **1** *Pierre replie sa
serviette,* il la plie après l'avoir dépliée.
SENS **2** *Les campeurs ont replié leur
tente* (= ranger). **2.** *Les soldats se sont
repliés devant l'ennemi,* ils ont reculé.

■ **repli** n.m. **1.** SENS **3** *On s'est caché
dans un repli du terrain* (= pli, ondulation). **2.** *Le général a donné l'ordre de
repli,* de se replier.

plinthe n.f. *Les fils électriques passent
derrière les plinthes,* les planchettes
posées au bas des cloisons.
R. *Plinthe* se prononce [plɛ̃t] comme
plainte.

plissement, plisser, pliure →
plier.

296

290 **plomb** n.m. **1.** Le *plomb* est un métal très lourd qui sert à fabriquer des poids, des tuyaux, des cartouches.
361 **2.** Le perdreau que le chasseur a tué était plein de *plombs,* des grains de plomb (au sens 1) qui servent de projectiles dans le fusil chargé. **3.** *Il y a eu un court-circuit, les plombs ont sauté,* les fusibles électriques.
■ **plomber** v. **1.** SENS 1 *Plomber un objet,* c'est l'alourdir avec du plomb. **2.** *Plomber une dent gâtée,* c'est la boucher, en y mettant un alliage spécial.
■ **plombage** n.m. *La dentiste m'a fait un plombage,* elle m'a plombé une dent.

290 **plombier** n.m. *Il y a une fuite d'eau, il faut appeler le plombier,* l'ouvrier qui répare les tuyaux.
■ **plomberie** n.f. *La plomberie est en mauvais état,* les tuyaux d'eau et de gaz.

plonger v. **1.** *Yaelle a plongé dans la piscine,* elle a sauté dans l'eau. **2.** *Marie a plongé son bras dans l'eau,* elle l'y a mis (= enfoncer, tremper). **3.** *Pierre est plongé dans la lecture de son livre* (= absorber). **4.** *Cette nouvelle nous a plongés dans la tristesse,* elle nous a rendus très tristes.
■ **plongeant** adj. SENS 1 *D'ici, on a une vue plongeante,* de haut en bas.
764 ■ **plongée** n.f. SENS 2 *Le sous-marin est en plongée,* il est sous l'eau. *Line fait de la plongée sous-marine,* elle va sous la surface de l'eau pour explorer, pour pêcher, etc.
218 ■ **plongeoir** n.m. SENS 1 *J'ai sauté du plongeoir de 3 mètres* (= tremplin).
■ **plongeon** n.m. SENS 1 *Pierre a fait un beau plongeon,* il a plongé.
152 ■ **plongeur** n. SENS 1 *Pierre est un bon plongeur.* SENS 2 *Des plongeurs sous-marins travaillent au fond de la mer.*
■ **replonger** v. SENS 3 *Anne s'est replongée dans sa lecture.*

ployer v. *Attention, la planche ploie sous ton poids !* (= plier, fléchir, se courber).

pluie n.f. **1.** *J'ai été toute trempée par cette pluie qui tombe à verse.* **2.** *Une pluie de balles s'est abattue sur les attaquants,* un très grand nombre.
■ **pleuvoir** v. SENS 1 *L'été, il pleut rarement dans cette région.* SENS 2 *Les coups pleuvaient sur lui* (= tomber).
■ **pluvial** adj. SENS 1 *Les eaux pluviales* sont les eaux de pluie.
■ **pluvieux** adj. SENS 1 *Nous avons eu un automne pluvieux,* avec beaucoup de pluie.
R. *Pleuvoir* → conj. n° 47. → *plaire.*

plume n.f. **1.** *Les oiseaux ont le corps couvert de plumes.* **2.** *Aline a cassé la plume de son stylo.*
■ **plumage** n.m. SENS 1 *Le plumage du corbeau est noir,* ses plumes.
■ **plumeau** n.m. SENS 1 *On enlève la poussière avec un plumeau,* un ustensile formé de plumes.
■ **plumer** v. SENS 1 *Le cuisinier a plumé deux poulets,* il leur a enlevé les plumes.
■ **plumet** n.m. SENS 1 *Certains soldats ont un plumet à leur coiffure,* une touffe de plumes.
■ **plumier** n.m. SENS 2 *Un plumier est une petite boîte où les écoliers mettent leurs crayons, leur stylo.*
■ **porte-plume** n.m.inv. SENS 2 *Les stylos sont plus pratiques que les porte-plume pour écrire.*

la plupart n.f. *La plupart des enfants aiment les bonbons,* la plus grande partie (≠ peu ou tous). *La plupart du temps, c'est Claude qui gagne,* le plus souvent, habituellement.

pluri- placé au début d'un mot signifie « plusieurs ».

pluriel n.m. *On met un nom au pluriel* ordinairement quand il désigne plusieurs êtres ou plusieurs choses (≠ singulier).

plus adv. **1.** *Marie est* **plus** *jeune que Jeanne. Marie est la* **plus** *jeune* (≠ moins). *Pierre travaille beaucoup, mais Jean travaille encore* **plus** (= davantage). **2.** *Il y a une heure* **au plus** *qu'il est parti* (= au maximum). **3.** *Sept* **plus** *deux font neuf* (7 + 2 = 9). **4.** Précédé de *ne,* **plus,** indique qu'une action ne continue pas : *Il* **ne** *bouge* **plus.**
R. *Plus* se prononce [plys] au sens 3 et [ply] au sens 4. Aux sens 1 et 2, on prononce [ply] devant une consonne, [plyz] devant une voyelle et [plys] en fin de phrase.

plusieurs adj. indéfini pl. *On a invité* **plusieurs** *amis,* plus d'un (= quelques).

plus-que-parfait n.m. « *J'avais aimé* » *est le* **plus-que-parfait** *du verbe* « *aimer* », un des temps du verbe.

plutonium n.m. *Le* **plutonium** *sert à faire les bombes atomiques,* une sorte de métal.
R. On prononce [plytɔnjɔm].

plutôt adv. **1.** *Viens demain* **plutôt** *qu'aujourd'hui,* de préférence à aujourd'hui. **2.** *Ici, il fait* **plutôt** *beau* (= assez).

pluvial, pluvieux → pluie.

pneu n.m. *Dominique a fait gonfler les* **pneus** *de sa voiture,* les tubes de caoutchouc des roues.
■ **pneumatique** adj. *Claude pêche dans son canot* **pneumatique** (= gonflable). *Un marteau* **pneumatique** *fonctionne grâce à l'air comprimé.*

pneumonie n.f. *La* **pneumonie** *est une maladie des poumons.*

poche n.f. **1.** *Jean met son portefeuille dans la* **poche** *gauche de sa veste.* **2.** *Tu as des* **poches** *sous les yeux,* des

replis de la peau. **3.** *Un mouchoir* **de poche,** *un livre* **de poche** *sont des objets de petites dimensions, qu'on peut glisser dans une poche.* **4.** *Est-ce que tes parents te donnent de l'***argent de poche** *?,* de l'argent destiné à tes dépenses personnelles.
■ **pochette** n.f. **1.** SENS 1 Une *pochette* est un mouchoir ou un foulard que l'on laisse dépasser de la poche d'une veste qui se trouve près du revers. **2.** *Remets le disque dans sa* **pochette,** l'enveloppe qui le protège.
■ **empocher** v. SENS 1 *On a empoché une grosse somme,* on l'a reçue.

pocher v. **1.** *Le cuisinier fait* **pocher** *des œufs,* il les fait cuire sans leur coquille dans l'eau bouillante. **2.** *J'ai eu un œil* **poché** *dans la bagarre,* mon œil est bleu et enflé.

pochette → poche.

pochoir n.m. *Un dessin au* **pochoir** *est fait avec un carton à trous sur lequel on passe un pinceau.*

podium n.m. *Les vainqueurs sont montés sur le* **podium** (= estrade).
R. On prononce [pɔdjɔm].

1. poêle n.m. *La chambre est chauffée par un* **poêle** *à mazout,* un appareil servant à faire brûler du mazout.
R. → poêle 2.

224

2. poêle n.f. *Maman fait frire les poissons dans la* **poêle.**
■ **poêlée** n.f. *On a fait cuire une* **poêlée** *de marrons,* le contenu d'une poêle.
■ **poêlon** n.m. Un *poêlon* est une sorte de casserole.
R. On prononce [pwɑl] comme *poil.*

78

poésie n.f. **1.** *La* **poésie** *est l'art d'émouvoir en faisant des vers.* **2.** *Pierre nous a récité une jolie* **poésie,** un texte en vers. **3.** *Marie aime* la **poésie** des soirs d'automne (= beauté).

■ **poème** n.m. SENS 2 J'apprends un **poème** de Victor Hugo (= poésie).

■ **poète** n.m. SENS 1 ET 2 Victor Hugo est un grand **poète**, il a écrit des poésies.

■ **poétique** adj. SENS 1 J'ai acheté les œuvres **poétiques** de Victor Hugo, ses poèmes. SENS 3 Ce paysage est très **poétique** (= émouvant).

poids n.m. 1. Le **poids** de cette table est de 50 kg, c'est ce qu'elle pèse. 2. L'épicière met un **poids** sur le plateau de la balance, une masse métallique servant à peser. 3. Je m'exerce à lancer le **poids**, une boule de métal. 4. Le **poids** d'une horloge est un morceau de métal suspendu à une chaîne qui assure le mouvement du mécanisme de l'horloge. 5. J'ai un **poids** sur la conscience, une charge pénible, un souci. 6. Mme Truong est une personne de **poids**, importante, influente. 7. Il y avait beaucoup de **poids lourds** sur l'autoroute (= camion).

■ **contrepoids** n.m. SENS 2 Il faut un **contrepoids** pour équilibrer le bateau, un objet lourd.

R. Poids se prononce [pwa] comme pois, poix et pouah !

poignant adj. Claude m'a raconté une histoire **poignante**, très émouvante.

poignard n.m. La victime a reçu un coup de **poignard**, d'une sorte de couteau.

■ **poignarder** v. Henri IV est mort **poignardé**, d'un coup de poignard.

poignée n.f. 1. Claude m'a donné une **poignée** de bonbons, ce que peut contenir la main fermée. 2. Je lui ai donné une **poignée de main**, il m'a serré la main. 3. La **poignée** de la valise est cassée, la partie qui sert à la tenir. 4. Il n'y avait dans la salle qu'une **poignée** de personnes, un petit nombre.

■ **poigne** n.f. SENS 2 Tu as de la **poigne**, de la force dans les mains.

■ **poing** n.m. SENS 1 J'ai reçu un coup de **poing** sur le nez, un coup avec la main fermée.

■ **empoigner** v. 1. SENS 1 ET 2 Jacques m'a **empoigné** le bras, il l'a saisi fortement avec la main. 2. Ce livre m'a **empoignée**, il m'a beaucoup émue. 3. Les deux adversaires **se sont empoignés**, ils se sont battus, ou ils se sont querellés.

■ **empoignade** n.f. La discussion a failli finir en **empoignade** (= bagarre).

R. Poing se prononce [pwɛ̃] comme point et [il] point (de poindre).

poignet n.m. 1. Je me suis cassé le **poignet**, l'articulation entre la main et le bras. 2. Les **poignets** de ta chemise sont sales, le bout des manches.

poil n.m. Dominique a des **poils** sur les jambes. Les **poils** du pinceau sont usés. Ce chat a le **poil** brillant (= pelage).

■ **poilu** adj. Claude a les jambes **poilues** (= velu).

R. → **poêle** 2.

poinçon n.m. Le cordonnier perce le cuir avec un **poinçon**, une tige pointue.

■ **poinçonner** v. Le contrôleur a **poinçonné** nos billets, il y a fait un trou.

poindre v. Le jour commence à **poindre**, à se lever.

R. → Conj. n° 82.

poing → **poignée**.

1. point adv. Ne... **point** se dit parfois au lieu de ne... pas : Je ne la vois **point**.

R. → **poignée**.

2. point n.m. 1. Le bateau n'était plus qu'un **point** au loin, une petite tache. 2. On met un **point** sur le « i » et sur le « j ». 3. Une phrase finit par un **point**. 4. Nous sommes revenus à notre **point**

223

34
220

145,
150

147

74,
289,
505

de départ (= endroit, lieu). **5.** *Le capitaine fait le point,* il calcule l'endroit où se trouve le navire. **6.** *Dans son discours, elle a abordé plusieurs points* (= question, problème). **7.** *Je ne l'ai jamais vu en colère à ce point* (= degré). **8.** *Pierre a eu 9 sur 20, il lui manque un point pour avoir la moyenne.* **9.** *J'ai gagné la partie de ping-pong par 21 points à 12.* **10.** *Les points de cet ourlet sont espacés,* les piqûres faites avec une aiguille et du fil. **11.** *Nous sommes partis au point du jour,* au moment où le jour se lève. **12.** *Elle est arrivée à point,* au bon moment. *Le rôti est à point,* bien cuit. **13.** *Notre projet est au point,* bien organisé. **14.** *Je suis mal en point,* malade. **15.** *Je suis sur le point de partir,* je vais le faire. ■ **point de vue** n.m. **1.** SENS 4 *D'ici, nous avons un beau point de vue,* un spectacle vu d'un endroit qui domine. **2.** *Nous n'avons pas le même point de vue sur cette question* (= opinion, avis). ■ **pointillé** n.m. SENS 1, 2 ET 3 *Découpez en suivant le pointillé,* la ligne de petits points rapprochés. **R.** → *poignée.*

pointage → *pointer.*

pointe n.f. **1.** *Je taille la pointe de mon crayon,* le bout pointu. **2.** *Chut ! Marchez sur la pointe des pieds,* le bout formé par les orteils. **3.** *Dominique a acheté un paquet de pointes chez le quincaillier* (= clou). **4.** *Il y a un phare sur la pointe* (= cap). **5.** *Il y avait une pointe de malice dans ses paroles,* un peu. **6.** *Aux heures de pointe,* il y a du monde sur l'autoroute, aux heures où la circulation atteint son maximum. **7.** *Une fois à Boston, on pourra pousser une pointe jusqu'à la mer,* faire un supplément de parcours (= faire un saut). **8.** (au plur.) *La*

danseuse fait des pointes, elle danse sur l'extrémité de ses chaussons. ■ **pointu** adj. SENS 1 *Attention, ce couteau est pointu,* il pique (= acéré ; ≠ arrondi).

pointer v. **1.** *La monitrice pointe chaque nom de la liste,* elle marque un signe devant. **2.** *M. Durand pointe à l'entrée de l'usine,* il déclare son heure d'arrivée. **3.** *Pierre a pointé son doigt vers la porte,* il l'a dirigé vers la porte. **4.** *Le chien pointe les oreilles,* il les dresse. *Le phare pointe à l'horizon,* il se dresse. ■ **pointage** n.m. SENS 1 *Le professeur a fait un pointage des élèves,* il a contrôlé leur présence.

pointillé → *point* 2.

pointilleux adj. *Mme Durand est très pointilleuse,* elle est minutieuse et exigeante (= tâtillon).

point-virgule n.m. *Le point-virgule est un signe de ponctuation.*

pointu → *pointe.*

pointure n.f. *Quelle pointure chausses-tu, du 39 ou du 40 ?,* quelle est la taille de tes chaussures ?

poire n.f. *Au dessert, nous avons mangé des poires,* des fruits. ■ **poirier** n.m. *Ce poirier donne beaucoup de poires,* un arbre.

poireau n.m. *Je n'aime pas la soupe aux poireaux,* des légumes.

poirier → *poire.*

pois n.m. **1.** *Les pois sont des plantes grimpantes cultivées pour leurs graines* (ou *pois*). *Les petits pois sont des légumes verts à grains ronds.* **2.** *Aimes-tu cette cravate à pois ?,* décorée de petits ronds. **R.** → *poids.*

poison n.m. **1.** *L'arsenic, l'opium, la nicotine sont des poisons,* des substances dangereuses. **2.** Fam. *C'est encore toi ? Quel poison !* (= ennui).

■ **contrepoison** n.m. SENS 1 *Dans certains cas, le lait est un contrepoison,* il combat l'effet des poisons.

■ **empoisonner** v. **1.** SENS 1 *On peut s'empoisonner avec certains champignons,* tomber malade ou mourir (= s'intoxiquer). SENS 2 Fam. *Paul m'a empoisonnée toute la journée* (= ennuyer, assommer). **2.** *Ce tas de fumier empoisonne l'atmosphère,* il sent très mauvais.

■ **empoisonnement** n.m. SENS 1 *On le soigne pour un empoisonnement à l'arsenic* (= intoxication).

■ **empoisonneur** n. SENS 1 *Le tribunal juge les crimes d'une empoisonneuse.*

poisse n.f. Fam. *C'est encore raté ? Tu as vraiment la poisse !* (= malchance, guigne).

poisser v. *Jean s'est poissé les mains avec de la confiture,* ses mains sont collantes.

■ **poisseux** adj. *Tu as les mains poisseuses de confiture.*

■ **poix** n.f. La *poix* est une substance collante.
R. → *poids.*

721, 728 **poisson** n.m. **1.** *La truite, l'anguille, le requin, le thon sont des poissons,* des animaux qui vivent dans l'eau et qui ont des branchies au lieu de poumons. **2.** *Ce n'est pas vrai, c'est un poisson d'avril !,* une fausse nouvelle qu'on annonce pour faire une farce le 1er avril.

■ **poissonnerie** n.f. SENS 1 *Dans une* 222 *poissonnerie, on vend du poisson.*

■ **poissonneux** adj. *Cette rivière est très poissonneuse,* elle contient beaucoup de poissons.

■ **poissonnier** n. *Les poissonniers vendent du poisson, des coquillages, des crustacés.*

poitrine n.f. **1.** *La poitrine contient le cœur et les poumons.* **2.** *Cette dame a une grosse poitrine,* des seins.

■ **poitrail** n.m. SENS 1 *Ce cheval a un large poitrail,* le devant de son corps.
R. → *pectoral.*

poivre n.m. **1.** *Tu a mis trop de poivre dans cette sauce, ça pique,* une épice produite par un arbuste appelé poivrier. **2.** *Papa a les cheveux poivre et sel,* bruns mêlés de blanc.

■ **poivrer** v. SENS 1 *J'ai oublié de poivrer la sauce,* d'y mettre du poivre.

■ **poivrière** n.f. SENS 1 *La poivrière et la salière sont sur la table,* un récipient pour le poivre. **2.** *Une poivrière est un abri placé en surplomb d'une muraille où prenait place le guetteur d'un château fort.*

poivron n.m. *Le poivron est une sorte de piment doux.*

poix → *poisser.*

poker n.m. **1.** *Ils passent leur temps à jouer au poker,* un jeu de cartes. **2.** *Cette décision soudaine de la directrice, c'est un coup de poker,* un choix plein de risque.
R. On prononce [pɔkɛr].

polaire, polariser → *pôle.*

polaroïd n.m. *Mon polaroïd développe immédiatement les photos,* un type d'appareil photo.
R. C'est un nom de marque.

polder n.m. *Les Hollandais ont mis en valeur de nombreux polders,* des régions conquises sur la mer.
R. On prononce [pɔldɛr].

pôle n.m. **1.** *Les pôles sont des régions très froides,* les parties de la Terre plus au nord et le plus au sud. **2.** *Québec est un pôle d'attraction pour les touristes,* un endroit qui les attire.

■ **polaire** adj. SENS 1 *Un paysage polaire est un paysage caractéristique* *des pôles. L'étoile **polaire** indique la direction du pôle Nord.*

■ **polariser** v. SENS 2 *L'attention **était polarisée** sur elle* (= attirer, concentrer).

polémique n.f. *Ces politiciens ont engagé une **polémique**, une violente discussion.*

■ **polémiquer** v. *Cessons de **polémiquer** et essayons de travailler ensemble.*

poli adj. **1.** *Cette table est en bois **poli**, on l'a frotté pour le rendre lisse et brillant.* **2.** *Pierre est un garçon **poli**, bien élevé* (≠ insolent, grossier).

■ **poliment** adv. SENS 2 *Claude m'a répondu **poliment**.*

■ **polir** v. SENS 1 *On **polit** le verre pour le rendre transparent* (= frotter).

■ **politesse** n.f. SENS 2 *« Merci », « s'il vous plaît » sont des formules de **politesse*** (= courtoisie).

■ **dépolir** v. SENS 1 *Cette vitre est en verre **dépoli*** (= translucide ; ≠ clair, transparent).

■ **impoli** adj. et n. SENS 2 *Marie est **impolie*** (= insolent, impertinent).

■ **impoliment** adv. SENS 2 *Tu as refusé **impoliment**.*

■ **impolitesse** n.f. SENS 2 *On lui a reproché son **impolitesse**.*

■ **malpoli** adj. et n. SENS 2 *Tais-toi, petit **malpoli** !*

police n.f. **1.** *Après le vol, on a appelé la **police**, ceux qui sont chargés de faire respecter la loi.* **2.** *Mme Scott a souscrit une **police d'assurance** pour sa voiture,* un contrat.

■ **policier** n.m. SENS 1 *Les **policiers** ont arrêté un suspect,* les gens de la police.

■ **policier** adj. SENS 1 *J'aime les films **policiers**,* qui parlent de policiers et de bandits. *Les chiens **policiers** sont dressés pour aider la police.*

polichinelle n.m. *Claire a eu un **polichinelle** pour Noël,* une marionnette, un pantin caractérisé par une bosse devant et une bosse dans le dos.

policier → *police.*

poliment → *poli.*

poliomyélite n.f. *Il a eu la **poliomyélite**, il est infirme des jambes,* une maladie qui peut causer une paralysie.

polir → *poli.*

polisson adj. et n. *Veux-tu obéir, petit **polisson** !,* enfant désobéissant.

■ **polissonnerie** n.f. *J'en ai assez de tes **polissonneries*** (= bêtise).

politesse → *poli.*

politique n.f. *Janet s'intéresse à la **politique**,* à la manière dont le pays est gouverné.

■ **politique** adj. *Les députés, les ministres sont des hommes **politiques**,* ils s'occupent des intérêts du pays, de la façon dont il est dirigé, gouverné. *Un parti **politique** est une organisation qui veut gouverner.*

■ **politicien** n. est un équivalent péjoratif de *homme politique.*

■ **politiser** v. *Ce débat qui devait être technique, **a été** vite **politisé**,* il a été marqué par la politique.

■ **apolitique** adj. *Cette organisation est **apolitique**,* sans buts politiques.

polka n.f. *La **polka** est une danse polonaise.*

pollen n.m. *Le **pollen** des fleurs est une fine poussière qui sert à leur reproduction.*

R. On prononce [pɔlɛn].

polluer v. *Cette plage **est polluée** par du mazout,* elle est salie, rendue malsaine.

■ **pollution** n.f. *Près de l'usine, la **pollution** de l'air est inquiétante* (≠ pureté).

polo n.m. **1.** *Les joueurs de* **polo** *sont à cheval et poussent une balle avec un maillet.* **2.** *Je cherche mon* **polo** *bleu, une sorte de chemise.*

polochon n.m. *est un équivalent familier de* **traversin**.

poltron adj. et n. *Jacques est (un)* **poltron**, il manque de courage (= froussard ; ≠ brave).

■ **poltronnerie** n.f. *On s'est moqué de sa* **poltronnerie** (= lâcheté ; ≠ courage).

poly-, au début d'un mot, indique qu'il y a plusieurs choses : la *polycopie* est une reproduction en plusieurs copies.

polycopie, polycopier → *copie.*

polygamie → *monogamie.*

polyglotte adj. *M. Dubois est* **polyglotte**, il sait parler plusieurs langues.

385 **polygone** n.m. *Un* **polygone** *est une figure de géométrie qui a plusieurs côtés.*

polype n.m. **1.** *Les* **polypes** *sont des animaux marins.* **2.** *J'ai été opéré d'un* **polype** *dans le nez,* d'une tumeur molle.

polytechnicien n. *Jessica est une ancienne* **polytechnicienne**, élève d'une grande école scientifique appelée Polytechnique.

polyvalent adj. *Les écoles* **polyvalentes** *sont des écoles secondaires qui dispensent à la fois l'enseignement général et professionnel. Un professeur* **polyvalent** *enseigne plusieurs matières.*

pommade n.f. *On a mis de la* **pommade** *sur sa brûlure,* un médicament gras.

363, 367 **pomme** n.f. **1.** *Les* **pommes** *sont des fruits sphériques à pépins.* **2.** *La*

pomme de pin est le fruit du pin. **3.** *La* **pomme d'Adam** *est un endroit en relief que les hommes ont sur la gorge.* **4.** *La* **pomme d'arrosoir** *est le bout arrondi et percé de trous de l'arrosoir.* **5.** Fam. *Tomber dans les* **pommes**, c'est s'évanouir.

■ **pommé** adj. SENS 1 *Cette laitue est bien* **pommée**, arrondie comme une pomme.

■ **pommier** n.m. SENS 1 *Au Québec, il y a beaucoup de* **pommiers**, des arbres.

pommeau n.m. *Le* **pommeau** *d'une épée est le bout arrondi de sa poignée. Le cavalier s'accroche au* **pommeau** *de sa selle.*

pomme de terre n.f. *M. Durand épluche des* **pommes de terre** *pour faire des frites,* un légume.

pommelé adj. *Le ciel est* **pommelé**, couvert de petits nuages ronds.

pommette n.f. *Tu as les* **pommettes** *toutes rouges,* le haut des joues.

pommier → *pomme.*

1. pompe n.f. **1.** *Je gonfle mon pneu avec une* **pompe**, un appareil qui envoie de l'air. **2.** *Une* **pompe à eau** *envoie de l'eau, une* **pompe à essence** *envoie de l'essence.* **3.** Fam. *J'ai un* **coup de pompe** *tout d'un coup,* je me sens fatigué.

■ **pomper** v. SENS 2 *On a* **pompé** *l'eau de l'étang,* on l'a évacuée avec une pompe.

■ **pompage** n.f. SENS 2 *La station de* **pompage** *puise l'eau.*

■ **pompiste** n. SENS 2 *La* **pompiste** *a fait le plein de ma voiture,* l'employée de la pompe à essence.

2. pompe n.f. **1.** *Le mariage a été célébré* **en grande pompe**, la cérémonie a eu beaucoup d'éclat (= solennité). **2.** (au plur.) *Les* **pompes funèbres**

sont chargées d'organiser les enterrements.

■ **pompeux** adj. SENS 1 *La mairesse a fait un discours pompeux* (= solennel ; ≠ simple).

■ **pompeusement** adv. SENS 1 *Cette maison bourgeoise est pompeusement appelée « le château ».*

pompier n.m. *On a appelé les pompiers pour éteindre l'incendie,* des spécialistes du feu, des inondations, etc.

pompiste → *pompe* 1.

pompon n.m. *Les marins français ont un béret à pompon rouge,* orné d'une boule de laine.

pomponner v. *Je me pomponne devant la glace,* je soigne ma toilette.

poncer v. *Avant de peindre, il faut bien poncer le mur,* le frotter ou le gratter pour le rendre lisse et propre.

■ **ponce** adj.f. *Je me récure les mains avec une pierre ponce,* une pierre dure et rugueuse.

■ **ponceuse** n.f. *Le peintre utilise la ponceuse pour poncer le mur,* une machine.

ponction n.f. **1.** En médecine, une *ponction* consiste à retirer du corps un liquide avec une seringue. **2.** *Cette dépense représente une grosse ponction sur notre budget,* un prélèvement d'argent.

ponctuation → *ponctuer.*

ponctuel adj. **1.** *Irène est ponctuelle à ses rendez-vous,* elle arrive à l'heure (= exact ; ≠ négligent). **2.** *Le rapport contient des critiques ponctuelles,* portant sur des points précis.

■ **ponctualité** n.f. SENS 1 *On lui a reproché son manque de ponctualité* (= exactitude).

■ **ponctuellement** adv. SENS 1 *Il arrive ponctuellement à 8 heures.*

ponctuer v. *Claude ne sait pas ponctuer ses devoirs,* mettre les signes de ponctuation.

■ **ponctuation** n.f. *Le point, la virgule, le point-virgule, les parenthèses sont des signes de ponctuation.*

pondération n.f. *Mme Gascon agit toujours avec pondération,* avec modération et prudence.

■ **pondéré** adj. *M. Dupont est un esprit pondéré* (= calme ; ≠ violent, impulsif).

pondre v. *Les oiseaux, les poissons, les insectes pondent des œufs,* ils les produisent.

■ **pondeuse** n.f. *Cette poule est une bonne pondeuse.*

■ **ponte** n.f. *La poule chante après la ponte,* après avoir pondu.
R. → Conj. n° 51. → *pont.*

poney n.m. *Luce se promène à dos de poney,* une sorte de petit cheval.

pont n.m. **1.** *Les passagers se promènent sur le pont du paquebot,* le plancher. **2.** *On traverse la rivière sur un pont de bois.* **3.** *Pour faire la vidange, le garagiste lève la voiture à l'aide du pont,* un appareil qui élève la voiture à hauteur d'homme. **4.** *Un pantalon à pont se boutonne par devant à droite et à gauche.* **5.** *À l'Ascension, nous avons fait le pont,* nous avons eu un jour de congé supplémentaire entre deux jours fériés.

■ **ponté** adj. SENS 1 *Ce bateau n'est pas ponté,* il n'a pas de pont.

■ **pont-levis** n.m. SENS 2 *Les châteaux forts avaient un pont-levis,* un pont que l'on pouvait lever.

■ **ponton** n.m. SENS 2 *On traverse le fleuve en crue sur des pontons,* des bateaux accolés formant un pont.

■ **pontonnier** n.m. SENS 2 *Les pontonniers sont des soldats chargés de construire des ponts.*

803, 727, 726
721, 582, 152
505
765
146

■ **entrepont** n.m. SENS 1 *Il y a des cabines dans l'entrepont,* sous le pont du navire.
R. *Pont* se prononce [pɔ̃] comme [*il*] *pond* (de *pondre*). Noter le pluriel : des *ponts-levis.*

ponte → *pondre.*

ponté → *pont.*

pontife n.m. **1.** Le *souverain pontife* est le pape. **2.** *Tu parles comme un pontife !,* comme un personnage important.
■ **pontifical** adj. SENS 1 *L'État pontifical* est le Vatican.
■ **pontificat** n.m. SENS 1 *Le pontificat de Jean-Paul II a commencé en 1978,* sa fonction de pape.
■ **pontifier** v. SENS 2 *Les Brière pontifient devant leurs invités,* ils parlent d'un ton prétentieux.

pont-levis, ponton, pontonnier → *pont.*

pop adj.inv. *Edith aime la musique pop,* une sorte de musique moderne.

pop-corn n.m.inv. *Les pop-corn sont des grains de maïs gonflés et grillés.*

pope n.m. *Les popes ont le droit de se marier,* les prêtres de l'Église orthodoxe.

popeline n.f. *Cléa a un imperméable en popeline,* un tissu.

popote n.f. Fam. *Les campeurs font leur popote sur un réchaud,* ils cuisent leur nourriture.

populace, populaire, populariser, popularité, population, populeux → *peuple.*

361 **porc** n.m. *Nous avons mangé un rôti de porc* (= cochon).

361 ■ **porcelet** n.m. *La truie est suivie de ses porcelets,* de ses petits.
■ **porcher** n.m. *Autrefois, les porcs étaient gardés par des porchers.*

■ **porcherie** n.f. *Cette porcherie répand une odeur infecte,* cette étable pour les porcs.

■ **porcin** adj. *L'élevage porcin* est l'élevage des porcs.

■ **pourceau** n.m. *Il est sale comme un pourceau* (= porc).
R. *Porc* se prononce [pɔr] comme *port* et *pore.*

porcelaine n.f. *Mme Wong vend des assiettes en porcelaine,* en une matière précieuse et fragile.

porcelet → *porc.*

porc-épic n.m. *Les porcs-épics ont le corps recouvert de piquants.*
R. On prononce [pɔrkepik].

porche n.m. *Le porche d'une église* est la partie couverte qui est à l'entrée.

porcher, porcherie, porcin → *porc.*

pore n.m. *Pierre transpire par tous les pores,* les trous minuscules de la peau.
■ **poreux** adj. *Cette roche est poreuse,* elle a des trous minuscules qui laissent passer l'eau (= perméable).
R. → *porc.*

pornographique adj. *Les films pornographiques* sont ceux qui montrent des spectacles obscènes.

porphyre n.m. *Certaines églises italiennes ont des colonnes en porphyre,* une roche rouge.

porridge n.m. *Yvonne mange du porridge au petit déjeuner,* de la bouillie d'avoine.

1. port n.m. **1.** *Halifax est un port maritime, Montréal est un port fluvial,* un endroit où s'arrêtent les navires. **2.** *Leur voyage s'est bien passé, ils sont arrivés à bon port,* sans accident.
■ **portuaire** adj. SENS 1 *Les grues, les hangars, les docks font partie de l'équipement portuaire,* d'un port.

→ p. 657

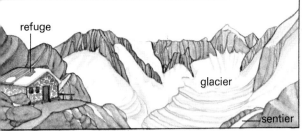
refuge
glacier
sentier

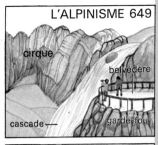
cirque
belvédère
cascade
garde-fou

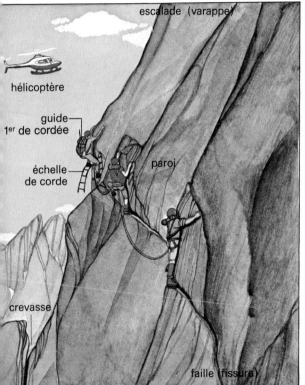
escalade (varappe)
hélicoptère
guide
1er de cordée
échelle
de corde
paroi
crevasse
faille (fissure)

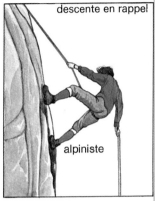
descente en rappel
alpiniste

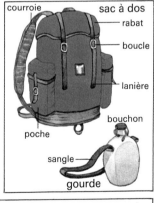
courroie
sac à dos
rabat
boucle
lanière
bouchon
poche
sangle
gourde

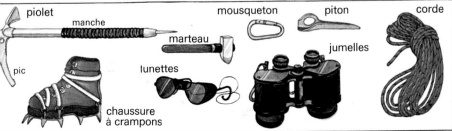
piolet
manche
mousqueton
piton
corde
marteau
pic
lunettes
jumelles
chaussure
à crampons

·DÉBUTANTS CANADA. – 28

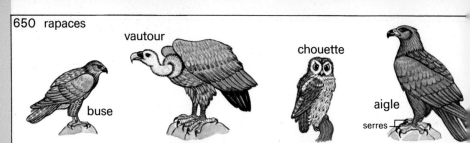

650 rapaces

vautour
chouette
buse
aigle
serres

mélèze   épicéa (épinette)

neiges éternelles
sommet
arête
plateau
falaise
versa
troupeau
vallée
chalet
alpage
chèvre

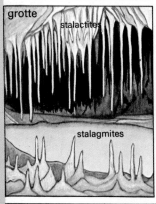

grotte
stalactites
stalagmites

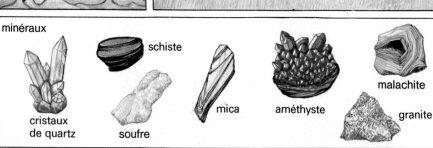

minéraux
schiste
malachite
cristaux
de quartz
soufre
mica
améthyste
granite

aile

plumes

épervier

marmotte

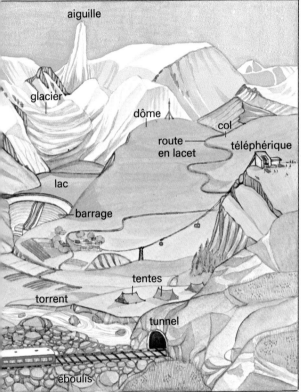

aiguille

glacier

dôme

col

route en lacet

téléphérique

lac

barrage

tentes

torrent

tunnel

éboulis

mouflon

cornes

chamois

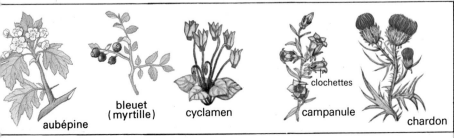

aubépine

bleuet (myrtille)

cyclamen

clochettes

campanule

chardon

patinage artistique

hockey sur glace

but

crosse

patins

palet
(rondelle

bonhomme de neige

pompon

'tuque

balai

pipe

chaîr

couloir
d'avalanche

téléphérique

statior

piste
de slalom

patinoire

flocons de neige

câble

pylône

télésiège

télécabine

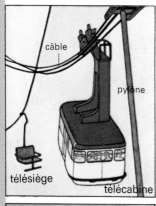

chasse-neige

anc de neige

traîneau
(carriole)

patin

skieur de fond

tinage de
esse

bobsleigh

bonnet de
fourrure

cagoule

tagnes

tremplin
de saut

perche

piste de
descente

remonte-pente

luge

cristaux de neige

skieur

casque

anorak

gant

position de chasse-neige

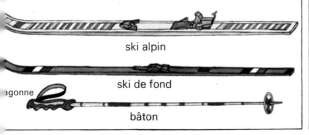

ski alpin

ski de fond

agonne

bâton

chaussure
de ski

attaches

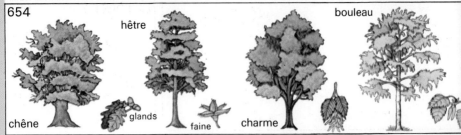

654

chêne

hêtre

glands

faine

charme

bouleau

frêne

futaie

fourche

branche

fourrés

taillis

humus

digitale

chemin
forestier

tige

sapin

pomme

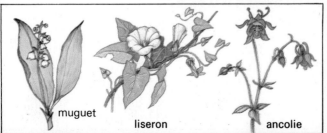

muguet

liseron

ancolie

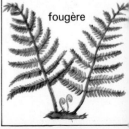

fougère

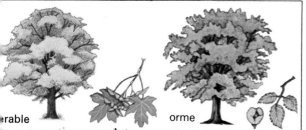

rable

orme

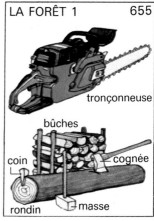

tronçonneuse

bûches

coin

cognée

rondin

masse

écorce

sous-bois

bûcheron

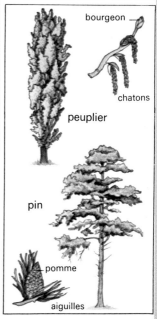

bourgeon

chatons

peuplier

pin

pomme

aiguilles

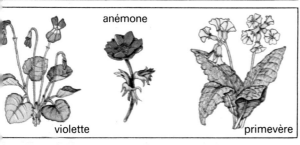

anémone

violette

primevère

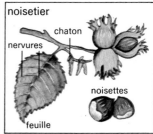

noisetier

chaton

nervures

noisettes

feuille

656 LA FORÊT 2

moufette

belette

hermine

raton-laveur

lièvre

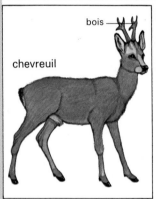

bois

chevreuil

écureuil

clairière

racines

orignal

rejeton

souche

porc-épic

renard

champignons comestibles

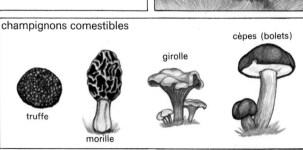

cèpes (bolets)

girolle

truffe

morille

champignons vénéneux

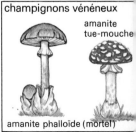

amanite
tue-mouche

amanite phalloïde (mortel)

■ **avant-port** n.m. L'*avant-port* est la partie du port située vers le large. **R.** → *porc.*

2. port → *porter.*

portable → *porter.*

portail → *porte.*

portant, portatif → *porter.*

porte n.f. **1.** *On frappe, va ouvrir la porte.* **2.** *Thérèse a été mise à la porte,* elle a été renvoyée de son travail (= congédier). **3.** *Si on tolère cela, c'est la porte ouverte à tous les abus,* on ne pourra plus s'y opposer.

■ **porte-fenêtre** n.f. SENS 1 Une *porte-fenêtre* est une fenêtre qui descend jusqu'au sol et qui sert de porte.

■ **portail** n.m. SENS 1 *Le portail de la cathédrale est ouvert,* la grande porte.

■ **portier** n.m. SENS 1 *On a donné un pourboire au portier de l'hôtel,* à l'employé qui garde la porte.

■ **portière** n.f. SENS 1 *Ne passe pas la tête par la portière !,* la porte de la voiture.

■ **portillon** n.m. SENS 1 *On entre dans le jardin par un portillon,* une petite porte.

R. *Porte* se prononce [pɔrt] comme [*je*] *porte* (de *porter*). Noter le pluriel : des *portes-fenêtres.*

en porte-à-faux adv. *Le colis a basculé parce qu'il était en porte-à-faux,* en équilibre instable.

porte-avions → *avion.*

porte-bagages → *bagage.*

porte-bonheur → *bonheur.*

porte-cartes → *carte.*

porte-clefs → *clef.*

porte-documents → *document.*

portée → *porter.*

portefeuille n.m. **1.** *Jocelyne a sorti des billets de son portefeuille.* **2.** *Dans le nouveau gouvernement, ce député a reçu le portefeuille des Finances,* il est devenu ministre des Finances.

portemanteau → *manteau.*

porte-monnaie → *monnaie.*

porte-parole → *parole.*

porte-plume → *plume.*

porter v. **1.** *Luce porte un paquet sur son dos,* elle en supporte le poids (= transporter). **2.** *Il porte une lourde responsabilité dans cette affaire* (= supporter). **3.** *Mireille porte de l'argent à la banque* (= apporter, amener). **4.** *Marie porte une jupe bleue et un pull vert,* elle les a sur elle. **5.** *M. Dupont porte la barbe,* il en a une. **6.** *Quel nom porte-t-il ?* (= avoir). **7.** *Porter secours,* c'est secourir, *porter plainte,* c'est se plaindre, *porter bonheur (malheur),* c'est causer un bonheur (ou un malheur). **8.** *La discussion a porté sur le match de hockey,* elle a eu ce sujet. **9.** *Le coup a porté,* il a atteint son but. **10.** *Sa voix porte loin,* elle s'entend de loin. **11.** *La chatte porte ses petits deux mois,* elle les a dans son ventre. **12.** *Claude se porte bien,* sa santé est bonne (= aller).

■ **port** n.m. SENS 3 *Il faut payer le port de cette lettre,* le prix de son transport. SENS 4 ET 5 *Avoir un port d'armes,* c'est avoir la permission d'en porter une.

■ **portable** adj. SENS 1 *Un téléviseur portable peut être facilement transporté.* SENS 4 *Cette jupe n'est plus portable,* elle est trop usée.

■ **portant** adj. SENS 9 *Tirer un coup de feu à bout portant,* c'est le tirer de très près. SENS 12 *Jean est bien portant,* il est en bonne santé.

■ **portatif** adj. SENS 1 *Cléa a un poste de radio portatif, que l'on peut transporter.*

■ **portée** n.f. **1.** SENS 9 ET 10 *Quelle est la portée de ce fusil ?, à combien porte-t-il ? Tu ne mesures pas la portée de tes paroles* (= effet, force). SENS **11** *La portée d'une chienne,* c'est le nombre de ses petits. **2.** *Ce livre est à la portée de ta main,* tu peux le prendre avec la main. *Ce travail n'est pas à la portée de tout le monde,* tout le monde n'est pas capable de le faire. **3.** *On écrit les notes de musique sur une portée,* des lignes.

■ **porteur** n. et adj. SENS 1 *Ces valises sont trop lourdes, va chercher un porteur,* un homme pour les porter. SENS 4 *L'assassin était porteur d'un couteau,* il l'avait sur lui.

R. → *porc* et *porte.*

porte-savon → *savon.*

porte-serviettes → *serviette.*

porte-voix → *voix.*

portier, portière, portillon → *porte.*

portion n.f. **1.** *Veux-tu une autre portion de gâteau ?* (= part, morceau). **2.** *Une portion de la population est mécontente* (= partie, fraction).

portique n.m. *La balançoire est accrochée à un portique,* une barre soutenue par des poteaux.

porto n.m. *Le porto est un vin renommé du Portugal.*

portrait n.m. **1.** *On te reconnaît très bien sur ce portrait,* ce dessin, cette peinture ou cette photo représentant ton visage. **2.** *Tu es le portrait de ton père,* tu lui ressembles beaucoup.

■ **portrait-robot** n.m. *Les journaux ont diffusé un portrait-robot de l'as-*

sassin, un portrait reconstitué à partir des descriptions de témoins.

R. Noter le pluriel : des *portraits-robots.*

portuaire → *port* 1.

poser v. **1.** *Pose le livre sur la table* (= mettre, placer, déposer). **2.** *L'oiseau s'est posé sur une branche* (= se mettre ; ≠ s'envoler). **3.** *On a fait poser de nouveaux rideaux* (= installer). **4.** *Leïla m'a posé une question,* elle m'a interrogée. **5.** *Marie pose devant le photographe,* elle reste immobile. **6.** *Jean pose devant ses amies,* il prend des airs prétentieux.

■ **pose** n.f. SENS 3 *Le plombier est venu pour la pose d'un chauffe-eau* (= installation). SENS 5 *Pour cette photo, il faudra une pose de trois secondes,* rester immobile pendant ce temps. SENS 6 *Claude prend des poses prétentieuses* (= attitude).

■ **posé** adj. SENS 5 *C'est une personne posée* (= calme, sérieux).

■ **posément** adv. SENS 5 *Il m'a répondu posément* (= calmement).

■ **poseur** adj. et n. SENS 6 *Jean est (un) poseur* (= prétentieux).

R. *Pose* se prononce [poz] comme *pause.*

positif adj. **1.** *M. Vandamme m'a donné une réponse positive,* il m'a dit oui (= affirmatif ; ≠ négatif). **2.** *Le résultat de ses démarches est positif,* elle a réussi. **3.** *Mlle Baril est un esprit positif,* elle a du sens pratique (= réaliste ; ≠ abstrait).

■ **positivement** adv. **1.** SENS 1 *On m'a répondu positivement* (= affirmativement). **2.** SENS 2 *Son influence s'est exercée positivement,* dans un sens favorable. **3.** *Ce n'est pas positivement indispensable* (= vraiment, absolument).

position n.f. **1.** *Dans quelle position dors-tu ? — Sur le ventre* (= attitude). **2.** *Ce coureur est arrivé en cinquième* *position* (= place). **3.** *On lui a demandé de préciser sa* **position** *(= opinion, point de vue).* **4.** *Le navire a fait connaître sa* **position**, *l'endroit où il se trouve.*

positivement → *positif.*

posséder v. *Vous* **possédez** *une maison de campagne ?, elle vous appartient* (= avoir).
■ **possesseur** n.m. *Qui est le* **possesseur** *de ce bois ?* (= propriétaire).
■ **possessif** adj. *« Mon », « ton », « son » sont des adjectifs* **possessifs.**
■ **possession** n.f. *Est-ce que tu as ces livres en ta* **possession** *?, est-ce que tu les possèdes ?*
■ **déposséder** v. *M. Durand* **a été dépossédé** *de sa fortune, il l'a perdue.*

possible adj. **1.** *Il est* **possible** *de faire ce travail en deux heures, on peut le faire* (= réalisable). **2.** *Est-ce que tu viendras demain ? — C'est* **possible**, *cela se peut* (≠ certain).
■ **possible** n.m. SENS 1 *Julie a fait tout son* **possible**, *ce qu'elle pouvait.*
■ **possibilité** n.f. SENS 1 *Je n'ai pas la* **possibilité** *de venir,* je ne peux pas venir. SENS 2 *Il faut envisager toutes les* **possibilités**, *tous les cas possibles.*
■ **impossible** adj. **1.** SENS 1 ET 2 *Je ne peux pas aller plus vite, c'est* **impossible.** **2.** *Cet enfant est* **impossible** (= insupportable ; ≠ sage).
■ **impossible** n.m. SENS 1 *On a fait l'impossible pour arriver à l'heure.*
■ **impossibilité** n.f. SENS 1 *Je suis dans l'impossibilité de partir,* je ne peux pas partir.

post- au début d'un mot signifie « après » : *des soins* **postopératoires.**

postdater → *date.*

1. poste n.f. **1.** *La Société canadienne des* **Postes** *(ou la* **Poste***) est un service public chargé de distribuer le courrier.*

2. *La* **poste** *est à côté de la mairie, le bureau de poste* (au sens 1) **3.** *Autrefois, les voitures de* **poste** *transportaient les voyageurs et le courrier.*
■ **postal** adj. SENS 1 ET 2 *Qui m'a écrit cette carte* **postale** *?, envoyée par la poste.*
■ **poster** v. SENS 1 ET 2 *As-tu* **posté** *la lettre pour Agnès ?,* l'as-tu mise à la poste ?
■ **postier** n. SENS 1 ET 2 *M. Lavergne est* **postier,** *il travaille au bureau de poste.*
■ **postillon** n.m. **1.** SENS 3 *Le* **postillon** *conduisait les voitures de poste.* **2.** Fam. *M. Durand envoie des* **postillons** *quand il parle,* des gouttes de salive.

2. poste n.m. **1.** *Le soldat n'est pas resté à son* **poste,** *à l'endroit où il devait rester.* **2.** *Un* **poste** *de police est un endroit où se trouvent les policiers, un* **poste** *de pilotage est l'endroit où se trouve le pilote.* **3.** *Germaine occupe un* **poste** *important* (= emploi, charge, fonction). **4.** *Les Durand ont un* **poste** *de radio et un* **poste** *de télévision,* un appareil.
■ **poster** v. SENS 1 *Il s'est* **posté** *à la fenêtre pour m'attendre,* il s'est mis à cet endroit.

1. poster → **poste** 1 et 2.

2. poster n.m. *Ruth a mis des* **posters** *sur les murs de sa chambre,* de grandes photos.
R. On prononce [pɔstɛr].

postérieur adj. **1.** *Mon arrivée est* **postérieure** *à la tienne, elle a eu lieu après* (≠ antérieur). **2.** *Jean a reçu un coup sur la partie* **postérieure** *de la tête,* sur l'arrière.
■ **postérieur** n.m. SENS 2 Fam. *Une guêpe lui a piqué le* **postérieur,** *le derrière, les fesses.*
■ **postérité** n.f. SENS 1 *Tu travailles pour la* **postérité,** *les gens qui vivront après toi.*

(marges : 768, 802, 802, 803, 510, 509, 506, 291, 807)

posthume adj. *J'ai lu un roman posthume de cet écrivain,* un roman publié après sa mort.

postiche adj. et n.m. *Pour se déguiser, Cléa a mis une barbe postiche,* une fausse barbe. *Le bandit avait un postiche,* de faux cheveux (= perruque).

postier, postillon → *poste* 1.

post-scriptum n.m.inv. *Il y a un post-scriptum à la fin de sa lettre,* quelques mots après la signature.
R. On prononce [pɔstskriptɔm]. On écrit aussi **P.-S.**

postuler v. *Mlle Cyr postule un emploi,* elle le demande.
■ **postulant** n. *Il y a plusieurs postulants pour ce poste* (= candidat).

posture n.f. 1. *Tu es couché ! ce n'est pas une posture pour travailler !,* une position du corps. 2. *Si notre équipe perd encore un match, elle sera en mauvaise posture pour le classement* (= position, situation).

289 | **pot** n.m. 1. *Mme Sandoz met des pots de fleurs sur son balcon,* des récipients. 2. *Le pot d'échappement* d'une voiture, c'est le dispositif par où sortent les gaz brûlés. 3. *Bébé est sur le pot (de chambre),* le récipient où il fait ses besoins. 4. *On a découvert le pot aux roses,* le secret de l'affaire. 5. *Dis ce que tu as à dire, ne tourne pas autour du pot,* ne parle pas autour du sujet, aborde-le directement.
R. → *peau.*

potable adj. *Attention, eau non potable !,* elle n'est pas bonne à boire (= buvable).

potage n.m. *Ce soir, il y a un potage au vermicelle* (= soupe).

potager 1. adj. *Les pommes de terre, les carottes, les haricots sont des plantes potagères* (= légume). 2. n.m. et adj. *Claude cultive son (jardin) potager,* un jardin pour les légumes.

potasse n.f. *La potasse est un bon engrais,* un produit chimique.

potasser v. Fam. *J'ai eu une bonne note parce que j'avais potassé ma leçon,* je l'avais bien apprise.

pot-au-feu n.m.inv. *Nous avons mangé un bon pot-au-feu,* de la viande de bœuf et des légumes bouillis.

pot-de-vin n.m. *L'architecte avait reçu des pots-de-vin,* des sommes d'argent illégales.

pote n.m. Très fam. *Saïd, c'est mon pote,* mon camarade, mon ami.

poteau n.m. *La route est bordée par des poteaux électriques,* des piliers soutenant des fils.

potée n.f. *La potée est un plat de charcuterie et de légumes cuits ensemble.*

potelé adj. *Le bébé a des bras potelés* (= dodu ; ≠ maigre).

potence n.f. *Autrefois, on pendait les condamnés à mort à une potence,* un support fait de plusieurs poutres (= gibet).

potentiel n.m. *Ce pays renforce son potentiel militaire,* ses forces, ses capacités.

poterie n.f. 1. *Andrée fait de la poterie,* elle fabrique et cuit des objets en terre. 2. *Nous avons vu une exposition de poteries,* des vases, des assiettes, des plats* (= terre cuite).
■ **potier** n. *Le potier met un vase dans son four.*

poterne n.f. *Une poterne est une petite porte dans une fortification.*

potiche n.f. *Qui a cassé la potiche du salon ?,* le grand vase décoratif.

potier → *poterie.*

potin n.m. Fam. **1.** *Il y a du potin dans la rue* (= bruit, vacarme). **2.** (au plur.) *Ces gens aiment raconter des potins* (= commérages, ragots).

potion n.f. *Le médecin lui a prescrit une potion pour calmer sa toux,* un médicament à boire.

potiron n.m. *Nous avons mangé une soupe au potiron,* une grosse citrouille.

pot-pourri n.m. *Les élèves ont chanté un pot-pourri,* une chanson faite d'un assemblage de plusieurs airs connus. **R.** Noter le pluriel : *des pots-pourris.*

pou n.m. *Ces enfants se grattent, ils ont attrapé des poux,* des insectes qui vivent dans les cheveux. **R.** → *pouls.*

pouah ! interj. marque le dégoût : *Pouah ! que c'est mauvais !* **R.** → *poids.*

poubelle n.f. *Tous les matins, les éboueurs ramassent les ordures des poubelles* (= boîte à ordures).

pouce n.m. **1.** *Claire suce encore son pouce,* le doigt le plus gros. **2.** *Le pouce est une ancienne mesure de longueur d'environ 2,5 centimètres.* **3.** *Louise ne veut pas bouger d'un pouce,* d'un tout petit espace. **4.** *Donner un coup de pouce à quelqu'un,* c'est intervenir pour l'aider à réussir. **5.** *J'étais très pressé, j'ai déjeuné sur le pouce,* à la hâte. **6.** interj. *Pouce ! je ne joue plus !,* arrête. **R.** *Pouce* se prononce [pus] comme *pousse* et [je] *pousse* (de *pousser*).

poudre n.f. **1.** *Jean met du sucre en poudre dans son yaourt,* du sucre moulu très fin. **2.** *Pour éviter d'avoir la peau brillante, mettez-vous de la poudre sur les joues,* un produit de beauté. **3.** *Dans les cartouches, il y a une charge de poudre,* de substance explosive.

■ **poudrer** v. SENS 2 *Marie se poudre le visage,* elle met de la poudre.

■ **poudrerie** n.f. SENS 1 *Le vent souffle, quelle poudrerie !,* quelle neige fine et sèche que le vent soulève en tourbillons.

■ **poudreux** adj. SENS 1 *On a skié dans la neige poudreuse,* fine comme de la poudre.

■ **poudrier** n.m. SENS 2 *Mme Durand sort son poudrier de son sac,* sa boîte à poudre. 221

■ **poudrière** n.f. SENS 3 *Cet endroit est aussi dangereux qu'une poudrière,* qu'un entrepôt de poudre.

1. pouf ! interj. exprime un bruit sourd.

2. pouf n.m. *Jean s'est assis sur un pouf,* un siège bas et rembourré. 76

pouffer v. *Tout le monde a pouffé de rire,* a éclaté de rire malgré soi.

pouilleux adj. *Ils habitent un quartier pouilleux,* très sale et misérable.

poulailler → *poule.*

poulain n.m. *La jument galope suivie de son poulain,* son petit.

■ **pouliche** n.f. *Une pouliche est une jument jeune.*

poulaine n.f. *Les poulaines étaient des chaussures au bout très allongé.* 804

poule n.f. **1.** *Les poules picorent dans la basse-cour,* une sorte de volaille. **2.** *Pierre n'est qu'une poule mouillée,* il n'est pas courageux. **3.** *Brrr ! J'ai la chair de poule,* je frissonne (de froid ou de peur). 362

■ **poularde** n.f. SENS 1 *Une poularde est une poule jeune et grasse.*

■ **poulet** n.m. SENS 1 *À midi, il y a du poulet rôti,* une jeune poule ou un jeune coq.

■ **poulailler** n.m. **1.** SENS 1 *La fermière a enfermé les poules dans le poulailler,* le local où elles logent. 362 **2.** *Au théâtre, nous étions placés au poulailler,* aux places du haut. 440

pouliche → *poulain.*

poulie n.f. *On s'est servi d'une poulie pour monter les caisses,* d'une roue sur laquelle passe une corde, une courroie.

poulpe n.m. *Le poulpe a de longs tentacules* (= pieuvre).

pouls n.m. *Pierre a couru, son pouls est très rapide,* le battement de ses artères qu'on peut sentir au poignet. **R.** *Pouls* se prononce [pu] comme *pou.*

poumon n.m. *Respire à pleins poumons le bon air de la campagne !.* ■ **pulmonaire** adj. *La tuberculose est une maladie pulmonaire,* des poumons. ■ **s'époumoner** v. *Tu t'époumones en criant comme ça* (= s'essouffler).

poupe n.f. *Le navire a le vent en poupe,* le vent souffle sur l'arrière (≠ proue).

poupée n.f. *Marie habille et déshabille sa poupée,* un jouet à forme humaine.

poupon n.m. **1.** *Il porte un poupon dans ses bras,* un bébé. **2.** *J'ai eu un poupon pour Noël,* une poupée qui représente un bébé. ■ **poupin** adj. SENS 1 *Une figure poupine* est ronde et joufflue comme celle d'un poupon. ■ **pouponner** v. SENS 1 *Alain pouponne sa petite sœur* (= dorloter). ■ **pouponnière** n.f. SENS 1 *Une pouponnière* est un établissement où l'on garde les bébés.

pour prép. indique le but : *Elle est partie tôt pour arriver à l'heure, pour que tout soit prêt à midi ;* le temps : *Il faut faire cela pour demain ;* la cause : *Mme Dion a eu une amende pour excès de vitesse ;* l'échange : *J'en ai eu pour mon argent ;* la comparaison : *Elle est petite pour son âge ;* la conséquence : *Il est assez grand pour travailler ;* le remplacement : *Tu as payé pour moi.*

■ **pour** n.m.inv. *On a pesé le pour et le contre* (= avantage).

pourboire n.m. *Mme Baez a donné un pourboire au garçon,* une somme d'argent en plus du prix.

pourceau → *porc.*

pourcentage → *cent.*

pourchasser → *chasser.*

pourparlers → *parler.*

pourpoint n.m. *Autrefois, les hommes pouvaient porter un pourpoint,* une sorte de veste.

pourpre 1. adj. *De honte, Pierre est devenu pourpre,* très rouge. **2.** n. La *pourpre* est un colorant rouge tiré d'un coquillage, le *pourpre.* ■ **s'empourprer** v. *Son visage s'est empourpré de colère* (= rougir).

pourquoi adv. sert à interroger sur la cause : *Pourquoi es-tu partie ? — Parce que j'étais pressée.* ■ **c'est pourquoi** conj. explique la cause : *La planche était pourrie, c'est pourquoi elle s'est cassée.*

pourrir v. *Ces fruits commencent à pourrir,* à devenir mauvais (= se gâter, se décomposer). ■ **pourriture** n.f. *Il y a dans cette cuisine une odeur de pourriture,* de choses pourries.

poursuivre v. **1.** *Ce chien m'a poursuivi pour me mordre,* il a couru derrière moi. **2.** *Line poursuit ses efforts* (= continuer). **3.** *M. Durand a poursuivi sa voisine en justice,* il a porté plainte contre elle. ■ **poursuite** n.f. SENS 1 *On a couru à la poursuite du voleur.* SENS 3 *Des poursuites ont été engagées contre toi* (= procès). ■ **poursuivant** n. SENS 1 *Le malfaiteur a échappé à ses poursuivants.* **R.** → Conj. n° 62.

pourtant adv. marque une opposition : *Il est malade, pourtant il est venu,* malgré cela (= cependant, néanmoins).

pourtour → *tour* 2.

pourvoir v. *T'es-tu pourvue d'argent ?,* en as-tu en ta possession ? (= se munir).

■ **dépourvu** 1. adj. *Ce livre est dépourvu d'intérêt,* il n'en a pas. 2. n.m. *Elle m'a pris au dépourvu,* quand je ne m'y attendais pas (= à l'improviste). **R.** → Conj. n° 43.

pourvu que conj. indique un souhait : *Pourvu qu'il fasse beau !* ; une condition : *Tu peux partir, pourvu que tu sois rentrée avant midi.*

pousser v. 1. *Anne pousse de toutes ses forces contre la porte,* elle appuie dessus (≠ tirer). 2. *Hugo est tombé quand Sylvie l'a poussé* (= bousculer). 3. *La pluie nous a poussés à partir,* elle est la cause de notre départ (= engager, inciter ; ≠ empêcher). 4. *Jacques m'a poussé à bout,* il m'a mis en colère, exaspéré. 5. *Marie a poussé un hurlement de terreur,* elle a hurlé. 6. *Mme Da Silva fait pousser des fleurs sur son balcon,* elle les cultive.

■ **pousse** n.f. SENS 6 *Au printemps, les arbres ont des jeunes pousses,* de nouvelles branches qui poussent (= bourgeon).

■ **poussée** n.f. 1. SENS 1 ET 2 *D'une poussée, il m'a envoyé par terre,* en me poussant. 2. *Pierre a eu une poussée de fièvre,* une fièvre brutale.

■ **poussette** n.f. SENS 1 *Les Durand promène bébé dans une poussette,* une voiture légère que l'on pousse à la main. **R.** → *pouce.*

poussière n.f. *Le vent soulevait des nuages de poussière,* de la terre en grains très fins.

■ **poussier** n.m. *Le poussier,* c'est de la poussière de charbon.

■ **poussiéreux** adj. *Cet appartement est poussiéreux,* plein de poussière, sale.

■ **dépoussiérer** v. *M. Durand dépoussière les tapis,* il enlève la poussière.

■ **épousseter** v. *Il faudrait épousseter ces meubles,* enlever la poussière avec un plumeau. **R.** *Épousseter* → conj. n° 8.

poussif adj. *M. Dupont est un gros homme poussif,* il s'essouffle vite.

poussin n.m. *La poule est suivie de ses poussins,* ses petits.

poutre n.f. *Le toit est soutenu par des poutres,* des grosses pièces de bois.

74

■ **poutrelle** n.f. *Une poutrelle est une petite poutre en métal.*

150

1. pouvoir n.m. 1. *Les muets n'ont pas le pouvoir de parler* (= faculté, possibilité). 2. *Cette femme a beaucoup de pouvoir* (= puissance, autorité). 3. *Dans ce pays, l'armée a pris le pouvoir,* elle gouverne. 4. (au plur.) *Les pouvoirs publics,* c'est l'ensemble des gens qui gouvernent. 5. *Les Durand ont un faible pouvoir d'achat,* ils gagnent peu d'argent (= revenu).

2. pouvoir v. 1. *Peux-tu venir demain ?,* en as-tu la possibilité ? 2. *Je peux me tromper, mais je ne crois pas,* c'est possible. 3. *Agnès peut nager très longtemps,* elle en est capable. 4. *Si tu es sage, tu pourras aller au cinéma,* tu en auras la permission. **R.** → Conj. n° 38. On dit *je peux* ou *je puis,* mais toujours *puis-je ?* → *peu, puits* et *pus.*

praire n.f. *Mme Durand a acheté des huîtres et des praires,* des coquillages vivant enfoncés dans le sable.

prairie n.f. *Le Manitoba est une région de prairies,* de terrains couverts d'herbe (= pré).

praline n.f. *Hugo aime beaucoup les* **pralines,** des amandes cuites dans du sucre.
■ **praliné** adj. *Le chocolat* **praliné** *a un goût de praline.*

pratique n.f. **1.** *M. Weber a la* **pratique** *des affaires,* il en a l'expérience (≠ théorie). *Il faut* **mettre en pratique** *vos belles résolutions,* les appliquer dans la vie. **2.** *Elle est indignée par les* **pratiques** *de ses adversaires,* par ce qu'ils font (= agissements). **3.** *La messe, les sacrements sont des* **pratiques** *de la religion catholique.*
■ **pratique** adj. **1.** SENS 1 *Pierre a du sens* **pratique,** il sait se débrouiller dans la vie (≠ théorique). **2.** *Cet outil est très* **pratique** (= efficace, commode).
■ **praticable** adj. SENS 1 *Ce projet n'est pas* **praticable** il ne peut être mis en pratique (= réalisable).
■ **praticien** n.m. SENS 1 *Mme Durand est allée consulter un grand* **praticien** (= médecin).
■ **pratiquant** adj. et n. SENS 3 *M. Dupont n'est pas* **pratiquant,** il n'observe pas les pratiques religieuses.
■ **pratiquement** adv. **1.** SENS 1 *Théoriquement, ça a l'air facile, mais* **pratiquement,** *c'est difficile.* **2.** *Il est* **pratiquement** *8 heures* (= à peu près, presque).
■ **pratiquer** v. SENS 1 *Je* **pratique** *le tennis et la natation,* je m'exerce à ces sports. SENS 2 *On a* **pratiqué** *un trou dans le mur,* on l'a fait. SENS 3 *M. Dupont est catholique, mais il ne* **pratique** *pas,* il ne suit pas les pratiques de la religion.
■ **impraticable** adj. SENS 1 *Ce chemin est* **impraticable,** inutilisable.
R. Ne pas confondre le *praticien* et le *patricien.*

364 **pré** n.m. *Les vaches broutent dans le* **pré** (= prairie).

pré- au début d'un mot signifie « d'avance » : *préfabriqué, préétabli.*

préalable 1. adj. *Elle est partie sans avis* **préalable,** sans l'avoir dit à l'avance. **2.** n.m. *Au* **préalable,** *il faut remplir ce questionnaire,* avant de faire autre chose (= d'abord, auparavant).
■ **préalablement** adv. SENS 2 *Pour participer au concours, il faut* **préalablement** *se faire inscrire,* au préalable.

préambule n.m. *Après un long* **préambule,** *il a abordé le point principal* (= introduction).

préau n.m. *Les enfants jouent sous le* **préau,** la partie couverte de la cour de récréation.

préavis → *avis.*

précaire adj. *Avec les menaces de chômage, les ouvriers sont dans une situation* **précaire,** incertaine (= fragile ; ≠ solide, stable).

précaution n.f. *Il faut manipuler ce vase avec* **précaution,** en faisant attention.

précéder v. **1.** *Sa mort a été précédée par une longue maladie,* la maladie a eu lieu avant (≠ suivre). **2.** *Irène me* **précède** *de quelques pas,* elle marche devant moi.
■ **précédent** adj. SENS 1 *Julie est née en 1978, et Luce, l'année* **précédente,** en 1977 (= d'avant ; ≠ suivant).
■ **précédent** n.m. SENS 1 *Cette catastrophe est sans* **précédent,** sans exemple auparavant.
■ **précédemment** adv. SENS 1 *Cette question a déjà été examinée* **précédemment** (= auparavant, antérieurement).

précepte n.m. *« Aimez-vous les uns les autres » est un* **précepte** *de l'Évangile* (= leçon, prescription).

précepteur n. *Autrefois, un certain nombre d'enfants de familles riches avaient un **précepteur**, un professeur particulier.*
R. *Ne pas confondre le précepteur et le percepteur.*

prêcher v. **1.** *Dimanche, le curé a prêché sur l'Évangile, il a fait un sermon à ce sujet.* **2.** *Mes grands-parents me **prêchent** l'obéissance, ils me recommandent d'être obéissant.*
■ **prêche** n.m. SENS 1 ET 2 *Quel prêche ennuyeux !* (= sermon).
■ **prédicateur** n.m. SENS 1 *Le **prédicateur** a fini son sermon,* celui qui prêche.

précieux adj. **1.** *L'or et l'argent sont des métaux **précieux**,* d'un grand prix, d'une grande valeur. **2.** *Jean m'a donné de **précieux** conseils,* très utiles. **3.** *Marie parle d'une manière **précieuse**,* un peu prétentieuse (≠ simple, naturel).
■ **précieusement** adv. SENS 1 *Conserve cette clé **précieusement**,* comme une chose de valeur (= soigneusement).
■ **préciosité** n.f. SENS 3 *Marc parle avec **préciosité*** (≠ naturel).

précipice n.m. *L'autocar s'est écrasé au fond du **précipice**,* un trou très profond (= ravin, gouffre).

précipiter v. **1.** *Un ouragan a précipité la voiture dans un ravin,* il l'a jetée en bas. *Un homme s'est précipité du cinquième étage* (= se jeter). **2.** *Les gens se sont précipités vers le lieu de l'accident,* ils ont accouru. **3.** *Mme Scott a dû **précipiter** son départ* (= hâter, accélérer ; ≠ retarder).
■ **précipitamment** adv. SENS 3 *Caroline est partie **précipitamment*** (= brusquement ; ≠ doucement).
■ **précipitation** n.f. SENS 1 (au plur.) *La pluie, la neige, la grêle sont des*

précipitations (atmosphériques).
SENS 3 *Tu as agi avec **précipitation**,* trop vite (= irréflexion).

précis adj. **1.** *Jean m'a donné des renseignements **précis**,* exacts et détaillés (≠ vague). **2.** *La séance commence à 8 heures **précises**,* ni avant ni après.
■ **précis** n.m. SENS 1 *Un **précis** est un livre qui donne des indications précises.*
■ **précisément** adv. **1.** SENS 1 *Décrivez **précisément** les circonstances de l'accident* (= exactement). **2.** *Vous n'avez rien fait ? C'est **précisément** ce qu'on vous reproche* (= justement).
■ **préciser** v. SENS 1 *Précise-moi ce que tu veux faire,* dis-le moi de façon précise.
■ **précision** n.f. SENS 1 *On m'a demandé des **précisions**,* des détails. SENS 2 *Paul a une montre de précision,* très exacte.
■ **imprécis** adj. SENS 1 *J'ai un souvenir **imprécis** de cette journée* (= incertain, confus).
■ **imprécision** n.f. SENS 1 *Il y a des **imprécisions** dans ton récit.*

précoce adj. *L'hiver est **précoce**, cette année,* il arrive tôt (≠ tardif).
■ **précocité** n.f. *Cet enfant est d'une grande **précocité**,* il est en avance pour son âge.

préconçu → concevoir.

préconiser v. *Je **préconise** cette solution* (= recommander).

précurseur **1.** n.m. *Les **précurseurs** sont souvent incompris,* ceux qui lancent une idée ou un mouvement très en avance par rapport à l'époque. **2.** adj.m. *Ces gros nuages sont les signes **précurseurs** d'un orage,* ils l'annoncent.

prédateur adj. et n.m. *Le renard est un (animal) **prédateur**,* il se nourrit de proies.

prédécesseur n.m. *La nouvelle directrice a fait l'éloge de son **prédécesseur**, de celui qui l'a précédée dans les fonctions qu'elle exerce* (≠ successeur).

prédicateur → *prêcher.*

prédiction → *prédire.*

prédilection n.f. *Voilà mon livre de prédilection, celui que je préfère.*

prédire v. *On lui **a prédit** de grandes difficultés, on les lui a annoncées à l'avance.*
■ **prédiction** n.f. *Tes **prédictions** ne se sont pas réalisées, ce que tu prédisais* (= prophétie).
R. → Conj. n° 72, sauf au participe passé : *prédit.*

prédisposer → *disposer.*

prédominer → *dominer.*

prééminence n.f. *La **prééminence** de cette équipe sur les autres est indiscutable* (= supériorité).
■ **prééminent** adj. *Les questions économiques ont occupé une place **prééminente** dans les discussions,* une place de premier plan (= prépondérant).

préexister → *exister.*

préfabriqué → *fabriquer.*

préface n.f. *Dans sa **préface**, l'auteure indique le plan de son livre,* le texte de présentation placé au début.
■ **préfacer** v. *Ce roman **est préfacé** par un académicien,* un académicien en a écrit la préface.

préfectoral, préfecture → *préfet.*

préférer v. *Je **préfère** les pommes aux poires,* j'aime mieux les pommes. *Si tu **préfères**, nous irons au cinéma,* si cela te convient mieux.
■ **préférable** adj. *Partez demain, c'est **préférable**,* cela vaut mieux.

■ **préféré** adj. et n. *Écoute, c'est ma chanson **préférée**,* celle que j'aime le mieux.
■ **préférence** n.f. **1.** *M. Durand a une **préférence** pour la musique classique,* il la préfère aux autres musiques. **2.** *Quand je peux, je prends le train **de préférence** à la voiture,* plutôt que la voiture.

préfet n.m. *En France, le **préfet** est le représentant de l'État dans le département.*
■ **préfecture** n.f. *Bourg-en-Bresse est la **préfecture** de l'Ain,* une division adminstrative de la France (= chef-lieu).
■ **sous-préfet** n.m. *En France, le **sous-préfet** est le représentant de l'État dans l'arrondissement.*

préfigurer v. *Cette invitation **préfigure** peut-être un changement dans leurs relations,* elle permet peut-être de s'en faire une idée.

préfixe n.m. *« Pré- » dans « prédire », « sur- » dans « surgeler `» sont des **préfixes**,* des éléments placés au début d'un mot et servant à former un autre mot.

préhistoire, préhistorique → *histoire.*

préjudice n.m. *Votre retard m'a causé un grave **préjudice**,* il m'a fait du tort.
■ **préjudiciable** adj. *Cette erreur m'a été **préjudiciable*** (≠ avantageux).

préjugé, préjuger → *juger.*

se prélasser v. *Pierre **se prélasse** dans son lit,* il y reste sans rien faire.

prélat n.m. *Les évêques, les archevêques, les cardinaux sont des **prélats**,* des hauts personnages de l'Église catholique.

prélever v. *Cette somme **sera prélevée** sur votre compte en banque* (= enlever, retrancher). *Le médecin m'a* *prélevé du sang pour en faire l'analyse* (= prendre).

■ **prélèvement** n.m. *On a fait un prélèvement de l'eau du puits,* on en a pris un peu.

préliminaire 1. adj. *Vous ne pouvez pas comprendre sans une explication préliminaire,* donnée auparavant. **2.** n.m.pl. *Après de longs préliminaires, elle a abordé le point principal* (≠ conclusion).

prélude n.m. **1.** *Ils se sont insultés, ce fut le prélude d'une violente bagarre* (= commencement). **2.** *Claude joue un prélude de Chopin,* un morceau de musique.

■ **préluder** v. SENS 1 *Des affiches publicitaires ont préludé à la sortie de ce film,* elles l'ont annoncée.

prématuré 1. adj. *Votre départ est prématuré,* il se produit trop tôt. **2.** adj. et n. *Un (enfant) prématuré est* né avant la date prévue.

■ **prématurément** adv. *Tu t'es réjouie prématurément* (≠ tardivement).

préméditation, préméditer → *méditer.*

prémices n.f.pl. *Ces bons résultats sont les prémices du succès,* les premiers signes.

premier adj. et n. **1.** *Demain, c'est le premier jour du mois,* celui qui commence le mois (≠ dernier). **2.** *Prends la première porte à droite* (= prochain). **3.** *Cette actrice a le premier rôle dans le film,* le plus important. *Qui est le premier en français ?,* le meilleur. **4.** *Le bois, le fer, le charbon sont des matières premières,* ils servent à fabriquer des objets.

■ **premièrement** adv. SENS 1 *Tu iras premièrement à l'épicerie, deuxièmement à la boucherie* (= d'abord ; ≠ enfin).

prémolaire → *molaire.*

prémonition n.f. *Tu prétends avoir eu une prémonition de l'accident,* avoir eu une sorte d'avertissement mystérieux qu'il se produirait (= pressentiment).

prémunir v. *Prends ton imperméable pour te prémunir contre la pluie* (= se protéger).

prendre v. **1.** *Jean a pris un couteau dans le tiroir,* il l'a saisi et le tient dans sa main. **2.** *En 1789, les Parisiens ont pris la Bastille* (= s'emparer de). **3.** *Le pêcheur a pris un poisson,* il l'a attrapé. **4.** *Je prendrais bien un peu de lait* (= boire). **5.** *Maria prend l'autobus pour aller à l'école* (= utiliser). **6.** *Prenez la première rue à droite* (= suivre, emprunter). **7.** *Tu as pris un mauvais exemple* (= choisir). **8.** *Prendre un bain,* c'est se baigner, *prendre une photo,* c'est photographier, *prendre la fuite,* c'est s'enfuir, etc. **9.** *Qui a pris mon stylo ?* (= enlever ; ≠ rendre). **10.** *Le menuisier nous a pris 500 dollars,* il nous a demandé cette somme. **11.** *Tu me prends pour une imbécile ?,* tu me considères ainsi ? **12.** *Ce travail m'a pris deux heures,* j'ai mis ce temps. **13.** *Je suis très pris en ce moment* (= être occupé, absorbé). **14.** *Le feu veut prendre,* commencer à brûler. **15.** *La mayonnaise a bien pris,* elle s'est durcie. **16.** *Fernando s'est pris les doigts dans la porte* (= se coincer). **17.** *Tu t'y es mal pris,* tu as agi avec maladresse. **18.** *Pourquoi t'en prends-tu à moi ?* (= critiquer, attaquer).

■ **prenant** adj. SENS 12 ET 13 *Ce livre est très prenant* (= intéressant).

■ **preneur** n. SENS 10 *Cette paysanne n'a pas trouvé preneur pour sa vache* (= acheteur).

■ **prise** n.f. **1.** SENS 1 *Pierre a lâché prise,* il a lâché ce qu'il tenait. *Anne m'a fait une prise de judo,* elle m'a saisi

290

d'une certaine manière. **SENS 3** *Le pêcheur a fait une belle prise,* il a pris un beau poisson. **SENS 9** *On m'a fait une prise de sang,* on m'en a enlevé un peu. **2.** *Branche la lampe à la prise (de courant),* là où arrive le courant électrique.

■ **imprenable** adj. **SENS 9** *Cette maison a une vue imprenable sur la mer,* aucune construction ne peut lui ôter la vue sur la mer.
R. → Conj. n° 54. → *prix.*

prénom → *nom.*

préoccuper v. *Sa santé la préoccupe,* lui cause du souci (= inquiéter).
■ **préoccupation** n.f. *Mlle Verra a de graves préoccupations* (= souci, inquiétude).

préparer v. **1.** *Je prépare mes bagages pour partir en vacances,* je les arrange pour qu'ils soient prêts. **2.** *Fatima se prépare à partir,* elle va le faire (= se disposer). **3.** *Pierre prépare un examen,* il y travaille.
■ **préparatifs** n.m.pl. **SENS 1 ET 2** *Les préparatifs du départ sont terminés,* ce qu'il faut faire pour le préparer.
■ **préparation** n.f. **SENS 1, 2 ET 3** *La préparation du repas n'a pas été longue.*
■ **préparatoire** adj. **SENS 1 ET 2** *Il a fallu faire un travail préparatoire.*

prépondérance n.f. *Ce pays a la prépondérance économique dans la région,* le rôle le plus important.
■ **prépondérant** adj. *Les États-Unis jouent un rôle prépondérant dans le monde,* supérieur au rôle des autres pays (= prééminent).

768

préposé n. *Donne ton manteau à la préposée au vestiaire* (= employé).

préposition n.f. *« De », « dans », « chez », « sur », « pour », « contre », « vers » sont des prépositions,* des mots placés devant un complément.

prérogative n.f. *Ratifier chaque nouvelle loi est une prérogative du gouverneur général,* cela n'appartient qu'à lui.

près adv. **1.** *Odile habite tout près,* dans un endroit proche (= à côté ; ≠ loin). **2.** *Il est à peu près 10 heures* (= environ).
■ **près de** prép. **SENS 1** *Maria est près de moi* (≠ loin de). **SENS 2** *Il est près de 8 heures* (= presque).
R. *Près* se prononce [prɛ] comme *prêt.*

présage n.m. *Crois-tu aux présages ?,* aux signes qui annoncent l'avenir.
■ **présager** v. *Ces gros nuages ne présagent rien de bon,* ils ne laissent rien prévoir de bon (= annoncer).

presbyte adj. *Ma grand-mère est presbyte,* elle voit mal de près.

presbytère n.m. *Le presbytère est derrière l'église,* la maison du curé (= cure).

prescrire v. *Après sa maladie, on lui a prescrit un long repos* (= ordonner).
■ **prescription** n.f. **1.** **SENS 1** *Il faut suivre les prescriptions du médecin,* ce qu'il a prescrit (≠ interdiction). **2.** *Après un certain temps, il y a prescription,* la justice ne peut plus poursuivre le coupable.
R. → Conj. n° 71.

préséance n.f. *On a placé les invités par ordre de préséance,* selon leur rang, leur importance.

présent 1. adj. et n. *Il y a quinze (élèves) présents dans la classe,* ils sont là (≠ absent). **2.** adj. et n.m. *Le (temps) présent s'oppose au passé et à l'avenir. À présent, tu peux partir* (= maintenant). **3.** n.m. *Pierre m'a fait un présent* (= cadeau).
■ **présence** n.f. **1.** **SENS 1** *Ta présence est indispensable* (≠ absence). **2.** *Elle a eu la présence d'esprit de jeter de l'eau sur le feu,* elle a réagi rapidement.

présenter v. **1.** *Pierre a présenté Paul à Marie,* il la lui a fait connaître. **2.** *Qui présente le journal télévisé aujourd'hui ?,* qui annonce les titres de l'actualité et les commente ? *Présenter un spectacle,* c'est en annoncer les numéros et les commenter. **3.** *Veuillez présenter vos papiers* (= montrer). **4.** *Andrée se présente à un examen,* elle est candidate. *Vous êtes prié de vous présenter au poste de police,* d'y venir. **5.** *Si l'occasion se présente, passez nous voir* (= se produire, survenir).
■ **présentable** adj. SENS 1 ET 3 *Dans cette tenue, il n'est pas présentable,* digne d'être présenté, de se présenter.
■ **présentateur** n. SENS 2 *La présentatrice du journal télévisé est nouvelle.*
■ **présentation** n.f. SENS 1 (au plur.) *Tu as fait les présentations ?,* tu as présenté les gens. SENS 2 *Nous avons assisté à une présentation de mode.*
■ **présentoir** n.m. SENS 3 *Il y a de nombreux livres sur le présentoir,* le support sur lequel on expose les objets dans un magasin.

préserver v. *Ce manteau te préservera du froid,* il te mettra à l'abri (= protéger).
■ **préservation** n.f. *Veillez à la préservation de vos droits* (= sauvegarde).

présider v. *La réunion est présidée par Mme Wong,* c'est elle qui dirige les débats.
■ **président** n. *Le président du tribunal a demandé le silence,* celui qui préside.
■ **présidence** n.f. *Les élections à la présidence des États-Unis auront lieu dans un mois,* pour la fonction de président.
■ **présidentiel** adj. *Il y avait cinq candidats aux élections présidentielles.*
■ **vice-président** n. *Aux États-Unis, le vice-président est chargé de seconder le président.*
R. Noter le pluriel : des *vice-présidents.*

présomption, présomptueux → *présumer.*

presque adv. *Il est presque 10 heures,* pas tout à fait (= à peu près).

presqu'île → *île.*

pressant, presse, pressé, presse-citron → *presser.*

pressentir v. *Paule avait pressenti la vérité,* elle l'avait sentie à l'avance (= deviner, prévoir).
■ **pressentiment** n.m. *J'ai eu le pressentiment d'un malheur,* la pensée qu'il se produirait (= prémonition).
R. → Conj. n° 19.

presser v. **1.** *Pierre me presse de terminer ce travail,* il me dit de le faire vite. **2.** *Presse-toi, nous sommes en retard* (= se dépêcher). **3.** *Le temps presse,* il faut se dépêcher, se hâter. **4.** *Luce presse des citrons pour faire une citronnade,* elle les comprime pour en faire sortir le jus. **5.** *Tu m'as pressé la main avec force,* tu as appuyé dessus (= serrer).
■ **pressant** adj. SENS 1, 2 ET 3 *J'ai un pressant besoin d'argent* (= urgent).
■ **pressé** adj. SENS 1, 2 ET 3 *Ce travail n'est pas pressé,* il peut attendre demain (= urgent).
■ **presse** n.f. **1.** SENS 5 *Une presse est une machine qui sert à serrer, à comprimer, à écraser.* **2.** *Une presse typographique est une machine à imprimer.* **3.** *La presse a annoncé un tremblement de terre en Orient,* l'ensemble des journaux.
■ **pression** n.f. SENS 1 *Elle a fait pression sur moi pour me décider à partir,* elle m'a pressé de partir. SENS 5 *D'une pression du doigt, j'ai refermé la boîte,* en appuyant avec le doigt. *La pression atmosphérique diminue avec*

289

806, 290

807

l'altitude, le poids de l'air. Une ***pression*** (ou un ***bouton-pression***) est une sorte de bouton qu'on attache en appuyant dessus.

■ **pressoir** n.m. SENS 4 *Le vigneron apporte son raisin au* ***pressoir,*** à l'endroit où on le presse.

■ **pressurer** v. SENS 5 *Le peuple* ***était pressuré,*** il était accablé d'impôts.

■ **presse-citron** n.m.inv. SENS 4 *Un* ***presse-citron*** *sert à préparer des citronnades et des orangeades.*

■ **presse-papiers** n.m.inv. SENS 5 *Je me sers d'un morceau de plomb comme* ***presse-papiers.***

pressing n.m. *J'ai porté mon pantalon au* ***pressing,*** à l'établissement qui effectue le nettoyage et le repassage des vêtements.
R. On prononce [presiŋ].

pressurisé adj. *L'avion est* ***pressurisé,*** à l'intérieur, l'air est maintenu à la pression atmosphérique du sol.

prestance n.f. *M. Durand est un homme de belle* ***prestance,*** il est grand et élégant (= allure, apparence).

preste adj. *Marie a des mouvements* ***prestes,*** rapides et adroits.

prestidigitateur n. *Le* ***prestidigitateur*** *a fait sortir un lapin de son chapeau* (= illusionniste).

■ **prestidigitation** n.f. *Mehdi sait faire quelques tours de* ***prestidigitation*** (= escamotage).

prestige n.m. *Cette artiste a un grand* ***prestige,*** elle est connue et admirée.

■ **prestigieux** adj. *Rome est une ville* ***prestigieuse*** (= magnifique).

présumer v. 1. *Pierre a* ***présumé*** *de ses forces,* il s'est cru plus fort qu'il ne l'est. 2. *Je* ***présume*** *que Pia a raison* (= penser, supposer).

■ **présumé** adj. SENS 2 *L'inspecteur a interrogé la coupable* ***présumée,*** celle qu'on croit coupable.

■ **présomption** n.f. SENS 1 *Aline est pleine de* ***présomption,*** *elle a trop confiance en elle* (= prétention ; ≠ modestie).

■ **présomptueux** adj. SENS 1 *Pierre est trop* ***présomptueux*** (= prétentieux).

1. prêt adj. *Je serai* ***prêt*** *à partir dans cinq minutes,* j'aurai fini de me préparer et je pourrai partir.
R. → *près.*

2. prêt → *prêter.*

prétendre v. 1. *Tu* ***prétends*** *que tu sais tout,* tu l'affirmes, mais c'est douteux (= soutenir). 2. *Jean* ***prétend*** *se faire respecter,* il en a l'intention (= vouloir).

■ **prétendant** n.m. SENS 2 *Ce prince était* ***prétendant*** *au trône,* il voulait monter sur le trône. *Cette jeune fille a de nombreux* ***prétendants,*** des hommes qui souhaitent l'épouser.

■ **prétendu** adj. SENS 1 *Comment s'appelle ce* ***prétendu*** *médecin ?,* cet homme qui se prétend médecin.

■ **prétention** n.f. SENS 1 *Je n'ai pas la* ***prétention*** *de tout savoir,* je ne prétends pas cela. *Vous êtes plein de* ***prétention** !* (= vanité, suffisance). SENS 2 (au plur.) *Il faudra diminuer vos* ***prétentions*** (= désirs, exigences).

■ **prétentieux** adj. et n. SENS 1 *Vous êtes trop* ***prétentieux** !* (= orgueilleux, vaniteux ; ≠ modeste).

■ **prétentieusement** adv. SENS 1 *Jean parle* ***prétentieusement.***
R. → Conj. n° 50.

prêter v. 1. *J'ai* ***prêté*** *mon stylo à Lucie,* je le lui ai donné à condition qu'elle me le rende (≠ emprunter). 2. ***Prêter*** *serment,* c'est jurer, ***prêter*** *de l'importance à quelque chose,* c'est lui en donner, ***prêter*** *son aide,* c'est aider. 3. *On me* ***prête*** *des paroles que je n'ai pas dites* (= attribuer).

■ **prêt** n.m. SENS 1 *On a demandé un prêt pour acheter une maison,* qu'on nous prête de l'argent (≠ emprunt).

■ **prêteur** adj. et n. SENS 1 *Pierre n'est pas prêteur,* il n'aime pas prêter.

R. → *près.*

prétexte n.m. *Il a dit qu'il était malade, mais c'était un prétexte pour ne pas venir,* une fausse raison.

■ **prétexter** v. *J'ai prétexté un mal de tête pour partir,* j'ai pris ce prétexte.

prétoire n.m. *L'accusé est introduit dans le prétoire,* la salle du tribunal.

prêtre n.m. *Les prêtres catholiques célèbrent la messe.*

■ **prêtresse** n.f. *Les vestales étaient des prêtresses chargées du culte du feu sacré.*

■ **prêtrise** n.f. *La prêtrise est la fonction du prêtre.*

preuve → *prouver.*

preux n.m. *Les preux du Moyen Âge étaient de vaillants chevaliers.*

prévaloir v. 1. *C'est son opinion qui a prévalu,* qui a eu le plus d'importance (= l'emporter). 2. *Mme Cyr aime se prévaloir de ses diplômes,* les faire remarquer (= se vanter).

R. → Conj. n° 40.

prévenir v. 1. *Marthe m'a prévenue de son arrivée,* elle me l'a fait savoir à l'avance (= avertir, informer). 2. *On dit qu'il vaut mieux prévenir que guérir,* prendre des précautions. 3. *Quand il était malade, sa mère prévenait tous ses désirs,* elle allait au-devant d'eux. 4. *On l'a prévenue contre moi,* on lui a dit du mal de moi.

■ **prévenance** n.f. SENS 3 *Pierre est plein de prévenances pour sa grand-mère* (= attention, gentillesse).

■ **prévenant** adj. SENS 3 *C'est une personne gentille et prévenante* (≠ indifférent).

■ **préventif** adj. SENS 2 *On a pris des mesures préventives,* destinées à éviter des accidents.

■ **préventivement** adv. SENS 2 *On vaccine préventivement les enfants.*

■ **prévention** n.f. SENS 2 *La prévention routière est chargée de prévenir les accidents de la route.* SENS 4 *Pourquoi as-tu des préventions contre moi ?* (= préjugé).

■ **préventorium** n.m. SENS 2 *Dans un préventorium, on suit un traitement préventif contre la tuberculose.*

R. → Conj. n° 22. *Préventorium* se prononce [prevãtɔrjɔm].

prévenu n. *Un prévenu est une personne inculpée par la police.*

prévoir v. *Il était facile de prévoir qu'il raterait son examen,* de le savoir d'avance (= deviner).

■ **prévisible** adj. *Son échec était prévisible.*

■ **prévision** n.f. *Nicole écoute les prévisions météorologiques à la radio,* le temps prévu.

■ **prévoyant** adj. *Josiane est prévoyante* (= prudent).

■ **prévoyance** n.f. *Tu as manqué de prévoyance,* tu n'as pas su prévoir.

■ **imprévisible** adj. *L'accident était imprévisible,* on ne pouvait pas s'y attendre.

■ **imprévoyant** adj. *Marie a été imprévoyante en dépensant tout son argent.*

■ **imprévoyance** n.f. *Tu as fait preuve d'imprévoyance.*

■ **imprévu** adj. *Son arrivée était imprévue* (= inattendu).

R. → Conj. n° 42.

prier v. 1. *On va à la messe pour prier Dieu,* pour s'adresser à lui et l'adorer. 2. *Pierre m'a prié de venir demain,* il me l'a demandé avec insistance. 3. *Donnez-moi ce livre, je vous prie,* s'il vous plaît.

149

■ **prière** n.f. SENS 1 *Je récite mes prières,* les textes par lesquels je m'adresse à Dieu. SENS 2 *Prière de ne pas marcher sur les pelouses,* on est prié de ne pas le faire.

■ **prie-Dieu** n.m.inv. SENS 1 *Jean s'est agenouillé sur le prie-Dieu,* une sorte de chaise basse.
R. → *prix.*

prieur n. *Le prieur (ou la prieure) d'une communauté religieuse* est la personne qui la dirige.

primaire adj. *Jusqu'à la fin de la sixième, on est dans l'enseignement primaire,* l'enseignement du premier degré (≠ secondaire).
R. → *ère.*

primate n.m. *Un singe est un primate,* un animal proche de l'homme.

primauté n.f. *Ce pays possède la primauté économique,* le premier rang (= supériorité).

1. prime adj. *De prime abord, je ne vous avais pas reconnu,* d'abord.

2. prime n.f. **1.** *À la fin de l'année, les employés reçoivent une prime,* une somme d'argent en plus de leur salaire. **2.** *Si vous payez d'un coup, on vous donne un livre en prime,* en supplément.
■ **primer** v. **1.** SENS 1 *Le jury a primé le plus beau dessin,* il l'a récompensé par une prime. **2.** *Ce qui prime chez elle, c'est le courage* (= dominer).

primesautier adj. *Hugo est un jeune homme primesautier,* il suit son premier mouvement (= spontané).

primeur n.f. **1.** *J'ai eu la primeur de cette nouvelle,* je l'ai apprise le premier. **2.** (au plur.) *On cultive des primeurs dans ces serres,* des légumes ou des fruits qui mûrissent avant la saison.

primevère n.f. *Les primevères poussent au printemps,* une sorte de fleur.

primitif adj. **1.** *On a remis la maison dans son état primitif,* celui où elle était au début (= ancien, initial). **2.** *Les sociétés primitives ne connaissent pas l'écriture ni l'agriculture* (≠ civilisé).
■ **primitivement** adv. SENS 1 *Cette auberge était primitivement un moulin,* (= anciennement, à l'origine).

primo adv. *J'ai acheté cette voiture primo parce qu'elle consomme moins, ensuite parce qu'elle est plus confortable* (= d'abord).

primordial adj. *Cet événement est d'une importance primordiale,* il est très important (= capital ; ≠ secondaire).

prince n.m., **princesse** n.f. **1.** *Monaco est gouverné par un prince. La fille d'un souverain ou la femme d'un prince est une princesse.* **2.** *Je pourrais exiger la réparation des dégâts, mais je suis bon prince, n'en parlons plus,* je veux me montrer généreux.
■ **princier** adj. SENS 1 *M. Herrera est d'une élégance princière,* digne d'un prince.
■ **princièrement** adv. SENS 1 *Nous avons été reçues princièrement,* avec beaucoup d'égards (= magnifiquement).
■ **principauté** n.f. SENS 1 *Monaco est une principauté,* un État gouverné par un prince.

principal adj. et n.m. *Quelle est l'actrice principale de ce film ?,* la plus importante (≠ secondaire). *On a presque fini, le principal est fait* (= essentiel).
■ **principalement** adv. *Il faut principalement faire ce travail* (= surtout).

principauté → *prince.*

principe n.m. **1.** *Claude ne boit pas d'alcool, c'est contraire à ses* **principes,** *ses règles de vie* (= idée). **2.** *Je vais t'expliquer le* **principe** *d'Archimède,* la loi scientifique. **3. En principe,** *je serai là demain,* selon les prévisions (= théoriquement ; ≠ pratiquement).

printemps n.m. *Les arbres fleurissent, c'est le* **printemps.**
■ **printanier** adj. *Les violettes sont des fleurs* **printanières,** du printemps.

priori → *a priori.*

priorité n.f. *Au croisement, les voitures venant de la droite ont la* **priorité,** elles passent les premières.
■ **prioritaire** adj. *Une ambulance est un véhicule* **prioritaire,** les autres doivent la laisser passer.

prise → *prendre.*

priser → *prix.*

prisme n.m. *Un* **prisme** *de verre décompose la lumière du soleil,* un objet ayant des faces planes et des arêtes parallèles.

prison n.f. *La coupable a été condamnée à dix ans de* **prison,** à être enfermée, privée de liberté.
■ **prisonnier** n. *À l'armistice, les* **prisonniers** *de guerre ont été libérés,* ceux que l'ennemi avait enfermés.
■ **emprisonner** v. *Le meurtrier a été* **emprisonné,** il a été mis en prison (= enfermer ; ≠ libérer).
■ **emprisonnement** n.m. *Son* **emprisonnement** *a duré dix ans,* sa peine de prison.

privation → *priver.*

privé adj. **1.** *Défense d'entrer, chemin* **privé** (≠ public). **2.** *Je n'aime pas qu'on s'occupe de ma vie* **privée** (= personnel, intime). **3.** *M. Durand est professeur dans l'enseignement* **privé,**

celui qui ne dépend pas de l'État (= public).

priver v. **1.** *Les soldats punis* **ont été privés** *de permissions,* les permissions leur ont été supprimées. **2.** *Un accident l'a* **privée** *de sa jambe,* il la lui a enlevée. **3.** *Je* **ne me suis pas privé** *de lui dire ce que j'en pensais,* je l'ai fait abondamment (= ne pas se faire faute).
■ **privation** n.f. SENS 1 *Pendant la guerre, on a souffert de* **privations,** de ne pas avoir certaines choses.

privilège n.m. *Autrefois, les nobles avaient de nombreux* **privilèges,** des droits que les autres n'avaient pas (= avantage).
■ **privilégié** n. et adj. *Cet hôtel de luxe est réservé à des* **privilégiés** (≠ défavorisé).

prix n.m. **1.** *Le* **prix** *du pain a encore augmenté,* ce qu'il coûte (= valeur). **2.** *Je veux venir à tout* **prix** (= absolument, coûte que coûte). **3.** *Ce film a obtenu le premier* **prix** *au concours,* la plus haute récompense.
■ **priser** v. SENS 1 *Je* **prise** *beaucoup l'honnêteté,* je lui donne une grande valeur (= apprécier, estimer).
R. *Prix* se prononce [pri] comme [*il*]*prit* (de *prendre*) et [*il*] *prie* (de *prier*).

pro- au début d'un mot signifie « favorable à » : *Une politique* **proaméricaine** est favorable aux américains.

probable adj. *Il est* **probable** *qu'il fera beau demain,* ce n'est pas sûr mais presque (= vraisemblable ; ≠ certain).
■ **probablement** adv. *Nicole viendra* **probablement** (= sans doute).
■ **probabilité** n.f. *La* **probabilité** *qu'il réussisse est faible,* les chances.
■ **improbable** adj. *Il est* **improbable** *qu'il pleuve demain* (= douteux).

probant → *prouver.*

probe adj. se dit parfois pour *honnête*.

■ **probité** n.f. *La caissière est d'une grande probité* (= honnêteté, droiture).

problème n.m. **1.** *Jean doit faire un problème d'arithmétique,* trouver la solution des questions posées. **2.** *Il y a des problèmes de circulation dans cette ville* (= difficulté).

■ **problématique** adj. SENS 2 *Son succès à l'examen est problématique* (= douteux ; ≠ certain).

procédé n.m. **1.** *Pour pêcher la truite, il y a plusieurs procédés,* plusieurs manières d'agir (= méthode, façon). **2.** *Ses procédés à mon égard m'ont choqué,* sa manière de se conduire.

■ **procéder** v. SENS 1 *Il faut procéder au nettoyage de la maison,* faire cette action. *Comment va-t-on procéder ?* (= agir, s'y prendre).

procédure n.f. **1.** *La procédure est l'ensemble des règles qu'il faut appliquer en justice.* **2.** *On peut arriver au même résultat par une procédure différente* (= méthode, procédé).

procès n.m. *Mme Cyr a gagné un procès contre son voisin,* une action en justice où quelqu'un est mis en accusation.

procession n.f. *La procession est allée de l'église au cimetière,* le défilé religieux.

processus n.m. *L'affaire a suivi un processus compliqué* (= marche, développement).
R. On prononce [prɔsɛsys].

procès-verbal n.m. **1.** *En France, la contravention que donne un policier s'appelle un procès-verbal.* **2.** *Après la réunion, on a relu le procès-verbal,* le résumé écrit de la réunion (= compte rendu).
R. Noter le pluriel : des *procès-verbaux*.

prochain adj. **1.** *Nous nous reverrons la semaine prochaine,* celle qui vient après celle où nous sommes (≠ dernier). **2.** *Au prochain carrefour, tournez à droite,* au plus proche.

■ **prochain** n.m. *Chacun doit aimer son prochain,* les autres hommes.

■ **prochainement** adv. SENS 1 *Esther reviendra prochainement* (= bientôt).

proche adj. **1.** *Ce village est proche de la mer,* il en est près (= voisin ; ≠ éloigné). **2.** *Les vacances sont proches,* elles vont bientôt arriver. **3.** *Le français est proche de l'italien,* ces langues se ressemblent. **4.** *Nous n'avons invité que les proches parents à notre mariage* (≠ éloigné).

■ **approcher** v. SENS 1 *Approche ta chaise de la table,* mets-la plus près (≠ éloigner). SENS 2 *La nuit approche,* il faut rentrer, elle va arriver.

■ **approchant** adj.m. SENS 3 *Il s'appelle Durand, ou quelque chose d'approchant,* qui y ressemble.

■ **approche** n.f. SENS 1 *Elle s'est enfuie à mon approche,* quand je me suis approché. (au plur.) *Aux approches de la côte, la mer devient moins profonde* (= près de).

■ **rapprocher** v. SENS 1 *Rapproche-toi, je ne t'entends pas,* mets-toi plus près (≠ s'éloigner). SENS 2 *Chaque jour nous rapproche des vacances.* SENS 3 *Ils ont des idées qui se rapprochent,* qui se ressemblent (≠ s'opposer).

■ **rapprochement** n.m. SENS 3 *La juge a essayé un rapprochement des adversaires* (= conciliation).

proclamer v. **1.** *Napoléon a été proclamé empereur en 1804,* il a été déclaré solennellement empereur. **2.** *L'accusé proclamait qu'il n'était pas coupable* (= crier, affirmer).

■ **proclamation** n.f. SENS 1 *Un groupe d'intellectuels a lancé une procla-*

mation dans la presse (= déclaration).

procuration n.f. *Je serai absente, mais j'ai laissé une procuration à mon voisin,* un papier l'autorisant à agir à ma place.

procurer v. *Pourrais-tu me procurer ce livre ?,* me le faire obtenir (= fournir).

procureur n. *Le procureur a demandé un an de prison pour l'accusée,* le magistrat chargé de l'accusation.

prodigalité → *prodiguer.*

prodige n.m. **1.** *L'ascension de cette montagne a été un prodige d'endurance,* une action extraordinaire (= miracle). **2.** *Mozart fut un petit prodige,* une personne extraordinaire (= génie).
■ **prodigieux** adj. SENS 1 *Ce livre a eu un succès prodigieux* (= extraordinaire, incroyable).
■ **prodigieusement** adv. SENS 1 *Elle est prodigieusement riche* (= extrêmement).
R. → *prodiguer.*

prodiguer v. *Mon père m'a prodigué ses recommandations,* il m'en a donné beaucoup.
■ **prodigue** adj. *Mme Scott est prodigue avec ses amis,* elle dépense sans compter (≠ avare).
■ **prodigalité** n.f. *Sa prodigalité l'a ruiné,* ses dépenses excessives (= gaspillage).
R. Ne pas confondre *prodige* et *prodigue.*

produire v. **1.** *Certains acides produisent des brûlures sur la peau* (= causer, provoquer). **2.** *Comment s'est produit l'accident ?* (= avoir lieu, arriver). **3.** *Le Canada produit beaucoup de blé* (= fournir ; ≠ consommer).
■ **producteur** n. SENS 3 *Les produc-*

teurs de blé sont mécontents de la baisse des prix (≠ consommateur).
■ **productif** adj. SENS 3 *Ce sol est peu productif,* il rapporte peu.
■ **production** n.f. SENS 3 *Il faut augmenter la production de riz,* en produire plus.
■ **produit** n.m. **1.** SENS 3 *Le blé est un produit agricole, l'acier est un produit industriel.* **2.** *12 est le produit de 6 par 2,* le résultat de la multiplication.
■ **coproduction** n.f. SENS 3 *Une coproduction franco-italienne* est un film produit en commun par des Français et des Italiens.
■ **improductif** adj. SENS 3 *Les marais sont des terres improductives* (= stérile).
■ **sous-produit** n.m. SENS 3 *Le goudron est un sous-produit de la fabrication du gaz,* un produit secondaire.
■ **superproduction** n.f. SENS 3 *Une superproduction* est un film à grand spectacle.
■ **surproduction** n.f. SENS 3 *Il y a une surproduction d'acier,* on en produit trop.
R. → Conj. n° 70.

proéminent adj. *M. Dupont a un nez proéminent,* qui dépasse beaucoup le reste du visage (= saillant).

profanation → *profaner.*

profane adj. **1.** *La musique profane, l'art profane,* c'est la musique, l'art non religieux. **2.** adj. et n. *Excusez-moi, je suis profane en géographie,* je n'y connais rien (= incompétent ; ≠ savant).
■ **profaner** v. SENS 1 *Profaner une chose sacrée,* c'est ne pas la respecter.
■ **profanation** n.f. SENS 1 *La profanation des sépultures est punie par la loi* (= violation).

proférer v. *Il est parti en proférant des menaces,* en les disant violemment.

professer → profession.

professeur n. M. Durand est **professeur** de français, Mme Dupont est une jeune **professeure** de maths, ils enseignent ces matières.
■ **professoral** adj. Tu parles d'un ton **professoral** (= doctoral, grave).
■ **professorat** n.m. Pierre se destine au **professorat** (= enseignement).

profession n.f. 1. Mme Lamer est avocate, c'est sa **profession** (= métier). 2. M. Dubois fait **profession** d'idées socialistes, il les déclare ouvertement.
■ **professer** v. SENS 2 Tu **professes** des opinions bizarres (= déclarer).
■ **professionnel** adj. et n. SENS 1 M. Durand a commis une faute **professionnelle,** dans son métier. Cette équipe de football est composée de **professionnels,** le football est leur métier (≠ amateur).
■ **professionnellemet** adv. SENS 1 Je ne m'occupe pas de sa vie privée, mais **professionnellement,** elle est irréprochable.

professoral, professorat → professeur.

profil n.m. Sur cette photo, on te voit de **profil,** de côté (≠ de face).
■ **se profiler** v. Les montagnes se **profilent** à l'horizon (= se découper, se détacher).

profit n.m. 1. Ce commerçant a fait des **profits,** il a gagné de l'argent (= bénéfice ; ≠ perte). 2. Son voyage en Allemagne lui a été d'un grand **profit,** il lui a été utile.
■ **profiter** v. SENS 2 La prisonnière a **profité** de la nuit pour s'enfuir, elle a saisi cette occasion.
■ **profitable** adj. SENS 2 On a fait un voyage **profitable** (= avantageux, utile).
■ **profiteur** n.m. SENS 1 À bas les **profi-** teurs !, ceux qui font des profits en faisant tort aux autres.

profond adj. 1. Ici la mer est **profonde** de 1 000 mètres, le fond est à 1 000 mètres sous la surface. 2. Tu as un **profond** amour pour ta mère, très grand (≠ faible). 3. Mme Renaud est un esprit **profond,** elle va au fond des choses (= pénétrant ; ≠ superficiel).
■ **profondément** adv. SENS 1 Le couteau a pénétré **profondément.** SENS 2 Pierre est **profondément** ému (= très).
■ **profondeur** n.f. SENS 1 Quelle est la **profondeur** de ce puits ?, sa dimension de haut en bas.
■ **approfondir** v. SENS 1 On a **approfondi** le fossé, on a augmenté sa profondeur. SENS 3 Il faut **approfondir** cette question, l'étudier plus soigneusement.
■ **approfondissement** n.m. SENS 3 Cet échange de vues a permis un **approfondissement** de nos connaissances.

profusion n.f. Cette année, il y a une **profusion** de fruits, une grande quantité.

progéniture n.f. La **progéniture** d'un animal, ce sont ses petits. La **progéniture** d'une personne, ce sont ses enfants.

programme n.m. 1. Nous achetons toutes les semaines le **programme** de la télévision, la liste des émissions. 2. Cette candidate aux élections a annoncé son **programme** (= plan, projets). 3. Cette question n'est pas au **programme** de l'examen, dans la liste des questions à étudier. 4. Les informaticiens ont créé un nouveau **programme** d'ordinateur, un ensemble d'instructions destinées à faire exécuter quelque chose à l'ordinateur.

■ **programmer** v. SENS 1 *Ce cinéma programme de beaux films,* il les met à son programme. SENS 4 *J'ai programmé le cycle « casseroles » de ma machine à laver,* j'ai déclenché cette opération en sélectionnant un programme.

progresser v. 1. *L'inondation progresse de plus en plus,* elle va plus loin (= avancer, augmenter ; ≠ reculer). 2. *Tu as progressé en français,* tu as fait des progrès.

■ **progrès** n.m. 1. SENS 2 *Élise fait des progrès,* elle se perfectionne, s'améliore. 2. *M. Durand croit au progrès,* il croit que les hommes sont de plus en plus heureux.

■ **progressif** adj. SENS 1 *Ces exercices sont de difficulté progressive,* ils sont de plus en plus difficiles.

■ **progression** n.f. SENS 1 *La progression des troupes n'a pu être arrêtée,* la marche en avant.

■ **progressiste** adj. et n. SENS 2 *Mme Genest est progressiste,* elle est partisane de l'amélioration des conditions d'existence.

■ **progressivement** adv. SENS 1 *La chaleur diminue progressivement,* peu à peu.

prohiber v. *Le trafic de la drogue est prohibé par la loi* (= interdire ; ≠ autoriser).

■ **prohibitif** adj. *Le prix de ces fruits est prohibitif,* si élevé qu'on ne peut les acheter.

proie n.f. 1. *Le tigre s'est jeté sur sa proie,* sur l'animal qu'il chassait. 2. *L'aigle, le vautour, le faucon sont des oiseaux de proie,* qui se nourrissent d'autres animaux. 3. *La maison est la proie des flammes,* les flammes sont en train de la détruire. 4. *Pierre est en proie à l'inquiétude,* il est inquiet.

projeter v. 1. *Le choc nous a projetés en avant,* il nous a jetés avec force.

2. *On projette de partir demain,* on en a l'intention. 3. *Nous projetterons des photos,* nous les ferons apparaître sur un écran grâce à un projecteur.

■ **projecteur** n.m. SENS 3 *La lumière du projecteur est très forte,* de l'appareil qui projette des rayons lumineux.

■ **projectile** n.m. SENS 1 *Les gamins envoyaient toutes sortes de projectiles,* d'objets qu'on lance suivant une direction donnée. *Les balles, les plombs de carabine sont des projectiles.*

■ **projection** n.f. SENS 3 *Toute la classe a assisté à la projection du film.*

■ **projet** n.m. SENS 2 *Quels sont tes projets pour les vacances ?,* qu'est-ce que tu comptes faire ? (= intention, plan).

R. → Conj. n° 8.

prolétaire n. Un *prolétaire* est une personne qui vit modestement de son seul salaire (≠ capitaliste, propriétaire, bourgeois).

■ **prolétariat** n.m. Le *prolétariat* est l'ensemble des prolétaires.

proliférer v. *Avec cette chaleur, les mouches se sont mises à proliférer,* à devenir très nombreuses (= se multiplier).

■ **prolifération** n.f. *La prolifération des bombes atomiques est dangereuse.*

■ **prolifique** adj. *Le lapin est un animal prolifique,* il se reproduit rapidement.

prolixe adj. *Tu es très prolixe ce soir,* tu parles beaucoup (= bavard).

■ **prolixité** n.f. *Elle est intarissable : quelle prolixité !*

prologue n.m. *Dans son prologue, l'écrivain remercie ceux qui l'ont aidé* (= introduction, préface).

prolonger v. 1. *On a prolongé la réunion d'une heure,* on l'a fait durer une

34,
440,
762,
805

440

heure de plus. **2.** *La route a été prolongée de 2 kilomètres* (= allonger, continuer).

■ **prolongé** adj. SENS 1 *Nous avons eu une sécheresse prolongée,* qui a duré longtemps.

■ **prolongation** n.f. SENS 1 *La prolongation du match a duré dix minutes,* le temps en plus du temps fixé.

■ **prolongement** n.m. SENS 2 *La maison est dans le prolongement de la rue,* dans la direction qui la prolonge.

promener v. **1.** *M. Dumas promène son chien,* il le fait marcher dehors avec lui. *Odile est partie se promener à pied,* marcher pour son plaisir (= faire un tour ; fam. se balader). **2.** Fam. *Si ce raseur vient encore t'embêter, envoie-le promener,* débarrasse-toi de lui, renvoie-le.

■ **promenade** n.f. SENS 1 *Nous avons fait une longue promenade dans les bois* (= fam. balade).

■ **promeneur** n. SENS 1 *Par ce beau temps, il y a beaucoup de promeneurs sur les boulevards.*

promettre v. **1.** *Anne m'a promis de venir demain,* elle m'a dit qu'elle le ferait (= jurer, s'engager à). **2.** *Pierre s'est promis de travailler,* il a décidé de le faire.

■ **promesse** n.f. SENS 1 *Claude n'a pas tenu sa promesse* (= parole, serment).

■ **prometteur** adj. SENS 1 *Voilà des débuts prometteurs !,* qui laissent espérer de beaux résultats.

R. → Conj. n° 57.

promiscuité n.f. *Les Durand n'aiment pas la promiscuité du métro,* le voisinage désagréable d'autres gens.

promontoire n.m. *Il y a un phare sur le promontoire,* sur le cap qui domine la mer.

promouvoir v. **1.** *Mme Dion a été promue directrice,* on l'a élevée à ce poste. **2.** *Cette actrice passe à la télévision pour promouvoir son film,* favoriser son développement en le faisant connaître.

■ **promoteur** n. SENS 2 Un *promoteur* est un homme ou une femme d'affaires qui finance la construction des immeubles et les vend.

■ **promotion** n.f. **1.** SENS 1 *Mme Dion a été nommée à ce poste, c'est une promotion* (= avancement). SENS 2 *On a fait beaucoup de publicité pour la promotion de ce nouveau savon. Un article en promotion* est, pour un certain temps, vendu à un prix réduit. **2.** *Lise n'est pas de la même promotion que Jean,* l'ensemble des élèves, des candidats qui sont de la même année.

■ **promotionnel** adj. SENS 2 *Cet article est en vente à un prix promotionnel,* un prix avantageux pour augmenter la vente.

R. → Conj. n° 36.

prompt adj. est un équivalent rare de *rapide.*

■ **promptitude** n.f. *Tu as répondu avec promptitude* (= rapidité).

R. On ne prononce pas le 2ᵉ *p* : [prɔ̃, prɔ̃tityd].

promulguer v. *Les lois sont promulguées au « Journal officiel »,* elles sont rendues publiques (= publier).

■ **promulgation** n.f. *De quand date la promulgation de cette loi ?*

prôner v. *Tu oses prôner de pareilles idées ?* (= recommander, louer).

pronom n.m. *« Je », « tu », « il », « se »* sont des *pronoms* personnels ; *« on », « chacun »* sont des *pronoms* indéfinis.

■ **pronominal** adj. *« Regarder »* est à la forme active, *« se regarder »* est à la forme *pronominale.*

prononcé adj. *Ce beurre a un goût de rance très prononcé,* très net (= marqué, accusé).

prononcer v. 1. *Mme Genest a prononcé un discours, elle l'a dit.* 2. *Dans « sculpteur », le « p » ne se prononce pas,* on ne le dit pas (= s'articuler). 3. *Le tribunal s'est prononcé en faveur de M. Martin,* il a pris parti pour lui (= se décider).

■ **prononciation** n.f. SENS 2 *« Pan » et « paon » ont la même prononciation.*

■ **imprononçable** adj. SENS 2 *Certains noms étrangers nous paraissent imprononçables.*

pronostic n.m. *Judith ne s'est pas trompée dans ses pronostics,* quand elle a annoncé ce qui allait se passer (= prévision).

■ **pronostiquer** v. *Les spécialistes ont pronostiqué la victoire de ce boxeur,* ils l'ont annoncée à l'avance.

propager v. *La nouvelle s'est propagée très vite,* elle s'est répandue dans le public (= se diffuser).

■ **propagande** n.f. *Avant les élections, les partis font de la propagande,* ils propagent leurs idées.

■ **propagation** n.f. *Les médecins luttent contre la propagation de l'épidémie* (= développement).

■ **propagateur** n. *Méfiez-vous des propagateurs de fausses nouvelles.*

propane n.m. *Cette cuisinière fonctionne au propane,* une sorte de gaz.

propension n.f. *Vous avez une propension à vous moquer de tout,* un penchant naturel (= tendance, inclination).

prophète n.m. 1. *Mahomet est le prophète de la religion musulmane,* il l'a prêchée comme messager divin. 2. *M. Durand est un prophète de malheur,* il annonce des événements malheureux.

■ **prophétie** n.f. SENS 2 *Je ne crois pas à tes prophéties* (= prédiction, oracle).

■ **prophétique** adj. SENS 2 *On s'aperçoit aujourd'hui que ses paroles étaient prophétiques,* ce qu'elles annonçaient s'est réellement produit.

■ **prophétiser** v. SENS 2 *Cette journaliste avait prophétisé les événements* (= annoncer, prédire).

R. *Prophétie* se prononce [prɔfesi].

propice adj. *Claude a agi au moment propice,* quand il le fallait (= bon, favorable, opportun ; ≠ fâcheux).

proportion n.f. 1. *Au concours, la proportion des reçus était de dix pour cent,* le rapport entre les reçus et le total (= pourcentage). 2. *Cette voiture a de belles proportions,* le rapport entre ses dimensions est harmonieux. 3. (au plur.) *Ce château a des proportions gigantesques* (= dimensions, taille).

■ **proportionné** adj. SENS 2 *Voilà un athlète admirablement proportionné,* dont les membres ont des proportions harmonieuses.

■ **proportionnel** adj. SENS 1 *Le prix de cet objet est proportionnel au temps passé à le fabriquer* (= en rapport).

■ **proportionnellement** adv. SENS 1 *Ces deux maisons sont au même prix, mais la plus grande est proportionnellement plus avantageuse,* par rapport à la taille.

■ **disproportion** n.f. SENS 2 *Il y a une disproportion de taille entre Jeanne et Marie,* une trop grande différence.

■ **disproportionné** adj. SENS 2 *Paul a des bras disproportionnés,* trop grands par rapport à son corps.

proposer v. 1. *On m'a proposé de m'accompagner à la gare* (= offrir). 2. *Je me propose de partir demain,* j'en ai l'intention (= projeter).

■ **propos** n.m. 1. SENS 2 *Mon propos n'est pas de vous ennuyer* (= intention). 2. *Tu as eu des propos blessants à mon égard* (= parole, mot). 3. *Ils se* *sont disputés à propos d'argent* (= au sujet de). **4.** *Paul est arrivé* **à propos,** au bon moment.

■ **proposition** n.f. **1.** SENS 1 *J'ai refusé la* **proposition** *de Luce,* ce qu'elle me proposait (= offre). **2.** *La phrase « je crois qu'il vient » contient deux* **propositions,** deux parties ayant chacune un verbe.

■ **contre-proposition** n.f. SENS 1 *Dans la discussion, nous avons rejeté les propositions de nos adversaires et présenté des* **contre-propositions.**

propre adj. **1.** *M. Dupont possède sa* **propre** *voiture,* une voiture qui lui appartient personnellement, particulièrement. **2.** *« Montréal », « Lise », « Dupont » sont des* **noms propres,** ils désignent un être ou une chose particuliers* (≠ nom commun). **3.** *Ce bateau n'est pas* **propre** *à la navigation lointaine,* il ne convient pas pour cela. *Il faut employer le terme* **propre,** le mot qui convient exactement. **4.** *Ta chemise n'est pas* **propre,** il faut la laver (≠ sale).

■ **propre** n.m. SENS 1 *On dit que le rire est le* **propre** *de l'homme,* son caractère particulier.

■ **proprement** adv. SENS 3 *À* **proprement** *parler,* on n'en sait rien, pour être précis (= à vrai dire). *Ce n'est pas une faute* **proprement dite,** une vraie faute. SENS 4 *Essaie de manger* **proprement,** sans te salir.

■ **propreté** n.f. SENS 4 *J'aime la* **propreté** (≠ saleté, crasse).

■ **impropre** adj. SENS 3 *Vous êtes* **impropres** *à ce travail,* vous n'êtes pas capables de le faire.

■ **improprement** adv. SENS 3 *La baleine est parfois* **improprement** *appelée un poisson.*

■ **impropriété** n.f. SENS 3 *Le mot « poisson » appliqué à une baleine est une* **impropriété.**

■ **malpropre** adj. SENS 4 *Cet appartement est* **malpropre** (= sale).

■ **malpropreté** n.f. SENS 4 *Ils vivent dans la* **malpropreté** (= saleté).

propriété n.f. **1.** *Les Durand ont une* **propriété** *à la campagne,* une maison ou une terre qui leur appartient. **2.** *L'eau a la* **propriété** *de bouillir à 100 degrés,* c'est son caractère particulier.

■ **propriétaire** n. SENS 1 *Qui est* **propriétaire** *de cette maison ?,* à qui appartient-elle ? (= possesseur).

■ **copropriété** n.f. SENS 1 *Notre immeuble est en* **copropriété,** il appartient en commun à plusieurs personnes.

■ **copropriétaire** n. SENS 1 *Les* **copropriétaires** *se sont réunis,* ceux qui sont propriétaires en commun.

■ **exproprier** v. SENS 1 *On a exproprié plusieurs personnes pour construire la route,* on leur a pris leur propriété en les indemnisant.

propulser v. *Les bateaux sont* **propulsés** *par des hélices,* des hélices les font avancer.

■ **propulsion** n.f. *Un sous-marin à* **propulsion** *nucléaire avance grâce à l'énergie nucléaire.*

au prorata de prép. *Les victimes seront indemnisées* **au prorata de** *leurs pertes* (= selon, proportionnellement à).

proroger v. *La date limite a été* **prorogée** *de deux jours* (= prolonger, repousser).

prosaïque adj. *Les Auger ont des goûts* **prosaïques,** sans élégance (= commun ; ≠ original).

prosateur → **prose.**

proscrire v. *Il faut* **proscrire** *cette mauvaise habitude* (= chasser, condamner).

■ **proscription** n.f. *Les autorités ont décidé la* **proscription** *du tabac dans certains lieux publics* (= interdiction).

■ **proscrit** n. *Un* **proscrit** *est une personne chassée de son pays.*
R. → Conj. n° 71.

prose n.f. *Les romans sont écrits en* **prose** (≠ *en vers*).

■ **prosateur** n.m. *Un* **prosateur** *est un écrivain qui s'exprime en prose* (≠ *poète*).

prosélyte n. *Le zèle des militants a fait de nombreux* **prosélytes**, *il a attiré beaucoup de personnes à leur cause* (= *adepte*).

■ **prosélytisme** n.m. *Cette religion fait du* **prosélytisme**, *elle cherche à convertir les gens.*

prospecter v. *On prospecte dans la région pour trouver du pétrole, on étudie le terrain, on fait des recherches.*

■ **prospection** n.f. *Cette société fait de la* **prospection** *géologique* (= *recherche*).

prospectus n.m. *Au courrier, il n'y avait que des* **prospectus**, *des feuilles publicitaires.*
R. On prononce [prɔspɛktys].

prospère adj. *Cette région est* **prospère**, *très riche* (= *florissant* ; ≠ *misérable*).

■ **prospérer** v. *Le blé* **prospère** *sur cette terre, il pousse bien* (= *réussir*).

■ **prospérité** n.f. *La crise a mis fin à la* **prospérité** (= *succès, richesse*).

se prosterner v. *Les pèlerins* **se prosternent** *devant la statue du saint, ils se courbent jusqu'à terre.*

se prostituer v. *C'est la misère qui pousse les pauvres à* **se prostituer**, *à accepter des relations déshonorantes en se faisant payer.*

■ **prostitution** n.f. *Cette personne se livre à la* **prostitution**.

prostré adj. *Jean est resté* **prostré** *sur sa chaise* (= *accablé, effondré*).

■ **prostration** n.f. *Depuis ta maladie, tu restes dans un état de* **prostration**, *d'abattement profond.*

protagoniste n.m. *Dans cette affaire, M. Durand est le principal* **protagoniste**, *il y a joué le rôle principal.*

protéger v. 1. *La chatte* **a protégé** *ses petits contre les attaques du chien* (= *défendre, secourir*). *Le parapluie nous* **protège** *de la pluie* (= *mettre à l'abri*). 2. *Prends un manteau pour* **te protéger** *du froid* (= *se préserver*).

■ **protégé** n. SENS 1 *C'est le neveu de la directrice, il est son* **protégé**, *la personne que quelqu'un prend sous sa protection.*

■ **protège-cahier** n.m. SENS 1 *Mon cahier est protégé par un* **protège-cahier**, *une couverture souple.*

■ **protecteur** adj. et n. SENS 1 *La Société* **protectrice** *des animaux les défend et les protège. Son chef est sa* **protectrice**.

■ **protection** n.f. SENS 1 *Son chef l'a pris sous sa* **protection** (= *aide, soutien, faveur*).

■ **protectorat** n.m. *Le Maroc et la Tunisie ont été des* **protectorats** *français, des sortes de colonies.*
R. Noter le pluriel : *des* **protège-cahiers**.

protéine n.f. *La viande et le fromage contiennent des* **protéines**, *des substances nourrissantes.*

protestant n. et adj. *Au Canada, il y a beaucoup de* **protestants**, *de chrétiens qui n'obéissent pas au pape.*

■ **protestantisme** n.m. *Elle s'est convertie au* **protestantisme**, *à la religion protestante.*

protester v. 1. *Les paysans* **protestent** *contre ces impôts, ils s'y oppo-*

sent (≠ approuver). **2.** *L'accusé a protesté de son innocence,* il l'affirme.
■ **protestation** n.f. SENS 1 *Cette décision a provoqué de nombreuses protestations.* SENS 2 *J'ai été très touchée de ses protestations d'amitié* (= déclaration).

prothèse n.f. *Une prothèse dentaire est un appareil qui remplace une ou plusieurs dents.*

protocole n.m. *La cérémonie s'est déroulée selon un protocole très strict,* des règles officielles (= cérémonial).
■ **protocolaire** adj. *J'ai assisté à une réception très protocolaire,* conforme à des règles officielles, solennelle.

prototype n.m. *Cet avion est un prototype,* un modèle unique qui n'est pas encore fabriqué en série.

protubérance n.f. *La pomme d'Adam forme une protubérance sur le cou,* elle est en relief (= saillie).

727, 803 **proue** n.f. *La proue des bateaux est pointue pour fendre la mer,* l'avant (≠ poupe).

prouesse n.f. *Vous vous vantez de vos prouesses sportives* (= exploit).

prouver v. *Line m'a prouvé qu'elle avait raison,* j'ai reconnu que c'était vrai (= démontrer).
■ **preuve** n.f. *L'accusé a apporté la preuve de son innocence* (= démonstration). *Cléa a fait preuve d'un grand courage,* elle l'a montré.
■ **probant** adj. *Tes arguments sont probants* (= convaincant).

provenir v. **1.** *Ces marchandises proviennent d'Amérique,* elles en viennent. **2.** *Cet accident provient d'un manque de surveillance,* il en est la conséquence (= résulter, découler).
■ **provenance** n.f. SENS 2 *Le train en*

provenance de Toronto entre en gare, le train qui en vient.
R. → Conj. n° 22.

proverbe n.m. *« L'argent ne fait pas le bonheur » est un proverbe,* une vérité générale (= sentence, maxime).
■ **proverbial** adj. *M. Durand est d'une avarice proverbiale,* bien connue (= légendaire).

providence n.f. *Les chrétiens croient à la providence divine,* que Dieu est bon et gouverne sagement le monde.
■ **providentiel** adj. *J'ai fait une rencontre providentielle,* très heureuse (= inespéré).

province n.f. **1.** *Le Québec et le Manitoba sont des provinces canadiennes,* des divisions du Canada.
■ **provincial** adj. *La police provinciale patrouille sur l'autoroute,* qui appartient à la province (≠ urbain).

proviseur n.m. *En France, le proviseur est le directeur d'une école secondaire appelée lycée.*

provision n.f. **1.** *Les Durand font provision de sucre,* ils en achètent pour en avoir en réserve. **2.** (au plur.) *Les Durand vont faire leurs provisions,* acheter ce qu'il leur faut (= commissions). **3.** *J'ai fait un chèque sans provision,* sans avoir assez d'argent en réserve à la banque.
■ **approvisionner** v. SENS 1, 2 ET 3 *Mme Dupont a approvisionné son compte en banque,* elle y a mis de l'argent en réserve.
■ **approvisionnement** n.m. SENS 1, 2 ET 3 *Pendant la guerre, il y avait des difficultés d'approvisionnement,* pour se fournir en choses nécessaires (= ravitaillement).

provisoire adj. *Les adversaires ont conclu un accord provisoire* (= temporaire ; ≠ définitif).

■ **provisoirement** adv. *Ils habitent provisoirement à Hull,* pour quelque temps.

provoquer v. **1.** *Son insolence a provoqué ma colère* (= causer, entraîner, susciter). **2.** *Ne provoquez pas les gens coléreux,* ne les poussez pas à des actes de violence (= défier, exciter).

■ **provocant** adj. **SENS 2** *Claude avait une attitude provocante* (= agressif ; ≠ apaisant).

■ **provocateur** adj. et n. **SENS 2** *Un (agent) provocateur* est une personne qui pousse les autres à la violence.

■ **provocation** n.f. **SENS 2** *Ne réponds pas à ses provocations* (= défi).

R. Ne pas confondre *provocant* (adj.) et *provoquant* (participe).

proximité n.f. *La poste est à proximité de la mairie,* elle en est proche (≠ distance).

prude adj. Une personne est *prude* quand elle montre trop de pudeur.

■ **pruderie** n.f. *Tu pousses la pruderie jusqu'à éviter de regarder une statue de personnage nu.*

prudent adj. *Sois prudent en traversant la rue,* fais attention.

■ **prudemment** adv. *M. Durand ne conduit pas prudemment* (= sagement).

■ **prudence** n.f. *Claudine avait eu la prudence de s'assurer contre le vol* (= précaution).

■ **imprudent** adj. *Tu as prononcé des paroles imprudentes* (= imprévoyant, risqué).

■ **imprudemment** adv. *N'agis pas imprudemment,* sans réfléchir.

■ **imprudence** n.f. *Beaucoup d'accidents sont dus à l'imprudence.*

prune n.f. *Les mirabelles sont des prunes jaunes, les quetsches sont des prunes violettes,* des fruits.

■ **prunier** n.m. *Les pruniers ont des fleurs blanches.*

■ **pruneau** n.m. *Un pruneau est une prune séchée.*

■ **prunelle** n.f. **1.** *Les prunelles sont de petites prunes bleu foncé qu'on trouve souvent dans les haies.* **2.** *La prunelle est le petit rond noir au centre de l'œil* (= pupille).

P.-S. → *post-scriptum.*

psaume n.m. *Un psaume est un chant religieux.*

pseudo- au début d'un mot signifie « faux », « mensonger » : *Un pseudosavant* est un faux savant.

pseudonyme n.m. *Ce poète écrit sous un pseudonyme,* un faux nom.

psychanalyse n.f. *La psychanalyse est une méthode pour guérir certaines maladies mentales.*

■ **psychanalyser** v. *Je me fais psychanalyser,* soigner par une psychanalyste.

■ **psychanalyste** n. *Un psychanalyste est un médecin spécialiste de psychanalyse.*

R. Dans ces mots, ainsi que dans ceux qui suivent, *ch* se prononce [k] : [psikanaliz, psikjatri, psikɔlɔʒi, etc.].

psychiatrie n.f. *La psychiatrie est la partie de la médecine qui s'occupe des maladies nerveuses et mentales.*

■ **psychiatre** n. *Certains psychiatres sont en même temps psychanalystes.*

■ **psychiatrique** adj. *M. Magnon a été interné dans un hôpital psychiatrique,* réservé aux malades mentaux.

psychologie n.f. **1.** *La psychologie étudie scientifiquement la vie de l'esprit.* **2.** *Tu manques de psychologie,* tu ne comprends pas l'état d'esprit des autres (= intuition, finesse).

■ **psychologue** **SENS 1** n. *Mme Dupuis est psychologue scolaire,* elle s'occupe des difficultés psychologiques des élèves. SENS 2 adj. *Tu n'es pas très psychologue,* tu manques de psychologie, de finesse.

■ **psychologique** adj. SENS 1 *La défaite de notre championne a des causes plus psychologiques que physiques,* dues à son état d'esprit (= mental, moral).

■ **psychothérapie** n.f. SENS 1 *Lise suit une psychothérapie,* un traitement psychologique.

psychose n.f. *Le sentiment d'insécurité tourne parfois à la psychose,* à la peur maladive.

puanteur → *puer.*

puberté n.f. *Au moment de la puberté, la voix des garçons devient plus grave,* à la fin de l'enfance et au début de l'adolescence.

public n.m. **1.** *Ce chemin est interdit au public,* à l'ensemble des gens. *Je n'aime pas chanter en public,* devant tout le monde. **2.** *À la fin de la pièce, le public a applaudi,* les spectateurs.

■ **public** adj. SENS 1 *Tout le monde peut se promener dans un jardin public* (≠ privé).

■ **publiquement** adv. SENS 1 *La ministre a annoncé publiquement sa démission,* en public (≠ secrètement, en privé).

■ **publicité** n.f. SENS 1 *Cette marque de voiture fait beaucoup de publicité à la radio,* elle veut se faire connaître du public.

■ **publicitaire** adj. SENS 1 *Des affiches publicitaires sont collées sur de grands panneaux.*

■ **publier** v. SENS 1 *Ce livre a été publié en 1985,* il a été répandu dans le public (= éditer).

■ **publication** n.f. SENS 1 **1.** *La publication de ce livre a eu lieu en 1985.* **2.** *Les livres, les journaux, les revues sont des publications.*

puce n.f. **1.** *Le chien gratte ses puces,* de petits insectes bruns qui vivent sur lui. **2.** *Sa remarque m'a mis la puce à l'oreille,* m'a alerté, a éveillé ma méfiance (= mettre sur le qui-vive).

puceron n.m. *Les pucerons sont des insectes très petits qui vivent en parasites sur les plantes.*

pudeur n.f. *Ce spectacle de débauche blesse la pudeur,* il provoque un sentiment de gêne ou de honte.

■ **pudique** adj. *Hugo est pudique,* il montre beaucoup de retenue (= décent, réservé).

■ **pudibond** adj. *Une personne pudibonde* est trop pudique (= prude).

puer v. *Ce vieux fromage pue,* il sent très mauvais.

■ **puanteur** n.f. *Les œufs pourris dégagent une puanteur insupportable.* R. → *pus.*

puéril adj. *Jacques a des idées puériles* (= enfantin, naïf ; ≠ sérieux).

■ **puérilité** n.f. *Jacques a un raisonnement d'une puérilité déconcertante* (= naïveté).

■ **puériculture** n.f. *Je suis des cours de puériculture,* j'apprends à m'occuper des jeunes enfants.

pugilat n.m. *La dispute s'est terminée par un pugilat,* une bagarre à coups de poing.

puis adv. *Ruth a fait ses devoirs, puis elle est allée jouer* (= ensuite, après). R. → *puits.*

puiser v. *Julie est allée puiser de l'eau à la source,* en prendre en y plongeant un récipient.

puisque conj. indique une cause : *Puisque tu sors, rapporte du pain* (= comme).

puissance n.f. **1.** *Napoléon voulut soumettre l'Europe à sa puissance*

219

512, 583

(⇒ pouvoir, autorité). **2.** *Cet athlète donne une impression de* **puissance,** *de très grande force.* **3.** *La* **puissance** *de cette voiture est de 10 chevaux* (= force). **4.** *L'U.R.S.S. et les États-Unis sont les deux plus grandes* **puissances** *du monde* (= pays, État).

■ **puissant** adj. SENS 1 *Cette banquière est une femme riche et* **puissante,** *elle a du pouvoir.* SENS 3 *L'éclairage n'est pas assez* **puissant** (= fort).

■ **puissamment** adv. *Cette personne est* **puissamment** *riche* (= extrêmement).

■ **impuissance** n.f. SENS 1 ET 2 *Les sauveteurs étaient réduits à l'* **impuissance,** *ils ne pouvaient plus rien faire.*

■ **impuissant** adj. SENS 1 ET 2 *Les pompiers sont restés* **impuissants** *devant l'incendie* (= désarmé).

■ **tout-puissant** adj. SENS 1 *Louis XIV fut un roi* **tout-puissant,** *il avait tout le pouvoir.*

■ **toute-puissance** n.f. SENS 1 *On accusait la politique de ce parti d'être soumise à la* **toute-puissance** *de l'argent.*

puits n.m. *Un* **puits** *est un trou dans le sol, d'où l'on tire de l'eau, du pétrole (puits de pétrole), du minerai (puits de mine).*
R. *Puits se prononce* [pɥi] *comme puis et [je] puis (de pouvoir).*

pull-over ou **pull** n.m. *Il fait froid, mets un* **pull,** *un tricot de laine qu'on enfile par la tête* (= chandail).
R. On prononce [pylɔvɛr] et [pyl].

pulluler v. *Avec cette chaleur, les mouches* **pullulent,** *elles sont très nombreuses* (= grouiller).

■ **pullulement** n.m. *Ce* **pullulement** *d'insectes est dû à la chaleur.*

pulmonaire → *poumon.*

pulpe n.f. *La* **pulpe** *de ces pêches est très juteuse* (= chair).

pulsation n.f. *La fièvre accélérait ses* **pulsations,** *les battements de son cœur.*

pulvériser v. **1.** *Marie* **pulvérise** *de l'insecticide sur les plantes,* *elle le projette en fines gouttelettes.* **2.** *La voiture a été* **pulvérisée** *par le choc,* détruite complètement. **3.** *Il a* **pulvérisé** *le record du 100 mètres nage libre,* il l'a dépassé largement.

■ **pulvérisation** n.f. SENS 1 *Il faut faire plusieurs* **pulvérisations** *d'insecticide pour protéger ces plantes.*

■ **pulvérisateur** n.m. SENS 1 *Ce produit insecticide est vendu dans un* **pulvérisateur,** *un appareil pour le pulvériser.*

puma n.m. *Le* **puma** *est un carnassier d'Amérique de la taille d'une panthère.*

punaise n.f. **1.** *Dans cet hôtel sordide, j'ai été piqué par des* **punaises,** *des insectes parasites.* **2.** *Lise fixe un poster au mur avec des* **punaises,** *des sortes de clous à tête très large.*

1. punch n.m. *Le* **punch** *est une boisson faite avec du rhum et du sirop de sucre.*
R. On prononce [pɔ̃ʃ].

2. punch n.m. *Ce boxeur a du* **punch,** il est efficace, dynamique.
R. On prononce [pœnʃ].

punir v. *Jean a été* **puni** *de son insolence,* il a subi un châtiment (= châtier, sanctionner).

■ **punition** n.f. *Le professeur a infligé une* **punition** *générale* (≠ récompense).

■ **punitif** adj. *Une expédition* **punitive** est destinée à punir des révoltés.

■ **impuni** adj. *Le crime est resté* **impuni,** la coupable n'a pas été punie.

■ **impunément** adv. *Tu ne feras pas cela* **impunément,** sans être punie.

362

295

pupille 1. n. Un *pupille* est un enfant orphelin dont s'occupe un tuteur. **2.** n.f. *Les pupilles des yeux se rétrécissent face à la lumière* (= prunelle).

pupitre n.m. **1.** Un *pupitre* est un petit meuble sur lequel on écrit ou sur lequel on pose le livre qu'on lit ou la musique qu'on joue. **2.** *La technicienne actionne les manettes de son pupitre,* le meuble qui rassemble les moyens de commande et de contrôle visuel d'un appareil.

pur adj. **1.** *Je n'aime pas le vin pur,* qui n'est pas mélangé à de l'eau. **2.** *On m'a assuré que ses intentions étaient pures* (= honnête, désintéressé). **3.** *Je suis ici par un pur hasard,* uniquement par hasard.
  ■ **purement** adv. SENS 3 *C'est un conseil purement désintéressé* (= totalement). *Elle m'a dit « non », purement et simplement,* sans rien de plus, tout simplement (= vraiment).
  ■ **pureté** n.f SENS 1 *À la montagne, la pureté de l'air est très grande* (≠ pollution, saleté).
  ■ **purifier** v. SENS 1 *Il faudrait purifier cette eau,* enlever ce qui la pollue.
  ■ **pur-sang** adj. et n.m.inv. SENS 1 *Un (cheval) pur-sang est de race pure.*
  ■ **épurer** v. SENS 1 *On épure les eaux d'égout* (= purifier).
  ■ **épuration** n.f. SENS 1 *Une station d'épuration filtre les eaux du fleuve.*
  ■ **impur** adj. SENS 1 *L'eau de cette mare est impure.*
  ■ **impureté** n.f. SENS 1 *En le filtrant, on débarrasse l'air des impuretés qu'il contient* (= saleté).

purée n.f. **1.** *On a mangé une purée de pommes de terre,* des pommes de terre cuites et écrasées. **2.** *On dit qu'à Londres, il y a souvent de la purée de pois,* un brouillard très épais.

purement, pureté → *pur.*

purger v. **1.** *Purger quelqu'un,* c'est lui donner un médicament purgatif. **2.** *Le voleur purge une peine d'un an de prison,* il la subit.
  ■ **purgatif** adj. et n.m. SENS 1 *Un (médicament) purgatif* est destiné à lutter contre la constipation.
  ■ **purge** n.f. SENS 1 *Une purge* est un médicament purgatif.
  ■ **purgatoire** n.m. SENS 2 Dans la religion catholique, le *purgatoire* est un lieu où les âmes des morts subissent des peines en réparation de leurs péchés.

purifier → *pur.*

purin n.m. Le *purin* est le liquide qui s'écoule des tas de fumier.

puritain adj. *C'est une personne très puritaine,* qui a une morale très rigoureuse (= austère).

pur-sang → *pur.*

pus n.m. *Ton bouton s'est infecté, il est plein de pus,* d'un liquide jaunâtre.
  ■ **purulent** adj. *Tu as une plaie purulente au bras,* pleine de pus.
  R. *Pus* se prononce [py] comme [*il*] *pue* (de *puer*) et [*il a*] *pu,* [*il*] *put* (de *pouvoir*).

pustule n.f. *Cette maladie se manifeste par des pustules,* des boutons pleins de pus.

putois n.m. *Arrête de crier comme un putois !,* un petit animal sauvage qui sent très mauvais.

se putréfier v. *Le tas de feuilles mortes commence à se putréfier* (= pourrir, se décomposer).
  ■ **putréfaction** n.f. *Une odeur de putréfaction s'échappe de la poubelle* (= pourriture).
  ■ **putride** adj. *Il y a ici une odeur putride,* très mauvaise.
  ■ **imputrescible** adj. *Les matières plastiques sont imputrescibles,* elles ne pourrissent pas.

putsch n.m. *Les militaires ont fait un putsch et pris le pouvoir,* un coup d'État.
R. On prononce [putʃ].

puzzle n.m. *Je m'amuse à reconstituer un puzzle,* une sorte de jeu de patience.
R. On prononce [pœzl].

pygmée n. Les *Pygmées* sont des hommes et des femmes très petits vivant en Afrique.

pyjama n.m. *Claude dort en pyjama,* un vêtement de nuit, composé d'une veste et d'un pantalon.

pylône n.m. *La route est bordée par des pylônes électriques* (= poteau).

pyramide n.f. *Les Égyptiens ont construit de gigantesques pyramides,* de grands monuments à sommet pointu. 348

pyrex n.m. *Je fais cuire le rôti dans un plat en pyrex,* en verre très résistant.
R. C'est un nom de marque.

pyrogravure n.f. *Faire de la pyrogravure,* c'est dessiner sur du bois avec un fer rouge.

pyromane n. *Les policiers ont arrêté un pyromane,* quelqu'un qui a la manie d'allumer des incendies.

python n.m. Le *python* est un très grand serpent d'Asie ou d'Afrique qui étouffe ses proies. 580

q

quadragénaire adj. et n. *M. Dupont est (un) quadragénaire,* il a entre quarante et cinquante ans.
R. On prononce [kwadraʒenɛr].

quadri- ou **quadru-** au début d'un mot signifie « quatre » : *Un quadriréacteur* est un avion à quatre réacteurs.

quadriennal adj. *Les jeux Olympiques sont quadriennaux,* ils ont lieu tous les quatre ans.
R. On prononce [kwadrijenal] ou [kadrijenal].

quadrilatère n.m. *Le carré, le rectangle, le losange sont des quadrilatères,* des figures à quatre côtés.
R. On prononce [kwadrilatɛr] ou [kadrilatɛr].

quadrillage → *quadriller.*

quadrille n.m. *Autrefois, on dansait le quadrille,* une danse à quatre couples.

quadriller v. 1. *Le papier de mon cahier est quadrillé,* divisé en carreaux. 2. *Les policiers quadrillent le quartier,* ils y sont répartis partout (= contrôler).
■ **quadrillage** n.m. SENS 1 *Sur le plan, les rues de la ville forment un quadrillage,* des carrés. SENS 2 *La police a effectué un quadrillage du quartier.*

quadrimoteur → *moteur.*

quadrupède n.m. *Le chien, le cheval, le lion sont des quadrupèdes,* ils ont quatre pattes.
R. On prononce [kwadrypɛd] ou [kadrypɛd].

quadruple n.m. *12 est le quadruple de 3,* il vaut quatre fois plus.
■ **quadrupler** v. *La production d'acier a quadruplé,* elle a été multipliée par quatre.
R. On prononce [kwadrypl, kwadryple] ou [kadrypl, kadryple].

quai n.m. 1. *Nous attendons Claude sur le quai de la gare,* le bord de la voie où le train arrive. 2. *Nous nous sommes promenés sur les quais,* la maçonnerie construite le long de la rivière.

qualifier v. 1. *Noémie qualifie d'imbéciles ceux qui ne sont pas de son avis,* elle leur donne ce nom (= traiter). 2. *M. Duval n'est pas qualifié pour faire ce travail,* il n'en est pas capable. 3. *L'équipe du Canada s'est qualifiée pour la finale,* elle a gagné les épreuves qui lui permettent de participer à la finale.
■ **qualificatif** 1. n.m. SENS 1 *« Imbécile » est un qualificatif injurieux* (= terme). 2. adj. *L'adjectif qualificatif précise le nom.*
■ **qualification** n.f. SENS 2 *Léona a acquis sa qualification dans une école d'ingénieurs.* SENS 3 *L'équipe du Canada a gagné le match de qualification.*

■ **disqualifier** v. SENS 3 *Le coureur a été disqualifié,* il n'a plus le droit de continuer parce qu'il n'a pas respecté le règlement (= éliminer).

■ **disqualification** n.f. SENS 3 *Cette faute entraîne la disqualification.*

■ **inqualifiable** adj. SENS 1 *Tu as eu une conduite inqualifiable,* il n'y a pas de mots assez durs pour la qualifier (= scandaleux).

qualité n.f. **1.** *Ces meubles sont de bonne qualité,* ils sont bons, solides. **2.** *Sa principale qualité est son honnêteté* (= mérite, vertu ; ≠ défaut). **3.** *Mélina a agi en qualité de directrice,* du fait qu'elle est directrice (= comme, en tant que).

quand 1. adv. sert à interroger sur le temps : *Quand viendras-tu ?,* à quel moment. **2.** conj. indique le temps : *Je viendrai quand j'aurai fini* (= lorsque, au moment où).
R. *Quand* se prononce [kã] comme *camp.*

quand même adv. *Elle est venue quand même,* malgré tout.

quant à prép. *Faites ce que vous voulez ; quant à moi, je m'en vais,* en ce qui me concerne, pour ma part.
R. On prononce [kãta].

quant-à-soi n.m.inv. *Pierre se tient sur son quant-à-soi,* il ne dit pas ce qu'il pense (= réserve).
R. On prononce [kãtaswa].

quantité n.f. **1.** *Quelle est la quantité de vin contenue dans cette bouteille ?,* combien y en a-t-il ? **2.** *Je lis des quantités de livres,* un grand nombre, beaucoup.

■ **quantième** n.m. SENS 1 *Il y a une erreur de quantième : nous ne sommes pas le 10, mais le 11,* une erreur de jour du mois.

quarante adj. *Il y a quarante élèves dans la classe. 10 × 4 = 40.*

■ **quarantaine** n.f. **1.** *Mme Truong a une quarantaine d'années,* environ quarante ans. **2.** *Ses camarades l'ont mis en quarantaine,* ils le tiennent à l'écart sans lui parler. 563

■ **quarantième** adj. et n. *M. Durand est dans sa quarantième année.* 563

quart n.m. **1.** *25 est le quart de 100,* il est quatre fois plus petit (≠ quadruple). **2.** *Les campeurs boivent dans un quart,* un gobelet. **3.** *Il est 5 heures et quart (ou 5 heures un quart),* 5 heures et 15 minutes. **4.** *J'ai pris le quart,* je suis de garde pour quatre heures. 563 / 763

■ **quart d'heure** n.m. **1.** *Je m'absente un quart d'heure,* quinze minutes. **2.** *Si tu désobéis, tu risques de passer un mauvais quart d'heure,* de te faire vivement réprimander.
R. *Quart* se prononce [kar] comme *car.*

quartette n.m. *Un quartette à vent,* est un groupe de quatre instruments de musique à vent.
R. On prononce [kwartɛt].

quartier n.m. **1.** *Le boucher transporte un quartier de bœuf,* un gros morceau. **2.** *Dans quel quartier de Québec habite Anne ?,* quelle partie de la ville. **3.** *Le quartier général de l'armée se trouve dans ce château,* l'endroit d'où l'armée est commandée. **4.** *La Lune est dans son premier (ou son dernier) quartier,* elle n'apparaît pas encore (ou n'apparaît plus) toute ronde. **5.** *Les vainqueurs n'ont pas fait de quartier,* ils ont tué tout le monde.

quartier-maître n.m. Dans la marine française, le *quartier-maître* a le 1er grade au-dessus du matelot.
R. Noter le pluriel : des *quartiers-maîtres.*

quartz n.m. *Le sable contient des morceaux de quartz,* d'une roche très dure. 650
R. On prononce [kwarts].

quasi adv. *C'est* **quasi** *impossible,* à peu près, pour ainsi dire.
■ **quasiment** adv. *On m'a* **quasiment** *conseillé de partir* (= presque).

quaternaire → **ère**.

563 **quatorze** adj. *J'ai* **quatorze** *ans. 10 + 4 = 14.*
563 ■ **quatorzième** adj. et n. *Elle est arrivée au* **quatorzième** *rang. Ce coureur est le* **quatorzième** *à l'arrivée.*

563 **quatre** adj. **1.** *Il y a* **quatre** *saisons dans l'année. 2 + 2 = 4.* **2.** *Il s'est mis en* **quatre** *pour nous faire plaisir,* il a fait beaucoup d'efforts.
563 ■ **quatrième** adj. et n. SENS 1 *Nous habitons au* **quatrième** *étage* (ou au **quatrième**).
■ **quatrain** n.m. SENS 1 *Un* **quatrain** *est un groupe de quatre vers.*
438 ■ **quatuor** n.m. SENS 1 *Un* **quatuor** *est un groupe de quatre musiciens qui jouent ensemble.*
R. On prononce [katr] mais [kwatҷɔr].

quatre-quarts n.m.inv. *Un* **quatre-quarts** *est un gâteau fait de farine, de beurre, d'œufs et de sucre en quantités égales.*

223 **quatre-saisons** n.f.inv. *Une* **marchande de quatre-saisons** *vend des fruits et des légumes dans une charrette.*

563 **quatre-vingts** adj. *Tu me dois* **quatre-vingts** *cents. 20 × 4 = 80.*
R. Suivi d'un autre nombre, **quatre-vingts** ne prend pas d's : *quatre-vingt-dix*.

quatrième, quatuor → **quatre**.

que 1. pron.relatif est complément : *Le film* **que** *j'ai vu.* **2.** pron.interrogatif : *Que se passe-t-il ?* **3.** conj. relie deux propositions ou deux mots : *Elle a dit* **qu'**elle viendrait. Il est plus grand **que** moi. Je n'ai **qu'**un livre, seulement un. **4.** adv. d'exclamation : *Que tu es sage !* (= comme).

quel adj. sert pour l'interrogation : *Quel livre lis-tu ? ;* pour l'exclamation : *Quelle jolie maison !*

quelconque 1. adj.indéfini *On a refusé en donnant un prétexte* **quelconque,** n'importe lequel. **2.** adj. *Ce livre est* **quelconque,** sans intérêt (= médiocre).

quelque 1. adj.indéfini sing. *J'ai eu* **quelque** *difficulté à comprendre,* une certaine difficulté. *Elle a dû avoir* **quelque** *empêchement* (= tel ou tel). **2.** adj.indéfini plur. *Il a dit* **quelques** *mots et il est parti,* des mots peu nombreux.
■ **quelque chose** pron.indéfini m. *Veux-tu manger* **quelque chose** *? J'ai vu* **quelque chose** *d'étonnant,* une chose étonnante.
■ **quelquefois** adv. *Je vais* **quelquefois** *chez ma grand-mère,* de temps en temps (= parfois ; ≠ souvent).
■ **quelqu'un** pron.indéfini m. *Quelqu'un m'a conseillé de venir,* une personne (= on).
■ **quelques-uns** pron.indéfini pl. *Quelques-uns des dessins ont été exposés,* un petit nombre.

quémander v. *Je n'aime pas être obligé de* **quémander** *ce qui m'est dû,* de le demander humblement, comme une faveur.

qu'en-dira-t-on n.m.inv. *Mme Dupont se moque du* **qu'en-dira-t-on,** de ce que les gens disent d'elle.

quenelle n.f. *Nous avons mangé des* **quenelles** *de volaille,* des sortes de boulettes allongées à la viande de volaille.

quenotte n.f. Fam. *Bébé a mal à ses* **quenottes** (= dent).

quenouille n.f. *Autrefois, on filait la laine en la plaçant sur une* **quenouille.**

querelle n.f. *J'ai eu une* **querelle** *avec Claude* (= dispute).
■ **se quereller** v. *Pierre et Lise* **se sont querellés** (= se disputer, se chamailler).
■ **querelleur** adj. *Pierre est un garçon* **querelleur** (= batailleur, bagarreur ; ≠ doux).

quérir v. se disait pour *chercher*.
R. *Quérir* ne s'emploie qu'à l'infinitif.

question n.f. **1.** *Il est difficile de répondre à cette* **question** (= demande, interrogation). **2.** *On a déjà parlé de cette* **question** (= sujet, affaire, problème). **3.** *Il* **est question de** *partir demain,* on en parle. **4.** *Je m'occuperai de l'affaire* **en question,** de l'affaire dont nous avons parlé. **5.** *Ce qui est* **en question,** *c'est le maintien ou la fermeture de l'entreprise,* ce qui va être décidé (= en jeu).
■ **questionnaire** n.m. SENS 1 *Veuillez remplir ce* **questionnaire,** cette liste de questions.
■ **questionner** v. SENS 1 *Sonia m'a* **questionnée** *sur mes vacances,* elle m'a posé des questions (= interroger).

quête n.f. **1.** *Une* **quête** *pour les aveugles a été faite dans la rue,* on a demandé de l'argent aux gens (= collecte). **2.** *M. Durand s'est mis* **en quête d'**un logement, il s'est mis à le rechercher.
■ **quêter** v. SENS 1 *On* **quête** *pour les pauvres,* on fait la quête.
■ **quêteur** n. SENS 1 *Les* **quêteurs** *de la Croix-Rouge ont sonné à ma porte.*

quetsche n.f. *Les* **quetsches** *sont de grosses prunes violettes.*
R. On prononce [kwɛtʃ].

queue n.f. **1.** *Les chiens, les chats, les vaches, les chevaux ont une* **queue** *au bas du dos.* **2.** *La* **queue** *de la casserole est cassée,* la partie qui dépasse (= manche). **3.** *Une* **queue** *de billard* est une longue tige de bois avec laquelle on pousse les boules. **4.** *Amina s'est fait une* **queue de cheval,** une coiffure où les cheveux sont tirés en arrière et tenus par un élastique ou une barrette. **5.** *Une* **queue-de-pie** est un habit de cérémonie pour les hommes. **6.** *Il y a une longue* **queue** *devant le cinéma,* une file de personnes qui attendent. *Mettez-vous à la* **queue,** au dernier rang de la file. **7.** *Ce wagon est en* **queue** *du train,* à l'arrière. **8.** *Ce chauffard nous a fait une* **queue de poisson,** il nous a doublés en se rabattant brusquement devant nous. **9.** *Les enfants marchent* **à la queue leu leu,** l'un derrière l'autre.

qui 1. pron.relatif est sujet du verbe : *L'homme* **qui** *est venu est M. Durand.* **2.** pron.interrogatif : **Qui** *est là ?* **Qui** *cherchez-vous ?,* quelle personne.

quiche n.f. *Nous avons mangé une* **quiche,** une sorte de tarte au lard.

quiconque pron.indéfini *Je sais cela mieux que* **quiconque,** n'importe qui. **Quiconque** *pense cela se trompe,* tous ceux qui pensent cela.

quidam n.m. *Qui est ce* **quidam ?,** cette personne dont je ne sais pas le nom.
R. On prononce [kidam] ou [kɥidam].

quiétude n.f. *Tu peux partir en toute* **quiétude** (= tranquillité).
R. On prononce [kjetyd].

quignon n.m. *J'ai emporté un* **quignon** *de pain pour mon goûter* (= morceau).

quille n.f. **1.** *Brenda et Jean jouent aux* **quilles,** à renverser avec une boule des morceaux de bois placés debout.

727

2. *Le voilier s'est renversé la* **quille** *en l'air,* la partie inférieure.

quincaillerie n.f. **1.** *Les outils, les clous, les vis, les écrous sont des articles de* **quincaillerie. 2.** *Il y a une* **quincaillerie** *dans la rue voisine,* un magasin qui vend des clous, des vis, etc.

221

■ **quincaillier** n. *Va chez le* **quincaillier** *acheter une boîte de clous.*

quinconce n.m. *Les arbres sont plantés en* **quinconce,** *par groupes de cinq, dont quatre aux angles d'un carré et un au milieu.* **R.** On prononce [kɛ̃kɔ̃s].

quinine n.f. La **quinine** *est un médicament qui calme la fièvre.*

quinquagénaire adj. et n. *Mme Martin est (une)* **quinquagénaire,** *elle a entre cinquante et soixante ans.* **R.** On prononce [kɛ̃kwaʒenɛr] ou [kɛ̃kaʒenɛr].

quinquennal adj. *Un plan* **quinquennal** *est un plan qui dure cinq ans.*

quintal n.m. *Le fermier a récolté 20* **quintaux** *de blé,* vingt fois 100 kg.

quinte n.f. *Tu as souvent des* **quintes** *de toux,* tu te mets à tousser brusquement et longtemps (= accès).

quintessence n.f. *Tu as résumé la* **quintessence** *de ce livre,* ce qu'il y a de plus important dedans.

quintette n.m. *Un* **quintette** *est un groupe de cinq musiciens qui jouent ensemble.* **R.** On prononce [kɛ̃tɛt] ou [kwɛ̃tɛt].

563

quintuple n.m. *100 est le* **quintuple** *de 20,* il est cinq fois plus grand.
■ **quintupler** v. *Le prix des fruits a* **quintuplé,** il a été multiplié par cinq.

quinze adj. *J'aurai la réponse dans* **quinze** *jours. 10 + 5 = 15.*

563

■ **quinzaine** n.f. *Nous nous reverrons dans une* **quinzaine** *(de jours),* environ quinze jours.
■ **quinzième** adj. et n. *Jessica habite dans la* **quinzième** *avenue.*

quiproquo n.m. *Je parlais de M. Dupont, et lui de M. Durand : c'était un* **quiproquo** (= erreur, malentendu, méprise).

quittance n.f. *Après avoir payé, demandez une* **quittance,** *un papier prouvant que vous avez payé.*

quitte adj. **1.** *Je te rends les 10 dollars que tu m'as prêtés, nous sommes* **quittes,** *nous ne nous devons plus rien.* **2.** *La voiture s'est retournée dans le fossé, nous* **en avons été quittes pour la peur,** *à côté de tout ce qui aurait pu nous arriver de grave, nous n'avons eu à subir que la peur.* **3.** *Fais vérifier les pneus,* **quitte à** *arriver en retard,* au risque de.

quitter v. **1.** *Les Durand* **ont quitté** *la France,* ils en sont partis. **2.** *Yaelle et Jean* **se sont quittés** *sans se dire au revoir* (= se séparer).

qui-vive n.m.inv. *Elle est restée toute la nuit* **sur le qui-vive,** *en faisant attention,* sur ses gardes.

quoi 1. pron.interrogatif : *Je voudrais quelque chose.* — **Quoi ?** *De* **quoi** *parliez-vous ?,* de quelle chose. **2.** pron. relatif : *Je n'ai pas de* **quoi** *m'habiller,* ce qu'il faut pour m'habiller.

quoique conj. exprime l'opposition : *Elle est venue,* **quoiqu'**on le lui ait *défendu* (= bien que).

quolibet n.m. *Son discours a été interrompu par les* **quolibets** *des auditeurs* (= raillerie, moquerie). **R.** On prononce [kɔlibɛ].

quorum n.m. *La réunion ne peut pas avoir lieu, il n'y a pas le **quorum**,* pas assez de personnes présentes.
R. On prononce [kwɔrɔm] ou [kɔrɔm].

quote-part n.f. *Chacun a payé sa quote-part,* ce qu'il devait.
R. Noter le pluriel : des *quote-parts.*

quotidien 1. adj. *Il faut que je fasse mon travail **quotidien**,* de chaque jour. **2.** n.m. *Ce journal est un **quotidien** du matin,* il paraît tous les jours (≠ hebdomadaire).
■ **quotidiennement** adv. *De tels incidents se produisent **quotidiennement**,* chaque jour.

quotient n.m. *Le **quotient** de 20 par 5 est 4,* le résultat de la division.

r

rabâcher v. *Son arrière-grand-père rabâche ses souvenirs,* il les répète sans arrêt (= ressasser).
■ **rabâchage** n.m. *Tu m'ennuies avec tes rabâchages* (= radotage).

rabais, rabaisser → *bas* 1.

rabattre v. 1. *Pour fermer la boîte, rabattez le couvercle* (= abaisser). 2. *La vendeuse n'a pas voulu rabattre un cent de la somme qu'elle réclamait* (= diminuer). *Elle était pleine d'assurance, mais elle en a bien rabattu,* elle a perdu ses illusions. 3. *Faute de viande, on s'est rabattu sur du poisson,* on a accepté d'en manger. 4. *Les chiens rabattent le gibier vers les chasseurs,* ils le font aller dans cette direction.
■ **rabat** n.m. SENS 1 *La poche se ferme par un rabat,* une pièce qui se replie dessus.
■ **rabatteur** n. SENS 4 *Les rabatteurs battent les fourrés avec des bâtons pour faire partir le gibier.*
■ **rabat-joie** n.inv. SENS 2 *Carole est une rabat-joie* (= trouble-fête).
R. → Conj. n° 56.

rabbin n.m. *Le rabbin célèbre les cérémonies de la religion juive.*

râble n.m. *On a mangé du lièvre, j'ai eu un morceau de râble,* dans le bas du dos.
■ **râblé** adj. *M. Dupont est un homme râblé,* il a le dos large et musclé.

rabot n.m. *Le menuisier aplanit une planche avec son rabot,* un outil.
■ **raboter** v. *Le bas de la porte frotte, il faut la raboter.*

raboteux adj. *Le sol du sentier est raboteux* (= inégal, rugueux).

rabougri adj. *Au bord de la mer, les arbres sont rabougris,* peu développés (= chétif).

rabrouer v. *Quand j'ai présenté ma demande, je me suis fait rabrouer,* renvoyer rudement (= rembarrer).

racaille n.f. *Ne fréquente pas cette racaille !,* ces gens malhonnêtes, peu estimables.

raccommoder v. 1. *La chaise est cassée, je vais essayer de la raccommoder* (= réparer). *Peux-tu raccommoder mon pantalon ?* (= recoudre, repriser). 2. Fam. *Pierre et Lise se sont raccommodés* (= réconcilier ; ≠ fâcher).
■ **raccommodage** n.m. SENS 1 *Ce raccommodage est très bien fait.*
R. Attention à l'orthographe : 2 c, 2 m.

raccompagner → *accompagner.*

raccorder v. *Un passage souterrain raccorde les deux bâtiments* (= relier).
■ **raccord** n.m. 1. *On a fait des raccords de peinture,* on en a remis là où elle manquait. 2. *Le raccord de ma pompe à vélo est crevé,* le tuyau de

caoutchouc qui se fixe à l'extrémité. **3.** *On a fixé un **raccord** à chaque bout du tuyau,* une pièce qui permet de les raccorder.

■ **raccordement** n.m. *Une voie de raccordement relie les deux autoroutes* (= liaison).

raccourci, raccourcir → *court* 1.

raccrocher → *accrocher.*

race n.f. **1.** *Il y a beaucoup de gens de race noire aux États-Unis d'Amérique,* des gens ayant la peau noire et un type physique particulier. **2.** *Ce chien n'est pas de **race** pure,* son père et sa mère sont des chiens de types différents.

■ **racé** adj. SENS 2 *Ce cheval est **racé**,* de race pure.

■ **racial** adj. SENS 1 *Tu as des préjugés raciaux,* tu n'aimes pas les gens de certaines races.

■ **racisme** n.m. SENS 1 *Le **racisme** est contraire à la dignité humaine,* le mépris pour les autres races.

■ **raciste** adj. et n. SENS 1 *Certains pays mènent une politique **raciste**.*

■ **antiraciste** adj. SENS 1 *Une manifestation **antiraciste** a rassemblé une foule nombreuse,* une manifestation contre le racisme.

■ **multiracial** adj. SENS 1 *Dans une société **multiraciale**,* des gens de plusieurs races vivent ensemble.

rachat, racheter → *acheter.*

rachitique adj. *Cet enfant est **rachitique**,* sa croissance est très insuffisante, il est mal développé (= chétif, malingre).

racial → *race.*

racine n.f. **1.** *Ce chêne a des **racines** énormes,* les parties qui s'enfoncent dans le sol. **2.** *La **racine** du mot « indestructible » est .« struct- »,* la partie commune à une série de mots de la même famille.

■ **déraciner** v. SENS 1 *La tempête a déraciné plusieurs arbres* (= arracher).

■ **enraciner** v. SENS 1 **1.** *L'arbre a du mal à s'enraciner sur les rochers,* à développer ses racines. **2.** *Cette mauvaise habitude est enracinée en lui,* elle est fixée profondément.

■ **indéracinable** adj. SENS 1 *C'est là une erreur **indéracinable**,* qu'on ne peut pas supprimer, extirper.

racisme, raciste → *race.*

racket n.m. *On a arrêté un individu qui exerçait un **racket** sur certains commerçants,* qui leur extorquait de l'argent par des menaces.

■ **racketteur** n. *Les **racketteurs** ont été arrêtés.*

R. On prononce le *t* final : [rakɛt], comme dans *raquette.*

raclée n.f. Fam. *Pierre a reçu une raclée,* des coups (= volée).

racler v. *André **racle** le fond de la casserole,* il le gratte pour le nettoyer.

■ **raclette** n.f. SENS 1 *Une **raclette** est un outil servant à racler. En Suisse, on mange de la **raclette**,* un fromage que l'on fait fondre à la chaleur et que l'on racle au fur et à mesure qu'il fond pour le manger.

racoler v. *Dominique essaie de racoler des clients,* de les attirer par tous les moyens.

■ **racolage** n.m. *À force de **racolage**, on a réussi à recruter quelques adhérents.*

racontar, raconter → *conte.*

racornir → *corne.*

radar n.m. *Par temps de brouillard, le bateau se dirige au **radar**,* un appareil qui signale les obstacles.

rade n.f. **1.** *Le bateau a jeté l'ancre dans la **rade**,* un grand bassin abrité. **2.** Fam. *La voiture est restée en **rade** sur la route,* en panne.

radeau n.m. *Nous avons traversé la rivière en* **radeau,** une embarcation faite de morceaux de bois assemblés.

505

76

radiateur n.m. **1.** *Le* **radiateur** *de la voiture est percé,* l'appareil qui refroidit le moteur. **2.** *Il y a deux* **radiateurs** *dans cette pièce,* deux appareils de chauffage.

1. radiation n.f. *Les corps radioactifs émettent des* **radiations,** des rayons invisibles.

2. radiation → *radier.*

radical 1. adj. *J'ai proposé un changement* **radical** (= complet, total). **2.** adj. et n.m. *Les* **radicaux** *(le parti* **radical)** *ont voté contre le gouvernement,* un parti politique. **3.** n.m. *« Chant » est le* **radical** *du verbe chanter,* la partie du mot qui ne change pas. ■ **radicalement** adv. SENS 1 *Elle a refusé* **radicalement** (= totalement, absolument).

radier v. *On l'a* **radiée** *de la liste des participants* (= barrer, rayer). ■ **radiation** n.f. *Sa* **radiation** *est due à une faute professionnelle,* on l'a radié.

radieux adj. **1.** *Il fait un soleil* **radieux** (= brillant, éclatant ; ≠ pâle). **2.** *Elle m'a fait un sourire* **radieux** (= rayonnant, joyeux, épanoui ; ≠ triste).

radin adj. et n. Fam. *Il économise sur tout sans nécessité : quel* **radin** *!* (= avare, pingre).

radio- est un préfixe qui indique une idée de rayonnement et désigne : **1.** un système de transmission des sons à distance ; **2.** un système qui permet de voir à l'intérieur du corps ; **3.** la propriété qu'ont certains corps d'émettre des rayons dangereux.

806,
807

■ **radio** n.f. SENS 1 *Line écoute la* **radio,** une émission transmise par des ondes qui diffusent des sons à grande dis-

tance. *Qui a cassé la* **radio** *?,* le poste. SENS 2 *Esther a passé une* **radio** *des poumons,* on a examiné ses poumons.

■ **radio** n.m. SENS 1 *Le* **radio** *de l'avion appelle la tour de contrôle,* celui qui est chargé des communications par radio.

5

■ **radioactif** adj. SENS 3 *Les déchets* **radioactifs** *sont très dangereux,* ils émettent des rayons dangereux.

■ **radioactivité** n.f. SENS 3 *La* **radioactivité** *de l'uranium a été découverte au XXᵉ siècle.*

■ **radiodiffuser** v. SENS 1 *Ce concert sera radiodiffusé demain,* il sera transmis par la radio.

■ **radiodiffusion** n.f. est un équivalent savant de *radio* (au sens 1).

8

■ **radiographie** et **radioscopie** n.f. sont des équivalents savants de *radio* (au sens 2) selon qu'il y a photographie (radiographie) ou simple examen (radioscopie).

■ **radiologue** n. SENS 2 *Un(e)* **radiologue** est un médecin spécialiste de radio.

■ **radiophonique** adj. SENS 1 *Les programmes* **radiophoniques** *se sont améliorés,* les programmes de radio.

radis n.m. *Comme hors-d'œuvre, il y avait des* **radis** *avec du pain beurré,* une plante dont on mange la racine à peau rose et blanche ou rouge.

3

radium n.m. *Le* **radium** *est un métal radioactif.*

radius n.m. *Le* **radius** *est un os du bras.* **R.** On prononce le *s* final : [radjys].

radoter v. *À ton âge, tu* **radotes** *déjà,* tu dis des bêtises comme certaines vieilles personnes. ■ **radotage** n.m. *Ses* **radotages** *sont ennuyeux.*

radoucir → *doux.*

rafale n.f. **1.** *Le vent souffle par* **rafales,** par coups brusques. **2.** *Les bandits ont* tiré une **rafale** de mitraillette, une série de coups très rapprochés.

raffermir → *ferme* 2.

raffiner v. 1. *L'essence est du pétrole raffiné,* rendu plus pur. 2. *Ces jeunes gens raffinent sur leur toilette,* ils en prennent un soin extrême.

■ **raffinage** n.m. SENS 1 *Le raffinage du sucre le rend blanc.*

■ **raffiné** adj. SENS 2 *Mme Dupont est une femme raffinée* (= élégant, distingué ; ≠ simple).

■ **raffinement** n.m. SENS 2 *Jean s'exprime avec raffinement,* il choisit soigneusement ses mots.

■ **raffinerie** n.f. SENS 1 *La raffinerie de pétrole se trouve au bord du fleuve,* une usine.

raffoler v. *Marie raffole du chocolat,* elle l'aime beaucoup.

raffut n.m. Fam. *Le chien a fait du raffut toute la nuit,* beaucoup de bruit (= vacarme, tapage).

rafiot n.m. Fam. *Un rafiot est un petit bateau en mauvais état.*

rafistoler v. Fam. *On a essayé de rafistoler cette vieille chaise,* de la réparer tant bien que mal.

rafler v. Fam. *Qui a raflé ce qui était sur la table ?,* qui l'a pris et emporté ?

■ **rafle** n.f. *La police a fait une rafle dans ce café,* elle a emmené tout le monde.

rafraîchir, rafraîchissant, rafraîchissement → *frais* 1.

ragaillardir → *gaillard* 1.

rage n.f. 1. *Cette nouvelle l'a mis en rage,* dans une grande colère (= fureur). 2. *Pierre a une rage de dents,* un violent mal de dents. 3. *La tempête fait rage,* elle se déchaîne. 4. *Pasteur a inventé un vaccin contre la rage,* une grave maladie.

■ **rager** v. SENS 1 *Échouer si près du but, ça me fait rager,* ça me met en colère.

■ **rageur** adj. SENS 1 *Tu m'as répondu d'un ton rageur* (= furieux, hargneux).

■ **rageusement** adv. SENS 1 *Il a refusé rageusement.*

■ **enrager** v. SENS 1 *Ne fais pas enrager ta sœur,* ne la mets pas en colère (= agacer, irriter).

■ **enragé** adj. 1. SENS 4 *On a dû tuer le chien enragé,* malade de la rage. 2. *C'est une joueuse enragée* (= passionné).

ragot n.m. Fam. *N'écoute pas ces ragots !,* ces bavardages malveillants (= médisance, racontar).

ragoût n.m. *Nous avons mangé un ragoût de mouton,* de la viande cuite avec des légumes et mijotée dans une sauce.

ragoûtant adj. *Ce plat est peu ragoûtant,* on n'a pas envie de le manger (= appétissant).

rai → *rayon.*

raid n.m. *L'aviation a fait un raid en territoire ennemi,* une attaque par surprise.

R. *Raid* se prononce [rɛd] comme *raide.*

raide adj. 1. *Mon poignet foulé est raide,* difficile à plier (= rigide ; ≠ souple). 2. *Le sentier est raide,* il monte beaucoup (= abrupt). 3. *L'équilibriste marche sur la corde raide,* une corde bien tendue. 4. *Ils sont tombés raides morts* (= brusquement).

■ **raideur** n.f. SENS 1 *J'ai une raideur au genou,* il est engourdi.

■ **raidillon** n.m. SENS 2 *On a monté péniblement le raidillon,* la pente raide.

■ **raidir** v. 1. SENS 1 *Le cheval raidit ses muscles* (= tendre, contracter). 2. *Les* *deux adversaires se sont raidis dans leur opposition* (= affermir).

■ **raidissement** n.m. **1.** SENS 1 *Une crampe provoque un raidissement des muscles* **2.** *On observe un raidissement de leur position* (= renforcement).

R. → raid.

1. raie n.f. **1.** *Jean a une chemise blanche à raies bleues* (= bande, ligne, rayure). **2.** *Esther a une raie sur le côté,* une ligne séparant ses cheveux.

■ **rayer** v. SENS 1 *La carrosserie de la voiture est rayée,* abîmée par des raies. *Il a rayé deux mots dans son devoir,* il les a barrés d'un trait.

■ **rayure** n.f. SENS 1 *Les zèbres ont des rayures sur le corps* (= raie).

2. raie n.f. *La raie se mange souvent au beurre noir,* un poisson de mer plat.

rail n.m. *Les trains roulent sur des rails,* des barres d'acier.

■ **dérailler** v. *Un train a déraillé,* il est sorti des rails.

■ **déraillement** n.m. *Le déraillement a fait de nombreux morts.*

■ **dérailleur** n.m. *Le dérailleur d'un vélo sert à faire passer la chaîne d'une roue dentée sur une autre.*

railler v. *Arrête de la railler,* de te moquer d'elle.

■ **raillerie** n.f. *Tu ne supportes pas les railleries,* qu'on se moque de toi (= moquerie, plaisanterie, sarcasme).

■ **railleur** adj. *On m'a répondu d'un ton railleur* (= ironique, moqueur).

rainette n.f. *Entends-tu le chant des rainettes ?,* de petites grenouilles.

R. *Rainette se prononce [rɛnɛt] comme reinette.*

rainure n.f. *L'épingle est tombée dans une rainure du parquet,* une mince fente.

raisin n.m. *On a fait le vin avec le jus du raisin,* le fruit de la vigne.

raison n.f. **1.** *L'être humain est doué de raison* (= esprit, intelligence, pensée, bon sens). **2.** *M. Magron a perdu la raison,* il est devenu fou. **3.** *Julie a l'âge de raison,* l'âge où l'on distingue le bien du mal. **4.** *Je pense que tu as raison,* que tu ne te trompes pas (≠ tort). **5.** *Connais-tu la raison de son absence ?* (= cause, motif). *En raison du mauvais temps, la fête n'aura pas lieu en plein air* (= à cause de). **6.** *Tes raisons ne m'ont pas convaincu* (= argument, explication, excuse). **7.** *Elle est payée à raison de 500 dollars par pièce,* au prix de 500 dollars, en comptant sur cette base.

■ **raisonnable** adj. SENS 1, 2 ET 3 *Voilà une décision raisonnable !* (= sage, sensé ; ≠ excessif, fou).

■ **raisonnablement** adv. SENS 1, 2 ET 3 *Tu as agi raisonnablement* (= bien).

■ **raisonnement** n.m. SENS 1 *Un raisonnement simple te donnera la solution,* l'activité de ton intelligence.

■ **raisonner** v. SENS 1 *Tu as bien raisonné* (= penser). SENS 6 *Quand on lui fait des reproches, elle raisonne,* elle donne des arguments (= discuter).

■ **raisonneur** adj. et n. SENS 6 *Jacques est un insupportable raisonneur,* il discute toujours et veut avoir raison.

■ **rationnel** adj. SENS 1 *Ton projet n'est pas rationnel,* conforme au bon sens.

■ **rationnellement** adv. SENS 1 *Il organise son travail rationnellement* (= intelligemment, méthodiquement).

■ **déraisonnable** adj. SENS 1, 2 ET 3 *Ta conduite est déraisonnable* (= absurde, bête).

■ **déraisonner** v. SENS 2 *Qu'est-ce que tu dis ? tu déraisonnes !,* ce que tu dis est absurde.

■ **irraisonné** adj. SENS 5 *Il a eu une peur irraisonnée,* sans raison.

■ **irrationnel** adj. SENS 1 *Ses actes sont irrationnels,* contraires à la raison.
R. Ne pas confondre *raisonner* [rɛzɔne] et *résonner* [rezɔne].

rajeunir, rajeunissement → *jeune.*

rajouter → *ajouter.*

rajustement, rajuster → *ajuster.*

râle → *râler.*

ralenti, ralentir, ralentissement → *lent.*

râler v. 1. *Les mourants râlent,* ils font entendre un bruit rauque. 2. Fam. *Arrête de râler !* (= rouspéter, grogner).
■ **râle** n.m. SENS 1 Le *râle* est un bruit produit par les poumons.
■ **râleur** n. Fam. SENS 2 *Léon est un râleur,* il est toujours mécontent.

rallier v. 1. *Le discours de la ministre a rallié certains opposants,* elle les a amenés à l'approuver (= convaincre, gagner). 2. *On s'est rallié à cette solution,* on l'a approuvée. 3. *Rallier des gens dispersés,* c'est les regrouper, les rassembler.
■ **ralliement** n.m. SENS 1 *Son ralliement à ce parti est récent* (= adhésion). SENS 3 *On a fixé un point de ralliement* (= rassemblement).

rallonge, rallonger → *long.*

rallumer → *allumer.*

rallye n.m. *Jacques a participé à un rallye automobile,* une compétition où les concurrents doivent se retrouver à un endroit précis après une série d'épreuves.

ramadan n.m. Le *ramadan* est un mois consacré au jeûne dans la religion musulmane.

ramage n.m. 1. *Entends-tu le ramage des oiseaux ?* (= chant). 2. *Du tissu à ramages* est orné de broderies en arabesques.

ramasser v. 1. *Ramasse ce que tu as laissé tomber !,* prends-le par terre. 2. *Le car ramasse les enfants pour les emmener à l'école,* il les prend à divers endroits. 3. *Le chien se ramasse pour sauter,* il se met en boule.
■ **ramassé** adj. SENS 3 *Julien est un petit bonhomme ramassé* (= trapu, massif).
■ **ramassage** n.m. SENS 1 ET 2 *C'est le moment du ramassage des pommes de terre* (= récolte).
■ **ramassis** n.m. SENS 1 *Il y a ici un ramassis de vieux papiers,* un ensemble confus.

rambarde n.f. *Attention ! la rambarde du pont est cassée* (= rampe, garde-fou). [75]

1. rame n.f. *On manœuvre une barque avec des rames,* des barres de bois aplaties et élargies à une extrémité (= aviron). [802, 721, 437]
■ **ramer** v. *Il faut ramer en cadence,* manœuvrer les rames.
■ **rameur** n. *Après la course, les rameurs étaient très fatigués.*

2. rame n.f. *Une rame de métro,* c'est la file des voitures de métro attachées ensemble. [803, 509, 508]

3. rame n.f. *Une rame de papier,* c'est un ensemble de 500 feuilles. [290]

4. rame n.f. *Les haricots poussent le long des rames qu'on a plantées en terre,* le long des branches ou des perches destinées à les soutenir (= tuteur). [366]

rameau n.m. *Une branche porte des rameaux et un rameau porte des brindilles ou des feuilles.*
■ **ramifier** v. *Les nervures de la feuille sont ramifiées,* elles se divisent en rameaux qui se divisent à leur tour.
■ **ramification** n.f. *Les vaisseaux sanguins forment des ramifications.*

ramener → *amener.*

ramer, rameur → *rame* 1.

rameuter v. *Le lieutenant rameute ses soldats* (= regrouper, rassembler).

ramier n.m. *Les ramiers roucoulent sur la branche,* des pigeons sauvages.

ramification, ramifier → *rameau.*

ramollir → *mou.*

ramoner v. *Il faut faire ramoner la cheminée* (= nettoyer).
■ **ramonage** n.m. *Le ramonage consiste à enlever la suie.*
■ **ramoneur** n.m. *Le ramoneur est monté sur le toit.*

rampe n.f. 1. *On accède au garage par une rampe,* une surface en pente (= plan incliné). 2. *La rampe de l'escalier est en fer forgé,* une sorte de balustrade ou de barre pour se retenir. 3. *La scène du théâtre est éclairée par une rampe,* une rangée de lampes. 4. *La fusée est installée sur la rampe de lancement,* l'installation qui sert à la lancer dans l'espace.

ramper v. 1. *Les serpents rampent,* ils avancent en se traînant sur le ventre. 2. *Tu rampes devant tes chefs,* tu te conduis servilement.

rancart n.m. *On a mis ces vieux meubles au rancart,* on s'en est débarrassé (= au rebut).

rance adj. et n.m. *Ce beurre est rance, il a un goût de rance,* il a pris un mauvais goût en vieillissant.
■ **rancir** v. *Le lard a ranci,* son odeur et son goût sont mauvais.

ranch n.m. *Le soir, les cow-boys rentrent au ranch,* à la ferme.
R. On prononce [rɑ̃tʃ].

rancir → *rance.*

rancœur n.f. *J'ai de la rancœur contre toi,* je t'en veux de m'avoir déçu (= rancune).

rançon n.f. *Les ravisseurs de l'enfant ont demandé une rançon,* de l'argent en échange.
■ **rançonner** v. *Autrefois, les pirates rançonnaient les navires marchands,* ils ne les relâchaient que contre une rançon.

rancune n.f. *Depuis que tu l'as trompé, il a de la rancune contre toi,* il veut se venger (= ressentiment, rancœur).
■ **rancunier** adj. *Je ne la savais pas si rancunière* (= vindicatif ; ≠ indulgent).

randonnée n.f. *Nous avons fait une randonnée dans la campagne,* une longue promenade.

ranger v. 1. *Les soldats se sont rangés par 10,* ils se sont mis en rangs par 10. 2. *Il faudrait ranger tous ces papiers,* les mettre en ordre. 3. *M. Dupont se range le long du trottoir,* il se met sur le côté (= se garer).
■ **rang** n.m. 1. SENS 1 *Mettez-vous en rangs !,* sur une même ligne. 2. *Ce pays est au premier rang des producteurs de pétrole* (= en tête). 3. *Un rang est un alignement de fermes le long d'un chemin.*
■ **rangée** n.f. SENS 1 *Il y a 5 rangées de tables dans la classe* (= rang).
■ **rangement** n.m. SENS 2 *Ce placard sert au rangement des vêtements,* à les ranger.
■ **déranger** v. 1. SENS 2 *Qui a dérangé mes affaires ?,* les a mises en désordre (= déplacer ; ≠ ordonner). 2. *Si je vous dérange, je reviendrai demain,* si je vous gêne dans vos occupations (= ennuyer, importuner).
■ **dérangement** n.m. *Excusez-moi du dérangement !*

ranimer → *animer.*

rapace 1. adj. *Ces Dubois sont des gens rapaces,* ils aiment l'argent (= avide, cupide). 2. n.m. *L'aigle, le* vautour, le faucon sont des **rapaces,** des oiseaux de proie.

■ **rapacité** n.f. SENS 1 *Sa* **rapacité** *a fait bien des victimes* (= avidité, cupidité).

rapatrier → *patrie.*

râper v. 1. *Pour le hors-d'œuvre, on va* **râper** *des carottes,* les frotter avec une râpe pour les réduire en petits morceaux. 2. *Ta veste est* **râpée** *au coude* (= user).

■ **râpe** n.f. SENS 1 *Le menuisier se sert d'une* **râpe,** un instrument rugueux.

■ **râpeux** adj. SENS 1 *La fermière a les mains* **râpeuses** (= rugueux, rêche ; ≠ doux).

rapetisser → *petit.*

râpeux → *râper.*

raphia n.m. *Jean a tissé un sac en* **raphia,** une fibre tirée du palmier de ce nom.

rapide adj. 1. *Ce cheval va gagner, c'est le plus* **rapide,** il va le plus vite (≠ lent). 2. *Il faut prendre une décision* **rapide,** sans tarder (= prompt).

■ **rapide** n.m. 1. SENS 1 *Jacqueline a pris le* **rapide** *Montréal-Toronto,* le train le plus rapide. 2. *J'ai descendu les* **rapides** *en canoë,* un tronçon de rivière à très fort courant.

■ **rapidement** adv. *Marche plus* **rapidement !** (= vite ; ≠ lentement).

■ **rapidité** n.f. *Le lièvre est parti avec une* **rapidité** *extraordinaire* (= vitesse).

rapiécer → *pièce.*

rapière n.f. *Une* **rapière** *était une longue épée.*

rapines n.f.pl. *Les pirates vivaient de* **rapines** (= vol, pillage).

rappeler v. 1. *Je l'ai* **rappelé** *pour lui demander un renseignement,* je l'ai appelé de nouveau. 2. *Je ne* **me rap-** **pelle** *plus votre nom* (= se souvenir de ; ≠ oublier). **Rappelez-***moi votre nom,* redites-le-moi.

■ **rappel** n.m. 1. SENS 1 *Le gouvernement a décidé le* **rappel** *de l'ambassadeur,* de le faire revenir. SENS 2 *J'ai reçu une lettre de* **rappel,** pour me rappeler que je devais payer. 2. *Les alpinistes descendent en* **rappel,** avec une corde double.

R. → Conj. n° 6.

rapporter v. 1. *N'oublie pas de me* **rapporter** *mon livre,* de me l'apporter pour me le rendre. *Caroline m'a* **rapporté** *un cadeau de son voyage* (= apporter). 2. *Ce travail* **rapporte** *beaucoup,* il fait gagner de l'argent. 3. *On m'a* **rapporté** *que vous aviez été malade* (= dire, répéter). 4. *Les élèves qui* **rapportent** *sont mal vus,* ceux qui dénoncent leurs camarades. 5. *Ta réponse ne* **se rapporte** *pas à ma question,* elle n'est pas en rapport avec elle (= correspondre, s'appliquer).

■ **rapport** n.m. 1. SENS 2 *Cette terre est d'un bon* **rapport** (= profit, rendement). SENS 3 *La ministre a fait un* **rapport** *sur la situation économique* (= exposé, compte rendu). SENS 5 *Quel est le* **rapport** *entre ces deux faits ?,* le lien qui les unit (= relation, point commun, ressemblance). 2. (au plur.) *Je suis en bons* **rapports** *avec Paule,* je m'entends bien avec elle (= relations). 3. *Pierre est petit* **par rapport** *à Jean,* en comparaison de lui.

■ **rapporteur** 1. n.m. SENS 3 *Ce député est le* **rapporteur** *du budget,* il a fait un rapport à ce sujet. 2. adj. et n. SENS 4 *Les* **rapporteurs** *ne sont pas de bons camarades.* 3. n.m. *Un* **rapporteur** *sert à mesurer les angles,* un instrument de géométrie en forme de demi-cercle gradué.

rapprochement, rapprocher → *proche.*

649

rapt → *ravir.*

35 **raquette** n.f. **1.** *On joue au tennis avec une balle et une raquette.* **2.** *Les trappeurs se déplacent sur la neige avec des raquettes,* de larges semelles à claire-voie.

rare adj. *J'ai trouvé un timbre rare,* qu'on ne voit pas souvent (≠ courant, fréquent).
■ **rarement** adv. *Mehdi arrive rarement en retard* (≠ souvent).
■ **raréfier** v. *Ces animaux se raréfient,* ils deviennent plus rares.
■ **rareté** n.f. *Ce livre est très cher à cause de sa rareté.*
■ **rarissime** adj. *Ce vase est rarissime,* très rare.

579 **rascasse** n.f. *Dans la bouillabaisse, on met des rascasses,* des poissons qui ont des épines sur le corps.

raser v. **1.** *M. Dupont se rase tous les matins,* il coupe les poils de sa barbe. **2.** *La maison a été rasée,* elle a été détruite totalement. **3.** *Le ballon m'a rasé la tête,* il est passé tout près (= frôler). **4.** Fam. *Tu me rases avec tes questions* (= ennuyer).
■ **rasant** adj. SENS 3 *Un éclairage rasant passe au ras des choses.* SENS 4 Fam. *Le livre est rasant* (= ennuyeux).
■ **ras** adj. SENS 1 *Yaelle porte les cheveux ras,* coupés très court. SENS 2 *Il faut faire table rase de ces préjugés,* les rejeter complètement. SENS 3 *Le verre est rempli à ras bord,* au niveau du bord. *L'avion est passé au ras du sol,* très près.
■ **rasade** n.f. SENS 3 *Elle m'a servi une rasade de bière,* un verre rempli à ras bord.
766 ■ **rase-mottes** n.m.inv. SENS 3 *L'avion vole en rase-mottes,* tout près du sol.
■ **raseur** n. SENS 4 Fam. *Ce Paul, quel raseur !,* il est ennuyeux.
79 ■ **rasoir** n.m. SENS 1 *Tu te sers d'un*

rasoir électrique ou d'un rasoir mécanique ?, un appareil pour se raser.

rassasier v. *Nous sommes sortis rassasiés du restaurant,* nous n'avions plus faim.

rassemblement, rassembler → *assembler.*

rasseoir → *asseoir.*

rasséréner v. *Quand il a vu la nouvelle, il en a été rasséréné* (= tranquilliser, rassurer ; ≠ troubler).

rassis adj. *Ce pain est rassis,* un peu dur (≠ frais).

rassurer v. *Ta lettre nous a rassurés* (= tranquilliser ; ≠ inquiéter, effrayer).
■ **rassurant** adj. *Ces bonnes nouvelles sont rassurantes.*

rat n.m. *Il y a des rats dans la cave,* des petits animaux rongeurs.
■ **raton** n.m. *Le raton laveur est un petit animal d'Amérique qui ressemble au rat.*

se ratatiner v. *Les pommes de terre se ratatinent en vieillissant,* elles deviennent petites et ridées.

ratatouille n.f. *Une ratatouille est un plat d'aubergines, de tomates et de courgettes mijotées longuement.*

rate n.f. *La rate est une glande située à gauche de l'estomac.*

raté → *rater.*

râteau → *ratisser.*

râtelier n.m. **1.** *La fermière met du foin dans le râtelier du cheval,* une sorte d'échelle posée en biais. **2.** *Dans son atelier, M. Legrand dispose ses outils sur un râtelier,* une tringle au-dessus de l'établi. **3.** *M. Martin n'est pas très scrupuleux, il mange à tous les râteliers,* il tire avantage de toutes les situations en profitant des uns et des autres.

rater v. 1. *Le chasseur a raté le lapin,* il ne l'a pas atteint (= manquer). 2. *Lise a raté son coup,* elle n'a pas réussi.
■ **raté** n.m. *Le moteur a des ratés,* il fait des bruits anormaux.

ratifier v. *Les traités importants doivent être ratifiés par le Parlement* (= approuver, confirmer).
■ **ratification** n.f. *Ce contrat ne sera valable qu'après sa ratification* (= confirmation).

ration n.f. *Les soldats ont emporté des rations pour huit jours,* des portions de nourriture.
■ **rationner** v. *À une époque, l'essence a été rationnée,* chacun n'en a eu qu'une quantité limitée.
■ **rationnement** n.m. *Le gouvernement a pris des mesures de rationnement.*

rationnel, rationnellement → *raison.*

ratisser v. 1. *Louise ratisse les allées du jardin,* elle les nettoie avec un râteau. 2. *Les policiers ont ratissé le quartier* (= fouiller).
■ **ratissage** n.m. SENS 1 ET 2 *Le ratissage des allées du jardin est fatigant. Le voleur s'est fait prendre au cours d'un ratissage.*
■ **râteau** n.m. SENS 1 *On ramasse les feuilles mortes avec un râteau,* un outil à dents.
R. *Râteau* a un accent circonflexe, *ratisser* et *ratissage* n'en ont pas.

raton → *rat.*

rattachement, rattacher → *attacher.*

rattraper v. 1. *Les policiers ont rattrapé le voleur* (= reprendre, rejoindre). 2. *Lise n'a pas pu rattraper son retard* (= regagner, compenser). 3. *Elle a failli tout gâcher, mais elle s'est rattrapée à temps,* elle a évité

au dernier moment de le faire (= se ressaisir).
■ **rattrapage** n.m. SENS 2 *Jean va suivre des cours de rattrapage,* pour rattraper son retard.

rature n.f. *Ton devoir est plein de ratures,* de mots barrés.
■ **raturer** v. *Tu as raturé une phrase* (= rayer).

rauque adj. *Une voix rauque* est grave et voilée.

ravage n.m. *La tempête a fait des ravages,* des dégâts importants (= destruction).
■ **ravager** v. *Les oiseaux ont ravagé les récoltes* (= détruire, saccager).

ravaler v. *Les maçons ont ravalé le mur de la maison,* ils ont nettoyé la maçonnerie.
■ **ravalement** n.m. *Cette façade a besoin d'un ravalement.*

rave n.f. *La betterave, le navet sont des raves,* des racines comestibles.

ravier n.m. *On sert les hors-d'œuvre dans des raviers,* des petits plats creux et allongés.

ravigoter v. Fam. *Nous étions épuisés : ce bon repas nous a ravigotés,* il nous a redonné des forces (= revigorer, ragaillardir).

ravin n.m. *Le ruisseau coule au fond d'un ravin,* d'une vallée étroite et très profonde.
■ **raviner** v. *Les torrents ravinent les pentes,* ils y creusent de profonds sillons.

ravioli n.m. *Chez les Tremblay, on mange beaucoup de raviolis,* des pâtes carrées remplies de viande.

ravir v. 1. *Je suis ravie de vous rencontrer,* j'en suis très heureuse (= enchanter). 2. *Ravir quelqu'un* s'emploie parfois pour signifier « l'enlever par la force ».

■ **rapt** n.m. SENS 2 *On recherche cet homme pour le **rapt** d'un enfant* (= enlèvement).

■ **ravissant** adj. SENS 1 *Ce chapeau est **ravissant**, très joli.*

■ **ravissement** n.m. SENS 1 *Ce spectacle nous a plongés dans le **ravissement*** (= enchantement).

■ **ravisseur** n. SENS 2 *Les **ravisseurs** ont demandé une rançon,* les auteurs du rapt.

se raviser v. *On s'est **ravisé** au dernier moment,* on a changé d'avis.

ravissant, ravissement, ravisseur → *ravir.*

ravitailler v. *Un avion a **ravitaillé** les naufragés,* il leur a fourni de quoi vivre.

767 ■ **ravitaillement** n.m. *Un Mirage IV assure le **ravitaillement** en vol du bombardier,* il le ravitaille en essence. *Nous avons du **ravitaillement** pour huit jours,* des provisions.

raviver → *vif.*

rayer → *raie.*

802 **rayon** n.m. 1. *Un **rayon** de lumière passe sous la porte,* une ligne de lumière. 2. *Les corps radioactifs émettent des **rayons**,* des phénomènes physiques invisibles. 3. *Le **rayon** de ce cercle mesure 5 centimètres,* la ligne

385 qui va du centre au bord. 4. *Les roues

512 de bicyclette ont des **rayons**,* des tiges d'acier qui partent du centre. 5. *Cet avion a un grand **rayon** d'action,* il peut aller loin. 6. *Le livre est sur le **rayon** du haut de la bibliothèque,* la planche du haut. 7. *M. Durand fait ses achats au **rayon** d'alimentation,* dans une partie du magasin. 8. *Dans la ruche, les abeilles emmagasinent le

362 miel dans des **rayons**,* des gâteaux de cire.

■ **rai** n.m. se disait pour *rayon* (au sens 1).

■ **rayonnage** n.m. SENS 6 *On a rangé les livres sur des **rayonnages*** (= étagère).

■ **rayonner** v. 1. SENS 3 *Les rues **rayonnent** à partir de la place,* elles partent dans toutes les directions. SENS 5 *Nous avons **rayonné** à partir de Québec,* nous nous sommes promenés dans la région. 2. *Son visage **rayonne** de joie,* il exprime vivement ce sentiment.

■ **rayonnement** n.m. 1. SENS 1 ET 2 *Le **rayonnement** solaire est source d'énergie.* 2. *Ces œuvres contribuent au **rayonnement** de notre culture* (= propagation, diffusion).

rayure → *raie.*

raz de marée n.m. *Un **raz de marée** a inondé la côte,* une vague énorme et très violente.

razzia n.f. *Des brigands ont fait une **razzia** dans le village,* une expédition de pillage.

re-, ré-, r- au début d'un mot indique la répétition, le retour : *recommencer,* c'est commencer de nouveau, *réélire,* c'est élire une nouvelle fois, *raccompagner quelqu'un,* c'est l'accompagner quand il repart.

ré n.m. est la deuxième note de la gamme.

réaction n.f. 1. *Si tu l'ennuies, tu vas voir sa **réaction**,* comment il va répondre à ton action (= attitude, comportement). 2. *Un avion à **réaction** avance grâce à des moteurs à **réaction**,* qui projettent des gaz derrière eux. 3. *Ce parti lutte contre la **réaction**,* ceux qui s'opposent au progrès (= droite).

■ **réacteur** n.m. SENS 2 *La pilote a mis les **réacteurs** en marche,* les moteurs à réaction.

■ **réactionnaire** adj. SENS 3 *Le gouvernement a pris des décrets **réactionnaires*** (= conservateur).

■ **réagir** v. SENS 1 *Quand tu as su la nouvelle, tu* **as réagi** *violemment,* tu as pris à la suite de cela une attitude violente. *Il faut* **réagir** *contre cette tendance au découragement* (= lutter, résister).

■ **biréacteur** n.m. SENS 2 Un *biréacteur* est un avion à deux réacteurs.

réadapter → *adapter.*

réaliser v. 1. *Cette athlète a* **réalisé** *un exploit* (= accomplir, faire). *Ce qu'on avait annoncé ne* **s'est** *pas* **réalisé** (= se produire). 2. Fam. *Je n'ai pas* **réalisé** *comment tu as pu faire* (= comprendre, saisir).

■ **réalisable** adj. SENS 1 *Ce projet n'est pas* **réalisable** (= possible, faisable).

■ **réalisateur** n. SENS 1 *Qui est la* **réalisatrice** *de ce film ?,* celle qui a dirigé les opérations.

■ **réalisation** n.f. SENS 1 *La* **réalisation** *de ses projets demandera beaucoup d'argent* (= exécution).

■ **irréalisable** adj. SENS 1 *Tes souhaits sont* **irréalisables** (= impossible).

réaliste, réalité → *réel.*

réanimation → *animer.*

réapparaître, réapparition → *apparaître.*

rébarbatif adj. *M. Duval a un visage* **rébarbatif** (= désagréable, revêche ; ≠ affable).

rebattre v. *Arrête de me* **rebattre** *les oreilles avec tes récriminations !,* de les répéter sans arrêt.

■ **rebattu** adj. *C'est un sujet* **rebattu,** dont on a beaucoup parlé (= usé). R. → Conj. n° 56.

rebelle 1. n. et adj. *Les* **rebelles** *se sont emparés du pouvoir,* des gens qui s'étaient révoltés. 2. adj. *Une fièvre* **rebelle** résiste aux médicaments (= tenace).

■ **se rebeller** v. SENS 1 *Les prisonniers se sont* **rebellés** *contre la discipline* (= se révolter).

■ **rébellion** n.f. SENS 1 *La* **rébellion** *a été vaincue* (= révolte).

se rebiffer v. *Quand on embête le chat, il* **se rebiffe** (= regimber, se défendre).

reboisement, reboiser → *bois.*

rebond, rebondir, rebondissement → *bond.*

rebondi adj. *Des joues* **rebondies** *sont bien rondes.*

rebord → *bord.*

reboucher → *boucher* 1.

à rebours adv. *Sais-tu compter* **à rebours** *? — Oui : 10, 9, 8, 7, 6,* dans le sens contraire, à l'envers.

rebouteux n.m. Un **rebouteux** est quelqu'un qui, sans être médecin, soigne des entorses et diverses maladies.

rebrousser v. 1. *Le vent lui a* **rebroussé** *les cheveux,* il les lui a relevés dans le sens contraire. 2. *On a* **rebroussé** *chemin,* on est reparti dans le sens inverse.

■ **à rebrousse-poil** adv. SENS 1 *Ne caresse pas le chat* **à rebrousse-poil,** *il va te griffer,* en rebroussant ses poils.

rebuffade n.f. *Jean a reçu une* **rebuffade,** un refus méprisant.

rébus n.m. *Peux-tu trouver ce* **rébus** *?,* cette devinette en images. R. On prononce [rebys].

rebut n.m. *On a mis ces vieux meubles au* **rebut,** on s'en est débarrassé.

rebuter v. *Son accueil désagréable m'a* **rebuté** (= décourager, dégoûter).

■ **rebutant** adj. *Ce travail monotone est* **rebutant** (≠ attrayant).

récalcitrant adj. *Lise a un caractère récalcitrant,* elle ne se laisse pas faire (= indiscipliné ; ≠ docile).

recaler v. Fam. *Lucie a été recalée à l'examen,* elle a échoué (= refuser).

récapituler v. *Récapitulons la suite des événements !,* répétons-la en résumant.

▪ **récapitulation** n.f. *À la fin de son discours, il a fait une récapitulation* (= résumé).

receler v. **1.** *Cette boîte recèle un secret* (= contenir, renfermer). **2.** *Receler des objets volés,* c'est les garder illégalement.

▪ **recel** n.m. SENS 2 *Le recel d'objets volés est une complicité de vol.*

▪ **receleur** n. SENS 2 *Les policiers ont arrêté un receleur.*
R. → Conj. n° 5.

récemment → *récent.*

recenser v. *On a recensé la population de la province* (= compter, dénombrer).

▪ **recensement** n.m. *Le recensement de la population a lieu périodiquement.*

récent adj. *Cet immeuble est une construction récente* (= nouveau ; ≠ ancien).

▪ **récemment** adv. *J'ai vu Anne récemment,* il y a peu de temps.

récépissé n.m. *J'ai versé de l'argent pour payer mes impôts et on m'a donné un récépissé,* un papier signé qui reconnaît ce versement (= reçu).

récepteur, réception → *recevoir.*

récession n.f. *La récession est une diminution de l'activité économique d'un pays* (≠ expansion).

recette n.f. **1.** *La commerçante compte ses dépenses et ses recettes,* l'argent qu'elle a reçu. **2.** *Quelle est la recette de ce pâté ?,* comment le prépare-t-on ?

recevoir v. **1.** *J'ai reçu une lettre de Paul,* elle m'a été remise. **2.** *Pierre a reçu un coup de poing,* on le lui a donné. **3.** *On reçoit des invités,* on les accueille à la maison. **4.** *Jean a été reçu à l'examen,* il a été admis (≠ refuser ; fam. coller, recaler).

▪ **récepteur** n.m. SENS 1 *Un récepteur radiophonique permet de recevoir des émissions.*

▪ **réception** n.f. SENS 1 *La réception de cette lettre m'a réjoui.* SENS 3 *Nous avons donné une réception,* nous avons reçu des amis. *On vous attend à la réception de l'hôtel,* à l'endroit où l'on reçoit les gens.

▪ **recevable** adj. SENS 1 *Ta demande n'est pas recevable* (= acceptable, admissible).

▪ **receveur** n. **1.** SENS 1 *On paie ses impôts au receveur,* à celui qui est chargé de les recevoir. **2.** *Au base-ball, le receveur est placé derrière le frappeur.*

▪ **reçu** n.m. SENS 1 *La postière m'a fait signer un reçu,* un papier prouvant que j'ai reçu quelque chose.
R. → Conj. n° 34.

rechange → *changer.*

réchapper → *échapper.*

recharge, recharger → *charge.*

réchaud, réchauffement, réchauffer → *chaud.*

rêche adj. *Ce tissu est rêche,* rude au toucher (= rugueux ; ≠ doux).

recherche, rechercher → *chercher.*

rechigner v. *Tu rechignes à travailler,* tu y mets de la mauvaise volonté.

rechute n.f. *La malade a fait une rechute,* sa maladie s'est de nouveau aggravée.

■ **rechuter** v. *Sois prudent, tu risques de rechuter,* de faire une rechute.

récidiver v. *Si tu récidives, tu seras puni,* si tu recommences la même faute.
■ **récidive** n.f. *La récidive aggrave la faute.*
■ **récidiviste** n. *L'accusée est une récidiviste,* elle avait déjà commis cette faute.

récif n.m. *Le bateau s'est échoué sur des récifs,* des rochers à fleur d'eau.

récipient n.m. *Les bidons, les bouteilles, les vases sont des récipients,* tout ce qui sert à recevoir un liquide, un gaz, etc.

réciproque adj. et n.f. *Leur amour est réciproque,* ils s'aiment l'un l'autre (= mutuel). *Si tu as confiance en moi, la réciproque est vraie,* l'inverse.
■ **réciproquement** adv. *Je l'ai aidée et, réciproquement, elle m'a aidé,* à son tour (= vice versa).

récit n.m. *Fais-nous le récit de ton voyage,* raconte-le nous (= relation, compte rendu).

récital n.m. *La chanteuse a donné un récital,* une représentation, un spectacle.
R. Noter le pluriel : des *récitals.*

réciter v. *Jean récite sa leçon,* il la dit de mémoire à haute voix.
■ **récitation** n.f. *On a appris une récitation,* un texte qu'on doit savoir par cœur.

réclamation → *réclamer.*

réclame n.f. **1.** *Cette commerçante fait de la réclame,* elle fait connaître ses produits pour les vendre (= publicité). **2.** *Ce produit est en réclame,* il est vendu à un prix réduit (= en promotion).

réclamer v. **1.** *Pierre m'a réclamé ce qu'il m'avait prêté,* il l'a demandé avec insistance (= exiger). **2.** *Ces quêteurs se réclamaient d'une organisation de bienfaisance,* ils disaient qu'ils venaient avec l'accord de cette organisation.
■ **réclamation** n.f. SENS 1 *On n'a pas tenu compte de mes réclamations* (= demande, revendication, plainte).

reclassement, reclasser → *classer.*

réclusion n.f. *L'accusé a été condamné à la réclusion perpétuelle* (= emprisonnement).
■ **reclus** adj. *Elle vit recluse dans sa maison,* enfermée, isolée.

recoiffer → *coiffer.*

recoin → *coin.*

recoller → *colle.*

récolter v. *Nous avons récolté beaucoup de raisin* (= ramasser, cueillir).
■ **récolte** n.f. *La récolte de blé a été bonne,* l'ensemble du blé récolté. 363, 583

recommander v. **1.** *On m'a recommandé la prudence,* on m'a dit d'être prudent (= conseiller). **2.** *M. Durand est recommandé par le ministre,* celle-ci a dit du bien de lui pour lui rendre service (= appuyer). **3.** *Recommander une lettre,* c'est payer un supplément pour qu'elle soit remise personnellement au destinataire. 768
■ **recommandable** adj. SENS 2 *Cette personne n'est pas recommandable* (= estimable).
■ **recommandation** n.f. SENS 1 *Il n'a pas tenu compte de mes recommandations* (= conseil, exhortation).

recommencer → *commencer.*

récompenser v. *Voilà un cadeau pour te récompenser de ton aide* (≠ punir).
■ **récompense** n.f. *Une récompense est promise à qui retrouvera le chien perdu* (= gratification ; ≠ châtiment).

réconciliation, réconcilier → *concilier.*

reconduire → *conduire.*

réconforter v. **1.** *Ton amitié nous a réconfortés,* elle nous a redonné du courage (= soutenir ; ≠ décourager). **2.** *Ce repas m'a réconforté,* il m'a redonné des forces (= ragaillardir ; fam. ravigoter, retaper ; ≠ affaiblir). ■ **réconfort** n.m. SENS 1 *Je suis triste, j'ai besoin de réconfort* (= encouragement, consolation).

reconnaître v. **1.** *Tu as tellement changé que je ne t'ai pas reconnu,* je n'ai pas pu me rendre compte que c'était bien toi (= identifier). **2.** *Je reconnais que je me suis trompée* (= admettre, avouer ; ≠ nier). **3.** *Les soldats reconnaissent le terrain,* ils y vont pour l'examiner. **4.** *Ce nouveau gouvernement a été reconnu par le Canada,* il a été admis officiellement. ■ **reconnaissable** adj. SENS 1 *Michel est reconnaissable par ses longs cheveux roux,* on peut le reconnaître facilement. ■ **reconnaissance** n.f. **1.** SENS 1 *Marie m'a fait un signe de reconnaissance,* qui montre qu'elle me reconnaît. SENS 3 *Les soldats font une reconnaissance en pays ennemi* (= exploration). **2.** *J'éprouve de la reconnaissance pour les services que tu m'as rendus* (= gratitude). ■ **reconnaissant** adj. *Je lui suis très reconnaissante de son aide,* j'ai de la reconnaissance (au sens 2) [≠ ingrat]. **R.** → Conj. n° 64.

reconquérir, reconquête → *conquérir.*

reconstituer, reconstitution → *constitution.*

reconstruction, reconstruire → *construire.*

recopier → *copie.*

record n.m. *Le record du monde de saut en hauteur a été battu,* la meilleure performance.

recoucher → *coucher.*

recoudre → *coudre.*

recoupement, recouper → *couper.*

recourber → *courbe.*

recourir v. *Elle a recouru à mes services,* elle m'a demandé mon aide (= faire appel). ■ **recours** n.m. *On pourra faire cela en dernier recours,* comme dernière solution. **R.** → Conj. n° 29.

recouvrer v. *Elle voudrait recouvrer l'argent qu'on lui doit* (= reprendre, récupérer). ■ **recouvrement** n.m. *Le percepteur est chargé du recouvrement des impôts* (= perception). **R.** Ne pas confondre *recouvrer* et *recouvrir.*

recouvrir → *couvrir.*

récréation n.f. *Les enfants jouent dans la cour de récréation,* l'endroit prévu pour s'amuser.

se récrier v. *Quand on l'a accusé, il s'est récrié,* il a protesté.

récriminer v. *Elle passe son temps à récriminer contre moi* (= protester, se plaindre). ■ **récrimination** n.f. *Tu m'ennuies avec tes récriminations* (= réclamation, plainte).

se recroqueviller v. *Le chat s'est recroquevillé dans un coin,* il s'est replié sur lui-même (= se tasser).

recru adj. *Après une nuit de travail acharné, les sauveteurs étaient recrus de fatigue,* épuisés, harassés.

recrudescence n.f. *La radio annonce une recrudescence du froid* (= augmentation, reprise).

recruter v. *Cette entreprise recrute des employés* (= engager, embaucher).
■ **recrue** n.f. *Les jeunes recrues sont les soldats récemment engagés.*
■ **recrutement** n.m. *Le recrutement des nouveaux collaborateurs est terminé.*

recta adv. Fam. *C'est une bonne cliente, elle paie toujours recta,* exactement, ponctuellement.

rectal → rectum.

rectangle n.m. *Notre jardin forme un rectangle de 12 mètres de large sur 25 mètres de long.*
■ **rectangulaire** adj. *Les pages de ce livre sont rectangulaires.*

rectifier v. *As-tu rectifié tes erreurs ?* (= corriger).
■ **rectificatif** n.m. et adj. *Le journal a publié un rectificatif* (ou *une note rectificative*), *une note qui rectifie ce qui avait été publié.*
■ **rectification** n.f. *Ce travail demande quelques rectifications* (= correction).

rectiligne adj. *Les allées du parc sont rectilignes,* en ligne droite.

recto n.m. *Remplissez le recto du questionnaire !,* la page du devant (≠ verso).

rectum n.m. *Le rectum est la partie terminale du gros intestin.*
■ **rectal** adj. *La température rectale est celle qui est prise dans le rectum.*
R. On prononce [rɛktɔm].

reçu → recevoir.

recueillir v. 1. *Elle a recueilli des documents pour écrire son livre* (= rassembler, réunir). 2. *Lise a recueilli un* chien abandonné, elle s'en est chargée. 3. *Les croyants se recueillent pour prier,* ils restent immobiles et silencieux.
■ **recueil** n.m. SENS 1 *Ce livre est un recueil de poésies,* un ensemble.
■ **recueillement** n.m. SENS 3 *Cléa écoute avec recueillement,* avec beaucoup d'attention.
R. → Conj. n° 24.

reculer v. 1. *Recule un peu ta chaise !,* mets-la plus loin en arrière. *Jean a reculé d'un mètre,* il est allé en arrière. 2. *On a reculé la date du départ,* on l'a remise à plus tard (= reporter). 3. *Ce sont des gens décidés, qui ne reculent pas devant l'effort* (= renoncer, abandonner, se dérober).
■ **recul** n.m. SENS 1 *Jean a eu un mouvement de recul,* un mouvement en arrière.
■ **reculade** n.f. SENS 3 *On a accepté après des reculades* (= hésitation, dérobade).
■ **à reculons** adv. SENS 1 *Lucie s'est éloignée à reculons,* en marchant en arrière.

récupérer v. 1. *As-tu récupéré ce que tu lui avais prêté ?* (= retrouver, reprendre). 2. *Le chiffonnier récupère des vieux papiers pour les vendre* (= recueillir, ramasser). 3. *Après son effort, il a mis une heure à récupérer,* à retrouver des forces.
■ **récupération** n.f. SENS 2 *La cabane était faite de matériaux de récupération.*
■ **irrécupérable** adj. *Après l'accident, la voiture était irrécupérable,* on ne pouvait plus rien en tirer.

récurer v. *Jacques récure des casseroles,* il les nettoie en les frottant.

récuser v. *Nous récusons ce témoignage,* nous n'admettons pas sa valeur. *On lui a offert ce poste, mais elle s'est récusée,* elle a refusé.

■**irrécusable** adj. *On a apporté des preuves* **irrécusables** *de son innocence,* qu'on ne peut refuser (= incontestable).

recycler v. *Des cours sont organisés pour* **recycler** *les ingénieurs de l'entreprise,* pour leur donner un complément de formation adapté à la situation actuelle.

■**recyclage** n.m. *M. Dubois a suivi un stage de* **recyclage.**

rédacteur, rédaction → *rédiger.*

reddition → *rendre.*

rédemption n.f. *Le dogme chrétien de la* **Rédemption** *enseigne que le Christ a sauvé les hommes.*

■**rédempteur** n.m. *Le Christ est appelé le* **Rédempteur,** *le sauveur du genre humain.*

redescendre → *descendre.*

redevable, redevance → *devoir.*

807 **rédiger** v. *La journaliste* **rédige** *son article,* elle l'écrit.

■**rédaction** n.f. *On a fait une* **rédaction** *où on raconte nos vacances* (= narration).

807 ■**rédacteur** n. *Mme Durand est* **rédactrice** *dans un journal,* elle y écrit.

804 **redingote** n.f. *La* **redingote** *est une longue veste que les hommes portaient autrefois.*

redire, redite → *dire.*

redoublant, redoublement, redoubler → *doubler.*

redoute n.f. *Une* **redoute** *était un petit ouvrage de fortification.*

redouter v. *Il ne faut pas* **redouter** *l'avenir,* en avoir peur (= craindre).

■**redoutable** adj. *Jean est un joueur de tennis* **redoutable,** très fort (= dangereux ; ≠ inoffensif).

redresser v. **1.** *Jean a ramassé la balle et il* **s'est redressé,** il s'est remis droit (= relever ; ≠ incliner, renverser). **2.** *Caroline* **a redressé** *la situation,* elle l'a remise en meilleur état (= rétablir).

■**redressement** n.m. SENS 2 *Après la guerre, le* **redressement** *de l'Allemagne a été rapide* (= relèvement).

■**redresseur** n.m. SENS 2 *Les* **redresseurs de torts** *veulent rétablir le droit et la justice.*

réduire v. **1.** *Il faudrait* **réduire** *nos dépenses* (= diminuer, restreindre, limiter). **2.** *Mes arguments l'***ont réduit** *au silence* (= contraindre, forcer). **3.** *Le bois* **s'est réduit en** *cendres* (= transformer).

■**réduction** n.f. SENS 1 *Cette carte est une* **réduction** *de celle qui est au mur,* c'est la même en plus petit (≠ agrandissement). *La commerçante m'a fait une* **réduction,** un prix plus bas.

■**irréductible** adj. SENS 3 *Son opposition à ce projet est* **irréductible,** impossible à forcer.

R. → Conj. n° 70.

réduit n.m. *Cette chambre est un* **réduit,** elle est très petite.

rééditer → *éditer.*

rééducation, rééduquer → *éducation.*

réel adj. *L'histoire que je te raconte est* **réelle,** elle s'est passée (= vrai ; ≠ inventé).

■**réellement** adv. *Que penses-tu* **réellement ?** (= vraiment, en fait).

■**réalité** n.f. **1.** *Les rêves n'ont pas de* **réalité,** ce ne sont pas des faits réels (= existence). **2.** *Il prétendait avoir vu un fantôme,* **en réalité** *c'était un rideau agité par le vent* (= en fait).

■**réaliste 1.** adj. *Ce film contient des scènes très* **réalistes,** qui risquent de choquer (= cru, osé). **2.** adj. et n.

*Patricia est (une) **réaliste,** elle s'intéresse aux choses réelles (≠ rêveur).*

■ **réalisme** n.m. SENS 2 *Cessez de vivre dans l'illusion, il faut voir la situation avec **réalisme,** comme elle est réellement.*

■ **irréel** adj. *Dans le brouillard, le paysage a un aspect **irréel** (= imaginaire, fantastique).*

réélection, réélire → *élire.*

refaire, réfection → *faire.*

réfectoire n.m. *Les demi-pensionnaires mangent au **réfectoire** du collège, une grande salle à manger.*

référence n.f. *Les dictionnaires sont des ouvrages de **référence,** que l'on consulte pour se renseigner.*

■ **se référer** v. *Pour comprendre ce mot, **réfère-toi** au dictionnaire,* regarde-le (= se reporter).

référendum n.m. *La Constitution a été modifiée par un **référendum,** un vote de tous les électeurs sur une question précise.*

R. On prononce [referɛ̃dɔm].

se référer → *référence.*

refermer → *fermer.*

réfléchir v. **1.** *Réfléchis bien avant de répondre !,* pense à ce que tu vas dire. **2.** *Les miroirs **réfléchissent** les objets,* ils en renvoient l'image.

■ **réfléchi** adj. SENS 1 *Pierre est un garçon **réfléchi** (= prudent, sage ; ≠ étourdi).*

■ **reflet** n.m. SENS 2 *Le soleil fait des **reflets** sur la mer,* sa lumière s'y reflète.

■ **refléter** v. **1.** SENS 2 *Son image se **reflète** dans l'eau du lac,* elle s'y réfléchit. **2.** *Ses paroles **reflètent** son mauvais caractère* (= exprimer, traduire).

■ **réflexion** n.f. **1.** SENS 1 *Laisse-moi le temps de la **réflexion** !,* de réfléchir (= méditation). SENS 2 *L'écho est causé par la **réflexion** du son sur les parois,*

celles-ci renvoient le son. **2.** *Anne m'a fait des **réflexions** désagréables* (= remarque, observation).

■ **irréfléchi** adj. SENS 1 *Tu as eu un geste **irréfléchi** (= étourdi ; ≠ raisonnable).*

refleurir → *fleur.*

réflexe n.m. *Tu as freiné à temps, tu as de bons **réflexes,** tu réagis vite et bien.*

réflexion → *réfléchir.*

refluer v. *À la fin du match, les spectateurs **refluent** vers la sortie,* ils s'y dirigent en masse pour repartir (≠ affluer).

■ **reflux** n.m. *Le **reflux** de la mer commence à midi,* la marée descendante (≠ flux).

refondre v. *Ce livre a été **refondu,*** il a été entièrement refait.

R. → Conj. n° 51.

réforme n.f. **1.** *Ce parti propose une **réforme** de la société,* un changement profond pour l'améliorer. **2.** *Jacques est passé devant une commission de **réforme,*** des médecins l'ont examiné pour voir s'il était apte au service militaire. **3.** *La **Réforme,*** c'est le mouvement religieux des protestants.

■ **réformateur** adj. SENS 1 *Ce parti a un esprit **réformateur,*** il veut des réformes.

■ **réformé** adj. SENS 3 *La religion **réformée** est la religion protestante.*

■ **réformer** v. SENS 1 *Cette loi a été **réformée** par un vote de l'Assemblée* (= changer). SENS 2 *Jacques a été **réformé** à cause de sa myopie,* il a été dispensé du service militaire.

■ **réformiste** adj. SENS 1 *Ce parti est **réformiste,*** il veut des réformes, mais non une révolution.

refouler v. **1.** *La police a **refoulé** les curieux,* elle les a fait reculer (= repousser). **2.** *J'ai tenté de refouler mes larmes,* de ne pas pleurer (= réprimer, retenir).

réfractaire adj. **1.** *Jean est réfractaire à toute autorité,* il la refuse (= rebelle ; ≠ docile). **2.** *La brique réfractaire supporte des températures très élevées.*

refrain n.m. *Tout le monde a repris le refrain de la chanson,* les paroles qui se répètent après chaque couplet.

réfréner v. *Antonio n'arrive pas à réfréner son impatience* (= contenir, retenir).

réfrigérer v. **1.** *On réfrigère la viande pour la conserver,* on abaisse sa température (= frigorifier). **2.** *L'accueil que nous avons reçu nous a réfrigérés,* il nous a mis mal à l'aise par sa froideur.
■ **réfrigérant** adj. SENS 2 *La directrice est une femme réfrigérante,* très froide (≠ aimable, affable).
■ **réfrigérateur** n.m. SENS 1 *Remets le beurre au réfrigérateur !,* l'appareil qui produit du froid (= frigo [fam.]).

refroidir, refroidissement → **froid.**

refuge n.m. **1.** *Nous avons cherché un refuge contre l'orage,* un endroit pour nous protéger. **2.** *Les alpinistes ont couché dans un refuge,* une maison servant d'abri en haute montagne.
■ **se réfugier** v. SENS 1 *Les opposants au dictateur se sont réfugiés à l'étranger,* ils s'y sont mis en sécurité.
■ **réfugié** n. SENS 1 *Ce pays accueille les réfugiés politiques,* des gens qui ont quitté leur pays, où ils étaient en danger.

refuser v. **1.** *Jean a refusé mon invitation* (= repousser ; ≠ accepter). **2.** *Je refuse de (je me refuse à) partir,* je ne veux pas le faire.

■ **refus** n.m. *Quel est le motif de ton refus ?* (≠ accord, consentement).

réfuter v. *J'ai réfuté ses arguments,* j'ai prouvé qu'ils étaient faux.
■ **réfutation** n.f. *Ma réfutation de ses arguments a convaincu tout le monde.*
■ **irréfutable** adj. *Cette preuve est irréfutable* (= inattaquable).

regagner → **gagner.**

regain n.m. **1.** *Cette entreprise, qui déclinait, connaît aujourd'hui un regain d'activité,* un nouvel élan (= renouveau, recrudescence). **2.** *Les paysans ont fauché le regain,* l'herbe qui a repoussé après que la prairie a été fauchée.

régal n.m. *Le chocolat est pour moi un régal,* je l'aime beaucoup.
■ **se régaler** v. *Nous nous sommes régalés,* nous avons mangé quelque chose de bon.

regarder v. **1.** *Nous avons regardé le match à la télé,* nous l'avons vu. **2.** *Cette maison regarde vers le nord,* elle est tournée dans cette direction. **3.** *Mes affaires ne te regardent pas,* tu n'as pas à t'en mêler (= concerner, intéresser). **4.** *Tu regardes trop à la dépense,* tu y fais trop attention. **5.** *Après cette sécheresse, on regarde la pluie comme une aubaine,* on la considère comme une aubaine.
■ **regardant** adj. SENS 4 *Hélène est très regardante* (= parcimonieux).
■ **regard** n.m. SENS 1 *Je l'ai suivi du regard,* des yeux.

regarnir → **garnir.**

régate n.f. *Une régate est une course de bateaux.*

régence n.f. *Quand un roi est trop jeune, un régent est nommé pour exercer la régence,* le gouvernement provisoire.

régenter v. *La directrice régente son entourage,* elle le dirige avec autorité.

régie n.f. **1.** *La régie des loyers* est l'administration chargée de réglementer la location des appartements. **2.** *La régie veille au bon déroulement de l'émission,* les personnes chargées du contrôle des caméras, des micros, etc. et qui sont dans un local à proximité du studio.

regimber v. *Tout le monde a obéi sans regimber,* sans protester (= se rebiffer).

1. régime n.m. **1.** *Les États-Unis ont un régime républicain,* une forme de gouvernement (= institution). **2.** *On me fait suivre un régime,* je ne peux manger que certains aliments. **3.** *Le régime d'un moteur,* c'est la vitesse à laquelle il tourne.

2. régime n.m. *Il y a un seul régime de bananes par bananier,* des bananes en grappes.

régiment n.m. *Un régiment est commandé par un colonel,* une unité militaire composée de plusieurs bataillons.

région n.f. **1.** *On habite dans la région montréalaise,* dans le territoire qui entoure Montréal (= zone). **2.** *Où habites-tu ? — J'habite dans la région* (= environs).
■ **régional** adj. SENS 1 *Connais-tu cette coutume régionale ?,* d'une certaine région.
■ **régionaliste** adj. SENS 1 *Un écrivain régionaliste* décrit une région et ses coutumes.

registre n.m. *La trésorière note ses dépenses et ses recettes dans un registre,* un gros cahier.

réglage → *régler.*

règle n.f. **1.** *On trace des traits droits avec une règle,* une barre bien droite.

2. *Lise ne connaît pas les règles de la politesse,* ce qu'il faut faire pour être polie (= principe, convention, prescription). *Apprends-moi la règle de ce jeu !,* comment il faut jouer. **3.** *Tes papiers ne sont pas en règle,* en accord avec les lois.
■ **règlement** n.m. SENS 2 ET 3 *Ta conduite est contraire au règlement du collège,* à l'ensemble des règles qu'il faut appliquer.
■ **réglementaire** adj. SENS 2 ET 3 *Ce que tu fais n'est pas réglementaire,* conforme au règlement (= régulier).
■ **réglementairement** adv. SENS 2 ET 3 *Cette décision a été prise réglementairement,* en respectant le règlement.
■ **réglementer** v. SENS 2 ET 3 *La circulation est réglementée,* soumise à certains règlements.
■ **réglementation** n.f. SENS 2 ET 3 *La réglementation sur l'alcool est très stricte* (= législation).
R. → *régulier.*

règlement → *règle* et *régler.*

régler v. **1.** *Cette montre a besoin d'être réglée,* d'être mise au point. **2.** *Il faut régler cette affaire,* la terminer. **3.** *Tu as réglé le montant de tes impôts ?* (= payer).
■ **réglable** adj. SENS 1 *Le fauteuil du dentiste est réglable,* il peut se mettre dans différentes positions.
■ **réglage** n.m. SENS 1 *Le mécanicien a fait le réglage du moteur.*
■ **règlement** n.m. SENS 2 ET 3 *M. Hernandez a fait un règlement par chèque* (= paiement).
■ **dérégler** v. SENS 1 *Cette machine est déréglée,* son fonctionnement est mauvais (= détraquer).

réglisse n.f. *Jean suce un bonbon de réglisse,* fait avec le suc de la racine de cette plante.

règne n.m. **1.** *Cela s'est passé pendant le* **règne** *d'Élizabeth,* pendant qu'elle était reine. **2.** *Le singe fait partie du* **règne** *animal, les plantes du* **règne** *végétal,* de cette division des sciences naturelles.
■ **régner** v. **1.** SENS 1 *Louis XIV a régné de 1643 à 1715,* il a été roi. **2.** *La confiance* **règne** *entre nous* (= exister, durer).

regonfler → *gonfler.*

regorger v. *Cette rivière* **regorge** *de poissons,* elle en contient beaucoup.

régresser v. *La production* **a régressé** *par rapport à l'année dernière* (= reculer ; ≠ progresser).
■ **régression** n.f. *La production est en* **régression.**

regret n.m. **1.** *Je suis partie sans* **regret,** sans tristesse de quitter un lieu ou des gens. **2.** *Sur la tombe était écrit :* « *Regrets éternels* » (= douleur, peine).
■ **regretter** v. *Je* **regrette** *de ne pas pouvoir venir,* j'en suis triste, mécontent.
■ **regrettable** adj. SENS 1 *Tu as fait une erreur* **regrettable,** c'est dommage que tu l'aies faite (= fâcheux ; ≠ souhaitable).

regrouper → *groupe.*

régulier adj. **1.** *Ses papiers ne sont pas en situation* **régulière,** conformes à la règle, à la loi (≠ anormal, illégal). **2.** *Le train roule à une vitesse* **régulière,** toujours la même (= constant ; ≠ inégal). **3.** *Lise me fait des visites* **régulières** (= habituel). **4.** *Cette personne a un visage* **régulier** (= symétrique ; ≠ difforme). **5.** *Isabelle est* **régulière** *dans son travail* (= exact, ponctuel ; ≠ négligent).
■ **régularité** n.f. SENS 2 ET 3 *Ce bruit se répète avec* **régularité.** SENS 5 *Elle*

montre une grande **régularité** *dans ses habitudes.*
■ **régulariser** v. SENS 1 *Passez à la mairie pour faire* **régulariser** *votre situation.* SENS 2 *Ce barrage* **a régularisé** *le fleuve,* il a rendu son courant plus régulier.
■ **régulièrement** adv. SENS 1 *Régulièrement, tu n'as pas le droit de t'absenter,* selon la loi, le règlement. SENS 2 ET 3 *M. Dupont paie* **régulièrement** *son loyer* (= ponctuellement).
■ **irrégulier** adj. SENS 1 « *Œil* » *a un pluriel* **irrégulier,** qui ne suit pas la règle générale (= anormal). SENS 2 *Les résultats sont* **irréguliers** (= variable, inégal).
■ **irrégulièrement** adv. SENS 2 *Tu travailles* **irrégulièrement,** pas toujours de la même façon.
■ **irrégularité** n.f. SENS 1 *L'élection est annulée à cause d'une* **irrégularité.**

réhabiliter v. *Par sa conduite exemplaire, il* **s'est réhabilité,** il a retrouvé l'estime des gens.

rehausser v. **1.** *Les maçons* **ont rehaussé** *le mur,* ils l'ont rendu plus haut (= surélever). **2.** *La présence de grands artistes* **rehaussait** *l'éclat de la cérémonie* (= relever).

réimpression, réimprimer → *impression.*

rein n.m. **1.** *M. Vandamme a dû être opéré d'un* **rein,** un des deux organes qui sécrètent l'urine. **2.** *J'ai mal aux* **reins,** au bas du dos.

reine → *roi.*

reine-claude n.f. *Les* **reines-claudes** *sont des prunes rondes de couleur verte.*

reine-marguerite n.f. *Les* **reines-marguerites** *sont des fleurs blanches, rouges ou bleues proches des marguerites.*

reinette n.f. *Les reinettes du Canada sont les pommes que je préfère.*
R. *Reinette se prononce* [rɛnɛt] *comme rainette.*

réintégrer v. *Le chien a réintégré sa niche,* il y est retourné.

réitérer v. *Il a dû réitérer sa question,* la répéter.

rejaillir v. *Le scandale a rejailli sur plusieurs personnes,* il les a atteintes indirectement (= retomber).

rejeter v. **1.** *Ce poisson est trop petit, il faut le rejeter à l'eau,* l'y remettre. **2.** *M. Dupont a rejeté ma demande* (= repousser ; ≠ admettre). **3.** *Faute de viande, on se rejetait sur les légumes* (= se rabattre).
■ **rejet** n.m. SENS 2 *Le rejet de son plan l'a attristé.*
R. → Conj. n° 8.

rejeton n.m. Fam. *Voilà M. Durand et ses deux rejetons* (= enfant).

rejoindre → joindre.

réjouir v. *Je me réjouis de ton arrivée,* j'en suis joyeuse (≠ désoler).
■ **réjouissance** n.f. *La victoire fut suivie de réjouissances,* de manifestations de joie (= fête).
■ **réjouissant** adj. *Ce résultat n'est pas réjouissant* (= gai ; ≠ triste, désolant).

relâcher v. **1.** *Le prisonnier a été relâché,* il a été remis en liberté. **2.** *La discipline se relâche,* elle devient moins sévère (≠ renforcer). **3.** *Les ficelles du paquet se sont relâchées* (= desserrer). **4.** *Le navire a relâché dans le port,* il y a fait escale.
■ **relâche** n.f. **1.** SENS 2 *Anne travaille sans relâche,* sans s'arrêter, sans trêve. **2.** *Le théâtre fait relâche au mois d'août,* il ferme.
■ **relâchement** n.m. SENS 2 *Le professeur n'admet aucun relâchement* (= négligence, laisser-aller).

relais n.m. **1.** *Autrefois, on s'arrêtait dans des relais pour remplacer les chevaux fatigués,* des sortes d'auberges. **2.** *Notre équipe a gagné le relais quatre fois 100 mètres,* quatre coureurs ont couru à tour de rôle 100 mètres. **3.** *Qui prendra le relais de Lise ?,* qui la remplacera ? **4.** *Il y a un relais de télévision sur la colline,* un dispositif qui retransmet les images.
■ **relayer** v. SENS 2 *Nous nous sommes relayés pour porter la valise,* nous l'avons portée à tour de rôle.

relancer → lancer.

relater v. *On m'a relaté ce qui s'était passé,* on me l'a raconté en détail (= rapporter).

relatif adj. **1.** *Je lis un livre relatif à la vie des poissons,* qui concerne ce sujet. **2.** *Mes connaissances en anglais sont relatives* (= incomplet, imparfait, limité). **3.** adj. et n. *« Qui », « lequel », « dont » sont des (pronoms) relatifs ; ils introduisent une (proposition) relative.*
■ **relativement** adv. *Ruth est relativement grande pour son âge* (= assez).

relation n.f. **1.** *Le Canada a rompu les relations diplomatiques avec ce pays* (= rapport, lien). **2.** (au plur.) *J'ai des relations,* je connais des gens importants.

relativement → relatif.

se relaxer v. *Jean se relaxe après l'effort* (= se reposer, se détendre, se décontracter).
■ **relaxation** n.f. *Le soir j'ai besoin d'un moment de relaxation* (= repos).
■ **relax** adj.inv. Fam. *Elle nous a parlé d'un ton très relax* (= détendu, décontracté).

relayer → relais.

reléguer v. *On va reléguer ces vieux meubles au grenier,* les y mettre pour se débarrasser.

relent n.m. *Sens-tu ces relents de friture ?,* ces mauvaises odeurs.

relever v. **1.** *Jean est tombé et il s'est relevé aussitôt,* il s'est remis debout. **2.** *Il fait froid, relève ton col !,* mets-le plus haut (= remonter ; ≠ abaisser, rabattre). **3.** *Jacqueline veut qu'on relève son salaire* (= augmenter, hausser ; ≠ diminuer). **4.** *J'ai relevé plusieurs fautes dans ton devoir* (= remarquer, noter). **5.** *Il faudrait du sel pour relever la sauce,* lui donner plus de goût. *Ce succès inespéré a relevé son courage* (≠ abattre). **6.** *On relève les sentinelles toutes les quatre heures* (= remplacer). **7.** *On l'a relevé de ses fonctions,* on les lui a enlevées.

■ **relève** n.f. SENS 6 *La sentinelle attend la relève,* elle attend qu'on la remplace.

■ **relevé** n.m. SENS 4 *J'ai fait un relevé de mes dépenses,* je les ai notées par écrit.

■ **relèvement** n.m. SENS 3 *Le gouvernement a décidé un relèvement du salaire minimum* (= augmentation ; ≠ baisse).

relief n.m. **1.** *Le relief des Rocheuses est montagneux,* la forme du terrain. **2.** *Il y a au plafond des sculptures en relief,* qui dépassent, qui sont en saillie (≠ en creux). **3.** *Sa réponse met en relief son ignorance,* elle la fait apparaître.

■ **bas-relief** n.m. SENS 2 *Un bas-relief est une sorte de sculpture sur un fond uni.*

■ **haut-relief** n.m. SENS 2 *Dans les hauts-reliefs, la sculpture se détache davantage du fond que dans les bas-reliefs.*

relier v. **1.** *Ce livre est relié en cuir rouge,* son dos et sa couverture sont en cuir rouge. **2.** *Ce chemin relie les deux villages,* il fait le lien entre eux (= joindre).

■ **reliure** n.f. SENS 1 *Tes livres ont de belles reliures,* des couvertures rigides.

■ **relieur** n. SENS 1 *Ce relieur est un artiste,* cet artisan qui relie les livres.

religion n.f. *Le christianisme, l'islām, le bouddhisme sont des religions,* des croyances en un dieu ou des dieux et des règles de vie correspondantes.

■ **religieux** adj. et n. *La messe est une cérémonie religieuse. Les moines sont des religieux, les sœurs sont des religieuses,* des membres d'un ordre ou d'une congrégation qui consacrent leur vie à Dieu.

■ **religieusement** adv. *Pierre écoute religieusement la musique,* avec recueillement.

■ **antireligieux** adj. *Des propos antireligieux sont hostiles à la religion.*

■ **irréligieux** adj. *Cette personne scandalise ses voisins par son attitude irrréligieuse,* choquante à l'égard de la religion.

reliquat n.m. *As-tu payé le reliquat de tes dettes ?,* ce qui te restait à payer (= reste).

relique n.f. *Il y a dans cette chapelle des reliques d'un saint,* ce qui reste de son corps, ou ce qui lui a appartenu.

■ **reliquaire** n.m. *Un reliquaire est un coffret ou un cadre dans lequel on conserve des reliques.*

relire → *lire* 2.

reliure → *relier.*

reluire → *luire.*

remâcher v. *C'est une rancunière, elle a longtemps remâché sa vengeance,* elle y a songé sans cesse (= ruminer).

remanier → *manier.*

remarier → *marier.*

remarquer v. *As-tu remarqué sa nouvelle robe ?,* y as-tu fait attention ? (= observer).

■ **remarquable** adj. *Tu as accompli un exploit remarquable* (= notable, extraordinaire ; ≠ banal, médiocre).

■ **remarquablement** adv. *Marie chante remarquablement,* très bien.

■ **remarque** n.f. *Lise m'a fait des remarques désagréables* (= observation, réflexion). *Il y a des remarques après certains articles de ce dictionnaire,* des indications auxquelles il faut faire attention (= note).

remballer → *emballer.*

rembarquer → *embarquer.*

rembarrer v. Fam. *Quand je lui ai présenté ma demande, elle m'a rembarré,* elle m'a mal reçu (= rabrouer).

remblai, remblayer → *déblayer.*

rembourrer → *bourre.*

remboursement, rembourser → *bourse.*

se rembrunir v. *Quand il a su la nouvelle, son visage s'est rembruni,* il est devenu soucieux (= s'attrister).

remède n.m. *Ce sirop est un bon remède contre la toux,* il la soigne (= médicament).

■ **remédier** v. *Il faut remédier à cet inconvénient,* y trouver une solution.

■ **irrémédiable** adj. *La mort de cette savante est une perte irrémédiable* (= irréparable).

■ **irrémédiablement** adv. *La bibliothèque a été irrémédiablement détruite par l'incendie.*

remembrement n.m. *Une opération de remembrement* consiste à reconstituer des propriétés d'un seul tenant par échange de parcelles dispersées.

remémorer → *mémoire.*

remerciement, remercier → *merci.*

remettre v. **1.** *Remets ce livre à sa place !,* mets-l'y de nouveau (= replacer). **2.** *On m'a remis un paquet pour vous* (= laisser, donner). **3.** *La réunion a été remise à la semaine prochaine,* elle a été renvoyée à cette date (= reporter). **4.** *Jean s'est remis à parler,* il a recommencé à le faire. **5.** *Après ma maladie, j'ai mis longtemps à me remettre,* à retrouver la santé (= se rétablir). **6.** *Je m'en remets à vous,* je vous laisse faire (= faire confiance).

■ **remise** n.f. **1.** SENS 2 *La remise des décorations a eu lieu dans la cour d'honneur,* on les a remises. **2.** *Le libraire m'a fait une remise,* une diminution du prix (= réduction, rabais). **3.** *La jardinière met ses outils dans la remise,* un local de rangement.

■ **remiser** v. *Le tracteur est remisé dans le hangar* (= ranger).

R. *Remettre* → conj. n° 57.

réminiscence n.f. *Je n'ai qu'une lointaine réminiscence de ces événements,* des souvenirs très vagues.

rémission n.f. **1.** *La rémission des péchés,* c'est le pardon. **2.** *La coupable devra payer sans rémission,* sans possibilité d'y échapper.

remontant, remontée, remonte-pente, remonter, remontoir → *monter.*

remontrer v. *Elle a voulu m'en remontrer,* me donner des leçons.

■ **remontrances** n.f.pl. *Le professeur m'a fait des remontrances* (= reproches, blâmes).

remords n.m. *J'ai des remords d'avoir agi ainsi,* je le regrette (= repentir).

R. Attention au *s* final.

remorque n.f. **1.** *La dépanneuse a pris la voiture en remorque,* elle l'a remor-

365 quée. **2.** *Une* **remorque** *est accrochée à l'arrière du camion,* un véhicule sans moteur. **3.** *Jean est* **à la remorque** *de son frère,* il l'imite, le suit.

■ **remorquer** v. SENS 1 ET 2 *La voiture* **remorque** *une caravane,* elle la tire derrière elle.

■ **remorqueur** n.m. SENS 1 *Le bateau en détresse a été secouru par un re-* **morqueur,** un bateau à moteur puissant qui l'a tiré.

506 ■ **semi-remorque** n.m. SENS 2 *Le rou-tier conduit un énorme* **semi-remor-que,** un camion formé d'une remorque et d'un tracteur.

rémoulade n.f. *On mange souvent le céleri à la* **rémoulade,** une sauce composée de mayonnaise et de moutarde.

rémouleur n.m. *Le métier du* **rémou-leur** *est d'aiguiser les couteaux, les ciseaux, etc.*

721 **remous** n.m. *À cet endroit, la rivière fait des* **remous,** l'eau est agitée (= tourbillon).

rempailler → *paille.*

rempart n.m. **1.** *La ville est entourée de* **remparts,** de murailles fortifiées. **2.** *Tu m'as fait un* **rempart** *de ton corps,* tu m'as protégé en te mettant devant moi.

remplacer v. **1.** *Pendant sa maladie, son adjointe l'a* **remplacé,** elle a fait le travail à sa place. **2.** *Il faudrait* **rempla-cer** *le carreau cassé,* en mettre un autre à la place.

■ **remplaçant** n. SENS 1 *On lui a dé-signé un* **remplaçant,** quelqu'un pour le remplacer.

■ **remplacement** n.m. SENS 1 *M. Du-rand fait un* **remplacement,** il rem-place quelqu'un.

■ **irremplaçable** adj. SENS 1 *La direc-trice est* **irremplaçable,** personne ne peut la remplacer.

remplir v. **1.** *Veux-tu* **remplir** *d'eau cette carafe ?* (= emplir ; ≠ vider). **2.** *Il faut* **remplir** *ce questionnaire,* répondre aux questions. **3.** *Cette nou-velle m'a* **rempli** *de joie,* elle m'a rendu très joyeux. **4.** *Estelle* **remplit** *la fonction de directrice* (= exercer, occuper).

■ **remplissage** n.m. SENS 1 *Le* **remplis-sage** *de la citerne demande deux heures.*

se remplumer v. Fam. *La maladie l'avait beaucoup affaibli, mais il* **s'est bien remplumé,** il a repris des forces, du poids.

remporter → *emporter.*

remuer v. **1.** *Arrête de* **remuer** *sans arrêt !,* de te déplacer (= bouger). **2.** *Cette table est difficile à* **remuer** (= déplacer, soulever).

■ **remuant** adj. SENS 1 *Pierre est un garçon* **remuant** (= agité ; ≠ calme).

■ **remue-ménage** n.m.inv. SENS 1 *Ce* **remue-ménage** *nous a réveillés* (= agitation, mouvement).

rémunérer v. *Ce travail est mal* **rému-néré** (= payer, rétribuer).

■ **rémunérateur** adj. *On fait un mé-tier* **rémunérateur,** bien payé.

■ **rémunération** n.f. *On lui a offert une grosse* **rémunération** *pour ses services,* de l'argent pour le payer ou le récompenser (= rétribution).

renâcler v. *Jean a accepté de partir en* **renâclant** (= rechigner, maugréer, bougonner, grogner).

renaissance, renaître → *naître.*

renard n.m. **1.** *Le* **renard** *vit dans les bois,* un animal carnassier qui ressem-ble un peu à un chien, à oreilles poin-tues et à queue touffue. **2.** *Cet homme est un vieux* **renard,** il est très rusé.

renchérir v. *Quand j'ai fait cette pro-position, elle* **a renchéri,** elle l'a appuyée en insistant encore plus que moi.

rencontrer v. *J'ai rencontré Jacques dans la rue, je me suis trouvée en sa présence.*
■ **rencontre** n.f. *Vous ici ! quelle rencontre inattendue ! Il est venu à ma rencontre,* au-devant de moi.

rendement → *rendre.*

rendez-vous n.m.inv. *J'ai rendez-vous avec Judith à 8 heures devant la gare,* je dois la rencontrer.

rendormir → *dormir.*

rendre v. **1.** *Rends-moi l'argent que je t'ai prêté !* (= redonner, restituer ; ≠ garder). **2.** *Jean a rendu son repas* (= vomir). **3.** *Ces oranges rendent beaucoup de jus* (= produire). **4.** *Ce repas m'a rendu malade,* il m'a fait devenir malade. **5.** *Jean m'a rendu visite,* il est venu me voir. **6.** *Nous nous sommes rendues à Calgary,* nous y sommes allées. **7.** *Les soldats se sont rendus,* ils ont abandonné le combat (= capituler).
■ **reddition** n.f. SENS 7 *L'ennemi a exigé une reddition immédiate* (= capitulation).
■ **rendement** n.m. SENS 3 *Les engrais améliorent le rendement des terres,* ils font qu'elles produisent plus.
R. → Conj. n° 50.

rêne n.f. *La cavalière tire sur les rênes de son cheval,* les courroies qui servent à le diriger.
R. *Rêne* se prononce [rɛn] comme *reine* et *renne.*

renégat → *renier.*

renfermer v. **1.** *Cette valise renferme toutes mes affaires* (= contenir). **2.** *Jean se renferme sur lui-même,* il cache ses sentiments.
■ **renfermé 1.** adj. SENS 2 *Line est très renfermée,* elle ne parle pas beaucoup

(≠ communicatif, expansif, ouvert). **2.** n.m. *Ça sent le renfermé ici,* une mauvaise odeur de pièce fermée.

renfiler → *fil.*

renflé adj. *Ce vase a une forme renflée,* bombée.

renflouer v. **1.** *Renflouer un navire échoué,* c'est le remettre à l'eau. **2.** *La banque a pu renflouer cette société,* lui fournir l'argent nécessaire pour qu'elle ne soit plus endettée.

renfoncer v. *Elle a renfoncé son chapeau sur sa tête,* elle l'a enfoncé encore plus.
■ **renfoncement** n.m. *Le chat s'est caché dans un renfoncement* (= coin, recoin).

renforcer v. *On a renforcé le mur qui menaçait de tomber,* on l'a rendu plus résistant (= consolider).
■ **renfort** n.m. **1.** *Le général a demandé des renforts,* de nouveaux soldats pour renforcer l'armée. **2.** *Une nouvelle lessive a été lancée à grand renfort de publicité,* en recourant abondamment à la publicité.

renfrogné adj. *Pourquoi as-tu cet air renfrogné ?* (= mécontent, fâché, maussade).

rengaine n.f. *Elle chante toujours la même rengaine,* la même chanson très connue.

se rengorger v. *Quand on lui fait des compliments il se rengorge,* il prend un air fier de lui.

renier v. *M. Dupont a renié ses idées,* il en a changé (= désavouer).
■ **reniement** n.m. *On lui a reproché son reniement.*
■ **renégat** n. *On l'a traité de renégat* (= traître).

renifler v. *Arrête de renifler, mouche-toi !,* de faire du bruit avec ton nez en inspirant fortement.

584 | **renne** n.m. *Les rennes vivent dans les pays froids,* des grands animaux ressemblant à des cerfs.
R. → *rêne.*

renom n.m. ou **renommée** n.f. *La renommée de ce restaurant est très grande,* il est très connu (= célébrité, réputation).
■ **renommé** adj. *La Bourgogne est renommée pour ses vins* (= célèbre).

renoncer v. *Lise a renoncé à tous ses projets,* elle les a abandonnés.
■ **renoncement** n.m. *Mener une vie de renoncement,* c'est vivre en renonçant volontairement aux biens terrestres.
■ **renonciation** n.f. *On a signé une renonciation à cet héritage,* une déclaration selon laquelle on y renonce.

renoncule n.f. *Le bouton-d'or est une sorte de renoncule,* une fleur.

renouer → *nœud.*

renouveler v. **1.** *On a renouvelé les membres de l'assemblée,* on les a remplacés par des membres nouveaux (= changer). **2.** *Jean a renouvelé sa question,* il l'a posée une deuxième fois (= recommencer). *Que cette erreur ne se renouvelle pas !* (= se reproduire).
■ **renouveau** n.m. SENS 2 *Ce livre connaît un renouveau de succès,* un nouveau succès (= regain).
■ **renouvellement** n.m. SENS 1 *J'ai demandé le renouvellement de mon passeport,* qu'on me donne un nouveau passeport (= changement).
■ **renouvelable** adj. SENS 1 *Ce passeport est renouvelable tous les trois ans,* il doit être renouvelé.
R. → Conj. n° 6.

rénover v. *Ce magasin a été rénové,* remis à neuf.
■ **rénovation** n.f. *On a entrepris des travaux de rénovation* (= modernisation).

renseigner v. *Peux-tu me renseigner sur l'heure du train ?,* me la faire connaître (= informer).
■ **renseignement** n.m. *Demande le renseignement à la gare* (= indication, information).

rentable adj. *Cette affaire est rentable,* elle rapporte de l'argent (= payant).
■ **rentabilité** n.f. *La rentabilité de cette entreprise est insuffisante,* ses bénéfices (= rendement).

rente n.f. *Mathilde vit de ses rentes,* de revenus que lui rapporte un capital qu'elle a placé.
■ **rentier** adj. et n. *M. Durand est rentier,* il vit de ses rentes.

rentrer v. **1.** *Après l'école, Saïd rentre chez lui* (= revenir, retourner). **2.** *Il faut rentrer la voiture au garage,* l'y remettre (≠ sortir). **3.** Fam. *L'auto est rentrée dans un arbre,* elle s'est jetée violemment dessus. **4.** *Cette clef ne rentre pas dans la serrure* (= pénétrer, s'enfoncer).
■ **rentrée** n.f. **1.** SENS 1 *La rentrée des classes a lieu en septembre,* le moment où on retourne à l'école. **2.** *M. Dupont attend une rentrée d'argent,* de l'argent que l'on reçoit.
R. *Rentrer* se conjugue avec *être,* sauf au sens 2.

renverser v. **1.** *Jean a renversé son verre,* il l'a fait tomber en le faisant basculer (≠ redresser). **2.** *Le gouvernement a été renversé,* il a dû démissionner. **3.** *Un piéton a été renversé par une voiture,* il a été jeté à terre. **4.** *Voilà une nouvelle qui me renverse,* qui me stupéfie.
■ **renversant** adj. SENS 4 *Voilà une nouvelle renversante !,* très étonnante.
■ **à la renverse** adv. SENS 1 *J'ai failli tomber à la renverse,* sur le dos.
→ p. 729

inondation

pont

barrage

digue

crue

roue à aubes

bief

moulin

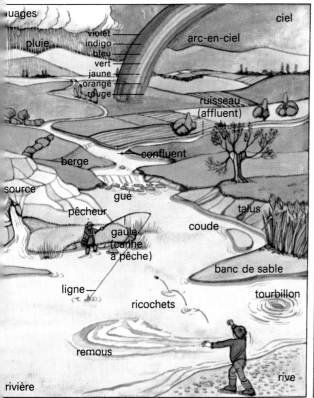

nuages

pluie

violet
indigo
bleu
vert
jaune
orangé
rouge

ciel

arc-en-ciel

ruisseau
(affluent)

confluent

berge

source

gué

pêcheur

gaule
(canne
à pêche)

coude

talus

banc de sable

ligne

ricochets

tourbillon

remous

rivière

rive

roseau

saule

cresson

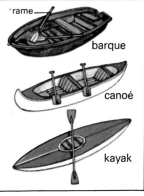

rame

barque

canoé

kayak

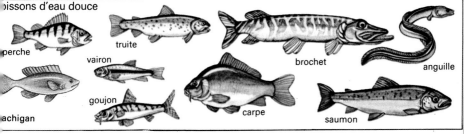

poissons d'eau douce

perche

truite

vairon

brochet

anguille

goujon

carpe

achigan

saumon

cormoran

goéland

mouette

sterne

pétrel

mollusques

coque

palourde

bigorneau

pétoncle

bernique

coquille
Saint-Jacques

praire

ormeau

couteau

oursin

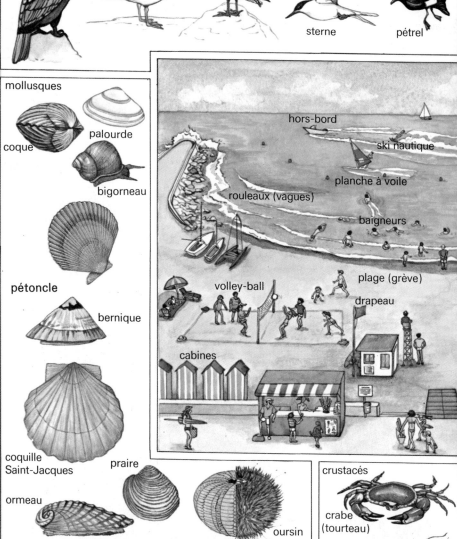

hors-bord

ski nautique

planche à voile

rouleaux (vagues)

baigneurs

plage (grève)

volley-ball

drapeau

cabines

crustacés

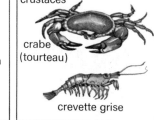

crabe
(tourteau)

crevette grise

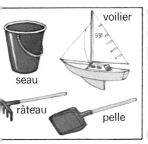

seau

voilier

râteau

pelle

pêcheur

filet à crevettes

chaise-longue (transat)

pâtés de sable

cerf-volant

sémaphore

papillottes

écume

Pédalo

parasols

matelas pneumatique

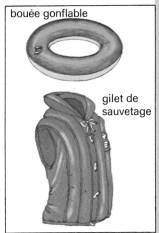

bouée gonflable

gilet de sauvetage

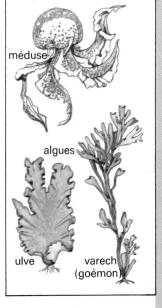

méduse

algues

ulve

varech (goémon)

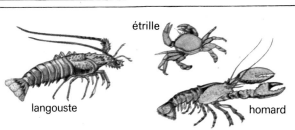

étrille

langouste

homard

724   marais salants

tas de sel

paludier

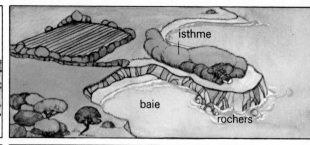

isthme

baie

rochers

corail

étoile de mer

hippocampe

congre

seiche

anémone
de mer

tentacules

ventouses

poulpe
(pieuvre)

cap   pleine mer
(large)

golfe

île

goulet

port

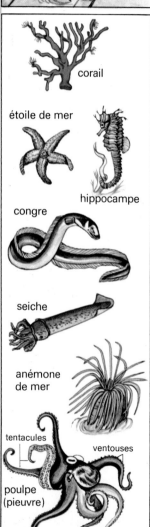

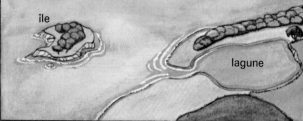

île

lagune

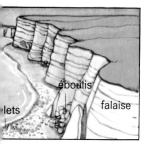

éboulis
falaise
lets

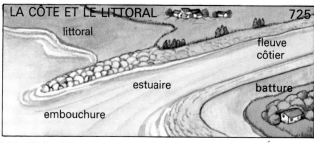

littoral
fleuve
côtier
estuaire
batture
embouchure

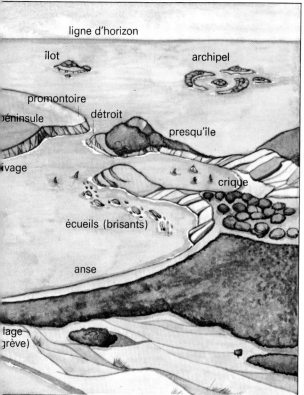

ligne d'horizon
îlot
archipel
promontoire
détroit
péninsule
presqu'île
ivage
crique
écueils (brisants)
anse
lage
grève)

marée basse

marée haute

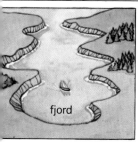

fjord

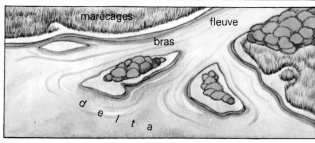

marécages
fleuve
bras
delta

pétrolier

traversier
(ferry-boat)

bananier

bateau à voile
(dériveur)

- mât
- grand-voile
- drisse
- hauban
- foc
- écoute
- bôme
- pont
- coque
- barre
- cockpit
- dérive

canot pneumatique

vedette à moteur

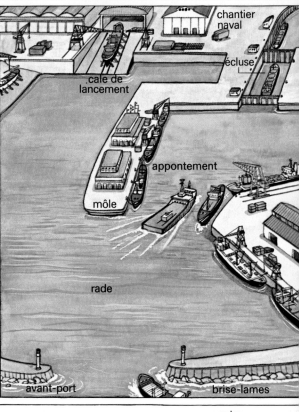

chantier
naval

écluse

cale de
lancement

appontement

môle

rade

avant-port

brise-lames

cargo

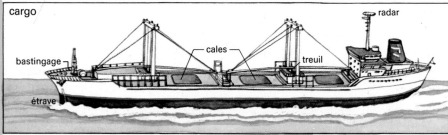

radar

cales

treuil

bastingage

étrave

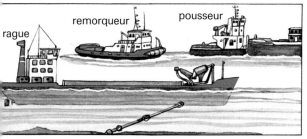
rague

remorqueur

pousseur

péniche

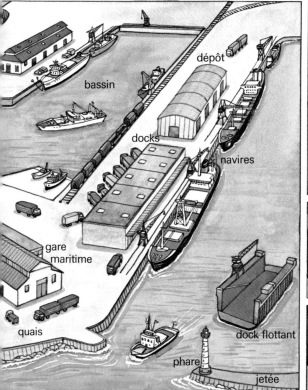
dépôt

bassin

docks

navires

gare
maritime

quais

phare

dock flottant

jetée

grue

cale sèche

balises

bouée

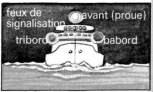
feux de
signalisation

avant (proue)

tribord

babord

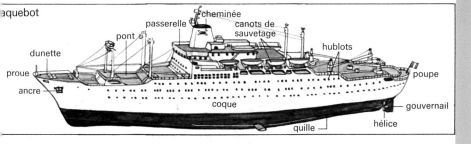
aquebot

dunette

proue

ancre

pont

passerelle

cheminée

canots de
sauvetage

hublots

coque

quille

poupe

gouvernail

hélice

728 LE PORT DE PÊCHE

filet de pêche

flotteurs

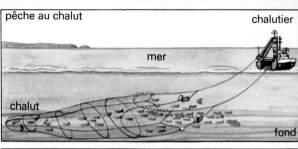

pêche au chalut

chalutier

mer

chalut

fond

rose des vents

points cardinaux

N

NO   NE

O   E

SO   SE

S

N : Nord   S : Sud
E : Est   O : Ouest

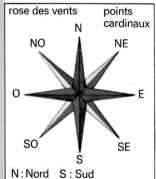

anatomie d'un poisson

branchies   arêtes   nageoires

estomac   vessie natatoire

barbillon

huître   moule

coquilles

fanal

quai

filin (amarre)

304   GV304

thonier

chaloupe

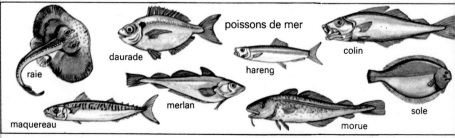

poissons de mer

raie

daurade

colin

hareng

merlan

sole

maquereau

morue

■ **renversement** n.m. *Elle a réussi un renversement de la situation,* un changement complet (= retournement).

renvoyer v. **1.** *On m'a renvoyé chez moi,* on m'a fait y retourner. **2.** *Des employés ont été renvoyés,* mis à la porte (= congédier). **3.** *Jean m'a renvoyé la balle* (= relancer). **4.** *On a renvoyé la réunion à la semaine prochaine,* on l'a remise à plus tard (= reporter, remettre).

■ **renvoi** n.m. **1.** SENS 1 *Son renvoi de l'école a été décidé* (= expulsion). SENS 4 *Dans un livre, un renvoi indique qu'il faut se reporter à une autre page.* **2.** *Jean a eu un renvoi,* il a rejeté par la bouche des gaz de l'estomac.

réorganiser → *organisation.*

réouverture → *ouvert.*

repaire n.m. *On a surpris les bandits dans leur repaire,* dans le lieu qui leur servait de refuge.
R. *Repaire* se prononce [rəpɛr] comme *repère.*

se repaître v. *Le chien se repaît des restes du repas,* il les mange (= se nourrir).
■ **repu** adj. *Après ce bon dîner, je suis repue* (= rassasié).
R. → Conj. n° 80.

répandre v. **1.** *Le contenu de la bouteille s'est répandu sur la table,* il y a coulé. **2.** *Ce fromage répand une odeur forte* (= produire, dégager). **3.** *La nouvelle s'est répandue rapidement* (= s'étendre, se propager, se divulguer).
R. → Conj. n° 50.

reparaître → *paraître.*

réparer v. **1.** *La garagiste a réparé la voiture,* elle l'a remise en bon état (= arranger). **2.** *Je voudrais réparer ma négligence,* en supprimer les conséquences (= corriger).

■ **réparable** adj. SENS 1 *Ces chaussures ne sont pas réparables.* SENS 2 *Vous avez commis une petite erreur facilement réparable.*

■ **réparateur** adj. **1.** SENS 1 *Il s'est endormi d'un sommeil réparateur,* qui a réparé ses forces. **2.** n. SENS 1 *Le téléviseur est en panne, nous attendons le réparateur.*

■ **réparation** n.f. SENS 1 *La réparation de la voiture nous a coûté cher.* SENS 2 *Je réclame des dommages et intérêts en réparation des dégâts subis.*

■ **irréparable** adj. SENS 1 *Vous pouvez jeter cette montre, elle est irréparable.* SENS 2 *Sa mort est une perte irréparable.*

reparler → *parler.*

repartie n.f. *Ta repartie est très spirituelle,* ta réponse vive (= réplique, riposte).
R. On prononce [reparti] comme *réparti.*

repartir → *partir.*

répartir v. *On a réparti le travail entre tous les présents* (= partager, distribuer).
■ **répartition** n.f. *Cette répartition est injuste* (= partage).
R. Ne pas confondre *répartir* et *repartir.*

repas n.m. *Nous avons fait un bon repas,* nous avons bien mangé.

repasser v. **1.** *Je repasserai demain à la même heure,* je passerai de nouveau (= revenir). **2.** *Jean repasse ses leçons,* il les apprend une nouvelle fois (= réviser). **3.** *On repasse le linge avec un fer à repasser,* on ôte les plis du linge (≠ froisser). **4.** *Les couteaux ont besoin d'être repassés* (= aiguiser).
■ **repassage** n.m. SENS 3 *Le repassage de tes chemises m'a pris une heure.*

repêcher → *pêche* 2.

repeindre → *peindre.*

727, 728

79

repenser → penser.

se repentir v. *Il se repent d'être arrivé trop tard* (= regretter).
■ **repentir** n.m. *Tu as montré un repentir sincère,* un regret de tes fautes (= remords).
R. → Conj. n° 19.

répercuter v. *La hausse des prix se répercute sur le niveau de vie,* elle a des conséquences.
■ **répercussion** n.f. *Sa décision a eu de graves répercussions* (= conséquence).

repère n.m. *On a pris le clocher comme point de repère,* comme endroit pour ne pas se perdre.
■ **repérer** v. *J'ai repéré un bon coin pour la pêche* (= découvrir, remarquer). *Je n'arrive pas à me repérer dans cette forêt,* à me retrouver, à m'orienter.
■ **repérage** n.m. *Sur ce plan, des numéros facilitent le repérage des monuments.*
R. → repaire.

293 | **répertoire** n.m. *J'ai écrit ton adresse dans mon répertoire,* un carnet alphabétique.

répéter v. **1.** *Ne répète pas cela, c'est un secret,* ne le dis pas aux autres. **2.** *On répète le refrain après chaque couplet,* on le dit de nouveau. **3.** *Tu as répété les mêmes erreurs* (= refaire). **4.** *Les acteurs sont en train de répéter,* de s'entraîner à jouer leur rôle.
■ **répétition** n.f. SENS 2 *Il y a des répétitions dans ton devoir,* tu dis plusieurs fois la même chose. SENS 3 *Une arme à répétition peut tirer plusieurs fois de suite sans être rechargée.* SENS 4 *Les acteurs ont fait de nombreuses répétitions avant de jouer en public.* La *répétition générale* est la dernière répétition d'une pièce.

repeupler → peuple.

repiquer v. *Le jardinier repique des salades* (= transplanter).

répit n.m. *Mon travail ne me laisse pas de répit* (= repos, détente).

replacer → place.

replâtrer → plâtre.

replet adj. *M. Rondeau est un petit homme replet, il a une mine replète,* il est gros (= grassouillet, dodu).

repli, replier → plier.

réplique n.f. **1.** *Jean a eu une réplique intelligente,* une réponse brève. **2.** *Cette statue est une réplique de la statue de la Liberté à New York* (= reproduction).
■ **répliquer** v. SENS 1 *Je lui ai répliqué que ça ne le regardait pas* (= répondre).

replonger → plonger.

répondre v. **1.** *Peux-tu répondre à cette question ?,* me dire ton avis (≠ interroger). **2.** *Tu n'as pas répondu à ma lettre,* tu n'as pas écrit ou téléphoné en retour. **3.** *Je réponds de l'honnêteté de Jean,* je garantis qu'il est honnête. **4.** *Cet article ne répond pas à mes besoins* (= correspondre).
■ **répondant** n.m. SENS 3 *Je suis le répondant de Lise,* je réponds d'elle.
■ **réponse** n.f. SENS 1 *Elle m'a donné une réponse affirmative.*
R. → Conj. n° 51.

1. reporter v. **1.** *La séance a été reportée,* elle a été renvoyée à plus tard (= remettre). **2.** *Reportez-vous à l'introduction !,* allez la regarder.
■ **report** n.m. SENS 1 *On a décidé le report de la réunion* (= renvoi).

2. reporter n. *Le journal a envoyé une reporter sur les lieux du crime,* une journaliste chargée de l'information.

■ **reportage** n.m. *As-tu lu le reportage sur l'accident ?*, le récit des événements.
R. *Reporter* se prononce [rəpɔrtɛr].

reposer v. **1.** *J'ai bu et j'ai reposé mon verre*, je l'ai posé après l'avoir soulevé. **2.** *Ces quelques jours de vacances m'ont* bien *reposé* (= délasser ; ≠ fatiguer). *Reposez-vous un moment*, cessez de travailler, de vous fatiguer. **3.** *Je me repose sur toi pour faire ce travail*, je te fais confiance (= compter). **4.** *Tes arguments ne reposent sur rien* (= être fondé).
■ **repos** n.m. SENS 2 *J'ai besoin d'un peu de repos* (= délassement ; ≠ fatigue).
■ **reposant** adj. SENS 2 *Nous avons passé un week-end reposant* (≠ fatigant).

repousser v. **1.** *Tu as repoussé ta chaise pour te lever*, tu l'as écartée de toi. **2.** *Les soldats ont repoussé l'ennemi*, ils l'ont fait reculer. **3.** *On a repoussé sa demande* (= refuser ; ≠ accepter). **4.** *Ces fleurs repousseront au printemps*, elles pousseront de nouveau.
■ **repoussant** adj. *Il est d'une saleté repoussante*, qui inspire du dégoût (= répugnant ; ≠ attirant).

répréhensible adj. *Jean a commis des actes répréhensibles* (= blâmable, condamnable).

reprendre v. **1.** *Reprends de la viande*, prends-en une seconde fois. **2.** *Le prisonnier a été repris*, il a été pris de nouveau. **3.** *Le garagiste me reprend ma voiture à un bon prix* (= racheter). **4.** *J'ai repris le travail* (= recommencer). **5.** *Voyant qu'il s'était trompé, il s'est repris*, il a rectifié. **6.** *J'ai été très déçue ; on ne m'y reprendra plus*, je ne recommencerai pas.

■ **reprise** n.f. **1.** SENS 3 *On m'offre une bonne reprise pour ma voiture*, un bon prix de rachat. SENS 4 *La reprise des cours a lieu en octobre.* **2.** *On s'est trompé à plusieurs reprises*, plusieurs fois. **3.** *Cette auto a de bonnes reprises*, elle accélère bien. **4.** *Un match de boxe se déroule en plusieurs reprises* (= partie).
■ **repris** n.m. SENS 2 *Un repris de justice* est quelqu'un qui a déjà été condamné.
R. → Conj. n° 54.

représailles n.f.pl. *À la suite de cet attentat, l'ennemi a fusillé des otages, par représailles*, pour se venger.

représenter v. **1.** *Cette photo représente la place Ville-Marie* (= montrer). **2.** *Les notes de la gamme représentent des sons*, ce sont des signes qui correspondent aux sons. **3.** *Cet achat représente une grosse dépense* (= constituer, entraîner). **4.** *Les ambassadeurs représentent le Canada à l'étranger*, ils agissent en son nom. **5.** *Les acteurs représentent une comédie* (= jouer).
■ **représentant** n. **1.** SENS 4 *Le président a envoyé une représentante* (= délégué). **2.** *Les commerçants sont visités par des représentants*, des gens qui viennent de la part de leurs fournisseurs.
■ **représentatif** adj. SENS 2 *La délégation est représentative des diverses opinions de l'assemblée*, elle est constituée de façon à représenter ces diverses opinions.
■ **représentation** n.f. SENS 4 *Le Parlement assure la représentation du peuple.* SENS 5 *C'est la première représentation de cette pièce.*

répression → réprimer.

réprimande n.f. *On lui a fait une réprimande*, on l'a grondé, attrapé (= remontrance ; ≠ compliment).

■**réprimander** v. *Pourquoi as-tu été réprimandé ?* (= gronder, attraper ; fam. disputer ; ≠ féliciter).

réprimer v. *Il n'a pas pu réprimer sa colère,* l'empêcher de se manifester.
■**répression** n.f. *La police est chargée de la répression des crimes.*

repris → reprendre.

reprise → reprendre et repriser.

repriser v. *Julien reprise ses bas* (= raccommoder).
■**reprise** n.f. *Peux-tu faire une reprise à mon pantalon ?,* le repriser.

réprobateur, réprobation → réprouver.

reproche n.m. *Sa conduite insouciante mérite des reproches* (= blâme ; ≠ compliment, félicitations).
■**reprocher** v. *On lui a reproché son retard,* on l'a blâmée pour cela.
■**irréprochable** adj. *Sa conduite est irréprochable,* sans reproche (= impeccable, parfait).

reproduire v. **1.** *Cette erreur ne doit pas se reproduire,* se produire de nouveau (= recommencer, se renouveler). **2.** *Un magnétophone reproduit les sons,* il les répète après les avoir enregistrés. **3.** *Les êtres vivants se reproduisent,* ils donnent naissance à d'autres êtres vivants.
■**reproducteur** adj. SENS 3 *Le pistil est un des organes reproducteurs de la fleur.*
■**reproduction** n.f. SENS 2 *Cette image est la reproduction d'un tableau* (= copie, imitation). SENS 3 *La reproduction des êtres vivants se fait de différentes manières selon les espèces.*
R. → Conj. n° 70.

réprouver v. *On a réprouvé sa conduite insolente* (= condamner, blâmer ; ≠ approuver).

■**réprobateur** adj. *Tu m'as lancé un regard réprobateur,* exprimant le reproche.
■**réprobation** n.f. *Des actes semblables méritent la réprobation générale* (= blâme).

reptile n.m. *Les serpents, les lézards, les crocodiles sont des reptiles,* des animaux qui rampent.

repu → repaître.

république n.f. *La France est une république,* un État gouverné par des représentants élus par le peuple (≠ monarchie).
■**républicain** adj. et n. *La France a un régime républicain. Les républicains s'opposaient aux royalistes.*

répudier v. *Elle a répudié ses engagements,* elle y a renoncé (= rejeter).

répugnance n.f. *J'ai avalé ce plat mal cuit avec répugnance* (= dégoût, répulsion).
■**répugnant** adj. *Quelle est cette odeur répugnante ?,* écœurante, infecte.
■**répugner** v. *Le mensonge me répugne* (= dégoûter).

répulsion n.f. *De tels actes inspirent de la répulsion* (= répugnance, dégoût).

réputation n.f. *M. Durand a bonne réputation,* les gens pensent du bien de lui.
■**réputé** adj. *Ce restaurant est réputé* (= connu, célèbre).

requérir v. **1.** *On a requis une lourde peine contre l'accusé* (= réclamer). **2.** *Ce détail requiert toute votre attention,* elle est nécessaire pour bien le remarquer (= demander, réclamer, exiger).
■**requis** adj. SENS 2 *Cette personne a toutes les qualités requises pour exercer ces fonctions,* les qualités voulues.

■ **requête** n.f. SENS 1 *Faites connaître votre* **requête** *!* (= demande, réclamation).
R. → Conj. n° 21.

requiem n.m. *Un* **requiem** *est un chant religieux en mémoire des morts.*
R. On prononce [rekчiεm].

requin n.m. *Il est dangereux de se baigner ici à cause des* **requins**, *de grands poissons de mer très voraces.*

réquisitionner v. *En cas de besoin, le gouvernement peut* **réquisitionner** *les choses et les gens,* les utiliser d'autorité.
■ **réquisition** n.f. *Le gouvernement avait décrété la* **réquisition** *de certaines voitures particulières.*

réquisitoire n.m. *Le procureur prononce le* **réquisitoire** *contre l'accusé,* le discours d'accusation.

rescapé n. *Un avion a secouru les* **rescapés** *du naufrage,* ceux qui ont échappé à la mort (= survivant ; ≠ victime).

à la rescousse adv. *Esther est arrivée à la* **rescousse**, *pour nous secourir,* nous aider.

réseau n.m. *Un* **réseau** *routier* est un ensemble de routes, *un* **réseau** *téléphonique* est un ensemble de lignes téléphoniques.

réséda n.m. *Le* **réséda** *est une fleur jaune et parfumée.*

réserve n.f. **1.** *Les Durand ont fait des* **réserves** *de sucre,* ils en ont gardé pour plus tard (= provision). **2.** (au plur.) *On a fait des* **réserves** *sur son projet,* on ne l'a pas approuvé (= restrictions). **3.** *Paul manque de* **réserve**, *de modération dans son attitude* (= retenue). **4.** *En cas de guerre, on fait appel à la* **réserve**, *aux soldats qui ne sont pas en service actif.* **5.** *Le*

Cap Tourmente est une **réserve** *d'oies sauvages,* celles-ci y sont protégées.
■ **réservé** adj. SENS 3 *Tu as un caractère très* **réservé** (= discret ; ≠ effronté).
■ **réserver** v. **1.** SENS 1 *Il s'est* **réservé** *la meilleure place,* il l'a gardée pour lui. **2.** *As-tu* **réservé** *les places de théâtre ?* (= retenir). **3.** *La voie de droite est* **réservée** *aux autobus,* ils ont seuls le droit d'y aller (= destiner).
■ **réserviste** n. SENS 4 *On a fait appel aux* **réservistes**, *aux personnes qui constituent la réserve.*
■ **réservoir** n.m. SENS 1 *Le* **réservoir** *de la voiture est plein,* l'élément creux, le récipient où l'on met l'essence en réserve.

505, 511, 577, 801

résider v. *Les Durand* **résident** *à Vancouver* (= habiter, demeurer).
■ **résidence** n.f. *Quel est votre lieu habituel de* **résidence** *?* (= habitation, domicile). *Nous habitons dans une* **résidence**, *un groupe d'immeubles situé dans un cadre agréable. Ils ont une* **résidence** *secondaire à la campagne,* une maison en plus de leur habitation principale.
■ **résidentiel** adj. *Ils habitent un ensemble* **résidentiel**, *constitué seulement par des maisons d'habitation.*

219

résidu n.m. *La cendre est le* **résidu** *du bois qui a brûlé,* ce qui en reste.

se résigner v. *Elle s'est* **résignée** *à abandonner son projet,* elle a accepté à contrecœur, mais sans protester.
■ **résignation** n.f. *Il accepte son malheur avec* **résignation** (= soumission ; ≠ révolte).

résilier v. *La locataire* **a résilié** *son contrat,* elle y a mis fin (= annuler).

résine n.f. *De la* **résine** *coule de l'écorce des pins,* une substance collante.

■**résineux** adj. et n.m. *Le pin, le sapin sont des (arbres)* **résineux,** qui produisent de la résine.

résister v. 1. *La branche pourrie n'a pas* **résisté** *à son poids,* elle ne l'a pas supporté et a cassé. 2. *Les soldats ont* **résisté** *à l'ennemi,* ils ont combattu jusqu'au bout (≠ céder).

■**résistant** adj. et n. SENS 1 *Ces enfants sont peu* **résistants** (= fort, robuste, endurant). SENS 2 *Les soldats de l'armée d'occupation ont fusillé des* **résistants,** des combattants qui leur résistaient. ➜

■**résistance** n.f. SENS 1 *La* **résistance** *de ce tissu est très grande* (= solidité). SENS 2 *Pendant la guerre, des mouvements de* **résistance** *se sont créés,* des mouvements d'opposition à l'occupant.

■**irrésistible** adj. SENS 1 *J'ai une fatigue* **irrésistible,** je ne peux pas y résister (= insurmontable).

■**irrésistiblement** adv. SENS 1 *Nous étions* **irrésistiblement** *entraînés par le courant.*

résolu, résolument, résolution → *résoudre.*

résonner v. *On entend des pas* **résonner** *dans le couloir,* faire du bruit (= retentir).

■**résonance** n.f. *Quand on tape sur une cloche, elle entre en* **résonance,** elle résonne. R. Attention, *résonner* a 2 *n, résonance* un seul. → *raison.*

résorber v. *Le gouvernement essaie de* **résorber** *le chômage,* de le faire disparaître progressivement.

résoudre v. 1. *As-tu* **résolu** *ce problème difficile ?,* as-tu trouvé sa solution ? 2. *Il s'est* **résolu** *à* (ou *il a* **résolu** *de*) *partir* (= décider).

■**résolu** adj. SENS 2 *Henri est un garçon* **résolu** (= décidé, énergique).

■**résolument** adv. SENS 2 *On s'est mis* **résolument** *au travail.*

■**résolution** n.f. SENS 2 *Elle a pris la* **résolution** *de venir* (= décision). *Esther a agi avec* **résolution** (= fermeté, énergie).

■**irrésolu** adj. SENS 2 *Jean est* **irrésolu** (= hésitant, indécis).

■**irrésolution** n.f. SENS 2 *On lui a reproché son* **irrésolution** (= indécision, hésitation). R. → Conj. n° 61.

respect n.m. 1. *J'ai un grand* **respect** *pour M. Durand,* je le considère avec admiration, déférence (≠ mépris). 2. *On m'a appris le* **respect** *de la vérité, de l'honnêteté,* à être sincère, honnête. 3. (au plur.) *Je lui ai présenté mes* **respects,** des marques de politesse.

■**respecter** v. SENS 1 *Respecte tes grands-parents !* (≠ mépriser). SENS 2 *Silence ! Respectez le sommeil des autres !,* faites-y attention. *Il faut absolument* **respecter** *l'horaire,* ne pas y manquer.

■**respectable** adj. SENS 1 *C'est une personne* **respectable** (= honorable).

■**respectueux** adj. SENS 1 *Il s'est montré* **respectueux** *envers moi* (≠ insolent). R. On prononce [rɛspɛ].

respectif adj. *Retournez à vos places* **respectives** *!,* chacun à la vôtre.

respectueux → *respect.*

respirer v. 1. *La malade* **respire** *avec difficulté,* elle inspire et expire l'air. 2. *Son visage* **respire** *la franchise* (= exprimer).

■**respiration** n.f. SENS 1 *On ne peut pas retenir longtemps sa* **respiration.**

■**respiratoire** adj. SENS 1 *Faites quelques mouvements* **respiratoires** *!,* de respiration.

■**irrespirable** adj. SENS 1 *L'air est irrespirable ici* (= étouffant, suffocant).

resplendir v. *Les vitres resplendissent au soleil,* elles brillent d'un vif éclat.
■ **resplendissant** adj. *Vous avez une mine resplendissante* (= magnifique).

responsable adj. et n. **1.** *Qui est (le) responsable de l'accident ?,* la personne qui l'a causé. **2.** *Les parents sont responsables de leurs enfants mineurs,* ils en sont chargés.
■ **responsabilité** n.f. *Chacun doit prendre ses responsabilités,* accepter les conséquences de ses actes.
■ **irresponsable** adj. *Tu es irresponsable,* tu agis sans réfléchir.

resquiller v. Fam. *Jean a resquillé dans l'autobus,* il a voyagé sans payer.

ressac n.m. *Entends-tu le bruit du ressac ?,* le choc des vagues contre la côte.

se ressaisir v. *Paul a failli tout abandonner, mais il s'est ressaisi,* il a repris courage, retrouvé son sang-froid.

ressasser v. *À force d'être ressassée, cette idée a pénétré dans les esprits,* d'être sans cesse répétée (= rabâcher).

ressembler v. *Maria ressemble à son père,* ils ont des traits communs (≠ différer de).
■ **ressemblance** n.f. *As-tu remarqué leur ressemblance ?* (≠ différence).
■ **ressemblant** adj. *Ce portrait de Jean est très ressemblant,* on voit que c'est lui.

ressemeler → *semelle.*

ressentiment n.m. *Malgré cette petite méchanceté, je n'ai aucun ressentiment contre lui,* je ne lui en veux pas (= rancune).

ressentir → *sentir.*

resserrer → *serrer.*

resservir → *servir.*

ressort n.m. **1.** *La porte se ferme automatiquement grâce à un ressort,* un mécanisme qui reprend sa position quand on le déforme. **2.** *Depuis sa maladie, Jeanne manque de ressort* (= force, énergie). **3.** *Cette affaire est du ressort de la police,* c'est à elle de s'en occuper (= compétence).

ressortir v. **1.** *On est ressorti de la maison,* on en est sorti après y être entré. **2.** *Marie a ressorti du grenier une vieille ombrelle,* elle l'en a extraite, ramenée. **3.** *Que ressort-il de ses paroles ?,* quelle en est la conséquence ? (= résulter). **4.** *Le jaune ressort bien sur le rouge,* il apparaît nettement, il est bien visible (= trancher).
R. → Conj. n° 28. *Ressortir* se conjugue avec l'auxiliaire *être* sauf au sens 2.

ressortissant n. *Cette nouvelle concerne les ressortissants français aux États-Unis d'Amérique,* les Français qui sont là-bas.

ressouder → *souder.*

ressources n.f.pl. **1.** *Cette famille est sans ressources,* sans moyens d'existence. **2.** *Les ressources de la France en pétrole sont faibles,* elle a peu de pétrole.

ressusciter v. *L'Évangile raconte que le Christ est ressuscité,* est revenu à la vie.
■ **résurrection** n.f. *La résurrection du Christ a eu lieu, selon l'Évangile, le troisième jour après sa mort.*

restant → *rester.*

restaurer v. **1.** *Ce vieux château a été restauré,* il a été remis en bon état (= réparer). **2.** *Nous nous restaurons avant de continuer la promenade,* nous mangeons pour reprendre des forces.

■ **restaurant** n.m. SENS 2 *Nous avons mangé dans un bon restaurant,* un établissement qui sert des repas.

■ **restaurateur** n. SENS 2 *Mes parents sont restaurateurs,* ils tiennent un restaurant.

■ **restauration** n.f. SENS 1 *Depuis leur restauration, ces fauteuils semblent neufs.* SENS 2 *Esther veut faire une école hôtelière pour travailler dans la restauration,* dans les restaurants.

rester v. 1. *Jean est resté huit jours en Angleterre,* il a été là-bas pendant ce temps (≠ partir). 2. *Il me reste 2 dollars,* je les ai encore.

■ **restant** 1. n.m. SENS 2 *Je prendrai le restant demain,* ce qui reste. 2. adj. SENS 1 *Écris-moi poste restante à Montréal,* la lettre restera à la poste jusqu'à ce que j'aille la chercher.

■ **reste** n.m. 1. SENS 2 *Peux-tu me rendre le reste de ce que tu me dois,* ce que tu me dois encore. (au plur.) *On a mangé des restes,* ce qui restait d'un repas précédent. 2. *Elle est partie, du reste* (ou *au reste*), *je m'y attendais* (= d'ailleurs).

R. *Rester* se conjugue avec l'auxiliaire *être*.

restituer v. 1. *Tu m'as restitué ce que tu me devais ?* (= rendre). 2. *Un magnétophone restitue les sons enregistrés* (= reproduire).

■ **restitution** n.f. SENS 1 *Le tribunal l'a condamné à la restitution des biens volés.* SENS 2 *Ce roman offre une bonne restitution de la vie au Moyen Âge.*

restreindre v. 1. *Il faut restreindre nos dépenses* (= diminuer, réduire). 2. *Jean n'aime pas se restreindre* (= se priver).

■ **restreint** adj. SENS 1 *Nous ne disposons que d'un espace restreint* (= limité, étroit).

■ **restriction** n.f. 1. SENS 2 *Pendant la guerre, il y avait des restrictions,* on mangeait moins (= privation). 2. *On*

a accepté son plan sans restriction, on l'a accepté totalement (= condition, réserve).

R. → Conj. n° 55.

résultat n.m. *Quel est le résultat du match ?,* comment a-t-il fini ?

■ **résulter** v. *Il n'est rien résulté de mes efforts,* ils n'ont pas abouti.

résumer v. *Peux-tu me résumer ce livre ?,* me dire ce qu'il contient en peu de mots.

■ **résumé** n.m. *J'ai lu un résumé des nouvelles* (= abrégé).

résurrection → ressusciter.

rétablir v. 1. *La police a rétabli l'ordre,* elle l'a fait exister de nouveau (= ramener). 2. *Après sa maladie, il s'est vite rétabli,* il a retrouvé la santé.

■ **rétablissement** n.m. 1. SENS 1 *J'exige le rétablissement de la vérité.* SENS 2 *Je vous souhaite un rapide rétablissement* (= guérison). 2. *D'un rétablissement, je me suis hissée en haut du mur,* d'un effort des bras.

retaper v. 1. Fam. *J'ai acheté une vieille maison, je vais la faire retaper,* remettre en état (= réparer). 2. Fam. *Je vais me retaper à la montagne,* reprendre des forces (= se rétablir).

retarder v. 1. *La pluie nous a retardés,* elle nous a fait arriver plus tard. 2. *On a retardé notre départ,* on l'a remis à plus tard (= repousser ; ≠ hâter). 3. *Ma montre retarde de cinq minutes,* elle marque cinq minutes de moins que l'heure juste (≠ avancer).

■ **retard** n.m. SENS 1 ET 3 *J'ai dix minutes de retard* (≠ avance).

■ **retardataire** adj. et n. SENS 1 *Les (élèves) retardataires seront pénalisés.*

■ **retardement** n.m. SENS 1 *Les bombes à retardement explosent après un certain temps.*

retenir v. **1.** *On m'a retenu dix minutes,* on m'a empêché de partir. **2.** *Je me suis retenue à son bras,* je m'y suis accrochée pour ne pas tomber. **3.** *J'ai retenu des places de théâtre* (= réserver, louer). **4.** *Faisons l'addition : 7 et 5 font 12, je pose 2 et je retiens 1.* **5.** *On lui retient une partie de son salaire pour payer ses dettes* (= garder). **6.** *Je n'ai pas pu retenir son nom,* le garder dans ma mémoire (= se souvenir de). **7.** *Je n'ai pas pu me retenir de rire* (= s'empêcher ; ≠ se laisser aller).

■ **retenue** n.f. SENS 1 *Line a eu deux heures de retenue,* on l'a retenue à l'école pour la punir (= consigne). SENS 4 *Si on oublie la retenue, l'addition est fausse.* SENS 5 *Il gagne 200 dollars, moins les retenues.* SENS 7 *Aïcha montre beaucoup de retenue dans ses paroles* (= discrétion, modération ; ≠ laisser-aller).
R. → Conj. n° 22.

retentissant adj. **1.** *La présidente a annoncé les résultats d'une voix retentissante,* très forte (= puissant, sonore). **2.** *Ce film a eu un succès retentissant,* très grand (= éclatant).

■ **retentir** v. SENS 1 *Les cloches retentissent,* elles font beaucoup de bruit.

■ **retentissement** n.m. SENS 2 *Cette nouvelle a eu un grand retentissement,* on en a beaucoup parlé.

retenue → *retenir.*

réticence n.f. *Jean a accepté mon plan sans réticence* (= hésitation, réserve).

■ **réticent** adj. *Au début, le directeur était réticent devant ce projet, puis il a accepté.*

rétif adj. *Elle a cravaché son cheval rétif,* qui refusait d'avancer.

rétine n.f. *Les images de ce que nous voyons se forment sur la rétine,* le fond de l'œil.

retirer v. **1.** *Retire cette valise du passage !* (= enlever, ôter ; ≠ mettre). **2.** *Jean m'a retiré sa confiance,* il ne me fait plus confiance (≠ accorder, donner). **3.** *J'ai retiré du plaisir de mes vacances* (= obtenir, trouver). **4.** *Mme Dupont s'est retirée à la campagne,* elle est allée y vivre.

■ **retiré** adj. *On habite dans un endroit retiré* (= éloigné, isolé).

■ **retrait** n.m. **1.** SENS 2 *Cette infraction est punie par le retrait du permis de conduire.* **2.** *Cette maison est en retrait,* en arrière des autres.

■ **retraite** n.f. **1.** SENS 4 *M. Dupont a pris sa retraite,* il ne travaille plus et s'est retiré. *Elle touche une retraite,* de l'argent parce qu'elle a atteint l'âge voulu pour ne plus travailler. **2.** *L'armée bat en retraite,* elle recule devant l'ennemi.

■ **retraité** n. SENS 4 *M. Dupont est un retraité,* il a pris sa retraite.

retombées, retomber → *tomber.*

rétorquer v. *Il m'a reproché une erreur, je lui ai rétorqué que c'était lui qui se trompait* (= répondre, répliquer).

retordre → *tordre.*

retors adj. *M. Duval est un homme retors,* très rusé.

retoucher v. *Cette photo a été retouchée,* corrigée pour l'améliorer.

■ **retouche** n.f. *Le peintre a fait quelques retouches à son tableau.*

retourner v. **1.** *Papa retourne le bifteck dans la poêle,* il le tourne de l'autre côté. **2.** *Quand je l'ai appelée, elle s'est retournée,* elle s'est tournée vers moi. **3.** *Jean est retourné chez lui,* il y est allé de nouveau (= repartir, rentrer). **4.** *On lui a retourné sa lettre* (= renvoyer).

■ **retour** n.m. **1.** SENS 3 *À mon retour, je vous téléphonerai,* quand je reviendrai (≠ départ). SENS 4 *Réponds-moi* par **retour** du courrier, aussitôt après avoir reçu ma lettre. **2.** Que veux-tu **en retour** de mes services ?, en échange.

retracer v. Jean m'a retracé ses aventures (= raconter).

rétracter v. **1.** Elle m'avait promis son aide, puis elle **s'est rétractée,** elle est revenue en arrière (= se dédire). **2.** Le chat **rétracte** ses griffes (= rentrer).

retrait, retraite, retraité → retirer.

retrancher v. **1.** Si on **retranche** 5 de 8, il reste 3 (= enlever, ôter, soustraire). **2.** L'ennemi **s'est retranché** dans la montagne, il s'y est mis à l'abri.
■ **retranchement** n.m. SENS 2 Les troupes ont établi des **retranchements** solides (= fortification, défense).

retransmettre, retransmission → transmettre.

rétrécir, rétrécissement → étroit.

rétribuer v. Ce travail **est** mal **rétribué** (= payer, rémunérer).
■ **rétribution** n.f. Tu as reçu la **rétribution** de tes efforts (= récompense, paiement, rémunération).

rétroactif adj. Ce décret s'applique avec effet **rétroactif** au 1er janvier, il s'applique à une période qui précède sa publication.

rétrograde adj. **1.** Un mouvement **rétrograde** est un mouvement qui se fait vers l'arrière. **2.** M. Dupont est un esprit **rétrograde,** opposé au progrès.
■ **rétrograder** v. **1.** SENS 1 Ce coureur n'a cessé de **rétrograder** d'étape en étape (= reculer, régresser). **2.** Avant le virage, la conductrice **a rétrogradé** de quatrième en troisième, elle est passée à la vitesse inférieure.

rétrospectif adj. J'ai fait une étude **rétrospective** des événements, une étude portant sur le passé.

■ **rétrospective** n.f. Nous avons vu une **rétrospective** des œuvres de Picasso, une exposition présentant des œuvres anciennes.
■ **rétrospectivement** adv. **Rétrospectivement,** j'ai eu peur, après coup.

retrousser v. Pierre **retrousse** ses manches pour se mettre au travail (= replier, relever).

retrouvailles, retrouver → trouver.

rétroviseur n.m. Avant de doubler, regarde dans le **rétroviseur,** le miroir qui montre la route vers l'arrière.

réunir v. **1.** On a **réuni** de l'argent pour lui venir en aide (= recueillir, rassembler). **2.** Ils **se sont réunis** pour discuter du projet (= se rencontrer, se rassembler ; ≠ se séparer).
■ **réunion** n.f. SENS 2 Estelle est allée à une **réunion** électorale (= assemblée).

réussir v. Lise **a réussi** (à) son examen, elle a eu un bon résultat (≠ échouer).
■ **réussite** n.f. **1.** J'ai fêté ma **réussite** (= succès ; ≠ échec). **2.** Il passe le temps en faisant des **réussites,** en jouant tout seul aux cartes.

revaloir v. Tu m'as rendu service et je te **revaudrai** cela, je te rendrai service à mon tour.
R. → Conj. n° 50.

revaloriser → valoir.

revanche n.f. **1.** Paul a agi par esprit de **revanche** (= vengeance). **2.** Marie a gagné une partie et perdu la **revanche,** la deuxième partie. **3.** Jean est médiocre en mathématiques, **en revanche** il est très bon musicien (= mais).

rêvasser, rêve, rêvé → rêver.

revêche adj. *Elle m'a regardé d'un air* **revêche** (= hargneux ; ≠ aimable, doux).

réveiller v. *Un bruit m'a réveillé au milieu de la nuit,* il m'a tiré du sommeil (≠ endormir). ■ **réveil** n.m. **1.** *À son réveil, elle était de mauvaise humeur.* **2.** *Le réveil a sonné à 8 heures,* une petite pendule qui sonne à l'heure qu'on a choisie.

réveillon n.m. *Pour le réveillon de Noël, nous avons mangé une dinde,* le repas de fête au cours de la nuit. ■ **réveillonner** v. *Le 31 décembre, nous avons réveillonné chez Jacques,* nous avons fait un réveillon.

révéler v. *Pierre n'a pas voulu révéler ses projets,* les faire connaître (= dévoiler ; ≠ cacher). ■ **révélation** n.f. *L'accusée a fait des révélations au tribunal,* elle a donné des informations inattendues. *Ce détail a été pour moi une révélation,* il m'a mieux fait comprendre. ■ **révélateur** adj. *Cette lettre est révélatrice de ses intentions.*

revenant → revenir.

revendiquer v. *Les ouvriers ont revendiqué une augmentation de salaire* (= réclamer). ■ **revendication** n.f. *Leurs justes revendications ont été satisfaites* (= demande, réclamation). ■ **revendicatif** adj. *Les manifestants lançaient des slogans revendicatifs.*

revendeur, revendre, revente → vendre.

revenir v. **1.** *Après un an d'absence, elle est revenue chez elle* (= rentrer, retourner). **2.** *Le docteur m'a dit de revenir demain,* de venir une autre fois. **3.** *Le blessé est revenu à lui,* il a cessé d'être évanoui. **4.** *Je n'en reviens pas,* je suis très surpris. **5.** Fam. *Sa figure ne me revient pas,* elle ne m'inspire pas confiance (= plaire). **6.** *Cet argent me revient,* il doit m'être donné. **7.** *À combien revient cette voiture ?,* combien coûte-t-elle ? **8.** *Pierre fait revenir des oignons dans la poêle,* il les fait cuire dans de la graisse ou du beurre. **9.** *Cela revient au même,* c'est la même chose. ■ **revenant** n.m. SENS 1 *On m'a raconté une histoire de revenants,* de morts qui reviennent (= fantôme). ■ **revenu** n.m. SENS 6 *Il faut chaque année déclarer ses revenus au fisc,* l'argent qu'on a reçu. ■ **revient** n.m. SENS 7 *Le prix de revient d'un objet,* c'est ce qu'il coûte en totalité. **R.** → Conj. n° 23. *Revenir* se conjugue avec *être.* → retour.

rêver v. **1.** *J'ai rêvé cette nuit que j'étais un oiseau,* je l'ai vu dans mon sommeil. **2.** *M. Dupont rêve de s'acheter une voiture,* il le désire vivement. **3.** *Jean rêve au lieu d'écouter,* il est distrait, dans la lune. ■ **rêve** n.m. SENS 1 *Bonne nuit, fais de beaux rêves !* SENS 2 *Son rêve est de partir en vacances* (= désir). ■ **rêvé** adj. SENS 2 *Voilà le modèle rêvé !* (= souhaitable, idéal). ■ **rêvasser** v. SENS 3 *Tu passes ton temps à rêvasser* (= rêver). ■ **rêverie** n.f. SENS 3 *Cléa est perdue dans ses rêveries* (= songe). ■ **rêveur** adj. et n. SENS 3 *Elle m'a regardé d'un air rêveur* (= distrait). *Jean est un rêveur.*

réverbère n.m. *Les réverbères de l'avenue sont allumés,* les lampes qui l'éclairent.

réverbérer v. *Les vitres réverbèrent le soleil,* elles renvoient sa lumière (= réfléchir).

■ **réverbération** n.f. *La réverbération du soleil sur la neige est aveuglante.*

reverdir → vert.

révérence n.f. *J'ai fait une révérence avant de partir,* un salut cérémonieux.

révérend adj. et n. *On dit « Mon révérend père » à certains religieux comme titre d'honneur.*

révérer v. *Les chrétiens révèrent Dieu,* ils le respectent profondément.

rêverie → rêver.

revers n.m. **1.** *Écris sur le revers de la feuille,* sur l'autre côté (= dos, verso ; ≠ face, recto). **2.** *Il a une décoration au revers de sa veste,* sur la partie rabattue qui fait un pli. **3.** *Tous ces revers l'ont démoralisé* (= échec, défaite ; ≠ succès). **4.** *La joueuse de tennis a fait un revers,* elle a renvoyé la balle par un coup de gauche à droite (si elle est droitière).

36, 37, 804

réversible adj. *Un mouvement réversible,* peut se produire en sens inverse.
■ **irréversible** adj. *L'évolution de cette maladie est irréversible,* on ne peut pas revenir dans le même état qu'auparavant.

revêtir v. **1.** *Tu as revêtu ton plus beau costume,* tu l'as mis. **2.** *On a revêtu le mur d'une couche de ciment* (= recouvrir).
■ **revêtement** n.m. SENS 2 *Le revêtement de la route est en mauvais état,* la couche de matériaux qui la recouvre.
R. → Conj. n° 27.

rêveur → rêver.

revient → revenir.

revigorer v. *Cette promenade au grand air m'a revigoré,* elle m'a redonné des forces (= revivifier).

revirement n.m. *Son revirement m'a étonnée,* son changement complet d'opinion.

réviser v. **1.** *Marie révise ses leçons,* elle les étudie de nouveau. **2.** *Il faut faire réviser la voiture,* la faire examiner et réparer s'il y a lieu.
■ **révision** n.f. SENS 1 *As-tu fini tes révisions ?*

revivifier → vivifier.

revivre → vie.

révocation → révoquer.

revoir → voir.

révolter v. **1.** *Les gens se sont révoltés contre le tyran* (= se soulever). **2.** *Cette injustice me révolte* (= indigner).
■ **révoltant** adj. SENS 2 *Ce qu'elle a dit est révoltant* (= choquant, scandaleux).
■ **révolte** n.f. SENS 1 *Une révolte a éclaté dans ce pays* (= insurrection). SENS 2 *Un sentiment de révolte m'envahit* (= indignation).

révolu adj. *Patricia a dix-huit ans révolus* (= accompli, passé).

révolution n.f. **1.** *La Révolution française a renversé la royauté,* un changement brutal de régime politique. **2.** *Cette découverte est une révolution scientifique,* une nouveauté totale (= bouleversement).
■ **révolutionnaire** adj. et n. SENS 1 *1789 est le début de la période révolutionnaire. Les révolutionnaires ont pris la Bastille.* SENS 2 *Cette auto est révolutionnaire,* très nouvelle.
■ **révolutionner** v. SENS 2 *L'invention de l'électricité a révolutionné le monde,* elle l'a beaucoup changé.

revolver n.m. *Le bandit a tiré un coup de revolver,* une arme à feu de petite taille.
R. On prononce [revɔlvɛr].

révoquer v. *Le maire a été révoqué, il a été chassé de son poste.*
■ **révocation** n.f. *Cette révocation est injuste* (= renvoi).
■ **irrévocable** adj. *Ma décision est irrévocable, je n'en changerai pas* (= définitif).

revue n.f. **1.** *On a passé en revue tous les détails de l'affaire,* on les a examinés l'un après l'autre. **2.** *As-tu assisté à la revue du 1er Juillet ?,* au défilé des soldats. **3.** *On est abonné à plusieurs revues,* des publications périodiques.

se révulser v. *Ses yeux se sont révulsés,* on n'en voyait plus que le blanc.

rez-de-chaussée n.m.inv. *Les Durand habitent au rez-de-chaussée,* au niveau du sol.

rhabiller → *habiller.*

rhétorique n.f. *La rhétorique est l'art de bien parler.*

rhinocéros n.m. *Le rhinocéros d'Afrique a deux cornes sur le nez, celui d'Asie n'en a qu'une.*

rhododendron n.m. *Les rhododendrons en fleur sont magnifiques,* une sorte d'arbuste.

rhubarbe n.f. *Jean aime la compote de rhubarbe,* une plante au suc acide.

rhum n.m. *On met du rhum dans certains gâteaux,* de l'alcool de canne à sucre.
R. On prononce [rɔm].

rhumatisme n.m. *Les vieilles personnes ont souvent des rhumatismes,* des douleurs aux articulations.
■ **rhumatisant** n. *Mon grand-père est rhumatisant.*

rhume n.m. *Pierre a un gros rhume, il éternue et il tousse,* une maladie pas très grave.

■ **s'enrhumer** v. *Couvre-toi, sinon tu vas t'enrhumer,* attraper un rhume.

ribambelle n.f. Fam. *Les Durand ont une ribambelle d'enfants,* un grand nombre.

ricaner v. *Tu devrais réfléchir au lieu de ricaner,* de rire bêtement.
■ **ricanement** n.m. *Tes ricanements ne m'impressionnent pas.*

riche adj. et n. **1.** *M. Duval est riche,* il a de l'argent, des biens (≠ pauvre). *C'est une nouvelle riche,* elle est riche depuis peu. **2.** *Ce pays est riche en pétrole,* il en a beaucoup. **3.** *Sa maison possède un riche mobilier* (= luxueux, précieux).
■ **richement** adv. SENS 3 *L'appartement est richement meublé.*
■ **richesse** n.f. SENS 1 *Sa richesse est très grande* (= fortune ; ≠ pauvreté). SENS 2 *Les richesses naturelles d'un pays,* ce sont ses ressources.
■ **richissime** adj. SENS 1 *Ce banquier est richissime,* extrêmement riche.
■ **enrichir** v. SENS 1 *Le pétrole a enrichi ce pays,* il lui a fait gagner de l'argent. SENS 2 *On s'est enrichi au contact de cette personne,* on a appris beaucoup de choses.
■ **enrichissement** n.m. SENS 1 *C'est une personne honnête, qui doit son enrichissement à son travail* (≠ appauvrissement). SENS 2 *Les remarques apportent un enrichissement au texte.*

ricocher v. *La balle a ricoché contre le mur* (= rebondir).
■ **ricochet** n.m. *Jean fait des ricochets sur le lac,* il lance des pierres plates qui rebondissent à la surface de l'eau.

rictus n.m. *Il avait un rictus de souffrance sur son visage,* son visage était déformé (= grimace).

ride n.f. *En vieillissant, tu auras des rides,* des petits plis de la peau sur le visage.

■ **rider** v. *Quand elle est soucieuse son front se ride* (= plisser).

■ **dérider** v. *Sa plaisanterie a déridé ses amis,* ils ont quitté leur air soucieux (= égayer).

76, 440

rideau n.m. *Peux-tu fermer les rideaux ?,* les pièces de tissu placées devant la fenêtre.

rider → ride.

ridicule adj. et n.m. *Ce petit chapeau sur la grosse tête de Jacques est ridicule* (= risible, grotesque). *On l'a tourné en ridicule,* on s'est moqué de lui.

■ **ridiculement** adv. *Son chapeau est ridiculement petit.*

■ **ridiculiser** v. *Tu te ridiculises en t'habillant ainsi,* tu te rends ridicule.

rien 1. pron.indéfini *Il fait noir, je ne vois rien,* aucune chose (≠ quelque chose). 2. n.m. *Ils se sont fâchés pour un rien,* une chose sans importance.

rieur → rire.

rigide adj. 1. *Ce livre a une couverture rigide,* qui ne plie pas (= raide ; ≠ mou). 2. *La directrice est très rigide* (= sévère ; ≠ indulgent).

rigolade → rire.

368

rigole n.f. *Cette rigole permet l'évacuation des eaux de pluie,* ce petit canal.

rigoler, rigolo → rire.

rigueur n.f. 1. *Les prisonniers ont été traités avec rigueur,* une grande sévérité. 2. *La rigueur du froid a augmenté* (= dureté). 3. *La rigueur de ses raisonnements est très grande* (= exactitude, précision). 4. *Ici, la cravate est de rigueur* (= obligatoire). 5. *À la rigueur, je peux venir demain,* si c'est indispensable.

■ **rigoureux** adj. SENS 1 *Cette punition est trop rigoureuse* (= sévère). SENS 2 *L'hiver a été rigoureux.* SENS 3 *Son analyse est rigoureuse.*

■ **rigoureusement** adv. SENS 4 *Il est rigoureusement interdit de fumer* (= absolument, formellement).

rillettes n.f.pl. *La charcutière vend des rillettes d'oie,* une sorte de pâté.

rimer v. 1. *« Bonheur » rime avec « malheur »,* ces mots se terminent de la même manière. 2. *Cela ne rime à rien,* n'a aucun sens.

■ **rime** n.f. SENS 1 *À la fin de chaque vers il y a une rime,* un son qui est répété à la fin d'un autre vers.

rincer v. *Rince bien les verres avant de les essuyer !,* passe-les dans l'eau propre.

■ **rinçage** n.m. *Un seul rinçage ne suffit pas, il reste du savon dans le linge.*

ring n.m. *Les boxeurs sont montés sur le ring,* sur l'estrade où a lieu le combat.

ripaille n.f. *À ce banquet, les convives ont fait ripaille,* ils ont beaucoup mangé.

riposter v. *Il a riposté à son adversaire par des injures* (= répondre, répliquer).

■ **riposte** n.f. *Quand on embête le chat, sa riposte est immédiate, il griffe* (= réaction, contre-attaque).

rire v. 1. *Nous avons beaucoup ri de ses plaisanteries, cela nous a rendus gais* (≠ pleurer). 2. *On a dit cela pour rire* (= plaisanter, s'amuser). 3. *Je n'aime pas qu'on rie de moi* (= se moquer).

■ **rire** n.m. SENS 1 *On entend des éclats de rire à côté. Ces mots ont provoqué des rires dans l'assistance.*

■ **rieur** adj. et n. SENS 1 *Marie a les yeux rieurs* (= gai). *Il a mis les rieurs de son côté,* ceux qui rient.

■ **rigoler** v. est un équivalent familier de *rire.*

■ **rigolade** n.f. SENS 1 Fam. *Quelle rigolade, quand elle raconte des histoires !,* on rit.

■ **rigolo** adj. SENS 1 Fam. *Elle est rigolote avec son chapeau* (= drôle).

■ **risée** n.f. SENS 3 *Il est la risée de ses camarades,* ils se moquent de lui.

■ **risette** n.f. *Le bébé fait des risettes,* il sourit.

■ **risible** adj. SENS 3 *Il est habillé de manière risible,* on rit de lui (= ridicule).

R. → Conj. n° 67. → *riz.*

ris n.m. *Nous avons mangé du ris de veau,* un morceau constitué par les glandes du cou.

R. → *riz.*

risée, risible → *rire.*

risquer v. **1.** *Elle a risqué sa vie pour me sauver,* elle l'a mise en danger (= exposer). **2.** *Attention, tu risques de tomber et de te faire mal,* cela pourrait t'arriver.

■ **risque** n.m. *Cette entreprise comporte des risques* (= danger).

■ **risqué** adj. *Voilà une entreprise bien risquée,* hasardeuse, téméraire.

■ **risque-tout** n.inv. *Ces alpinistes sont des risque-tout,* ils sont téméraires, imprudents.

rissoler v. *Julien fait rissoler des pommes de terre,* il les fait cuire dans l'huile à feu vif.

ristourne n.f. *La vendeuse m'a fait une ristourne de 10 pour 100* (= réduction, remise).

rite n.m. *Cette religion a des rites bizarres,* des pratiques religieuses, des cérémonies.

■ **rituel** adj. *Il arrive toujours à 8 heures, c'est rituel,* cela se passe toujours ainsi (= réglé).

■ **rituellement** adv. *On a rituellement souhaité la bonne année aux oncles et tantes* (= traditionnellement).

ritournelle n.f. *Tu nous fatigues à répéter toujours la même ritournelle* (= refrain, chanson).

rituel, rituellement → *rite.*

rivage → *rive.*

rival adj. et n. *Ce match va départager les deux équipes rivales,* qui se disputent la victoire (= concurrent). *Il y a eu de nombreux rivaux pour ce poste* (= concurrent). *Pour mon goût, ce fromage est sans rival* (= inégalable).

■ **rivaliser** v. *Tu ne peux rivaliser avec elle* (= se battre, lutter).

■ **rivalité** n.f. *Il y a une rivalité commerciale entre ces deux pays* (= opposition, lutte, concurrence).

rive n.f. *Nous habitons sur la rive droite du fleuve* (= côté, bord). | 721

■ **rivage** n.m. *Le bateau s'éloigne du rivage,* du bord de la mer (= côte, littoral). | 725

■ **riverain** n. *Les riverains ont fui devant l'inondation,* ceux qui habitent au bord de la rivière ou du fleuve.

river v. **1.** *Les anneaux de la chaîne sont rivés,* attachés avec des rivets. **2.** *Il a les yeux rivés sur moi* (= attacher, fixer).

■ **rivet** n.m. *Un rivet est une sorte de clou dont les deux extrémités sont aplaties après la pose.*

riverain → *rive.*

rivière n.f. *Nous nous sommes baignés dans la rivière,* un cours d'eau. | 152, 721, 801

rixe n.f. *Albert a été blessé dans une rixe,* une violente bagarre.

riz n.m. *Au restaurant chinois, nous avons naturellement mangé du riz,* une céréale. | 578

■**rizière** n.f. *Le riz pousse dans des rizières,* des terrains humides.
R. *Riz* se prononce [ri] comme *ris* et [*il*] *rit* (de *rire*).

**37,
805**

robe n.f. **1.** *Marie a une robe rouge,* un vêtement féminin. **2.** *Les magistrats portent des robes,* des vêtements d'apparat. **3.** *Quand il se lève le matin, Paul enfile sa robe de chambre,* un vêtement d'intérieur.

79

robinet n.m. *L'eau coule sur l'évier, ferme le robinet !*

robot n.m. *Elle a des gestes mécaniques comme un robot,* une machine automatique pouvant faire le travail de l'homme.

robuste adj. *Ces enfants sont robustes* (= fort, résistant, vigoureux ; ≠ fragile, délicat).

roc n.m. *Marie est restée ferme comme un roc* (= rocher).

■**rocaille** n.f. *Rien ne pousse dans cette rocaille,* ces cailloux.

■**rocailleux** adj. **1.** *Ce sentier est rocailleux* (= caillouteux). **2.** *Une voix rocailleuse* est forte et rude.

rocambolesque adj. *Il m'est arrivé une aventure rocambolesque* (= extraordinaire, incroyable).

roche n.f. **1.** *Quand on creuse le sol, on arrive à la roche* (= pierre). **2.** *La craie est une roche tendre,* une matière minérale.

**724,
434**

■**rocher** n.m. SENS 1 *Nous sommes montés sur un énorme rocher,* un bloc de pierre.

■**rocheux** adj. SENS 1 *La côte est rocheuse,* formée de rochers.

rock n.m. *Diane Dufresne est une bonne chanteuse de rock,* de musique très rythmée.

rodage n.m. *Ne va pas trop vite, la voiture est en rodage,* les pièces encore neuves seraient abîmées par des efforts trop violents.

■**roder** v. *M. Durand met beaucoup de soin à roder son moteur,* à faire le rodage.

rodéo n.m. *Ce cow-boy a remporté le rodéo,* un jeu qui consiste à tenir le plus longtemps possible sur un cheval sauvage.

roder → *rodage.*

rôder v. *Il y a des chiens qui rôdent dans la rue,* qui vont et viennent (= errer).

■**rôdeur** n. *La police a arrêté un rôdeur* (= vagabond).
R. Ne pas confondre *rôder* [rode] et *roder* [rɔde].

rodomontade n.f. *Ses menaces ne sont que des rodomontades,* de vaines paroles de quelqu'un qui fait l'important (= fanfaronnade, vantardise).

rogne n.f. Fam. *Elle se met en rogne à la moindre contrariété* (= en colère, de mauvaise humeur).

rogner v. **1.** *La photo est un peu trop grande pour le cadre, il faut rogner les bords,* les recouper, les réduire. **2.** *M. Dupont rogne sur la nourriture,* il ne veut pas dépenser beaucoup pour cela.

■**rognure** n.f. SENS 1 *J'habille ma poupée avec des rognures de tissu,* des petits morceaux bons à jeter (= chute, déchet).

rognon n.m. *Je vous ai fait des rognons de veau à la crème,* un plat constitué par les reins de cet animal.

roi n.m. **1.** *Autrefois, la France était gouvernée par un roi,* un souverain héréditaire (= monarque). **2.** *Lise a joué le roi de cœur,* une des figures aux cartes.

■ **reine** n.f. **1.** SENS 1 *La reine d'Angleterre a rencontré le président de la République.* **2.** *Elle a été la reine de la fête,* celle qui l'emporte sur les autres. **3.** *Dans la ruche, la reine pond les œufs.*

■ **royal** adj. SENS 1 *Le pouvoir royal était sans limites légales. Ce collier est un cadeau royal,* digne d'un roi (= magnifique, somptueux).

■ **royalement** adv. *On nous a traités royalement,* très bien.

■ **royaliste** n. SENS 1 *Les royalistes veulent le renversement de la République.*

■ **royaume** n.m. SENS 1 *Le royaume de France s'est agrandi peu à peu,* le territoire gouverné par le roi.

■ **royauté** n.f. SENS 1 *La royauté était héréditaire,* la dignité de roi.

roitelet n.m. *Des roitelets se sont envolés de la haie,* des petits oiseaux.

rôle n.m. **1.** *M. Durand a joué un rôle important dans cette affaire,* il a eu une influence (= action, fonction). **2.** *L'actrice apprend son rôle,* ce qu'elle doit dire et faire sur scène.

romain adj. **1.** *I, V, X sont des chiffres romains.* **2.** *Les synonymes et les contraires sont écrits en caractères romains,* en lettres d'imprimerie droites (≠ italique).

romaine n.f. *La romaine est une salade à feuilles croquantes.*

1. roman adj. **1.** *Le français, l'italien, l'espagnol sont des langues romanes,* qui viennent du latin. **2.** *Cette église est de style roman,* d'un style qui est caractéristique du milieu du Moyen Âge et qui a des voûtes arrondies.

2. roman n.m. *Ce roman est très intéressant,* ce livre qui raconte une histoire imaginée.

■ **romancier** n. *Quel est le nom de la romancière ?,* de l'auteure du roman.

■ **romanesque** adj. *On a eu des aventures romanesques,* dignes d'un roman (= fantastique).

romance n.f. *On a chanté une romance bretonne,* une chanson sentimentale.

romancier → roman 2.

romand adj. *La Suisse romande est la partie de la Suisse où l'on parle français.*

romanesque → roman 2.

romanichel n. *Des romanichels campent à l'entrée du village,* des gens qui vivent dans des roulottes (= bohémien, gitan).

romantique adj. *Julien a une imagination romantique,* il est sentimental, exalté.

romarin n.m. *Albert a mis du romarin dans le civet,* une plante qui sent bon.

rompre v. **1.** *Jean s'est rompu une jambe en faisant du ski* (= casser, briser). **2.** *Marie a rompu le silence* (= interrompre, troubler). **3.** *M. Duval a rompu avec sa femme,* ils se sont séparés. **4.** *Je suis rompue à ce genre de travail,* j'y suis très exercée.

■ **rupture** n.f. SENS 1 *La rupture de la corde est due à l'usure.* SENS 3 *Quelle est la cause de leur rupture ?* (= séparation, brouille).

R. → Conj. n° 53. → *rond.*

ronce n.f. *Jean s'est égratigné dans les ronces,* des plantes à épines.

ronchonner v. *Quel mauvais caractère, tu ronchonnes tout le temps !* (= protester ; fam. râler).

rond adj. **1.** *Nous mangeons autour d'une table ronde* (= circulaire). **2.** *La Terre est ronde* (= sphérique). **3.** *Cécile a un petit visage rond* (= arrondi ; ≠ anguleux). **4.** *M. Dubois est un homme tout rond,* gros et petit (≠

364

maigre). **5.** *10 est un chiffre rond,* sans décimales. **6.** adv. *Le moteur tourne rond,* régulièrement.

■ **rond** n.m. SENS 1 *Fais des ronds avec ton compas* (= cercle).

■ **ronde** n.f. **1.** SENS 1 *Les enfants dansent une ronde,* ils se tiennent par la main et tournent en rond. **2.** *Les soldats ont fait leur ronde,* leur tournée d'inspection. **3.** *Il n'y a personne à dix kilomètres à la ronde,* tout autour. **4.** La *ronde* est une note de musique prise comme unité.

■ **rondement** adv. SENS 6 *L'affaire a été menée rondement* (= vite).

■ **rondeur** n.f. SENS 4 *Tu as des rondeurs,* certaines parties de ton corps sont grosses.

■ **rondelet** adj. SENS 4 *Cet enfant est rondelet* (= grassouillet).

■ **rondelle** n.f. SENS 1 *Veux-tu une rondelle de saucisson ?,* une tranche ronde.

■ **rondin** n.m. SENS 1 *Le bûcheron coupe la branche en rondins,* en morceaux ronds.

■ **rond-point** n.m. SENS 1 *Au rond-point, tu tourneras à droite,* à la place ronde.

■ **arrondir** v. SENS 3 *L'ourlet de la robe n'est pas droit, il faut l'arrondir,* lui donner une forme ronde. SENS 5 *Vous me devez 101 dollars, 100 en arrondissant,* en donnant un chiffre rond. **R.** *Rond* se prononce [rɔ̃] comme [je] *romps* (de *rompre*).

ronfler v. *Quand tu dors, tu ronfles,* tu fais un bruit en respirant.

■ **ronflement** n.m. *Entends-tu ce ronflement de moteur ?,* ce bruit sourd et continu.

■ **ronflant** adj. *Yaelle emploie des mots ronflants* (= pompeux ; ≠ simple).

ronger v. **1.** *Le chien ronge son os,* il le mord et le gratte avec ses dents.

2. *La rouille ronge le fer* (= attaquer). **3.** *Estelle est rongée par le chagrin* (= tourmenter).

■ **rongeur** n.m. SENS 1 *Les rats, les lapins, les écureuils sont des rongeurs,* des animaux qui se nourrissent en rongeant leurs aliments.

ronronner v. *Le chat ronronne quand il est content,* il fait entendre un bruit spécial.

■ **ronronnement** n.m. *On se laisse bercer par le ronronnement du moteur,* le bruit sourd et continu.

roquefort n.m. Le *roquefort* est un fromage de brebis contenant des moisissures.

roquet n.m. *Encore ce sale roquet qui aboie !,* ce petit chien hargneux.

roquette n.f. Une *roquette* est un projectile employé particulièrement contre les chars.

rosace n.f. *La rosace de cette cathédrale est magnifique,* le grand vitrail rond.

rosâtre → rose.

rosbif n.m. *Le rosbif était trop cuit,* le rôti de bœuf.

rose n.f. **1.** *Ces roses embaument toute la pièce,* des fleurs. **2.** *La rose des vents permet de savoir d'où vient le vent,* une sorte d'étoile qui indique les points cardinaux sur le cadran d'un compas. **3.** adj. et n.m. *Luc porte une chemise rose ; il aime s'habiller en rose* (= rouge clair).

■ **rosâtre** adj. SENS 3 *Elle porte une robe d'une couleur rosâtre,* d'une couleur proche du rose.

■ **rosé** adj. et n.m. SENS 3 *Ce vigneron fait du (vin) rosé,* du vin d'un rouge clair.

■ **roseraie** n.f. SENS 1 *Il y a des roses de toutes les couleurs dans la roseraie,* dans la plantation de rosiers.

■ **rosier** n.m. SENS 1 *Ce rosier donne des roses rouges.*

roseau n.m. *Pierre s'est fait une flûte en roseau,* une plante à tige creuse.

rosée n.f. *Ce matin, le pré était couvert de rosée,* de gouttelettes d'eau ne provenant pas de la pluie.

roseraie → *rose.*

rosette n.f. *M. Paoli porte la rosette de la Légion d'honneur,* le petit insigne rond de cette décoration.

rosier → *rose.*

rosse adj. Fam. *Ne sois pas rosse, prête-moi 10 dollars* (= méchant).
■ **rosserie** n.f. Fam. *Tu m'as encore fait une rosserie* (= méchanceté).

rosser v. Fam. *Il s'est fait rosser par des voyous* (= battre, frapper).
■ **rossée** n.f. Fam. *On a reçu une rossée,* des coups.

rossignol n.m. *Marie a une voix de rossignol,* belle comme le chant de cet oiseau.

rostre n.m. *Le rostre servait à éventrer les navires ennemis,* l'éperon d'un navire de guerre.

rot → *roter.*

rotation n.f. *La rotation de la Terre autour du Soleil dure un an,* le mouvement tournant.
■ **rotatif** adj. *Une pompe rotative agit en tournant.*
■ **rotative** n.f. *Le journal est sur la rotative,* la presse à imprimer.

roter v. Très fam. *Il est mal élevé de roter en public,* de laisser échapper avec bruit par la bouche les gaz de l'estomac.
■ **rot** n.m. *Tu as laissé échapper un rot,* tu as roté.
R. *Rot* se prononce [ro].

rôti → *rôtir.*

rotin n.m. *Les élèves tressent des objets en rotin,* avec les tiges d'une plante.

rôtir v. *Jean a mis un poulet à rôtir,* à cuire à la broche ou au four.
■ **rôti** n.m. *Nous avons mangé un rôti de veau.* 222
■ **rôtissoire** n.f. *On a mis le rôti dans la rôtissoire électrique* (= four).

rotonde n.f. *Une rotonde est la partie circulaire de certains bâtiments surmontée d'une coupole.*

rotondité n.f. *La rotondité de la Terre, c'est sa forme sphérique.*

rotule n.f. *Ruth s'est cassé la rotule en tombant,* l'os du genou. 40

roturier n. *Sous la royauté, les roturiers étaient défavorisés,* ceux qui n'étaient pas nobles.

rouage n.m. *Un rouage de ma montre est cassé,* un élément du mécanisme.

roublard, e n. Fam. *Méfie-toi de Jacques, c'est un roublard,* il est malin, rusé.
■ **roublardise** n.f. Fam. *On s'est laissé prendre à ses roublardises.*

rouble n.m. *Le rouble est la monnaie de l'U.R.S.S.*

roucouler v. *Les pigeons roucoulent,* ils font entendre le bruit particulier de leur gosier.
■ **roucoulement** n.m. *On entend le roucoulement des pigeons.*

roue n.f. 1. *Les autos ont quatre roues, les bicyclettes ont deux roues.* 2. *Le paon fait la roue,* il déploie les plumes de sa queue en éventail. Fam. *Le directeur faisait la roue devant le ministre,* il faisait l'important (= se pavaner). 803, 721, 512, 506
■ **deux-roues** n.m.inv. *Les vélos, les cyclomoteurs, les motos sont des deux-roues.*

roué adj. *Julien est très roué* (= malin, rusé).

■ **rouerie** n.f. *On se méfie de sa rouerie* (= ruse).

224 | **rouet** n.m. *Autrefois, on filait la laine avec un rouet, un instrument à roue.*

289, 721 | **rouge** adj. et n.m. *Le sang est rouge. Ne passe pas, le feu est au rouge !*

■ **rougeâtre** adj. *Éric a des taches rougeâtres sur les bras,* un peu rouges.

■ **rougeaud** adj. *M. Dupont est un gros homme rougeaud,* au visage rouge.

■ **rouge-gorge** n.m. *Des rouges-gorges se sont posés sur ma fenêtre,* des petits oiseaux.

■ **rougeole** n.f *Carole a la rougeole,* une maladie pendant laquelle des taches rouges apparaissent sur la peau.

■ **rougeoyer** v. *Le feu rougeoie,* il est rouge.

579 | ■ **rouget** n.m. *La poissonnière m'a vendu des rougets,* des poissons de mer de couleur rose.

■ **rougeur** n.f. *Carole a des rougeurs sur la figure,* des taches rouges.

■ **rougir** v. *Tu es timide, tu rougis souvent,* tu as le visage qui devient rouge.

rouille n.f. *Cette barre de fer est couverte de rouille,* d'une croûte brune.

■ **rouiller** v. *L'humidité fait rouiller le fer et l'acier,* ils s'abîment en se couvrant de rouille.

■ **dérouiller** v. 1. *Avec de la toile émeri, on peut dérouiller des ciseaux,* en ôter la rouille. 2. Fam. *Je vais me promener pour me dérouiller les jambes,* pour leur redonner de l'exercice.

rouler v. 1. *La bille a roulé en bas de l'escalier,* elle a avancé en tournant. 2. *Le train roule à 100 kilomètres à l'heure,* il avance sur ses roues. 3. *On entend le tonnerre rouler au loin,* faire un bruit sourd et continu. 4. *Veux-tu rouler la toile cirée,* la plier en rouleau (= enrouler). 5. *On s'est roulé dans une couverture* (= s'envelopper). 6. Fam. *Tu as payé 100 dollars ? Tu t'es fait rouler* (= tromper).

■ **roulant** adj. SENS 2 *Mettez vos bagages sur le tapis roulant.* SENS 3 *Un feu roulant est un tir continu d'armes à feu.*

■ **roulé** adj. SENS 4 *Papa porte un pull à col roulé.*

■ **rouleau** n.m. SENS 1 *Jules aplatit la pâte avec un rouleau à pâtisserie. On égalise la route avec un rouleau compresseur. La mer est agitée, il y a des rouleaux,* des grandes vagues qui déferlent. SENS 4 *Le papier peint se vend en rouleaux* (= cylindre).

■ **roulement** n.m. 1. SENS 1 *Un roulement à billes sert à diminuer les frottements,* un mécanisme contenant des billes qui roulent les unes sur les autres. SENS 3 *Entends-tu les roulements du tambour ?* 2. *Les ouvrières travaillent par roulement,* elles se remplacent.

■ **roulette** n.f. 1. SENS 2 *Éric a des patins à roulettes,* des patins ayant des petites roues. 2. *On a perdu une fortune à la roulette,* un jeu de hasard. 3. *La roulette du dentiste fait du bruit* (= fraise).

■ **roulis** n.m. *Le roulis du bateau me rend malade,* le mouvement d'un côté sur l'autre (≠ tangage).

■ **dérouler** v. 1. SENS 4 *Le chat a déroulé la pelote de laine* (≠ rouler). 2. *L'action du film se déroule en Afrique* (= se passer).

■ **déroulement** n.m. *Je ne comprends pas le déroulement des faits,* comment ils se sont déroulés (au sens 2) [= enchaînement].

■ **enrouler** v. SENS 4 *Le boa s'est enroulé autour de l'arbre,* il s'est mis autour en spirale.

roulotte n.f. *Les gens du cirque habitent dans des roulottes,* de grandes voitures.

round n.m. *Le boxeur a abandonné au troisième round,* à la troisième partie du match.
R. On prononce [rund] ou [rawnd].

roupie n.f. *La roupie est la monnaie de l'Inde.*

roupiller v. Très fam. *Je vais me coucher, j'ai envie de roupiller,* de dormir.

rouquin → *roux.*

rouspéter v. Fam. *Tu rouspètes pour rien* (= protester, récriminer).
■ **rouspéteur** n. Fam. *Laisse-le crier, c'est un éternel rouspéteur !* (= grincheux).

rousseur, roussi → *roux.*

route n.f. **1.** *Il y a des travaux sur cette route,* une voie large avec un revêtement uni (≠ chemin, sentier). **2.** *Jean n'a pas pu retrouver sa route,* la direction qu'il devait prendre (= chemin, itinéraire). *Le navire fait route vers le sud,* il se dirige. **3.** *Nous nous mettrons en route à 8 heures* (= partir). **4.** *Impossible de mettre en route ma voiture ce matin !* (= faire partir, faire démarrer).
■ **routier** adj. et n.m. SENS 1 *Le dimanche, la circulation routière est intense. Nous avons déjeuné dans un restaurant de routiers,* de conducteurs de camions.

routine n.f. *Je voudrais bien échapper à la routine,* à la répétition des mêmes actes.
■ **routinier** adj. *M. Dubois mène une vie routinière,* il fait tous les jours la même chose.

rouvrir → *ouvert.*

roux adj. **1.** *À l'automne, les arbres deviennent roux,* d'une couleur entre le jaune et le rouge. **2.** n.m. *Pour lier la sauce, Julien a fait un roux,* une préparation à base de farine et de beurre.
■ **rouquin** adj. et n. Fam. SENS 1 *Sarah et Alex sont des rouquins,* ils ont les cheveux roux.
■ **rousseur** n.f. SENS 1 *Elle a des taches de rousseur sur la figure,* des taches rousses.
■ **roussi** n.m. *Ça sent le roussi dans la cuisine,* une odeur de brûlé.

royal, royalement, royaliste, royaume, royauté → *roi.*

ruade → *ruer.*

ruban n.m. *J'ai un ruban dans les cheveux,* une bande étroite de tissu. 763, 296

rubéole n.f. *Ne t'approche pas d'Aurélie, elle a la rubéole,* une maladie contagieuse qui ressemble à la rougeole.

rubicond adj. *M. Duval a un visage rubicond,* très rouge.

rubis n.m. *Jack a une bague de rubis,* une pierre précieuse rouge.

rubrique n.f. *Anna lit toujours la rubrique sportive du journal,* les articles sur le sport.

ruche n.f. *On élève les abeilles dans des ruches,* des sortes de petites cabanes. 362

rude adj. **1.** *L'hiver a été rude,* difficile à supporter (= froid, dur ; ≠ doux). **2.** *La montée au sommet est rude* (= difficile, pénible). **3.** *M. Martin a la voix rude,* brutale, dure.
■ **rudement** adv. **1.** SENS 3 *La directrice parle rudement à son personnel.* **2.** Fam. *Je suis rudement contente d'avoir gagné* (= très, fameusement).
■ **rudesse** n.f. SENS 3 *Je n'aime pas la rudesse de sa voix* (= brusquerie ; ≠ douceur).
■ **rudoyer** v. SENS 3 *Hélène rudoie son chat,* elle la traite avec rudesse.

rudiments n.m.pl. *Je ne connais que les **rudiments** de cette science,* les notions élémentaires.

■ **rudimentaire** adj. *Il a des connaissances **rudimentaires** en électronique,* très faibles.

rudoyer → rude.

803,
218,
217

rue n.f. *On habite dans la **rue** d'à côté,* une voie bordée de maisons.

■ **ruelle** n.f. *La fenêtre donne sur une **ruelle**,* une petite rue.

ruer v. **1.** *Attention ! ce cheval **rue**,* il lance violemment ses pattes en arrière. **2.** *Deux hommes **se sont rués** sur moi* (= se lancer, se jeter).

■ **ruade** n.f. SENS 1 *Le cheval a lancé une **ruade**.*

■ **ruée** n.f. SENS 2 *À 4 heures, c'est la **ruée** des élèves vers la sortie,* ils se précipitent.

rugby n.m. *Qui a gagné le match de **rugby** ?,* un sport où l'on joue avec un ballon ovale.

rugir v. *Le lion **rugit**,* il pousse son cri.

■ **rugissement** n.m. *Cette enfant pousse des **rugissements** de colère.*

rugueux adj. *Cet arbre a une écorce **rugueuse**,* elle est dure au toucher (= râpeux, rêche ; ≠ lisse, uni).

■ **rugosité** n.f. *Je me suis écorchée aux **rugosités** du mur.*

ruine n.f **1.** *La maison **tombe en ruine**,* elle s'écroule. *Après l'incendie, les sauveteurs ont fouillé les **ruines**,* ce qui reste du bâtiment détruit (= débris, décombres). **2.** *M. Dupont est au bord de la **ruine**,* il va perdre tous ses biens.

■ **ruiner** v. SENS 2 *Les Dupont sont **ruinés**,* ils ont perdu leur fortune (≠ enrichir).

■ **ruineux** adj. SENS 2 *Tu as des goûts **ruineux**,* très coûteux.

ruisseau n.m. *Les enfants pêchent dans le **ruisseau**,* le petit cours d'eau.

■ **ruisseler** v. *La pluie **ruisselle** sur le mur* (= couler).

■ **ruissellement** n.m. *Le chemin a été raviné par le **ruissellement** des eaux.*
R. *Ruisseler* → conj. n° 6.

rumeur n.f. **1.** *On dit qu'elle est morte, mais ce n'est qu'une **rumeur**,* une nouvelle peu sûre. **2.** *Il y a des **rumeurs** de mécontentement dans la salle,* des bruits confus.

ruminer v. **1.** *Les vaches **ruminent** dans le pré,* elles mâchent une deuxième fois l'herbe qu'elles ont mangée. **2.** *Line **rumine** son échec à l'examen,* elle y pense et repense sans cesse (= remâcher).

■ **ruminant** n.m.SENS 1 *Les bœufs, les moutons, les chameaux sont des **ruminants**,* des animaux qui ruminent grâce à leur estomac spécial.

rumsteck n.m. *Va chez la bouchère acheter deux tranches de **rumsteck**,* de viande de la croupe du bœuf.
R. On prononce [rɔmstɛk].

rupestre adj. *Ces grottes contiennent des gravures **rupestres**,* peintes sur la pierre.

rupture → rompre.

rural adj. *Les Dupuis possèdent un domaine **rural**,* à la campagne (= agricole, campagnard ; ≠ urbain).

ruse n.f. *Éric a obtenu ce qu'il voulait par la **ruse**,* par un moyen habile, utilisé pour tromper.

■ **rusé** adj. *Éric est **rusé*** (= malin).

■ **ruser** v. *Tu sais **ruser** pour avoir ce que tu veux,* agir avec ruse (= manœuvrer).

rush n.m. *À la fin de la séance, c'est le **rush** vers la sortie* (= ruée).
R. On prononce [rœʃ].

rustaud adj. et n. Fam. *Albert est un peu **rustaud**,* il a des manières gauches, maladroites (= balourd).

rustine n.f *Cléa répare sa chambre à air avec une* **rustine,** une pastille de caoutchouc collant.
R. C'est un nom de marque.

rustique adj. *Les Durand ont des meubles* **rustiques,** de forme simple et de style campagnard.

rustre n.m. *Quel est ce* **rustre** *qui m'a bousculée ?,* cet homme mal élevé.

rutilant adj. *Les chromes de l'auto sont* **rutilants,** ils brillent vivement (= étincelant, flamboyant).

rythme n.m. **1.** *Les danseurs dansent au* **rythme** *de la musique,* en suivant le mouvement de la musique (= cadence). **2.** *Le* **rythme** *de sa respiration s'est accéléré* (= allure, vitesse, mouvement).

■ **rythmer** v. SENS 1 *Il* **rythme** *sa chanson en tapant du pied,* il indique le rythme.

■ **rythmique** adj. et n.f. SENS 1 *Marie fait de la* **rythmique,** une sorte de gymnastique très rythmée, avec accompagnement musical.

S

s' → *se* et *si*.

sa → *son* 1.

sabbat n.m. **1.** *Chez les Juifs, le samedi est le jour du* **sabbat,** *du repos sacré.* **2.** *Dans certains contes, on décrit des* **sabbats,** *des réunions de sorciers.*

sable n.m. *La plage est couverte de* **sable** *fin,* une matière minérale formée de grains très fins.
■ **sabler** v. *On* **sable** *les routes verglacées,* on y jette du sable.
■ **sableux** adj. *Une eau* **sableuse** *contient du sable.*
■ **sablonneux** adj. *Nous campons sur un terrain* **sablonneux,** couvert de sable.
■ **sablier** n.m. *Je mesure le temps de cuisson des œufs à la coque avec un* **sablier,** *un petit appareil dans lequel le sable s'écoule régulièrement.*
■ **sablière** n.f. *Ce camion vient de la* **sablière,** *du lieu où l'on extrait du sable.*
■ **ensabler** v. *L'entrée du port* **est ensablée,** *le sable s'y est accumulé.*

1. sabler → *sable.*

2. sabler v. *Pour fêter ce succès, on a* **sablé** *le champagne,* on a bu ensemble du champagne.

sabord n.m. *Les* **sabords** *étaient des ouvertures sur les flancs des anciens vaisseaux.*

saborder v. *Le capitaine a* **sabordé** *son navire,* il l'a coulé volontairement.

sabot n.m. **1.** *Les paysans portent parfois des* **sabots,** *des chaussures de bois.* **2.** *Les chevaux, les bœufs ont des* **sabots,** *de la corne au bout de leurs pieds.*

saboter v. **1.** *Le pylône de télévision a été* **saboté,** *il a été abîmé ou cassé volontairement.* **2.** *Ce travail* **est** *saboté,* il est mal fait.
■ **sabotage** n.m. SENS 1 *L'accident de chemin de fer est dû au* **sabotage** *de la voie,* au fait que la voie a été sabotée.
■ **saboteur** n. SENS 1 *Le pont a été détruit par des* **saboteurs,** *des gens qui l'ont saboté.*

sabre n.m. *Autrefois, on se battait avec un* **sabre,** *une sorte d'épée à un seul tranchant.*

sabrer v. *Les journaux* **ont** *sabré de longs passages de son discours,* ils les ont supprimés.

1. sac → *saccager.*

2. sac n.m. *Les pommes de terre sont transportées dans des* **sacs** *de toile, des récipients souples. Les campeurs rangent leurs affaires dans leur* **sac à dos.** *Qu'y a-t-il dans ton* **sac à main ?** *— Mes papiers, mon argent, mes clés.*
■ **sachet** n.m. *Les bonbons se vendent en* **sachets** *de papier,* en petits sacs.
■ **sacoche** n.f. *Ma moto a des* **sacoches** *de cuir,* des sacs fermés suspendus au porte-bagages.

(marges) 723, 721, 150

saccade n.f. *La voiture avance par saccades,* par petits bonds (= à-coup, secousse).

■ **saccadé** adj. *Ses gestes sont saccadés,* ils se font par saccades (= brusque).

saccager v. *La ville a été saccagée par les ennemis,* pillée et dévastée.

■ **sac** n.m. *Les conquérants ont mis à sac plusieurs villes,* ils les ont pillées, dévastées.

■ **saccage** n.m. *Les voleurs ont fait un véritable saccage dans la maison,* ils ont tout cassé.

sacerdoce n.m. *Depuis vingt ans, ce prêtre exerce son sacerdoce,* ses fonctions religieuses.

■ **sacerdotal** adj. *Les vêtements sacerdotaux* sont ceux que le prêtre met pour célébrer les offices.

sachet, sacoche → *sac* 2.

sacquer → *saquer.*

sacrer v. *Les rois et les reines de France étaient sacrés à Reims,* ils étaient déclarés rois ou reines au cours d'une cérémonie religieuse.

■ **sacre** n.m. *Le sacre des rois était fastueux,* la cérémonie au cours de laquelle ils étaient sacrés.

■ **sacré** adj. **1.** *Ce lieu est sacré,* il a un caractère religieux (= saint). **2.** *Pour Jeanne, l'amitié est sacrée,* on doit absolument la respecter. **3.** Fam. *Tu as eu une sacrée veine de t'en tirer,* une fameuse chance.

■ **sacro-saint** adj. Fam. *Tu ne veux rien changer à tes sacro-saintes habitudes* (= vénérable, intangible).

■ **sacrement** n.m. *Le baptême est un sacrement,* un acte de la religion catholique.

sacrifice n.m. **1.** *Les Romains faisaient des sacrifices à leurs dieux,* des offrandes. **2.** *Ils font des sacrifices pour élever leurs enfants,* ils se privent.

■ **sacrifier** v. SENS 1 *Les Romains sacrifiaient des animaux,* ils les tuaient pour les offrir à leurs dieux. SENS 2 *Elle sacrifie ses loisirs à son travail,* elle se prive de loisirs pour travailler. *Ils se sacrifient à leurs enfants* (= se dévouer).

■ **sacrifié** adj. SENS 2 *Ce commerçant a quelques articles sacrifiés,* vendus à un prix très bas.

sacrilège n.m. **1.** *Voler des objets du culte dans une église est un sacrilège,* un crime contre une chose sacrée. **2.** *C'est un sacrilège de jouer aussi mal cette musique,* un manque de respect pour elle.

sacripant n.m. Fam. *Ce sacripant-là nous a encore joué un mauvais tour* (= chenapan, vaurien).

sacristie n.f. *Les objets du culte sont rangés dans la sacristie,* une partie de l'église.

■ **sacristain** n. *Le sacristain s'occupe de l'entretien de l'église.*

sacro-saint → *sacrer.*

sadique adj. et n. *Adolphe est sadique,* il prend plaisir à faire souffrir les autres.

■ **sadisme** n.m. *Adolphe agit par sadisme.*

safari n.m. *Ils participent à un safari en Afrique,* une expédition de chasse.

■ **safari-photo** n.m. *Nous avons fait un safari-photo au Kenya,* une excursion pour photographier ou filmer des animaux sauvages dans une réserve.

safran n.m. *Nous avons mangé du riz au safran,* assaisonné d'une poudre jaune extraite de cette plante.

sagace adj. *C'est une personne sagace* (= perspicace, clairvoyant).

■ **sagacité** n.f. *Sa sagacité lui a fait deviner le piège* (= subtilité).

sagaie n.f. *Les chasseurs de cette tribu sont armés de* **sagaies,** *une sorte de javelot.*

sage 1. adj. et n. *Camille est un être* **sage,** plein de bon sens (= raisonnable, prudent, sérieux ; ≠ fou). **2.** adj. *Éric est un enfant* **sage,** *doux et obéissant* (= docile).

■ **sagement** adv. SENS 1 *Vous avez agi* **sagement** *en évitant la querelle publique.*

■ **sagesse** n.f. SENS 1 *Cette décision est pleine de* **sagesse** (= bon sens). SENS 2 *Mon fils est d'une* **sagesse** *étonnante* (= obéissance, tranquillité).

■ **s'assagir** v. SENS 2 *Nous nous* **sommes assagis,** *nous sommes devenus sages.*

sage-femme n.f. *Les* **sages-femmes** *aident les mamans à accoucher,* c'est leur métier.

sagesse → *sage.*

sagouin n.m. Fam. *Ce* **sagouin**-*là a bâclé son travail,* cet individu grossier, peu soigneux.

saie n.f. *Les Gaulois et les Romains portaient une* **saie,** *une sorte de manteau court.*

saignant, saignée, saignement, saigner → *sang.*

saillir v. *L'athlète fait* **saillir** *ses muscles,* il les gonfle.

■ **saillant** adj. *Le nez est une partie* **saillante** *du visage,* il dépasse (= proéminent).

■ **saillie** n.f. *Le balcon est en* **saillie** *sur la façade,* il dépasse de la façade.
R. → Conj. n° 33.

sain adj. **1.** *Jean est* **sain** *de corps et d'esprit,* en bonne santé (≠ malade). **2.** *L'air de la montagne est* **sain,** il est bon pour la santé (= salubre ; ≠ pollué). **3.** *Tu as de* **saines** *lectures,* tu lis de bons livres.

■ **sainement** adv. SENS 1 *Tu juges* **sainement** *la situation* (= raisonnablement, judicieusement).

■ **assainir** v. SENS 2 *Assainir l'air d'une pièce,* c'est le rendre sain (= purifier).

■ **assainissement** n.m. SENS 2 *On procède à l'assainissement des marais,* on les assainit.

■ **malsain** adj. SENS 2 *Tu travailles dans les mines, c'est un métier* **malsain,** *dangereux pour la santé.*
R. → *saint* et *scène.*

saindoux n.m. *Les rillettes sont couvertes de* **saindoux,** de graisse de porc fondue.

sainfoin n.m. *On a coupé le* **sainfoin,** une plante qui fournit du fourrage.

saint adj. **1.** *La Bible et les Évangiles sont des livres* **saints,** *consacrés à la religion* (= sacré). **2.** *M. Dupont est un* **saint** *homme,* il est bon et juste. **3.** n. *Le calendrier donne la liste des* **saints,** *des personnes qui, après leur mort, ont été reconnues par l'Église catholique dignes d'un culte.*

■ **sainteté** n.f. *Cette personne est morte avec une réputation de* **sainteté** (= perfection).
R. *Saint se prononce* [sɛ̃] *comme* sain, sein *et* [il] ceint *(de* ceindre).

saint-bernard n.m.inv. *Les alpinistes égarés ont été retrouvés par des* **saint-bernard,** *des gros chiens de montagne.*

sainte-nitouche n.f. Fam. *Valérie est une petite peste sous son air de* **sainte-nitouche !,** *son air hypocrite de sagesse.*

sainteté → *saint.*

saint-honoré n.m.inv. *Un* **saint-honoré** *est un gâteau garni de crème.*

saisir v. **1.** *Anne m'a* **saisi** *par le bras,* elle m'a attrapé le bras rapidement

avec la main (= empoigner). *Le voleur
s'est saisi de mon sac* (= s'emparer
de). **2.** *Je saisis mal votre explication*
(= comprendre). **3.** *On a été saisi par
le froid,* le froid nous a fait un choc
désagréable (= surprendre). **4.** *Parce
qu'ils ne payaient pas leurs dettes, la
justice a saisi les meubles de ces gens,*
elle les leur a pris.
■ **saisie** n.f. SENS 4 *La saisie d'un journal,* c'est la confiscation des exemplaires imprimés.
■ **saisissant** adj. SENS 3 *La tempête
était un spectacle saisissant* (= frappant, surprenant).
■ **saisissement** n.m. SENS 3 *On est
resté muet de saisissement,* parce
qu'on était saisi.
■ **dessaisir** v. SENS 1 *Elle s'est des-
saisie de ce document,* elle ne l'a plus
(= se défaire de).
■ **insaisissable** adj. SENS 1 *Nous nous
battons contre un ennemi insaisissable,* qu'on ne peut jamais attraper.

saison n.f. *Le printemps, l'été, l'automne, l'hiver sont les quatre saisons,*
les quatre divisions de l'année.
■ **saisonnier** adj. *Elle fait un travail
saisonnier,* qui ne se fait qu'à certaines
saisons.
■ **arrière-saison** n.f. *Des fleurs d'arrière-saison fleurissent jusqu'à la fin
de l'automne.*
■ **demi-saison** n.f. *Un vêtement de
demi-saison se porte au printemps ou
en automne.*

salade n.f. **1.** *La laitue est une salade,*
un légume vert dont on mange les
feuilles crues. **2.** *Nous avons mangé
une salade de tomates,* des tomates à
la vinaigrette. **3.** *Au dessert, il y avait
une salade de fruits,* des fruits mélangés coupés et sucrés.
■ **saladier** n.m. *La salade est servie
dans un saladier,* un plat grand et
profond.

salaire n.m. *L'ouvrier reçoit son salaire
à la fin du mois,* l'argent qui paie son
travail.
■ **salarial** adj. *Les charges salariales
sont des taxes établies sur le montant
des salaires versés.*
■ **salariat** n.m. *Des discussions ont
opposé le patronat et le salariat,* l'ensemble des salariés.
■ **salarié** adj. et n. *Katia est (une) sa-
lariée,* elle reçoit un salaire.

salaisons → *sel.*

salamalecs n.m.pl. Fam. *Ne faites
pas tant de salamalecs,* de politesses
exagérées.

salamandre n.f. *La salamandre* est
un batracien qui a la forme d'un lézard.

salami n.m. *Le salami* est un gros saucisson sec italien.

salant → *sel.*

salarié → *salaire.*

salaud ou **saligaud** ou **salopard**
n.m. Très fam. *Ce type-là ne cherche
qu'à nuire, c'est un salaud,* un être
malfaisant, déloyal (= sale individu).

sale adj. **1.** *Tu as les mains sales, lave-
les,* elles sont couvertes de crasse, de
poussière (≠ propre). **2.** *Il fait un sale
temps,* il fait mauvais (= vilain).
3. *Méfie-toi d'eux, ce sont de sales
individus,* des êtres peu recommandables, ignobles.
■ **salement** adv. SENS 1 *Ne mange pas
aussi salement !* (= malproprement ;
≠ proprement).
■ **saleté** n.f. SENS 1 *Tes chaussures
sont d'une saleté repoussante,* elles
sont très sales. *Le trottoir est plein de
saletés,* de choses sales (= ordures).
■ **salir** v. SENS 1 *Tu vas salir tes gants,*
les rendre sales (= tacher).
■ **salissant** adj. SENS 1 *Le jaune est
une couleur salissante,* qui se salit

434

facilement. *Travailler la mécanique, c'est salissant,* cela rend sale.

R. *Sale* se prononce [sal] comme *salle* et [*il*] *sale* (de *saler*).

salé, saler, salière → *sel.*

saligaud → *salaud.*

salin → *sel.*

salive n.f. *J'ai mal à la gorge quand j'avale ma salive,* le liquide qu'on a dans la bouche.

■ **salivaire** adj. *Les glandes salivaires produisent la salive.*

salle n.f. **1.** *Les enfants sont dans la salle à manger,* la pièce où l'on mange. *Il y a deux salles de cinéma dans cette rue.* **2.** *Toute la salle applaudit les acteurs,* les spectateurs présents.

R. → *sale.*

salon n.m. **1.** *Nous prenons le café dans le salon,* la pièce où l'on reçoit les visiteurs. **2.** *Un salon de coiffure* est le magasin d'un coiffeur. **3.** *Quand a lieu le Salon de l'automobile ?,* l'exposition des nouvelles voitures.

salopard → *salaud.*

saloperie n.f. Très fam. **1.** *Il faut nettoyer cette pièce, elle est pleine de saloperies,* de choses sales ou à jeter (= cochonnerie). **2.** *Ce couteau, c'est de la saloperie,* il ne vaut rien (= camelote).

salopette n.f. *Pour jardiner, je porte une salopette,* un vêtement constitué d'un pantalon et d'un haut à bretelles.

salpêtre n.m. *Sur les murs des pièces humides, il se forme du salpêtre,* une poudre blanche qui ressemble à de la moisissure.

salsifis n.m. *On a servi le rôti avec des salsifis,* un légume qui est la racine d'une plante.

saltimbanque n.m. *Le jour de la foire, il est venu des saltimbanques,* des gens qui font des tours d'adresse dans la rue.

salubre adj. *Le climat de cette région est salubre,* bon pour la santé (= sain).

■ **salubrité** n.f. *Le ministère de la Santé veille à la salubrité des hôpitaux.*

■ **insalubre** adj. *Cette maison est insalubre* (= malsain).

■ **insalubrité** n.f. *Ces habitations ont été démolies à cause de leur insalubrité.*

saluer v. **1.** *Lise m'a salué quand je l'ai rencontrée,* elle m'a dit bonjour ou bonsoir. **2.** *L'arrivée des coureurs est saluée par des cris* (= accueillir).

■ **salut** n.m. **1.** SENS 1 *Elle m'a fait un salut de la main,* elle m'a salué. **2.** *Le lièvre a dû son salut à la fuite,* il a sauvé sa vie en fuyant.

■ **salutations** n.f.pl. SENS 1 *Je vous adresse mes salutations,* je vous salue.

salutaire adj. *Ses vacances lui ont été salutaires,* elles lui ont redonné une bonne santé (= bienfaisant).

salutations → *saluer.*

salve n.f. *L'artillerie a tiré une salve,* un ensemble de coups de canon.

samba n.f. *La samba* est une danse populaire d'origine brésilienne.

samedi n.m. *Samedi prochain, nous allons à la campagne.*

sanatorium n.m. *Un sanatorium est un établissement où l'on soigne les tuberculeux.*

R. On prononce [sanatɔrjɔm].

sanction n.f. **1.** *Le projet de loi a obtenu la sanction du Parlement,* le Parlement l'a approuvé. **2.** *L'arbitre inflige une sanction à l'athlète,* une punition.

■ **sanctionner** v. SENS 1 *La directrice a sanctionné le projet* (= approuver).

SENS 2 *Plusieurs élèves **ont été sanc-tionnés*** (= punir).

sanctuaire n.m. *Lourdes est un sanc-tuaire,* un lieu saint.

sandale n.f. *L'été, je porte des **san-dales**,* des chaussures plates et légères.

■ **sandalette** n.f. *Je me suis acheté une paire de **sandalettes**,* des san-dales légères.

sandwich n.m. *Je mange un **sand-wich**,* deux tranches de pain entre lesquelles il y a de la viande, du pâté, du fromage, etc.
R. On prononce [sãdwitʃ]. Au pluriel : des *sandwichs* ou des *sandwiches*.

sang n.m. **1.** *La blessée a perdu beau-coup de **sang**,* du liquide rouge qui circule dans les veines et les artères. **2.** *Si on a 5 minutes de retard tu **te fais du mauvais sang**,* tu t'inquiètes. **3.** *Des hordes d'envahisseurs met-taient tout **à feu et à sang**,* ils incen-diaient et massacraient.

■ **saigner** v. **1.** SENS 1 *Je **saigne** du nez,* du sang coule de mon nez. *La fermière **saigne** un poulet,* elle le vide de son sang. **2.** *Ils **se saignent** pour payer leur appartement,* ils donnent presque tout ce qu'ils gagnent.

■ **saignant** adj. SENS 1 *J'aime le bifteck **saignant**,* à peine cuit.

■ **saignée** n.f. SENS 1 *Autrefois, les mé-decins pratiquaient la **saignée**,* ils reti-raient du sang au malade, pour le guérir.

■ **saignement** n.m. SENS 1 *J'ai eu un **saignement** de nez,* j'ai saigné du nez.

■ **sanglant** adj. SENS 1 *Tu as un panse-ment **sanglant** sur ta blessure,* taché de sang (= ensanglanté). *Le combat a été **sanglant**,* il a fait beaucoup de victimes (= meurtrier).

■ **sanguin** adj. SENS 1 *Le sang circule dans les vaisseaux **sanguins**. Aimes-tu*

les oranges **sanguines** ?, dont la chair est rouge.

■ **sanguinaire** adj. SENS 1 *Le tigre est un animal **sanguinaire**,* qui aime tuer (= cruel).

■ **sanguinolent** adj. SENS 1 *Sa plaie est **sanguinolente**,* il s'y mêle un peu de sang.

■ **ensanglanté** adj. SENS 1 *Le boucher a les mains **ensanglantées**,* pleines de sang (= sanglant).

■ **exsangue** adj. SENS 1 *Le blessé était **exsangue**,* il avait perdu beaucoup de sang et était très pâle.
R. → *sans.*

sang-froid n.m.inv. *La conductrice a conservé son **sang-froid**,* elle est res-tée maître d'elle-même (= calme, maî-trise de soi).

sanglant → *sang.*

sangle n.f. *La valise est entourée d'une **sangle**,* d'une bande de cuir ou de tissu qui la serre.

sanglier n.m. *Les chasseurs ont tué un **sanglier**,* un porc sauvage.

sanglot n.m. *L'enfant a éclaté en **san-glots**,* il s'est mis à pleurer très fort.

■ **sangloter** v. *Paul **sanglote**,* il pleure fort.

sangsue n.f. *Dans les mares, il y a des **sangsues**,* des gros vers munis de ventouses et qui sucent le sang.
R. On prononce [sãsy].

sanguin, sanguinaire, sanguino-lent → *sang.*

sanitaire adj. **1.** *Une équipe **sanitaire** comprend des médecins et des infir-miers.* **2.** *Les lavabos, les éviers sont des appareils **sanitaires**,* qui font partie de l'installation d'eau d'une maison.

sans prép. indique le manque, la priva-tion. *Il est sorti **sans** son chapeau* (≠ avec).

649

224

■ **sans que** conj. *Elle est partie sans qu'on s'en aperçoive,* on ne s'en est pas aperçu.
R. *Sans* se prononce [sã] comme *cent, sang* et [*il*] *sent* (de *sentir*).

sans-abri → *abri.*

sans-gêne → *gêne.*

sansonnet n.m. *L'étourneau s'appelle aussi le sansonnet,* un oiseau.

39 **santé** n.f. **1.** *Fais du sport, c'est bon pour la santé,* le bon état du corps (≠ maladie). **2.** *M. Dupré est en mauvaise santé,* il est souvent malade.

santon n.m. *La crèche de Noël est décorée de santons,* de petits personnages en plâtre peint.

saoul, saouler → *soûl.*

saper v. *La mer sape les falaises,* elle en creuse le bas et les détruit petit à petit.

sapeur n.m. *Les soldats des unités du génie sont des sapeurs.*

sapeur-pompier n.m. est un équivalent de *pompier.*

saphir n.m. **1.** *Sa bague est ornée d'un saphir,* d'une pierre précieuse bleue. **2.** *Le bras de l'électrophone est muni d'un saphir,* d'une pointe très fine et dure.

73, 654 **sapin** n.m. *Il y a, sur la montagne, une forêt de sapins,* des arbres résineux à aiguilles.

saquer ou **sacquer** v. Fam. *Il n'avait pas assez travaillé, il s'est fait saquer à l'examen,* noter sévèrement.

sarabande n.f. *Les enfants font la sarabande,* ils jouent en faisant beaucoup de bruit (= tapage).

sarbacane n.f. *Les enfants lancent des boulettes de papier avec leur sarbacane,* un petit tuyau dans lequel on souffle.

sarcasme n.m. *Ils ont accablé les vaincus de sarcasmes,* de moqueries méchantes.

■ **sarcastique** adj. *Tu as eu un rire sarcastique,* moqueur et méchant (= sardonique).

sarcler v. *Katia sarcle son jardin,* elle arrache les mauvaises herbes.

sarcophage n.m. *Les momies égyptiennes sont dans des sarcophages,* des cercueils richement décorés.

sardine n.f. *Nous avons mangé des sardines grillées,* un petit poisson de mer.

■ **sardinerie** n.f. *Les sardineries sont des usines où l'on fait des conserves de sardines.*

sardonique adj. *Je n'aime pas son rire sardonique,* ironique et méchant (= sarcastique).

sarment n.m. *Les sarments sont les jeunes tiges qui poussent chaque année sur la vigne.*

sarrasin n.m. *En Bretagne, on fait des crêpes à la farine de sarrasin,* une céréale appelée aussi « blé noir ».

sarrau n.m. *Le sarrau est une sorte de blouse.*
R. Noter le pluriel : des *sarraus.*

sarriette n.f. *La sarriette est une plante aromatique utilisée en cuisine.*

sas n.m. *La cosmonaute sort de la capsule en passant par un sas,* un espace fermé compris entre deux portes.
R. On prononce [sas].

satané adj. Fam. *C'est un satané farceur,* il est très farceur.

satanique adj. *Un rire satanique fait penser au diable* (= diabolique, démoniaque).

satellite n.m. **1.** *La Lune est le satellite de la Terre,* une planète qui tourne autour de la Terre. **2.** *Un **satellite** artificiel* est un engin lancé de la Terre et qui tourne autour. **3.** *Les voyageurs pour Londres sont priés d'embarquer au **satellite** n° 9,* le bâtiment qui communique avec l'aérogare et devant lequel les avions stationnent.

satiété n.f. *Mangez à **satiété**,* jusqu'à ce que vous n'ayez plus faim.
■ **insatiable** adj. *Ce chien est **insatiable**,* on ne peut pas le rassasier.
R. On prononce [sasjete], [ɛ̃sasjabl].

satin n.m. *La doublure de mon manteau est en **satin**,* une étoffe lisse et brillante.
■ **satiné** adj. *Cette peinture est **satinée**,* elle a un aspect légèrement brillant.

satire n.f. *Ce livre fait la **satire** de notre société,* il la critique en la ridiculisant.
■ **satirique** adj. *Un journal **satirique** fait de la satire.*

satisfaire v. **1.** *Son travail la **satisfait**,* elle en est contente. **2.** *As-tu **satisfait** ton appétit ?,* as-tu assez mangé ? (= assouvir). **3.** *Il a **satisfait** à ma demande* (= accepter).
■ **satisfaisant** adj. SENS 1 *Le résultat est **satisfaisant*** (= acceptable, convenable ; ≠ insuffisant).
■ **satisfait** adj. SENS 1 *Je suis **satisfaite** de son travail* (= content). SENS 2 *Ma curiosité est **satisfaite**,* je sais ce que je voulais savoir.
■ **satisfaction** n.f. SENS 1 *La lecture procure des **satisfactions*** (= joie, plaisir). SENS 3 *Les grévistes ont obtenu **satisfaction**,* ils ont reçu ce qu'ils demandaient.
■ **insatisfait** adj. *Un client **insatisfait** a présenté une réclamation* (= mécontent).
■ **insatisfaction** n.f. *La cliente a exprimé son **insatisfaction**.*

■ **autosatisfaction** n.f. *Il a écouté ce compliment avec un sourire d'**autosatisfaction**,* de contentement de soi.
R. → Conj. n° 76.

saturé adj. **1.** *L'air est **saturé** d'humidité,* il y a un maximum d'humidité dans l'air. **2.** *Je suis **saturée** de cinéma,* je n'ai plus envie d'y aller (= rassasié).
■ **saturation** n.f *J'ai une **saturation** de cinéma.*

sauce n.f. *Cette **sauce** est trop salée,* le liquide qui sert à accompagner le plat.
■ **saucière** n.f. *On sert la sauce dans une **saucière**,* un récipient spécial.
■ **saucer** v. *Jean **sauce** son assiette avec du pain,* il éponge la sauce. *Cléa **sauce** son pain dans le plat,* elle trempe son pain dans la sauce du plat.

saucisse n.f. *J'ai mangé une **saucisse** avec des frites,* de la viande de porc hachée et placée dans un boyau. 222
■ **saucisson** n.m. *Un **saucisson** est une grosse saucisse.* 222

1. sauf adj. *Les otages ont eu la vie **sauve**,* ils ont échappé à la mort. *On est sorti **sain et sauf** de l'accident,* on n'est pas blessé.

2. sauf prép. *Tout le monde est venu, **sauf** deux personnes,* deux personnes ne sont pas venues (= excepté, à l'exception de, hormis).

sauge n.f. *La **sauge** est une plante dont certaines variétés peuvent servir d'assaisonnement, d'autres d'ornement.* 80

saugrenu adj. *Tu as des idées **saugrenues*** (= bizarre, inattendu, absurde ; ≠ normal).

saule n.m. *Il y a des **saules** au bord de la rivière,* des arbres aux branches très souples. 721, 73

saumâtre adj. *Dans cette petite île, l'eau du puits est **saumâtre**,* elle a un léger goût d'eau de mer (= salé).

721

saumon n.m. Le *saumon* est un gros poisson à la chair rose, très estimée.

saumure n.f. *Le lard baigne dans la saumure,* un liquide très salé.

sauna n.m. Un *sauna* est un bain de chaleur sèche et de vapeur.

saupoudrer v. *Je saupoudre mon gâteau de sucre,* j'y répands du sucre en poudre.

saur adj. *Un hareng saur* est un hareng salé et fumé.
R. *Saur* se prononce [sɔr] comme *sort* et [je] *sors* (de *sortir*).

saurien n.m. *Les lézards, les orvets, les caméléons sont des* **sauriens,** des sortes de reptiles.

sauter v. **1.** *L'oiseau* **saute** *de branche en branche* (= bondir). *La nageuse* **saute** *du plongeoir,* elle s'élance dans l'eau. *Le cheval* **saute** *l'obstacle,* il le franchit d'un saut. **2.** *J'ai sauté un mot,* je l'ai oublié. **3.** *Je fais* **sauter** *des pommes de terre,* je les fais cuire à feu vif en les remuant. **4.** *Pendant la guerre, des trains* **ont sauté,** ils ont été détruits par des explosifs.

■ **saut** n.m. **1.** SENS 1 *Le cheval franchit le fossé d'un* **saut,** d'un bond. **2.** *Je fais un saut chez Paul et je reviens,* j'y vais rapidement.

■ **saute** n.f. SENS 1 *Il y a eu une* **saute** *de vent,* le vent a changé brusquement de direction. *Tes* **sautes d'humeur** *sont désagréables,* le fait que, subitement tu deviennes de mauvaise humeur alors que tu étais de bonne humeur.

■ **sauteur** n. SENS 1 *Parmi les athlètes récompensés, il y avait un* **sauteur** *à la perche.*

■ **saute-mouton** n.m.inv. SENS 1 *Nous jouons à* **saute-mouton,** chaque joueur saute par-dessus un autre.

■ **sauterelle** n.f. SENS 1 *La* **sauterelle** est un insecte qui fait de grands bonds.

34, 653

■ **sautiller** v. SENS 1 *L'oiseau* **sautille,** il fait des petits sauts.

■ **sautoir** n.m. **1.** SENS 1 Un *sautoir* est un endroit aménagé pour le saut en hauteur ou en longueur. **2.** *Hier, je portais un bijou pendu à un* **sautoir,** une longue chaîne faisant collier.
R. → *sceller.*

sauvage adj. **1.** *Le renard, la belette, le lièvre sont des animaux* **sauvages,** qui vivent en liberté dans la nature (≠ domestique, apprivoisé). **2.** *Mon chat est* **sauvage,** il ne se laisse pas approcher facilement (= farouche ; ≠ sociable). **3.** *Un prunier* **sauvage** *pousse librement, sans être cultivé.* **4.** *Cette région est* **sauvage,** on ne l'a pas transformée (≠ civilisé). **5.** adj. et n. *Il s'est conduit comme un* **sauvage,** comme un être barbare, cruel.

■ **sauvagement** adv. SENS 5 *Les victimes ont été* **sauvagement** *assassinées.*

■ **sauvagerie** n.f. SENS 5 *Ils ont traité leurs prisonniers avec* **sauvagerie** (= cruauté, barbarie).

sauvegarde n.f. *Cette réfugiée est sous la* **sauvegarde** *de la police,* la police la protège.

■ **sauvegarder** v. *Sauvegardons la forêt !,* défendons-la contre la destruction (= préserver).

sauver v. **1.** *La monitrice a* **sauvé** *un nageur qui se noyait,* elle l'a mis hors de danger. **2.** *Le chien se* **sauve,** il faut le rattraper, il s'enfuit à toute vitesse (= s'échapper).

■ **sauvetage** n.m. SENS 1 *Réussir un* **sauvetage,** c'est réussir à sauver quelqu'un. *Les bouées, les gilets de* **sauvetage** *sont dans le bateau.*

■ **sauveteur** n. SENS 1 *Les alpinistes ont été retrouvés par les* **sauveteurs,** les gens partis pour les sauver.

■ **sauveur** n. SENS 1 *Tu es mon* **sauveur,** tu m'as sauvé la vie.

→ p. 769

tincteur

fourgon-pompe

véhicule de
1er secours

dévidoir

ncendie

flammes

toboggan
d'évacuation

échelle mécanique

pompiers

secourisme

respiration
artificielle
bouche-à-bouche

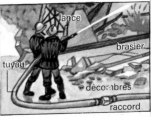

lance

brasier

tuyau

décombres

raccord

tenues d'intervention

masque respiratoire   casque

hache

lampe
électrique

bottes

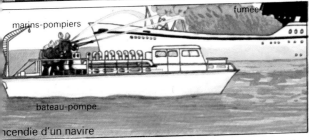

marins-pompiers

fumée

bateau-pompe

ncendie d'un navire

prise
d'eau

762

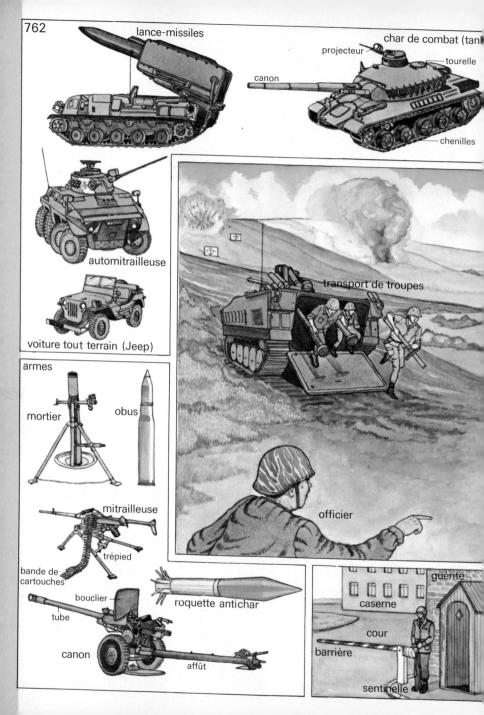

lance-missiles

char de combat (tank)

projecteur

canon

tourelle

chenilles

automitrailleuse

voiture tout terrain (Jeep)

transport de troupes

armes

mortier

obus

mitrailleuse

trépied

bande de cartouches

bouclier

tube

roquette antichar

canon

affût

officier

guérite

caserne

cour

barrière

sentinelle

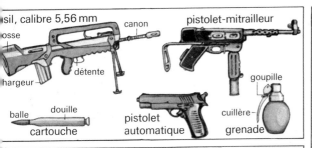

...sil, calibre 5,56 mm

osse

canon

...hargeur

détente

pistolet-mitrailleur

goupille

balle · douille

cuillère

pistolet
automatique

cartouche

grenade

grades interarmes

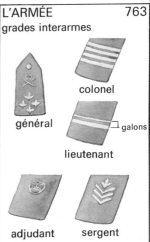

général

colonel

galons

lieutenant

adjudant

sergent

caporal

soldat

en manœuvres

explosion

filet de camouflage

cibles

piquet

fil de fer barbelé

canon antichar

fantassin en
tenue de combat

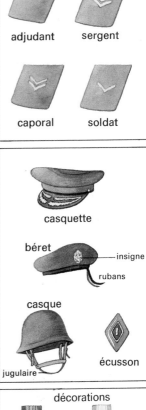

casquette

béret

insigne

rubans

casque

écusson

jugulaire

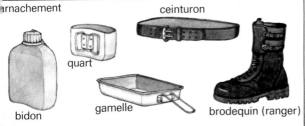

...rnachement

ceinturon

quart

bidon

gamelle

brodequin (ranger)

décorations

croix
de guerre

médaille militaire

bâtiment de débarquement

frégate

kiosque — périscope

sous-marin

barre de plongée   ballasts

hélice

gouvernail

garde côtière

brise-glace lourd

brise-glace léger

sondeur-poseur de bouées

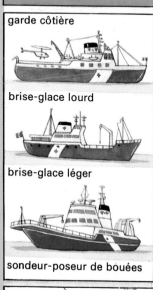

avions de lutte anti-sous-marine

porte-avions

aviso

bouée

chaloupe

marin   cabestan

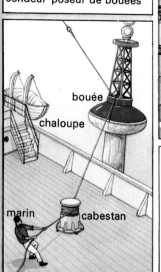

torpille

mine
sous-marine

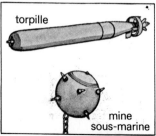

longue-vue

sextant

compas
(boussole)

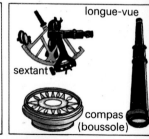

escorteur

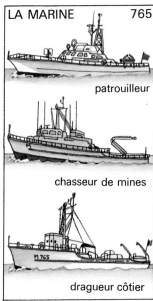

patrouilleur

chasseur de mines

dragueur côtier

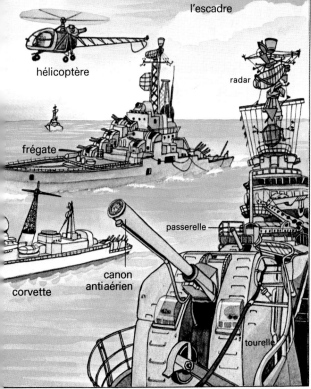

l'escadre

hélicoptère

radar

frégate

passerelle

corvette

canon antiaérien

tourelle

personnel féminin
(tenue interarmes)

vêtements du marin

caban

MN

blouson

barre
gouvernail

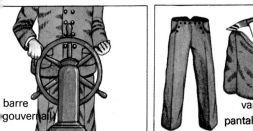

vareuse
pantalon à pont

766

avion-cargo
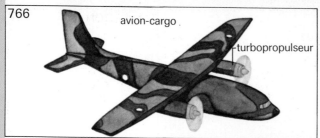
turbopropulseur

chasseur à réaction

avion d'observation
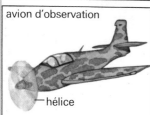
hélice

parachute

suspentes
harnais
parachutiste

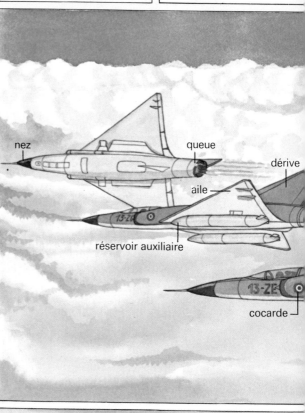
nez
queue
dérive
aile
réservoir auxiliaire
cocarde
13-ZE
13-ZE

figures de voltige aérienne
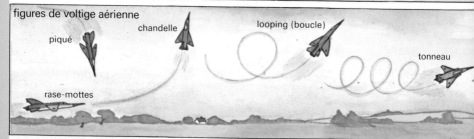
piqué
chandelle
looping (boucle)
tonneau
rase-mottes

ravitaillement en vol

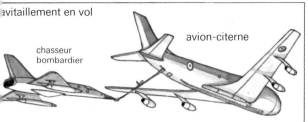

chasseur
bombardier

avion-citerne

avions-citernes "Canso"
de protection contre le feu

hydravion

bombardier

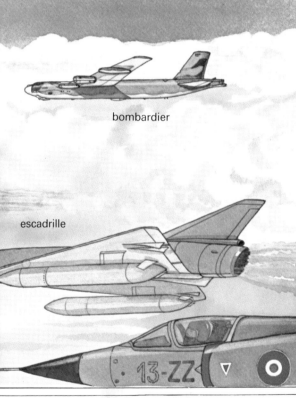

escadrille

casquette

insigne

visière

casque de
pilote

visière

masque à
oxygène

badge

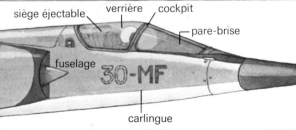

siège éjectable   verrière   cockpit

pare-brise

fuselage

carlingue

768 LES COMMUNICATIONS

heures des levées

boîte à lettres

enveloppe timbrée

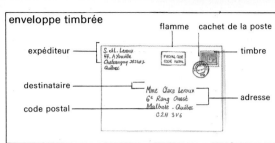

flamme — cachet de la poste

expéditeur

timbre

destinataire

adresse

code postal

cabine téléphonique

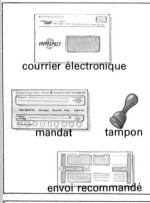

courrier électronique

mandat   tampon

envoi recommandé

annuaire téléphonique

bureau de poste

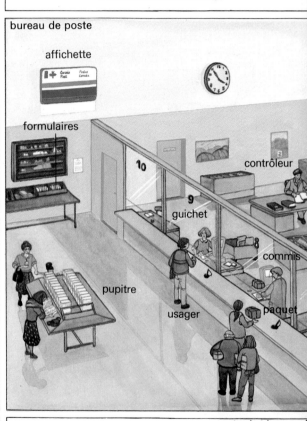

affichette

formulaires

10

9

guichet

pupitre

usager

contrôleur

commis

paquet

levée du courri

factrice (préposée)

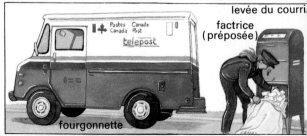

fourgonnette

■ **sauve-qui-peut** n.m.inv. SENS 2 *Quand l'incendie a éclaté, ça a été un sauve-qui-peut général,* une fuite désordonnée (= débandade).

■ **à la sauvette** adv. et adj. SENS 2 *La décision a été prise à la sauvette,* discrètement et avec une hâte excessive. *Les vendeurs à la sauvette vendent des articles dans les rues sans autorisation.*
R. → *sauf* 1 et *salut.*

savane n.f. *En Afrique, il y a de vastes savanes,* des prairies de hautes herbes avec des arbres.

savamment, savant → *savoir.*

savarin n.m. *Un savarin est un gâteau imbibé de rhum ou de kirsch.*

savate n.f. *Le clochard marchait en traînant ses savates,* ses vieilles chaussures.

saveur n.f. *Les dattes ont une saveur sucrée* (= goût).

■ **savourer** v. *Je savoure mon gâteau,* je le mange lentement pour bien le goûter (= déguster).

■ **savoureux** adj. *Ce gâteau est savoureux* (= délicieux).

savoir v. 1. *Sais-tu la nouvelle ?,* la connais-tu ? (= être au courant de). 2. *Je sais ma leçon,* je l'ai apprise et peux la répéter. 3. *Marie sait nager,* elle est capable de nager. *Paul sait l'anglais,* il peut le parler.

■ **savoir** n.m. SENS 2 *Cette personne a un vaste savoir,* elle sait beaucoup de choses.

■ **savant** adj. et n. SENS 2 *Les découvertes scientifiques ont été faites par des savants,* des gens qui ont de grandes connaissances. *Un chien savant est dressé à faire des exercices difficiles. La pilote a réussi à atterrir grâce à une manœuvre savante,* habile, adroite.

■ **savamment** adv. SENS 1 *Je parle savamment de cette question,* je suis tout à fait au courant. SENS 2 *Tout s'est déroulé selon un plan savamment établi* (= habilement, ingénieusement).

■ **savoir-faire** n.m.inv. SENS 3 *Cette artisane a beaucoup de savoir-faire,* elle est très habile dans son métier (= adresse).

■ **savoir-vivre** n.m.inv. SENS 1 *Cet individu manque de savoir-vivre,* il ne connaît pas les règles de la politesse (= éducation).
R. → Conj. n° 39. → *suer.*

savon n.m. 1. *Je me lave avec du savon,* un produit qui nettoie. *J'achète un savon,* un morceau de savon dur. 2. Fam. *On s'est fait passer un savon,* on s'est fait réprimander vivement.
223

■ **savonner** v. SENS 1 *Je me savonne la figure,* je la frotte avec du savon.

■ **savonnette** n.f. SENS 1 *Une savonnette est un petit savon parfumé.*

■ **savonneux** adj. SENS 1 *De l'eau savonneuse contient du savon dissous.*

■ **porte-savon** n.m. SENS 1 *Un porte-savon est un ustensile dans lequel on met le savon.*
79

savourer, savoureux → *saveur.*

saxophone ou **saxo** n.m. *Pierre joue du saxophone,* un instrument de musique à vent.
439

scabreux adj. 1. *Une telle opération financière est scabreuse,* risquée, peu sûre. 2. *On m'a raconté une histoire scabreuse,* qui peut choquer.

scalaire n.m. *Le scalaire est un poisson au corps aplati qu'on voit souvent dans les aquariums.*
434

scalp n.m. *Le scalp est la chevelure détachée du crâne avec la peau.*

■**scalper** v. *Sur cette image, l'Indien scalpe son ennemi,* il détache le scalp avec un couteau.

scalpel n.m. *Le chirurgien utilise un scalpel,* un couteau très tranchant.

scalper → *scalp.*

scandale n.m. *Cette escroquerie a provoqué un scandale,* tout le monde en parle en la désapprouvant.

■**scandaleux** adj. *Elle a fait des bénéfices scandaleux* (= honteux, révoltant).

■**scandaliser** v. *Je suis scandalisé par sa conduite,* très choqué.

scander v. *Les manifestantes scandent des slogans,* elles les crient en séparant les syllabes.

scaphandre n.m. *On explore le fond de la mer avec un scaphandre,* un équipement qui permet de respirer sous l'eau.

■**scaphandrier** n. *Les travaux sous l'eau étaient exécutés par des scaphandriers,* des personnes équipées d'un scaphandre.

scarabée n.m. *Le scarabée est un in-secte voisin du hanneton.

scarlatine n.f. *À l'école, il y a plusieurs cas de scarlatine,* une maladie contagieuse qui se manifeste par des plaques rouges sur la peau.

scarole n.f. *L'épicière vend de la scarole,* une sorte de salade.

sceau → *sceller.*

scélérat n. et adj. *Ce trafiquant est un scélérat* (= bandit, criminel).

sceller v. **1.** *Nathalie scelle un crochet dans le mur,* elle le fixe avec du ciment. **2.** *L'enveloppe de la lettre est scellée,* elle porte un sceau sur sa fermeture afin que personne ne l'ouvre.

■**sceau** n.m. SENS 2 *Ce diplôme porte le sceau de l'université,* le cachet officiel imprimé dans la cire.

■**scellés** n.m.pl. SENS 2 *L'huissier met les scellés sur la porte de l'appartement,* il la scelle avec de la cire.

■**scellement** n.m. SENS 1 *Le maçon fait un scellement,* il scelle quelque chose.

■**desceller** v. SENS 1 *Fais attention, la balustrade s'est descellée !*
R. *Sceller* se prononce [sɛle] comme *seller. Sceau* se prononce [so] comme *saut, seau* et *sot.* → *sel.*

scénario n.m. **1.** *Le scénario de ce film est compliqué,* l'histoire que raconte le film. **2.** *L'entrevue a eu lieu selon un scénario compliqué,* un ensemble programmé d'actions.

■**scénariste** n. SENS 1 *C'est une scénariste habile qui est l'auteure de ce scénario.*

scène n.f. **1.** *Les acteurs sont sur la scène,* la partie du théâtre où ils jouent. **2.** *Chaque acte d'une pièce de théâtre est divisé en plusieurs scènes,* plusieurs parties marquées par l'entrée ou la sortie de personnages. **3.** *La scène se situe à Toronto,* l'action se déroule à Toronto. **4.** *J'ai assisté dans la rue à une scène comique,* un événement comique (= spectacle). **5.** *Jean m'a fait une scène,* il s'est mis en colère contre moi.

■**scénique** adj. SENS 1 *Le sujet de la pièce n'est pas très scénique,* il n'est pas propre à faire de l'effet sur une scène de théâtre.
R. *Scène* se prononce [sɛn] comme *saine,* féminin de *sain.*

sceptique adj. et n. *Tu me dis que nous serons à l'heure, je suis sceptique,* je ne le crois pas, j'en doute (= incrédule).

■**scepticisme** n. *Son visage exprimait son scepticisme* (= incrédulité).
R. *Sceptique* se prononce [sɛptik] comme *septique.*

sceptre n.m. *Le roi tient à la main son sceptre,* le bâton qui est l'insigne de la royauté.
R. Ne pas confondre *sceptre* et *spectre.*

schéma n.m. *Je fais le schéma d'un os,* le dessin simplifié.
■ **schématique** adj. *Un plan schématique* est simplifié.
■ **schématiquement** adv. *Tu nous as exposé schématiquement ton projet,* dans les grandes lignes.
■ **schématiser** v. *En schématisant, on peut résumer la situation d'un mot,* en ne retenant que l'essentiel.

schisme n.m. *Il y a eu un schisme dans ce parti politique,* il s'est divisé.

schiste n.m. *L'ardoise est du schiste,* une roche feuilletée.

schuss adv. *Les skieurs descendaient tout schuss,* directement et à toute allure.
R. On prononce [ʃus].

scie n.f. *Pour couper le bois, le métal, j'ai une scie,* un outil d'acier muni de dents.
■ **scier** v. *Scier une planche,* c'est la couper avec une scie.
■ **scierie** n.f. *Une scierie* est une usine où le bois est débité en planches.
■ **sciure** n.f. *Sous la scie, il y a un tas de sciure,* de poussière tombée du bois qu'on scie.
R. *Scie* se prononce [si] comme *si, six* et *ci.*

sciemment adv. *J'ai employé ce mot sciemment,* volontairement (= exprès).
R. On prononce [sjamã].

science n.f. **1.** *La biologie est une science,* elle décrit avec précision ce qu'elle étudie. **2.** *La science fait des progrès,* les connaissances humaines. **3.** (au plur.) *Elle est douée pour les sciences,* pour les matières où le calcul et l'observation ont une grande part.
■ **scientifique** SENS 1 ET 2 adj. *Mme Scott lit des revues scientifiques,* qui parlent de sciences. *Une méthode scientifique utilise l'observation et le calcul.* SENS 3 n. et adj. *Saïd est un scientifique,* il étudie les sciences.
■ **scientifiquement** adv. SENS 2 *Ce phénomène n'est pas explicable scientifiquement,* selon les connaissances scientifiques actuelles.

science-fiction → *fictif.*

scier, scierie → *scie.*

scinder v. *Le groupe s'est scindé,* il s'est divisé.
■ **scission** n.f. *La scission de ce parti politique l'a affaibli* (= division).
R. Ne pas confondre la *scission* et la *session.*

scintiller v. *Les étoiles scintillent,* elles brillent en lançant par moments des éclats (= étinceler).
■ **scintillement** n.m. *Un rayon de soleil provoque le scintillement des cristaux.*

scission → *scinder.*

sciure → *scie.*

sclérose n.f. **1.** *Grand-père souffre de sclérose des artères,* ses artères durcissent. **2.** *Il est atteint de sclérose intellectuelle,* il n'accepte pas les idées nouvelles.

scolaire, scolarité → *école.*

scoliose n.f. *Jacques a une scoliose,* sa colonne vertébrale est déformée.

scoop n.m. *Cette journaliste a fait un scoop,* elle a présenté la première une nouvelle importante.
R. On prononce [skup].

scorbut n.m. *Autrefois, les marins attrapaient le scorbut,* une maladie qui fait tomber les dents.

score n.m. *Notre équipe a gagné par le score de trois buts à deux,* le nombre de points obtenus.

scories n.f.pl. *Quand on fait fondre du minerai, le métal se sépare des scories,* des déchets.

577 **scorpion** n.m. *La piqûre de certains scorpions est mortelle,* de petits animaux ayant une carapace, des pinces et un aiguillon.

scout adj. et n. *Le mouvement scout regroupe des jeunes pour des activités physiques dans la campagne, dans le cadre d'une formation morale. Une troupe de scouts* (ou *une troupe scoute*) *a campé près de la rivière.*
■**scoutisme** n.m. *Paul fait du scoutisme,* il est scout. *Claire est guide, elle fait partie d'une association de scoutisme.*

806 **scribe** n.m. *Dans l'Antiquité, les scribes gagnaient leur vie en écrivant pour les autres.*

scripte n. *Quand on tourne un film, la scripte note les détails techniques de chaque prise de vues.*

scrupule n.m. *J'ai des scrupules à mentir,* j'hésite à le faire, car je sais que c'est mal.
■**scrupuleux** adj. *Elle est scrupuleuse dans son travail,* elle le fait le mieux possible (= consciencieux).
■**scrupuleusement** adv. *Il faut respecter scrupuleusement les proportions de la recette.*

scruter v. *Le marin scrute l'horizon,* il le parcourt du regard avec attention (= observer).

scrutin n.m. *Peu de candidats furent élus au premier tour du scrutin,* de l'opération électorale (= vote).

sculpter v. *Voici une statuette sculptée dans le bois,* taillée dans le bois.

■**sculpteur** n. *Cette statue est l'œuvre d'un grand sculpteur,* d'un artiste qui sculpte.

■**sculpture** n.f. *Cette artiste fait de la sculpture,* elle sculpte. *La façade est ornée de sculptures,* de choses sculptées, de statues.
R. On ne prononce pas le *p* : [skylte], [skyltœr], [skyltyr].

se pron.pers. **1.** *Pierre se regarde dans la glace,* il regarde lui-même. **2.** *Aline et Paul se regardent,* chacun regarde l'autre.
R. *Se* devient *s'* devant une voyelle ou un *h* muet : *il s'habille.*

séance n.f. **1.** *La séance est ouverte,* la réunion pour discuter. **2.** *La séance de cinéma commence à 8 heures,* le spectacle de cinéma (= représentation).

séant n.m. *Le chien est sur son séant,* il est assis.

seau n.m. *Elle transporte de l'eau dans un seau,* un récipient muni d'une anse.
R. → *sceller.*

sébile n.f. *Le mendiant tend sa sébile,* un petit récipient dans lequel les passants mettent de l'argent.

sec adj. **1.** *Le linge est sec,* il ne contient pas d'eau (≠ humide, mouillé). **2.** *J'ai acheté des haricots secs* (≠ frais). **3.** *Il m'a fait une réponse sèche,* courte et peu aimable (= dur). **4.** *Mme Lepic est une personne au corps sec,* maigre.
■**sec** n.m. SENS 1 *Il faut garder ces fruits au sec,* dans un endroit sans humidité.
■**à sec** adv. Fam. *Peux-tu me prêter 100 dollars, je suis à sec,* sans ressources.
■**sèchement** adv. SENS 4 *Le jury a rejeté sèchement ma demande,* nettement et en peu de mots.

■**sécher** v. SENS 1 *Je me sèche les cheveux,* je les rends secs. *Le sol a séché,* il est devenu sec.

■**sécheresse** n.f. SENS 1 *Nous sommes dans une période de sécheresse,* où il ne pleut pas. SENS 3 *Elle m'a répondu avec sécheresse* (= brusquerie).

■**séchage** n.m. SENS 1 *Le temps de séchage d'une peinture* est celui qu'il lui faut pour sécher.

■**séchoir** n.m. SENS 1 *Je sèche mes cheveux avec un séchoir,* un appareil qui sèche.

■**assécher** v. SENS 1 *On a asséché cette région marécageuse,* on a enlevé l'eau du sol.

■**dessécher** v. SENS 1 *Le soleil dessèche la peau,* il lui fait perdre son humidité naturelle.

■**dessèchement** n.m. SENS 1 *La chaleur a provoqué le dessèchement de l'herbe.*

R. *Sèche* (féminin de *sec*), [*il*] *sèche* (de *sécher*) se prononcent [sɛʃ] comme *seiche.*

sécateur n.m. *Les vendangeurs coupent les grappes avec des sécateurs,* des sortes de gros ciseaux.

séchage, sèchement, sécher, sécheresse, séchoir → *sec.*

second adj. **1.** *J'habite au second étage,* au-dessus du premier (= deuxième). **2.** *Il est second vendeur,* il a un poste moins important que le premier vendeur. **3.** n.m. *Voici mon second,* celui qui m'aide (= assistant, collaborateur).

■**secondaire** adj. SENS 1 *L'enseignement secondaire* vient après le primaire. SENS 2 *Cette actrice n'a qu'un rôle secondaire,* peu important.

■**seconder** v. SENS 3 *Ma collaboratrice me seconde dans mon travail* (= aider).

R. On prononce [səgɔ̃], [səgɔ̃dɛr], [səgɔ̃de]. → *ère* (secondaire).

seconde n.f. **1.** *Dans une minute il y a 60 secondes.* **2.** *Attends une seconde !,* très peu de temps (= instant).

R. On prononce [səgɔ̃d].

seconder → *second.*

secouer v. **1.** *Il secoue le prunier pour en faire tomber les fruits* (= agiter). *Je secoue la poussière de mon chiffon,* j'agite le chiffon pour en chasser la poussière. **2.** *Cette nouvelle nous a secoués,* elle nous a fait un choc (= ébranler).

■**secousse** n.f. SENS 1 *Le train part sans secousse,* sans mouvement brusque.

secourir v. **1.** *On a secouru les blessés,* on leur a donné des soins urgents. **2.** *Secourir une personne dans la misère,* c'est l'aider.

■**secourable** adj. SENS 2 *C'est une personne secourable,* prête à secourir les autres.

■**secours** n.m. **1.** SENS 1 *Il faut porter secours aux blessés,* les secourir (= assistance). SENS 2 *Ma mémoire m'est d'un grand secours,* elle m'aide. **2.** *Une roue de secours* est destinée à remplacer une roue dont le pneu est crevé.

■**secourisme** n.m. SENS 1 *Je suis des cours de secourisme,* j'apprends comment porter secours aux gens en danger.

■**secouriste** n. SENS 1 *Une équipe de secouristes a pris soin des blessés.*

R. → Conj. n° 29.

secousse → *secouer.*

secret n.m. **1.** *Je vais te confier un secret,* une chose qu'il ne faut répéter à personne. **2.** *Je vais te donner le secret pour réussir ce gâteau,* le moyen caché pour le faire (= truc, astuce).

■**secret** adj. SENS 1 *Nous utilisons un code secret,* qui n'est connu que de nous.

871

761

506

761

■ **secrètement** adv. SENS 1 *Elles s'étaient secrètement mises d'accord avant la discussion.*

292 **secrétaire** 1. n. *Le directeur a un secrétaire,* une personne chargée du courrier, de prendre des rendez-vous, de ranger des dossiers, etc. **2.** n.m.

77 *J'écris sur un secrétaire,* une sorte de bureau.

■ **secrétariat** n.m. SENS 1 *Dans une école de secrétariat, on apprend le métier de secrétaire.*

secrètement → secret.

sécréter v. *Les glandes salivaires sécrètent la salive,* elles produisent ce liquide.

■ **sécrétion** n.f. *La résine est une sécrétion du pin,* un liquide sécrété par le pin.

sectaire adj. et n. *Tu es bien sectaire!,* tu n'acceptes pas les idées des autres (= intolérant).

■ **sectarisme** n.m. *Les discussions ont échoué à cause du sectarisme des participants.*

secte n.f. *Une secte religieuse* est un groupe de personnes qui ont des croyances différentes de celles de la religion commune.

secteur n.m. **1.** *Ils n'habitent pas dans le même secteur,* le même endroit (= quartier, région). **2.** *Il y a une panne de secteur,* du courant électrique distribué dans une partie du réseau.

section n.f. **1.** *Il y a une section syndicale dans cette entreprise,* un groupe de gens inscrits à un syndicat. **2.** *Dans l'armée, une section* est commandée par un lieutenant, un petit groupe d'hommes. **3.** *Il y a des travaux sur cette section de route,* sur cette partie du trajet.

sectionner v. *Sectionner un câble,* c'est le couper.

séculaire → siècle.

secundo adv. *Je n'ai pas aimé ce film : primo l'histoire est banale, secundo les acteurs jouent mal* (= en second lieu, deuxièmement).

sécurisant, sécuriser, sécurité → sûr.

sédentaire 1. adj. et n. *Cette tribu est sédentaire,* elle reste dans une région déterminée (≠ nomade). *Dans cette entreprise, le personnel est sédentaire,* il reste sur place, ne se déplace pas à l'extérieur. **2.** adj. *Un emploi sédentaire n'exige pas de déplacements.*

sédiment n.m. *Au fond de la mer, il y a des sédiments,* des débris qui s'y sont déposés.

■ **sédimentaire** adj. *Le calcaire, l'argile sont des roches sédimentaires,* formées de sédiments.

sédition n.f. *Une sédition* est une révolte (= insurrection, soulèvement).

■ **séditieux** adj. *Des paroles séditieuses* poussent à la révolte.

séduire v. *Ce projet me séduit,* il m'attire (= tenter, plaire).

■ **séducteur** 1. adj. *Tu as un sourire séducteur,* qui séduit. **2.** n. *Ce personnage est un séducteur,* il aime séduire les gens.

■ **séduction** n.f. *Cette personne a de la séduction,* elle séduit (= charme).

■ **séduisant** adj. *Une personne séduisante* attire par son charme, sa beauté. *Ce projet est séduisant.* R. → Conj. n° 70.

segment n.m. *Tracez un segment de droite sur votre cahier,* une ligne droite limitée par deux points.

ségrégation n.f. *Dans certains pays, on pratique la ségrégation raciale,* certaines personnes sont tenues à l'écart à cause de leur race.

seiche n.f. *L'oiseau aiguise son bec sur un os de seiche, un animal marin.*
R. → *sec.*

seigle n.m. *On nous a servi des huîtres avec du pain de seigle, une céréale.*

seigneur n.m. **1.** Au Moyen Âge et sous l'Ancien Régime, un *seigneur* était un noble qui possédait de vastes terres. **2.** *Ce monsieur fait le grand seigneur,* il dépense très largement.

sein n.m. **1.** *La maman donne le sein à son bébé,* elle l'allaite (= mamelle). **2.** *Paul vit au sein de sa famille,* parmi sa famille.
R. → *saint.*

séisme n.m. *Le séisme a fait beaucoup de morts,* le tremblement de terre.
■ **sismique** adj. *Il y a un risque sismique dans cette région,* de séisme.
■ **sismographe** n.m. *Un sismographe* est un appareil qui enregistre les informations sur les séismes.

seize adj. *Quinze plus un font seize.* 10 + 6 = 16.
■ **seizième** n. et adj. *J'habite au seizième étage de la tour.*

séjourner v. *Nous avons séjourné en Suisse,* nous y sommes restés quelque temps.
■ **séjour** n.m. **1.** *J'aimerais faire un séjour à la mer,* y séjourner. **2.** *La famille regarde la télévision dans la salle de séjour,* une des pièces de la maison.

sel n.m. **1.** *L'eau de mer contient du sel,* une substance qui sert à assaisonner les aliments. **2.** *Ses plaisanteries sont pleines de sel,* d'esprit (= piquant).
■ **saler** v. SENS 1 *Sale la soupe, mets-y du sel. Les pêcheurs salent le poisson,* ils l'imprègnent de sel pour le conserver.
■ **salant** adj. SENS 1 *On récolte le sel de mer dans les marais salants.*

■ **salé** adj. **1.** SENS 1 *Du beurre salé* est imprégné de sel. **2.** Fam. *La facture du peintre est salée,* elle est élevée.
■ **salé** n.m. SENS 1 *On nous a servi du salé,* de la viande de porc salée.
■ **salaisons** n.f.pl. SENS 1 *Le jambon, le lard sont des salaisons,* des aliments qu'on a salés pour les conserver.
■ **salière** n.f. SENS 1 *Le sel est présenté à table dans une salière,* un récipient spécial.
■ **salin** adj. SENS 1 *L'eau du puits est saline,* elle contient du sel.
■ **dessaler** v. SENS 1 *Pour dessaler la morue, on la fait tremper dans l'eau.*
R. *Sel* se prononce [sɛl] comme *selle, celle* et [il] *scelle* (de *sceller*).

sélection n.f. *Il a fallu faire une sélection parmi les candidats,* choisir les meilleurs.
■ **sélectionner** v. *On a sélectionné les joueurs,* on a fait une sélection parmi eux.
■ **sélectionneur** n. *Le sélectionneur n'a pas encore fait connaître les noms de tous les joueurs de l'équipe,* celui qui est chargé de constituer l'équipe.
■ **sélectif** adj. *Un recrutement sélectif se fait par un choix.*

self-service → *servir.*

selle n.f. **1.** *La selle d'une bicyclette, d'un cheval est un petit siège.* **2.** (au plur.) *Les selles sont les excréments humains. Aller à la selle,* c'est faire ses excréments.
■ **seller** v. SENS 1 *Seller un cheval,* c'est mettre une selle sur son dos.
■ **sellier** n. SENS 1 *Le sellier fabrique ou vend des selles et tout ce qui équipe les chevaux.*
■ **desseller** v. SENS 1 *Desselle le cheval !,* ôte-lui sa selle.
R. → *sceller* et *sel. Sellier* se prononce [sɛlje] comme *cellier.*

78

512,
437,
368

sellette n.f. *J'ai été sur la sellette,* on m'a interrogé, on a examiné mon cas attentivement.

sellier → *selle.*

selon prép. 1. *Il doit faire beau, selon les journaux,* d'après ce qu'ils disent. 2. *Le montage a été fait selon les instructions,* comme le disaient les instructions (= d'après, suivant). 3. *Selon le temps, le bateau partira ou non,* son départ dépendra du temps (= en fonction de, suivant).

semailles → *semer.*

125 **semaine** n.f. 1. *Nous avons pris une semaine de vacances,* sept jours. 2. *Le magasin est ouvert en semaine,* tous les jours, sauf le dimanche.
R. → *hebdomadaire.*

803, **sémaphore** n.m. *Aux approches de certains ports, il y a des sémaphores,* des appareils pour faire des signaux aux navires.
723

semblable 1. adj. *Ces deux objets sont semblables* (= pareil, identique, analogue ; ≠ différent). 2. n.m. *Elle recherche ses semblables,* ceux qui lui ressemblent.
■ **similitude** n.f. SENS 1 *La similitude entre ces deux objets est parfaite,* ils sont parfaitement semblables (= ressemblance).
■ **similaire** adj. SENS 1 *Ces deux médicaments ont un effet similaire,* à peu près semblable.

sembler v. 1. *Tu sembles fatiguée,* tu as l'air fatiguée (= paraître). 2. *Il me semble que tu te trompes,* je le crois, j'en ai l'impression.
■ **semblant** n.m. SENS 1 *Jean fait semblant de dormir,* il fait comme s'il dormait (= feindre).

semelle n.f. *Mes chaussures ont des semelles épaisses,* leur dessous est épais.

■ **ressemeler** v. *Le cordonnier ressemelle mes chaussures,* il remplace les semelles.
R. *Ressemeler* → conj. n° 6.

semer v. 1. *On sème des graines,* on les met en terre pour les faire germer. 2. *On a semé des clous sur la route,* on les y a jetés çà et là.
■ **semailles** n.f.pl. SENS 1 *L'époque des semailles* est celle où l'on sème.
■ **semence** n.f. SENS 1 *Les semences* sont des graines à semer.
■ **semeur** n. SENS 1 *La semeuse lance les graines à la volée,* celle qui sème.
■ **semis** n.m. SENS 1 *La jardinière arrose ses semis de salades,* la terre ensemencée.
■ **semoir** n.m. SENS 1 *Le semoir* est une machine qui sème les graines.
■ **ensemencer** v. SENS 1 *On ensemence le champ,* on y met des graines.

36
36

semestre n.m. *L'année est composée de deux semestres,* de deux périodes de six mois.
■ **semestriel** adj. *Une revue semestrielle paraît chaque semestre.*

12

semeur → *semer.*

semi-, au début de certains mots, signifie « à moitié », « à demi » : une machine *semi-automatique.*

séminaire n.m. 1. *André est dans un séminaire,* dans un établissement où l'on prépare les futurs prêtres. 2. *Un séminaire de savants* est une réunion où des savants travaillent ensemble.
■ **séminariste** n.m. SENS 1 *André est séminariste,* il est élève dans un séminaire.

semi-remorque → *remorque.*

semis, semoir → *semer.*

semonce n.f. *Line a reçu une semonce,* elle s'est fait gronder (= réprimande).

semoule n.f. *Je fais un gâteau avec de la semoule,* une sorte de farine.

sempiternel adj. *Je suis fatiguée de ses plaintes sempiternelles,* perpétuelles, continuelles.

■ **sempiternellement** adv. *Tu te plains sempiternellement* (= perpétuellement, continuellement).

18 **sénat** n.m. *Un sénat est une assemblée politique.*

18 ■ **sénateur** n. *Un sénateur est un membre du Sénat.*

sénile adj. *Cette personne a une voix sénile,* de vieillard.

■ **sénilité** n.f. *Cette personne est atteinte de sénilité,* son corps et son esprit sont très affaiblis par l'âge.

senior n. *Un senior est un sportif de plus de 21 ans.*

R. On prononce [senjɔr].

sens n.m. **1.** *La vue, l'ouïe, l'odorat, le goût, le toucher sont les cinq sens,* ce qui nous permet de voir, d'entendre, etc. **2.** *Quel est le sens de ce mot ?,* ce qu'il veut dire (= signification). **3.** *Tu as le sens des affaires,* tu sais faire des affaires. **4.** *Hélène a du bon sens,* elle est raisonnable (= jugement). **5.** *Les fugitifs couraient dans tous les sens,* dans toutes les directions.

■ **sensé** adj. SENS 4 *Hélène est sensée,* elle a du bon sens.

■ **sensuel** adj. SENS 1 *Bien manger est un plaisir sensuel,* des sens.

■ **sensualité** n.f. SENS 1 *C'est une personne d'une sensualité raffinée.*

■ **insensé** adj. SENS 4 *Ce projet est insensé,* contraire au bon sens (= déraisonnable).

■ **contresens** n.m. SENS 2 *Vous faites un contresens sur ce mot,* vous l'interprétez mal. SENS 5 *La voiture roulait à contresens de la circulation,* en sens contraire.

■ **faux-sens** n.m. SENS 2 *Cette traduction comporte quelques faux-sens,* quelques inexactitudes moins graves que des contresens.

■ **non-sens** n.m. SENS 2 *Une telle supposition est un non-sens* (= absurdité).

R. → *censé.*

sensation n.f. **1.** *J'ai une sensation de froid,* je sens le froid (= impression). **2.** *Son arrivée a fait sensation,* elle a produit beaucoup d'intérêt, de surprise.

■ **sensationnel** adj. SENS 2 *Les journaux ont annoncé un événement sensationnel* (= extraordinaire, remarquable ; ≠ banal).

sensé → *sens.*

sensible adj. **1.** *Marie est une enfant sensible,* elle est vite émue (= émotif, impressionnable). *Je suis sensible à vos arguments,* ils font de l'effet sur moi. **2.** *J'ai la gorge sensible,* j'ai souvent mal à la gorge. *Paul est sensible à la chaleur,* il la supporte mal. **3.** *La hausse de la température est sensible,* assez importante (= notable). **4.** *Une balance sensible est très précise.*

■ **sensiblement** adv. **1.** SENS 3 *Il a sensiblement grandi* (= notablement). **2.** *Ils sont sensiblement égaux* (= à peu près).

■ **sensibilité** n.f. SENS 1 *Cette personne n'a aucune sensibilité,* on ne peut pas l'émouvoir. SENS 2 *Paule est d'une grande sensibilité au froid,* elle le craint beaucoup. SENS 4 *La sensibilité du thermomètre médical est grande* (= précision).

■ **sensibiliser** v. SENS 1 *Une campagne de presse a sensibilisé les lecteurs à ce problème,* elle a fixé leur attention dessus.

■ **insensible** adj. SENS 1 *Claude est une personne insensible* (= dur). SENS 2

Cette piqûre rendra ta dent **insensible,** tu ne sentiras plus la douleur. SENS 3 *Ses progrès sont* **insensibles,** peu importants.

■ **insensiblement** adv. SENS 3 *L'ombre s'est déplacée* **insensiblement,** *sans que cela se remarque* (= imperceptiblement).

■ **insensibilité** n.f. SENS 1 *Il est peu aimé à cause de son* **insensibilité** (= froideur, dureté). SENS 2 *Son insensibilité au froid est grande* (= résistance).

■ **insensibiliser** v. SENS 2 *La dentiste a* **insensibilisé** *ma gencive,* elle l'a rendue insensible à la douleur.

sensuel → *sens.*

sentence n.f. **1.** *La cour a rendu sa* **sentence,** sa décision (= verdict, jugement). **2.** *« Bien mal acquis ne profite jamais » est une* **sentence,** une pensée morale.

■ **sentencieux** adj. SENS 2 *Une personne* **sentencieuse** *emploie souvent des sentences.*

■ **sentencieusement** adv. SENS 2 *Cette personne est ridicule quand elle dit* **sentencieusement** *des banalités.*

senteur n.f. est un équivalent rare de *parfum, odeur.*

sentier n.m. *Un sentier s'enfonce dans la forêt,* un chemin étroit.

sentiment n.m. **1.** *L'affection, l'amour, la peur, la haine sont des* **sentiments,** on les ressent au fond de soi-même. **2.** *J'ai le* **sentiment** *que je me trompe,* j'en ai l'impression.

■ **sentimental** adj. SENS 1 *J'aime les chansons* **sentimentales,** qui parlent d'amour. *Une personne* **sentimentale** *donne beaucoup de place aux sentiments amoureux.*

sentinelle n.f. *À l'entrée de la caserne, il y a une* **sentinelle,** un soldat qui monte la garde.

sentir v. **1.** *Je sens la chaleur du soleil,* j'éprouve une impression de chaleur. **2.** *Je sens qu'il va faire beau,* je le devine (= pressentir). **3.** *Je sens l'odeur des roses,* je la perçois grâce à mon nez. **4.** *Cette rose sent bon,* elle répand une odeur agréable.

■ **ressentir** v. SENS 1 *Je ressens une grande fatigue* (= sentir, éprouver). **R.** → Conj. n° 19. → *sans.*

seoir v. *Cette robe vous sied à merveille,* elle vous va très bien. *Il ne sied pas de faire le difficile,* cela ne convient pas.

■ **seyant** adj. *Cette robe est très* **seyante,** elle fait très bon effet. **R.** → Conj. n° 46. Ce verbe n'a que très peu de formes employées.

sépale n.m. *Les sépales d'une fleur* sont les sortes de feuilles situées sous les pétales.

séparer v. **1.** *Le professeur a séparé Anne et Jacques,* il les a éloignés l'un de l'autre. *Nous devons nous séparer,* nous quitter. **2.** *La rivière se sépare en deux* (= se diviser, se partager). **3.** *Un mur sépare les deux jardins,* il est entre les deux.

■ **séparation** n.f. SENS 1 *Leur séparation a été brutale,* ils se sont séparés brutalement. SENS 3 *Une cloison sert de* **séparation** *entre deux pièces,* elle les sépare.

■ **séparatiste** adj. et n. SENS 1 *Les* **séparatistes** *cherchent à séparer une région de l'État dont elle fait partie* (= autonomiste).

■ **séparément** adv. SENS 1 *Travaillons* **séparément,** chacun de notre côté (≠ ensemble).

■ **inséparable** adj. SENS 1 *Ces deux amies sont* **inséparables,** elles sont toujours ensemble.

sept adj. *Il y a sept jours dans une semaine. 6 + 1 = 7.*

■ **septième** adj. et n. *J'habite le septième étage.*

■ **septennat** n.m. *En France, le président de la République est élu pour un septennat, une période de sept ans.* **R.** *Sept* se prononce [sɛt] comme *cet, cette, set.*

septante adj. est un équivalent de *soixante-dix* en Belgique et en Suisse.

septembre n.m. *Les vacances finissent en septembre.*

septennat → *sept.*

septentrional adj. *Les Inuit vivent dans la partie septentrionale du Canada* (= nord ; ≠ méridional).

septième → *sept.*

septique adj. *Dans une fosse septique,* les excréments sont liquéfiés par une fermentation. **R.** → *sceptique.*

septuagénaire adj. et n. *Mon grand-père est septuagénaire,* il a entre soixante-dix et quatre-vingts ans.

sépulture n.f. *Où se trouve la sépulture de ton arrière-grand-mère ?,* le lieu où elle est enterrée.

■ **sépulcre** n.m. *Un tombeau est quelquefois appelé un sépulcre.*

■ **sépulcral** adj. *M. Dupont a une voix sépulcrale,* qui semble sortir d'un tombeau (= caverneux).

séquelle n.f. *Je souffre des séquelles de l'accident,* des troubles qui persistent après la guérison.

séquence n.f. *J'ai beaucoup aimé cette séquence du film* (= scène).

séquestrer v. *Des bandits ont séquestré la caissière,* ils l'ont enfermée sans en avoir le droit.

■ **séquestration** n.f. *Le gangster est accusé de séquestration d'enfant,* d'avoir séquestré un enfant.

sérail n.m. *Autrefois, les princes turcs enfermaient leurs épouses dans le sérail,* une partie de leur palais.

serein adj. **1.** *Le ciel est serein,* pur et calme (≠ nuageux). **2.** *Son visage est serein* (= tranquille ; ≠ inquiet, troublé).

■ **sereinement** adv. SENS 2 *Elle a accueilli la nouvelle très sereinement.*

■ **sérénité** n.f. SENS 2 *Les deux amis discutent avec sérénité* (= calme). **R.** *Serein* se prononce [sərɛ̃] comme *serin.*

sérénade n.f. *Une sérénade était autrefois un concert donné la nuit sous les fenêtres de quelqu'un, pour lui rendre hommage.*

sérénité → *serein.*

serf n. *Les serfs devaient obéir et payer des redevances au seigneur,* des paysans du Moyen Âge.

■ **servage** n.m. *Le servage ne laissait pas beaucoup de liberté aux paysans,* l'état de serf. **R.** Ne pas confondre *serf* et *cerf.* Le *f* de *serf* se prononce : [sɛrf].

serfouette n.f. *On bine et on sarcle la terre avec une serfouette,* un outil de jardinage.

sergent n.m. *Ce militaire a le grade de sergent,* un grade entre le caporal et l'adjudant.

série n.f. **1.** *La directrice a posé une série de questions,* plusieurs questions (= suite). **2.** *Nous avons acheté une série de casseroles,* plusieurs casseroles qui vont ensemble (= lot). **3.** *On fabrique ces assiettes en série,* en un grand nombre d'exemplaires identiques.

sérieux adj. **1.** *Quand on est sérieux dans son travail, on le fait bien. Voilà un travail sérieux !,* bien fait. **2.** *Marie a un visage sérieux,* qui ne sourit pas (= grave). **3.** *Cette maladie est sérieuse* (= grave).

■**sérieux** n.m. SENS 2 *Tâche de garder ton sérieux,* de ne pas rire. SENS 3 *On devrait prendre cette menace au sérieux,* y croire (≠ à la légère).

■**sérieusement** adv. SENS 1 *Tu ne travailles pas sérieusement.* SENS 3 *La blessée est sérieusement atteinte* (= gravement).

serin n.m. *Nos voisins ont un serin dans une cage,* un petit oiseau jaune. **R.** → *serein.*

seriner v. *Cesse de seriner cette chanson !,* de la répéter sans cesse.

seringue n.f. *On fait des piqûres avec une seringue,* une petite pompe à laquelle on adapte une aiguille.

serment n.m. *J'ai fait le serment de ne plus fumer,* je l'ai juré.

sermon n.m. 1. *Le curé a fait un sermon,* il a parlé aux fidèles réunis dans l'église* (= prêche). 2. *Sa sœur aînée lui a fait un sermon,* des remontrances longues et ennuyeuses.

■**sermonner** v. SENS 2 *Je vais les sermonner,* leur faire des remontrances.

serpe n.f. *Ruth coupe des branches avec une serpe,* un outil à lame recourbée.

serpent n.m. *La vipère, la couleuvre sont des serpents,* des animaux sans pattes qui avancent en rampant.

serpenter v. *Le sentier serpente dans les bois,* il tourne tantôt dans un sens, tantôt dans l'autre.

serpentin n.m. *À la fête, on a lancé des serpentins,* des petits rouleaux de papier coloré qui se déroulent quand on les lance.

serpillière n.f. *Je lave mon carrelage avec une serpillière,* une grosse toile pour laver le sol.

serpolet n.m. *Sens-tu cette odeur de serpolet dans ce chemin ?,* de thym sauvage.

serrage → *serrer.*

serre n.f. *Ces plantes poussent en serre,* dans un endroit fermé et vitré où elles sont à l'abri du froid.

serrer v. 1. *Elle serre la poignée de son sac,* elle la tient fermement. 2. *Les voyageurs sont serrés dans le métro,* ils sont les uns contre les autres. *Les enfants se serrent sur le banc,* ils se rapprochent les uns des autres (= tasser, comprimer). 3. *Serre ton nœud de cravate,* tire sur les extrémités. *Serre bien cette vis,* tourne-la jusqu'à ce qu'elle soit bloquée. 4. *Ce vêtement me serre,* je suis à l'étroit dedans. 5. *Cette misère vous serre le cœur,* elle vous cause une vive émotion.

■**serrage** n.m. SENS 3 *La garagiste vérifie le serrage des écrous,* s'ils sont serrés.

■**serrement** n.m. SENS 1 *Ils se saluent d'un serrement de main,* en se serrant la main. SENS 5 *On éprouve un serrement de cœur devant ce spectacle.*

■**serres** n.f.pl. SENS 1 *L'aigle a des serres,* des griffes qui serrent sa proie.

■**serré** adj. 1. SENS 2 *Ton écriture est serrée,* les lettres sont rapprochées. 2. *La lutte est serrée,* les adversaires sont de force égale.

■**desserrer** v. SENS 3 *Il faut desserrer cet écrou,* faire qu'il soit moins serré.

■**enserrer** v. SENS 2 *Les montagnes enserrent la ville,* elles l'entourent en lui laissant peu de place.

■**resserrer** v. 1. SENS 3 *Elle a resserré son nœud de cravate,* elle l'a serré davantage. 2. *Cette rencontre a resserré nos liens d'amitié* (= renforcer). **R.** [*Je*] *serre* se prononce [sɛr] comme [*je*] *sers,* [*il*] *sert* (de *servir*).

serrure n.f. *La clef est dans la serrure,* le dispositif qui permet de fermer ou d'ouvrir la porte.

■**serrurier** n.m. *Le serrurier fait ou répare des serrures, des clefs.*

■**serrurerie** n.f. *Il apprend la serrurerie,* le métier de serrurier.

sertir v. *Le joaillier sertit un diamant, il le fixe sur un bijou.*

sérum n.m. *Le sang est composé de globules et de sérum,* un liquide jaunâtre.
R. On prononce [serɔm].

servage → *serf.*

servante, serveur, serviable, service → *servir.*

serviette n.f. **1.** *Pour s'essuyer, on utilise des serviettes de table et des serviettes de toilette.* **2.** *L'écolière porte sa serviette,* son cartable.

■**porte-serviettes** n.m.inv. *On a installé un porte-serviettes à côté du lavabo,* un support pour suspendre les serviettes de toilette.

servile adj. *M. Duval est servile,* il a un caractère trop soumis (= obséquieux).

■**servilement** adv. *M. Duval obéit servilement,* avec trop de soumission.

■**servilité** n.f. *Il accepte tout avec servilité* (= bassesse).

servir v. **1.** *Le garçon sert les clients du bar,* il apporte ce qu'ils ont commandé. **2.** *Sa mémoire l'a servie,* elle l'a aidée. **3.** *Cet outil lui a servi,* il lui a été utile. **4.** *À quoi sert cette machine?,* que fait-on avec? **5.** *Ma voiture sert souvent,* elle est souvent utilisée. *Je me sers de la voiture,* je l'utilise. *Ce meuble me sert de bureau,* je l'utilise comme bureau.

■**service** n.m. **1.** SENS 1 *Le service est rapide,* le garçon sert vite. *Au libre-service* (ou *self-service*), *on se sert seul,* un magasin. *Le service est compris* (= pourboire). *Un service à café* est un assortiment de vaisselle pour servir le café. SENS 2 *Lise m'a rendu service,* elle m'a été utile, elle m'a aidé. **2.** *Jacques fait son service militaire,* il est soldat pour un certain temps. **3.** *Les services d'une administration* sont ses bureaux.

■**serveur** n. SENS 1 *Nicole est serveuse dans un bar,* elle sert les clients.

■**serviteur** n.m. SENS 1 *Un serviteur* est un domestique.

■**servante** n.f. SENS 1 *Autrefois, une bonne s'appelait une servante.*

■**serviable** adj. SENS 2 *Soyez serviables,* aimez à rendre service.

■**desservir** v. **1.** SENS 1 *Après le repas, on dessert la table,* on enlève ce qui est dessus. SENS 2 *Sa réputation le dessert,* elle lui nuit. **2.** *Ce village n'est pas desservi par le train,* le train n'y passe pas.

■**desserte** n.f. **1.** SENS 1 *Pose les assiettes sur la desserte,* une petite table servant à desservir. **2.** *Ce car assure la desserte des hameaux,* il les dessert, sert de moyen de communication.

■**resservir** v. SENS 1 *Lise s'est resservie de soupe,* elle en a repris. SENS 5 *Ce cahier pourra resservir,* servir de nouveau.
R. *Servir, desservir, resservir* → conj. n° 20.
→ *serrer.*

servitude n.f. **1.** *Ce peuple vécut longtemps dans la servitude* (= esclavage). **2.** *Les servitudes d'un métier,* c'est tout ce que ce métier oblige à faire (= contrainte).

ses → *son* 1.

session n.f. *La session d'un examen* est la période pendant laquelle se déroule cet examen.
R. *Session* se prononce [sesjɔ̃] comme *cession.*

set n.m. **1.** *Nous avons gagné le match de volley par 3 sets à 2* (= manche). **2.** *Un set de table* est un ensemble

de napperons pouvant remplacer une nappe ; c'est aussi chacun des napperons.
R. → *sept.*

setter n.m. *Mon chien est un setter,* un chien d'une race à poil long et ondulé.
R. On prononce [setɛr].

75 **seuil** n.m. **1.** *Franchir le seuil d'une maison,* c'est entrer dans la maison. **2.** *Nous sommes au seuil de l'hiver,* au début (= entrée).

seul adj. **1.** *C'est mon seul chapeau,* je n'en ai qu'un (= unique). **2.** *J'ai fait cela seul,* sans personne. **3.** *Seuls deux arbres restaient,* il ne restait que deux arbres (= seulement).
■ **seulement** adv. **1.** SENS 3 *Ils sont seulement trois,* ils ne sont que trois. **2.** *Je voudrais bien lui écrire, seulement je n'ai pas son adresse* (= mais).

sève n.f. La *sève* est le liquide qui circule dans les végétaux.

sévère adj. **1.** *Son père est sévère,* sans indulgence (= dur, exigeant). **2.** *À l'enterrement, il portait un costume sévère,* sans ornement (= strict). **3.** *Notre équipe a essuyé une défaite sévère* (= grave).
■ **sévèrement** adv. SENS 1 *On a été puni sévèrement* (= durement).
■ **sévérité** n.f. SENS 1 *La juge fait preuve de sévérité,* elle est sévère.

sévices n.m.pl. *On l'accusait d'avoir exercé des sévices sur un enfant,* de l'avoir frappé (= violences).

sévir v. **1.** *On a sévi contre les coupables,* on les a punis sévèrement. **2.** *Une épidémie de grippe sévit,* elle atteint beaucoup de monde.

sevrer v. *La maman a sevré son bébé,* elle a commencé à lui donner d'autres aliments que du lait.

■ **sevrage** n.m. *Le sevrage d'un bébé se fait progressivement.*

sexagénaire adj. et n. *Mes grands-parents sont sexagénaires,* ils ont entre soixante et soixante-dix ans.

sexe n.m. **1.** *Jean est du sexe masculin, Marie est du sexe féminin.* **2.** *Le sexe est la partie externe des organes de la reproduction.*
■ **sexuel** adj. SENS 2 *Un livre d'éducation sexuelle explique la reproduction des êtres humains. Les organes sexuels sont différents chez les hommes et chez les femmes,* les organes génitaux (= reproducteur).
■ **sexualité** n.f. SENS 2 *Les troubles de la sexualité sont des troubles de l'instinct sexuel.*
■ **sexiste** adj. et n. SENS 1 *Une attitude sexiste consiste à faire moins de cas des personnes du sexe féminin que de celles du sexe masculin.*
■ **homosexuel** adj. et n. SENS 1 *Une personne homosexuelle est celle qui éprouve une attirance pour les personnes du même sexe qu'elle.*

sextant n.m. *Pour savoir à quel endroit ils se trouvent, les navigateurs utilisent un sextant,* un appareil spécial.

sexuel → *sexe.*

seyant → *seoir.*

shampooing n.m. **1.** *On se lave les cheveux avec un shampooing,* un produit moussant. **2.** *Je me fais un shampooing,* je me lave la tête.
R. On prononce [ʃɑ̃pwɛ̃].

shérif n.m. *Dans ce western, le shérif est le personnage principal,* le chef des policiers.

short n.m. *Les sportifs portent souvent un short,* une culotte courte.
R. On prononce [ʃɔrt].

show n.m. *Le show télévisé de cette chanteuse a été formidable,* un spectacle, une série de chansons dont elle est l'unique vedette.
R. On prononce [ʃo].

1. si 1. conj. *Si le temps est beau, je sortirai,* à cette condition. *Pardonnemoi si je ne t'ai pas répondu,* de ne pas t'avoir répondu. **2.** adv. *Il est si beau !* (= tellement). *Il n'est pas si gentil que toi* (= aussi). *Si grand qu'il soit, il fait des bêtises,* bien qu'il soit grand. **3.** adv. sert à interroger : *Je demande si tu sais ta leçon,* est-ce que tu la sais ? **4.** adv. sert à affirmer : *Personne ne manque ? — Si. Je ne le connais pas. — Mais si !* (≠ non).
R. Aux sens 1 et 3, *si* devient *s'* devant *il* et *ils : S'il veut.* → *scie.*

2. si n.m. *Si* est la septième note de la gamme.

sibyllin adj. *Tu as prononcé des paroles sibyllines,* difficiles à comprendre (= obscur, mystérieux).

sic adv. mis entre parenthèses après un mot, une phrase, indique une citation textuelle, même si cela paraît étrange.

sidérer v. *Je suis sidérée par son audace,* stupéfaite.
■ **sidérant** adj. *Tu as eu l'audace de recommencer, c'est sidérant !* (= stupéfiant).

sidérurgie n.f. *La sidérurgie* est la transformation du minerai de fer en fonte, en fer et en acier.
■ **sidérurgique** adj. *Il y a des usines sidérurgiques à Sept-Iles.*

siècle n.m. **1.** *Il y a un siècle, l'informatique n'existait pas,* cent ans. **2.** *Nous sommes au XXᵉ siècle,* la période qui va de 1900 à l'an 2000.
■ **séculaire** adj. *Il y a dans ce parc des arbres séculaires,* qui existent depuis plus de cent ans.

il sied → *seoir.*

siège n.m. **1.** *Une chaise, un fauteuil, un tabouret sont des sièges,* des meubles sur lesquels on s'assoit. **2.** *Le Parlement est le siège de l'Assemblée nationale,* l'endroit où elle se réunit. **3.** *Aux élections, ce parti a obtenu cent sièges de députés,* cent membres de ce parti ont été élus députés. **4.** *Le siège d'une douleur,* c'est l'endroit où l'on a mal. **5.** *L'ennemi a fait le siège de la ville,* il a essayé de s'en emparer militairement.
■ **siéger** v. SENS 2 ET 3 *Les députés siègent à l'Assemblée nationale,* ils s'y réunissent.
■ **assiéger** v. SENS 5 *Les ennemis ont assiégé la ville,* ils en ont fait le siège.
■ **assiégeant** n. SENS 5 *La ville se défend contre ses assiégeants,* ceux qui l'assiègent.

sien 1. pron.possessif *Ce livre n'est pas à toi, c'est le sien,* il est à lui ou à elle. **2.** n.m.pl. *Elle est entourée de l'affection des siens,* de ses parents. **3.** n.f.pl. *Tu as encore fait des siennes,* des sottises.

sieste n.f. *Ma grand-mère fait la sieste,* elle dort après le déjeuner.

siffler v. **1.** *Cléa siffle en travaillant,* elle produit un son aigu en chassant l'air entre ses lèvres. **2.** *Je siffle mon chien,* je l'appelle en sifflant. **3.** *Le merle siffle,* il fait entendre un son avec son gosier. **4.** *Les spectateurs sifflent la pièce,* ils sifflent (au sens 1) pour montrer qu'elle ne leur a pas plu (= huer). **5.** *L'arbitre siffle la fin de la partie,* il l'annonce en sifflant avec un sifflet.
■ **sifflement** n.m. *Il y a eu des sifflements dans la salle,* des bruits faits en sifflant.
■ **sifflet** n.m. SENS 5 *L'arbitre a un sifflet,* un petit instrument pour siffler.

292, 767

■ **siffloter** v. SENS 1 *Jean **sifflote** un air connu,* il le siffle négligemment.

768, 802

sigle n.m. *« H. Q. » est un **sigle**,* une abréviation formée par la première lettre de chaque mot (Hydro-Québec).

signal n.m. *Chaque panneau du Code de la route est un **signal**,* il donne un avertissement ou un ordre.

■ **signaler** v. 1. *La cycliste **signale** qu'elle va tourner en tendant le bras,* elle l'annonce. 2. *On nous a **signalé** une erreur,* on nous l'a fait savoir, remarquer. 3. *Cet homme ne **se signale** pas par son intelligence* (= se distinguer, se faire remarquer).

■ **signalement** n.m. *On a le **signalement** du voleur,* sa description.

217, 507, 727

■ **signalisation** n.f. *La **signalisation** d'une voie ferrée,* c'est l'ensemble des signaux qui y sont placés.

signataire, signature → *signer.*

signe n.m. 1. *Elle a de la fièvre, c'est **signe** qu'elle est malade,* cela veut dire qu'elle est malade (= indication). 2. *Je lui fais **signe** de venir,* je le lui fais comprendre d'un geste. 3. *En entrant dans l'église, on a fait un **signe de croix**,* un geste religieux en portant la main à notre front, à notre poitrine, puis à chaque épaule. 4. *Le **signe** + signifie « plus », le signe × signifie « multiplié par »* (= dessin, symbole). *Le point, la virgule sont des **signes** de ponctuation.*

■ **se signer** v. SENS 3 *Les fidèles **se signent**,* ils font un signe de croix.

signer v. *Jean a **signé** sa lettre,* il a écrit son nom au bas de la lettre.

■ **signature** n.f. *Sa **signature** est illisible,* on ne peut pas lire son nom.

■ **signataire** n. *Les **signataires** du contrat sont Mme Rhéaume et M. Dubois,* ceux qui le signent.

■ **soussigné** adj. *Je **soussignée** Lise Rhéaume m'engage à payer* 10 000 dollars à M. Dubois, c'est Mme Rhéaume qui signe.

signifier v. 1. *Que **signifie** ce mot ?,* que veut-il dire ? quel est son sens ? 2. *Le patron a **signifié** son renvoi à son employée,* il lui a annoncé sa décision de la renvoyer.

■ **significatif** adj. SENS 1 *Elle a fait un geste **significatif**,* qui exprimait nettement ce qu'elle pensait.

■ **signification** n.f. SENS 1 *La **signification** de cette phrase est obscure* (= sens).

silence n.m. 1. *J'aime le **silence** de la forêt,* l'absence de bruit (= calme, paix ; ≠ tapage). 2. *Je garde le **silence**,* je me tais.

■ **silencieux** adj. SENS 1 *La maison est **silencieuse*** (≠ bruyant). SENS 2 *Jean est resté **silencieux** toute la soirée,* il n'a pas parlé (= muet).

■ **silencieusement** adv. SENS 1 *Les chats marchent **silencieusement**,* sans faire de bruit.

silex n.m. *Les hommes préhistoriques faisaient des outils en **silex**,* une roche très dure.

silhouette n.f. *Dans la brume, j'aperçois des **silhouettes**,* des formes dont on ne voit que les contours.

silice n.f. *Le sable contient de la **silice**,* une matière très dure.

sillage n.m. *On voit le **sillage** du bateau,* la trace qu'il laisse derrière lui en avançant.

80

sillon n.m. *La charrue trace des **sillons** dans le champ,* de longues fentes.

36

sillonner v. *Nous avons **sillonné** la forêt,* nous l'avons parcourue dans tous les sens.

silo n.m. *On conserve le blé dans un **silo** à blé,* un grand réservoir.

36 58

■ **ensiler** v. *Ensiler du blé,* c'est le mettre dans un silo.

simagrées n.f.pl. *Ne fais pas tant de simagrées !* (= manières, façons).

simiesque → *singe.*

similaire, similitude → *semblable.*

simoun n.m. Le *simoun* est un vent chaud du désert.

simple adj. **1.** *J'écris sur une feuille simple,* seule, qui n'a qu'une fois le format normal (≠ *double*). **2.** *Le présent, l'imparfait, le passé simple sont des temps simples du verbe,* ils s'écrivent en un seul mot (≠ *composé*). **3.** *Ce travail est simple* (= facile ; ≠ *compliqué*). **4.** *Marie a une robe simple,* sans ornement. **5.** *Tu es une personne simple,* tu ne fais pas de manières (= sans façon ; ≠ *compliqué*). **6.** *Ce n'est qu'une simple erreur,* c'est seulement une erreur.

■ **simplement** adv. SENS 4 ET 5 *Marie est habillée simplement.* SENS 6 *Je suis simplement parti dix minutes* (= seulement).

■ **simplicité** n.f. SENS 3 *Ce problème est d'une grande simplicité* (= facilité). SENS 4 ET 5 *Il nous a reçus avec simplicité,* sans luxe, sans faire de manières.

■ **simplifier** v. SENS 3 *Simplifier un problème,* c'est le rendre plus simple.

■ **simplification** n.f. SENS 3 *Par souci de simplification, on a arrondi les chiffres,* pour que ce soit plus simple.

simuler v. *Elle simule une maladie,* elle fait semblant d'être malade (= feindre).

■ **simulacre** n.m. *Au cinéma, les combats sont des simulacres,* on fait semblant de se battre.

■ **simulateur** n. et adj. *C'est une simulatrice,* une personne qui simule.

■ **simulation** n.f. *C'est de la simulation,* ce n'est pas vrai (= comédie).

simultané adj. *Deux événements simultanés* se produisent en même temps.

■ **simultanément** adv. *Ils arrivent simultanément aujourd'hui,* en même temps (= ensemble ; ≠ successivement).

■ **simultanéité** n.f. *Nous avons été surpris de la simultanéité des deux phénomènes* (= coïncidence).

sinapisme n.m. *Un sinapisme est un cataplasme.*

sincère adj. **1.** *Je suis sincère,* je dis ce que je pense (= franc ; ≠ hypocrite). **2.** *Une amitié sincère les unit* (= réel).

■ **sincèrement** adv. *Je suis sincèrement désolée* (= vraiment, réellement).

■ **sincérité** n.f. SENS 1 *Je vous parle avec sincérité,* avec franchise (≠ dissimulation, hypocrisie). SENS 2 *Je crois à la sincérité de ton amitié,* que ton amitié est sincère.

sinécure n.f. *Tu as trouvé une sinécure,* un emploi où tu n'as presque rien à faire.

sine die adv. *Le débat a été renvoyé sine die,* sans qu'aucune date soit prévue.
R. On prononce [sinedje].

singe n.m. *Le chimpanzé, le gorille sont des singes.*   434, 435

■ **singer** v. *Esther singe son professeur,* elle l'imite par moquerie.

■ **singerie** n.f. *Arrête tes singeries !,* tes grimaces et tes gestes comiques (= pitrerie).

■ **simiesque** adj. *Il a une allure simiesque,* l'allure d'un singe.

singulier **1.** adj. *Il m'arrive une aventure singulière* (= bizarre, étrange). **2.** adj. et n.m. *« Le chat » est au singulier, « les chats » est au pluriel.*

■ **singulièrement** adv. **1.** SENS 1 *Il s'habille singulièrement* (= bizarrement). **2.** *Il fait **singulièrement** froid* (= très).

■ **se singulariser** v. SENS 1 *Carole aime se singulariser,* se faire remarquer.

■ **singularité** n.f. SENS 1 *Cet objet a une **singularité**,* quelque chose de particulier.

sinistre **1.** adj. *Ce paysage désertique est **sinistre*** (= effrayant, triste). **2.** n.m. *Un incendie, une inondation sont des **sinistres**,* des événements catastrophiques.

■ **sinistré** adj. et n. SENS 2 *Cette région est **sinistrée**,* il s'y est produit un sinistre. *Les **sinistrés** ont été secourus,* les victimes du sinistre.

sinon conj. *Dépêche-toi, **sinon** tu seras en retard,* si tu ne te dépêches pas, tu seras en retard (= sans quoi, autrement).

sinueux adj. *La route est **sinueuse**,* elle a beaucoup de virages (≠ droit, direct).

■ **sinuosité** n.f. *Nous suivons les **sinuosités** de la route* (= courbe, lacet).

sinusite n.f. *Son rhume a dégénéré en **sinusite**,* une inflammation des os de la face appelés **sinus**.
R. On prononce [sinys].

sinusoïdal adj. *Une ligne **sinusoïdale** est une succession de courbes de sens opposés.*

siphon n.m. **1.** *Sous l'évier est placé un **siphon**,* un tuyau d'écoulement en forme d'U. **2.** *Pour transvaser un liquide d'un récipient dans un autre, on peut utiliser un **siphon**,* un tube recourbé.

sire n.m. **1.** *Autrefois, on s'adressait au roi en disant «**sire**».* **2.** *Au Moyen Âge, «**sire**» signifiait «seigneur».*

■ **messire** n.m. *Autrefois, on disait «**messire**» au lieu de «monsieur».*

sirène n.f. **1.** *Les **sirènes** sont des êtres imaginaires moitié femmes, moitié poissons.* **2.** *Une **sirène** annonce l'incendie,* un appareil qui fait un bruit fort et prolongé.

sirocco n.m. *Le **sirocco** souffle du Sahara,* un vent brûlant.

sirop n.m. *J'ai bu du **sirop** de fraise avec de l'eau,* du jus de fraise très sucré.

■ **sirupeux** adj. *Ce liquide est **sirupeux**,* il a la consistance du sirop (= visqueux).

siroter v. *Paule **sirote** son café,* elle le boit lentement, en le savourant.

sirupeux → sirop.

sismique, sismographe → séisme.

site n.m. *Ce château est dans un **site** grandiose* (= paysage).

sitôt adv. se dit parfois pour *aussitôt.*

situation n.f. **1.** *La **situation** de la mairie est centrale,* le lieu où elle se trouve (= emplacement, position). **2.** *La **situation** politique a changé,* les circonstances. **3.** *Elle a une belle **situation*** (= métier, emploi).

■ **situer** v. SENS 1 *Cette ville est **située** en Alberta,* elle s'y trouve (= placer).

six adj. *M. Durand est parti pour **six** mois. 4 + 2 = 6.*

■ **sixième** **1.** adj. et n. *Il est classé **sixième**.* **2.** n.f. *Il termine sa **sixième**,* la dernière classe de l'enseignement primaire.
R. *Six* se prononce [si] devant une consonne : *six jours* [siʒur] ; [siz] devant une voyelle ou un *h* muet : *six hommes* [sizɔm] ; [sis] en fin de phrase.

skaï n.m. *Cette valise est en **skaï**,* une matière qui imite le cuir.
R. C'est un nom de marque.

40

56

56

sketch n.m. *Les élèves ont inventé et joué un sketch, une courte pièce comique.*
R. Noter le pluriel : des *sketches.*

ski n.m. *On glisse sur la neige avec des skis, des patins longs et étroits. J'aime faire du ski, un sport qui consiste à glisser sur la neige ou sur l'eau (ski nautique), avec des skis.*
■ **skier** v. *J'apprends à skier, à faire du ski.*
■ **skieur** n. *Marie est bonne skieuse, elle skie bien.*
■ **skiable** adj. *La piste est-elle skiable ?, est-ce qu'on peut y skier ?*

skipper n.m. *Le skipper est le barreur d'un bateau à voile de régate.*
R. On prononce [skipœr].

slalom n.m. *C'est Line qui a gagné le slalom, une épreuve de ski qui consiste à effectuer une descente en enchaînant des virages délimités par des piquets.*

slip n.m. *Un slip est une culotte à taille basse servant de sous-vêtement ou de maillot de bain.*

slogan n.m. *Les manifestants crient des slogans, des phrases courtes qui retiennent l'attention.*

smala n.f. Fam. *M. Dupont est parti en vacances avec toute sa smala, sa grande famille (= maisonnée).*

smash n.m. *Au tennis, un smash est un coup qui rabat brusquement une balle haute.*
R. On prononce [smaʃ].

smoking n.m. *Les invités étaient en smoking, un costume de cérémonie.*

snack n.m. *Un snack est un restaurant où l'on sert rapidement des repas à toute heure.*

snob adj. et n. *Cette personne est snob, elle cherche à passer pour quelqu'un de distingué.*

■ **snobisme** n.m. *Il fait cela par snobisme, parce qu'il est snob.*

sobre adj. **1.** *M. Durand est sobre, il évite de trop boire et manger.* **2.** *Tu portes un costume sobre, sans ornement (= simple ; ≠ excentrique).*
■ **sobrement** adv. SENS 1 *Buvez sobrement, en évitant les excès.* SENS 2 *Jean est habillé sobrement.*
■ **sobriété** n.f. SENS 1 *Cette athlète est d'une grande sobriété.*

sobriquet n.m. *Son sobriquet était « Poil de Carotte », son surnom moqueur.*

soc n.m. *Le soc de la charrue, c'est le fer large et pointu qui laboure la terre.*

société n.f. **1.** *Les individus ont des devoirs envers la société, l'ensemble des hommes avec qui ils vivent.* **2.** *Les fourmis vivent en société, en groupes organisés (= collectivité).* **3.** *J'aime la société de ces gens, j'aime les fréquenter (= compagnie).* **4.** *Je travaille dans une société commerciale, une maison de commerce (= entreprise, établissement).*
■ **sociable** adj. SENS 3 *Marie est sociable, elle aime la compagnie.*
■ **social** adj. SENS 1 *Les sciences sociales étudient les sociétés humaines. Une loi sociale améliore les conditions de vie des gens.*
■ **socialisme** n.m. SENS 1 *Le socialisme est une doctrine qui accorde plus d'importance à l'intérêt collectif qu'aux intérêts particuliers.*
■ **socialiste** adj. et n. SENS 1 *Les députés socialistes ont proposé d'augmenter les allocations familiales.*
■ **sociétaire** adj. SENS 4 *Les sociétaires ont touché leur part de bénéfices, les membres de la société.*
■ **sociologie** n.f. SENS 1 *La sociologie est une science qui étudie les sociétés humaines.*

293 **socle** n.m. *La statue est posée sur un socle* (= support).

socquette n.f. *Je mets mes socquettes pour jouer au tennis,* des chaussettes basses.

soda n.m. *Je bois un soda,* de l'eau gazeuse additionnée de sirop de fruits.

603 **sœur** n.f. **1.** *Christiane est ma sœur,* elle a le même père et la même mère que moi* (≠ frère). **2.** *C'est une (bonne) sœur qui m'a fait la piqûre,* une religieuse.

■ **demi-sœur** n.f. *Une demi-sœur est une sœur née du même père ou de la même mère seulement.*

sofa n.m. *Allonge-toi sur le sofa,* une sorte de lit.

soi pron.pers. **1.** *On ne doit pas penser seulement à soi,* à sa personne. *Après la classe, chacun rentre chez soi.* **2.** *Tu peux venir avec des amis, ça va de soi,* c'est évident, il n'y a pas besoin de le dire.
R. *Soi se prononce* [swa] *comme soie, soit et* [qu'il] *soit* (de *être*).

soi-disant **1.** adj.inv. *Ce soi-disant médecin est un charlatan,* cet homme qui prétend être médecin. **2.** adv. *Tu devais soi-disant revenir,* d'après ce que tu disais.

soie n.f. **1.** *Marie a un corsage en soie,* un tissu léger, fin et doux. **2.** *Cette brosse est en soies de sanglier* (= poil).

■ **soierie** n.f. SENS 1 *Dominique tient un magasin de soieries,* de tissus de soie.

■ **soyeux** adj. SENS 1 *Jeanne a des cheveux soyeux,* doux et fins comme la soie.
R. → *soi.*

soif n.f. **1.** *J'ai soif,* j'ai besoin de boire. **2.** *J'ai soif de grand air,* j'en ai très envie.

■ **assoiffé** adj. SENS 1 *Les touristes sont assoiffés,* ils ont très soif (= altéré). SENS 2 *Il est assoiffé de vengeance,* il a un violent désir de se venger.

soin n.m. **1.** *Votre travail est fait avec soin,* vous y avez fait très attention (= application). **2.** *Je prends soin de mes vêtements,* je les conserve en bon état. **3.** (au plur.) *Je confie mon chien à vos soins,* je vous charge de veiller sur lui. **4.** (au plur.) *L'infirmière donne des soins à un blessé,* elle le soigne.

■ **soigner** v. SENS 1 *Soigne ton travail,* fais-le avec soin. SENS 2 *Je soigne mes plantes,* je m'en occupe bien. SENS 4 *La doctoresse soigne ses malades,* elle essaie de les guérir.

■ **soigné** adj. SENS 1 ET 2 *Tu as des ongles soignés,* propres (≠ négligé).

■ **soigneux** adj. SENS 1 ET 2 *Cette personne est soigneuse,* elle fait tout avec soin, elle prend soin de ses affaires (≠ négligent).

■ **soigneusement** adv. SENS 1 ET 2 *Range soigneusement tes livres !,* avec soin.

■ **soigneur** n.m. SENS 3 *Les sportifs ont leur soigneur,* quelqu'un qui leur donne les soins nécessaires.

soir n.m. *Le soir, je suis fatiguée,* au moment où la journée s'achève.

■ **soirée** n.f. **1.** *Nous avons passé la soirée à jouer aux cartes,* du coucher du soleil jusque tard dans la nuit. **2.** *Je suis invitée à une soirée,* un spectacle, une fête, une réunion qui a lieu le soir.

soit conj. ou adv. **1.** *Utilisez soit du beurre, soit de l'huile,* ou bien du beurre, ou bien de l'huile. **2.** *Elle a payé le prix indiqué, soit 100 dollars,* c'est-à-dire 100 dollars. **3.** *Puisque tu y tiens, soit, je le ferai* (= d'accord).
R. → *soi.* Au sens 3 on prononce le *t* final : [swat].

soixante adj. *Six fois dix font soixante.*
6 × 10 = 60.

■ **soixantième** adj. et n. *Elle est dans
sa soixantième année,* elle va avoir
soixante ans.

■ **soixantaine** n.f. *Le voyage coûte
une soixantaine de dollars,* environ
60 dollars. *Elle a la soixantaine,* elle a
environ soixante ans.

■ **soixante-dix** adj. *Sept fois dix font
soixante-dix. 7 × 10 = 70.*

■ **soixante-dixième** adj. *Il est dans sa
soixante-dixième année.*

soja n.m. *On fabrique de l'huile et de la
farine à partir des graines de soja,* une
sorte de haricot.

1. sol n.m. **1.** *Il est assis sur le sol de la
chambre,* par terre. **2.** *Le sol de cette
région est argileux,* le terrain.

■ **sous-sol** n.m. SENS 1 *On met le charbon au sous-sol,* dans la partie de la
maison située au-dessous du rez-de-
chaussée. SENS 2 *Il y a du pétrole dans
le sous-sol de ce pays,* dans les profon-
deurs du sol.
R. → *sole.*

2. sol n.m. *Sol* est la cinquième note de
la gamme.
R. → *sole.*

solaire → *soleil.*

soldat n.m. **1.** *Il est soldat,* il est dans
l'armée (= militaire). **2.** *Chez les termites et les fourmis, les soldats sont
chargés de défendre leur société.*

1. solde n.f. *Les militaires touchent
une solde,* un salaire.

2. solde n.m. **1.** *Vous versez
100 dollars et payez le solde à la
livraison,* le reste du prix. **2.** *Ces vêtements sont en solde,* ils sont vendus
au rabais.

■ **solder** v. **1.** SENS 2 *Solder une marchandise,* c'est la vendre en solde.
2. *Cette tentative s'est soldée par un
échec,* son résultat est un échec.

sole n.f. La *sole* est un poisson de
mer plat.
R. *Sole* se prononce [sɔl] comme *sol.*

soleil n.m. **1.** *La Terre tourne autour du
Soleil,* de l'astre qui nous envoie la
lumière et la chaleur. **2.** *Je me fais
bronzer au soleil,* à la lumière qui vient
du soleil.

■ **solaire** adj. *Une loupe concentre
les rayons solaires,* les rayons du
soleil.

■ **ensoleillé** adj. SENS 2 *La pièce est
ensoleillée,* le soleil y pénètre.

solennel adj. **1.** *Cet enterrement a été
une cérémonie solennelle,* sérieuse
et célébrée avec apparat. **2.** *Elle a pris
un engagement solennel,* public et
définitif.

■ **solennellement** adv. SENS 1 *Il s'est
engagé solennellement à nous aider.*

■ **solennité** n.f. SENS 1 *Elle parle avec
solennité* (= gravité, emphase).
R. On prononce [sɔlanɛl], [sɔlanɛlmɑ̃],
[sɔlanite].

solfier v. *En classe, on apprend à solfier,* à chanter en disant les notes.

■ **solfège** n.m. *J'apprends le solfège,*
à solfier.

solidaire adj. **1.** *Je suis solidaire de
mon frère,* j'approuve ce qu'il fait et je
le défends. **2.** *Les deux parties de cet
objet sont solidaires,* elles sont fixées
l'une à l'autre.

■ **solidairement** adv. SENS 1 *Nous
avons toujours agi solidairement,* en
plein accord.

■ **solidarité** n.f. SENS 1 *J'ai agi par solidarité avec lui,* parce que j'étais solidaire de lui.

■ **se solidariser** v. SENS 1 *Certains ouvriers ne se sont pas solidarisés
avec les grévistes* (= s'unir, s'associer).

■ **se désolidariser** v. SENS 1 *Je suis
d'accord sur beaucoup de choses,*

mais je *me désolidarise* de vous sur ce point (= se séparer).

solide adj. **1.** *Cette table est très solide,* elle résiste aux chocs, à l'usure (≠ fragile, cassant). **2.** *C'est une personne solide,* qui résiste à la fatigue et à la maladie (= robuste ; ≠ faible). **3.** adj. et n.m. *Une pierre est un solide,* un objet qui n'est ni liquide ni gazeux.

■ **solidement** adv. SENS 1 *Ce piquet est solidement enfoncé.*

■ **solidité** n.f. SENS 1 *Ce meuble manque de solidité,* il n'est pas solide.

■ **solidifier** v. SENS 3 *Le froid solidifie l'eau,* il la rend solide.

■ **consolider** v. SENS 1 *Le maçon consolide le mur,* il le rend plus solide (= renforcer).

soliste → *solo.*

solitaire 1. adj. *Mon grand-père vit solitaire à la campagne,* il reste seul (= isolé). **2.** n.m. *Tu portais une bague ornée d'un solitaire,* d'un diamant monté seul sur cette bague.

■ **solitude** n.f. SENS 1 *Le berger aime la solitude,* il aime être seul.

solive n.f. *Dans une maison, le plancher des étages est porté par des solives,* de grandes barres de bois posées sur les murs (= poutre).

solliciter v. *Je sollicite l'autorisation de m'absenter* (= demander).

■ **sollicitation** n.f. *Elle a fini par céder aux sollicitations de son entourage* (= instance, prière).

sollicitude n.f. *On l'a soigné avec sollicitude,* une attention affectueuse.

solo n.m. *Le concert commence par un solo de violon,* un morceau de musique joué par un violon seul.

■ **soliste** n. *Cette musicienne est une soliste,* elle joue des solos.

solstice n.m. *Le solstice d'été est le jour le plus long de l'année, le solstice d'hiver est le jour le plus court* (21 juin et 21 décembre).

solution n.f. **1.** *Une solution de sel,* c'est de l'eau dans laquelle du sel est dissous. **2.** *J'ai trouvé la solution du problème,* la réponse permettant de le résoudre (= résultat).

■ **soluble** adj. SENS 1 *Le sucre est soluble dans l'eau,* il s'y dissout.

■ **solubilisé** adj. SENS 1 *Du café solubilisé* a été rendu soluble.

■ **insoluble** adj. SENS 1 *La résine est insoluble dans l'eau,* elle ne s'y dissout pas. SENS 2 *Ce problème est insoluble,* il n'a pas de solution.

solvable adj. *Cette personne est solvable,* elle peut payer ce qu'elle doit.

■ **solvabilité** n.f. *La vendeuse s'est assurée de la solvabilité de l'acheteur avant de lui faire crédit.*

■ **insolvable** adj. *Il est insolvable,* il ne peut pas payer ses dettes.

sombre adj. **1.** *Ma chambre est sombre,* peu éclairée (= obscur ; ≠ clair). **2.** *Jean porte un costume vert sombre* (= foncé ; ≠ clair, pâle). **3.** *Tu as l'air sombre,* triste. **4.** *L'avenir paraît sombre,* inquiétant. *C'est une sombre histoire,* une histoire sinistre, ou lamentable.

■ **assombrir** v. SENS 1 *Les rideaux assombrissent la pièce,* ils la rendent sombre. *Le ciel s'assombrit* (= s'obscurcir). SENS 3 *Son visage s'assombrit,* il devient triste ou soucieux.

sombrer v. **1.** *Le bateau a sombré,* il a coulé. **2.** *Tu sombres dans l'alcoolisme,* tu te laisses aller à boire trop.

sommaire adj. **1.** *Votre explication est sommaire,* trop simple (= superficiel). **2.** *Une exécution sommaire* n'a pas été précédée d'un jugement.

3. n.m. *Le sommaire d'un livre,* c'est sa table des matières.

■ **sommairement** adv. SENS 1 *Ces indigènes étaient sommairement vêtus,* très peu vêtus.

sommation → *sommer.*

1. somme n.f. **1.** *La somme de deux plus trois cinq* (= addition, total). **2.** *J'ai une grosse somme à payer,* une grande quantité d'argent.

2. somme n.f. *L'âne est une bête de somme,* il est utilisé pour porter des charges.

3. somme → *sommeil.*

sommeil n.m. **1.** *Le téléphone a sonné pendant mon sommeil,* pendant que je dormais. **2.** *J'ai sommeil ce soir,* j'ai envie de dormir. **3.** *Ce volcan est en sommeil,* il ne se manifeste pas (≠ activité).

■ **sommeiller** v. SENS 1 *Cléa sommeille,* elle dort d'un sommeil léger.

■ **somnifère** n.m. SENS 1 *Un somnifère* est un médicament qui fait dormir.

■ **somme** n.m. SENS 1 *Le malade a fait un somme,* il a dormi un petit moment.

■ **ensommeillé** adj. SENS 2 *Les voyageurs sont ensommeillés,* ils ont sommeil.

■ **insomnie** n.f. SENS 1 *C'est la nervosité qui cause tes insomnies,* qui fait que tu ne peux pas t'endormir.

sommelier n.m. *Dans certains restaurants, le vin est servi par un sommelier,* une personne chargée des vins et des liqueurs.

sommer v. *La policière l'a sommé de circuler,* elle le lui a ordonné.

■ **sommation** n.f. *Il a fallu obéir à la sommation,* à l'ordre impératif.

sommet n.m. **1.** *Les alpinistes ont atteint le sommet de la montagne,*

son point le plus haut (= cime ; ≠ base, pied). **2.** *Une conférence au sommet* (ou *un sommet*) est un entretien entre chefs d'États ou de gouvernements.

sommier n.m. *Le matelas est posé sur un sommier,* un cadre muni de ressorts.

sommité n.f. *Ce médecin est une sommité,* un des plus brillants en médecine.

somnambule adj. et n. *Tu es somnambule,* tu marches, tu parles en dormant.

somnifère → *sommeil.*

somnolence n.f. *Ce médicament provoque la somnolence,* un demi-sommeil.

■ **somnolent** adj. *M. Dupont est somnolent après les repas,* à moitié endormi.

■ **somnoler** v. *Le chat somnole près du feu,* il dort à demi.

somptuaire adj. *Des dépenses somptuaires* sont des dépenses excessives par goût du luxe.

somptueux adj. *Cet appartement est somptueux,* beau et luxueux.

1. son, sa, ses adj.possessifs indiquent ce qui est à lui, ce qui lui appartient : *Son manteau, sa veste, ses chaussures.*
R. On emploie *son* au lieu de *sa* devant un nom féminin commençant par une voyelle ou un *h* muet : *son oreille. Son* se prononce [sɔ̃] comme [*ils*] *sont* (de *être*) ; *sa* se prononce [sa] comme *ça* ; *ses* se prononce [se] comme *ces.*

2. son n.m. *On entend le son d'une cloche,* son bruit.

■ **sonner** v. **1.** *On sonne à la porte,* on fait marcher la sonnette. **2.** *Le réveil sonne,* il produit un son prolongé.

3. *On sonne la fin de la récréation,* on l'annonce par une sonnerie.

■ **sonnerie** n.f. *J'entends la sonnerie du réveil,* le bruit qu'il fait quand il sonne.

■ **sonnette** n.f. *La visiteuse actionne la sonnette,* un mécanisme qui produit un son assez fort.

■ **sonneur** n.m. *Le sonneur fait sonner les cloches d'une église.*

■ **sonore** adj. 1. *Ce métal est sonore,* il produit un son quand on le frappe. 2. *Cette chapelle est sonore,* les sons, même légers, s'y entendent bien.

■ **sonorité** n.f. *Ce piano a une bonne sonorité,* il produit des sons agréables.

■ **sonoriser** v. 1. *On a sonorisé la salle de théâtre,* on l'a munie de haut-parleurs. 2. *Sonoriser un film,* c'est l'accompagner de musique, de aroles.

■ **sonorisation** ou **sono** n.f. *C'est Louise qui est chargée de la sono,* de l'installation de haut-parleurs et de micros pour diffuser la musique, les paroles dans une salle ou sur une place.

■ **insonore** adj. *Le plomb est insonore,* il ne laisse pas passer les sons.

■ **insonoriser** v. *Cet appartement est insonorisé,* les bruits ne traversent pas les murs.

■ **supersonique** adj. *Un avion supersonique va plus vite que le son.*

3. **son** n.m. *On nourrit les porcs avec du son,* l'enveloppe des grains de céréales.

sonate n.f. *La pianiste interprète une sonate,* un morceau de musique.

sonder v. 1. *Le marin sonde la mer,* il mesure la profondeur de l'eau. 2. *J'ai sondé mon ami,* j'ai cherché à savoir ce qu'il pensait.

■ **sonde** n.f. SENS 1 *On mesure la profondeur de l'eau à l'aide d'une sonde,* un appareil.

■ **sondage** n.m. SENS 1 *Les sondages indiquent une grande profondeur.* SENS 2 *On fait des sondages d'opinion,* on essaie de connaître l'opinion de la population en interrogeant un petit nombre de gens.

■ **insondable** adj. SENS 1 *Ce gouffre est insondable,* on ne peut pas en connaître la profondeur.

songer v. *Je songe à mes amis,* je pense à eux.

■ **songe** n.m. *Jean paraît plongé dans un songe,* dans ses pensées (= rêve).

■ **songeur** adj. *Cette nouvelle l'a laissé songeur,* pensif, rêveur.

sonner, sonnerie → son 2.

sonnet n.m. *Un sonnet est un poème de 14 vers en 4 strophes.*

sonnette, sonneur, sono, sonore, sonorisation, sonoriser, sonorité → son 2.

sophistiqué adj. *Un mécanisme sophistiqué est très compliqué.*

soporifique adj. et n.m. 1. *Ce médicament est (un) soporifique,* il endort (= somnifère). 2. *La séance a commencé par un discours soporifique* (= ennuyeux).

soprano ou **soprane** n.m. ou f. *Les femmes qui chantent très haut sont des sopranos.*

sorbet n.m. *Un sorbet est une glace sans crème à base de jus de fruits.*

■ **sorbetière** n.f. *Une sorbetière est un appareil qui sert à faire des glaces.*

sorcellerie, sorcier → sort.

sordide adj. 1. *Cette maison est sordide,* très sale. 2. *Mon voisin est d'une avarice sordide,* qui atteint un degré honteux (= répugnant).

sornettes n.f.pl. *Tu nous racontes des sornettes,* tu dis n'importe quoi (= sottises).

sort n.m. **1.** *Je suis contente de mon* **sort**, de la façon dont mon existence se passe. **2.** *La gagnante est tirée au* **sort**, désignée par le hasard. **3.** *Il croit qu'on lui a jeté un* **sort**, que quelqu'un a attiré, par magie, un malheur sur lui.

■ **sortilège** n.m. SENS 3 *Croire aux* **sortilèges**, c'est croire qu'il existe des événements magiques.

■ **sorcier** n. SENS 3 *En Afrique, les* **sorciers** *jouaient un rôle important*, les personnes qui jetaient des sorts (= magicien).

■ **sorcellerie** n.f. SENS 3 *C'est de la* **sorcellerie**, quelque chose que seul un sorcier pourrait faire.

■ **ensorceler** v. SENS 3 *Ensorceler quelqu'un*, c'est exercer sur lui une influence magique.
R. *Ensorceler* → conj. n° 6. → **saur**.

sorte n.f. **1.** *On a fait un bouquet avec plusieurs* **sortes** *de fleurs*, plusieurs variétés (= genre, catégorie, espèce). **2.** *Elle a travaillé* **de telle sorte** *qu'elle a réussi*, elle a si bien travaillé qu'elle a réussi (= de telle manière, de telle façon).

sortilège → **sort**.

sortir v. **1.** *M. Durand* **sort** *de sa maison*, il va au-dehors (≠ entrer). *On va bientôt* **sortir** *de l'hiver*, cesser d'être dans cette saison. **2.** *Nous* **sortons** *ce soir*, nous allons en visite, au spectacle, en promenade. **3.** *Il* **sort** *son chien*, il le promène. **4.** *Ce livre vient de* **sortir**, d'être mis en vente. **5.** *Il nous* **a sorti** *une drôle d'histoire* (= raconter).

■ **sortable** adj. SENS 2 Fam. *Ce garçon n'est pas* **sortable**, il se conduit si mal qu'on ne peut pas le présenter en société.

■ **sortant** adj. SENS 1 *On a affiché les numéros* **sortants**, ceux qui ont été tirés au sort (= gagnant). *La députée*

sortante *ne se représente pas aux élections*, celle qui était élue.

■ **sortie** n.f. SENS 1 *C'est bientôt l'heure de la* **sortie**, l'heure où l'on sort. *Je l'attends à la* **sortie**, à l'endroit par où l'on sort. SENS 2 ET 3 *Nous avons fait une* **sortie**, une promenade. SENS 4 *On annonce la* **sortie** *de son nouveau roman* (= publication, parution).
R. → Conj. n° 28. *Sortir* se conjugue avec l'auxiliaire *être* aux sens 1, 2 et 4, avec l'auxiliaire *avoir* aux sens 3 et 5. → **saur**.

S. O. S. n.m. *Le bateau en détresse lance un* **S. O. S.** *par radio*, un appel au secours.

sosie n.m. *Cette personne est ton* **sosie**, elle te ressemble parfaitement.

sot adj. et n. *Cette réponse est* **sotte** (= bête, idiot, imbécile).

■ **sottement** adv. *Vous avez agi* **sottement** (= bêtement).

■ **sottise** n.f. **1.** *Je me rends compte de sa* **sottise** (= stupidité). **2.** *On a fait une* **sottise** (= bêtise).
R. → **sceller**.

sou n.m. **1.** *Le* **sou** *était une pièce de monnaie de peu de valeur*. **2.** *J'ai des* **sous**, de l'argent.
R. → **soûl**.

soubassement n.m. *Le* **soubassement** *d'une maison repose sur les fondations*, le bas des murs (= base).

soubresaut n.m. *Elle a eu un* **soubresaut** *en entendant le bruit*, un mouvement brusque et involontaire du corps (= sursaut).

souche n.f. **1.** *En forêt, je me suis assis sur une* **souche**, la partie de l'arbre qui reste dans le sol quand il a été coupé. **2.** *Notre famille est de* **souche** *anglaise*, d'origine anglaise. **3.** *Quand on détache un chèque du carnet, il reste la* **souche**, un petit rectangle de papier portant le numéro du chèque.

656

1. souci n.m. Le *souci* est une plante à fleurs jaunes.

2. souci n.m. **1.** *Je me fais du souci,* je m'inquiète (= tourment, tracas). **2.** *J'ai des soucis,* des sujets d'inquiétude.

■ **se soucier** v. *Je ne me soucie pas de cela,* je ne m'en inquiète pas (= se préoccuper).

■ **soucieux** adj. *Vous semblez être soucieux,* avoir du souci (= inquiet, préoccupé).

■ **insouciant** adj. *Un enfant insouciant* ne s'inquiète de rien.

■ **insouciance** n.f. *Elle est d'une grande insouciance,* elle est très insouciante.

soucoupe n.f. *La tasse est posée sur une soucoupe,* une petite assiette.

soudain 1. adj. *Une pluie soudaine s'est mise à tomber,* une pluie arrivée tout à coup (= subit, imprévu). **2.** adv. *Le ballon a soudain éclaté* (= tout à coup, brusquement).

■ **soudainement** adv. *Soudainement, il s'est mis à pleuvoir* (= soudain, subitement).

■ **soudaineté** n.f. *La soudaineté de la gelée a surpris tout le monde* (= rapidité).

soudard n.m. *C'est un rustre qui a des manières de soudard,* de soldat brutal et grossier.

souder v. *Il faut qu'on soude les deux tuyaux,* qu'on les réunisse à l'aide d'une soudure.

■ **soudeur** n.m. *Le soudeur porte un masque pour se protéger le visage,* celui qui soude.

■ **soudure** n.f. *Tu feras la soudure avec un chalumeau,* tu réuniras les deux pièces de métal avec du métal fondu.

■ **dessouder** v. *Le choc a dessoudé la pièce,* il a fait céder la soudure.

■ **ressouder** v. *On a ressoudé les morceaux. L'os s'est ressoudé à l'endroit de la fracture.*
R. On prononce [desude], mais [rəsude]

soudoyer v. *Les gangsters avaient soudoyé le portier,* ils l'avaient payé pour le faire agir malhonnêtement.

souffler v. **1.** *Le vent souffle,* l'air se déplace. **2.** *Soufflez dans ce ballon,* envoyez-y de l'air avec votre bouche. *Souffle la bougie,* éteins-la avec ton souffle. **3.** *Laissez-moi souffler,* reprendre ma respiration. **4.** *Ne lui soufflez pas la réponse,* ne la lui dites pas pour l'aider. **5.** Fam. *Je suis soufflée,* très étonnée (= stupéfait).

■ **souffle** n.m. SENS 1 *Je sens un souffle d'air frais,* de l'air qui se déplace. SENS 2 *Les assistants, anxieux, retenaient leur souffle* (= respiration).

■ **soufflé** n.m. *Un soufflé est un plat qui gonfle en cuisant au four.*

■ **soufflerie** n.f. SENS 1 ET 2 *On essaie les avions dans des souffleries,* des installations faites pour produire un souffle.

■ **soufflet** n.m. **1.** SENS 2 *J'active le feu avec un soufflet,* un appareil qui envoie de l'air. **2.** *Les voitures du train sont reliées par un soufflet,* un couloir en forme d'accordéon. **3.** *Les soufflets d'un orgue, d'un accordéon* sont les parties pliantes qui soufflent l'air produisant les sons.

■ **souffleur** n.m. SENS 4 *Au théâtre, le souffleur aide les acteurs qui ne savent plus leur texte.*

■ **souffleuse** n.f. SENS 1 *Une souffleuse* est une sorte de chasse-neige.

■ **essouffler** v. SENS 3 *Je suis essoufflé d'avoir couru,* je respire difficilement.

■ **essoufflement** n.m. SENS 3 *En haute montagne, cette personne souffre d'essoufflement.*

290

290

1. soufflet n.m. est un équivalent rare de *gifle*.

■ **souffleter** v. se disait autrefois pour *gifler*.

2. soufflet → *souffler*.

souffrir v. **1.** *Elle souffre de sa blessure*, elle a très mal. **2.** *Les légumes ont souffert du gel*, ils ont été abîmés. **3.** *Je ne peux pas le souffrir*, je le déteste (= supporter, sentir).

■ **souffrance** n.f. **1.** SENS 1 *L'aspirine calme la souffrance* (= douleur). **2.** *Ce colis reste en souffrance*, personne ne le réclame.

■ **souffrant** adj. SENS 1 *Marie est souffrante* (= malade).

■ **souffreteux** adj. SENS 1 *Une personne souffreteuse* est souvent malade.

■ **souffre-douleur** n.inv. SENS 1 *Cette enfant est la souffre-douleur de ses camarades*, ils la maltraitent.

R. → Conj. n° 16. → *souffre*.

soufre n.m. *Le soufre brûle en produisant une fumée suffocante*, une substance de couleur jaune.

■ **soufrer** v. *Le vigneron soufre ses tonneaux*, il y fait brûler du soufre pour les désinfecter.

R. *Soufre* se prononce [sufr] comme [*je*] *souffre* (de *souffrir*).

souhaiter v. **1.** *Je souhaite qu'il fasse beau*, je le désire. **2.** *Je viens vous souhaiter la bonne année*, vous offrir mes vœux de bonheur.

■ **souhait** n.m. SENS 1 *Il a réalisé son souhait* (= désir, vœu).

■ **souhaitable** adj. SENS 1 *Il est souhaitable que tu fasses des progrès*, il le faudrait.

souiller v. *La serviette est souillée par du cambouis* (= salir, tacher, maculer).

■ **souillon** n. *Tu es une* (ou *un*) *souillon*, tu es malpropre.

souk n.m. Un *souk* est un marché arabe.

soûl ou **saoul** adj. **1.** *Le chauffeur était soûl*, il avait trop bu d'alcool (= ivre). **2.** *Il y a tant de bruit que j'en suis soûle*, j'ai la tête qui tourne.

■ **soûl** n.m. *Mange tout ton soûl*, autant que tu veux.

■ **soûler** ou **saouler** v. *Il s'est soûlé au cognac*, il en a bu jusqu'à être soûl.

■ **soûlant** adj. SENS 2 *Elle est soûlante avec ses histoires* (= fatigant, assommant).

■ **dessoûler** v. SENS 1 *Le grand air l'a dessoûlée*, il a fait cesser son ivresse. *Depuis hier, il n'a pas dessoûlé*, il est resté ivre.

R. *Soûl* et *saoul* se prononcent [su] comme *sou* et *sous*.

soulager v. **1.** *Ce médicament soulage la douleur* (= diminuer, calmer ; ≠ aggraver). **2.** *Je suis soulagé de la savoir guérie*, je ne suis plus inquiet (= apaiser).

■ **soulagement** n.m. *Elle a poussé un soupir de soulagement* (= apaisement ; ≠ accablement).

soûlant, soûler → *soûl*.

soulever v. **1.** *Le cuisinier soulève le couvercle de la casserole*, il le lève un peu. **2.** *Ce projet soulève l'enthousiasme* (= provoquer, déchaîner). **3.** *Le peuple se soulève* (= se révolter). **4.** *Cette odeur me soulève le cœur*, elle m'écœure.

■ **soulèvement** n.m. SENS 3 Un *soulèvement* est une révolte.

soulier n.m. *Mes souliers me font mal aux pieds* (= chaussure).

souligner v. **1.** *Soulignez le titre*, tirez un trait dessous. **2.** *Je tiens à souligner un détail*, à le mettre en valeur.

■ **soulignage** ou **soulignement** n.m. SENS 1 *Sa lettre est surchargée de soulignages*.

805

soumettre v. **1.** *Les salaires* **sont sou-mis** *à l'impôt,* on est obligé de payer l'impôt dessus (= assujettir). **2.** *Les révoltés* **se sont soumis,** ils se sont rendus, ils obéissent.

■ **soumis** adj. SENS 2 *Ce sont des enfants* **soumis** (= docile, obéissant).

■ **soumission** n.f. SENS 2 *Ce chef exige une* **soumission** *totale à ses décisions* (= obéissance).

■ **insoumis** adj. et n. SENS 2 *Un (soldat)* **insoumis** *refuse de faire son service militaire.*

■ **insoumission** n.f. SENS 2 *L'***insoumission,** c'est la désobéissance.

R. → Conj. n° 57.

505 **soupape** n.f. *Les moteurs de voitures ont des* **soupapes,** *des pièces mobiles qui se soulèvent pour laisser passer les gaz.*

soupçon n.m. **1.** *La police a des* **soupçons** *contre lui,* elle pense qu'il est coupable. **2.** *Je ne boirai qu'un* **soupçon de** *vin,* un tout petit peu.

■ **soupçonner** v. SENS 1 *On la* **soup-çonne** *de vol,* on pense qu'elle a commis un vol (= suspecter).

■ **soupçonneux** adj. SENS 1 *Le douanier a jeté un regard* **soupçonneux** *sur nos valises,* un regard exprimant ses soupçons.

■ **insoupçonné** adj. SENS 1 *Cette personne chétive a montré une force* **insoupçonnée,** qu'on n'attendait pas de sa part.

soupe n.f. *On mange sa* **soupe** *avec une cuillère,* un aliment liquide (= potage).

■ **soupière** n.f. *On sert la soupe dans une* **soupière,** un récipient creux.

78

soupente n.f. *La nuit, les souris trottent dans la* **soupente,** dans le réduit situé dans la partie haute d'une pièce coupée en deux par un plancher.

souper n.m. *Après le* **souper,** *nous irons nous coucher,* un repas du soir (= dîner).

■ **souper** v. *Nous* **avons soupé** *dans un petit bistrot,* nous avons mangé le soir (= dîner).

soupeser v. **Soupèse** *cette valise,* soulève-la avec la main pour juger de son poids.

soupière → soupe.

soupir → soupirer.

soupirail n.m. *Les caves sont aérées par des* **soupiraux,** *des petites fenêtres.*

soupirer v. **1.** *Les auditeurs* **soupirent** *d'ennui,* ils poussent des soupirs. **2.** *Elle* **soupire** *après ses vacances,* elle les attend avec impatience.

■ **soupir** n.m. SENS 1 *À cette nouvelle, Marie a poussé un* **soupir** *de soulagement,* une respiration forte et prolongée.

■ **soupirant** n.m. SENS 2 *Cette femme a des* **soupirants,** *des hommes qui lui font la cour.*

souple adj. **1.** *Les saules ont des branches* **souples,** qui se plient facilement (= élastique, flexible ; ≠ rigide, raide). **2.** *Tu as un caractère* **souple,** tu t'entends bien avec les gens, car tu t'adaptes à eux.

■ **souplesse** n.f. SENS 1 *Le chat est un animal d'une grande* **souplesse** (= agilité ; ≠ raideur). SENS 2 *Dans cette affaire, il faut manœuvrer avec* **souplesse** (= adresse, diplomatie).

■ **assouplir** v. SENS 1 *J'***assouplis** *mes chaussures,* je les rends plus souples.

■ **assouplissement** n.m. SENS 1 *Chaque matin, nous faisons des exercices d'***assouplissement,** pour assouplir nos membres. SENS 2 *On a obtenu un* **assouplissement** *du règlement* (= adoucissement).

source n.f. **1.** *Ici, il y a une* **source** *d'eau très pure,* de l'eau qui sort du

72

sol. **2.** *Une lampe est une* **source** *de lumière,* elle fournit de la lumière. **3.** *La maladie est la* **source** *de mes ennuis* (= cause).

■ **sourcier** n. SENS 1 *M. Dupuis est* **sourcier,** il a le don de découvrir des sources.

sourcil n.m. *Paul, surpris, lève les* **sourcils,** les lignes de poils situées au-dessus des yeux.

■ **sourciller** v. *Il se laissa injurier sans* **sourciller,** sans émotion apparente.

■ **sourcilière** adj.f. L'*arcade* **sourcilière** est l'endroit où poussent les sourcils.

R. On ne prononce pas le *l* final : [sursi].

sourcilleux adj. *La direction est très* **sourcilleuse** *sur la tenue du personnel* (= pointilleux, difficile).

sourd adj. et n. **1.** *Cette personne est* **sourde,** elle n'entend pas. **2.** *Il est resté* **sourd** *à mes prières,* il n'a pas voulu m'écouter. **3.** *Le paquet est tombé avec un bruit* **sourd** (= étouffé). *J'ai une douleur* **sourde** *dans la tête,* faible mais continue (≠ aigu).

■ **sourdement** adv. SENS 3 *Le tonnerre gronde* **sourdement,** en faisant un bruit sourd.

■ **sourd-muet** adj. et n. SENS 1 *Elle est* **sourde-muette,** elle ne peut ni entendre ni parler.

■ **surdité** n.f. SENS 1 *Sa* **surdité** *l'oblige à porter un appareil dans l'oreille.*

■ **assourdir** v. SENS 1 *Ce bruit m'*as-**sourdit,** il me fait mal aux oreilles. SENS 3 *Le tapis* **assourdit** *les pas,* il les rend moins sonores. *Le bruit s'*assour-*dit,* on l'entend moins.

■ **assourdissant** adj. SENS 1 *Les machines font un vacarme* **assourdissant.**

R. Attention au pluriel : des *sourds*-*muets.*

sourdine n.f. *On entend une musique en* **sourdine** (= faiblement).

sourd-muet → *sourd.*

sourdre v. *De l'eau* **sourd** *dans ce vallon,* elle sort de terre.

R. → Conj. n° 84.

souriant → *sourire.*

souriceau, souricière → *souris.*

sourire v. **1.** *Maman* **sourit,** elle rit doucement, en silence. **2.** *Cette idée me* **sourit,** elle me plaît.

■ **souriant** adj. SENS 1 *Une personne* **souriante** sourit souvent.

■ **sourire** n.m. SENS 1 *Fais-moi un* **sourire,** souris-moi un instant.

R. → Conj. n° 67. → *souris.*

souris n.f. *Une* **souris** *a grignoté le fromage,* un petit animal rongeur.

■ **souriceau** n.m. Le **souriceau** est le petit de la souris.

■ **souricière** n.f. *Paule a posé des* **souricières** *dans le grenier* (= piège).

R. *Souris* se prononce [suri] comme [*je*] *souris,* [*il*] *sourit* (de *sourire*).

sournois adj. et n. *Méfie-toi de ces gens, ils sont* **sournois,** ils font des mauvaises actions en se dissimulant (= hypocrite ; ≠ franc).

■ **sournoisement** adv. *Il nous a attaqués* **sournoisement** (= lâchement).

■ **sournoiserie** n.f. *Ses compliments sont pleins de* **sournoiserie** (= hypocrisie).

1. sous- au début d'un mot indique un degré inférieur, insuffisant : *sous-lieutenant,* *sous-alimentation.*

2. sous prép. **1.** *Le tapis est* **sous** *la table,* on a mis la table dessus. **2.** *La lettre est* **sous** *enveloppe,* dans une enveloppe. **3.** *La Fontaine vivait* **sous** *Louis XIV,* à l'époque de Louis XIV. **4.** *La branche plie* **sous** *le poids des fruits,* à cause de leur poids.

R. → *soûl.*

sous-alimentation, sous-alimenté → *aliment.*

sous-bois → *bois.*

souscrire v. **1.** *M. Durand a souscrit à une encyclopédie,* il s'est engagé à acheter les volumes qui paraîtront. **2.** *Je ne peux pas souscrire à vos déclarations,* m'y associer.

■ **souscripteur** n.m. SENS 1 *Cet emprunt a attiré de nombreux souscripteurs,* des personnes qui y ont souscrit.

■ **souscription** n.f SENS 1 *Cette série de livres est vendue en souscription,* les acheteurs souscrivent.

R. → Conj. n° 71.

sous-cutané adj. *Une piqûre sous-cutanée* se fait sous la peau (≠ intraveineux ou intramusculaire).

sous-développé → *développer.*

sous-entendre v. *Elle n'a pas dit qu'elle viendrait, mais c'était sous-entendu,* elle l'a fait comprendre sans le dire.

■ **sous-entendu** n.m. *Tes sous-entendus sont déplaisants* (≠ insinuation, allusion).

R. → Conj. n° 50.

sous-estimer → *estimer.*

sous-main n.m.inv. Un *sous-main* est un rectangle de cuir ou de buvard qui sert d'appui pour écrire sur un bureau.

sous-marin → *marin.*

sous-officier → *officier.*

sous-peuplé → *peuple.*

sous-préfecture, sous-préfet → *préfet.*

sous-produit → *produire.*

soussigné → *signer.*

sous-sol → *sol* 1.

sous-titre, sous-titrer → *titre.*

soustraire v. **1.** *Quand je soustrais 5 de 20, il reste 15* (= retrancher, ôter ; ≠ ajouter). **2.** *Je ne veux pas me*

soustraire à mes devoirs, y échapper, me dérober.

■ **soustraction** n.f. SENS 1 Une *soustraction* est une opération qui consiste à retrancher un nombre d'un autre.

R. → Conj. n° 79.

sous-verre n.m.inv. Un *sous-verre* est une gravure ou une photo placée entre une plaque de verre et un carton, sans cadre.

sous-vêtement → *vêtement.*

soutane n.f. *Les prêtres portaient la soutane,* une grande robe noire.

soute n.f. La *soute* est la partie d'un bateau, d'un avion où l'on met le matériel, les bagages.

soutènement → *soutenir.*

souteneur n.m. Un *souteneur* est un individu qui vit de l'argent que lui remettent des prostituées.

soutenir v. **1.** *Les piliers soutiennent le plafond* (= porter, retenir). **2.** *Hélène soutient son frère,* elle prend son parti. **3.** *Il faut soutenir notre attention,* rester attentifs. **4.** *Je soutiens que tu te trompes* (= affirmer, assurer, prétendre).

■ **soutènement** n.m. SENS 1 *Les murs de soutènement soutiennent la terrasse.*

■ **soutien** n.m. **1.** SENS 2 *Dans son malheur, il a besoin d'un soutien,* d'une aide morale. **2.** *Elle est soutien de famille,* c'est elle qui fait vivre sa famille.

■ **soutien-gorge** n.m. SENS 1 Un *soutien-gorge* est un sous-vêtement féminin qui soutient les seins.

■ **insoutenable** adj. **1.** SENS 4 *Une opinion insoutenable* ne peut être justifiée (= indéfendable). **2.** *Une douleur insoutenable* est insupportable.

R. → Conj. n° 22. Noter le pluriel : des *soutiens-gorge.*

souterrain 1. adj. *On peut changer de trottoir par un passage **souterrain**, qui passe sous terre.* **2.** n.m. *Le château a des **souterrains**, des galeries sous terre.*

soutien, soutien-gorge → *soutenir.*

soutirer v. **1.** *Soutirer du vin,* c'est le transvaser d'un tonneau dans un autre pour que la lie reste au fond du premier. **2.** *Elle m'a soutiré de l'argent,* elle m'a amené par la ruse à lui en donner.

se souvenir v. *Je **me souviens** de cette aventure,* elle est restée dans ma mémoire (= se rappeler, se remémorer ; ≠ oublier). ■ **souvenir** n.m. **1.** *Mon grand-père aime raconter ses **souvenirs**,* les moments de sa vie dont il se souvient. **2.** *J'ai rapporté des **souvenirs** de Grèce,* des objets qui me rappelleront mon voyage. **R.** → Conj. n° 22.

souvent adv. *En automne, il pleut **souvent**,* la pluie tombe à intervalles rapprochés (= fréquemment ; ≠ rarement).

souverain 1. n. *Un roi, un empereur, un monarque sont des **souverains**,* ils exercent le pouvoir suprême. **2.** adj. *Dans une démocratie, le peuple est **souverain**,* il est seul à décider. **3.** adj. *Ce médicament est **souverain** contre la grippe,* très efficace (= radical). ■ **souverainement** adv. SENS 2 *Le peuple jugera **souverainement**,* en maître absolu. SENS 3 *Il est **souverainement** intelligent,* extrêmement. ■ **souveraineté** n.f. SENS 1 ET 2 *Le peuple exerce sa **souveraineté**,* son pouvoir.

soyeux → *soie.*

spacieux → *espace.*

spaghetti n.m. *M. Tremblay aime les **spaghettis**,* des pâtes alimentaires en forme de fines baguettes.

sparadrap n.m. *Son pansement tient avec du **sparadrap**,* du tissu collant.

spartiate n.f. *L'été, je porte des **spartiates**,* des sandales faites de lanières croisées.

spasme n.m. *Un **spasme** est une contraction involontaire d'un muscle.* ■ **spasmodique** adj. *Elle était agitée d'un rire **spasmodique** (= convulsif).*

spatial → *espace.*

spatule n.f. **1.** *J'étends de la colle avec une **spatule**,* une petite pelle plate. **2.** *La **spatule** de mon ski est cassée,* le bout recourbé à l'avant.

speaker n. *À la télévision et à la radio, le **speaker** (la **speakerine**) annonce les programmes,* la personne dont c'est le métier. **R.** On prononce [spikœr], [spikrin].

spécial adj. **1.** *J'écris sur l'ardoise avec un crayon **spécial**,* fait exprès pour cela (= particulier). **2.** *Cet objet a une forme **spéciale**,* qui ne ressemble à aucune autre (≠ ordinaire). ■ **spécialement** adj. SENS 1 *Je viens **spécialement** pour vous voir (= exprès). J'aime les fruits et **spécialement** les pêches (= particulièrement, notamment).* ■ **se spécialiser** v. SENS 1 *Ce médecin s'est **spécialisé** dans les maladies du cœur,* il ne soigne que ces maladies. ■ **spécialisation** n.f. SENS 1 *La recherche scientifique demande une **spécialisation** poussée.* ■ **spécialiste** n. et adj. SENS 1 *C'est une **spécialiste** du cœur,* elle s'est spécialisée dans ce domaine. ■ **spécialité** n.f. **1.** SENS 1 *Ma **spécialité**, c'est l'histoire,* ce que je connais le mieux. **2.** *Le cassoulet est une* *spécialité toulousaine,* un plat particulier à de la région de Toulouse.

spécifier v. *Le contrat spécifie les conditions de vente de la maison,* il les indique précisément (= préciser).

spécifique adj. *L'eau bout à 100 degrés, c'est une propriété spécifique,* qui lui est particulière.

spécimen n.m. *Ce chien est un beau spécimen de sa race,* il représente bien sa race (= modèle).
R. On prononce [spesimɛn].

spectacle n.m. **1.** *Je suis impressionnée par le spectacle de la mer,* par ce que je vois : la mer. **2.** *Ce soir, nous allons au spectacle,* au théâtre, ou au cinéma, ou au cirque, etc.
■**spectateur** n. SENS 1 *Elle a été la spectatrice d'un accident,* elle a vu un accident. SENS 2 *Les acteurs sont applaudis par les spectateurs,* les gens qui regardent le spectacle.
■**spectaculaire** adj. SENS 2 *Les acrobates font un numéro spectaculaire,* qui surprend les spectateurs par son audace.

spectre n.m. **1.** *John prétend avoir vu un spectre dans le château* (= fantôme). **2.** *Le spectre de la lumière,* c'est l'ensemble des couleurs de l'arc-en-ciel qui composent la lumière du soleil.
R. → *sceptre.*

spéculation n.f. *Il s'est enrichi par des spéculations malhonnêtes,* en exploitant les variations de prix de produits (= manœuvre).
■**spéculer** v. *Cette personne a spéculé sur le prix des terrains,* elle a fait de la spéculation.
■**spéculateur** n. *Des spéculateurs ont fait monter le prix du sucre.*

spéléologie n.f. *On fait de la spéléologie,* on explore les grottes souterraines pour les étudier.

■**spéléologue** n. *Une équipe de spéléologues a découvert de nouvelles grottes.*

sperme n.m. *Le sperme est le liquide émis par les glandes reproductrices mâles.*

sphère n.f. **1.** *La Terre est une sphère,* elle a la forme d'une boule. **2.** *Cette personne est très appréciée dans sa sphère,* dans le milieu où elle est connue.
■**sphérique** adj. SENS 1 *La Terre est sphérique,* elle a la forme d'une sphère (= rond).

sphinx n.m. **1.** *Un sphinx a un corps de lion et une tête humaine,* un animal imaginaire. **2.** *Cet homme est un sphinx,* on ne peut pas deviner ce qu'il pense.

spinnaker ou **spi** n.m. *Par vent arrière, le trimaran a mis son spi,* un grand foc léger qui se gonfle beaucoup.
R. On prononce [spinekœr].

spirale n.f. *Un escalier en spirale* tourne régulièrement dans le même sens.
■**spire** n.f. *Ce ressort a vingt spires,* le fil de fer fait vingt tours sur lui-même.

spiritisme, spirituel → *esprit.*

spiritueux n.m. *Les spiritueux sont des boissons alcoolisées.*

splendide adj. *Quel temps splendide !,* très beau (= magnifique, superbe).
■**splendeur** n.f. *Cette décoration est une splendeur !,* elle est splendide.

spolier v. *On l'a spolié de son héritage,* on l'en a privé par des procédés malhonnêtes (= déposséder, dépouiller).

spongieux adj. *On s'enfonce dans ce sol spongieux,* mou et imbibé d'eau.
→ p. 809

34, 440

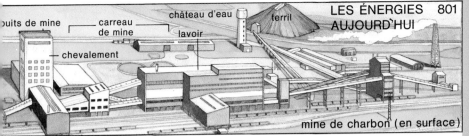

puits de mine — carreau de mine

château d'eau

terril

chevalement

lavoir

mine de charbon (en surface)

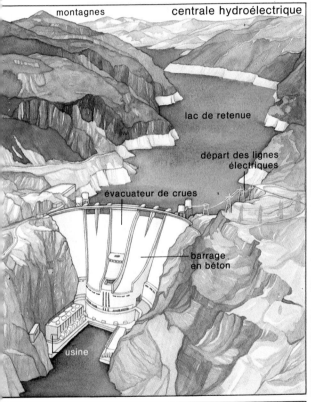

montagnes — centrale hydroélectrique

lac de retenue

départ des lignes électriques

évacuateur de crues

barrage en béton

usine

centrale thermique au fioul

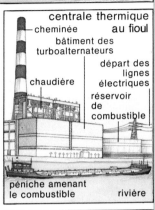

cheminée

bâtiment des turboalternateurs

départ des lignes électriques

chaudière

réservoir de combustible

péniche amenant le combustible

rivière

centrale nucléaire

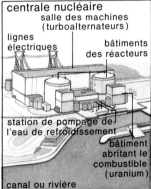

salle des machines (turboalternateurs)

lignes électriques

bâtiments des réacteurs

station de pompage de l'eau de refroidissement

bâtiment abritant le combustible (uranium)

canal ou rivière

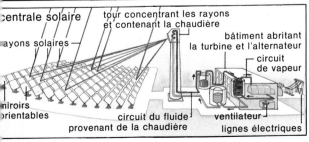

centrale solaire

tour concentrant les rayons et contenant la chaudière

rayons solaires

bâtiment abritant la turbine et l'alternateur

circuit de vapeur

miroirs orientables

circuit du fluide provenant de la chaudière

ventilateur

lignes électriques

schéma de fonctionnement d'une centrale nucléaire

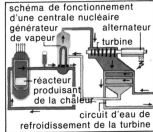

générateur de vapeur

alternateur

turbine

réacteur produisant de la chaleur

circuit d'eau de refroidissement de la turbine

802

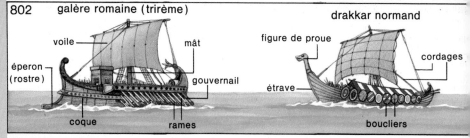

galère romaine (trirème)

voile — mât

éperon (rostre)

gouvernail

coque — rames

drakkar normand

figure de proue

cordages

étrave

boucliers

coche d'eau (XVIIe siècle)

chemin de halage

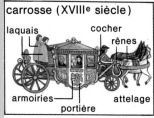

carrosse (XVIIIe siècle)

laquais — cocher — rênes

armoiries — attelage

portière

diligence (XIXe siècle)

malles et bagages — relais de poste

malle-poste

AUBERGE

postillon

aubergiste

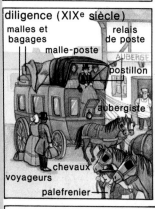

rail

chevaux

voyageurs

palefrenier

motrice

projecteur

ballast

caravane du Far West (XIXe siècle)

troupeau de bisons — Indiens — chariots — émigrants

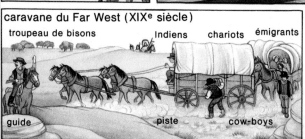

guide — piste — cow-boys

chemin de fer (vers 1875)

locomotive à vapeur — panache de fumée — abri du serre-frein

chauffeur

mécanicien — fourgon à bagages

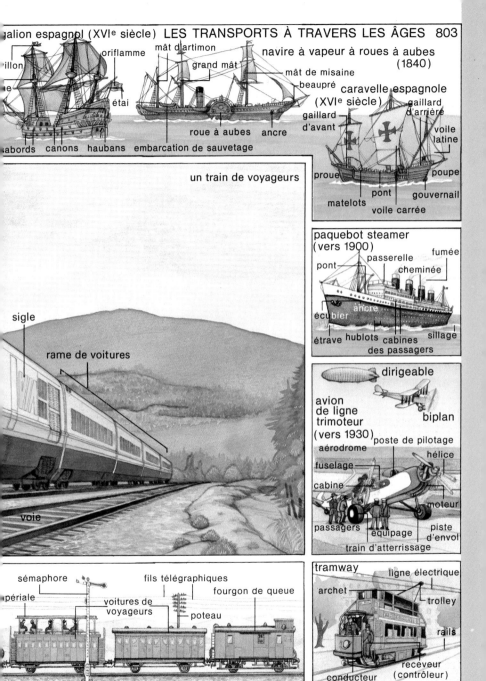

galion espagnol (XVIe siècle)

oriflamme

mât d'artimon

grand mât

navire à vapeur à roues à aubes
(1840)

mât de misaine

beaupré

caravelle espagnole
(XVIe siècle)

étai

pillon

le

sabords canons haubans embarcation de sauvetage

roue à aubes ancre

gaillard
d'avant

gaillard
d'arrière

voile
latine

proue

poupe

pont gouvernail

matelots voile carrée

un train de voyageurs

paquebot steamer
(vers 1900)

fumée

passerelle

cheminée

pont

écubier

ancre

étrave hublots cabines sillage
des passagers

sigle

rame de voitures

dirigeable

avion
de ligne
trimoteur
(vers 1930)

biplan

poste de pilotage

aérodrome

hélice

fuselage

cabine

moteur

voie

passagers équipage piste
d'envol

train d'atterrissage

sémaphore

fils télégraphiques

fourgon de queue

impériale

voitures de
voyageurs

poteau

tramway

ligne électrique

archet

trolley

rails

ballast

receveur
(contrôleur)

conducteur
(wattman)

rue

804 Romain et Romaine

péplum

toge

tunique

sandale

Moyen Âge

saie

braies

Gaulois et Gauloise

hennin

sarrau

poulaine

voilette

chapeau melon

1916

bottines

1900

manchon

manteau

haut-de-forme

1880

tournure

caméra de télévision

clientes

stylistes

grand couturier

queue-de-pie

1860

habit

ombrelle

capeline

gilet

cape

crinoline

IIe Empire

fichu

sper

redingote

bo
à
rev

guin

XVᵉ siècle

chausses

robe à la française

manches à taillades

pourpoint

crevés

haut-de-chausses

Renaissance

vertugadin

cape

fraise

Henri II

Louis XIII

une présentation de mode

projecteur

défilé des mannequins

journalistes

photographes

nœud papillon

feutre

perruque

Louis XIV

volants

canons

soulier

botte à chaudron

coiffure à la caravelle

justaucorps

catogan

aumônière

incroyable

tricorne

bicorne

habit

culotte

canne

cravate

Louis XVI

robe à panier

bas

Iᵉʳ Empire

fin du XVIIIᵉ siècle

806

tablette d'argile Mésopotamie (3500 av. J.-C.)

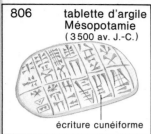

écriture cunéiforme

une imprimerie au XVIIᵉ siècle

imprimeur — casse — page — presse

caractères en métal

papyrus égyptien (2000 av. J.-C.)

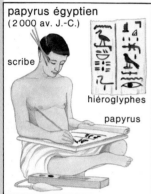

scribe

hiéroglyphes

papyrus

manuscrit (Moyen Âge)

lettrine — enluminure

écriture gothique — parchemin

opérateur du "son"

écrans

régie

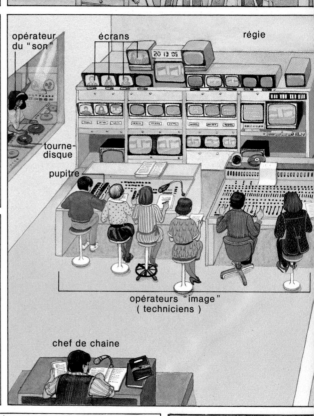

tourne-disque

pupitre

opérateurs "image" (techniciens)

chef de chaine

lecteur de cassettes

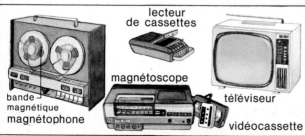

magnétoscope

téléviseur

bande magnétique

magnétophone

vidéocassette

satellite de télécommunication

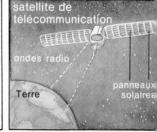

ondes radio

Terre

panneaux solaires

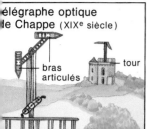

télégraphe optique de Chappe (XIXᵉ siècle)

bras articulés

tour

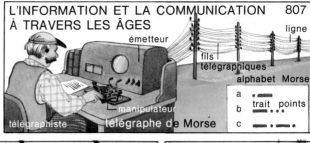

émetteur

ligne

fils télégraphiques

alphabet Morse

a	• ▬	trait points
b	▬ • • •	
c	▬ • ▬ •	

manipulateur

télégraphiste

télégraphe de Morse

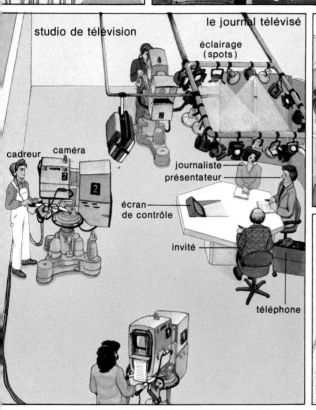

le journal télévisé

studio de télévision

éclairage (spots)

cadreur

caméra

journaliste présentateur

écran de contrôle

invité

téléphone

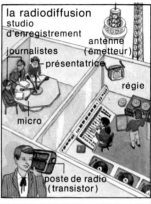

la radiodiffusion

studio d'enregistrement

journalistes

antenne (émetteur)

présentatrice

régie

micro

poste de radio (transistor)

un journal (la presse)

la première page (la "une")

éditorial

titre

manchette

LE FRANC, ÇA SE GÂTE!

Le Jour

ÉDITORIAL LA COTE D'ALERTE EST ATTEINTE.

photo

article

photographes

journaliste tapant son "papier"

salle de rédaction

photo-copieuse

machine à écrire

rédacteur

reporters

télex

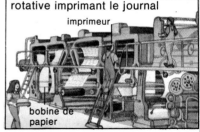

rotative imprimant le journal

imprimeur

bobine de papier

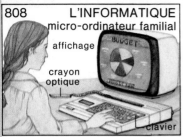

808 L'INFORMATIQUE
micro-ordinateur familial

affichage

crayon optique

clavier

micro-ordinateur professionnel

écran

lecteur de disquettes

claviste touches console

cassette

bande magnétique

disquette

lecteurs de disques magnétiques

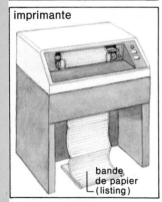

imprimante

bande de papier (listing)

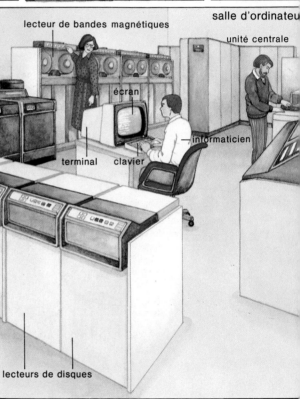

salle d'ordinateur

lecteur de bandes magnétiques

unité centrale

écran

informaticien

terminal clavier

lecteurs de disques

jeu vidéo éducatif

joueurs

affichage du jeu

téléviseur

console

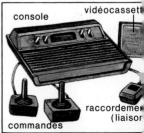

console vidéocassette

raccordement (liaison)

commandes

spontané adj. **1.** *La coupable a fait des aveux spontanés,* sans y être forcée. **2.** *Hélène est une fillette spontanée,* elle ne cherche pas à dissimuler ses sentiments (= franc).
■ **spontanéité** n.f. *J'aime la spontanéité,* qu'on soit spontané.
■ **spontanément** adv. *Elle a proposé son aide spontanément,* sans qu'on la lui demande.

sporadique adj. *Des mouvements sporadiques de grève ont eu lieu* (= dispersé).
■ **sporadiquement** adv. *Des foyers d'épidémie sont apparus sporadiquement,* en divers endroits, ici et là.

sport n.m. **1.** *La course, le rugby, le football, la natation sont des sports,* des exercices exigeant un effort physique. **2.** *Pour Noël, nous allons aux sports d'hiver,* à la montagne faire du ski. *Les sports d'hiver sont les sports de neige ou de glace.*
■ **sportif** adj. et n. SENS 1 *Un journal sportif parle de sport. Une personne sportive fait du sport.*
■ **sportivement** adv. *Le candidat battu a reconnu sportivement sa défaite,* sans contestation, aussi loyalement qu'après une compétition sportive.

spot n.m. **1.** *Le couloir est éclairé par un spot,* un petit projecteur. **2.** *Un spot publicitaire est un film publicitaire de très courte durée.*
R. On prononce le *t* final : [spɔt].

sprint n.m. *Cette athlète a gagné au sprint,* en allant très vite à la fin de la course.
■ **sprinter** n.m. *Ce coureur est un bon sprinter,* il sait aller très vite en fin de course.
R. On prononce [sprint], [sprintœr].

squale n.m. est un équivalent de *requin*.
R. On prononce [skwal].

square n.m. *Un square est un petit jardin public.*
R. On prononce [skwar].

squatter n.m. *Des squatters se sont installés dans cette ancienne usine,* des personnes sans abri qui l'occupent sans autorisation.
R. On prononce [skwatœr].

squelette n.m. *Le squelette,* c'est l'ensemble des os du corps.
■ **squelettique** adj. *Le malade était squelettique,* très maigre.

stable adj. **1.** *La chaise a un pied cassé, elle n'est pas stable,* elle bouge, elle n'est pas en équilibre (≠ branlant). **2.** *Le temps est stable depuis une semaine,* il ne change pas.
■ **stabilité** n.f. *Nous souhaitons la stabilité des prix,* que les prix soient stables.
■ **stabiliser** v. *Le gouvernement s'efforce de stabiliser les prix.*
■ **déstabiliser** v. *Des terroristes s'efforçaient de déstabiliser l'État,* de l'ébranler, de provoquer la chute du pouvoir.
■ **instable** adj. SENS 1 *Ce vase est en équilibre instable,* il risque de tomber. SENS 2 *Cette personne est instable,* elle change souvent d'idée (≠ équilibré). *Le temps est instable,* il change souvent.
■ **instabilité** n.f. *Il vaut mieux prendre un parapluie, étant donné l'instabilité du temps.*

1. stade n.m. *On peut faire du sport sur un stade,* un terrain équipé d'installations sportives.

2. stade n.m. *Sa maladie en est au stade aigu,* au moment où elle est aiguë (= phase).

stage n.m. *Faire un stage dans une entreprise,* c'est y rester quelque temps pour apprendre son métier.

■**stagiaire** adj. et n. *Un (instituteur) stagiaire fait un stage dans notre école.*

stagner v. **1.** *L'eau stagne dans les flaques,* elle ne coule pas. **2.** *Le chiffre des ventes stagne,* il reste le même.

■**stagnant** adj. SENS 1 *Une flaque, c'est de l'eau stagnante.*

■**stagnation** n.f. SENS 2 *La stagnation du commerce,* c'est son manque d'activité (= arrêt).

R. On prononce [stagne], [stagnasjɔ̃].

stalactite n.f., **stalagmite** n.f. *Dans la grotte, il y a des stalactites,* des colonnes de calcaire qui tombent du plafond, *et des stalagmites,* des colonnes de calcaire qui montent du sol.

stalle n.f. **1.** *Le cheval est dans sa stalle,* l'emplacement qui lui est réservé dans l'écurie (= box). **2.** *Il y a des stalles dans le chœur de l'église,* des sièges en bois.

stand n.m. *Au Salon de l'auto, chaque marque de voitures a son stand,* son emplacement réservé.

standard 1. adj.inv. *L'équipement standard d'une voiture,* c'est celui qu'ont toutes les voitures du même type. *J'ai fait faire un échange standard du moteur,* l'échange du moteur usé contre un moteur du même modèle neuf ou rénové. **2.** n.m. *Quand je téléphone au bureau, c'est le standard qui me répond,* les personnes chargées de mettre les postes téléphoniques intérieurs en relation avec l'extérieur.

■**standardiser** v. SENS 1 *La fabrication de ce modèle de voiture est standardisée,* toutes les voitures sont identiques.

■**standardisation** n.f. SENS 1 *La standardisation accélère la production.*

■**standardiste** n. SENS 2 *J'ai demandé le poste de Claude au standardiste,*

l'employé du standard (= téléphoniste).

star n.f. *Une star de cinéma est une* actrice très connue.

starter n.m. **1.** *Le starter a donné le signal du départ de la course,* la personne chargée de cela. **2.** *Le moteur est froid, il faut mettre le starter,* le dispositif qui facilite la mise en marche (= étrangleur).

R. On prononce [startɛr].

station n.f. **1.** *Les marcheurs font une station,* ils s'arrêtent un moment (= halte, pause). **2.** *L'autobus arrive à la station,* l'endroit où il s'arrête (= arrêt). **3.** *Bromont est une station de sports d'hiver,* un lieu où on les pratique. **4.** *Une station météorologique est un centre,* une installation pour observer le temps.

■**stationner** v. SENS 1 *La voiture stationne,* elle est arrêtée.

■**stationnement** n.m. SENS 1 *Le stationnement est interdit dans cette rue,* il est interdit de stationner.

■**stationnaire** adj. SENS 1 *Le temps est stationnaire,* il ne change pas.

■**station-service** n.f. SENS 4 *Dans les stations-service,* on peut faire le plein d'essence, faire laver sa voiture, etc.

statistique n.f. *Faire la statistique des naissances de l'année,* c'est les compter pour faire des comparaisons avec les naissances des autres années.

■**statistiquement** adv. *La grande criminalité est statistiquement en baisse.*

statue n.f. *Le sculpteur exécute des statues,* des œuvres d'art en pierre, en bois, en métal, représentant des êtres vivants.

■**statuaire** n. *Une statuaire est une* artiste qui fait des statues (= sculpteur).

■**statuaire** n.f. *La statuaire est l'art* de faire des statues.

■ **statuette** n.f. Une *statuette* est une petite statue.

statuer v. Il faut *statuer* sur le cas de cette employée, prendre une décision à son sujet.
R. → statut.

statuette → statue.

statu quo n.m. Par prudence, on a maintenu le *statu quo*, on n'a rien changé à la situation.

stature n.f. Un géant est un homme d'une grande *stature* (= taille).

statut n.m. Les *statuts* de l'association n'ont pas été respectés, les règles qui fixent son organisation.
■ **statutaire** adj. La réunion du comité est une obligation *statutaire*, inscrite dans les statuts.
R. Statut se prononce [staty] comme *statue* et [*il*] statue (de *statuer*).

steak → bifteck.

stèle n.f. À l'emplacement de la bataille, on a élevé une *stèle*, une pierre qui porte une inscription.

sténographie ou **sténo** n.f. Écrire en *sténographie* (en *sténo*), c'est écrire à la vitesse de la parole au moyen de signes particuliers.
■ **sténographe** n. Un *sténographe* est une personne qui sait écrire en sténographie.
■ **sténographier** v. Le texte du discours a été *sténographié*, il a été noté en sténo.
■ **sténodactylo** n.f. La directrice dicte du courrier à la *sténodactylo*, une employée qui connaît la dactylographie et la sténographie.

stentor n.m. M. Martin a une voix de *stentor*, une voix très forte.
R. On prononce [stãtɔr].

steppe n.f. La *steppe* s'étend à l'infini, une grande plaine herbeuse.

stère n.m. Dans ces cheminées, on brûlait beaucoup de *stères* de bois, de mesures valant 1 mètre cube.

stéréophonie n.f. Le concert radiophonique est diffusé en *stéréophonie*, par un procédé qui donne à l'auditeur l'impression d'être dans la salle de concerts.

stéréoscope n.m. Un *stéréoscope* est un appareil d'optique qui donne une vision en relief d'images planes.

stéréotypé adj. Les formules de politesse sont *stéréotypées*, elles ont toujours la même forme.

stérile adj. **1.** Un animal *stérile* ne peut pas avoir de petits (≠ fécond). **2.** Cette discussion est *stérile*, elle ne mène à rien (= vain ; ≠ efficace, utile). **3.** On a mis un pansement *stérile* sur sa blessure, sans microbes.
■ **stérilité** n.f SENS 1 Guérir la *stérilité* d'une personne, c'est faire qu'elle puisse avoir des enfants.
■ **stériliser** v. SENS 1 *Stériliser* une chatte, c'est la rendre stérile. SENS 3 On *stérilise* le lait en le faisant bouillir, on tue les microbes qui s'y trouvent.
■ **stérilisateur** n.m. SENS 3 On stérilise les biberons dans un *stérilisateur*, un appareil.
■ **stérilisation** n.f. SENS 3 La *stérilisation* du lait se fait par ébullition.

sterne n.f. La *sterne* est un oiseau de mer qui ressemble à une hirondelle.

sternum n.m. Le *sternum* est l'os plat situé au milieu de la poitrine.
R. On prononce [stɛrnɔm].

stéthoscope n.m. Le médecin ausculte les gens avec un *stéthoscope*, un appareil qui amplifie les bruits du corps.

steward n.m. Dans un avion, le *steward* effectue le même travail que l'hôtesse de l'air (= agent de bord).
R. On prononce [stiwart].

stigmatiser v. *La présidente a stigmatisé ce lâche attentat,* elle l'a vivement condamné (= flétrir).

stimuler v. *La présence du public stimule les sportifs,* elle les encourage, les excite.

■ **stimulant** n.m. et adj. *Le café est un stimulant* (= excitant).

■ **stimulation** n.f. *Ces promenades produisent une stimulation de l'appétit.*

■ **stimulateur** n.m. *Un stimulateur cardiaque* est un appareil qui stimule l'activité du cœur.

stipuler v. *Le contrat stipule que le prix est définitif,* cette condition est écrite dans le contrat (= indiquer, préciser).

stock n.m. *La commerçante a des stocks,* de la marchandise en réserve.

■ **stocker** v. *Stocker du sucre,* c'est en mettre beaucoup en réserve.

stoïque adj. *Tu restes stoïque sous la pluie,* tu la supportes sans te plaindre (= impassible).

stomacal adj. *Des douleurs stomacales* sont des douleurs d'estomac.

stopper v. **1.** *Le mécanicien stoppe la machine,* il l'arrête. *La voiture stoppe,* elle s'arrête. **2.** *Mon pantalon neuf a un accroc, je vais le faire stopper,* réparer en refaisant le tissage.

■ **stop !** interj. SENS 1 *Il y a un accident ! Stop !,* arrêtez-vous !

■ **stop** n.m. **1.** SENS 1 *Les voitures s'arrêtent au stop,* au niveau du panneau routier qui ordonne de stopper. **2.** *Les stops d'une voiture s'allument quand on freine,* des lumières rouges placées derrière. **3.** *Faire du stop,* c'est faire de l'auto-stop.

■ **stoppage** n.m. SENS 2 *Le stoppage de tes bas est invisible* (= réparation).

store n.m. *Baisse le store !,* une sorte de rideau qui protège du soleil.

strabisme n.m. *Georges est atteint de strabisme,* il louche.

strangulation n.f. *Le chien a failli mourir par strangulation,* mourir étranglé.

strapontin n.m. *Dans les salles de spectacle, il y a des strapontins au bord des allées,* des sièges qui se replient.

stratagème n.m. *On a imaginé un stratagème pour entrer gratuitement,* un moyen habile.

strate → *stratifié.*

stratégie n.f. *L'agence de publicité a décidé de la stratégie à adopter,* de la manière de conduire la campagne.

■ **stratégique** adj. *Nos troupes occupent une position stratégique,* elles sont bien placées.

stratifié adj. *Des roches stratifiées sont formées de couches superposées appelées strates.*

stratosphère n.f. *La stratosphère* est la couche supérieure de l'atmosphère.

stress n.m. *La grande agitation de la vie à la ville provoque parfois un stress* (= angoisse, anxiété).

strict adj. **1.** *La directrice a donné des ordres très stricts,* qui doivent être respectés rigoureusement. **2.** *Je vous ai dit la stricte vérité* (= exact). **3.** *Dans cette usine, on est très strict sur les horaires,* on en exige le respect absolu (= sévère, exigeant).

■ **strictement** adv. SENS 1 *La vente de ce produit est strictement interdite* (= rigoureusement, formellement).

strident adj. *Tu as poussé un cri strident en voyant l'araignée* (= aigu, perçant).

strie n.f. *Ce coquillage a des stries sur sa surface,* des lignes parallèles.

■ **strié** adj. *Ce coquillage est strié.*

strophe n.f. *Certains poèmes sont divisés en plusieurs strophes,* en plusieurs parties ayant chacune quelques vers.

structure n.f. *La structure d'une phrase* est la manière dont ses éléments sont organisés.

■ **structuré** adj. *Ce roman est solidement structuré* (= construit).

■ **superstructure** n.f. *Les superstructures d'un navire,* c'est l'ensemble de ce qui est au-dessus du pont.

stuc n.m. *Les plafonds du palais ont des moulures en stuc,* une matière qui imite le marbre.

studieux → *étude.*

studio n.m. **1.** *J'habite un studio,* un petit logement d'une pièce. **2.** *Le photographe travaille dans son studio,* son atelier. **3.** *Un studio de cinéma, de télévision, de radio* est un local où l'on tourne des films, où l'on fait des émissions.

stupéfaction n.f. *Son visage exprime la stupéfaction,* un très grand étonnement.

■ **stupéfait** adj. *Je suis stupéfaite de ce que tu me dis,* très étonnée.

■ **stupéfier** v. *Cette nouvelle a stupéfié l'assemblée* (= abasourdir, atterrer, consterner).

■ **stupéfiant** **1.** adj. *Cette nouvelle est stupéfiante* (= étonnant, incroyable). **2.** n.m. *Ces policiers sont chargés de lutter contre le trafic des stupéfiants* (= drogue).

stupeur n.f. *Ce spectacle horrible nous a plongés dans la stupeur,* nous a laissés sans réaction (= stupéfaction).

stupide adj. *Ce garçon ne comprend rien, il est stupide* (= idiot ; ≠ intelligent).

■ **stupidement** adv. *J'ai répondu stupidement* (= bêtement).

■ **stupidité** n.f. *Cette personne est d'une stupidité incroyable* (≠ intelligence). *Arrête de dire des stupidités,* des choses stupides (= ânerie, bêtise).

style n.m. **1.** *Cet écrivain emploie souvent un style familier,* une manière d'écrire. **2.** *Ce coureur a du style,* il court bien, avec élégance. **3.** *Les Durand ont des meubles de style Louis XV,* faits comme ceux de l'époque de Louis XV.

■ **stylé** adj. SENS 2 *Les serveurs stylés* sont ceux qui ont bien appris leur métier.

■ **styliser** v. *Sa robe est ornée de fleurs stylisées,* qu'on a dessinées en les simplifiant.

■ **styliste** n. *Les stylistes* ont pour métier de créer des modèles dans le domaine de l'habillement, de l'ameublement. 804

stylet n.m. *Un stylet* est un petit poignard à lame très étroite.

stylo n.m. *J'écris avec un stylo,* un porte-plume ayant un réservoir d'encre. 292

suave adj. *Les lis répandent un parfum suave,* doux et agréable.

■ **suavité** n.f. *Sylvie a une voix pleine de suavité,* de douceur.

subalterne adj. et n. *M. Martin est un employé subalterne,* il occupe un emploi secondaire. *Il a joué un rôle subalterne* (= mineur).

subdivision → *diviser.*

subir v. *J'ai subi l'opération de l'appendicite,* on m'a opéré. *La maison a subi des dégâts,* des dégâts lui ont été causés.

subit adj. *Une piqûre de guêpe cause une douleur subite,* qui apparaît tout à coup (= soudain).

■ **subitement** adv. *Elle est partie su-bitement* (= tout à coup, soudain).

subjectif adj. *Vos critiques sont sub-jectives, vous critiquez en ne tenant compte que de vos idées et de vos goûts* (≠ objectif).
■ **subjectivement** adv. *Tu juges trop subjectivement* (≠ objectivement).
■ **subjectivité** n.f. *Une étude scienti-fique doit être dépourvue de subjecti-vité* (≠ objectivité).

subjonctif n.m. *Dans la phrase « je veux que tu viennes », le verbe « venir » est au subjonctif, un mode du verbe.*

subjuguer v. *La conférencière subju-gue son auditoire, celui-ci l'écoute avec admiration* (= fasciner).

sublime adj. *Tu as fait preuve d'un dévouement sublime* (= extraordi-naire, admirable).

submerger v. 1. *Ces rochers sont submergés à marée haute, recouverts d'eau.* 2. *On est submergé de travail, on en a trop* (= déborder).
■ **submersible** n.m. SENS 1 *Un sub-mersible est un sous-marin.*
■ **insubmersible** adj. SENS 1 *Un ba-teau insubmersible a porté secours aux naufragés, un bateau qui ne peut pas couler.*

subordonner v. *Le départ du bateau est subordonné au temps, il dépend du temps.*
■ **subordonné** 1. n. *La directrice réu-nit ses subordonnés, ceux qui sont sous ses ordres.* 2. n.f. et adj. *En gram-maire, une (proposition) subordonnée dépend d'une autre proposition.*
■ **subordination** n.f. *Une conjonc-tion de subordination (comme « que », « quand ») relie une proposition subor-donnée à celle dont elle dépend.*
■ **insubordination** n.f. *Ce soldat fait preuve d'insubordination* (= indisci-pline).

subreptice adj. *Elle m'a averti d'un geste subreptice* (= imperceptible).
■ **subrepticement** adv. *Le malin avait quitté la salle subrepticement, de façon à ne pas se faire remarquer.*

subside n.m. *Nous avons reçu des subsides, une aide sous forme d'ar-gent.*

subsidiaire adj. *Il y a une question subsidiaire pour départager les candi-dats* (= supplémentaire, accessoire).

subsister v. 1. *Dans le texte, il sub-siste une erreur, il en reste une.* 2. *Une allocation lui permet tout juste de faire subsister sa famille, de lui fournir de quoi vivre.*
■ **subsistance** n.f. SENS 2 *L'animal cherche sa subsistance, sa nourriture.*

substance n.f. 1. *Le caoutchouc est une substance élastique* (= matière, corps). 2. *Résumez-nous la sub-stance de votre discours, ses idées essentielles.*

substantiel adj. 1. *Un repas sub-stantiel est nourrissant.* 2. *Une aug-mentation substantielle est impor-tante.*

substantif n.m. *« Chien », « crayon », « Jean » sont des substantifs* (= nom).

substituer v. *Substituer un mot à un autre, c'est mettre ce mot à la place de l'autre. Se substituer à quelqu'un, c'est le remplacer.*
■ **substitution** n.f. *Il y a eu une sub-stitution de sacs, on a substitué un sac à un autre.*

subterfuge n.m. *Pour échapper à une invitation qui l'ennuyait, il a utilisé un subterfuge, un moyen habile.*

subtil adj. *Annie est une fille subtile, fine et intelligente.*
■ **subtilité** n.f. *Son raisonnement est plein de subtilité, très subtil. Ne*

discutons pas sur des **subtilités,** des points de peu d'importance.

subtiliser v. *On lui a subtilisé son sac,* on le lui a volé adroitement.

subvenir v. *Tu es maintenant en âge de subvenir à tes besoins,* de gagner ta vie (= pourvoir).
R. → Conj. n° 22.

subvention n.f. *La ville a reçu une subvention de l'État,* de l'argent (= subside).
■ **subventionner** v. *Subventionner un théâtre,* c'est l'aider en lui donnant une subvention.

subversif adj. *L'orateur a prononcé des paroles subversives,* qui visent à bouleverser les idées et les lois (= révolutionnaire).
■ **subversion** n.f. *On l'a accusé de subversion,* de dire des choses subversives.

suc n.m. *On presse les fruits pour en extraire le suc* (= jus).

succédané n.m. *Du succédané de caviar,* c'est un produit qui l'imite et vise à le remplacer.

succéder v. *Le soleil a succédé à la pluie,* il est venu après (= remplacer). *Les jours se succèdent,* ils se suivent les uns après les autres.
■ **succession** n.f. 1. *Le verglas a causé une succession d'accidents,* des accidents successifs (= série). 2. *Les héritiers se partagent la succession,* les biens d'une personne décédée.
■ **successeur** n.m. *Elle s'adresse à son successeur,* à celui qui prend sa place.
■ **successif** adj. *J'ai reçu trois visites successives,* qui se suivaient.
■ **successivement** adv. *Ils sont arrivés successivement,* les uns après les autres (≠ simultanément, en même temps).

succès n.m. 1. *Je te félicite de ton succès,* d'avoir réussi (= réussite ; ≠ échec). 2. *Ce film a du succès,* il plaît au public.
■ **insuccès** n.m. SENS 1 *Sa maladie est la cause de son insuccès à l'examen* (= échec).

successeur, successif, succession, successivement → **succéder.**

succinct adj. *Faites-nous un exposé succinct* (= court, bref, sommaire).
■ **succinctement** adv. *On nous a succinctement présenté le projet* (= sommairement).
R. On prononce [syksɛ̃], [syksɛ̃tmɑ̃].

succion → **sucer.**

succomber v. 1. *Le blessé a succombé,* il est mort. 2. *Je succombe de fatigue,* je suis accablée de fatigue. 3. *On a succombé à la tentation,* on n'y a pas résisté (= céder).

succulent adj. *Ce gâteau est succulent,* très bon (= excellent).

succursale n.f. *Cette banque a une succursale dans chaque ville,* un établissement qui dépend d'elle.

sucer v. 1. *Tu suces encore ton pouce !,* tu le mets dans ta bouche. 2. *Je suce un bonbon,* je le fais fondre dans ma bouche.
■ **succion** n.f. SENS 1 *Quand le bébé tète, on entend un bruit de succion,* il aspire avec sa bouche.
■ **sucette** n.f. SENS 2 *Une sucette est un bonbon fixé au bout d'un bâtonnet.*
R. *Succion* se prononce [sysjɔ̃] ou [syksjɔ̃].

sucre n.m. *La canne à sucre et la betterave fournissent le sucre,* un aliment de saveur douce.
■ **sucrer** v. *As-tu sucré ton café ?,* y as-tu mis du sucre ?
■ **sucré** adj. *Un fruit sucré* a le goût du sucre.

583

■ **sucrerie** n.f. **1.** *On fabrique le sucre dans une* **sucrerie,** *une usine.* **2.** (au plur.) Les **sucreries** *sont des friandises sucrées.*

■ **sucrier 1.** adj. *La betterave* **sucrière** *fournit le sucre.* **2.** n.m. *Le sucre est dans un* **sucrier,** *un récipient fait pour le recevoir.*

294, 728 **sud** n.m. et adj.inv. *Marseille est dans le* **sud** *de la France* (≠ nord). *Cet été, nous allons visiter la côte* **sud** *des États-Unis.*

suer v. *J'ai chaud, je* **sue,** je suis couvert de sueur (= transpirer).

■ **sueur** n.f. *La* **sueur** *est un liquide qui sort des pores de la peau quand on a chaud* (= transpiration).

■ **sudoripare** adj. *Les glandes* **sudoripares** *sont celles qui sécrètent la sueur.*
R. [*l/*] *sue* se prononce [sy] comme [*il a*] *su* (de *savoir*).

suffisant adj. **1.** *J'ai une note* **suffisante** *pour être reçu,* une note assez élevée. **2.** *Dominique est une personne* **suffisante,** *toujours satisfaite d'elle* (= prétentieux).

■ **suffire** v. SENS 1 *Pour cet achat, 10 dollars me* **suffisent,** j'ai assez de 10 dollars.

■ **suffisamment** adv. SENS 1 *J'ai* **suffisament** *mangé,* assez mangé.

■ **suffisance** n.f. SENS 1 *Il y a ici des vivres en* **suffisance,** en quantité suffisante. SENS 2 *Cette personne parle avec* **suffisance** (= vanité).

■ **insuffisant** adj. SENS 1 *Tu as des notes* **insuffisantes** *en maths,* trop basses.

■ **insuffisamment** adv. SENS 1 *L'affaire a échoué parce qu'elle était* **insuffisamment** *préparée.*

■ **insuffisance** n.f. SENS 1 *Les paysans se plaignent de l'* **insuffisance** *de leur récolte,* que leur récolte est insuffisante.
R. *Suffire* → conj. n° 72.

suffixe n.m. *Dans le mot « maisonnette », « -ette » est un* **suffixe,** *un élément qui se place à la fin du mot « maison » et en modifie le sens.*

suffoquer v. **1.** *On* **suffoque** *dans cette pièce,* on a du mal à respirer. **2.** *Cette nouvelle nous* **suffoque,** *elle nous cause une violente émotion.*

■ **suffocant** adj. SENS 1 *Ce bois vert dégage une fumée* **suffocante,** étouffante.

■ **suffocation** n.f. SENS 1 *L'asthme cause des accès de* **suffocation** (= étouffement).
R. On distingue par l'orthographe *suffocant* (adjectif) et *suffoquant* (participe).

suffrage n.m. **1.** *Ce parti a obtenu beaucoup de* **suffrages,** beaucoup de gens ont voté pour lui (= voix). **2.** *En France, le président de la République est élu au* **suffrage** *universel,* tout le monde vote. **3.** *Ce film a les* **suffrages** *du public,* le public le trouve bien.

suggérer v. *Je* **suggère** *que nous allions nous promener* (= proposer).

■ **suggestion** n.f. *Puis-je faire une* **suggestion ?,** suggérer quelque chose (= proposition).
R. → *sujétion.*

suicide n.m. *On apprend le* **suicide** *d'un banquier,* qu'un banquier s'est suicidé.

■ **se suicider** v. *Elle* **s'est suicidée** *par désespoir,* elle s'est tuée elle-même volontairement.

■ **suicidaire** adj. *Si vous agissiez ainsi, ce serait* **suicidaire,** vous causeriez votre perte.

suie n.f. *La cheminée est pleine de* **suie,** *d'une matière noire que la fumée y a déposée.*
R. *Suie* se prononce [sɥi] comme [*je*] *suis* (de *suivre* et de *être*).

suif n.m. *Le suif de bœuf* est la graisse de bœuf.

suinter v. *Les murs de la cave suintent,* de l'eau en sort goutte à goutte.
■ **suintement** n.m. *Il y a un suintement sur les murs de la cave,* l'eau suinte.

suisse n.m. *Le suisse est le nom usuel du tamias ou écureuil rayé.*

suivre v. **1.** *La voiture suit le camion,* elle avance derrière lui (≠ précéder, devancer). **2.** *Mon frère me suit partout,* il m'accompagne. **3.** *Le soleil a suivi la pluie,* il est venu après (= succéder à ; ≠ précéder). **4.** *J'ai suivi le sentier jusqu'à la route,* j'ai marché le long du sentier. **5.** *Aline suit des cours de maths,* elle en prend régulièrement. **6.** *Je ne vous suis plus,* je ne suis plus de votre avis, ou je ne comprends plus ce que vous dites. **7.** *Je suis tes conseils,* je suis d'accord avec eux (= obéir à, se conformer à ; ≠ s'opposer à). **8.** *Je suis le match de hockey à la radio,* je l'écoute. **9.** *Cette élève suit bien en classe,* elle écoute bien, elle est au niveau voulu.
■ **suite** n.f. SENS 2 *Ce chef d'État est venu avec sa suite,* les gens qui l'accompagnent (= escorte). SENS 3 *Nous avons eu une suite d'ennuis* (= série, succession). *Connais-tu la suite de cette histoire ?,* ce qui vient après. *Cet accident a eu des suites* (= conséquence). *Je mange trois fruits de suite,* l'un après l'autre (= à la file, successivement). *À la suite de sa maladie,* elle a dû partir en convalescence, après sa maladie. *L'accident a eu lieu par suite d'une rupture de freins,* à cause de cela.
■ **suivant** adj. et n. SENS 3 *La solution du problème est à la page suivante,* celle qui vient après (≠ précédent). *Au suivant de ces messieurs !,* à celui qui vient après.

■ **suivant** prép. SENS 7 *Choisissez suivant vos préférences,* en suivant vos préférences (= selon).
■ **suiveur** adj. *Les voitures suiveuses sont près du peloton,* les voitures qui suivent la course.
■ **suivi** adj. SENS 5 *Nous entretenons une correspondance suivie,* régulière.
■ **s'ensuivre** v. SENS 3 *De ce qui précède, il s'ensuit que j'ai raison,* j'ai raison : c'est la conséquence de ce qui précède (= suivre, découler).
R. → Conj. n° 62. Ne pas confondre *je suis* (de *suivre*) et je *suis* (de *être*). → **suie.**

sujet n.m. **1.** *Quel est le sujet de votre conversation ?,* de quoi parlez-vous ? (= thème). **2.** *Quel est le sujet de votre dispute ?* (= cause, motif). **3.** *Le roi parle à ses sujets,* aux personnes soumises à son autorité. **4.** *Dans la phrase « le chat dort », « le chat » est le sujet du verbe « dormir ».* **5.** adj. *Elle est sujette au mal de tête,* elle a souvent mal à la tête.

sujétion n.f. *Votre métier vous impose de nombreuses sujétions,* il vous enlève une partie de votre liberté (= obligation, contrainte).
R. Ne pas confondre *sujétion* et *suggestion.*

sulfater v. *Les vignerons sulfatent les vignes,* ils y pulvérisent des produits pour combattre les maladies.
■ **sulfatage** n.m. *Le sulfatage de la vigne permet d'éviter les maladies de la vigne,* surtout le mildiou.

sultan n.m. *Certains princes musulmans s'appellent des sultans.*

super 1. *Au début d'un mot, super-* indique un degré élevé, une importance considérable : *superfin, superpuissance.* **2.** adj. Fam. *C'est super,* c'est très bien, c'est extraordinaire. **3.** n.m. *Du super,* c'est du *supercarburant,* de l'essence spécialement raffinée.

512

578

25

superbe adj. *Les Dupont habitent un appartement superbe,* très beau (= magnifique, splendide).

supercarburant → *super.*

supercherie n.f. *On nous a vendu un faux tableau à la place du vrai, c'est une supercherie,* une tromperie.

superficie n.f. *Quelle est la superficie de ce terrain ?* (= surface).

superficiel adj. **1.** *Cette brûlure est superficielle,* peu profonde. **2.** *En histoire, ses connaissances sont superficielles,* il ne sait pas grand-chose (≠ approfondi).
■ **superficiellement** adv. SENS 1 *Le gâteau n'est brûlé que superficiellement,* en surface. SENS 2 *La question a été examinée superficiellement* (= sommairement).

superflu adj. *Évitons les dépenses superflues !* (= inutile ; ≠ nécessaire).

supérieur adj. **1.** *Montons à l'étage supérieur,* au-dessus. **2.** *Sa note est supérieure à la mienne,* elle est meilleure (≠ inférieur). **3.** n. *Caroline est ma supérieure,* je travaille sous ses ordres.
■ **supérieurement** adv. SENS 2 *Cette fille est supérieurement intelligente* (= extrêmement, éminemment, suprêmement).
■ **supériorité** n.f. SENS 2 *Je constate la supériorité de ce produit sur les autres,* qu'il est supérieur aux autres.

superlatif adj. et n.m. *« Très grand », « le plus grand » sont des superlatifs de « grand »,* ils expriment des degrés extrêmes de grandeur.

supermarché → *marché.*

superposer v. *À la colonie de vacances, les lits des enfants sont superposés,* ils sont mis l'un au-dessus de l'autre.

superproduction → *produire.*

supersonique → *son* 2.

superstition n.f. *Dire que le nombre 13 porte bonheur (ou malheur) est de la superstition,* une croyance aux présages que rien ne justifie.
■ **superstitieux** adj. *Cette personne est superstitieuse,* elle croit aux présages, aux fantômes, etc.

superstructure → *structure.*

superviser v. *Le directeur a supervisé le travail,* il en a rapidement contrôlé la qualité.

supplanter v. *Elle a réussi à supplanter son patron,* à prendre sa place (= évincer).

suppléer v. *Sa bonne volonté supplée à son inexpérience* (= compenser).
■ **suppléant** adj. et n. *Le suppléant d'un député le remplace s'il est nommé ministre.*
■ **suppléance** n.f. *La nouvelle institutrice a été chargée d'une suppléance,* de remplacer momentanément l'institutrice habituelle.

supplément n.m. *Est-ce qu'il n'y a pas un supplément de dessert ?,* du dessert en plus de celui qu'on a eu.
■ **supplémentaire** adj. *Il faut faire un effort supplémentaire,* un effort en plus.

supplice n.m. **1.** *Autrefois, on envoyait des condamnés au supplice,* on leur infligeait des punitions corporelles souvent mortelles (= torture). **2.** *Je suis au supplice,* je suis très mal à l'aise, je souffre beaucoup.

supplier v. *Je vous supplie de m'écouter,* je vous le demande humblement et avec insistance.
■ **supplication** n.f. *Elle est restée sourde à mes supplications,* à mes prières ardentes.

1. supporter v. **1.** *Les piliers **supportent** le plafond,* ils le soutiennent (= porter). **2.** *Il faut **supporter** ces inconvénients,* les subir sans se plaindre.

■ **support** n.m. SENS 1 *Cette balance est vendue avec son **support**,* un objet destiné à la porter.

■ **supportable** adj. SENS 2 *La chaleur est **supportable**,* on peut la supporter.

■ **insupportable** adj. SENS 2 *Cette maladie cause des douleurs **insupportables**,* qu'on ne peut pas supporter (= intolérable).

2. supporter n.m. *L'équipe sportive est encouragée par ses **supporters**,* ceux qui la soutiennent (= partisan). **R.** On prononce [sypɔrtɛr] ou [sypɔrtœr].

supposer v. **1.** *Pierre est absent : je **suppose** qu'il est malade,* je pense que c'est possible (= présumer, imaginer). **2.** *Faire une compétition **suppose** l'entraînement,* cela exige nécessairement de l'entraînement.

■ **supposition** n.f. SENS 1 *On se perd en **suppositions** sur les raisons de l'accident* (= conjecture).

suppositoire n.m. *Un **suppositoire** est un médicament solide que l'on introduit dans le rectum.*

supprimer v. *Ce médicament **supprime** la douleur,* il la fait disparaître. *Supprimez cette phrase dans le texte !,* enlevez-la (= ôter ; ≠ garder, conserver).

■ **suppression** n.f. *On lui a infligé un mois de **suppression** de permis de conduire,* on lui a supprimé son permis pendant un mois.

suppurer v. *La plaie **suppure**,* il en sort du pus.

supputer v. ***Supputer** une dépense,* c'est la calculer, l'évaluer.

suprême adj. **1.** *Le chef **suprême** est celui qui est au-dessus de tous.* **2.** *Elle fit un **suprême** effort pour ne pas se noyer,* un dernier effort (= ultime, désespéré).

■ **suprêmement** adv. est un équivalent de *supérieurement*.

1. sur- au début d'un mot indique un degré supérieur : *suraigu, surestimer,* etc.

2. sur prép. **1.** *Le verre est **sur** la table* (≠ sous). **2.** *L'affiche est **sur** le mur,* elle est collée au mur. **3.** *On tire **sur** la cible,* dans la direction de la cible. **4.** *Réfléchissons **sur** ce problème,* à propos de ce problème. **5.** *Six candidats **sur** dix sont reçus* (= parmi). **R.** → *sûr.*

3. sur adj. *Cette pomme n'est pas mûre, elle est **sure**,* elle a un goût acide, piquant. **R.** → *sûr.*

sûr adj. **1.** *Cette voiture est **sûre**,* on y est en sécurité (≠ dangereux). **2.** *Je suis **sûr de** gagner* (= certain). **3.** *Cette nouvelle est **sûre**,* on peut avoir confiance en elle (= exact ; ≠ douteux).

■ **sécurité** n.f. SENS 1 *Nous sommes en **sécurité**,* à l'abri du danger.

■ **sécuriser** v. SENS 1 *Les rondes de police **sécurisent** les habitants du quartier,* elles leur donnent un sentiment de sécurité.

■ **sécurisant** adj. SENS 1 *Les rondes de police sont **sécurisantes** pour la population.*

■ **sûreté** n.f. SENS 1 *On met nos bijoux en **sûreté**,* dans un lieu sûr, à l'abri des voleurs (= sécurité).

■ **sûrement** adv. SENS 1 *Tu conduis **sûrement**,* de façon à éviter les accidents. SENS 2 *Je vais **sûrement** gagner* (= certainement).

■ **insécurité** n.f. *Les habitants du quartier se plaignent de son **insécurité**,* du risque d'agressions ou d'accidents. **R.** *Sûr* se prononce [syr] comme *sur.*

surabondamment, surabondance, surabondant, surabonder → *abondant.*

suraigu → *aigu.*

surajouter → *ajouter.*

suralimentation → *aliment.*

suranné adj. *Le chapeau melon est une coiffure surannée, on ne la porte plus* (= ancien, démodé).

surcharger → *charge.*

surchauffer → *chaud.*

surclasser v. *Ce concurrent surclasse tous ses adversaires, il leur est nettement supérieur.*

surcroît n.m. **1.** *Son absence nous impose un surcroît de travail, du travail en plus* (= supplément). **2.** *Cet objet est décoratif et utile par (de) surcroît* (= en plus, en outre).

surdité → *sourd.*

sureau n.m. *Benoît a fait un sifflet en sureau, un arbuste dont on peut évider les branches en ôtant la moelle.*

surélever → *élever.*

sûrement → *sûr.*

surenchère → *enchère.*

surestimer → *estimer.*

sûreté → *sûr.*

surexcitation, surexciter → *exciter.*

surf n.m. *Le surf est un sport qui consiste à se tenir en équilibre sur une planche portée par une vague déferlante.*
R. On prononce [sœrf].

801
385,
871
surface n.f. **1.** *L'humanité vit sur la surface de la Terre, sur sa partie extérieure.* **2.** *Quelle est la surface de ce terrain ? — Mille mètres carrés* (= étendue, aire, superficie).

surfait adj. *Sa réputation est surfaite, elle est vantée de façon exagérée.*

surgeler → *geler.*

surgir v. *Un chien a surgi devant la voiture, il est apparu brusquement.*

surhumain → *homme.*

surjet n.m. *Pour assembler les deux tissus bord à bord, il faut faire un surjet, un point de couture.*

sur-le-champ adv. *On m'a demandé de venir sur-le-champ, sans attendre* (= tout de suite, immédiatement).

surlendemain → *demain.*

surmener v. *Les sauveteurs sont surmenés, ils sont fatigués par un travail excessif. Elle se surmène, elle se fatigue trop.*
■ **surmenage** n.m. *Les médecins ont discuté du surmenage scolaire, de la fatigue excessive des élèves.*

surmonter v. **1.** *Le clocher surmonte l'église, il est placé au-dessus.* **2.** *Jean a surmonté sa peur, il l'a maîtrisée* (= dominer).
■ **surmontable** adj. SENS 2 *Ces difficultés sont surmontables, on peut les surmonter.*
■ **insurmontable** adj. SENS 2 *Jean était dominé par une peur insurmontable* (= irrésistible).

surmulot n.m. *Un surmulot est un type de rat.*

surnager v. *Des débris du bateau surnagent, ils restent à la surface de l'eau.*

surnaturel → *nature.*

surnom → *nom.*

surnombre → *nombre.*

surnommer → *nom.*

suroît n.m. *Les marins ont mis leur suroît, un chapeau de pluie.*

296

surpasser v. **1.** *Cette athlète a surpassé ses concurrents,* elle a fait mieux qu'eux (= battre, surclasser). **2.** *Le résultat surpasse les prévisions* (= dépasser). **3.** *Aujourd'hui, l'actrice s'est surpassée,* elle a joué encore mieux que d'habitude.

surpeuplé, surpeuplement → *peuple.*

surplace n.m. *Faire du surplace,* c'est être immobilisé, ne pas pouvoir avancer.

surplomb n.m. *Les balcons sont en surplomb,* au-dessus du vide (= saillie).
■ **surplomber** v. *La falaise surplombe la mer,* elle avance au-dessus de la mer.

surplus n.m. *Ils ont fait des confitures avec leur surplus de fruits,* avec ce qu'ils ont récolté en trop (= excédent).

surpopulation → *peuple.*

surprendre v. **1.** *La pluie nous a surpris,* elle est venue sans que nous nous y attendions. **2.** *Cette nouvelle nous a surpris* (= étonner).
■ **surprenant** adj. SENS 2 *Cet élève a fait des progrès surprenants* (= étonnant).
■ **surprise** n.f. **1.** SENS 1 *Le voleur a été arrêté par surprise,* on l'a arrêté en le surprenant. SENS 2 *On était muet de surprise* (= étonnement). **2.** *Si on lui faisait une surprise pour son anniversaire ?,* un plaisir inattendu (= cadeau).
R. → Conj. n° 54.

surproduction → *produire.*

sursaut n.m. *En entendant la sonnerie, tu as eu un sursaut,* un mouvement brusque et involontaire.
■ **sursauter** v. *Les bruits me font sursauter,* avoir des sursauts (= tressaillir).

sursis n.m. **1.** *Il est condamné à la prison avec sursis,* il est condamné mais il n'ira en prison que s'il commet une nouvelle faute. **2.** *Tu as un sursis de dix jours pour payer,* on te permet de ne payer que dans dix jours (= délai).
■ **sursitaire** n. SENS 2 *Quand un garçon fait ses études en France, il peut être sursitaire,* il bénéficie d'un sursis pour son incorporation dans l'armée.
■ **surseoir** v. SENS 1 *Surseoir à une exécution,* c'est la remettre à plus tard.
R. → Conj. n° 45.

surtaxe → *taxe.*

surtout adv. **1.** *L'égoïste pense surtout à lui* (= principalement). **2.** *Surtout, n'oublie pas ce que je t'ai dit,* j'insiste là-dessus.

surveiller v. **1.** *La maman surveille ses enfants,* elle veille sur eux. **2.** *La police surveille un suspect,* elle observe tout ce qu'il fait. **3.** *Surveillez votre langage!,* veillez à parler correctement (= contrôler).
■ **surveillant** n. SENS 1 ET 2 *Ce surveillant est très sévère,* celui qui surveille les élèves, les prisonniers, etc.
■ **surveillance** n.f. SENS 1 ET 2 *Une monitrice assure la surveillance de la baignade.*

survenir v. *Un incident est survenu,* il est arrivé soudain, sans qu'on s'y attende.
R. → Conj. n° 22.

survêtement → *vêtement.*

survie, survivant, survivre → *vie.*

survol, survoler → *vol* 1.

survolté → *volt.*

sus adv. **1.** *Courir sus à l'ennemi* se disait autrefois pour *attaquer l'ennemi.* **2.** *Les taxes viennent en sus du prix indiqué,* en plus.
R. On prononce le *s* final : [sys].

susceptible adj. **1.** *Tu es trop suscep-tible,* tu te vexes facilement. **2.** *Ton dessin est susceptible d'être amélioré,* il peut l'être. **3.** *Voilà un livre suscepti-ble de plaire,* qui peut plaire (= capa-ble de).

■ **susceptibilité** n.f. SENS 1 *Je connais sa susceptibilité,* je sais qu'il est susceptible.

susciter v. *Ce projet a suscité l'intérêt de la population,* celle-ci s'y est inté-ressée (= provoquer, éveiller).

suspect 1. adj. *Son témoignage est suspect,* on doit s'en méfier (= dou-teux). **2.** adj. et n. *La police a arrêté un suspect,* une personne qu'elle soupçonne.

■ **suspecter** v. SENS 1 *Je suspecte son honnêteté,* je n'en suis pas convaincu. SENS 2 *On suspecte un rôdeur,* on le soupçonne.

■ **suspicion** n.f. *Il règne un climat de suspicion,* les gens se soupçonnent les uns les autres (= méfiance). **R.** On prononce [syspε].

suspendre v. **1.** *Suspendez votre par-dessus au portemanteau,* accrochez-le en le laissant pendre. **2.** *On a dû suspendre la séance,* l'interrompre (= arrêter). **3.** *Le tribunal a suspendu un fonctionnaire,* il lui a interdit pour quel-que temps d'exercer ses fonctions.

■ **suspendu** adj. **1.** SENS 1 *Un pont suspendu* est soutenu par des câbles. **2.** *Cette voiture est bien suspendue,* ses ressorts amortissent bien les cahots.

582, 152

■ **suspension** n.f. **1.** SENS 2 ET 3 *La suspension d'un fonctionnaire n'en-traîne pas d'office la suspension de son traitement.* **2.** *La suspension de cette voiture est excellente,* elle est très bien suspendue (= amortisseurs). **3.** *J'ai mis des points de suspension à la fin de ma phrase,* plusieurs points qui indiquent qu'on ne dit pas tout.

■ **en suspens** adv. SENS 2 *Le travail est resté en suspens,* il n'a pas été achevé. **R.** → Conj. n° 50.

suspense n.m. *Il y a beaucoup de suspense dans ce film,* on attend la fin avec une grande impatience. **R.** On prononce [syspεns] ou [sœspεns].

suspension → suspendre.

suspente n.f. *Le parachute est relié au harnais par des suspentes,* des cordes.

766

suspicion → suspect.

se sustenter v. *Nous allons nous sustenter,* manger.

susurrer v. *On m'a susurré quelques mots à l'oreille* (= murmurer).

suture n.f. *La doctoresse a fait une suture à la plaie,* elle l'a recousue.

suzerain n. et adj. Autrefois, le *suze-rain* était un seigneur qui avait des vassaux sous sa domination.

■ **suzeraineté** n.f. *La suzeraineté d'un État sur un autre* est sa domina-tion.

svelte adj. *Cette jeune fille est très svelte,* mince, élancée.

■ **sveltesse** n.f. *J'admire sa svel-tesse,* comme elle est svelte.

syllabe n.f. *« Lapin » est un mot de deux syllabes,* formé par deux groupes de sons : [la] et [pε̃].

■ **monosyllabe** n.m. *« Sol » est un monosyllabe,* un mot d'une seule syllabe.

sylviculture n.f. La *sylviculture* est la science qui étudie la culture et l'entre-tien des forêts.

symbole n.m. **1.** *La balance est le sym-bole de la justice,* la balance (mot concret) représente la justice (mot abstrait). **2.** *En chimie, « H » est le symbole de l'hydrogène,* une lettre qui désigne ce gaz.

■ **symbolique** adj. SENS 1 *Le salut au drapeau est un geste symbolique.*
■ **symboliser** v. SENS 1 *La colombe symbolise la paix* (= figurer, représenter).

symétrique adj. *Les deux moitiés du visage sont symétriques, elles sont opposées mais semblables.*
■ **symétriquement** adv. *Ces objets sont rangés symétriquement sur la table.*
■ **symétrie** n.f. *La symétrie de ce château est admirable,* les deux moitiés de sa façade sont exactement semblables.
■ **dissymétrique** ou **asymétrique** adj. *L'escargot a une coquille dissymétrique,* sans symétrie.

sympathie n.f. *J'éprouve de la sympathie pour vous,* je vous aime bien (= amitié ; ≠ antipathie).
■ **sympathique** adj. *Les Durand sont des personnes sympathiques* (= aimable, agréable ; ≠ antipathique). *Cette réunion était sympathique* (= agréable, amical).
■ **sympathiquement** adv. *Nous avons été accueillis sympathiquement.*
■ **sympathiser** v. *Ces deux personnes ont vite sympathisé,* elles se sont vite bien entendues.

symphonie n.f. *L'orchestre joue une symphonie,* un grand morceau de musique composé de plusieurs mouvements.
■ **symphonique** adj. *Un orchestre symphonique joue de la musique classique.*

symptôme n.m. *L'apparition de boutons rouges est un symptôme de la rougeole,* un signe qui permet de reconnaître cette maladie.
■ **symptomatique** adj. *Tu as fait une réflexion symptomatique de ton incrédulité,* significative, révélatrice.

synagogue n.f. *Les Juifs vont à la synagogue,* l'édifice dans lequel ils prient.

synchroniser v. *On a synchronisé la marche de ces appareils,* on les a fait fonctionner en même temps ou de façon coordonnée.
■ **synchronisation** n.f. *Dans ce film, il y a des défauts de synchronisation,* le son est décalé par rapport à l'image.

syncope n.f. *Le malade a eu une syncope,* il s'est évanoui.

syndicat n.m. **1.** *Les travailleurs ont fondé des syndicats,* des associations pour défendre leurs intérêts. **2.** *Les touristes peuvent se renseigner au syndicat d'initiative,* au bureau qui est chargé de les renseigner.
■ **syndical** adj. SENS 1 *Les Durand sont abonnés à un journal syndical,* publié par le syndicat.
■ **syndicalisme** n.m. SENS 1 *Faire du syndicalisme,* c'est militer dans un syndicat.
■ **syndicaliste** n. et adj. SENS 1 *La direction a reçu une délégation de syndicalistes,* de membres des syndicats.
■ **se syndiquer** v. SENS 1 *On s'est syndiqué,* on s'est inscrit à un syndicat. *Les locataires se sont syndiqués,* ils ont fondé un syndicat.
■ **syndic** n.m. SENS 1 *Les copropriétaires de l'immeuble ont choisi un syndic,* quelqu'un qui fait exécuter leurs décisions.

synode n.m. *Un synode est une réunion de représentants d'une religion* pour discuter de questions de doctrine.

synonyme n.m. *« Rame » et « aviron » sont deux synonymes,* deux mots qui ont à peu près le même sens (≠ contraire).

synoptique adj. *Un tableau synopti-que est un résumé disposé de façon à présenter une vue d'ensemble.*

syntaxe n.f. *La syntaxe étudie comment les mots s'assemblent pour former des phrases, c'est la partie essentielle de la grammaire.*

synthèse n.f. **1.** *Faire la synthèse des observations présentées par plusieurs personnes,* c'est rassembler ces observations dans un ensemble cohérent. **2.** *Faire la synthèse de l'eau,* c'est en produire artificiellement à partir des éléments qui la constituent.

■ **synthétique** adj. SENS 2 *Le Nylon est un textile synthétique* (= artificiel ; ≠ naturel).

système n.m. *Le système solaire, le système métrique, un système de signalisation routière* sont des ensembles organisés qui constituent un tout.

■ **systématique** adj. *Tu fais de l'opposition systématique, tu t'opposes à tout par principe.*

■ **systématiquement** adv. *Je refuse systématiquement de voter,* je refuse à chaque fois de voter (= régulièrement, par principe).

t

t' → te.

ta → ton 1.

tabac n.m. **1.** *Dans cette région, les paysans cultivent du **tabac**,* une plante. **2.** *M. Durand achète du **tabac** pour sa pipe,* les feuilles séchées de cette plante hachées et préparées pour être fumées. **3.** *Va au **tabac** m'acheter des cigarettes !,* à la boutique où l'on vend du tabac, des cigarettes, des allumettes, etc. (On dit aussi *bureau de tabac.*)
■ **tabagie** n.f. SENS 1 *C'est une **tabagie**, ici !,* la pièce est pleine de fumée de tabac. SENS 3 *Va à la **tabagie**, m'acheter des cigarettes,* à la boutique où l'on vend du tabac, des pipes.
■ **tabatière** n.f. SENS 1 Une *tabatière* est une petite boîte destinée à recevoir du tabac en poudre.
R. On ne prononce pas le *c* final de *tabac* : [taba].

tabasser v. Fam. *Des voyous l'ont tabassé,* ils l'ont roué de coups.

tabernacle n.m. Dans une église, le *tabernacle* est la petite armoire, sur l'autel, où l'on garde les hosties.

table n.f. **1.** *Pose le vase sur la **table** ! Jean **met la table**,* il dispose dessus les assiettes et les couverts. *On s'est mis à table à 8 heures,* on a commencé à manger. **2.** *Il y a toujours une bonne **table** chez elle,* on mange de bonnes choses. **3.** *La **table des matières** se trouve à la fin du livre,* la liste des chapitres. **4.** *Anne apprend la **table de multiplication**,* le tableau des multiplications entre les 10 premiers nombres.
■ **tablée** n.f. SENS 1 *Il y avait là une joyeuse **tablée**,* une assemblée de gens assis autour de la table.
■ **s'attabler** v. SENS 1 *Les invités **se sont attablés**,* ils se sont mis à table.

tableau n.m. **1.** *Il y a de très beaux **tableaux** dans ce musée,* des peintures encadrées (= toile). **2.** *La maîtresse fait un dessin au **tableau**,* la planche sur laquelle on écrit à la craie. **3.** *Il y a des tas de manettes sur le **tableau de bord** de l'avion,* le panneau où sont réunis les cadrans, les commandes, etc. **4.** *Il nous a fait un **tableau** détaillé de la situation* (= description). **5.** *Voici un **tableau** chronologique des rois de France* (= liste).

tabler v. *Il ne faut pas trop **tabler** sur la chance,* compter sur elle (= miser).

tablette n.f. **1.** *Le dentifrice est sur la **tablette** du lavabo,* la plaque posée à plat au-dessus du lavabo. **2.** *Qui a entamé la **tablette** de chocolat ?* (= plaque).

tablier n.m. **1.** *Quand on fait la cuisine, on met un **tablier** pour protéger ses vêtements.* **2.** *Le **tablier** d'un pont* est la partie du pont sur laquelle se trouve la chaussée.

24

39, 76, 94

437

295

505, 510

38, 79

221, 806

37, 291

152

tabou adj. *Ne parle pas de ça, c'est un sujet tabou !* (= interdit).

tabouret n.m. *Assieds-toi sur le tabouret !,* un siège sans bras ni dossier.

78, 77

du tac au tac adv. *Quand tu m'as fait des reproches, je t'ai répondu du tac au tac,* immédiatement et avec vivacité.

289

tache n.f. **1.** *Oh ! J'ai fait une tache sur mon pull !,* une marque qui salit. **2.** *Les dalmatiens sont des chiens blancs à taches noires* (= marque).

■ **tacher** v. SENS 1 *J'ai taché ma chemise,* j'y ai fait des taches (= salir).

■ **tacheté** adj. SENS 2 *Ce chien est blanc tacheté de noir,* avec des petites taches noires (= moucheté).

■ **détacher** v. SENS 1 *J'ai porté ma robe à détacher chez le teinturier,* pour qu'on lui enlève ses taches.

■ **détachant** n.m. et adj. SENS 1 *La benzine est un bon détachant,* un produit qui enlève les taches.

tâche n.f. *Nous avons déménagé, ce n'est pas une tâche facile* (= travail). **R.** Ne pas confondre *tâche* [tɑʃ] et *tache* [taʃ].

tâcher v. *Je tâcherai d'être là à 8 heures* (= essayer, s'efforcer de). **R.** Ne pas confondre *tâcher* [tɑʃe] et *tacher* [taʃe].

tacher, tacheté → *tache.*

tacite adj. *Elle a agi avec mon accord tacite,* sans que j'aie exprimé mon accord de vive voix (= sous-entendu).

■ **tacitement** adv. *J'étais tacitement d'accord.*

taciturne adj. et n. *Jean est taciturne,* il parle peu (= renfermé ; ≠ bavard, exubérant).

tacot n.m. Fam. *Nous avons visité une exposition de vieux tacots,* de vieilles voitures.

tact n.m. *Tu manques de tact en parlant d'argent devant lui : il n'a pas un sou !* (= délicatesse, discrétion, doigté).

tactile adj. *Les sensations tactiles* sont celles que procure le toucher.

tactique n.f. *Puisque ça ne réussit pas comme ça, on va changer de tactique,* on va employer d'autres moyens pour arriver au résultat voulu (= plan, méthode).

taffetas n.m. *Marie a une robe en taffetas,* une sorte de soie.

taie n.f. *Les taies d'oreillers sont sales,* le tissu qui les recouvre.

taille n.f. **1.** *Paul est de la taille d'Yves,* ils ont la même hauteur de corps. **2.** *Quelle taille faites-vous ? — Du 38,* quelles sont les mesures de vos vêtements ? **3.** *Les sauveteurs avaient de l'eau jusqu'à la taille,* au-dessus des hanches (= ceinture). **4.** *La taille des arbres a lieu en hiver,* on coupe une partie des branches. *Cet immeuble est en pierre de taille,* construit avec des pierres taillées. **5.** *C'est une erreur de taille !,* importante (= monumental). *Il n'est pas de taille à nous résister* (= capable de).

■ **tailler** v. SENS 4 *Le jardinier a taillé la haie,* il l'a coupée pour lui donner une certaine forme. *La couturière taille une robe,* elle coupe les morceaux d'étoffe pour la faire.

■ **taillader** v. *Les éclats de verre lui ont tailladé le visage,* ils lui ont fait des coupures, des entailles.

■ **tailleur** n.m. **1.** SENS 4 *Le tailleur de pierres utilise un marteau et un burin,* l'ouvrier qui taille les pierres. **2.** *Papa est allé chez le tailleur se faire faire un costume,* celui qui fait des vêtements d'homme. **3.** *Chantal s'est acheté un tailleur,* un costume de femme composé d'une jupe et d'une veste. **4.** *Les enfants, asseyez-vous* *en tailleur !,* asseyez-vous par terre, les jambes repliées et les genoux écartés.

■ **taille-crayon** n.m. SENS 4 *La mine de mon crayon est cassée, prête-moi ton taille-crayon.*

R. Noter le pluriel : des *taille-crayon* ou des *taille-crayons.*

taillis n.m. *Le lièvre s'est enfui dans un taillis,* une partie de la forêt où les arbres sont petits parce qu'ils sont souvent coupés.

tain n.m. *Le tain d'une glace, d'un miroir* est la couche d'étain appliquée derrière la glace.

R. → *thym.*

taire v. **1.** *Elle a tu son secret jusqu'au bout,* elle ne l'a pas dit (= cacher). **2.** *Chut ! taisez-vous !,* ne parlez pas, gardez le silence.

R. → Conj. n° 78. → *tu.*

talc n.m. *Le talc est employé pour les soins de la peau,* une poudre blanche.

■ **talquer** v. *On talque les fesses des bébés,* on y met du talc.

talé adj. *Un fruit talé* est un fruit meurtri (= blet).

talent n.m. *Cet acteur a du talent,* il joue bien.

talisman n.m. *Emilien tient beaucoup à cette bague, il dit que c'est son talisman,* un objet auquel il attribue un pouvoir magique.

talkie-walkie n.m. *Les policiers communiquent entre eux grâce à des talkies-walkies,* de petits appareils portatifs de radio émetteurs et récepteurs.

R. On prononce [tokiwoki] ou [tɔlkiwɔlki].

1. taloche n.f. Fam. *Quand il était enfant, son père lui flanquait souvent des taloches,* des gifles.

2. taloche n.f. *Le plâtrier étale le ciment avec une taloche,* une planche munie d'une poignée. | 151

talon n.m. **1.** *J'ai mal au talon gauche,* à l'arrière du pied. **2.** *Mes talons sont usés,* la partie arrière de la chaussure. **3.** *As-tu écrit le montant de ton chèque sur le talon ?,* la partie qui reste dans le carnet quand on détache le chèque (= souche). | 33 37

talonner v. *Le fuyard est talonné par la police,* il est suivi de très près.

talquer → *talc.*

talus n.m. *Le camion a percuté contre le talus,* la partie en pente qui borde la route. | 721

tamanoir n.m. *Le tamanoir se nourrit d'insectes à l'aide de sa longue langue visqueuse,* un grand animal d'Amérique du Sud.

tamaris n.m. *Sa villa est bordée de tamaris,* des arbustes à petites fleurs roses.

R. On prononce le *s* final : [tamaris].

tambouille n.f. Fam. *Faire la tambouille,* c'est faire la cuisine.

tambour n.m. **1.** *Les soldats jouent du tambour,* ils frappent avec deux baguettes une caisse ronde fermée à chaque bout par une peau tendue. **2.** *Voici le tambour de la fanfare,* celui qui joue du tambour. **3.** *Les policiers ont mené l'affaire tambour battant,* vite, sans traîner. **4.** *Il est parti sans tambour ni trompette,* sans bruit, en secret. | 438

■ **tambourin** n.m. SENS 1 *Nous dansons au son du tambourin,* un petit tambour. | 439

■ **tambouriner** v. SENS 1 *Aline tambourine sur la vitre,* elle frappe de petits coups rapides avec ses doigts.

tamias n.m. *Le tamias* est un écureuil rayé appelé souvent suisse. | 363

150 **tamis** n.m. *On sépare les graviers du sable avec un **tamis**,* un instrument à petits trous (= crible).
■ **tamiser** v. *Tamiser de la farine,* c'est la passer au tamis.
■ **tamisé** adj. *Il y a dans la chambre du malade une lumière **tamisée**,* atténuée par un écran translucide (= doux ; ≠ cru).

293, 768 **tampon** n.m. **1.** *Le douanier a apposé un **tampon** sur mon passeport,* une inscription à l'encre (= cachet). **2.** *Les*
509 *tampons placés à chaque bout des wagons servent à amortir les chocs,* des gros disques. **3.** *Elle se bouche les oreilles avec des **tampons** de coton,* du coton roulé en boule.
■ **tamponner** v. SENS 1 *Tamponner un timbre,* c'est le marquer d'un tampon. SENS 2 *Les deux voitures se sont tamponnées* (= heurter). SENS 3 *Je me tamponne les yeux avec mon mouchoir,* je sèche mes larmes.
■ **tamponnement** n.m. SENS 2 *Le tamponnement des deux trains a fait plusieurs blessés.*
■ **tamponneur** adj. SENS 2 *À la foire,*
436 *on a fait un tour dans les autos **tamponneuses**.*

tam-tam n.m. *En Afrique, les Noirs dansent au son des **tam-tams**,* des tambours en bois.

tanche n.f. *Madeleine a pêché une **tanche** dans l'étang,* un poisson d'eau douce.

tandem n.m. **1.** *Tu as déjà fait du **tandem** ?,* une bicyclette spéciale à deux places. **2.** *Pascal et Françoise forment un joyeux **tandem**,* un groupe de deux personnes inséparables.

tandis que conj. exprime l'opposition : *Tu t'amuses, **tandis que**, moi, je travaille* (= alors que, pendant que).

tangage → tanguer.

tangent adj. **1.** *Deux cercles sont **tangents*** quand ils se touchent sans se couper. **2.** *Stéphanie a réussi son examen, mais c'était **tangent** !,* elle a failli échouer.

tangible adj. *Donnez-moi des preuves **tangibles** de votre bonne foi !* (= évident, réel).

tango n.m. *Ramon et Inès connaissent tous les pas du **tango**,* une danse d'origine espagnole.

tanguer v. *La mer était mauvaise et le bateau **tanguait**,* il se balançait de l'avant vers l'arrière.
■ **tangage** n.m. *La houle provoquait un léger **tangage*** (≠ roulis).

tanière n.f. *Le renard s'est réfugié dans sa **tanière**,* le trou où il se cache (= terrier).

tank n.m. *Les **tanks** ennemis ont attaqué,* les chars d'assaut.

tanner v. **1.** *On **tanne** une peau d'animal pour en faire du cuir,* on lui fait subir une préparation spéciale. **2.** Fam. *Pascal **tanne** ses parents pour avoir un vélo,* il le leur demande tout le temps.
■ **tannage** n.m. SENS 1 *Le tannage empêche les peaux de pourrir.*
■ **tannerie** n.f. SENS 1 *Il y a une tannerie près de la rivière,* une usine où l'on tanne les peaux.
■ **tanneur** n.m. SENS 1 *Le tanneur tanne les peaux.*

tant adv. **1.** *Ne mange pas **tant** de bonbons !,* une si grande quantité (= autant, tellement). **2.** *Tu as réussi ton examen ? **Tant mieux**,* c'est bien, je suis contente. *Si tu ne peux pas venir, **tant pis**,* cela ne fait rien.
■ **tant que** conj. *J'attendrai **tant qu**'il faudra,* aussi longtemps que.
■ **tant** pron.indéfini *Je gagne **tant** par mois,* telle somme d'argent.
R. → taon.

tante n.f. *Voici tante Marie et son neveu Yves,* la sœur du père ou de la mère d'Yves, ou l'épouse de son oncle.

un tantinet adv. Fam. *Vous arrivez un tantinet trop tard,* un tout petit peu trop tard.

tantôt adv. **1.** *Tantôt il rit, tantôt il pleure,* à un moment..., à un autre moment... **2.** Fam. *Je reviendrai tantôt,* cet après-midi.

taon n.m. *Aïe ! j'ai été piqué par un taon !,* une sorte de grosse mouche. **R.** *Taon* se prononce [tã] comme *tant, temps* et [*il*] *tend* (de *tendre*).

tapage n.m. **1.** *Tu entends ce tapage à côté ?,* ces bruits violents (= vacarme). **2.** *On a fait beaucoup de tapage autour de cette affaire,* on en a beaucoup parlé (= bruit).
■ **tapageur** adj. SENS 2 *Ce film a été lancé avec une publicité tapageuse,* qui cherche à attirer l'attention (≠ discret).

tapant adj. Fam. *Elle est arrivée à midi tapant et est repartie à 3 heures tapantes,* à midi, à 3 heures exactement.

tape → *taper.*

tapée n.f. Fam. *Il a une tapée de cousins,* une grande quantité.

taper v. **1.** *La mécanicienne tape sur un rivet à coups de marteau* (= frapper). **2.** *Tu sais taper à la machine ?,* te servir d'une machine à écrire. **3.** Très fam. *Je me suis tapé un bon repas,* je me le suis offert, j'en ai profité.
■ **tape** n.f. SENS 1 *J'ai reçu une grande tape dans le dos, c'était Paul,* un coup donné avec la main.
■ **tapoter** v. SENS 1 *Papa tapote la joue de bébé,* il lui donne de légères tapes.

en tapinois adv. *Anne est entrée dans la pièce en tapinois,* en se cachant (= discrètement, en catimini).

tapioca n.m. *Ce soir, il y a du potage au tapioca,* fait avec des petits flocons blancs tirés du manioc. 603

tapir n.m. *Le tapir est un animal dont le nez se prolonge en une courte trompe.*

se tapir v. *Le chat s'est tapi sous le lit,* il s'y est caché, en se ramassant sur lui-même.

tapis n.m. *J'ai renversé de l'eau sur le tapis,* la pièce de tissu qui recouvre le sol. *La table de jeu est recouverte d'un tapis vert,* une pièce de tissu. 34, 76
436
■ **tapis-brosse** n.m. *Devant la porte de l'entrée, il y a un tapis-brosse pour s'essuyer les pieds,* un tapis à poils durs. 77

tapisser v. *On a tapissé le mur avec du papier peint* (= recouvrir).

tapisserie n.f. *Les Durand ont une tapisserie sur le mur de leur salon,* une tenture en laine ornée de dessins. 146, 296
■ **tapissier** n.m. *Il faut faire recouvrir ce fauteuil par un tapissier,* quelqu'un qui pose des tentures, des tissus.

tapoter → *taper.*

taquet n.m. *Cette porte se ferme grâce à un taquet,* une sorte de cale.

taquiner v. *Mais non, ce n'est pas vrai, je disais ça juste pour te taquiner !* (= agacer, faire enrager).
■ **taquinerie** n.f. *Pascal adore la taquinerie,* taquiner les autres.
■ **taquin** adj. *Anne est très taquine,* elle prend plaisir à taquiner.

tarabiscoté adj. *Une écriture tarabiscotée* est chargée d'ornements excessifs (= compliqué).

tarabuster v. Fam. *Parle donc gentiment à ce garçon au lieu de le tarabuster* (= rudoyer, malmener, harceler).

tard adv. **1.** *Il est midi, tu te lèves tard !,* après l'heure habituelle (≠ tôt). **2.** *Tu es arrivé trop tard,* après le moment

835

convenable. **3.** *On verra ça plus tard,* à un autre moment dans l'avenir (= ultérieurement).

■ **tarder** v. **1.** SENS 1 *Je suis inquiet, Jean tarde à rentrer,* il rentre plus tard que d'habitude. **2.** *L'autobus ne va plus tarder,* il sera bientôt là.

■ **tardif** adj. SENS 1 *Tu rentres à une heure bien tardive !,* il est tard.

■ **s'attarder** v. SENS 1 *Ne vous attardez pas trop en route,* ne rentrez pas trop tard (= flâner).

R. *Tard* se prononce [tar] comme *tare.*

tare n.f. **1.** La *tare* est le poids de l'emballage d'une marchandise. **2.** *Ce cheval a une tare,* un défaut de naissance.

■ **taré** adj. SENS 2 *Ce cheval est taré,* il a une tare.

tarentule n.f. *La piqûre de la tarentule est dangereuse,* une grosse araignée.

targette n.f. *Cette porte se ferme avec une targette,* un petit verrou.

74

se targuer v. *Il se targue d'être le plus habile,* il s'en vante.

tarif n.m. *Le tarif des consommations est affiché dans le café,* le prix.

■ **tarifer** v. *Chaque opération est tarifée,* elle a un prix fixé.

tarir v. **1.** *La source a tari* (ou *s'est tarie*) l'eau ne coule plus (= s'assécher). **2.** *Pierre ne tarit pas d'éloges à ton sujet,* il n'arrête pas d'en faire.

■ **intarissable** adj. SENS 2 *Sur la politique, Éva est intarissable,* on ne peut pas l'arrêter d'en parler.

tarot n.m. *Nous avons fait une partie de tarot,* un jeu de cartes.

tartare adj. *On a mangé un steak tartare,* fait avec de la viande hachée crue.

221

tarte 1. n.f. *Tu aimes la tarte aux fraises ?,* un gâteau plat. **2.** adj. Fam.

Qu'est-ce qu'il est tarte, ce film ! (= banal, médiocre, sans intérêt).

■ **tartelette** n.f. SENS 1 *Veux-tu une tartelette aux cerises ?,* une petite tarte.

tartine n.f. *Au petit déjeuner, je mange des tartines beurrées,* des tranches de pain.

■ **tartiner** v. *J'aime le fromage à tartiner,* qu'on étale sur le pain.

tartre n.m. *Ce dentifrice enlève le tartre,* le dépôt jaunâtre qui se forme sur les dents. *Il y a du tartre au fond de la théière,* un dépôt calcaire.

■ **détartrer** v. *La dentiste m'a détartré les dents,* elle en a enlevé le tartre.

■ **détartrant** adj. et n.m. *On a mis un (produit) détartrant dans la cuvette des w.-c.*

■ **entartrer** v. *L'eau calcaire a entartré la bouilloire,* elle y a déposé du tartre.

tartufe n.m. *Ne te fie pas à son air bienveillant, c'est un tartufe* (= hypocrite).

tas n.m. **1.** *Il faut jeter ce tas de journaux,* ces journaux placés les uns sur les autres (= pile). **2.** *Ariane connaît un tas de gens à Ottawa,* un grand nombre.

■ **entasser** v. SENS 1 *À force d'entasser des livres sur le bureau, tu n'auras plus de place,* de les mettre en tas (= accumuler). SENS 2 *À 6 heures du soir, les gens s'entassent dans le métro,* ils y sont nombreux et serrés les uns contre les autres (= se presser).

■ **entassement** n.m. SENS 1 *Le bureau est surchargé d'un entassement de livres* (= tas, amoncellement).

tasse n.f. **1.** *J'ai cassé une tasse à thé,* un petit récipient avec une anse pour boire. **2.** *Je boirais bien une tasse de café,* le contenu d'une tasse. **3.** Fam. *Marc est tombé du matelas pneuma-*

tique et *il a bu la tasse,* il a avalé de l'eau.

tasseau n.m. *Les planches de l'étagère sont soutenues par des tasseaux,* de petits morceaux de baguette.

tasser v. **1.** *Papa tasse le tabac dans sa pipe,* il appuie dessus pour qu'il s'aplatisse (= bourrer, comprimer). **2.** *On était tassés dans le métro,* serrés les uns contre les autres. **3.** Fam. *Luce est en colère, mais ça va se tasser,* se calmer.
■ **tassement** n.m. SENS 1 *Il s'est produit ici un tassement du sol* (= affaissement).

tatami n.m. *On pratique le judo, le karaté sur un tatami,* un tapis spécial.

tâter v. **1.** *Tu as vu ma bosse ? tiens, tâte,* touche avec la main pour mieux te rendre compte. **2.** *J'ai tâté le terrain, je crois que Marie va venir avec nous,* j'ai essayé de savoir discrètement. **3.** *Je ne sais pas si je vais avec vous, je me tâte,* je pèse le pour et le contre (= hésiter).
■ **tâtonner** v. **1.** SENS 1 *J'avançais dans le noir en tâtonnant,* en tâtant les murs, les meubles, etc., pour me guider. **2.** *La police tâtonne dans ses recherches,* elle avance lentement et de façon imprécise.
■ **tâtonnement** n.m. **1.** SENS 1 *Après bien des tâtonnements dans le noir, j'ai retrouvé la sortie.* **2.** *L'enquête a commencé par des tâtonnements,* des recherches au hasard.
■ **à tâtons** adv. SENS 1 *L'aveugle marche à tâtons,* en tâtonnant (= à l'aveuglette).

tatillon adj. *M. Dubois est tatillon,* trop minutieux. *Cette critique est tatillonne.*

tâtonnement, tâtonner, à tâtons → *tâter.*

tatouage n.m. *Ce matelot a des tatouages sur les bras,* des dessins à l'encre incrustés dans la peau.
■ **tatouer** v. *Ce marin s'est fait tatouer le bras,* faire un tatouage.

taudis n.m. *Ces pauvres gens vivent dans un taudis,* un logement misérable.

taule n.f. Très fam. **1.** *Le malfaiteur a fait plusieurs années de taule* (= prison). **2.** *Je suis allé le voir dans sa taule,* sa chambre sordide.
R. → *tôle.*

taupe n.f. *La taupe creuse des petits tunnels sous la terre,* un animal. 366
■ **taupinière** n.f. *Il y a des taupinières dans le potager,* des tas de terre que fait la taupe en creusant.

taureau n.m. *Attention au taureau, il peut être méchant!,* le mâle de la vache. 361
■ **tauromachie** n.f. *La corrida est un spectacle de tauromachie,* de combat contre les taureaux.

taux n.m. *Mme Buies a placé ses économies au taux de six pour cent (6 %),* cent dollars lui rapportent six dollars par an.

taverne n.f. *Une taverne est un établissement où on boit de la bière.*

taxe n.f. *On paie une taxe sur les produits de luxe,* une sorte d'impôt (= redevance).
■ **taxer** v. **1.** *L'alcool est taxé,* on paie une taxe en plus de son prix. **2.** *Vous risquez de vous faire taxer de folie* (= accuser).
■ **détaxer** v. *À l'aéroport, les cigarettes sont détaxées,* elles sont vendues sans taxe.
■ **surtaxe** n.f. *Une surtaxe est une taxe supplémentaire.*

taxi n.m. *J'ai pris un taxi pour venir chez toi,* une voiture conduite par un chauffeur à qui l'on paie le prix du trajet.

te est le pronom de la deuxième personne quand il est complément : *Je te vois.*
R. *Te* devient *t'* devant une voyelle ou un *h* muet : *Je t'appelle ; tu t'habilles ?*

145 **té** n.m. *Le dessinateur trace des lignes avec son té,* une règle en forme de T.

technique n.f. *Je connais un peu les techniques du cinéma,* les méthodes et les procédés utilisés dans ce domaine.
■ **technique** adj. *L'enseignement technique prépare au métier de technicien. L'artiste emploie des mots techniques que je ne comprends pas,* qui font partie du vocabulaire particulier de son métier (≠ *courant*).
■ **technicien** n. *Pour faire réparer votre téléviseur, adressez-vous à un technicien,* un spécialiste des techniques de la télévision.

806 ■ **technocrate** n. *Au ministère, je n'ai rencontré que des technocrates,* des spécialistes ayant une haute formation technique mais pas d'expérience pratique.
■ **technologie** n.f. *La technologie est l'étude des techniques utilisées dans l'industrie.*

36 **tee-shirt** n.m. *Elle a un tee-shirt jaune,* un maillot de corps.
R. On prononce [tiʃœrt]. Attention au pluriel : *des tee-shirts.*

teigne n.f. Fam. *Quelle teigne, cette personne !,* qu'elle est méchante, désagréable !

teindre v. *J'ai fait teindre mon manteau en noir,* je lui ai fait donner cette couleur (= *colorer*).
■ **teint** n.m. *Marie a le teint clair,* la couleur de son visage est claire.
■ **teinte** n.f. *Les teintes de ce tissu*

sont très jolies, les couleurs (= nuance, coloris).
■ **teinter** v. *Tu mets des lunettes à verres teintés ?,* légèrement colorés.
■ **teinture** n.f. *Tes cheveux sont roux, tu t'es fait faire une teinture ?,* tu les as fait teindre ?
■ **teinturier** n.m. *Il ne faut pas laver cette robe, il vaut mieux la donner au teinturier,* la personne chez qui on fait teindre ou nettoyer les vêtements, les tissus.
■ **teinturerie** n.f. *La teinturerie est la boutique du teinturier* (= *pressing*).
■ **déteindre** v. *Oh ! la chemise a déteint au lavage !,* elle a perdu sa couleur (= se décolorer, passer).
■ **demi-teinte** n.f. *Ce tableau est tout en demi-teintes,* les couleurs sont délicates, nuancées.
R. *Teindre* et *déteindre* → conj. n° 55. → *thym.*

tel adj. 1. *Elle est telle que je pensais,* pareille (= *comme*). 2. *Tu as fait un tel bruit que tout le monde a été réveillé,* un si grand bruit. 3. *Tout est resté tel quel, on n'a rien changé,* pareil. 4. pron. *Un jour je m'adresse à un tel, un jour à un autre,* à une certaine personne.

1. télé-, au début d'un mot, indique que quelque chose a lieu à distance.

2. télé → *télévision.*

télécommander → *commander.*

télécommunications n.f.pl. Les *télécommunications* sont l'ensemble des moyens permettant d'écrire ou de parler à distance, comme le téléphone, le télégraphe.

téléfilm → *télévision.*

télégramme n.m. *J'ai reçu un télégramme de Paul, il arrive demain,* un message court envoyé par télégraphe.
■ **télégraphier** v. *Il faut télégraphier à Claude que son père est malade,* lui envoyer un télégramme.

télégraphe n.m. Le *télégraphe* est un système qui permet d'envoyer très rapidement des messages.

télégraphique adj. **1.** *Les poteaux télégraphiques* supportent les fils du télégraphe. **2.** *Un style télégraphique* est très bref (= concis).

télégraphiste n. *Le télégraphiste apporte les télégrammes à domicile.*

téléguider → guide.

télémètre n.m. Un *télémètre* est un appareil permettant de mesurer la distance d'un objet éloigné.

téléobjectif n.m. *J'ai photographié des oiseaux au téléobjectif,* avec un objectif photographique grossissant.

téléphérique n.m. *Pour monter au sommet de la montagne, on a pris le téléphérique,* une cabine suspendue à des câbles.

téléphone n.m. *Le téléphone sonne, réponds !,* l'appareil relié à un circuit électrique qui permet de se parler d'un endroit à un autre. *Est-ce que tu as reçu des coups de téléphone ?,* des communications téléphoniques (= coup de fil).

téléphoner v. *Je te téléphonerai ce soir,* je te parlerai au téléphone (= appeler).

téléphonique adj. *On peut téléphoner dans une cabine téléphonique.*

téléphoniste n. *Les téléphonistes sont généralement appelés aujourd'hui « standardistes »,* les employés du téléphone.

télescospage → télescoper.

télescope n.m. *On peut voir les étoiles au télescope,* une grande lunette.

télescoper v. *Les deux voitures se sont télescopées,* elles sont entrées en collision (= se tamponner).

télescopage n.m. Le *télescopage* est dû à une fausse manœuvre.

télescopique adj. *Une antenne télescopique* est faite d'éléments qui peuvent s'emboîter les uns dans les autres.

télésiège n.m. *Le télésiège nous a conduits au sommet de la montagne,* des sièges accrochés à un câble.

téléski n.m. *Les skieurs remontent la pente grâce au téléski,* un appareil qui tire les skieurs (= remonte-pente).

télévision ou **télé** n.f. *On a un poste de télévision en couleurs,* un appareil qui permet de recevoir des images sur un écran grâce à des ondes électriques.

téléviseur n.m. *Le téléviseur est cassé,* le poste de télévision.

téléviser v. *Le match sera télévisé,* il sera retransmis à la télévision.

téléfilm n.m. Un *téléfilm* est un film réalisé pour la télévision.

téléspectateur n. *Les téléspectatrices ont été nombreuses à téléphoner,* les personnes qui regardent une émission de télévision.

télex n.m. Un *télex* est un procédé de transmission instantanée à distance de messages écrits.

tellement adv. *Pascal a tellement changé que je ne le reconnais pas,* il a beaucoup changé (= tant).

téméraire adj. *Il faut être bien téméraire pour plonger de si haut !,* un peu trop courageux et imprudent (= audacieux ; ≠ prudent).

témérité n.f. *Lise est d'une folle témérité* (= audace, imprudence).

témoigner v. **1.** *Après l'accident, on m'a demandé de témoigner,* de dire ce que j'en savais, ce que j'avais vu. **2.** *Il m'a témoigné toute sa sympathie,* il m'en a donné l'assurance (= marquer, montrer, manifester).

■ **témoignage** n.m. SENS 1 *Le témoignage de M. Dupont a permis d'établir l'innocence de l'accusé,* les preuves qu'il a apportées en tant que témoin (= déclaration). SENS 2 *Ces fleurs sont un témoignage de mon amitié,* une marque qui la prouve.

■ **témoin** n.m. **1.** SENS 1 *J'ai été témoin d'un accident,* je l'ai vu et je peux donner des détails. *Je vous prends à témoin de sa mauvaise foi,* je vous demande de la remarquer pour pouvoir en témoigner. **2.** Dans une course de relais, le *témoin* est le petit bâton que les concurrents se passent de la main à la main.

33 **tempe** n.f. *J'ai reçu un coup à la tempe,* sur le côté du front.

tempérament n.m. **1.** *Michelle est d'un tempérament gai,* d'un caractère gai (= nature, naturel). **2.** *Luce a acheté sa voiture à tempérament,* elle la possède mais elle la paie peu à peu (= à crédit).

tempérance n.f. *La tempérance est recommandée aux automobilistes,* on leur recommande de ne pas boire d'alcool (= sobriété).

■ **tempérant** adj. *M. Dupont est tempérant,* il mange et boit modérément (= sobre).

■ **intempérance** n.f. *Il s'est ruiné la santé par son intempérance,* ses excès.

■ **intempérant** adj. *Une personne intempérante abuse de la nourriture et de la boisson.*

température n.f. **1.** *La température est douce pour la saison,* le degré de chaleur ou de froid de l'air extérieur. **2.** *Pascal a 39°, il a de la température* (= fièvre).

39

tempérer v. *Tu as été trop brutale, il faudrait tempérer tes paroles,* les modérer (= adoucir).

■ **tempéré** adj. *La France a un climat tempéré,* ni trop chaud ni trop froid (= doux).

tempête n.f. *Plusieurs bateaux ont fait naufrage pendant la tempête,* le violent orage avec du vent et de la pluie.

temple n.m. **1.** *À Athènes, on a visité des temples grecs,* des édifices construits par les Grecs pour leurs dieux. **2.** *Le dimanche, les protestants vont au temple,* dans leur lieu de culte.

temporel adj. *La richesse, la santé sont des biens temporels,* qui concernent les choses matérielles, la vie terrestre (≠ spirituel).

temps n.m. **1.** *Une pendule sert à mesurer le temps,* la durée (les minutes, les heures, les jours, etc.). **2.** *Combien de temps mets-tu pour aller à l'école ? — Dix minutes.* **3.** *Non, je n'ai pas le temps de jouer avec toi,* je n'ai pas de moment libre, je suis pressé (= loisir). **4.** *Il est temps de partir,* le moment est venu. **5.** *Aurais-tu aimé vivre au temps des Gaulois ?,* à leur époque. **6.** *Quel temps fait-il aujourd'hui ?,* est-ce qu'il fait beau ou non ?. **7.** *En grammaire, on a étudié les temps du verbe,* les formes de conjugaison des différents modes : présent, imparfait, futur, etc. **8.** *La valse est un air à trois temps,* à trois unités par mesure. **9.** *On est arrivé juste à temps pour prendre le train,* assez tôt (= à l'heure). *Je vois Paul de temps en temps,* quelquefois. *Elle chante tout le temps,* sans arrêter (= toujours). *Dans le temps, on labourait avec des bœufs* (= autrefois, jadis). *Il pleut ici la plupart du temps,* le plus souvent.

LE TEMPS

passé		présent	futur (avenir)	
(il y a longtemps)	(il y a peu de temps)		(dans peu de temps)	(dans longtemps)
autrefois dans le temps jadis	récemment dernièrement	maintenant à présent actuellement aujourd'hui	prochainement bientôt	plus tard un jour
j'étais jeune et bien portant	j'ai été malade	je vais mieux	je pourrai me lever	je viendrai te voir

depuis 8 heures		j'ai marché		jusqu'à 10 heures
8 h	avant l'averse (auparavant)	9 h pendant l'averse	après l'averse (après, ensuite)	10 h

■ **temporaire** adj. SENS 2 *Un emploi* **temporaire** *ne dure que peu de temps* (= momentané, provisoire ; ≠ durable).

■ **temporairement** adv. SENS 2 *M. Dubois est absent* **temporairement,** *pour peu de temps* (= momentanément).

■ **temporiser** v. *Il faut tâcher de* **temporiser** *jusqu'à son retour, de gagner du temps, de faire durer la situation actuelle.*

R. → *taon.*

tenable → *tenir.*

tenace adj. *Non, je ne céderai pas, je suis* **tenace,** *je persévère dans ce que je fais* (= entêté, obstiné).

■ **ténacité** n.f. *Quelle* **ténacité** *! elle n'a pas renoncé à son projet !* (= entêtement).

tenailler v. *La faim, le remords le* **tenaille,** *le fait souffrir cruellement.*

tenailles n.f.pl. *Passe-moi les* **tenailles** *pour arracher ce clou !,* un outil en forme de pince. 289, 291

tenancier → *tenir.*

tenant n. 1. *Au championnat du monde de saut, le* **tenant du titre** *a été battu,* celui qui l'avait. 2. *Les Vandamme possèdent cent vingt hectares* **d'un seul tenant,** *formant un tout sans séparations* (= d'un seul bloc). 3. adj.

*Quand elle a reçu le télégramme, elle est partie **séance tenante,** immédiatement, sur-le-champ.*

tendance → tendre 2.

tendancieux adj. *Ton avis est **tendancieux,** il n'est pas objectif, il traduit un parti pris* (= partial).

tendeur → tendre 2.

tendon n.m. *Les muscles sont attachés aux os par des **tendons,** la partie allongée et dure qui termine les muscles.*

1. tendre adj. **1.** *Pascal est très **tendre** avec son petit frère,* gentil et doux (= affectueux). **2.** *Que cette viande est **tendre** !,* facile à couper et à mâcher (≠ dur).

■ **tendrement** adv. SENS 1 *Je t'embrasse **tendrement,*** avec tendresse.

■ **tendresse** n.f. SENS 1 *Cet enfant a besoin de **tendresse,*** d'affection douce.

■ **tendreté** n.f. SENS 2 *La **tendreté** est la qualité d'une viande tendre.*

2. tendre v. **1.** *La corde n'est pas assez **tendue,*** tirée pour être bien raide. **2.** *On a **tendu** les murs de papier peint,* on les a couverts. **3.** ***Tendez-vous** la main,* avancez-la l'un vers l'autre. **4.** *Il m'a **tendu** un piège,* il a cherché à me tromper. **5.** *La température **tend** à s'élever,* elle s'élève peu à peu. **6.** *La situation **est tendue** entre les deux pays,* arrivée à un point qui peut amener à quelque chose de grave.

■ **tendance** n.f. SENS 5 *Paul a **tendance** à exagérer,* il y est porté, c'est dans sa nature (= penchant).

■ **tendeur** n.m. SENS 1 *Fixe bien les **tendeurs** de la tente,* ce qui sert à tendre la toile.

■ **tension** n.f. **1.** SENS 6 *La **tension** est grande entre ces deux pays,* les relations sont tendues. **2.** *Ma marraine a de la **tension** (ou de l'**hypertension**),* une maladie circulatoire.

■ **détendre** v. **1.** SENS 1 *Détends le câble !,* rends-le plus mou, moins raide (= relâcher). **2.** *Ce bain m'a **détendue*** (= reposer, délasser).

■ **détente** n.f. **1.** SENS 6 *Il y a une certaine **détente** dans les relations internationales,* elles sont moins tendues (= accalmie). **2.** *J'ai besoin d'un moment de **détente,** de repos* (= délassement). **3.** *Le chasseur a appuyé sur la **détente,** la pièce qui fait partir le coup d'une arme à feu.

R. → Conj. n° 50. → **taon.**

ténèbres n.f.pl. *Les **ténèbres,** c'est, en poésie, l'obscurité.

■ **ténébreux** adj. *Une affaire **ténébreuse** est obscure* (= mystérieux ; ≠ clair).

teneur n.f. *Ce vin a une forte **teneur** en alcool,* il en contient beaucoup.

ténia n.m. *Le **ténia** vit dans l'intestin de l'homme ; il est aussi appelé « ver solitaire »,* un ver très long.

tenir v. **1.** *Tu peux me **tenir** mon sac ?,* le garder à la main ou dans les bras. **2.** *Le tableau ne **tient** pas bien,* il n'est pas bien fixé. **3.** *Cette table **tient** trop de place dans la pièce* (= prendre, occuper). **4.** *C'est Mme Lippe qui **tient** cet hôtel,* qui s'en occupe. **5.** *La maison **est** bien **tenue,*** elle est bien entretenue. **6.** *Je ne sais pas si on va tous **tenir** dans la voiture,* y entrer. **7.** *Paul **tient** de son père,* il lui ressemble. **8.** *Je **tiens** à ce livre, ne le perds pas !,* j'y attache de l'importance (= être attaché à). **9.** *Tu **tiens** vraiment à aller là-bas ?,* tu en as envie ? (= désirer). **10.** ***Tiens-toi** droite !,* prends cette position. *Ne fais pas comme Yves, il **se tient** mal à table,* il se conduit en personne mal élevée. **11.** *Je m'en **tiens** à ce qui était convenu,* je ne change pas sur ce point. **12.** *Tu n'as pas **tenu** ta promesse,* tu ne l'as pas respectée. **13.** *Tenez bon !,* ne lâchez pas (= résister). **14.** *Cette voiture tient bien la route,* elle suit la direction voulue. **15.** *Vous n'êtes pas tenu de répondre,* obligé de répondre. **16.** *Je la tiens pour une fille sérieuse,* je la considère comme telle.

■ **tenable** adj. SENS 13 *La situation n'est plus tenable,* on ne peut plus tenir, résister (= supportable).

■ **tenancier** n. SENS 4 *La tenancière d'un café* est la personne qui le tient, le dirige.

■ **intenable** adj. SENS 13 *La chaleur est intenable,* insupportable.

■ **tenue** n.f. **1.** SENS 5 *Qui s'occupe de la tenue de la maison ?,* de l'entretien. SENS 10 *Un peu de tenue, voyons !,* tenez-vous bien (= correction). SENS 14 *Cette voiture a une bonne tenue de route,* même par mauvais temps. **2.** *Comment faut-il s'habiller ? — En tenue de sport,* en vêtements.
R. → Conj. n° 22. → *tien.*

tennis n.m. **1.** *On joue au tennis avec une balle et des raquettes,* un sport. **2.** *Le tennis de table* est l'autre nom du ping-pong. **3.** *J'ai oublié mes tennis,* des chaussures de sport en toile blanche.

tenon n.m. *Il faut faire réparer ce fauteuil : un tenon est cassé.*

ténor n.m. *Il est ténor à l'Opéra,* chanteur avec une voix aiguë.

tension → *tendre* 2.

tentacule n.m. *La pieuvre a des tentacules,* des bras souples qui lui servent à se déplacer et à capturer ses proies.

tentant, tentation, tentative → *tenter.*

tente n.f. *On a dormi sous la tente,* un abri de toile que l'on installe avec des piquets et des cordes.

tenter v. **1.** *L'athlète a tenté de sauter deux mètres,* elle a essayé de le faire (= s'efforcer). *Tente ta chance,* essaie de gagner. **2.** *Ce voyage en Italie me tente,* il me fait envie (= attirer).

■ **tentant** adj. SENS 2 *Ton offre est bien tentante,* attirante (= séduisant).

■ **tentation** n.f. SENS 2 *Ne m'offre pas de chocolats, je ne pourrais pas résister à la tentation de les manger tous !,* à l'envie.

■ **tentative** n.f. SENS 1 *À la deuxième tentative, l'athlète a réussi son saut* (= essai).

tenture n.f. *Une tenture sépare les deux pièces,* une sorte de rideau.

ténu adj. *Un fil ténu* est très fin, très mince.

tenue → *tenir.*

ter adj. *J'habite au 21 ter, rue de Rome,* au numéro qui vient après le 21, le 21 *bis* et avant le 22.
R. On prononce [tɛr].

térébenthine n.f. *L'essence de térébenthine* sert à diluer la peinture, un produit.

tergal n.m. *Mon pantalon est en tergal,* un tissu synthétique qui ne se froisse pas.
R. C'est un nom de marque.

tergiverser v. *Décide-toi sans tergiverser* (= hésiter).

■ **tergiversations** n.f.pl. *Ne perdez pas votre temps en tergiversations.*

terme n.m. **1.** *Nous sommes arrivés au terme de notre voyage,* nous l'avons fini (= fin ; ≠ début). **2.** *Chaque trimestre, il faut payer le terme,* le loyer. **3.** *Des prévisions à court terme* portent sur une période brève. *Un emprunt à long terme* s'étend sur une période longue (= à courte, à longue échéance). **4.** *« Littoral »* est un *terme de géographie* (= mot). **5.** (au plur.)

Nous sommes *en bons termes* avec nos voisins, nous avons de bons rapports avec eux (= relations).
R. → *thermes*.

terminer v. **1.** *Ma grande sœur termine ses études* (= achever ; ≠ commencer). **2.** *Le mot « œuf » se termine par un « f »* (= finir).
■ **terminaison** n.f. SENS 2 *La terminaison du mot « aimer » est « er »*, ses dernières lettres (= finale).
■ **terminal 1.** adj. SENS 1 *En France, la classe terminale* (ou *la terminale*) est celle qui termine les études au lycée. **2.** n.m. *Un terminal d'ordinateur est un calculateur relié à un ordinateur central.*
■ **terminus** n.m. SENS 1 *Je suis sorti du métro au terminus,* au dernier arrêt.
■ **interminable** adj. SENS 2 *Elle a fait un discours interminable,* très long.
R. On prononce le *s* de la fin du mot *terminus* : [tɛrminys].

termite n.m. *Les termites rongent le bois de l'intérieur,* des insectes vivant en société.
■ **termitière** n.f. Une *termitière* est un nid de termites.

terne adj. **1.** *Tes cheveux sont ternes,* ils ne brillent pas (≠ brillant). **2.** *C'est un personnage terne,* qui n'attire pas l'attention (≠ original).
■ **ternir** v. SENS 1 *Les couleurs ternissent au soleil,* elles deviennent ternes (= se décolorer, passer).

terrain n.m. **1.** *Voilà un terrain à vendre,* une étendue de terre où il n'y a pas de constructions. **2.** *Il va falloir trouver un terrain d'entente pour se mettre d'accord,* un sujet, un point de discussion.

terrasse n.f. **1.** *Si tu montes sur la terrasse, tu verras toute la ville,* la plate-forme qui remplace le toit d'une maison. **2.** *Il n'y a plus de place à la terrasse du café,* l'endroit où sont les tables, au-dehors. **3.** *Il fait beau, on mange sur la terrasse ?,* un grand balcon. **4.** *Ici, on pratique la culture en terrasses,* la culture des plantes sur des pentes qui forment des étages successifs.

terrassement n.m. *Sur le chantier, les travaux de terrassement commencent,* on creuse et on déplace la terre.
■ **terrassier** n.m. Un *terrassier* est un ouvrier qui travaille au terrassement.

terrasser v. *Elle a terrassé son adversaire,* elle l'a renversée à terre.

terre n.f. **1.** *La Terre tourne autour du Soleil,* la planète sur laquelle nous sommes. **2.** *Du bateau, on voit la terre,* le sol sur lequel on marche (≠ mer, air). *Asseyez-vous par terre,* sur le sol. *Le métro passe sous terre,* au-dessous du niveau du sol. **3.** *Creuse un trou dans la terre,* la matière dont le sol est fait. **4.** *On fait de la poterie rustique en terre (cuite),* une argile durcie au four (= céramique). **5.** *La famille Dugal a des terres en Estrie,* des domaines à la campagne (= terrain). **6.** *Christophe Colomb a voulu explorer les terres lointaines,* les pays, les régions. **7.** *Ta plaisanterie est plutôt terre à terre,* pas très élevée (≠ fin).
■ **terreau** n.m. SENS 3 *Marie plante des fleurs dans du terreau,* de la terre très fertile.
■ **terre-plein** n.m. SENS 3 *Il y a une haie sur le terre-plein central de l'autoroute,* la bande de terrain qui sépare les deux chaussées.
■ **terrestre** adj. SENS 1 *Nous vivons sur le globe terrestre,* la Terre. SENS 2 *Les plantes terrestres* sont celles qui vivent sur la terre (≠ aquatique).
■ **terreux** adj. SENS 3 *Cette personne est malade, elle a un teint terreux,* de la couleur de la terre (= grisâtre).

■ **terrien** adj. SENS 5 *Cet agriculteur est un gros propriétaire terrien,* il possède des terres.

■ **terrier** n.m. SENS 3 *Le lapin est rentré dans son terrier,* le trou dans la terre qui lui sert d'abri.

■ **atterrir** v. SENS 2 *L'avion a atterri à 8 heures,* il s'est posé à terre (≠ décoller).

■ **atterrissage** n.m. SENS 2 *Les avions atterrissent sur la piste d'atterrissage* (≠ décollage).

■ **déterrer** v. SENS 3 *Au cours des fouilles, on a déterré des vases antiques,* on les a sortis de la terre.

■ **enterrer** v. SENS 3 *Le voleur avait enterré les bijoux dans le jardin,* il les avait mis dans la terre (≠ déterrer). *Mon grand-père est enterré au cimetière de Côte-des-Neiges,* on a mis son corps en terre (= ensevelir, inhumer).

■ **enterrement** n.m. SENS 3 *Il y avait beaucoup de monde à l'enterrement de mon grand-père,* à la cérémonie au cours de laquelle on l'a enterré.

■ **extra-terrestre** n. et adj. SENS 1 *Le film imagine une rencontre avec des extra-terrestres,* des êtres venus d'un monde autre que la Terre.
R. Noter le pluriel : des *terre-pleins*.

se **terrer** v. *Le chat s'est terré sous le lit,* il s'y est caché.

terrestre → terre.

terreur n.f. *L'assassin sème la terreur dans toute la ville,* une très grande peur (= panique).

■ **terrifier** v. *Ce film m'a terrifié,* il m'a fait très peur (= épouvanter).

■ **terrifiant** adj. *On a entendu un cri terrifiant* (= effrayant).

■ **terroriser** v. *L'enfant était terrorisé par le chien qui aboyait,* il avait très peur (= terrifier).

■ **terrorisme** n.m. *Les attentats, les sabotages sont des actes de terrorisme,* destinés à provoquer la terreur.

■ **terroriste** n. et adj. *Une terroriste a été arrêtée,* une personne qui participait à des actes de terrorisme.

terreux → terre.

terrible adj. **1.** *La bombe atomique est une arme terrible,* qui fait très peur (= terrifiant). **2.** *Il y a un vent terrible,* très grand (= fort). **3.** *C'est un enfant terrible,* insupportable (≠ sage).

■ **terriblement** adv. SENS 2 *Il fait terriblement froid* (= très, extrêmement, excessivement).

terrien, terrier → terre.

terrifiant, terrifier → terreur.

terril n.m. *Un terril est un amas énorme de déblais extraits d'une mine.*

terrine n.f. **1.** *Le pâté est dans la terrine,* dans un plat profond en terre. **2.** *Cette terrine de canard est délicieuse !,* du pâté de canard cuit dans une terrine (au sens 1).

territoire n.m. **1.** *Je suis ici en territoire étranger* (= pays). **2.** *Le territoire de la municipalité s'arrête ici* (= étendue).

■ **territorial** adj. SENS 1 *Ce navire étranger a pénétré dans nos eaux territoriales,* la partie de la mer qui borde notre pays et qui nous appartient. SENS 2 *Le canton est une division territoriale,* qui constitue un territoire.

terroir n.m. *Mme Cadiergues parle avec l'accent de son terroir natal,* de la région où elle est née.

terroriser, terrorisme, terroriste → terreur.

tertiaire → ère.

tertio adv. est un équivalent de *troisièmement* dans une énumération.
R. On prononce [tɛrsjo].

tertre n.m. *Un tertre est une petite éminence de terre* (= butte).

tes → ton 1.

tesson n.m. *Je me suis coupé avec un tesson de bouteille,* un bout de bouteille cassée.

test n.m. *Avant d'entrer en sixième, on nous a fait passer des tests,* des exercices qui permettent de mesurer nos réflexes, notre intelligence, etc.

■ **tester** v. *Tous nos appareils ont été testés en laboratoire,* ils ont été soumis à des épreuves de vérification (= éprouver).

testament n.m. *Par son testament, M. Durand a laissé toute sa fortune à sa filleule,* la lettre où il a écrit ce qu'il voulait qu'on fasse de ses biens après sa mort.

tester → test.

testicule n.m. *Les testicules* sont les glandes reproductrices mâles.

tétanos n.m. *Tu t'es fait vacciner contre le tétanos ?,* une maladie qu'on peut attraper quand on s'est blessé au contact de la terre sale.

■ **antitétanique** adj. *Le vaccin antitétanique protège du tétanos.*
R. On prononce le *s* final : [tetanɔs].

434

têtard n.m. *Il y a des têtards dans la mare,* des animaux minuscules qui deviendront des grenouilles.

294, 33

tête n.f. **1.** *La tête, le tronc et les membres forment le corps. Je me suis fait mal à la tête,* au crâne. *Tu as une jolie tête* (= visage). **2.** *La tête du lit* est la partie du lit où l'on pose la tête (≠ pied). **3.** *Je n'ai pas la tête à écouter tes histoires,* l'esprit. **4.** *Ça coûte cher par tête !,* par personne. **5.** *Je ne peux pas faire ce calcul de tête,* sans écrire. **6.** *Qui est à la tête de cette usine ?,* qui la dirige ? **7.** *On est en tête du train,* dans les premières voitures, après la locomotive (≠ queue). *Notre équipe est en tête,* elle gagne. **8.** *Catherine fait la tête,* elle boude. **9.** *En voyant le* feu prendre, j'ai **perdu la tête,** je me suis affolé. **10.** *Il est parti sur un coup de tête,* par une décision soudaine, sans réfléchir. **11.** *Personne n'a osé lui tenir tête,* s'opposer à elle (= résister).

■ **tête-à-queue** n.m.inv. SENS 7 *L'auto a fait un tête-à-queue sur la route mouillée,* elle a fait un demi-tour sur elle-même en dérapant.

■ **tête-à-tête** SENS 4 **1.** adv. *Tiens, si on dînait en tête-à-tête* (ou *en tête à tête*) ?, tous les deux, seuls. **2.** n.m. *J'ai eu un tête-à-tête avec Lise,* un entretien particulier.

■ **tête-bêche** adv. SENS 2 *Patrick et Paul ont dormi tête-bêche,* côte à côte, mais en sens inverse l'un de l'autre.

téter v. *Bébé tète,* il boit son lait en le suçant.

■ **tétée** n.f. *Bébé a six tétées par jour,* six repas où il tète.

■ **tétine** n.f. *La tétine d'un biberon* est son bout en caoutchouc qui sert à téter.

têtu adj. *Jean est très têtu,* il ne veut pas renoncer à ses idées (= entêté, obstiné, buté).

■ **s'entêter** v. *Malgré mes conseils, Anne s'entête à vouloir partir demain,* elle ne veut pas céder (= s'obstiner).

■ **entêté** adj. et n. *Jean est (un) entêté,* il est têtu (≠ souple).

■ **entêtement** n.m. *On n'a pas pu venir à bout de son entêtement* (= obstination ; ≠ docilité).

texte n.m. *J'ai lu le texte de son discours,* les mots qui le composent.

■ **textuel** adj. *Cette citation est textuelle,* exactement fidèle au texte.

■ **textuellement** adv. *Je vous répète textuellement ce qu'elle a dit* (= mot à mot).

textile 1. adj. *Dans l'industrie **textile**, on fabrique des tissus.* **2.** n.m. *La laine est un **textile** naturel, le nylon, un **textile** synthétique,* une matière dont on fait des tissus.

textuel, textuellement → *texte.*

thé n.m. **1.** *Tu veux une tasse de **thé** ?,* d'une boisson faite avec les feuilles séchées du **théier,** arbuste cultivé en Extrême-Orient. **2.** *Un salon de **thé** est une sorte de pâtisserie où l'on sert du thé.*
■ **théière** n.f. SENS 1 *La **théière** est le récipient dans lequel on fait et on sert le thé.*
R. *Thé* se prononce [te] comme *tes* et *T.*

théâtre n.m. **1.** *Hier soir, nous sommes allés au **théâtre**, dans une salle où des acteurs jouent une pièce sur une scène.* **2.** *Cet acteur de cinéma fait aussi du **théâtre**, il joue dans un théâtre. Les comédies, les tragédies, les drames, les mélodrames sont des **pièces de théâtre**.* **3.** *Cette maison a été le **théâtre** d'un crime,* le lieu où un crime a été commis. **4.** *Son arrivée a été un **coup de théâtre**,* un événement inattendu.
■ **théâtral** adj. SENS 2 *Les comédiens ont donné une représentation **théâtrale**,* ils ont joué une pièce de théâtre.

théier, théière → *thé.*

thème n.m. **1.** *Quel était le **thème** de la discussion ?,* le sujet. **2.** *Pauline a fait son **thème** anglais,* elle a traduit en anglais un texte français (≠ version).

théologie n.f. *La **théologie** est l'étude des questions relatives à la religion.*

théorème n.m. *Un **théorème** est une démonstration mathématique.*

théorie n.f. **1.** *En maths, on apprend la **théorie** des ensembles,* le système d'idées qui permet d'expliquer les ensembles. **2.** *En **théorie** tu as raison, mais en pratique ta solution est inap-* plicable, en raisonnant sans tenir compte de la réalité (= en principe ; ≠ en réalité, en fait).
■ **théoricien** n. SENS 1 *Le professeur Martin est un **théoricien** de l'économie,* il en étudie et en enseigne la théorie.
■ **théorique** adj. SENS 2 *Ton raisonnement est **théorique**,* il ne tient pas compte de la réalité.
■ **théoriquement** adj. SENS 2 *Théoriquement, cela n'aurait pas dû arriver* (= en théorie ; ≠ pratiquement, en fait).

thérapeutique adj. *Cette plante a des propriétés **thérapeutiques**,* elle a le pouvoir de soigner des maladies.

thermes n.m.pl. *Chez les Romains, les **thermes** étaient des sortes de piscines où l'on prenait des bains.*
■ **thermal** adj. *Évian est une station **thermale**,* une ville où les eaux servent à soigner certaines maladies.
R. *Thermes* se prononce [tɛrm] comme *terme.*

thermique adj. *Une centrale **thermique** produit de l'énergie à partir de la chaleur.*

thermomètre n.m. *Un **thermomètre** sert à mesurer la température.*

thermonucléaire adj. *Une bombe **thermonucléaire** est une bombe atomique.*

thermos n.m. ou f. *Une bouteille **thermos** permet de garder un liquide chaud ou froid.*
R. C'est un nom de marque.

thermostat n.m. *Nous avons un four à **thermostat**,* équipé d'un dispositif qui permet d'avoir toujours la même température.

thésauriser v. *Thésauriser de l'argent,* c'est le mettre de côté.

thèse n.f. *La thèse que tu défends est absurde* (= point de vue, opinion, idée).

579 | **thon** n.m. *M. Durand a acheté du thon chez le poissonnier,* un gros poisson de mer.

728 | ■ **thonier** n.m. *Un thonier est un bateau pour la pêche au thon.*
R. *Thon* se prononce [tɔ̃] comme *ton* et il *tond* (de *tondre*).

294, 33 | **thorax** n.m. *Lise gonfle le thorax,* la partie du corps qui contient les poumons (= poitrine, torse).
■ **thoracique** adj. *La cage thoracique,* c'est le thorax.

thuya n.m. *Le thuya est un arbre en forme de cône souvent cultivé dans les parcs.*

578 | **thym** n.m. *Le thym donne du goût aux plats,* une plante aromatique.
R. *Thym* se prononce [tɛ̃], comme *teint, tain* et il *teint* (de *teindre*), il *tint* (de *tenir*).

40 | **tibia** n.m. *En skiant, Jean s'est cassé le tibia,* un os du devant de la jambe.

tic n.m. *Tu clignes tout le temps des yeux, c'est un tic !,* un mouvement nerveux involontaire.

ticket n.m. *Le contrôleur poinçonne les tickets,* les billets qui montrent qu'on a payé sa place.

tic-tac n.m. *Écoute le tic-tac de la pendule,* le bruit particulier qu'elle fait en marchant.

tiède adj. **1.** *L'eau est tiède,* ni chaude ni froide. **2.** *Elle s'est montrée tiède sur ce projet,* peu enthousiaste.
■ **tiédeur** n.f. SENS 1 *La tiédeur du printemps,* c'est la température tiède.
■ **tiédir** v. SENS 1 *Cléa laisse tiédir son café.*
■ **s'attiédir** v. SENS 2 *Son ardeur s'est bien attiédie,* elle a bien diminué (= se refroidir).

tien pron.possessif *Ma jupe est moins jolie que la tienne,* celle qui est à toi.
R. *Tien* se prononce [tjɛ̃] comme je *tiens* (de *tenir*) et *tiens !*

tiens ! interj. marque la surprise : *Tiens !, voilà Paule !*
R. → tien.

tierce → tiers.

tiercé n.m. *Au tiercé, j'ai joué le 3, le 4 et le 8, mais je n'ai pas gagné,* j'ai parié que les chevaux portant ces trois numéros arriveraient les premiers.

tiers n.m. **1.** *Tu as pris un tiers du gâteau,* une des trois parties égales du gâteau. **2.** *Je n'aime pas raconter ma vie devant des tiers,* des personnes étrangères. | 56
■ **tierce** adj.f. SENS 2 *Une tierce personne assistait à l'entretien,* un tiers.

tige n.f. **1.** *La tige de la rose a des épines,* la partie de la plante qui porte les feuilles et les fleurs. **2.** *Un paratonnerre est une longue tige de métal posée sur le toit* (= barre). | 65 36 / 7

tignasse n.f. Fam. *Va chez le coiffeur faire couper ta tignasse,* tes cheveux longs et mal coiffés.

tigre n.m. *Le tigre vit en Asie,* un animal féroce au pelage jaune rayé de noir. | 43 43
■ **tigresse** n.f. *Lucie est agressive comme une tigresse,* la femelle du tigre.

tilleul n.m. *Tu veux boire du tilleul ?,* une tisane faite avec des fleurs séchées de cet arbre. | 3

timbale n.f. **1.** *Bébé a bu dans sa timbale,* un gobelet en métal. **2.** *La timbale est un instrument de musique.* | 43 43

timbre n.m. **1.** *J'ai oublié de coller le timbre sur l'enveloppe,* le petit rectangle de papier qui sert à payer l'envoi de la lettre par la poste. (On dit aussi *timbre-poste.*) **2.** *Sur la lettre, il y a* | 76

le **timbre** de l'administration, la marque imprimée (= cachet, tampon).
3. Cette cloche a un joli **timbre,** elle sonne bien (= son).

■ **timbrer** v. SENS 1 Tu as oublié de **timbrer** ta lettre, d'y coller un timbre (= affranchir).

■ **timbré** adj. SENS 2 Ce contrat doit être écrit sur du papier **timbré,** marqué d'un timbre officiel. SENS 3 Anne a une voix bien **timbrée,** qui a un joli son.

timide adj. et n. Pourquoi ne lui as-tu pas parlé ? — Parce que je suis **timide,** je manque d'assurance, de confiance en moi (≠ hardi).

■ **timidement** adv. Tu m'as répondu **timidement** (≠ hardiment).

■ **timidité** n.f. Il faut surmonter ta **timidité,** ton manque d'assurance (≠ audace).

■ **intimider** v. Ses menaces ne m'**intimident** pas, elles ne me font pas perdre mon assurance.

timon n.m. Les bœufs étaient attelés au **timon** de la charrue, la longue pièce de bois servant à la tirer.

timonier n.m. Le **timonier** dirige le bateau, celui qui est au gouvernail.

■ **timonerie** n.f. La **timonerie,** ce sont les appareils de navigation et la partie du bateau où ils se trouvent.

timoré adj. Paul est **timoré** (= timide, hésitant, craintif ; ≠ entreprenant).

tintamarre n.m. Que de bruit, quel **tintamarre** !, quel vacarme ! (= tapage).

tinter v. On entend au loin les cloches **tinter,** sonner à petits coups.

■ **tintement** n.m. Écoute le **tintement** des grelots, leur bruit.

R. Tinter se prononce [tɛ̃te] comme teinter.

tiquer v. Fam. Elle a **tiqué** quand on lui a dit le prix, elle a eu l'air surpris, contrarié, hésitant.

tir → tirer.

tirade n.f. L'actrice a récité sa **tirade** trop vite, un monologue récité en une seule fois.

tirage, tiraillement, tirailler, tirailleur → tirer.

tirant n.m. Le **tirant** d'eau d'un bateau, c'est la profondeur de sa coque dans l'eau.

tire, tire-bouchon → tirer.

à **tire-d'aile** adv. L'oiseau est parti **à tire-d'aile,** très vite.

à **tire-larigot** adv. Fam. Boire **à tire-larigot,** c'est boire abondamment.

tire-ligne → tirer.

tirelire n.f. Tu entends les pièces quand je secoue la **tirelire** ?, la boîte avec une fente où l'on met l'argent qu'on veut économiser.

tirer v. **1.** Le cheval **tire** la voiture, il la traîne derrière lui (≠ pousser). **2.** La voyageuse **a tiré** la sonnette d'alarme, elle l'a fait fonctionner en amenant la poignée vers elle ou vers le bas. **3.** Tire le rideau, ferme-le (≠ ouvrir). **4.** Tire sur ta jupe !, tends-la. **5.** Le prestidigitateur **a tiré** un lapin de son chapeau, il l'en a fait sortir. Le problème était difficile, mais je **m'en suis** bien **tiré,** j'ai réussi à le faire (= s'en sortir). **6.** On tire l'essence du pétrole, on l'extrait. **7.** On **a tiré** ce roman à 10 000 exemplaires, on l'a imprimé. **8.** Il faut faire **tirer** ces photos, les faire reproduire sur du papier, à partir des négatifs. **9.** Le policier **a tiré** sur le bandit, il a fait feu sur lui. Tu sais **tirer** à l'arc ?, lancer des flèches avec un arc. **10.** Tirer un trait, c'est le tracer. **11.** La cheminée **tire** mal, il y a plein de fumée dans la pièce, la circulation d'air ne se fait pas bien. **12.** Dans une tombola, les lots **sont tirés au sort,** ils sont désignés par le hasard. **13.** Tirer les cartes, c'est prédire l'avenir de quelqu'un à l'aide d'un jeu de cartes.

■ **tir** n.m. SENS 9 *À la foire, on est allé au stand de tir,* dans un lieu où l'on s'exerce à tirer.

■ **tirage** n.m. SENS 7 *Ce journal a un gros tirage,* on le tire à un grand nombre d'exemplaires. SENS 8 *Le tirage d'une photo,* c'est sa reproduction sur du papier. SENS 11 *Il faut régler le tirage du poêle, il enfume toute la pièce !,* la manière dont la circulation d'air s'y fait. SENS 12 *C'est ce soir le tirage de la loterie,* on tire au sort les numéros gagnants.

■ **tirailler** v. 1. SENS 9 *On entend les chasseurs tirailler dans le bois,* tirer çà et là, sans régularité. 2. *Je suis tiraillée entre deux désirs,* attirée dans des sens divers.

■ **tiraillement** n.m. (au plur.) *Il y a des tiraillements à l'intérieur de ce parti,* des désaccords.

■ **tirailleur** n.m. SENS 9 *Un tirailleur est un soldat qui tire seul, pour harceler l'ennemi.

■ **tire** n.f. 1. SENS 5 *Le vol à la tire est* celui où le voleur tire habilement un objet de la poche de quelqu'un. 2. La *tire* est de la sève d'érable épaissie comme du miel.

■ **tiré** adj. 1. SENS 4 *Tu as les traits tirés,* tendus par la fatigue. 2. *Yves est toujours tiré à quatre épingles !,* habillé avec soin.

■ **tire-bouchon** n.m. SENS 2 *Il y avait deux tire-bouchons et je n'en retrouve aucun !,* un appareil qui sert à déboucher une bouteille.

■ **tire-ligne** n.m. SENS 10 *La dessinatrice trace des traits à l'encre avec son tire-ligne,* un instrument.

■ **tireur** n. SENS 9 *M. Dupont est un bon tireur à la carabine,* il tire bien. SENS 13 *Une tireuse de cartes est une cartomancienne.*

R. → *traction.*

tiret n.m. Un *tiret* est un trait horizontal (—) qu'on utilise dans les textes écrits.

tirette n.f. Une *tirette* est une petite planche qu'on peut sortir et rentrer dans un meuble.

tireur → *tirer.*

tiroir n.m. *Les couteaux sont dans le tiroir du buffet,* la partie du meuble formant une espèce de caisse qu'on peut tirer et repousser.

■ **tiroir-caisse** n.m. *Les gangsters ont emporté tout l'argent du tiroir-caisse,* du tiroir qui contient l'argent d'un commerçant.
R. Noter le pluriel : des *tiroirs-caisses.*

tisane n.f. *Qui veut boire une tisane après le dîner ?,* une boisson chaude faite avec des plantes parfumées (tilleul, menthe, verveine, etc.).

tison n.m. *On va rallumer le feu avec les tisons,* les morceaux de bois à moitié brûlés et encore rouges (= braise).

■ **tisonnier** n.m. *Remue les tisons avec le tisonnier,* une tige métallique.

tisser v. *À Lyon, en France, on tisse la soie,* on fait des tissus de soie.

■ **tissage** n.m. *Autrefois, le tissage se faisait sur des métiers à tisser,* la fabrication des tissus.

■ **tisserand** n. Un *tisserand* est un artisan qui tisse.

■ **tissu** n.m. *Pour les rideaux, il faudrait un tissu uni* (= étoffe).

■ **tissu-éponge** n.m. *Les serviettes de toilette sont en tissu-éponge,* en tissu de coton très absorbant.

titre n.m. 1. *Quel est le titre de ce roman de Kipling ? — « Le Livre de la jungle »,* le nom. 2. *Sur la première page du journal, il y a un gros titre,* une inscription en grosses lettres. 3. *Elle court pour le titre de championne du monde* (= qualité, appellation). *C'est elle la championne du monde en titre,* elle a le titre. 4. *Qu'est-ce que tu as comme titres universitaires ?* (= diplôme). 5. *Les titres de propriété sont rangés* dans un tiroir du bureau, les certificats qui prouvent les droits de quelqu'un. **6.** *Si elle proteste, c'est* **à juste titre,** avec raison (= légitimement, à bon droit).

■ **titrer** v. SENS 2 *Le journal d'aujourd'hui* **titre** *: « Terrible accident sur l'autoroute »,* il met ce titre.

■ **attitré** adj. SENS 3 *Melle Marceau est la responsable* **attitrée** *de cette fonction,* elle a officiellement cette fonction.

■ **intituler** v. SENS 1 *Comment* **s'intitule** *ce livre ?,* quel est son titre (= s'appeler).

■ **sous-titre** n.m. **1.** SENS 1 ET 2 *Un* **sous-titre** *est un titre plus petit que le titre principal et destiné à le compléter.* **2.** *Ce film anglais a des* **sous-titres** *en français,* des phrases écrites qui traduisent les paroles en français.

■ **sous-titrer** v. *Ce film anglais est en version originale* **sous-titrée,** il parle anglais et porte des sous-titres.

tituber v. *Regarde cet ivrogne, il* **titube,** *il marche en ne tenant pas bien sur ses jambes* (= vaciller).

titulaire adj. et n. **1.** *Un fonctionnaire* **titulaire** *est nommé définitivement à son poste.* **2.** *Les* **titulaires** *du permis de conduire sont les personnes qui l'ont obtenu.*

■ **titulariser** v. SENS 1 *Les stagiaires* **ont été titularisés,** nommés titulaires.

toast n.m. **1.** *Et maintenant nous allons porter un* **toast** *aux jeunes mariés,* lever nos verres en leur honneur. **2.** *Peter mange des* **toasts** *à son petit déjeuner,* des tranches de pain grillé. **R.** On prononce [tost].

toboggan n.m. **1.** *Au square, on joue sur le* **toboggan,** *un appareil en pente sur lequel on se laisse glisser sur les fesses.* **2.** *On a construit un* **toboggan** *au-dessus de la route,* un passage supérieur à un croisement.

toc n.m. Fam. *Son collier n'est pas en or, c'est du* **toc** *!,* une imitation.

tocsin n.m. *Aujourd'hui, la sirène a remplacé le* **tocsin,** la sonnerie de cloche employée comme signal d'alarme.

toge n.f. *Les juges portent une* **toge,** une sorte de robe. 440, 802

tohu-bohu n.m.inv. *Dans ce* **tohu-bohu,** *on ne reconnaissait plus personne,* cette agitation confuse et bruyante.

toi pron.pers. peut s'employer : *a)* pour renforcer le sujet *tu* ou le complément *te* : **Toi,** *tu restes là ;* **Toi,** *je te parle ; b)* comme complément après une préposition : *Ce cadeau est pour* **toi.**
R. *Toi* se prononce [twa] comme *toit.*

toile n.f. **1.** *La* **toile** *de la tente s'est déchirée,* le tissu dans lequel elle est faite. **2.** *L'araignée tisse sa* **toile,** elle fait un piège pour capturer les insectes avec les fils qu'elle sécrète. **3.** *Je n'aime pas les* **toiles** *de ce peintre,* ses tableaux (= peinture).

toilette n.f. **1.** *Pascale est dans la salle de bains, elle fait sa* **toilette,** elle se lave et se peigne. **2.** *Quelle* **toilette** *!, tu sors ?* (= vêtement, tenue). **3.** (au plur.) *Où sont les* **toilettes** *?,* les lavabos. 79 77

toise n.f. Une **toise** est une grande règle qui sert à mesurer la taille d'une personne.

toiser v. *Toiser quelqu'un,* c'est le regarder de haut en bas avec mépris ou défi.

toison n.f. *La* **toison** *d'un mouton,* c'est sa laine.

toit n.m. **1.** *L'antenne de télévision est sur le* **toit,** la surface qui recouvre le dessus d'une maison. **2.** *Ta voiture a* 75, 147

508

*un **toit** ouvrant ?,* la partie supérieure de la carrosserie.
- **toiture** n.f. SENS 1 *Il faut refaire la toiture,* le toit et ce qui le fait tenir.

tôle n.f. *Sur la cabane, il y a un toit en tôle,* en métal aplati en feuilles.
- **tôlerie** n.f. 1. Une *tôlerie* est un atelier où l'on travaille la tôle. **2.** *L'accident de voitures n'a fait que des dégâts de tôlerie,* des dégâts aux parties en tôle.
- **tôlier** n.m. Un *tôlier* est un ouvrier qui travaille la tôle.
- R. *Tôle* se prononce [tol] comme *taule.*

tolérer v. *La gardienne **tolère** que les enfants jouent sur la pelouse,* elle l'accepte mais normalement ce n'est pas permis (= permettre, supporter).
- **tolérable** adj. *Un tel bruit n'est pas tolérable* (= supportable).
- **tolérance** n.f. *J'ai le droit d'avoir mes idées, tu manques de **tolérance** !,* de respect pour le droit des autres à penser comme ils veulent (= largeur d'esprit).
- **tolérant** adj. *Anne est très tolérante,* elle admet que les autres puissent avoir des opinions différentes des siennes.
- **intolérable** adj. *La douleur est intolérable* (= insupportable).
- **intolérance** n.f. L'*intolérance* est le manque de tolérance à l'égard des autres.
- **intolérable** adj. *La douleur est intolérable* (= insupportable).
- **intolérance** n.f. L'*intolérance* est le manque de tolérance à l'égard des autres.
- **intolérant** adj. *Laisse-moi m'expliquer : tu es trop intolérant.*

tollé n.m. *Quand elle a dit non, il y a eu un **tollé** général,* un cri pour protester (≠ acclamation).

367 **tomate** n.f. *À midi, on a mangé une salade de **tomates**,* de gros fruits rouges.

tombe n.f. *On est allé au cimetière mettre des fleurs sur la **tombe** de grand-père,* l'endroit où il est enterré.
- **tombal** adj. *La pierre **tombale** est en marbre,* celle qui recouvre la tombe.
- **tombeau** n.m. Les *tombeaux* sont des monuments en pierre qu'on construit au-dessus des tombes.

tomber v. **1.** *J'ai glissé et je **suis tombé**,* je me suis renversé par terre (= dégringoler, faire une chute). **2.** *La nuit **tombe**, on ne voit plus clair,* il va faire nuit. **3.** *La pluie **est tombée** cette nuit,* il a plu. **4.** *Le vent **tombe**,* il arrête de souffler (= cesser ; ≠ se lever). **5.** *Chantal nous **laisse tomber**, on ne la voit plus,* elle nous abandonne (= délaisser, laisser choir). **6.** *Noël **tombe** un samedi cette année,* c'est un samedi. *Tiens ! tu es là, ça **tombe** bien !,* ça arrive bien. **7.** *Tu vas **tomber** malade,* le devenir brusquement. **8.** *Je **suis tombé** sur Paule dans la rue,* je l'ai rencontrée par hasard. **9.** *Il **est tombé** dans le piège,* il a été pris.
- **tombée** n.f. SENS 2 *On est parti à la **tombée** de la nuit,* au moment où la nuit tombe.
- **retomber** v. **1.** SENS 1 *Le chat a sauté et il **est retombé** sur ses pattes,* il a touché terre. SENS 7 *Jean **est retombé** malade,* il est de nouveau malade. **2.** *C'est sur lui que **retombe** la responsabilité,* il est responsable.
- **retombées** n.f.pl. **1.** SENS 1 *Après une explosion atomique, il y a des **retombées** radioactives,* des particules qui retombent. **2.** *Ce scandale a eu des **retombées** politiques,* des conséquences indirectes.
- R. *Tomber* et *retomber* se conjuguent avec l'auxiliaire *être.*

tombereau n.m. *On a déversé trois **tombereaux** de terre dans le jardin,* le contenu de trois camions ou charrettes qui basculent.

tombola n.f. *J'ai gagné une bouteille de champagne à la **tombola**,* la loterie où l'on gagne des objets.

tome n.m. *J'ai lu le deuxième **tome** de ce roman* (= volume).

tomme n.f. *La **tomme** est un fromage de Savoie.*

tommette ou **tomette** n.f. *Dans le Sud de la France, le sol des maisons est souvent recouvert de **tommettes**,* des carreaux de céramique à 6 côtés.

1. ton, ta, tes adj.possessifs indiquent ce qui est à toi : *Ton livre, ta chemise, tes affaires.*
R. → *ton* 2 et *thé.* On emploie *ton* au lieu de *ta* devant un nom féminin commençant par une voyelle ou un *h* muet : *Ton oreille.*

2. ton n.m. **1.** *On m'a répondu sur un ton qui ne m'a pas plu,* une façon de parler. **2.** *On ne chante pas tous dans le même **ton**,* la même hauteur de la voix, du son (= tonalité). **3.** *En automne, les arbres ont des **tons** jaunâtres,* des couleurs (= nuance, teinte). **4.** *Ce qui est de **bon ton*** est conforme aux bonnes manières, à la bonne éducation.
■ **tonalité** n.f. **1.** SENS 2 *Quel est le bouton pour régler la **tonalité** de la télé ?,* la qualité du son. **2.** [Au téléphone] : *Je n'ai pas la **tonalité**,* le son qui fait qu'on peut composer un numéro quand on décroche.
R. *Ton* se prononce [tɔ̃] comme *thon* et il *tond* (de *tondre*).

tondre v. *Andréa **tond** le gazon,* elle le coupe très court.
■ **tondeuse** n.f. *La **tondeuse** à gazon est cassée,* l'appareil pour le tondre.
■ **tonte** n.f. *Quand a lieu la **tonte** des moutons ?,* l'époque où on les tond.
R. → Conj. n° 51. → *ton* 2.

tonifier, tonique → *tonus.*

tonitruant adj. *Georges a une voix **tonitruante**,* très forte.

tonnage → *tonneau.*

tonne n.f. *Cette voiture pèse une **tonne**,* mille kilogrammes.

871

tonneau n.m. **1.** *On a mis le vin dans des **tonneaux**,* des récipients en bois. **2.** *La voiture a fait un **tonneau**,* un tour complet sur elle-même en se renversant. **3.** *Le **tonneau** est une unité de mesure qui sert à calculer ce que peut contenir un bateau.*

367, 579

766

■ **tonnage** n.m. SENS 3 *Les paquebots sont des navires de fort **tonnage*** (= capacité).
■ **tonnelet** n.m. SENS 1 *Les Blois ont acheté un **tonnelet** de cognac,* un petit tonneau.
■ **tonnelier** n.m. SENS 1 *Le **tonnelier** fabrique ou répare des tonneaux.*

tonnelle n.f. *On a déjeuné dans le jardin sous la **tonnelle**,* une sorte de voûte faite de feuilles et de branches d'arbres.

73

tonnerre n.m. *Il y a eu des éclairs et puis on a entendu un coup de **tonnerre**,* le bruit que fait la foudre pendant l'orage.
■ **tonner** v. *On entend **tonner** au loin,* le bruit du tonnerre.

tonsure n.f. *Les moines ont une **tonsure** sur le sommet du crâne,* un cercle de cheveux rasés.

tonte → *tondre.*

tonus n.m. *Ce remède lui a donné du **tonus**,* de l'énergie (= dynamisme).
■ **tonique** adj. *L'air de la montagne est **tonique**,* il donne de l'énergie (= vivifiant).
■ **tonifier** v. *Une bonne douche froide **tonifie** les muscles,* elle a un effet tonique (= stimuler).
R. On prononce le *s* final de *tonus* : [tɔnys].

top n.m. *Au troisième **top**, il sera exactement 10 heures,* au troisième signal sonore de l'horloge.

73

topographie n.f. *Cette région a une topographie montagneuse* (= relief).
∎ **topographique** adj. *Les cartes topographiques représentent le relief.*

toquade n.f. *Une toquade est une envie soudaine* (= caprice, lubie).

36

toque n.f. *Les cuisiniers portent la toque,* une sorte de bonnet.

toqué adj. Fam. *Annie est un peu toquée !* (= fou).

torche n.f. **1.** *Dans la grotte, le guide nous éclaire avec une torche,* un gros bâton qui brûle (= flambeau). **2.** *Une torche électrique* est une grosse lampe portative de forme allongée.

torcher v. Fam. *Il a torché son assiette avec du pain,* il l'a essuyée.

torchis n.m. *Cette maison a des murs en torchis,* faits d'un mélange de paille et de terre.

torchon n.m. *Prends un torchon propre pour essuyer les verres !,* une sorte de serviette en toile.

tordre v. **1.** *Aide-moi à tordre la serviette, elle est trempée,* à la tourner sur elle-même en serrant chaque bout en sens contraire. **2.** *Aïe, tu m'as tordu le bras !,* tu me l'as tourné brutalement. **3.** *La clé s'est tordue dans la serrure,* elle s'est courbée et n'est plus droite. **4.** *On se tordait de rire en écoutant Lise,* on riait beaucoup.
∎ **tordant** adj. SENS 4 *Ton histoire est tordante,* très drôle.
∎ **tors** adj. s'emploie parfois, surtout au féminin, comme équivalent de *tordu : Ce vieil homme avait des jambes torses.*
∎ **torsade** n.f. SENS 1 *Anne s'est fait une torsade,* elle a enroulé ses cheveux sur eux-mêmes.
∎ **torsion** n.f. SENS 1, 2 ET 3 *J'ai exercé une torsion sur la ficelle,* je l'ai tordue.
∎ **retordre** v. **1.** SENS 1 *Retordre des*

fils, c'est les tordre ensemble. **2.** Fam. *Cette affaire m'a donné du fil à retordre,* elle m'a donné du mal.
R. → Conj. n° 52.

toréador ou **torero** n.m. *Les toreros* sont ceux qui combattent les taureaux dans l'arène.
R. On prononce [tɔrero].

tornade n.f. *La tornade a arraché plusieurs arbres,* la tempête accompagnée d'un vent très violent (= cyclone, ouragan).

torpeur n.f. *Le malade est dans un état de profonde torpeur,* il ne réagit plus (= assoupissement).

torpille n.f. *Le navire a été coulé par une torpille,* une sorte de bombe propulsée dans l'eau par un moteur.
∎ **torpiller** v. *Torpiller un navire,* c'est le faire exploser avec une torpille.
∎ **torpilleur** n.m. *Les torpilleurs* sont utilisés pour torpiller les navires ennemis, des bateaux de guerre.
∎ **contre-torpilleur** n.m. *Les contre-torpilleurs sont plus petits et plus rapides que les torpilleurs.*

torréfier v. *Torréfier des grains de café,* c'est les faire griller.
∎ **torréfaction** n.f. *On torréfie le café dans des usines de torréfaction.*

torrent n.m. **1.** *Le torrent dévale la montagne,* un cours d'eau qui coule vite et fort. **2.** *Il pleut à torrents,* très fort.
∎ **torrentiel** adj. SENS 2 *Des pluies torrentielles sont tombées sur la région,* des pluies très violentes.

torride adj. *On a eu un été torride,* très chaud.

tors, torsade → *tordre.*

torse n.m. *Il fait chaud, Pascal s'est mis torse nu,* le haut du corps, jusqu'à la taille (= poitrine).

torsion → *tordre.*

764

651

tort n.m. **1.** *Qui est responsable ? — Je ne sais pas, chacun a des **torts**,* des choses à se reprocher. **2.** *Sa négligence lui a fait du **tort*** (= préjudice). **3.** *Le chauffeur du camion était **dans son tort*** (ou ***en tort**), il a brûlé le feu rouge,* il a commis une faute (≠ dans son droit). **4.** *Tu **as eu tort** de ne pas venir* (≠ avoir raison). **5.** *Il a été accusé **à tort**,* injustement (≠ à juste titre). **6.** *Ne parle pas **à tort et à travers**,* sans réfléchir suffisamment (= à la légère, inconsidérément).

torticolis → *col.*

tortillard n.m. Un ***tortillard*** est un petit train qui va lentement.

tortiller v. *Arrête de **tortiller** ton mouchoir !,* de le tordre dans tous les sens.
■ **entortiller** v. *Les bonbons sont **entortillés** dans du papier,* enveloppés dans du papier tordu aux deux bouts.

tortionnaire → *torture.*

tortue n.f. *Jean est lent comme une **tortue**,* un animal à carapace.

tortueux adj. *Un sentier **tortueux** mène au sommet de la montagne* (= sinueux ; ≠ droit).

torture n.f. *Elle a subi des **tortures**, mais elle n'a pas avoué,* des supplices.
■ **torturer** v. **1.** *Le prisonnier a été **torturé**,* il a été soumis à la torture. **2.** *Le coupable **est torturé** par le remords,* il souffre beaucoup moralement.
■ **tortionnaire** n. *Elle n'a rien avoué à ses **tortionnaires**,* aux personnes qui la torturaient.

tôt adv. *Le matin, je me lève **tôt**,* de bonne heure (≠ tard). ***Tôt ou tard**, on s'en apercevra,* un jour ou l'autre.

total adj. **1.** *J'ai une confiance **totale** en elle,* entière, complète (= absolu). **2.** *20 $ + 10 $, ça fait une somme **totale** de 30 $,* qui comprend les deux prix (= global).

■ **total** n.m. SENS 2 *Ça vous fait un **total** de 100 $,* un somme totale obtenue en additionnant. ***Au total**, c'est une bonne affaire,* tout compte fait (= en somme).
■ **totalement** adv. SENS 1 *C'est **totalement** faux,* entièrement (= complètement).
■ **totaliser** v. SENS 2 *La concurrente a **totalisé** 9 points,* est arrivée à ce total.
■ **totalité** n.f. SENS 2 *J'ai dépensé la **totalité** de mon salaire,* le tout (≠ une partie).

totalitaire adj. *Un État **totalitaire** est un État où l'opposition politique est interdite.*
■ **totalitarisme** n.m. *Plusieurs militants ont protesté contre le **totalitarisme** de la direction* (= autoritarisme, absolutisme).

totalité → *total.*

totem n.m. *Ces Amérindiens dansent autour de leur **totem**,* une sorte de statue qui protège la tribu.

toubib n.m. Fam. *Si tu es malade, appelle un **toubib*** (= médecin).

toucan n.m. *Le **toucan** est un oiseau des forêts tropicales au bec énorme.*

touchant → *toucher.*

touche n.f. **1.** *Où est le « do » ? — Là, appuie sur cette **touche**,* une des pièces du clavier d'un piano, d'un accordéon, d'un orgue, d'une machine à écrire, etc. **2.** *Il peint par petites **touches**,* à coups légers de pinceau. **3.** [À la pêche] : *Ça y est, j'ai une **touche** !,* une secousse qui montre que le poisson a mordu. **4.** *Le ballon est sorti **en touche**,* hors des limites du terrain de football, de rugby.

toucher v. **1.** *Ne **touche** pas à la prise électrique !,* ne mets pas la main dessus. **2.** *Ma bille a frôlé la tienne, mais elle ne l'a pas **touchée**,* elle n'est pas

80, 35
435
148, 293, 438, 808

entrée en contact avec (= atteindre).
3. *Nos deux maisons se touchent,*
elles sont l'une à côté de l'autre. **4.** *J'ai*
touché 1 000 $ pour faire ce travail,
j'ai été payé (= recevoir). **5.** *Ta lettre*
nous a touchés, elle nous a émus.

■ **toucher** n.m. SENS 1 Le *toucher* est
l'un des cinq sens par lequel on reconnaît, en la touchant avec les doigts,
la forme d'une chose.

■ **touchant** adj. SENS 5 *Quels adieux*
touchants !, qui touchent le cœur (=
émouvant).

R. → *tactile.*

touffe n.f. *La jardinière a arraché une*
touffe de mauvaises herbes, un ensemble de brins d'herbe.

■ **touffu** adj. *Jean a une barbe*
touffue, en touffes épaisses (= dru,
serré ; ≠ clairsemé).

touiller v. Fam. *Touille la purée,*
remue-la.

toujours adv. **1.** *J'ai toujours habité*
Hull, tout le temps (≠ jamais). **2.** *Paul*
est toujours ici ?, encore maintenant.
3. *Elle est partie pour toujours,* définitivement.

toupet n.m. Fam. *Il t'a dit ça, quel tou-*
pet !, il est effronté (= aplomb).

toupie n.f. *Caroline joue à la toupie,* un
jouet qu'on fait tourner sur sa pointe.

1. tour n.f. **1.** *Montons dans la tour*
du château, le bâtiment très haut.
2. *Les Dupont habitent au 38ᵉ étage*
d'une tour, un immeuble très élevé.

■ **tourelle** n.f. SENS 1 *Une tourelle*
est une petite tour. **2.** *La tourelle d'un*
tank, d'un navire de guerre est l'emplacement mobile qui sert au tir.

2. tour n.m. **1.** *En fermant la porte,*
n'oublie pas de donner un tour de clé,
de tourner la clé sur elle-même dans la
serrure. **2.** *Les coureurs ont fait le tour*
de la piste, ils ont fait un parcours en
rond autour de la piste, en revenant à

leur point de départ. **3.** *Tu fais 40 cm*
de tour de taille ?, de circonférence.
4. *Il fait beau, si on allait faire un*
tour ?, une promenade. **5.** *Cette fois,*
c'est mon tour de faire les courses,
c'est à moi. *Répondez à tour de rôle,*
dans l'ordre fixé pour chacun (= l'un
après l'autre ; ≠ ensemble). **6.** *Tu*
connais ce tour de cartes ?, cet exercice qui demande de l'habileté. **7.** *Les*
élèves ont joué un tour à leur profes-
seur : ils lui ont caché son stylo, ils
lui ont fait une farce. **8.** *Je n'aime*
pas le tour que prend la discussion,
l'aspect. **9.** *Ce tour de phrase est*
compliqué, ce procédé de construction de la phrase (= tournure). **10.** *Et*
voici une chanson qui fait partie de
mon nouveau tour de chant (= récital). **11.** *L'affaire a été réglée en un*
tour de main, très rapidement (= en
un tournemain).

■ **demi-tour** n.m. SENS 1 *Fais demi-*
tour, on s'est trompé de route, un tour
sur toi-même pour revenir en arrière.

■ **pourtour** n.m. SENS 2 *Le pourtour*
de la place est planté d'arbres, la
partie qui en fait le tour, qui est au
bord (≠ centre).

R. Noter le pluriel : des *demi-tours.*

3. tour n.m. *Le potier travaille l'argile*
sur un tour, un plateau tournant. *Cette*
pièce métallique a été façonnée au
tour, avec une machine-outil.

■ **tourneur** n.m. Le *tourneur* est l'ouvrier qui travaille au tour.

tourbe n.f. La *tourbe* est une sorte de
charbon qu'on extrait des marécages.

■ **tourbière** n.f. Une *tourbière* est un
marécage d'où on extrait la tourbe.

tourbillon n.m. **1.** *Le vent soulève un*
tourbillon de poussière, de la poussière qui s'élève en tournant sur elle-
même. **2.** *À cet endroit la rivière fait*
des tourbillons, l'eau est agitée d'un
mouvement tournant.

■ **tourbillonner** v. SENS 1 *Quel vent !* *Regarde, les feuilles mortes **tourbillonnent,** elles tournent rapidement sur elles-mêmes en volant.*

tourelle → *tour* 1.

tourisme n.m. *Nous avons fait du **tourisme** en Italie, nous avons voyagé, visité l'Italie.*

■ **touriste** n. *Avec leur guide, les **touristes** anglais visitent le Louvre,* les personnes qui font du tourisme.

■ **touristique** adj. *Aline s'est acheté un guide **touristique** de l'Italie,* un guide fait pour le tourisme. *Ce n'est pas un lieu **touristique,*** qui attire les touristes.

tourment n.m. *Ne te fais pas de **tourment,** l'opération se passera bien !* (= inquiétude, tracas).

■ **tourmenter** v. *Cette pensée me **tourmente,*** elle me tracasse, m'inquiète. *Ne te **tourmente** pas pour si peu !,* ne te fais pas de souci.

tourmente n.f. *Un bateau a fait naufrage dans la **tourmente,*** la violente tempête.

tourmenter → *tourment.*

tournage, tournant → *tourner.*

tourne-disque n.m. *Un **tourne-disque** sert à écouter des disques* (= électrophone).
R. Noter le pluriel : des *tourne-disques.*

tournedos n.m. *À midi, on a mangé des **tournedos** grillés,* du filet de bœuf coupé en tranches rondes.

tournée n.f. **1.** *Le facteur fait sa **tournée,*** il distribue le courrier selon un certain itinéraire. *Cette chanteuse rentre d'une **tournée** dans le sud de la France,* d'une série de représentations qu'elle a données dans diverses villes. **2.** [Au café] : *« Allez, encore un verre, c'est ma **tournée** ! »,* c'est moi qui paie les boissons.

en un tournemain adv. *On a résolu le problème **en un tournemain,*** très rapidement (= en un tour de main).

tourner v. **1.** *La Terre **tourne** autour du Soleil,* elle se déplace en faisant le tour du Soleil. *Le manège **tourne,*** il fait un tour en rond sur lui-même. ***Tourne** la salade,* retournes-en les feuilles (= remuer). **2.** ***Tourne** la tête vers moi,* dirige-la de mon côté. *Ces routes de montagne **tournent** beaucoup,* elles changent de direction. *Au prochain carrefour, vous **tournerez** à droite,* vous prendrez cette direction. ***Tournez** la page,* faites-la passer d'un côté à l'autre. **3.** *Je ne sais pas comment **tourner** ma phrase,* l'exprimer et la présenter. **4.** *Arrêtez de vous battre, ça va mal **tourner,*** se terminer (= évoluer). **5.** *Quelle est la réalisatrice qui a **tourné** ce film ?,* qui a filmé avec la caméra. *Cet acteur a **tourné** dans de nombreux films* (= jouer). **6.** *Zut ! ma sauce a **tourné** !,* elle s'est décomposée. **7.** *J'ai la tête qui **tourne,*** j'ai des vertiges.

■ **tournage** n.m. SENS 5 *Le **tournage** du film a duré six mois,* sa réalisation.

■ **tournant** n.m. SENS 2 *Attention, ce **tournant** est dangereux !,* l'endroit où la route change de direction (= virage).

■ **tourniquet** n.m. SENS 1 *Il y a un **tourniquet** à l'entrée du magasin,* un appareil qui tourne en ne laissant passer qu'une personne à la fois.

■ **tournis** n.m. SENS 7 *Les enfants, arrêtez de courir autour de la table, vous me donnez le **tournis,*** la tête me tourne (= vertige).

■ **tournoyer** v. SENS 1 *Les feuilles mortes **tournoient** dans le ciel,* elles tournent sur elles-mêmes.

■ **tournoiement** n.m. SENS 1 *Le **tournoiement** des feuilles me rendait mélancolique.*

806, 76

506

■ **tournure** n.f. 1. SENS 4 *Je n'aime pas la tournure que prennent les événements,* la façon dont ils évoluent (= tour). SENS 3 *Cet écrivain emploie des tournures vieillies* (= expression). 2. *Quelle drôle de tournure d'esprit !,* de façon de voir les choses (= forme).

tournesol n.m. *J'ai mis de l'huile de tournesol dans la salade,* une plante dont la grosse fleur jaune se tourne vers le soleil.

tourneur → *tour* 3.

289 **tournevis** n.m. *La vis est desserrée : passe-moi le tournevis,* l'outil qui sert à visser et à dévisser.
R. On prononce le *s* final : [turnəvis].

tourniquet, tournis → *tourner.*

tournoi n.m. 1. Au Moyen Âge, un *tournoi* était un combat opposant deux cavaliers qui cherchaient à se faire tomber de cheval. 2. *Marie a gagné le tournoi de tennis,* une compétition composée de plusieurs matchs.

tournoiement, tournoyer → *tourner.*

tourte n.f. *Une tourte* est une pâtisserie ronde contenant de la viande, du poisson, etc.

722 **tourteau** n.m. *J'ai mangé un tourteau à la mayonnaise,* un gros crabe.

tourterelle n.f. *Une tourterelle roucoule sur le balcon,* un oiseau voisin du pigeon.

Toussaint n.f. *Je viendrai vous voir à la Toussaint,* le 1er novembre, jour de la fête catholique de tous les saints.

tousser, toussoter → *toux.*

tout 1. adj.indéfini *Toute la famille est réunie,* la famille entière. *Tous les enfants ont eu des jouets,* chacun sans exception. 2. pron.indéfini *Marie sait*

tout faire, toutes les choses. *Vous savez tous nager ?,* la totalité d'entre vous. 3. n.m. *Vous aurez le tout pour 90 $,* l'ensemble. *On était dix en tout,* au total. 4. adv. *Il est tout petit, tout étourdi* (= très). *Je ne suis pas du tout contente,* absolument pas.
R. Au sens 4, *tout* est adverbe mais prend un *e* devant un adjectif féminin commençant par une consonne : *Elle est toute petite,* mais *elle est tout étonnée, tout heureuse.* → *toux.*

tout à coup adv. *Tout à coup le chat a bondi sur la souris* (= soudain, subitement, brusquement).

tout à fait adv. *Je suis tout à fait ravie,* entièrement.

tout-à-l'égout → *égout.*

tout à l'heure → *heure.*

tout de suite adv. *Venez ici tout de suite,* immédiatement.

toutefois adv. *Je vous attends ; si toutefois vous ne pouviez pas venir, prévenez-moi* (= cependant).

toute-puissante → *puissance.*

toutou n.m. Fam. *Dick est un bon gros toutou* (= chien).

tout-puissant → *puissance.*

tout-venant → *venir.*

toux n.f. *Tu as pris ton sirop contre la toux ?,* pour ne plus tousser.
■ **tousser** v. *La fumée me fait tousser,* chasser de l'air par la bouche en faisant du bruit par saccades.
■ **toussoter** v. *Sylvie toussote,* elle tousse un peu.
R. *Toux* se prononce [tu] comme *tout.*

toxique adj. *L'opium, le haschisch sont des produits toxiques,* contenant du poison.
■ **toxicomanie** n.f. *Être atteint de toxicomanie,* c'est se droguer avec des produits toxiques.

■ **toxicomane** n. *Le toxicomane a été hospitalisé* (= drogué).

■ **intoxiquer** v. *Ils ont été intoxiqués par des champignons,* ils ont été empoisonnés.

■ **intoxication** n.f. *Paul est malade, il a une intoxication alimentaire,* il a mangé des aliments toxiques.

■ **désintoxiquer** v. *C'est un ancien drogué qui a subi un traitement pour se désintoxiquer.*

■ **désintoxication** n.f. *La cure de désintoxication dure plusieurs mois.*

trac n.m. *Avant d'entrer en scène, cette actrice a le trac,* elle a peur.

tracas n.m. *Pourquoi te faire du tracas ?,* du souci.

■ **tracasser** v. *La santé de grand-père me tracasse,* me cause du souci (= inquiéter, tourmenter).

■ **tracasserie** n.f. *J'en ai assez de ces tracasseries administratives,* de ces ennuis à propos de questions de détail.

trace n.f. *On voit des traces de pas dans la neige* (= marque, empreinte).

tracer v. *Avec votre compas, vous allez tracer un cercle,* le dessiner en faisant un trait.

■ **tracé** n.m. *Les dessinateurs ont fait le tracé de l'autoroute,* ils ont dessiné son parcours.

trachée n.f. La *trachée* est le principal conduit par où passe l'air que nous respirons.

■ **trachéite** n.f. *Lucile a une trachéite qui la fait tousser,* une irritation de la trachée.

R. On prononce [traʃe], mais [trakeit].

tract n.m. *Les manifestants distribuaient des tracts,* des feuilles de papier imprimées.

tractations n.f.pl. *J'ai obtenu ce que je voulais, après de nombreuses tractations* (= négociation, marchandage).

tracteur n.m. *C'est un tracteur qui a amené la remorque,* un véhicule à moteur qui sert à tirer un engin ou un instrument agricole.

363, 364

traction n.f. *Pour les trains, la traction électrique a remplacé la traction à vapeur,* les trains sont tirés par des locomotives électriques.

tradition n.f. *Tous les ans, au 1er janvier, on se souhaite une bonne année, c'est la tradition* (= coutume, usage, habitude).

■ **traditionnel** adj. *Et voici la traditionnelle bûche de Noël,* qui est fondée sur une tradition et qui est passée dans les habitudes.

■ **traditionnellement** adv. *On fait traditionnellement des feux d'artifice le 1er juillet.*

traduire v. 1. *L'interprète a traduit en français le discours du ministre allemand,* elle a dit en français ce que le ministre disait en allemand. 2. *L'accusé a été traduit en justice,* il a été amené devant les juges des tribunaux. 3. *La sécheresse s'est traduite par une hausse des prix,* elle a eu cette conséquence.

■ **traducteur** n. SENS 1 *Mme Muller est traductrice dans une maison d'édition,* elle traduit des textes écrits.

■ **traduction** n.f. SENS 1 *La traduction de ce texte est mauvaise,* il a été mal traduit.

■ **intraduisible** adj. SENS 1 *Cette expression est intraduisible en français,* on ne peut pas la traduire.

R. → Conj. n° 50.

trafic n.m. 1. *Le trafic routier sera important pour le week-end,* la circulation sur les routes. 2. *Ils se livraient au trafic de la drogue,* à un commerce interdit.

■ **trafiquer** v. SENS 2 *Ces escrocs trafiquaient,* ils achetaient et vendaient de

40

la marchandise de façon illégale. *Ce vin **est trafiqué,*** il a subi un traitement destiné à tromper sur sa qualité.

■ **trafiquant** n.m. SENS 2 *La police a arrêté des **trafiquants** d'armes,* des personnes qui se livraient au trafic des armes.

tragédie n.f. **1.** *Cite-moi une **tragédie** de Racine !,* une pièce de théâtre dont le sujet est grave (≠ comédie). **2.** *La prise d'otages a été une véritable **tragédie,*** un événement grave qui finit mal (= drame).

■ **tragique** adj. SENS 1 *Corneille est un auteur **tragique,*** il a écrit des tragédies. SENS 2 *Un **tragique** accident s'est produit sur l'autoroute,* effroyable (= terrible, dramatique).

■ **tragiquement** adv. SENS 2 *Elle est morte **tragiquement,*** dans des circonstances tragiques.

trahir v. **1.** *En donnant des renseignements qui devaient être tenus secrets, cet homme **a trahi,*** il n'a pas été fidèle à sa parole et a trompé ceux qui lui avaient fait confiance. **2.** *Tu viens de dire le contraire de ce que tu disais tout à l'heure, tu **t'es trahi,*** tu as laissé échapper ce que tu ne voulais pas qu'on sache.

■ **trahison** n.f. SENS 1 *En temps de guerre, la **trahison** est punie de mort.*

■ **traître** n.m. **1.** SENS 1 *Il y a un **traître** parmi nous,* une personne qui a trahi. **2.** *En nous attaquant par-derrière, tu nous as pris **en traître,*** d'une façon qui n'est pas loyale (= perfidement).

■ **traîtrise** n.f. SENS 1 *On a des preuves de sa **traîtrise,*** du fait qu'elle a agi en traître (≠ loyauté, fidélité).

train n.m. **1.** *Le **train** entre en gare,* la suite de voitures et de wagons tirés par une locomotive. **2.** *Un **train** de péniches descend le fleuve,* une suite de péniches tirées les unes derrière les autres par un remorqueur. **3.** *L'avion* va se poser, la pilote a sorti le ***train** d'atterrissage,* les roues qui servent pour atterrir. **4.** *J'étais **en train** d'écrire quand tu as sonné,* occupé à écrire. **5.** *Tu n'as pas l'air **en train ?,*** en forme.

traînard, traîne → *traîner.*

traîneau n.m. *Le **traîneau** est tiré par des chiens,* un véhicule qui glisse sur la neige.

traînée n.f. *La fusée du feu d'artifice a laissé une **traînée** rouge dans le ciel,* une trace en longueur.

traîner v. **1.** *Pascal **traîne** son ourson derrière lui avec une ficelle,* il le tire. **2.** *Attention, ton manteau **traîne** par terre,* il pend jusqu'à terre en balayant le sol. **3.** *Les enfants, ne **traînez** pas en rentrant !,* ne vous mettez pas en retard (= s'attarder). **4.** *Chantal laisse **traîner** toutes ses affaires,* elle ne les range pas. **5.** *Mon procès **traîne** depuis des mois,* il dure (= s'éterniser). **6.** *Le blessé a réussi à **se traîner** jusqu'à la voiture,* à se déplacer péniblement (= ramper).

■ **traînard** n. SENS 3 *Quelle **traînarde,** dépêche-toi !,* tu ne vas pas assez vite.

■ **traîne** n.f. SENS 2 *Tu as vu la **traîne** de cette robe !,* la partie de la robe qui traîne derrière par terre. SENS 3 *Dominique est toujours **à la traîne,*** après les autres (= en retard).

train-train n.m. *Le **train-train** quotidien,* ce sont les occupations qui se répètent chaque jour.

traire v. *La fermière **trait** ses vaches chaque jour,* elle tire leur lait soit en pressant sur le pis, soit au moyen d'un appareil appelé une **trayeuse.**

■ **traite** n.f. *À l'étable, la **traite** a lieu matin et soir,* on trait les vaches.
R. → Conj. n° 79. → *trait.*

trait n.m. **1.** *Un cheval **de trait*** tire les chariots (≠ de selle). **2.** *Tire un **trait***

511, 803

652, 584

368

368 807

avec ta règle pour souligner le mot, une ligne. *« Abat-jour »* s'écrit avec un **trait d'union,** un petit trait qui joint les mots formant un mot composé. **3.** *La sécheresse est un* **trait** *dominant du climat de cette région* (= caractère). **4.** (au plur.) *Gaston a des* **traits** *très fins,* les lignes du visage. **5.** *Vous relèverez dans ce texte tout ce qui a* **trait** *à l'agriculture,* ce qui a un rapport avec l'agriculture (= concerner). **6.** Un **trait d'esprit** est une parole par laquelle une personne montre qu'elle est spirituelle. **7.** *J'avais tellement soif que j'ai bu mon verre* **d'un trait,** en une fois, sans m'arrêter.
R. *Trait* se prononce [trɛ] comme *très* et [*je*] *trais* (de *traire*).

1. traite n.f. **1.** *On a fait le voyage d'une seule* **traite,** sans s'arrêter. **2.** *Autrefois, on pratiquait la* **traite** *des esclaves,* le trafic qui consistait à les vendre (= commerce). **3.** *Une* **traite** est un écrit indiquant la somme qu'un débiteur doit payer à une certaine date.

2. traite → *traire.*

traiter v. **1.** *Les prisonniers* **ont été** *bien traités,* on s'est bien comporté envers eux. **2.** *Elle m'a* **traité** *d'idiot !,* elle m'a insulté en m'appelant ainsi. **3.** *Le médecin a très bien* **traité** *ma grippe* (= soigner). **4.** *On* **traite** *le pétrole dans des raffineries pour en faire de l'essence,* on lui fait subir certaines transformations. **5.** *Ce livre* **traite** *de la politique française,* il développe ce sujet (= exposer). **6.** *Mme Labbé est en train de* **traiter** *une grosse affaire,* de négocier pour arriver à un accord.

■**traitant** adj.m. SENS 3 *Le médecin* **traitant** est celui qui soigne habituellement un malade.

■**traité** n.m. SENS 5 *Un* **traité** *de chimie* est un livre qui traite de chimie. SENS 6 *La guerre s'est terminée par un* **traité** *de paix,* un texte officiel où les parties

adverses se sont mises d'accord après avoir négocié.

■**traitement** n.m. **1.** SENS 1 *Ce chien a subi des mauvais* **traitements,** on l'a maltraité. SENS 3 *Lise suit un* **traitement** *pour ne plus fumer,* on lui donne des médicaments et on la soigne pour cela. SENS 4 *Le* **traitement** *du pétrole,* ce sont les opérations qu'on lui fait subir. **2.** *Madeleine est professeure, elle reçoit un* **traitement,** un salaire.

■**maltraiter** v. SENS 1 *Ce chien a été* **maltraité,** on lui a fait du mal, on l'a battu.

■**intraitable** adj. SENS 6 *Je serai* **intraitable** *sur la question des retards,* on ne pourra pas discuter avec moi (= impitoyable).

traiteur n.m. *Chez un* **traiteur,** *on peut acheter des plats cuisinés,* un commerçant qui cuisine des plats à emporter chez soi.

traître, traîtrise → *trahir.*

trajectoire n.f. *Les policiers ont étudié la* **trajectoire** *de la balle,* le chemin qu'elle a suivi.

trajet n.m. *On a fait le* **trajet** *Paris-Lyon en cinq heures,* la distance entre ces deux villes (= parcours, itinéraire).

tramer v. *Qu'est-ce que vous* **tramez** *tous les deux ?* (= comploter, manigancer).

tramway n.m. *Jadis, on ciculait à Montréal dans des* **tramways,** des voitures de transport en commun électriques qui roulent sur des rails.

219, 803

tranchant, tranche → *trancher.*

tranchée n.f. *On a creusé une* **tranchée** *dans la rue,* un trou long et étroit.

151, 217

trancher v. **1.** *Louis XVI eut la tête* **tranchée,** coupée d'un seul coup. **2.** *Comme personne n'était d'accord, c'est Yves qui* **a tranché** *: on irait au* *cinéma,* qui a réglé la question en décidant. **3.** *Le fauteuil noir* **tranche** *sur la moquette blanche,* il forme un contraste (= ressortir).

■ **tranchant** adj. **1.** SENS 1 *Le couteau est un instrument* **tranchant,** qui coupe. **2.** *Elle m'a répondu d'un ton* **tranchant** (= brusque, cassant).

■ **tranchant** n.m. SENS 1 *Le* **tranchant** *d'un couteau* est le côté qui coupe.

■ **tranché** adj. SENS 2 *Lise a des opinions bien* **tranchées,** très nettes (= arrêté, définitif).

■ **tranche** n.f. **1.** SENS 1 *Veux-tu une* **tranche** *de jambon ?,* un morceau mince qu'on a coupé. **2.** *Ce livre ancien est doré sur* **tranches,** sur les surfaces que fait, quand il est fermé, l'épaisseur des feuilles.

tranquille adj. **1.** *Nous habitons dans un quartier* **tranquille,** où il n'y a pas de bruit, d'agitation (= calme, paisible ; ≠ bruyant). **2.** *Les enfants, restez un peu* **tranquilles !** (= sage ; ≠ remuant, agité). **3.** *Laisse ta sœur* **tranquille,** ne l'ennuie pas. **4.** *Soyez* **tranquille,** *tout se passera bien,* ne vous faites pas de souci (= rassuré ; ≠ inquiet).

■ **tranquillement** adv. SENS 2 *Les enfants jouent* **tranquillement,** sagement et calmement.

■ **tranquillité** n.f. SENS 1 *Quelle* **tranquillité** *dans ce quartier !* (= calme).

■ **tranquilliser** v. SENS 4 *Tranquillisez-vous,* *votre fils n'est pas malade* (= rassurer ; ≠ inquiéter).

■ **tranquillisant 1.** adj. SENS 4 *Cette nouvelle est* **tranquillisante,** rassurante. **2.** n.m. *Un* **tranquillisant** est un médicament pour combattre l'angoisse. **R.** On prononce [trãkil], [trãkilmã], [trãkilite].

transaction n.f. *Des* **transactions** *immobilières,* ce sont des marchés conclus (achats, ventes).

1. transat n.m. *Papa se repose dans un* **transat,** une chaise longue pliante en toile. **R.** On prononce le *t* final : [trãzat].

2. transat → *transatlantique.*

transatlantique 1. adj. et n.f. *La course* **transatlantique** (ou la **transatlantique**) oppose des voiliers qui traversent l'océan Atlantique. **2.** n.m. *Ce* **transatlantique** *relie Le Havre à New York,* ce gros bateau.

■ **transat** n.f. SENS 1 *Qui va gagner la* **transat** *en solitaire cette année ?* la course transatlantique.

transcendant adj. *Ce film n'a rien de* **transcendant,** d'extraordinaire.

transcrire v. *On a* **transcrit** *ce nom chinois en lettres de l'alphabet latin,* on l'a écrit en caractères différents.

■ **transcription** n.f. *On a fait des exercices de* **transcription** *phonétique.*

transept n.m. *Le* **transept** *d'une église* est la partie perpendiculaire à la nef.

transes n.f.pl. *J'étais* **dans les transes** *en attendant le résultat,* j'étais anxieux.

transférer v. **1.** *Le voleur a été arrêté à Hull, on l'a* **transféré** *à Ottawa,* on l'a conduit de ce lieu à l'autre (= transporter). **2.** *Le magasin* **est transféré** *un peu plus loin,* on l'a changé de place.

■ **transfert** n.m. SENS 1 *Le prisonnier s'est évadé pendant son* **transfert,** son passage d'une prison à une autre.

transfigurer v. *Depuis qu'elle a gagné à la loterie, elle* **est transfigurée,** elle a changé complètement.

transformer v. **1.** *J'ai complètement* **transformé** *le salon,* je lui ai donné une forme, un aspect différent (= changer, modifier). **2.** *La chenille* **se transforme** *en papillon,* elle prend une autre forme (= se changer, se métamorphoser). **3.** *Au rugby,* **transformer**

723

148
149

un essai, c'est tirer entre les poteaux pour marquer un but.

■ **transformateur** n.m. SENS 1 *Un transformateur sert à changer la force du courant électrique,* un appareil.

■ **transformation** n.f. SENS 1 *Tu as fait des transformations chez toi ?,* des changements. SENS 2 *La transformation du têtard en grenouille* est sa métamorphose.

transfuge n. *Un transfuge* est une personne qui passe dans le camp adverse.

transfusion n.f. *Cette blessée a besoin d'une transfusion,* qu'on fasse passer dans ses veines le sang d'une autre personne.

transgresser v. *Le soldat a transgressé les ordres,* il a désobéi (= enfreindre, violer ; ≠ respecter).

■ **transgression** n.f. *Toute transgression du règlement sera sanctionnée* (= violation).

transhumance n.f. *La transhumance des moutons a lieu au printemps,* leur déplacement de la plaine vers la montagne.

transi adj. *Brrr !, je suis transie,* j'ai très froid.

transiger v. *L'un voulait aller à la mer, l'autre à la campagne ; finalement ils ont transigé et sont partis à la montagne !,* ils se sont mis d'accord en se faisant des concessions.

■ **intransigeant** adj. *Qu'elle est intransigeante !, avec elle c'est tout ou rien !,* elle refuse de faire des concessions (≠ accommodant).

■ **intransigeance** n.f *L'intransigeance* est le contraire de la souplesse de caractère.

transistor n.m. *Jean a acheté des piles pour son transistor,* un poste de radio portatif.

transit n.m. *Des voyageurs en transit dans un aéroport* ont débarqué d'un avion et attendent d'embarquer dans un autre pour poursuivre leur voyage.

■ **transiter** v. *Nous avons transité par Cologne.*

R. On prononce le *t* final : [trãzit].

transitif adj. *Dans la phrase « Prends ton manteau », le verbe est transitif,* il a un complément d'objet.

■ **intransitif** adj. *Dans la phrase « Le soleil brille », le verbe est intransitif,* il ne peut pas avoir de complément d'objet.

transition n.f. 1. *C'est la transition du chaud au froid qui t'a fait attraper un rhume,* le passage. 2. *Un gouvernement de transition* est intermédiaire entre l'ancien et le nouveau.

■ **transitoire** adj. SENS 2 *Ces dispositions sont transitoires,* elles ne dureront pas (= momentané, temporaire, passager ; ≠ durable).

translucide adj. *Cette porcelaine est translucide,* elle laisse passer la lumière sans être transparente.

transmettre v. *Votre lettre m'a été transmise hier,* on me l'a fait parvenir. *La grippe se transmet facilement d'une personne à l'autre,* se passe (= communiquer).

■ **transmissible** adj. *La grippe est une maladie transmissible,* qui peut se transmettre (= contagieux).

■ **transmission** n.f. *Demain aura lieu la transmission des pouvoirs entre l'ancien gouvernement et le nouveau* (= passage).

■ **retransmettre** v. *Le match a été retransmis en direct à la télévision,* on l'a passé (= diffusé).

■ **retransmission** n.f. *Il n'y aura pas de retransmission du concert en raison d'une grève.*

R. → Conj. n° 57.

transparent adj. *Ces rideaux sont transparents,* on voit à travers.
■ **transparence** n.f. *On voit par transparence ce qui se passe derrière le rideau.*
■ **transparaître** v. *Son visage laissait transparaître sa colère* (= se deviner, apparaître).

transpercer → *percer.*

transpirer v. *Paule a de la fièvre, elle a transpiré toute la nuit,* elle a été en sueur (= suer).
■ **transpiration** n.f. *C'est la chaleur qui provoque la transpiration.*

transplantation, transplanter → *planter.*

transporter v. *Le blessé a été transporté à l'hôpital,* porté (= emmener).
■ **transport** n.m. *Ce train est réservé au transport des marchandises,* pour les transporter d'un lieu à un autre.
■ **transporteur** n.m. *Un transporteur routier* est un camionneur qui transporte des marchandises.

219, 802, 803

transposer v. *En latin, on peut plus facilement qu'en français transposer les mots d'une phrase,* les changer de place (= déplacer, intervertir).

transvaser v. *On a transvasé le vin de la bouteille dans une carafe,* on l'a changé de récipient.

transversal adj. *Ma voiture est garée dans une rue transversale,* qui coupe celle où je suis.

385

trapèze n.m. **1.** *Un trapèze a deux côtés parallèles,* une figure de géométrie. **2.** *Au cirque, on a vu les acrobates faire du trapèze,* se suspendre à une barre tenue par deux cordes.

433

■ **trapéziste** n. SENS 2 *Les trapézistes* sont spécialisés dans les exercices de trapèze.

433

trappe n.f. *Il faut soulever la trappe pour entrer dans le grenier,* le panneau mobile du parquet.

trappeur n.m. *Les trappeurs chassent les animaux à fourrure en Amérique du Nord.*

trapu adj. *Jean est trapu,* petit et large de corps.

traquenard n.m. *On est tombé dans un traquenard,* un piège.

traquer v. *La police traque les malfaiteurs,* elle les poursuit pour les capturer.

traumatisme n.m. *Un traumatisme* est un ensemble de troubles causés à quelqu'un par un choc.

travail n.m. **1.** *Agnès est au chômage, elle cherche du travail,* une occupation qui lui permette de gagner sa vie. **2.** *Encore une semaine de travail et c'est les vacances* (≠ loisirs, repos). **3.** *Pascal, tu as fait ton travail pour demain ?,* tes devoirs et tes leçons. **4.** (au plur.) *En été, à Montréal, il y a des travaux dans les rues,* on répare, on entretient (= aménagements).
■ **travailler** v. **1.** SENS 1 ET 2 *Line travaille en usine,* elle exerce une activité, un métier. SENS 3 *Va travailler, tu as une leçon à apprendre,* étudier. **2.** *On ne peut plus fermer la porte, le bois a travaillé avec l'humidité,* il s'est déformé (= se gauchir).
■ **travailleur** n. et adj. SENS 1 *Les travailleurs de l'usine sont en grève,* ceux qui y travaillent. SENS 3 *Paul est très travailleur,* il travaille beaucoup (≠ paresseux).

29, 36

15, 21

travée n.f. **1.** *Au cirque, nous étions assis dans la travée centrale,* la rangée de sièges. **2.** *La travée d'un pont* est l'espace compris entre deux piles de ce pont.

3

15

travers 1. n.m. *Elle est gourmande ?
Ce n'est qu'un léger **travers** !* (= défaut ; ≠ qualité). **2.** prép. *On a marché
à travers les champs,* en les traversant.
*Un camion est renversé **en travers de**
la route,* au milieu, dans le sens de la
largeur. **3.** adv. *Tu as mis ton chapeau
de travers,* pas droit. *Tu comprends
tout de travers,* d'une manière fausse
(= mal).

traverse n.f. **1.** *Les **traverses** d'une
voie ferrée* sont des barres sur lesquelles les rails sont fixés. **2.** *Un chemin de traverse* est plus court et plus
irrégulier que la voie normale (=
raccourci).

traverser v. **1.** *Faites attention pour
traverser la rue!,* pour passer d'un côté
à l'autre (= franchir). **2.** *La pluie a
traversé mon imperméable* (= transpercer).
■ **traversée** n.f. SENS 1 *La mer était
mauvaise, j'ai été malade pendant
toute la **traversée**,* le voyage.
■ **traversier** n.m. SENS 1 *Pour aller à
l'Isle-aux-Coudres, nous avons pris le
traversier,* un bateau servant au transport des voitures et des passagers (=
ferry-boat).

traversin n.m. *Paul dort avec un traversin sous son oreiller,* un long coussin de la largeur du lit (= polochon).

travestir v. *Pour le mardi gras, Pascal
s'est travesti en Indien* (= se déguiser).

trayeuse → *traire.*

trébucher v. *En marchant, j'ai trébu-
ché sur une pierre,* mon pied l'a heurtée et j'ai failli tomber.

trèfle n.m. **1.** *Les vaches broutent le
trèfle,* une plante fourragère. **2.** *Qui a
l'as de trèfle ?,* une des couleurs aux
cartes.

tréfonds n.m. *Qui pourrait connaître le*

tréfonds de sa pensée ?, ce qu'elle a
de plus caché, de plus secret.

treillage n.m. *La vigne vierge pousse
sur du treillage,* un assemblage de
lattes minces entrecroisées.
■ **treille** n.f. *Une **treille** est une vigne
dont les rameaux sont fixés à un treillage ou à un mur.

treillis n.m. **1.** *Le garde-manger est
recouvert d'un treillis,* un grillage métallique. **2.** *Les soldats mettent leur
treillis,* un uniforme en grosse toile.

treize adj. *Il y a treize élèves dans la
classe. 12 + 1 = 13.* | 563
■ **treizième** n. et adj. *Line habite dans
le treizième arrondissement à Paris.* | 563

tréma n.m. *On met un tréma sur le « e »
de Noël.*

trembler v. **1.** *Tu as froid ? Tu trem-
bles,* tu es agité de petits mouvements
répétés et involontaires (= frissonner,
grelotter). **2.** *Je tremble à l'idée de
savoir Cléa sur la route pendant cette
tempête de neige !,* j'ai peur qu'il lui
arrive quelque chose. **3.** *La terre a
tremblé,* elle a été ébranlée par une
secousse.
■ **tremblement** n.m. SENS 1 *Tu dois
être malade, regarde le tremblement
de tes mains !,* leur agitation. SENS 3
*Il y a eu un tremblement de terre
au Japon,* une violente secousse (=
séisme).
■ **trembloter** v. SENS 1 *J'ai les mains
qui tremblotent,* qui tremblent légèrement.
■ **tremblote** n.f. Fam. SENS 1 *Pierre est
si troublé qu'il en a la tremblote,* il
tremble.

trémolo n.m. *Elle nous a dit adieu avec
des trémolos dans la voix,* des
tremblements.

se trémousser v. *Les enfants se tré-
moussent au son de la musique,* ils se
remuent vivement.

trempé adj. 1. *L'acier trempé a reçu un traitement spécial qui le rend plus dur.* 2. *Un caractère bien trempé est ferme, énergique.*
■ **trempe** n.f. SENS 1 *Cet acier a subi une trempe spéciale.* SENS 2 *On ne rencontre pas souvent un homme de cette trempe* (= énergie, vigueur).

tremper v. 1. *Il faut faire tremper le linge,* le laisser un certain temps dans l'eau. 2. *Pascal trempe sa tartine dans son café* (= plonger). 3. *Il a plu cette nuit, les fauteuils du jardin sont trempés,* tout mouillés.
■ **détremper** v. SENS 3 *La terre est détrempée par la pluie,* complètement imbibée d'eau.

tremplin n.m. *À la piscine, Anne a pris son élan du tremplin et a plongé,* la planche élastique qui sert à sauter.

trente adj. *Maman a trente ans,* deux fois quinze. $2 \times 15 = 30$.
■ **trentième** adj. et n. *Vous avez le trentième numéro de la série,* le numéro trente.
■ **trentaine** n.f. *Cette femme doit avoir une trentaine d'années,* environ trente ans.

trente-et-un ou **trente-six** n.m. Fam. *Se mettre sur son trente-et-un* (ou son *trente-six*), c'est mettre ses plus beaux vêtements.

trentième → trente.

trépas n.m. *Il est passé de vie à trépas,* de la vie à la mort.
■ **trépasser** v. *Autrefois, on disait que quelqu'un était trépassé quand il était mort.*

trépidant adj. *À Paris, on mène une vie trépidante,* une vie agitée (≠ calme).

trépider v. *Quand le métro passe, on sent le sol trépider,* trembler légèrement.
■ **trépidation** n.f. *Les gens du dessus dansent, le plafond est agité de légères trépidations,* vibrations.

trépied n.m. *Un trépied est un support ou un meuble à trois pieds.*

trépigner v. *Dans sa colère, Jean s'est mis à trépigner et à crier,* à frapper des pieds par terre.

très adv. *Papa est très grand* (= tout à fait, extrêmement ; ≠ peu).
R. *Très se prononce* [trɛ] *comme trait et* [je] *trais* (de *traire*).

trésor n.m. *On a découvert un trésor dans l'épave du navire,* un ensemble de choses précieuses (des pièces d'or, des bijoux, etc.).

trésorier n. *Mme Dupont est la trésorière de l'association,* elle est chargée de garder l'argent et de faire les comptes.
■ **trésorerie** n.f. *Qui s'occupe de la trésorerie de l'entreprise ?* (= finances, fonds).

tressaillir v. *Tu as tressailli, je t'ai fait peur ?,* tu as eu un brusque mouvement du corps (= sursauter).
■ **tressaillement** n.m. *Un tressaillement a marqué sa surprise* (= frémissement, frisson, haut-le-corps).
R. → Conj. n° 23.

tresse n.f. *Marie a une tresse dans le dos,* une coiffure faite de trois longues mèches de cheveux qu'on entrelace (= natte).
■ **tresser** v. *Marie tresse ses cheveux,* elle les entrecroise pour faire une tresse.

tréteau n.m. *On a installé la table de ping-pong sur des tréteaux,* des supports horizontaux à quatre pieds.

treuil n.m. *Pour remonter le seau du puits, on tourne le treuil,* un cylindre, une sorte de roue autour de laquelle s'enroule une corde.

trêve n.f. 1. SENS 1 *Les combats se sont*

arrêtés pendant la **trêve** *de Noël,* une période d'arrêt provisoire des combats. **2.** **Trêve** *de plaisanteries, je parle sérieusement maintenant* (= assez de).

tri- au début d'un mot signifie « *trois* » : Un *trimoteur* a trois moteurs, etc.

tri, triage → *trier.*

triangle n.m. **1.** Un *triangle* est une figure de géométrie à trois côtés. **2.** Le *triangle* est un instrument de l'orchestre.
■ **triangulaire** adj. SENS 1 *Le foc est une voile* **triangulaire,** *en forme de triangle.*

tribord n.m. *Attention, un voilier arrive sur nous à* **tribord,** *du côté droit du bateau quand on regarde vers l'avant* (≠ *bâbord*).

tribu n.f. *Le chef amérindien a rassemblé tous les membres de sa* **tribu,** *les familles qui descendent du même ancêtre et qui ont le même chef* (= bande).
R. → *tribut.*

tribulations n.f.pl. *Après bien des* **tribulations,** *elle a réussi à regagner son pays,* *des aventures plus ou moins désagréables.*

tribun n.m. Dans l'Antiquité romaine, les *tribuns* étaient des officiers ou des magistrats.

tribunal n.m. **1.** *L'assassin a comparu devant le* **tribunal,** *les juges.* **2.** *L'accusé est convoqué au* **tribunal,** *à l'endroit où les juges rendent la justice.*

tribune n.f. **1.** *La présidente est montée à la* **tribune** *pour faire son discours,* l'estrade. **2.** *Les* **tribunes** *du champ de courses sont pleines de monde,* les gradins où sont assis les spectateurs.

tribut n.m. *Cette région a payé un lourd* **tribut** *aux inondations,* elle a été durement éprouvée.
R. On prononce [triby], comme *tribu.*

tributaire adj. *Comme elle n'a pas de pétrole, la France est* **tributaire** *des pays qui en ont,* elle en dépend.

tricentenaire → *cent.*

tricher v. *Je ne joue plus aux cartes avec toi, tu* **triches** *pour gagner,* tu trompes les autres en faisant des choses interdites par les règles du jeu.
■ **tricheur** n. et adj. *Quelle* **tricheuse** *! tu regardes mon jeu !*
■ **triche** ou **tricherie** n.f. *On n'a pas le droit de faire ça, c'est de la* **triche** *!*

tricolore → *couleur.*

tricorne n.m. *Le marquis portait un* **tricorne,** un chapeau à trois bords repliés.

tricot n.m. **1.** *On fait du* **tricot** *avec de la laine et des aiguilles,* on fait des rangs de mailles qui formeront un vêtement. **2.** *Mets ton* **tricot,** *il fait froid* (= pull, chandail).
■ **tricoter** v. SENS 1 *Je vais te* **tricoter** *une écharpe,* la faire en tricot.

tricycle n.m. *Ma petite sœur fait du* **tricycle,** un vélo à trois roues.

trident n.m. *Neptune, le dieu de la Mer, est représenté avec un* **trident** *à la main,* une fourche à trois dents.

trier v. **1.** *Il faut* **trier** *les pommes, il y en a des bonnes et des mauvaises,* les choisir et les mettre à part. **2.** *Les employés des postes* **trient** *les lettres,* ils les répartissent selon leur destination.
■ **tri** n.m. SENS 1 ET 2 *J'ai fait un* **tri** *dans mes affaires,* je les ai triées.
■ **triage** n.m. SENS 2 *Dans une gare de* **triage,** *on trie les wagons de marchandises suivant leur destination.*

trilingue adj. *Un secrétaire* **trilingue** parle trois langues.

trimaran n.m. *Un* **trimaran** *est un voilier qui a une coque de chaque côté de la coque centrale.*

805

296

36

trimbaler v. Fam. *Pauline trimbale partout sa flûte,* elle l'emporte avec elle.

trimer v. *Il a fallu trimer dur pour arriver à ce résultat* (= travailler, peiner).

trimestre n.m. *Ma grande sœur passe ses examens au troisième trimestre,* une des quatre périodes de trois mois qui divisent l'année.
■ **trimestriel** adj. *Cette revue est trimestrielle,* elle paraît tous les trois mois.

tringle n.f. *Maintenant que la tringle est posée, on va pouvoir suspendre les rideaux,* la tige qui les soutient.

trinquer v. **1.** *On a trinqué à la santé de l'oncle Jules,* on a cogné légèrement les verres les uns contre les autres avant de boire. **2.** Très fam. *Dans l'accident, c'est surtout la petite voiture qui a trinqué,* qui a subi des dégâts, des dommages.

trio n.m. **1.** *Yves, Line et Éric font un joyeux trio,* un ensemble de trois personnes inséparables. **2.** *Un trio est une formation de trois musiciens ou un morceau de musique pour trois instruments.*

triomphe n.m. **1.** *L'élection de cette politicienne a été un triomphe,* un très grand succès (= victoire). **2.** *Le gagnant a été porté en triomphe par ses camarades,* ils l'ont porté sur leurs épaules pour qu'on l'acclame.
■ **triompher** v. SENS 1 *Cette sportive a triomphé de tous ses adversaires,* elle a gagné contre tous (= l'emporter sur).
■ **triomphant** adj. SENS 1 *Paule nous a annoncé son succès d'un air triomphant,* fière d'avoir gagné.
■ **triomphal** adj. SENS 2 *Cette chanteuse a reçu un accueil triomphal,* marqué par des acclamations (= enthousiaste).

tripartite adj. *Une commission tripartite comprend des représentants de trois partis, trois groupes.*

tripatouiller v. *Tripatouiller est un équivalent très familier de tripoter.*

tripes n.f.pl. *À midi, on a mangé des tripes,* des morceaux cuisinés de l'estomac et de l'intestin du bœuf.
■ **tripier** n. *Va chez le tripier m'acheter des rognons,* le commerçant qui vend des tripes et des abats.
■ **triperie** n.f. *La triperie est la boutique du tripier.*

triple adj. et n.m. *Ma solution offre un triple avantage,* un avantage sur trois points. *J'ai payé ces bonbons 1 $ au supermarché et ils valent 3 $ ici, c'est le triple,* trois fois la somme.
■ **tripler** v. *Les prix ont triplé en cinq ans,* ils sont trois fois ce qu'ils étaient.

triporteur n.m. *Un triporteur est une bicyclette à trois roues avec une caisse pour transporter les marchandises.*

tripoter v. Fam. *Ne tripote pas la poignée de la portière !,* ne la touche pas tout le temps.

trique n.f. *Elle a assommé le bandit d'un coup de trique,* un gros bâton.

triste adj. **1.** *Je suis bien triste que tu t'en ailles,* j'ai de la peine, du chagrin (≠ content). **2.** *La fin du film est triste,* elle donne envie de pleurer (≠ gai). **3.** *Après l'accident, la voiture était dans un triste état* (= lamentable, pitoyable).
■ **tristesse** n.f. SENS 1 *C'est avec une profonde tristesse que nous sommes partis* (= peine, chagrin ; ≠ gaieté, joie).
■ **attrister** v. SENS 1 *Ça m'attriste de voir mon chien si malade,* ça me rend triste (= peiner, chagriner ; ≠ réjouir).

triton n.m. Le *triton* est un batracien à queue aplatie qui vit dans les mares et les étangs.

triturer v. 1. *Triturer un mélange,* c'est le broyer (= pétrir, malaxer). 2. Fam. *J'ai beau me triturer la cervelle, je ne trouve rien,* réfléchir, chercher une solution.

trivial adj. *Jean a employé un mot trivial,* très vulgaire (= grossier).
■ **trivialité** n.f. *Sa plaisanterie est d'une trivialité choquante,* grossièreté.

troc n.m. *Faire du troc,* c'est échanger un objet contre un autre, sans donner d'argent.
■ **troquer** v. *Linda a troqué son vélo contre mes patins* (= échanger).

troène n.m. *Il y a une haie de troènes dans le fond du jardin,* des arbustes à fleurs odorantes.

troglodyte n.m. Les *troglodytes* étaient des gens qui habitaient dans des grottes.

trogne n.f. Fam. *On voit sur ce tableau de grosses trognes de buveurs,* des visages fortement colorés, aux traits lourds.

trognon n.m. *Jean a mangé la pomme ; il a laissé le trognon,* la partie du milieu avec les pépins.

troïka n.f. *Une troïka* est un traîneau russe tiré par trois chevaux.

trois adj. *Paul a trois sœurs : Sylvie, Lucie et Anne. 2 + 1 = 3. Demain, on sera le trois mars.*
■ **troisième** adj. et n. *Anne est la troisième sœur de Paul. J'habite au troisième (étage).*

trolleybus ou trolley n.m. Les *trolleybus* ont remplacé les tramways, les autobus qui marchent à l'électricité, à l'aide d'une perche reliant des fils aériens.

trombe n.f. 1. *Cette nuit, il est tombé des trombes d'eau,* de la pluie très abondante et forte. 2. *L'automobiliste a fait un démarrage en trombe,* très rapide.

trombone n.m. 1. *Ce musicien joue du trombone,* d'un instrument à vent. 2. *Attache ces deux feuilles de papier avec un trombone !,* une sorte d'agrafe.

trompe n.f. 1. *À la chasse à courre, on fait sonner la trompe,* le cor de chasse. 2. *Avec sa trompe, l'éléphant s'asperge d'eau,* la partie très longue de son nez.

tromper v. 1. *J'ai pris la mauvaise route, c'est le brouillard qui m'a trompée,* qui m'a fait croire quelque chose qui n'était pas vrai (= induire en erreur). 2. *M. Martin n'a jamais trompé sa femme,* il ne lui a jamais été infidèle. 3. *Je me suis trompé dans mes calculs,* j'ai fait une erreur. *Vous vous trompez d'adresse,* vous la confondez avec une autre.
■ **tromperie** n.f. SENS 1 *J'ai été victime d'une tromperie,* on m'a trompé.
■ **trompeur** adj. SENS 1 *Les apparences sont souvent trompeuses,* elles trompent (= faux).
■ **trompe-l'œil** n.m. SENS 1 *Tout ce décor n'est qu'un trompe-l'œil,* une apparence trompeuse.
■ **détromper** v. SENS 1 *Tu penses que je céderai ? Eh bien, détrompe-toi ! Je ne céderai pas,* cesse de croire cela.

trompette n.f. 1. *Le clown joue de la trompette,* d'un instrument à vent. 2. *Paul a le nez en trompette,* relevé du bout (= retroussé).
■ **trompettiste** n.m. SENS 1 *Louis Armstrong était un remarquable trompettiste,* un joueur de trompette.

trompeur → *tromper.*

tronc n.m. **1.** *Il y a un* **tronc** *d'arbre en travers de la route,* la partie de l'arbre qui va du sol aux branches. **2.** *Cette poupée n'a plus de jambes, ni de bras, ni de tête, il ne reste que le* **tronc,** la partie du corps qui va du ventre au cou. **3.** *J'ai mis une pièce dans le* **tronc** *de solidarité,* une boîte avec une fente servant à faire la quête.

tronçon n.m. **1.** *Le bûcheron débite l'arbre en* **tronçons,** en morceaux coupés en travers. **2.** *On a pris le nouveau* **tronçon** *d'autoroute,* la partie ajoutée à ce qui existait (= section).

■ **tronçonner** v. SENS 1 *Le bûcheron* **tronçonne** *un arbre,* il le coupe en tronçons.

■ **tronçonneuse** n.f. SENS 1 *Une* **tronçonneuse** *est une scie à moteur portative pour tronçonner.*

trône n.m. **1.** *La reine préside la cérémonie assise sur son* **trône,** le siège élevé qui lui est réservé. **2.** *Ce prince accédera au* **trône** *dans quelques années,* il sera roi.

■ **trôner** v. SENS 1 *La présidente* **trônait** *à la place d'honneur,* elle y était placée et tout le monde pouvait la voir.

■ **détrôner** v. **1.** SENS 2 *Les révolutionnaires* **ont détrôné** *le roi,* ils lui ont fait perdre son titre de roi, en le chassant (= destituer). **2.** *La locomotive électrique* **a détrôné** *la locomotive à vapeur,* elle l'a remplacée.

tronquer v. *Cette citation* **est tronquée,** on en a supprimé une partie.

trop adv. *Tu as mis* **trop** *de sel, tu sales* **trop,** plus qu'il ne faut. *Le piano ne passe pas par la porte, il a 50 cm* **en trop** (ou **de trop**), en excédent.

trophée n.m. *La gagnante de la course a reçu un* **trophée,** un objet qu'elle gardera en souvenir de sa victoire.

tropique n.m. *Le soleil des* **tropiques** *est très chaud,* une zone terrestre près de l'équateur.

■ **tropical** adj. *Une plante* **tropicale** *pousse dans la zone des tropiques. Il fait une chaleur* **tropicale,** très forte.

trop-plein → **plein.**

troquer → **troc.**

trotter v. **1.** *Le cheval* **trotte,** il va à une allure intermédiaire entre le pas (plus lent) et le galop (plus rapide). **2.** *Bébé commence à* **trotter** *maintenant,* à marcher. **3.** *Cette chanson me* **trotte** *dans la tête,* elle me revient tout le temps.

■ **trot** n.m. SENS 1 *À l'hippodrome, on a vu une course de* **trot,** où les chevaux vont au trot.

■ **trotteur** n.m. SENS 1 *Ce cheval est un* **trotteur,** il est spécialement entraîné pour la course de trot.

■ **trotteuse** n.f. *La* **trotteuse** *d'une montre est l'aiguille qui marque les secondes.*

■ **trottiner** v. SENS 2 *Delphine* **trottine** *dans la rue à côté de sa maman,* elle marche à petits pas.

■ **trottinette** n.f. *Ma petite sœur fait de la* **trottinette,** un jouet composé d'une planche montée sur deux roues et d'un guidon qui oriente la roue avant (= patinette).

trottoir n.m. *Attention aux voitures, marchez sur le* **trottoir** *!,* la partie, de chaque côté d'une rue, réservée aux piétons.

trou n.m. **1.** *Le jardinier creuse un* **trou** *dans la terre,* un creux, une cavité. **2.** *Oh ! j'ai fait un* **trou** *dans ma chemise !,* une déchirure (= accroc). **3.** *Lise dit qu'elle a des* **trous de mémoire,** elle ne se souvient plus de certaines choses (= oubli).

■ **trouer** v. SENS 2 *Mes chaussettes* **sont trouées,** elles ont un trou.

■ **trouée** n.f. SENS 2 *Les voleurs ont fait une trouée dans les souterrains de la banque,* un grand trou pour passer.

troubadour ou **trouvère** n.m. *Au Moyen Âge, les troubadours et les trouvères étaient des poètes qui chantaient, les troubadours dans la langue du midi de la France (ou langue d'oc), les trouvères dans la langue de la moitié nord de la France (ou langue d'oïl).*

troubler v. 1. *Ici, l'eau est troublée par les égouts qui s'y déversent,* elle n'est plus claire. 2. *La conférence a été troublée par des gens qui manifestaient,* interrompue par du désordre. 3. *L'élève s'est troublé quand on lui a demandé de répondre,* il s'est ému et a été embarrassé.
■ **trouble** adj. SENS 1 *L'eau est trouble ici,* elle n'est pas parfaitement transparente (≠ clair).
■ **trouble** adv. SENS 1 *Je vois trouble avec tes lunettes,* je ne vois pas nettement les objets.
■ **trouble** n.m. SENS 2 *La manifestation a été marquée par des troubles,* du désordre (= agitation). SENS 3 *L'accusé soutenait qu'il était innocent, mais son trouble l'a trahi,* son émotion.
■ **trouble-fête** n.m.inv. SENS 2 *Nos voisins sont venus nous dire que notre réunion était trop bruyante : quels trouble-fête !,* des personnes qui viennent déranger le plaisir des autres.

trouée, trouer → trou.

trouille n.f. Très fam. *Le danger est passé, mais j'ai eu la trouille,* j'ai eu peur.
■ **trouillard** n. et adj. Très fam. *Quel trouillard ! Il n'ose pas bouger !* (= peureux).

troupe n.f. 1. *Il y a toute une troupe de touristes qui descendent du car,* un ensemble. 2. *Cette pièce de théâtre est jouée par une jeune troupe de comédiens,* un groupe (= compagnie). 3.(au plur.) *Nos troupes sont proches de la frontière,* nos soldats, notre armée.
■ **s'attrouper** v. SENS 1 *Les passants s'attroupent autour de la blessée* (= se rassembler).
■ **attroupement** n.m. SENS 1 *Circulez, pas d'attroupement !,* de rassemblement de personnes. 36

troupeau n.m. *Cette paysanne a plusieurs troupeaux de moutons,* des groupes d'animaux qui vivent ensemble. 802, 650, 581, 364

trousse n.f. 1. *Range ton stylo dans la trousse,* un étui pour ranger des objets. 2. (au plur.) *Le voleur n'ira pas loin, la police est à ses trousses,* à sa poursuite. 295

trousseau n.m. 1. *J'avais deux trousseaux de clés, je n'en retrouve aucun,* des clés attachées ensemble par un anneau. 2. *À la rentrée, je serai pensionnaire, il faut que je prépare mon trousseau,* mes vêtements et mon linge.

trouver v. 1. *Alors, tu as trouvé ton disque ?,* tu as le disque que tu cherchais ? 2. *J'ai trouvé un billet de 10 $ dans la rue,* je l'ai découvert par hasard (≠ perdre). 3. *Tu trouves que j'ai raison ?* (= penser, estimer, croire). 4. *Où se trouve la rue du Montparnasse ?,* à quel endroit est-elle située ? 5. *Attention, je vais me trouver mal,* m'évanouir.
■ **trouvaille** n.f. SENS 2 *J'ai fait une trouvaille dans le grenier : regarde comme ce coffret est joli !,* une découverte intéressante.
■ **introuvable** adj. SENS 1 *Ce vieux disque est introuvable aujourd'hui,* il est impossible de le trouver.
■ **retrouver** v. 1. SENS 2 *J'ai retrouvé le livre que j'avais perdu,* je l'ai trouvé

après l'avoir cherché (= récupérer ; ≠ perdre). **2.** *On* **se retrouve** *tous ce soir chez toi,* on se réunit.

■ **retrouvailles** n.f.pl. *Ils ne s'étaient pas vus depuis dix ans, ce soir ils fêtent leurs* **retrouvailles,** le fait de se retrouver (≠ séparation).

trouvère → *troubadour.*

truand n.m. Fam. *Le* **truand** *a été arrêté par la police* (= bandit, malfaiteur).
■ **truander** v. Fam. *Je me suis fait* **truander** (= voler).

truc n.m. Fam. **1.** *Il y a sûrement un* **truc** *pour réussir ce tour de cartes,* un moyen astucieux (= astuce). **2.** *Qu'est-ce que c'est que ce* **truc**-*là?,* cette chose (= machin).
■ **truquer** v. SENS 1 *Mais non, dans le film, la blessée ne saigne pas vraiment, c'est* **truqué,** il y a un truc pour le faire croire.
■ **truquage** ou **trucage** n.m. SENS 1 *Il y a des* **truquages** *dans ce film,* des moyens utilisés pour faire croire que ce qu'on voit est vrai.

truchement n.m. *C'est par le* **truchement** *d'une amie que j'ai eu ce renseignement,* par son intermédiaire.

truculent adj. *Cet écrivain utilise un langage* **truculent,** plein de mots expressifs.

151, 150

truelle n.f. *Le maçon applique le ciment avec sa* **truelle,** une sorte de petite pelle plate.

656

truffe n.f. *Sous les racines du chêne, le porc a flairé des* **truffes,** des champignons noirs et très parfumés qui se développent dans la terre.
■ **truffé** adj. *À Noël, on a mangé du foie gras* **truffé,** avec des truffes à l'intérieur.

361

truie n.f. *Regarde la* **truie** *avec ses petits,* la femelle du porc.

truite n.f. *Le menu comporte des* **truites** *aux amandes,* des poissons de rivière à la chair excellente.

7

truquage, truquer → *truc.*

trust n.m. *Ces trois fabricants se sont réunis en un* **trust** *puissant,* un groupe qui tend à dominer tout un secteur économique.
R. On prononce [trœst].

tsar n.m. Le **tsar** était l'empereur de Russie.

tsé-tsé n.f. *Quand on est piqué par la* **mouche tsé-tsé,** *on attrape la « maladie du sommeil »,* une mouche d'Afrique.

tu pron.pers. s'emploie pour représenter la personne à qui l'on parle : *Tu viens ?*
■ **tutoyer** v. *On se connaît depuis longtemps, alors on* **se tutoie,** on se dit « tu » (≠ vouvoyer).
■ **tutoiement** n.m. *Le* **tutoiement** *s'emploie entre amis* (≠ vouvoiement).
R. *Tu* se prononce [ty] comme [*il*] *tue* (de *tuer*) et [*il s'est*] *tu* (de *taire*).

tuba n.m. **1.** Le **tuba** est un gros instrument de musique dans lequel on souffle. **2.** *Pour faire de la plongée sous-marine, je mets mon masque et mon* **tuba,** un tube qu'on met dans la bouche pour respirer.

43

tube n.m. **1.** *Les fils électriques sont isolés par un* **tube** *de plastique,* un cylindre creux (= tuyau). **2.** *Où est mon* **tube** *de dentifrice ?,* un récipient allongé. **3.** Fam. *Tu as entendu le dernier* **tube** *?,* la dernière chanson à grand succès.
■ **tubulaire** adj. SENS 1 *Un mobilier* **tubulaire** *est fait de tubes métalliques.*

2

tubercule n.m. *Les pommes de terre, les ignames sont des* **tubercules,** des renflements d'une racine.

tuberculose n.f. *Par le B.G.C., on est vacciné contre la **tuberculose**, une maladie contagieuse qui atteint surtout les poumons.*
■ **tuberculeux** adj. et n. *Cette malade est **tuberculeuse**, atteinte de tuberculose.*
■ **antituberculeux** adj. *Un sérum **antituberculeux** lutte contre la tuberculose.*

tubulaire → tube.

tuer v. 1. *Le chasseur n'a pas **tué** le lièvre, il l'a seulement blessé,* il ne l'a pas fait mourir. 2. Fam. *Je **me tue** à te répéter toujours la même chose,* je me fatigue beaucoup.
■ **tuant** adj. Fam. SENS 2 *C'est un métier **tuant**,* très fatigant.
■ **tué** n. SENS 1 *Il y a eu plusieurs **tués** dans l'accident* (= mort).
■ **tuerie** n.f. SENS 1 *La fusillade a été une véritable **tuerie*** (= massacre).
■ **tueur** n.m. SENS 1 *Un **tueur** à gages* est une personne payée pour tuer quelqu'un.
R. → tu.

à tue-tête adv. *Marie chante **à tue-tête**,* très fort.

74 **tuile** n.f. 1. *Plusieurs **tuiles** du toit sont cassées,* des plaques brunes en terre cuite. 2. Fam. *Il m'arrive une grosse **tuile**,* un événement fâcheux (= catastrophe).

73 **tulipe** n.f. *On cultive beaucoup de **tulipes** aux Pays-Bas,* des fleurs aux couleurs variées.

tulle n.m. *Les rideaux sont en **tulle**,* en tissu transparent et léger.

tuméfié adj. *Après le combat, le boxeur avait le visage **tuméfié**,* enflé à certains endroits.

tumeur n.f. *Une **tumeur** est une grosseur anormale dans le corps ou sur le corps.*

tumulte n.m. *La réunion s'est terminée dans le **tumulte**,* une agitation accompagnée de bruit, de cris.
■ **tumultueux** adj. *La séance fut **tumultueuse**,* agitée et bruyante.

tunique n.f. 1. *Dans le film « Ben Hur », les personnages portent des **tuniques**,* des sortes de chemises ou de robes qu'on portait sous d'autres vêtements. 2. *Dans le film, l'officier allemand est celui qui a une **tunique**,* une veste d'uniforme à col droit et sans poches. 3. *Maman porte une **tunique** sur son pantalon,* une sorte de chemise longue. 804

tunnel n.m. *Il fait noir, le train passe sous un **tunnel**,* un passage creusé sous le sol. 509, 651

tuque n.f. *La **tuque** est un bonnet de laine surmonté d'un pompon.* 652

turban n.m. *Le fakir a un **turban** autour de la tête,* une bande d'étoffe.

turbine n.f. *Les **turbines** du bateau font un bruit épouvantable,* les machines qui le font marcher. 801

turbo- au début d'un mot indique que quelque chose est actionné par une turbine : *turboalternateur, turbopropulseur.* 801, 766

turboréacteur n.m. *Un **turboréacteur** est un moteur à réaction comportant une turbine.*

turbot n.m. *Au restaurant, on a mangé du **turbot**,* un poisson de mer.

turbulent adj. *Pascale est très **turbulente** à l'école* (= remuant, agité ; ≠ calme).

turlupiner v. Fam. *Cette idée me **turlupine** depuis ce matin,* j'y pense sans cesse (= préoccuper).

turpitude n.f. *Quelle vie pleine de **turpitudes** !,* d'actions malhonnêtes.

turquoise adj.inv. *Ma robe est bleu turquoise,* d'un bleu-vert.

tuteur 1. n. *Les parents de Catherine sont morts dans un accident, sa tante est devenue sa **tutrice,** la personne chargée de s'occuper d'elle, selon la loi.* **2.** n.m. *On a attaché le rosier à un **tuteur,** un piquet planté dans le sol pour le tenir droit.*

■**tutelle** n.f. SENS 1 *Catherine est orpheline, elle est sous la **tutelle** de sa tante,* la protection.

■**tutélaire** adj. SENS 1 *Une puissance **tutélaire** est une puissance protectrice.*

tutoiement, tutoyer → *tu.*

tutu n.m. *Les danseuses de l'Opéra portent un **tutu,** une petite jupe.*

761, 506, 73

tuyau n.m. **1.** *Le **tuyau** d'arrosage est percé,* le long tube qui sert au passage de l'eau. **2.** Fam. *J'ai des **tuyaux** pour le tiercé,* des renseignements secrets.

■**tuyauter** v. Fam. SENS 2 *Tu peux me **tuyauter** ?,* me donner un renseignement confidentiel.

75

■**tuyauterie** n.f. SENS 1 *Le plombier a refait toute la **tuyauterie** de la salle de bains,* l'ensemble des tuyaux, des canalisations.

582

tuyère n.f. *C'est par la **tuyère** que la fusée peut se propulser dans l'air,* la partie par où s'échappent les gaz.

tweed n.m. *Cléa a une veste en **tweed,*** en tissu de laine.

tympan n.m. **1.** *L'explosion lui a déchiré le **tympan,*** la peau tendue au fond de l'oreille, par laquelle on perçoit les sons. **2.** *Le **tympan** de l'église est*

148

orné de sculptures, la partie qui se trouve au-dessus du portail.

type n.m. **1.** *Ce fusil est d'un **type** très courant* (= modèle). **2.** *Odile est le **type** de l'intellectuelle,* elle en a les caractéristiques, les traits qui permettent de la reconnaître. **3.** Fam. *Je n'aime pas ce **type,*** cet homme (= bonhomme, individu).

■**typique** adj. SENS 2 *Boire du thé est une habitude **typique** des Anglais,* caractéristique.

■**typiquement** adv. SENS 2 *L'olivier est un arbre **typiquement** méditerranéen,* il est caractéristique des pays de la Méditerranée.

typhon n.m. *Le bateau a coulé dans un **typhon*** (= ouragan, cyclone).

typique, typiquement → *type.*

typographe n. Dans une imprimerie, le *typographe* assemble les lettres, les caractères pour composer un texte.

■**typographie** n.f. *La **typographie** est une technique pour imprimer.*

tyran n.m. *Cet homme est un **tyran** avec toute sa famille,* une personne qui abuse de son autorité pour être cruelle avec les autres.

■**tyrannie** n.f. *Ce chef d'État exerçait une véritable **tyrannie** sur son peuple,* un abus d'autorité (= oppression).

■**tyrannique** adj. *Ne sois pas **tyrannique** avec ta petite sœur !,* autoritaire et méchant.

■**tyranniser** v. *Ce roi **tyrannisait** ses sujets* (= persécuter, opprimer).

tzigane adj. et n. *J'aime la musique **tzigane,*** particulière aux musiciens de Bohême et de Hongrie.

u

ukase ou **oukase** n.m. *Je n'obéirai pas à ses **ukases**,* ses décisions arbitraires.
R. On prononce [ukaz].

ulcère n.m. *Mme Cyr a un **ulcère** à l'estomac,* une plaie qui ne cicatrise pas.

ulcérer v. *Son ingratitude m'a **ulcéré**,* elle m'a beaucoup choqué (= blesser).

ultérieur adj. *On reparlera de ce projet à une date **ultérieure**,* à une date qui viendra après (= postérieur ; ≠ antérieur).
■ **ultérieurement** adv. *On en reparlera **ultérieurement**,* plus tard.

ultimatum n.m. *Comme il refusait de payer ses dettes, l'huissier lui a adressé un **ultimatum**,* un ordre impératif (= sommation).
R. On prononce [yltimatɔm].

ultime adj. *Écoute bien, ce sont mes **ultimes** recommandations,* mes toutes dernières recommandations.

ultra- au début d'un mot indique une grande intensité : *ultra-confidentiel, ultra-nationaliste,* etc.

ululer v. *Le hibou **ulule**,* il pousse son cri.

un, une, des articles indéfinis *Donne-moi **une** pomme, j'en veux **une** autre. Je veux **des** pommes.*
■ **un, une** adj. ou pron. ***Un** et **un** font deux* (1 + 1 = 2). *Regarde page **un**. Il est venu **une** fois ou deux.*

unanime adj. *Luce a reçu une approbation **unanime**,* de tout le monde (= général).
■ **unanimement** adv. *La proposition a été acceptée **unanimement**.*
■ **unanimité** n.f. *Cette loi a été votée à l'**unanimité**,* tout le monde a voté pour.

une → un.

uni adj. **1.** *Le sol n'est pas assez **uni** pour jouer aux boules* (= plat ; ≠ inégal, accidenté). **2.** *Aimes-tu cette jupe **unie** ?,* d'une seule couleur (≠ bigarré).

unifier v. *On a **unifié** les tarifs douaniers européens,* on les a rendus semblables (≠ diversifier).
■ **unification** n.f. *L'**unification** de l'Allemagne a eu lieu au XIXᵉ siècle,* la création d'un seul État allemand constitué de plusieurs petits États.

uniforme 1. adj. *Dans cette région de plaine, le paysage est **uniforme**,* toujours le même (≠ varié). **2.** n.m. *Les pompiers, les soldats portent un **uniforme**,* un costume imposé par le règlement.
■ **uniformément** adv. SENS 1 *Le ciel reste **uniformément** gris,* sans changer.
■ **uniformiser** v. SENS 1 *Tous ces règlements différents devraient **être uniformisés*** (= unifier).
■ **uniformité** n.f. SENS 1 *L'**uniformité** s'oppose à la diversité, au contraste, au changement.*

unijambiste → *jambe.*

unilatéral, unilatéralement → *latéral.*

union → *unir.*

unique adj. **1.** *Pierre est fils* **unique,** il est le seul enfant, il n'a ni frère ni sœur. *Cette rue est à sens* **unique,** un seul sens de circulation est autorisé. **2.** *Attention à ce vase, c'est une pièce* **unique,** il n'y en a pas d'autres (= exceptionnel ; ≠ commun).
■ **uniquement** adv. SENS 1 *Égoïste, tu penses* **uniquement** *à toi !* (= seulement, exclusivement).

unir v. **1.** *Unissons-nous pour défendre nos intérêts communs* (= s'associer ; ≠ s'opposer). *L'amitié qui les* **unit** *est très grande* (= lier, rassembler ; ≠ séparer). **2.** *Isabelle* **unit** *la force et le courage,* elle a ces qualités en même temps.
■ **union** n.f. SENS 1 *L'* **union** *fait la force,* le fait d'être unis (= entente ; ≠ discorde). *Une fédération est une* **union** *d'États* (= association, groupement). SENS 2 *Cette* **union** *de couleurs est très jolie* (= assemblage, réunion).
■ **à l'unisson** adv. SENS 1 *Ils ont approuvé le projet* **à l'unisson,** tous ensemble et en parfait accord.
■ **désunir** v. SENS 1 *Une dispute les a* **désunis** (= séparer).
■ **désunion** n.f. SENS 1 *La* **désunion** *règne entre eux* (= désaccord).

unité n.f. **1.** *Ces différents partis ont décidé l'* **unité** *d'action,* ils sont d'accord pour agir ensemble. **2.** *Ce tableau manque d'* **unité,** d'harmonie d'ensemble. **3.** *Ces vélos coûtent 200 dollars l'* **unité,** l'un, chacun. **4.** *Le mètre est une* **unité** *de longueur, le kilogramme est une* **unité** *de masse. Le dollar est l'* **unité** *monétaire du Canada,* l'élément de base. **5.** *Le soldat a rejoint son* **unité,** son corps de troupes.

871

■ **unitaire** adj. SENS 1 *Les syndicats ont décidé une action* **unitaire,** visant à l'unité.

univers n.m. **1.** *La Terre, le Soleil, les étoiles constituent l'* **univers.** **2.** *Ce savant est connu dans l'* **univers** *entier,* par tous les gens (= monde).
■ **universel** adj. SENS 2 *Le président est élu au suffrage* **universel,** une élection où tout le monde vote.
■ **universellement** adv. SENS 2 *Ce tableau est* **universellement** *connu* (= mondialement).

université n.f. *Danielle fait ses études supérieures dans une* **université,** un établissement d'enseignement supérieur.
■ **universitaire** adj. et n. *Jacques mange au restaurant* **universitaire,** réservé aux étudiants. *Mme Dion est une* **universitaire,** elle enseigne à l'université.

uranium n.m. *L'* **uranium** *est un métal rare recherché par l'industrie atomique.*
R. On prononce [yranjɔm].

800

urbain adj. *La population* **urbaine** *augmente de plus en plus dans le monde,* celle des villes (≠ rural).
■ **urbaniser** v. *Cette région s'est* **urbanisée,** des villes se sont construites.
■ **urbanisation** n.f. *L'* **urbanisation** *s'est accélérée dans cette région.*
■ **urbanisme** n.m. *L'* **urbanisme** *est l'ensemble des études et des méthodes d'aménagement des villes.*
■ **urbaniste** n. *Un* **urbaniste** *est un architecte spécialiste d'urbanisme.*

urbanité n.f. *Elle nous a reçus avec* **urbanité** (= politesse).

urgent adj. *Je vous quitte, j'ai un rendez-vous* **urgent,** qui ne peut pas attendre.

LES UNITÉS DE MESURE

	$\dfrac{1}{1000}$	$\dfrac{1}{100}$	$\dfrac{1}{10}$	1	10	100	1000	10000
longueur	millimètre (mm)	centimètre (cm)	décimètre	mètre (m)	décamètre	hectomètre	kilomètre (km)	
volume	millilitre	centilitre	décilitre	litre (l)	décalitre	hectolitre	mètre cube (m^3)	
surface				mètre carré (m^2)		are		hectare (ha)
poids	milli-gramme	centi-gramme	déci-gramme	gramme (g)	déca-gramme	hecto-gramme	kilogramme (kg)	1 tonne = 1000 kg

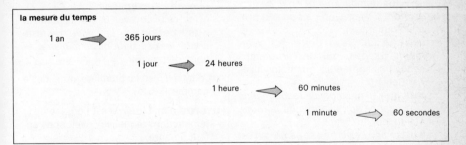

la mesure du temps

1 an ➡ 365 jours

1 jour ➡ 24 heures

1 heure ➡ 60 minutes

1 minute ➡ 60 secondes

■ **urgence** n.f. **1.** *On vous demande d'urgence,* tout de suite. **2.** *À l'hôpital, il y a un service des urgences,* des cas urgents de personnes malades ou blessées.

uriner v. *Ce médicament fait uriner,* il fait faire pipi.

■ **urine** n.f. *Le médecin a fait faire une analyse d'urine,* le liquide jaune qui vient des reins.

■ **urinoir** n.m. *Il y a des urinoirs dans la cour de l'école,* des endroits où les garçons peuvent faire pipi.

urne n.f. **1.** *Pour voter, on met son bulletin dans l'urne,* une boîte. **2.** *Quand on incinère un mort, on met ses cendres dans une urne,* un vase.

urticaire n.f. *Je me gratte, j'ai une crise d'urticaire,* une maladie qui cause des démangeaisons.

1. user v. 1. *Lise a usé son pull aux coudes,* elle l'a abîmé par frottement, à force de s'en servir. **2.** *Ma voiture use peu d'essence* (= consommer).
■ **usure** n.f. SENS 1 *Le tapis porte des traces d'usure,* il est usé.
■ **inusable** adj. SENS 1 *La marchande m'a garanti que ces semelles sont inusables,* que je n'arriverai pas à les user.

2. user v. *Il a fallu user de ruse pour réussir,* employer la ruse (= recourir à).
■ **us et coutumes** n.m.pl. *Je commence à connaître les us et coutumes de cette région,* la façon de se conduire (= usages).
■ **usage** n.m. *Quel est l'usage de cet appareil ?,* à quoi sert-il ? (= emploi). *L'usage du tabac est mauvais pour la santé. Quels sont les usages de ce pays ?,* les habitudes, les coutumes, les traditions. *Il est d'usage de se serrer la main pour se dire bonjour,* on le fait habituellement. *Ces vêtements m'ont fait un long usage,* ils m'ont servi longtemps. *Le mot « pâmoison » est hors d'usage,* on ne s'en sert plus couramment.
■ **usagé** adj. *Jean porte des vêtements usagés,* qui ont longtemps servi, qui sont plus ou moins usés (≠ neuf).
■ **usager** n.m. *La police recommande la prudence aux usagers de la route,* à ceux qui l'utilisent.
■ **usité** adj. *Le verbe « se pâmer » n'est plus usité,* on ne l'utilise plus (= usuel, courant).
■ **usuel** adj. *Ici, le stylo est un objet usuel,* on s'en sert souvent.
■ **inusité** adj. *Le verbe « se pâmer » est à peu près inusité aujourd'hui.*

usine n.f. *Catherine travaille dans une usine d'automobiles,* un établissement où l'on en fabrique.
■ **usiner** v. *Ces pièces ont été usinées à la machine* (= façonner, fabriquer).

usité → *user* 2.

ustensile n.m. *Le rateau et la bêche sont des ustensiles de jardinage* (= instrument, outil).

usuel → *user* 2.

usufruit n.m. *Nous avons l'usufruit de cette propriété,* elle ne nous appartient pas, mais nous en touchons les revenus.

usure → *user* 1 et *usurier.*

usurier n. *Un usurier est une personne qui prête de l'argent aux autres en leur réclamant des intérêts très élevés.*
■ **usure** n.f. *L'usure est interdite par la loi,* les pratiques des usuriers.
■ **usuraire** adj. *On lui a prêté de l'argent à des taux usuraires,* très élevés et illégaux.

usurper v. *Ce charlatan a usurpé le titre de médecin,* il l'a pris de façon illégitime.
■ **usurpateur** n. *Napoléon fut surnommé « l'usurpateur » par les royalistes,* celui qui avait usurpé le pouvoir.
■ **usurpation** n.f. *Le maire proteste contre les usurpations du ministre,* les abus de pouvoir.

ut n.m. *Ut est la première note de la gamme* (= do).

utérus n.m. *L'utérus est l'organe de la femme dans lequel se développe l'enfant à naître.*
R. On prononce le *s* final : [yterys].

utile adj. *Cet outil est très utile,* il rend service. *Votre aide m'a été utile* (= profitable).
■ **utilement** adv. *Tu as travaillé utilement,* avec profit.
■ **utilité** n.f. *Quelle est l'utilité de cette machine ?,* à quoi est-elle utile ?
■ **utilitaire** adj. *Les camions, les autocars sont des véhicules utilitaires,* destinés à rendre service.

■ **inutile** adj. *On m'a donné des conseils inutiles,* qui ne servent à rien.

■ **inutilement** adv. *Tu es venu inutilement,* pour rien.

■ **inutilité** n.f. *Je me suis rendu compte de l'inutilité de ses paroles* (≠ utilité).

utiliser v. *Catherine utilise sa voiture pour aller à son travail,* elle s'en sert (= employer).

■ **utilisable** adj. *Ce livre n'est pas utilisable,* on ne peut pas l'utiliser.

■ **utilisateur** n. *Les utilisateurs de l'appareil sont priés de le remettre en place.*

■ **utilisation** n.f. *Pour l'utilisation de cette calculatrice, lire la notice jointe* (= emploi).

■ **inutilisable** adj. *La voiture est inutilisable,* on ne peut plus l'utiliser.

■ **inutilisé** adj. *Beaucoup de ressources restent inutilisées,* non utilisées.

utopie n.f. *La paix sur terre est-elle une utopie ?,* une chose impossible à réaliser (= illusion, rêve).

■ **utopique** adj. *Il a présenté un projet utopique* (= irréalisable, chimérique).

V

vacances n.f.pl. *Les grandes va-cances scolaires durent de juillet à septembre* (= congé ; ≠ travail).
■ **vacancier** n. *Il y a beaucoup de vacanciers sur la côte du Maine,* de personnes en vacances.

vacant adj. *Il y a dans cet immeuble des appartements vacants,* sans oc-cupants (= libre, disponible ; ≠ occupé).

vacarme n.m. *Les motos font un affreux vacarme,* un bruit très fort (= tapage ; ≠ silence).

vacataire n. *Cette entreprise emploie des vacataires,* des employés tempo-raires.

vaccin n.m. *On a découvert un nou-veau vaccin contre la grippe,* une substance qu'on inocule et qui permet d'éviter cette maladie.
■ **vacciner** v. *Le médecin nous a vac-cinés contre le tétanos,* il nous a fait un vaccin.
■ **vaccination** n.f. *Certaines vaccina-tions sont obligatoires.*

38
368,
361

vache 1. n.f. *La fermière va traire les vaches.* 2. adj. et n.f. Fam. *Pierre est vache, il n'a pas voulu m'aider,* il est sans pitié, dur.
■ **vacherie** n.f. Fam. SENS 2 *Tu m'as fait une vacherie en refusant de m'aider,* une méchanceté.
■ **vachette** n.f. SENS 1 *Dans les Landes, on fait des courses de vachettes,* de jeunes vaches.

vachement adv. Très fam. *Je suis va-chement content,* très content.

vacherie, vachette → vache.

vaciller v. *L'athlète est si fatiguée qu'elle vacille sur ses jambes,* elle pen-che d'un côté et de l'autre (= chance-ler, tituber).

vadrouille n.f. Fam. *On est partis en vadrouille,* en promenade sans but précis (= balade).

va-et-vient n.m.inv. *Il y a dans le cou-loir un va-et-vient continuel,* des gens y passent (= circulation).

vagabond n.m. *Autrefois, il y avait beaucoup de vagabonds qui erraient sur les routes,* des gens sans domicile ni travail.
■ **vagabonder** v. *Des mendiants va-gabondent à travers la campagne* (= errer). *Je rêvais en laissant vagabon-der ma pensée.*
■ **vagabondage** n.m. *Le vagabon-dage est illégal,* l'état de vagabond.

vagir v. *Les nouveau-nés vagissent* (= crier).
■ **vagissement** n.m. *On entend des vagissements dans la chambre du bébé.*

1. vague n.f. 1. *La tempête soulève des vagues énormes,* des ondulations à la surface de l'eau (= lame). 2. *La vague de chaleur dure depuis le 10 juillet,* une période de temps très chaud. 3. *Samedi, il y a eu une vague* *de départs en vacances,* un grand nombre (= masse, série).

■**vaguelette** n.f. SENS 1 *N'aie pas peur, ce sont des* **vaguelettes** *!,* des petites vagues.

2. vague adj. **1.** *Les promesses que Lise m'a faites étaient très* **vagues** (= flou, incertain ; ≠ net, précis). **2.** *Il y a un* **terrain vague** *derrière l'immeuble,* un terrain qui n'est ni utilisé ni entretenu.

■**vague** n.m. SENS 1 *Tu restes immobile, les yeux dans le* **vague,** sans regarder rien de précis.

■**vaguement** adv. SENS 1 *On voit* **vaguement** *une silhouette au loin* (= confusément ; ≠ précisément, nettement).

■**vaguer** v. SENS 1 *Je laisse* **vaguer** *mon imagination,* je ne pense à rien de précis (= vagabonder).

vaguemestre n.m. À l'armée, le **vaguemestre** est un sous-officier qui distribue le courrier.

vaguer → *vague* 2.

vaillant adj. **1.** *Vaillant* se dit parfois pour *brave, courageux.* **2.** *Je n'ai pas un sou vaillant,* je suis sans argent.

■**vaillamment** adv. SENS 1 *Ces troupes se battaient vaillamment.*

■**vaillance** n.f. SENS 1 *On parle de la* **vaillance** *des chevaliers d'autrefois* (= courage).

vain adj. **1.** *Leurs efforts ont été* **vains,** ils n'ont pas réussi (= inutile ; ≠ efficace). **2.** *Mes craintes n'étaient pas* **vaines,** fausses, illusoires (≠ réel, fondé). **3.** *Vain* se disait autrefois pour *vaniteux.*

■**en vain** adv. SENS 1 *J'ai essayé* **en vain** *de la convaincre,* sans réussir (= inutilement).

■**vainement** adv. SENS 1 *J'ai attendu* **vainement** *pendant trois heures* (= en vain).

■**vanité** n.f. SENS 1 *La* **vanité** *de leurs efforts était évidente* (= inefficacité). SENS 3 *En me moquant d'elle, je l'ai blessée dans sa* **vanité** (= orgueil, prétention).

■**vaniteux** adj. SENS 3 *Stanislas est* **vaniteux,** il est trop fier de lui-même (= prétentieux ; ≠ modeste).

R. → *vin.*

vaincre v. **1.** *En 1940, l'Allemagne* **a vaincu** *la France,* elle a remporté la victoire (= battre). **2.** *Pierre a réussi à* **vaincre** *sa peur de l'obscurité* (= dominer, surmonter).

■**vaincu** adj. et n. SENS 1 *L'équipe* **vaincue** *a regagné tristement les vestiaires* (= perdant).

■**vainqueur** n.m. SENS 1 *Les* **vainqueurs** *de la Coupe du monde ont été acclamés* (= gagnant). 512

■**invaincu** adj. SENS 1 *Cette équipe est jusqu'ici* **invaincue,** elle n'a jamais perdu.

■**invincible** adj. SENS 1 *Ce boxeur se croyait* **invincible,** le plus fort. SENS 2 *Jean est d'une timidité* **invincible** (= insurmontable).

■**invinciblement** adv. SENS 2 *Nous étions* **invinciblement** *attirés par ce spectacle* (= irrésistiblement).

R. → Conj. n° 85. → *vin.*

vainement → *vain.*

vairon n.m. *Anne pêche des* **vairons** *dans la rivière,* des petits poissons. 721

vaisseau n.m. **1.** *Le sang circule à travers le corps dans les* **vaisseaux** *sanguins.* **2.** Autrefois, on appelait **vaisseau** un grand navire de guerre. **3.** *Le* **vaisseau spatial** *a quitté l'atmosphère terrestre,* l'engin pour voyager dans l'espace.

vaisselle n.f. *Après le repas, il faut laver la* **vaisselle,** les ustensiles qui ont servi (assiettes, plats, bols, etc.).

■**vaisselier** n.m. Un **vaisselier** est un meuble pour ranger la vaisselle.

val → *vallée.*

valable → *valoir.*

valet n.m. **1.** *Autrefois, les nobles avaient de nombreux* **valets** (= domestique, serviteur). **2.** *Lise a joué le* **valet** *de cœur,* une des cartes.

valeur → *valoir.*

valeureux adj. *Les* **valeureux** *sauveteurs ont fait un travail admirable* (= courageux, vaillant).

valide adj. **1.** *J'ai été malade, mais je suis de nouveau* **valide,** *en bonne santé. Depuis son accident, elle n'a qu'un bras* **valide,** *l'autre est dans le plâtre.* **2.** *Ce certificat n'est* **valide** *qu'avec la signature du médecin* (= valable, utilisable).

■ **valider** v. SENS 2 *Il faut faire* **valider** *votre passeport,* le rendre valide (= légaliser).

■ **validité** n.f. SENS 2 *Ce billet d'avion a une* **validité** *d'un mois,* il peut être utilisé pendant un mois.

■ **invalide** n. et adj. SENS 1 *M. Dupuis est un* **invalide** *de guerre,* il ne peut plus travailler (= infirme, handicapé).

■ **invalider** v. SENS 2 *L'élection* **a été invalidée,** elle a été déclarée non valable (= annuler).

■ **invalidité** n.f. SENS 1 *M. Dupuis touche une pension d'*invalidité.**

509 **valise** n.f. *Pierre fait ses* **valises** *avant de partir en vacances* (= bagage).

650 **vallée** n.f. *Cette rivière coule dans une large* **vallée,** *un endroit creux avec des versants en pente.*

■ **val** n.m. se disait pour *vallon.*

■ **vallon** n.m. *Un ruisseau coule au fond du* **vallon,** *de la petite vallée.*

■ **vallonné** adj. *Cette région est* **vallonnée,** il y a des collines et des vallées.

valoir v. **1.** *Ce livre* **vaut** *20 dollars,* il a ce prix (= coûter). **2.** *Ce tissu ne* **vaut** *rien,* il est de mauvaise qualité.

3. *Cet acteur ne* **vaut** *rien,* il joue mal. **4.** *La chaleur* **ne** *te* **vaut rien,** elle n'est pas bonne pour ta santé. **5.** *Jean cherche toujours à* **se faire valoir,** à se montrer à son avantage. **6.** *Il* **vaut mieux** *partir demain que ce soir,* cela est préférable.

■ **valable** adj. SENS 2, 3 ET 4 *Mon passeport n'est plus* **valable** (= bon ; ≠ périmé). *On s'est fâchés sans raison* **valable** (= acceptable, sérieux).

■ **valeur** n.f. **1.** SENS 1 *La* **valeur** *de ce vase est très grande* (= prix). SENS 3 *Esther est une personne de* **valeur,** *elle a de grandes qualités* (= mérite). **2.** *Ses économies sont placées en* **valeurs,** *en titres de rente, en actions, etc.*

■ **valoriser** v. SENS 1 *Le passage de l'autoroute a* **valorisé** *ces terrains,* il a fait augmenter leur prix.

■ **dévaloriser** v. SENS 1 *La monnaie de ce pays s'est* **dévalorisée,** *elle a perdu de sa valeur, de son pouvoir d'achat.*

■ **dévaluer** v. SENS 1 *Le franc vient d'être* **dévalué,** *il a perdu une partie de sa valeur par rapport aux autres monnaies.*

■ **dévaluation** n.f. SENS 1 *La* **dévaluation** *est une conséquence de la crise économique.*

■ **équivaloir** v. SENS 1 *Le prix de cette voiture* **équivaut** *à dix mois de mon salaire,* il a une valeur égale (= représenter).

■ **équivalent 1.** adj. SENS 1 *Ces deux terrains sont d'un prix* **équivalent** (= égal). **2.** n.m. *« Complexe » est un* **équivalent** *savant de « compliqué »* (= synonyme).

■ **revaloriser** v. SENS 1 *Les traitements des fonctionnaires vont* **être revalorisés** (= relever, augmenter).

R. → Conj. n° 40. → *veau.*

valse n.f. *L'orchestre joue une* **valse** *lente,* une sorte de danse à trois temps.

■ **valser** v. *Marie et Jean valsent,* ils dansent une valse.

■ **valseur** n. *Marie est bonne valseuse.*

valve n.f. **1.** *Pour gonfler le pneu de ton vélo, il faut d'abord dévisser la valve,* le mécanisme qui laisse entrer l'air mais qui ne le laisse pas sortir. **2.** *La coquille des huîtres et des moules a deux valves,* deux parties.

vampire n.m. *Pierre m'a raconté une histoire de vampire,* de fantôme buveur de sang.

1. van n.m. *Un van est une sorte de camion pour le transport des chevaux.* **R.** → *vent.*

2. van → *vanner.*

vandale n.m. *Les arbres du boulevard ont été abîmés par des vandales,* des gens stupides qui détruisent pour s'amuser.

■ **vandalisme** n.m. *On recherche les auteurs de ces actes de vandalisme.*

vanille n.f. *Fatima aime la glace à la vanille,* parfumée avec cette plante exotique.

■ **vanillé** adj. *Le pâtissier met du sucre vanillé sur la tarte.*

vanité, vaniteux → *vain.*

vanne n.f. **1.** *Quand les vannes de l'écluse sont fermées, les bateaux ne peuvent pas passer* (= porte, panneau). **2.** Fam. *Arrête de m'envoyer des vannes,* de me dire des choses désagréables.

vanner v. **1.** *Autrefois, on vannait le blé pour séparer le grain des déchets.* **2.** *Nous sommes rentrés vannés de la promenade,* très fatigués (= harasser).

■ **van** n.m. SENS 1 *Un van est une sorte de panier qui servait à vanner le blé.* **R.** → *vent.*

vannerie n.f. *À l'école, Pierre et Ève apprennent à faire de la vannerie,* des objets en osier ou en rotin tressé.

■ **vannier** n.m. *Un vannier est un artisan qui fabrique des objets en vannerie.*

vantail n.m. *La maison a une porte à deux vantaux,* formée de deux grands panneaux mobiles.

vanter v. **1.** *On nous a vanté le vin de cette région,* on nous en a dit du bien (= louer). **2.** *Tu te vantes quand tu dis que tu peux faire 50 kilomètres à pied,* tu exagères ta force.

■ **vantard** n. et adj. SENS 2 *Tu es (un) vantard* (= fanfaron).

■ **vantardise** n.f. SENS 2 *Personne ne croit tes vantardises* (= exagération, fanfaronnade). **R.** → *vent.*

va-nu-pieds n.m.inv. *Avec ton pantalon déchiré, tu as l'air d'un va-nu-pieds* (= mendiant, clochard).

vapeur n.f. **1.** *L'eau bout à 100 degrés et se transforme en vapeur,* en très fines gouttelettes qui flottent dans l'air. **2.** *Les machines à vapeur fonctionnent grâce à l'énergie produite par la vapeur* (au sens 1) *d'eau.* **3.** *Il y a des vapeurs à l'horizon,* un léger brouillard. **4.** (au plur.) *J'ai eu des vapeurs,* un léger malaise.

■ **vapeur** n.m. SENS 2 *Les vapeurs ont remplacé les bateaux à voiles,* les bateaux qui avançaient grâce à une machine à vapeur.

■ **vaporeux** adj. SENS 3 *Une robe vaporeuse est légère et presque transparente.*

■ **vaporiser** v. SENS 1 *Le jardinier vaporise un insecticide sur ses fraisiers,* il l'envoie grâce à un vaporisateur (= pulvériser).

■ **vaporisateur** n.m. SENS 1 *Ce parfum est vendu en vaporisateur,* un appareil qui envoie le parfum en fines goutte-lettes (= atomiseur, pulvérisateur).

■ **s'évaporer** v. SENS 1 *L'eau s'évapore au soleil*, elle se change en vapeur d'eau.

■ **évaporation** n.f. SENS 1 *L'évaporation des liquides augmente avec la chaleur.*

vaquer v. *M. Durand vaque à ses occupations*, il s'y applique, s'y adonne.

varan n.m. *Le varan ressemble à un petit crocodile*, une sorte de gros lézard carnivore.

649 **varappe** n.f. *Le dimanche, Line et Jean font de la varappe*, ils escaladent des rochers pour faire du sport.

723 **varech** n.m. *À marée basse, on voit les rochers couverts de varech*, une algue.
R. On prononce [varɛk].

765 **vareuse** n.f. *Le marin a relevé le col de sa vareuse*, une sorte de veste.

variable, variation → *varier*.

varice n.f. *Mme Dupont a du mal à marcher à cause de ses varices*, une sorte de maladie qui dilate les veines.

varicelle n.f. *Pierre ne va pas en classe, il a la varicelle*, une maladie des enfants qui donne des boutons sur tout le corps.

varier v. *Le prix des fruits varie selon la saison*, il n'est pas le même (= changer).

■ **variable** adj. *Aujourd'hui, il fait un temps variable* (= changeant, instable ; ≠ constant, immuable).

■ **variante** n.f. *Ce modèle de voiture n'est qu'une variante du modèle précédent*, c'est le même modèle avec seulement quelques détails différents.

■ **variation** n.f. *Attention aux variations de température !* (= changement).

■ **varié** adj. *Mon travail n'est pas très varié*, il ne change pas (≠ monotone).

■ **variété** n.f. **1.** *Il y a peu de variété dans ce paysage*, il change peu (= diversité). **2.** *L'épicier nous a recommandé cette variété de pommes* (= sorte, espèce). **3.** (au plur.) *À la télévision, il y a une émission de variétés*, composée de chansons et de sketches variés.

■ **invariable** adj. *Les adverbes et les prépositions sont des mots invariables*, qui ne changent pas en nombre ou en genre.

■ **invariablement** adv. *Claude est invariablement en retard* (= toujours, régulièrement, systématiquement).

variole n.f. *La variole est une grave maladie contagieuse.*

vasculaire adj. *Mme Dugal a une maladie vasculaire*, une maladie des vaisseaux sanguins (veines, artères).

1. vase n.m. *J'ai mis les fleurs dans un vase en cristal*, un récipient ayant un caractère décoratif.

2. vase n.f. *Le bord de l'étang est couvert de vase*, de boue très molle.

■ **vaseux** adj. **1.** *Le sol est vaseux au bord de l'étang*. **2.** Fam. *Je me sens vaseuse par cette chaleur*, sans énergie, molle. *Son projet est vaseux*, il est confus, médiocre.

■ **s'envaser** v. *Le bateau s'est échoué et s'est envasé*, il s'est enfoncé dans la vase.

vaseline n.f. *La vaseline sert à fabriquer des pommades*, un produit gras.

vaseux → *vase* 2.

vasistas n.m. *Ouvre le vasistas pour aérer la pièce*, une sorte de fenêtre faite d'un panneau mobile et placée près du plafond.
R. On prononce le *s* final : [vazistas].

vasque n.f. Une *vasque* est un bassin ou une coupe large de caractère décoratif.

vassal n. *Au Moyen Âge, les seigneurs étaient assistés par leurs vassaux,* des gens qui leur obéissaient, mais qu'ils devaient protéger.

vaste adj. *Les Durand habitent dans une vaste maison,* une maison très grande (= spacieux ; ≠ exigu).

va-tout n.m.inv. *Pierre a joué son va-tout et il a perdu,* il a risqué tout ce qu'il avait.

vaudeville n.m. Un *vaudeville* est une pièce de théâtre comique contenant le plus souvent des chansons.

à vau-l'eau adv. *Il laisse ses affaires aller à vau-l'eau,* il ne s'en occupe pas.

vaurien n.m. *Petit vaurien, tu as cassé un carreau !* (= garnement, voyou).

vautour n.m. *Les vautours se nourrissent de cadavres,* de grands oiseaux.

se vautrer v. *Les cochons se vautrent dans la boue,* ils se couchent et se roulent dedans.

veau n.m. *La vache a eu un veau,* un petit.
R. *Veau* se prononce [vo] comme *vos, vaux* (pluriel de *val*) et [il] *vaut* (de *valoir*).

vécu est le participe passé du verbe *vivre.*

vedette n.f. **1.** *Plusieurs vedettes jouent dans ce film,* des acteurs très connus. **2.** *Vous aimez vous mettre en vedette,* vous faire remarquer. **3.** *Nous avons visité le port dans une vedette,* un bateau à moteur.

végétation n.f. **1.** *Dans les déserts, il n'y a pas de végétation,* de plantes. **2.** (au plur.) *Françoise a été opérée des végétations,* on lui a enlevé des sortes de peaux qui se forment tout au fond du nez et qui empêchent de bien respirer.

■ **végétal** n.m. et adj. SENS 1 *Les végétaux* ont besoin d'eau pour pousser (= plante). *L'huile d'olive est une huile végétale,* faite avec une plante (≠ animal et minéral).

■ **végétarien** adj. et n. SENS 1 *M. et Mme Ming sont (des) végétariens,* ils mangent des légumes, des fruits, des œufs mais pas de viande.

■ **végétatif** adj. SENS 1 *Grand-père mène une vie végétative,* il est à peu près aussi inactif qu'une plante.

■ **végéter** v. *M. Durand végète dans un emploi modeste,* il reste dans une situation médiocre (= vivoter).

véhément adj. *Luce m'a répondu d'un ton véhément,* très violent (= impétueux, emporté).

■ **véhémence** n.f. *Pierre et Anne discutent avec véhémence* (= emportement ; ≠ calme).

véhicule n.m. *L'avion, le train, l'automobile sont des véhicules d'aujourd'hui, les carrosses, les carrioles sont des véhicules d'autrefois,* des moyens de transport.

■ **véhiculer** v. *Ces marchandises seront véhiculées par bateau* (= transporter).

veille n.f. **1.** *Les vacances commenceront la veille de Noël,* le jour d'avant (≠ le lendemain). **2.** *Les Diallo sont à la veille de partir en Afrique,* sur le point de le faire. **3.** *Catherine est restée deux nuits en état de veille,* sans dormir (≠ sommeil). **4.** *Le marin a pris son tour de veille à 2 heures du matin* (= surveillance).

■ **veillée** n.f. SENS 3 *Autrefois, on racontait des histoires à la veillée,* entre le repas du soir et le moment de se coucher.

■ **veiller** v. SENS 3 *Alice a veillé très tard pour terminer ses devoirs,* elle est restée éveillée, elle n'a pas dormi. SENS 4 *Tu veilleras à ce que tout se passe bien,* tu en prendras soin (= s'occuper de). *La baby-sitter est chargée de veiller sur les enfants,* de les surveiller.

■**veilleur** n.m. SENS 4 *Le veilleur de nuit est chargé de surveiller des bâtiments pendant la nuit,* c'est son métier.

■**veilleuse** n.f. **1.** *Dans le train, la veilleuse est restée allumée toute la nuit,* une petite lampe. **2.** *On a laissé ce problème en veilleuse,* on l'a provisoirement laissé sans le résoudre (= en attente).

■**avant-veille** n.f. SENS 1 *Lundi est l'avant-veille de mercredi* (≠ le surlendemain).

veine n.f. **1.** *Les veines sont les vaisseaux qui ramènent le sang vers le cœur.* **2.** *Sur ce meuble poli, on voit les veines du bois,* des traits de couleurs différentes. **3.** Fam. *Lise gagne souvent aux cartes, elle a de la veine* (= chance).

■**veinard** adj. et n. SENS 3 Fam. *Jean est (un) veinard,* il a de la veine.

■**veiné** adj. SENS 2 *Le marbre est une roche veinée,* qui a des veines.

■**déveine** n.f. SENS 3 Fam. *J'ai encore perdu, quelle déveine !* (= malchance).

■**intraveineux** adj. SENS 1 *On m'a fait une piqûre intraveineuse,* dans une veine (≠ intramusculaire ou souscutané).

vêler v. *La vache a vêlé cette nuit,* elle a donné naissance à un petit veau.

velléités n.f.pl. *Louise avait des velléités de se lever tôt,* elle en avait l'intention, sans y être tout à fait décidée, et elle ne l'a pas fait.

■**velléitaire** n. et adj. *Louise est une velléitaire,* elle a l'intention d'agir, mais n'agit pas.

vélo n.m. Fam. *Pour Noël, Paule a eu un vélo de course* (= bicyclette).

■**vélodrome** n.m. *L'arrivée de l'étape a eu lieu dans le vélodrome,* dans un stade avec une piste pour les vélos.

■**vélomoteur** n.m. *Ce vélomoteur fait beaucoup de bruit,* une sorte de bicyclette à moteur (= cyclomoteur).

vélocité n.f. *Marie fait des exercices de vélocité au piano,* elle joue à une grande vitesse.

vélodrome, vélomoteur → *vélo.*

velours n.m. **1.** *Jean a un pantalon en velours,* un tissu très doux. **2.** Fam. *En agissant ainsi, on joue sur du velours,* on ne prend pas de risques, on est sûr de gagner.

■**velouté** adj. SENS 1 *La peau des pêches est veloutée,* douce à toucher comme le velours.

velu adj. *M. Duval a les bras velus,* couverts de poils (= poilu).

venaison n.f. *Nous avons mangé de la venaison,* de la chair de grand gibier (cerf, sanglier, etc.).

■**vénerie** n.f. *La vénerie est la chasse au gros gibier.*

vénal adj. *M. Duval est un homme vénal,* il ferait n'importe quoi pour de l'argent (≠ incorruptible, intègre).

venant → *venir.*

vendable → *vendre.*

vendange n.f. *Cette année, la vendange a commencé (ou les vendanges ont commencé) le 15 septembre,* la récolte du raisin.

■**vendanger** v. *Le vigneron a vendangé toutes ses vignes en quinze jours.*

■**vendangeur** n. *À la fin de la journée, les vendangeurs sont fatigués,* ceux qui vendangent.

vendetta n.f. En Corse, une *vendetta* est un meurtre commis pour venger un autre meurtre.

vendre v. 1. *La libraire* **vend** *des livres, le pharmacien* **vend** *des médicaments, ils les cèdent contre de l'argent* (≠ acheter ou donner). 2. *Le bandit* **a vendu** *ses complices* (= trahir).

■ **vendeur** n. SENS 1 *La* **vendeur** *veut être payé par chèque* (≠ acheteur). *Mme Dubois est* **vendeuse** *dans un magasin,* c'est son métier (≠ client).

■ **vendu** n. SENS 2 *Cet homme est un* **vendu** (= traître).

■ **vente** n.f. SENS 1 *Quel est le prix de* **vente** *de ces marchandises ?* (≠ achat).

■ **invendable** adj. SENS 1 *Ces fruits sont pourris, ils sont* **invendables.**

■ **mévente** n.f. SENS 1 *La* **mévente** *du blé inquiète les paysans,* la difficulté de vendre.

■ **revendre** v. SENS 1 *Les Durand* **ont revendu** *leur appartement* (= vendre).

R. → Conj. n° 50. → *vent.*

vendredi n.m. *L'école recommence le* **vendredi** *15 septembre,* la veille du samedi.

vendu → *vendre.*

vénéneux adj. *Attention à ce champignon, il est* **vénéneux !,** il contient un poison.

R. *Vénéneux* ne se dit que des choses qu'on mange. → *venin.*

vénérer v. *Les chrétiens* **vénèrent** *le Christ, la Vierge et les saints,* ils les respectent et leur vouent un culte.

■ **vénérable** adj. *Mon grand-père a atteint un âge* **vénérable** (= respectable).

■ **vénération** n.f. *Elle parle de ses parents avec* **vénération,** un grand respect.

vénerie → *venaison.*

venger v. *Louise a voulu* **se venger** *des insultes de Jean,* lui faire du mal pour le punir de l'avoir insultée.

■ **vengeance** n.f. *Louise a agi par esprit de* **vengeance,** pour se venger.

■ **vengeur** adj. *L'oratrice a fait un discours* **vengeur,** exprimant une vengeance, constituant une revanche.

■ **vindicatif** adj. *Jean est* **vindicatif,** il cherche à se venger (= rancunier).

R. Le féminin de l'adj. *vengeur* est *vengeresse* : *Je lui ai écrit une lettre vengeresse.*

véniel adj. *Ne t'inquiète pas, ce n'est qu'une faute* **vénielle,** sans gravité (= léger).

venin n.m. *Le* **venin** *de la vipère peut être mortel,* le poison contenu dans ses crocs.

■ **venimeux** adj. *Certaines araignées sont* **venimeuses,** leur piqûre est empoisonnée.

■ **antivenimeux** adj. *Le sérum* **antivenimeux** *agit contre les effets d'un venin.*

R. Ne pas confondre *vénéneux* et *venimeux.*

venir v. 1. *J'ai demandé à Lucie de* **venir** *nous voir,* de se déplacer vers nous. 2. *Le vent* **vient** *du nord,* le nord est son point d'origine (= provenir). 3. *Pierre* **est venu au monde** *en 1978,* il est né. 4. *Ne t'inquiète pas, ton tour* **viendra !** (= arriver, survenir). 5. *Cléa* **vient de sortir,** elle est sortie il y a très peu de temps.

■ **venant** n.m. SENS 1 *Ce bâtiment est ouvert* **à tout venant,** à n'importe qui.

■ **venu** n. SENS 1 *Ne parle pas aux premiers* **venus,** à n'importe qui.

■ **venue** n.f. SENS 1 *Pierre m'a annoncé sa* **venue,** qu'il viendrait (= arrivée).

■ **bienvenu** n. SENS 1 *Entre, tu es la* **bienvenue !,** tu arrives bien.

■ **bienvenue** n.f. SENS 1 *Jean m'a souhaité la* **bienvenue,** il m'a fait un bon accueil.

■**tout-venant** n.m. SENS 1 *Cette marchandise n'est pas du* **tout-venant,** *ce n'est pas de la qualité courante, banale.*
R. → Conj. n° 22. *Venir se conjugue avec l'auxiliaire être.* → *vin.*

vent n.m. **1.** *Le* **vent** *souffle en rafales depuis ce matin,* l'air en déplacement. **2.** *La trompette, la flûte sont des* **ins-truments à vent,** *dans lesquels on souffle.* **3.** *Ses promesses, c'est du* **vent,** *ce n'est pas sérieux, c'est inconsistant.*
■**venter** v. SENS 1 *Il* **vente** *depuis ce matin,* il fait du vent.
■**venteux** adj. SENS 1 *Cette plage est* **venteuse,** *il y a souvent du vent.*
■**ventiler** v. **1** SENS 1 *Il fait trop chaud, il faut* **ventiler** *cette pièce,* faire entrer de l'air. **2.** *Il faut* **ventiler** *les frais entre les participants,* les répartir.
■**ventilateur** n.m. SENS 1 *Le* **ventila-teur** *nous envoie une petite brise agréable,* un appareil qui agite l'air en tournant.
R. *Vent se prononce* [vã] *comme* van *et* [je] *vends* (de *vendre*). *Venter se prononce* [vãte] *comme* vanter.

vente → *vendre.*

venter, venteux, ventilateur, ventiler → *vent.*

ventouse n.f. **1.** *Les pieuvres ont de longs bras à* **ventouses,** *des organes qui collent aux objets.* **2.** *Mettre des* **ventouses** *à un malade,* c'est lui appliquer sur la peau des petites cloches de verre.

ventre n.m. **1.** *J'ai la colique, j'ai mal au* **ventre,** à l'estomac ou à l'intestin. **2.** *Jean dort sur le* **ventre,** sur la partie avant du corps (≠ dos).
■**ventral** adj. SENS 2 *Un parachute* **ventral** *est appliqué sur le ventre* (≠ dorsal).

■**ventru** ou, fam., **ventripotent** adj. SENS 1 *M. Durand est* **ventru,** il a un gros ventre.

ventricule n.m. *Les* **ventricules** *sont les compartiments inférieurs du cœur.*

ventriloque n. *Un* **ventriloque** *est une personne qui parle sans remuer les lèvres.*

venu, venue → *venir.*

vêpres n.f.pl. *Dans l'Église catholique, les* **vêpres** *sont un office religieux de l'après-midi.*

ver n.m. *La pêcheuse met un* **ver** *sur son hameçon,* un petit animal allongé au corps mou.
■**véreux** adj. *Jette cette poire, elle est* **véreuse,** *elle contient un ver.*
■**vermifuge** n.m. *Un* **vermifuge** *est un médicament contre les vers de l'intestin.*
■**vermisseau** n.m. *Un* **vermisseau** *est un tout petit ver.*
■**vermoulu** adj. *Ce vieux buffet est tout* **vermoulu,** *plein de trous de vers.*
R. *Ver se prononce* [vɛr] *comme* verre, vers *et* vert.

véracité → *vrai.*

véranda n.f. *Il y a une* **véranda** *derrière la cuisine,* une galerie vitrée.

verbe n.m. **1.** *Paul a le* **verbe** *haut,* la parole forte. **2.** *Le* **verbe** *est le mot principal de la phrase. Certains* **verbes** *ont une conjugaison irrégulière.*
■**verbal** adj. SENS 1 *La directrice m'a donné son accord* **verbal,** *de vive voix* (= oral ; ≠ écrit). SENS 2 *« Apitoyer » est un verbe, « faire pitié » est une locution* **verbale,** *qui joue le même rôle qu'un verbe.*
■**verbalement** adv. SENS 1 *Elle me l'a promis* **verbalement** (≠ par écrit).

verbeux adj. *Pierre s'est lancé dans des explications* **verbeuses,** *longues et embrouillées* (≠ concis).

505, 801

724

33

■ **verbiage** n.m. *Je ne comprends rien à son* **verbiage**, à son discours verbeux (= bavardage).

verdâtre, verdeur → *vert*.

verdict n.m. *Le tribunal a prononcé son* **verdict** *: l'acquittement*, sa décision (= jugement).

verdir, verdoyant, verdure → *vert*.

véreux → *ver*.

verge n.f. *Autrefois, on punissait les écoliers à coups de* **verges**, *des baguettes de bois souple*.

verger n.m. *Dans ce* **verger**, *il y a des poiriers et des cerisiers*, ce champ d'arbres fruitiers.

verglas n.m. *La voiture a dérapé sur le* **verglas**, *sur la glace qui recouvre la route*.
■ **verglacé** adj. *Attention, route* **verglacée !**

sans vergogne adv. *Sans* **vergogne**, *il a pris le plus gros morceau*, sans se gêner, sans honte.

vergue n.f. *Sur les grands bateaux à voiles, il y avait des* **vergues**, *des barres de bois soutenant les voiles*.

véridique, vérification, vérifier, véritable, véritablement, vérité → *vrai*.

vermeil 1. adj. *M. Tartufe est gros, il a le teint* **vermeil**, rouge vif. **2.** n.m. *Au repas de gala, il y avait des fourchettes et des cuillers en* **vermeil**, en argent doré.
■ **vermillon** adj.inv. SENS 1 *Je me mets du rouge à lèvres* **vermillon**, rouge vif.

vermicelle n.m. *Suzy aime le potage au* **vermicelle**, aux pâtes très fines.

vermifuge → *ver*.

vermillon → *vermeil*.

vermine n.f. *Ce matelas est plein de* **vermine**, d'insectes nuisibles (puces, poux, punaises, etc.).

vermisseau, vermoulu → *ver*.

vermouth n.m. *Comme apéritif, M. Durand a pris un* **vermouth**, une sorte de vin aromatisé.

vernis n.m. *Ce tableau est recouvert de* **vernis**, un enduit brillant pour le protéger. *Maman s'est mis du* **vernis à ongles**.
■ **vernir** v. *Le plancher de la chambre est* **verni**, recouvert de vernis.
■ **verni** adj. Fam. *Yannick a gagné, elle est* **vernie**, elle a de la chance.

vérole n.f. *Petite* **vérole** se disait autrefois pour *variole*.

verrat n.m. *Un* **verrat** est un porc mâle apte à la reproduction.

verre n.m. **1.** *On a cassé un carreau en jouant, il y a du* **verre** *par terre*. **2.** *On a sorti les* **verres** *de cristal pour mon anniversaire*, des récipients pour boire. *J'ai bu un* **verre** *d'eau*, le contenu d'un verre. **3.** *Marie porte des lunettes à* **verres** *fumés*.
■ **verrerie** n.f. SENS 1 *Dans une* **verrerie**, *on fabrique du verre et des objets en verre*.
■ **verrier** n.m. SENS 1 *Un* **verrier** *travaille dans une verrerie*.
■ **verrière** n.f. SENS 1 *Les serres sont recouvertes d'une* **verrière**, de grands panneaux de verre.
■ **verroterie** n.f. SENS 1 *Vous portez un collier de* **verroterie**, en verre coloré de peu de valeur.
R. → *ver*.

verrou n.m. *Le soir, on ferme le* **verrou** *de la porte*, une grosse pièce métallique assurant la fermeture et généralement très résistante.

78, 79

508, 767

74

■**verrouiller** v. *Verrouille bien la porte avant de partir !,* ferme-la avec le verrou.

verrue n.f. *Le médecin m'a enlevé une verrue au pied,* une sorte de bouton non douloureux.

1. vers prép. indique le lieu : *Nous allons vers la mer* (= en direction de) ; le temps : *J'arriverai vers midi* (= aux environs de).
R. → ver.

2. vers n.m. *Les fables de La Fontaine sont en vers,* elles sont composées en lignes rythmées (≠ prose).
■**versification** n.f. *La rime, le nombre des syllabes du vers font partie des règles de la versification* (= poésie).
R. → ver.

650 **versant** n.m. *Les versants de la montagne sont très abrupts,* les pentes entre le bas et le sommet.

versatile adj. *Tu as un caractère versatile,* tu changes souvent d'idée (= changeant, inconstant ; ≠ obstiné, persévérant).
■**versatilité** n.f. *On ne peut pas se fier à toi, étant donné ta versatilité* (= inconstance).

à verse → verser.

versé adj. *Elle est très versée en musique* (= savant, compétent).

verser v. 1. *Maman verse de l'eau dans son verre,* elle la fait couler dedans (= mettre). 2. *On est allé verser de l'argent à la banque* (= porter, remettre). 3. *La voiture a versé dans le fossé,* elle est tombée sur le côté (= se renverser, culbuter, basculer). 4. *Pendant son service militaire, il a été versé dans l'aviation* (= incorporer).
■**à verse** adj. SENS 1 *Il pleut à verse,* en abondance.

■**versement** n.m. SENS 2 *Elle a payé sa dette en trois versements,* en trois fois (= paiement).

■**verseur** adj. SENS 1 *Cette casserole a un bec verseur,* servant à verser.

verset n.m. *La Bible est divisée en versets,* en petits paragraphes numérotés.

verseur → verser.

versification → vers 2.

version n.f. 1. *Jacques a fait une version anglaise,* il a traduit en français un texte anglais (≠ thème). 2. *Ce film est projeté en version originale,* dans la langue où il a été d'abord réalisé. 3. *Tu nous as raconté ta version de l'accident,* la manière dont tu l'as vu.

verso n.m. *Regardez au verso !,* de l'autre côté de la page (= dos ; ≠ recto).

vert adj. 1. *L'herbe est verte. Au printemps, les bois deviennent verts.* 2. *Ces raisins sont encore verts* (≠ mûr). 3. *Le bois vert brûle difficilement* (≠ sec). 4. *Mon grand-père est encore vert,* vigoureux malgré son âge. 5. *On nous a fait de vertes remontrances* (= sévère).
■**vert** n.m. SENS 1 *On dit que le vert est la couleur de l'espérance.* 721, 289
■**verdâtre** adj. SENS 1 *Tu es fatiguée, tu as le teint verdâtre,* tirant sur le vert.
■**verdeur** n.f. SENS 4 *Mon grand-père n'a pas perdu sa verdeur* (= vigueur).
■**verdir** v. SENS 1 *Pierre a verdi de peur,* il est devenu vert.
■**verdoyant** adj. SENS 1 *La Beauce est une région verdoyante,* pleine de verdure.
■**verdure** n.f. SENS 1 *La colline est couverte de verdure,* d'herbe, de feuilles (= végétation).
■**vert-de-gris** n.m.inv. SENS 1 Le *vert-*

de-gris est un dépôt verdâtre qui se forme sur le cuivre.

■ **vertement** adv. SENS 5 *On lui a répondu* **vertement** *de faire la queue comme tout le monde,* sans ménagement, brutalement.

■ **reverdir** v. SENS 1 *La campagne reverdit au printemps.*

R. → *ver.*

40 **vertébral** adj. *La* **colonne vertébrale** *contient la moelle épinière.*

40 ■ **vertèbre** n.f. *En tombant, Hélène s'est déplacé une* **vertèbre,** *un des os de la colonne vertébrale.*

■ **vertébré** n.m. *Les mammifères, les oiseaux, les poissons, les serpents sont des* **vertébrés,** *ils ont une colonne vertébrale.*

■ **invertébré** n.m. *Les insectes, les vers sont des* **invertébrés,** *ils n'ont pas de colonne vertébrale.*

vertement → *vert.*

vertical adj. *La paroi de la falaise est* **verticale,** *perpendiculaire au sol (≠ horizontal ou oblique).*

385 ■ **verticale** n.f. *Le fil à plomb indique la direction de la* **verticale.**

■ **verticalement** adv. *Les corps tombent* **verticalement,** *de haut en bas.*

vertige n.m. *En montagne, j'ai le* **vertige,** *la tête me tourne à cause du vide.*

■ **vertigineux** adj. *L'avion a atteint une vitesse* **vertigineuse,** *très grande.*

vertu n.f. **1.** *Le courage, la générosité, l'honnêteté sont des* **vertus,** *des qualités morales (≠ vice).* **2.** *Cette plante a la* **vertu** *de calmer les maux de ventre (= pouvoir, propriété).* **3.** *Les policiers ont perquisitionné en* **vertu des** *pouvoirs qu'ils avaient (= au nom de, en raison de).*

■ **vertueux** adj. SENS 1 *Sa conduite n'a pas été très* **vertueuse** *(= honnête ; ≠ immoral).*

verve n.f. *Grand-mère raconte des histoires drôles avec beaucoup de* **verve** *(= esprit, humour).*

verveine n.f. *Veux-tu une tisane de* **verveine ?,** *une sorte de plante.*

vésicule → *bile.*

vesse-de-loup n.f. *Les* **vesses-de-loup** *sont des champignons en forme de poire retournée qui dégagent une sorte de poussière quand ils sont vieux et qu'on les écrase.*

vessie n.f. **1.** *L'urine est contenue dans la* **vessie,** *un organe du ventre en* 40 *forme de poche.* **2.** *Dans un ballon de foot, il y a une* **vessie** *en caoutchouc, un sac gonflable.* **3.** *La* **vessie natatoire** *des poissons est une sorte de* 728 *poche à air.* **4.** Fam. *On voudrait me faire* **prendre des vessies pour des lanternes,** *me faire croire des choses absurdes.*

vestale n.f. *Dans la Rome antique, les* **vestales** *étaient des prêtresses qui s'occupaient du feu sacré.*

veste n.f. **1.** *Il fait chaud, je vais enlever ma* **veste,** *un vêtement qui va des épaules à la taille.* **2.** Fam. *Ce candidat a ramassé une* **veste** *aux élections,* il a échoué (= échec, insuccès).

■ **veston** n.m. SENS 1 *Veston* est un 37 mot un peu vieilli qui désigne la veste d'un costume d'homme.

vestiaire → *vêtement.*

vestibule n.m. *Attendez quelques minutes dans le* **vestibule !,** *le couloir d'entrée.*

vestiges n.m.pl. *Ces ruines sont des* **vestiges** *de la civilisation grecque,* des restes.

veston → *veste.*

vêtement n.m. *Mme Durand apporte* 37 *des* **vêtements** *à nettoyer à la tein-*

turerie, des pantalons, des robes, des pulls, etc. (= habit).

■ **vestiaire** n.m. *Vous pouvez laisser votre manteau au **vestiaire,** à* l'endroit prévu pour ranger les vêtements. *J'ai oublié mon sac dans les **vestiaires,*** l'endroit près d'une piscine, d'un stade où on se change.

■ **vestimentaire** adj. *Ta tenue **vestimentaire** est négligée,* celle de tes vêtements.

■ **vêtir** v. *Marie est **vêtue** d'une jupe rouge et d'un pull bleu* (= habiller).

■ **dévêtir** v. *Veuillez **vous dévêtir** pour passer la visite médicale* (= déshabiller).

■ **sous-vêtement** n.m. *Au rayon « lingerie » de ce grand magasin on trouve des **sous-vêtements,** des slips, des culottes, des tee-shirts, des soutiensgorge,* etc.

■ **survêtement** n.m. *Après la course, la sportive a enfilé un **survêtement,** un vêtement chaud par-dessus sa tenue de sport.*

vétéran n.m. *Mon arrière-grand-père est un **vétéran** de la Première Guerre mondiale,* un vieux soldat.

vétérinaire n. *Le chat était malade, on l'a porté chez le **vétérinaire,*** le médecin pour animaux.

vétille n.f. *Nous n'allons pas nous fâcher pour une **vétille,*** une chose sans importance.

■ **vétilleux** adj. *Avec les gens **vétilleux,** rien n'est simple* (= pointilleux, tatillon).

vêtir → *vêtement.*

veto n.m.inv. *Il a mis son **veto** à toutes nos demandes,* il a refusé (= opposition).

R. On prononce [veto].

vétuste adj. *Les Dupont habitent une maison **vétuste,*** vieille et en mauvais état.

■ **vétusté** n.f. *La **vétusté** de cet immeuble le rend dangereux* (= délabrement).

veuf adj. et n. *Mme Martin est **veuve,*** son mari est mort.

■ **veuvage** n.m. *Depuis son **veuvage,** M. Dupuis s'habille toujours en noir,* depuis la mort de sa femme.

veule adj. *Ne compte pas sur lui, il est **veule,** il manque d'énergie* (= mou, faible ; ≠ volontaire).

■ **veulerie** n.f. *Par **veulerie,** il a renoncé à ses projets* (= mollesse).

veuvage, veuve → *veuf.*

vexer v. *Tu l'**as vexée** en lui disant qu'elle avait grossi* (= fâcher, froisser).

■ **vexant** adj. *Pierre m'a dit des paroles **vexantes,*** blessantes.

■ **vexation** n.f. *On m'a fait subir toutes sortes de **vexations*** (= humiliation).

■ **vexatoire** adj. *On ne se laissera pas intimider par ces mesures **vexatoires,*** humiliantes.

via prép. *Ce train va à Toronto, **via** Ottawa,* en passant par Ottawa.

viabilité n.f. *Ces travaux sont destinés à améliorer la **viabilité,*** l'état de la route.

viable adj. *Cette affaire n'est pas **viable,** elle ne peut pas réussir.*

viaduc n.m. *Le train traverse le fleuve sur un **viaduc,*** un grand pont.

582, 509, 152

viager adj. *Mon grand-père touche une pension **viagère,** qui lui sera versée jusqu'à sa mort.*

■ **viager** n.m. *Les Durand ont acheté leur maison en **viager,** ils paient une rente viagère au propriétaire.*

viande n.f. *On achète la **viande** à la boucherie. Je préfère la **viande** de bœuf à la **viande** de cheval,* la chair de ces animaux.

vibrer v. **1.** *Les vitres vibrent quand un camion passe dans la rue* (= trembler). **2.** *Son discours a fait vibrer les auditeurs, il les a émus.*

■ **vibrant** adj. SENS 2 *La députée a lancé un appel vibrant* (= émouvant, pathétique, ardent).

■ **vibration** n.f. SENS 1 *On s'habitue aux vibrations de l'avion, au bruit et au tremblement du moteur.*

■ **vibratoire** adj. SENS 1 *Un mouvement vibratoire est formé d'une suite de vibrations.*

vicaire n.m. *Un vicaire est un prêtre qui aide le curé d'une paroisse.*

1. vice- au début d'un mot indique que quelqu'un exerce une fonction en second : *vice-amiral.*

2. vice n.m. **1.** *La paresse, le mensonge sont des vices,* de graves défauts (≠ vertu). **2.** *Cette voiture a un vice de construction,* elle est mal construite (= défaut).

■ **vicié** adj. SENS 2 *Dans cette ville, l'air est vicié* (= impur).

■ **vicieux** adj. SENS 1 *Attention à ce cheval, il est vicieux !* (= méchant). SENS 2 *Tu as une prononciation vicieuse,* tu prononces mal (= mauvais). R. → **vis.**

vice-présidence, vice-président → président.

vice versa adv. *Toutes les semaines, Mme Durand va de Montréal à Toronto et vice versa,* et de Toronto à Montréal (= inversement). R. On prononce [visevɛrsa].

vicié, vicieux → vice 2.

vicinal adj. *Nous avons roulé dans la campagne en prenant les chemins vicinaux,* les petites routes.

vicissitudes n.f.pl. *Ce projet a connu de nombreuses vicissitudes,* des hasards qui l'ont contrarié.

vicomte, vicomtesse → comte.

victime n.f. **1.** *La catastrophe a fait une centaine de victimes,* de morts et de blessés. **2.** *Les Durand ont été victimes d'un escroc,* ils ont souffert des actes de celui-ci.

victoire n.f. *L'équipe du Canada de hockey a remporté une belle victoire,* elle a gagné (= succès ; ≠ défaite).

■ **victorieux** adj. *Le boxeur victorieux a été applaudi* (= vainqueur ; ≠ vaincu).

victuailles n.f.pl. *Pour le pique-nique, chacun a apporté des victuailles,* de la nourriture.

vide adj. *Cette boîte est vide,* il n'y a rien dedans (≠ plein). *Cet appartement est vide* (≠ occupé, habité).

■ **vide** n.m. **1.** *En montagne, Claude a peur du vide,* des trous profonds. **2.** *Il y a un vide dans le rayon de la bibliothèque,* un espace vide. **3.** *On a fait le vide dans cette bouteille,* on a enlevé l'air. **4.** *Le bateau est reparti à vide,* sans rien dedans.

■ **vidanger** v. *On a vidangé la citerne,* on l'a vidée pour la nettoyer.

■ **vidange** n.f. *Caroline a fait faire la vidange de sa voiture,* changer l'huile usée.

■ **vide-ordures** n.m.inv. *Jette ça dans le vide-ordures !,* le tuyau qui aboutit à une grande poubelle collective.

■ **vider** v. **1.** *Les déménageurs ont vidé l'appartement,* il n'y reste plus rien (≠ remplir). **2.** *Le cuisinier vide un poulet,* il enlève les boyaux. **3.** *Vous êtes prié de vider les lieux,* de vous en aller.

vidéo 1. n.f. *La vidéo permet d'enregistrer sur magnétoscope des images et des sons et de les restituer sur un téléviseur.* **2.** adj.inv. *Pour Noël, Alice a demandé des jeux vidéo,* des jeux que l'on commande électroniquement sur un écran.

507

806,
808

■**vidéocassette** n.f. *J'ai enregistré le match télévisé sur une **vidéocassette,*** une cassette vidéo.

vie n.f. **1.** *Les sauveteurs ont risqué leur vie,* ils ont risqué de mourir. **2.** *M. Blois a passé toute sa vie à Hull,* le temps pendant lequel il a vécu. **3.** *Raconte-moi ta vie,* ton passé, ton histoire. **4.** *Hélène est une fillette pleine de vie,* de vigueur, de vitalité. **5.** *La vie est de plus en plus chère,* les produits qu'on doit acheter.

■**vital** adj. SENS 1 *Ces gens ne gagnent pas le minimum vital,* indispensable à la vie.

■**vitalité** n.f. SENS 4 *Hélène est pleine de vitalité* (= énergie, dynamisme).

■**vivre** v. **1.** SENS 1 *Le chien est blessé, mais il vit encore,* il respire, son cœur bat (≠ être mort). *Mon arrière-grand-père a vécu quatre-vingt-dix ans,* il est resté en vie. SENS 2 *Les Dupont vivent au centre ville et les Durand vivent en banlieue* (= habiter). SENS 3 *Nous avons vécu de bons moments ensemble* (= passer). SENS 5 *Il faut travailler pour vivre,* pour gagner sa vie (se nourrir, s'habiller, etc.).

■**vivres** n.m.pl. SENS 5 *Les alpinistes ont emporté des vivres pour trois jours,* de quoi se nourrir (= provisions).

■**vivable** adj. SENS 1 *Je m'en vais, ce n'est plus vivable ici,* on ne peut plus y vivre.

■**vivant** adj. **1.** SENS 1 *Le blessé est encore vivant* (≠ mort). SENS 4 *Nous habitons un quartier vivant* (= animé, actif). **2.** *Le latin est une langue morte et le français une langue vivante,* parlée aujourd'hui.

■**vivant** n.m. SENS 4 *M. Dupont est un bon vivant,* il aime bien manger, il est toujours de bonne humeur. SENS 1 *De son vivant, elle n'aimait pas cela,* quand elle vivait.

■**vivoter** adj. SENS 5 *Elle a si peu d'argent qu'elle vivote,* elle vit mal.

■**vivrier** adj. SENS 5 *Les cultures vivrières* sont celles qui produisent des aliments.

■**invivable** adj. SENS 1 *Cette région est invivable,* il est très pénible d'y vivre. *Cette personne est invivable* (= insupportable).

■**revivre** v. SENS 1 *La malade se sentait revivre,* revenir à la vie. SENS 3 *Je ne voudrais pas revivre ces moments pénibles.*

■**survie** n.f. SENS 1 *Une réserve d'aliments permet plusieurs jours de survie en cas d'accident,* de prolongation de la vie.

■**survivre** v. SENS 1 *Le blessé a survécu à l'accident,* il a échappé à la mort.

■**survivant** n. SENS 1 *Lors de l'accident d'avion, il n'y a pas eu de survivants,* tout le monde est mort.

R. *Vie* se prononce [vi] comme [je] *vis* (de *vivre* et de *voir*). *Vivre, revivre, survivre,* → conj. n° 63.

vieil ou **vieux** adj. **1.** *Ma grand-mère est morte très vieille* (= âgé ; ≠ jeune). **2.** *Pierre est plus vieux que Lise d'un an,* il a un an de plus. **3.** *Ils habitent une vieille maison,* une maison ancienne (≠ moderne, neuf). **4.** *J'ai jeté de vieux papiers,* des papiers sans valeur (= usagé ; ≠ neuf). **5.** *Pierre est un vieil ami à moi,* nous sommes amis depuis longtemps.

■**vieux** n.m., **vieille** n.f. SENS 1 ET 2 *Un vieux et une vieille sont assis sur le banc,* des gens âgés. SENS 3 *Luce aime mieux le vieux que le neuf* (= ancien ; ≠ moderne). SENS 5 *Bonjour, mon vieux !* (terme d'amitié).

■**vieillard** n.m. SENS 1 *Mon arrière-grand-père est un vieillard de quatre-vingt-quinze ans,* un vieil homme.

■ **vieillerie** n.f. SENS 4 *Jette toutes ces vieilleries à la poubelle,* ces vieux objets.

■ **vieillesse** n.f. SENS 1 *M. Martin est mort de vieillesse,* parce qu'il était vieux.

■ **vieillir** v. SENS 1 *Il vieillit, sa vue baisse,* il devient vieux. SENS 2 *Cette coiffure te vieillit,* elle te fait paraître plus vieille.

■ **vieillot** adj. SENS 3 ET 4 *Tu as des idées vieillottes,* anciennes et démodées. **R.** Au masculin singulier, on dit *vieil* devant une voyelle ou un *h* muet et *vieux* devant une consonne.

vielle n.f. La *vielle* est un instrument de musique ancien.

vierge adj. 1. *Une feuille de papier est vierge quand rien n'a été écrit dessus* (= blanc, intact, immaculé). *Une cassette vierge n'a pas encore servi.* 2. *La forêt vierge n'est ni habitée ni exploitée par personne.* 3. n.f. *Il y a une vierge ancienne sur un pilier de l'église,* une statue de la Sainte Vierge.

vieux → vieil.

vif adj. 1. *Jeanne d'Arc a été brûlée vive,* vivante. 2. *Jacques a l'esprit vif,* il comprend vite (= éveillé ; ≠ lent). 3. *Hélène a les yeux vifs,* pleins de vie, de vitalité. 4. *Son patron lui a fait de vifs reproches* (= violent, dur). 5. *Pierre se plaint d'une vive douleur à la jambe,* d'une douleur forte, aiguë. 6. *Anne a un pull rouge vif,* d'un rouge éclatant (≠ pâle, terne).

■ **vif** n.m. 1. SENS 1 *Pour opérer, le médecin a dû couper dans le vif,* dans la chair vivante. 2. *Entrons dans le vif du sujet !,* parlons du point le plus important.

■ **vivacité** n.f. SENS 2 ET 3 *Sylvie a une grande vivacité d'esprit* (≠ lenteur). SENS 4 ET 5 *Elle m'a répondu avec vivacité* (= violence).

■ **vivement** SENS 2 1. adv. *Il m'a répondu vivement* (= rapidement). 2. interj. *Vivement qu'on parte en vacances !,* que cela arrive vite !

■ **raviver** ou **aviver** v. SENS 4 ET 5 *Ma réponse a ravivé sa colère,* elle l'a rendue plus vive (≠ atténuer). *Son air mystérieux avivait ma curiosité* (= exciter).

vigie n.f. *Sur les navires à voiles, il y avait une vigie,* un poste d'observation pour surveiller les alentours.

vigilant adj. *Tâche de rester vigilant !,* de faire attention (= attentif).

■ **vigilance** n.f. *Les prisonniers ont trompé la vigilance des gardiens* (= surveillance).

■ **vigile** n.m. *Un vigile est un homme chargé de surveiller des locaux.*

vigne n.f. 1. *Thérèse a planté de la vigne dans son jardin,* des petits arbres qui donnent du raisin. 2. *La façade de la maison est recouverte de vigne vierge,* une sorte de plante grimpante.   73

■ **vigneron** n. SENS 1 *M. Martin est vigneron en Bourgogne,* il cultive la vigne.   578

■ **vignoble** n.m. SENS 1 *Ce vignoble donne un vin réputé,* cette plantation de vigne.   578

vignette n.f. *Lise a collé sa vignette auto sur la plaque d'immatriculation,* une étiquette imprimée.

vignoble → vigne.

vigogne n.f. *Ramon a un pull en laine de vigogne,* une sorte d'animal d'Amérique (= lama).   435

vigueur n.f. 1. *L'accusée s'est défendue avec vigueur* (= force, énergie ; ≠ mollesse). 2. *Cette loi entrera en vigueur le 1er janvier prochain,* elle sera appliquée.

■ **vigoureux** adj. SENS 1 *Nous avons besoin de bras vigoureux pour ce* *travail* (= fort, puissant, robuste ; ≠ chétif, faible).

■**vigoureusement** adv. SENS 1 *Tout le monde a protesté* **vigoureusement** *contre cette injustice* (= énergiquement).

vil adj. **1.** *Il a acheté ces meubles à* **vil prix,** à très bon marché. **2.** *Vil se dit parfois pour* **lâche, méprisable.**

■**s'avilir** v. SENS 2 *S'abaisser à de telles flatteries, c'est* **s'avilir** (= se déshonorer, se dégrader).

vilain adj. **1.** *Tu as menti, c'est très* **vilain** (= mal ; ≠ bien). **2.** *Ce tableau n'est pas* **vilain** (= laid ; ≠ joli). **3.** *Quel* **vilain** *temps aujourd'hui !* (= mauvais ; ≠ beau). **4.** n.m. *Au Moyen Âge, on appelait les paysans des* **vilains.**

vilebrequin n.m. *Le menuisier perce un trou à l'aide du* **vilebrequin,** un outil en forme de manivelle.

vilenie n.f. *Cette accusation de sa part est une* **vilenie,** une méchanceté pleine de bassesse (= infamie).
R. On prononce [vilni] ou [vileni].

vilipender v. *Le gouvernement* **a été vilipendé** *par certains journaux,* il a été attaqué violemment (= calomnier, mettre plus bas que terre).

villa n.f. *Les Niven ont une* **villa** *au bord de la mer,* une maison avec un jardin.

village n.m. *Les Rossi habitent dans un* **village** *de cent habitants,* une localité peu importante.

■**villageois** n. *Les* **villageois** *se réunissent pour la fête du village,* les habitants du village.

ville n.f. **1.** *Paris est la plus grande* **ville** *de France* (= agglomération). **2.** *Les Durand habitent la* **ville** (≠ campagne).

villégiature n.f. *Les Muller sont en* **villégiature** *à la montagne,* ils y sont pour se reposer.

vin n.m. *Avec le rôti, nous avons bu une bouteille de* **vin** *rouge,* une boisson alcoolisée faite avec le raisin.

■**vinasse** n.f. *Ça sent la* **vinasse,** *dans cette cave !,* le mauvais vin.

■**vinicole** adj. *La Bourgogne est une région* **vinicole,** qui produit du vin (= viticole).

■**vinification** n.f. *La* **vinification** *demande beaucoup de soin,* la transformation du jus de raisin en vin.

■**aviné** adj. *Cet homme a bu, il a l'haleine* **avinée,** qui sent le vin.
R. *Vin* se prononce [vɛ̃] comme *vain, vingt,* [je] *vins* (de *venir*) et [je] *vaincs,* [il] *vainc* (de *vaincre*).

vinaigre n.m. *Tu as mis trop de* **vinaigre** *dans la salade, ça pique !,* un condiment fait avec du vin aigre.

■**vinaigrer** v. *Cette sauce* **est** *trop* **vinaigrée.**

■**vinaigrette** n.f. *On a mangé des poireaux à la* **vinaigrette,** avec une sauce faite d'huile et de vinaigre.

■**vinaigrier** n.m. *Un* **vinaigrier** *est une petite bouteille pour mettre le vinaigre.*

vinasse → *vin.*

vindicatif → *venger.*

vingt adj. *Il y a* **vingt** *arrondissements, à Paris. 10 + 10 = 20.*

■**vingtaine** n.f. *Une* **vingtaine** *de personnes assistaient à la réunion,* environ vingt.

■**vingtième** adj. et n. *Nous sommes au* **vingtième** *siècle.*
R. → *vin.*

vinicole, vinification → *vin.*

viol → *violer.*

violacé → *violet.*

violation → *violer.*

viole → *violon.*

violent adj. **1.** *Quand il se met en colère, Paul devient* **violent** (= brutal ;

≠ doux, calme). **2.** *Un vent violent a soufflé toute la nuit,* très fort (≠ léger).

■ **violemment** adv. SENS 1 *On m'a repoussé violemment* (= brutalement).

■ **violence** n.f. SENS 1 *Les militaires ont pris le pouvoir par la violence,* en employant la force brutale (≠ douceur). SENS 2 *La violence de la tempête a encore augmenté.*

■ **non-violence** n.f. SENS 1 *M. Dupont est partisan de la non-violence,* il pense qu'il ne faut jamais employer la violence.

■ **non-violent** adj. et n. SENS 1 *La manifestation non-violente a pris fin. Les non-violents ont manifesté contre la guerre,* les partisans de la non-violence.

violer v. **1.** *En me racontant cette histoire, tu as violé ta promesse,* tu ne l'as pas respectée. **2.** *Violer une personne est un crime puni par la loi,* le fait de l'obliger à avoir des rapports sexuels en employant la force, la menace.

■ **viol** n.m. SENS 2 *Cet individu a été condamné pour viol,* pour avoir violé une femme.

■ **violation** n.f. SENS 1 *Ces actes sont une violation de la loi,* une infraction.

violet adj. et n.m. *Pierre a apporté un bouquet de fleurs violettes. Tante Marie s'habille souvent en violet.*

■ **violacé** adj. *Ces rideaux sont bleu violacé,* tirant sur le violet.

■ **violette** n.f. *On m'a offert un bouquet de violettes,* des petites fleurs parfumées de couleur violette.

violon n.m. **1.** *Aline apprend à jouer du violon,* un instrument à cordes. **2.** *Suzy aime faire de la peinture, c'est son violon d'Ingres,* son activité secondaire préférée.

■ **violoniste** n. SENS 1 *Ce morceau de musique est joué par un grand violoniste.*

■ **viole** n.f. SENS 1 *La viole est un violon d'autrefois.*

■ **violoncelle** n.m. SENS 1 *Le violoncelle est une sorte de gros violon.* 439

■ **violoncelliste** n. SENS 1 *Un violoncelliste est un joueur de violoncelle.*

vipère n.f. *Fais attention, il y a souvent des vipères dans ce champ,* des serpents venimeux. 577

virage → *virer.*

virée n.f. Fam. *Je vais faire une virée en ville* (= promenade, tour).

virer v. **1.** *Au carrefour, tu vireras à droite,* tu changeras de direction (= tourner). **2.** *Catherine a viré de l'argent à mon compte bancaire,* elle a fait passer de l'argent de son compte sur le mien. **3.** *Au coucher du soleil, le ciel a viré au rouge,* il a changé de couleur.

■ **virage** n.m. SENS 1 *La voiture a dérapé dans un virage* (= tournant). 507, 506

■ **virement** n.m. SENS 2 *Est-ce que je peux vous payer par virement ?,* en vous virant de l'argent.

■ **virevolter** v. SENS 1 *Les feuilles mortes tombent en virevoltant,* en tournant et en se déplaçant dans tous les sens (= tournoyer).

virgule n.f. *Tu as oublié des virgules dans ta rédaction,* un signe de ponctuation.

viril adj. *Jean a atteint l'âge viril,* l'âge adulte pour un garçon.

■ **virilement** adv. *M. Durand a parlé virilement* (= énergiquement, fermement).

■ **virilité** n.f. *Jean est parvenu à la virilité,* l'âge adulte.

virole n.f. *Ce couteau à cran d'arrêt reste ouvert grâce à une virole,* une bague de métal. 289

virtuel adj. *Nous avons les moyens virtuels de réaliser ce projet,* ces moyens existent en principe, mais ils ne sont pratiquement pas applicables actuellement (= théorique ; ≠ réel).

■ **virtuellement** adv. *Mon travail est virtuellement fini* (= pour ainsi dire, presque).

virtuose n. *Ce violoniste est un véritable virtuose,* il joue avec un talent exceptionnel.

■ **virtuosité** n.f. *Sa virtuosité au piano est extraordinaire* (= talent, brio).

virulent adj. *La journaliste a fait une critique virulente du gouvernement,* très violente.

■ **virulence** n.f. *On a protesté avec virulence contre cette accusation* (= âpreté, violence).

virus n.m. *La grippe est une maladie causée par un virus,* une sorte de microbe.
R. On prononce le *s* final : [virys].

vis n.f. **1.** *Le verrou est fixé sur la porte par quatre vis,* des sortes de clous qu'on enfonce en tournant. **2.** *On monte en haut du phare par un escalier à vis,* un escalier qui tourne (= en spirale, en colimaçon).

■ **visser** V. SENS 1 *L'avocate a fait visser une plaque sur sa porte,* elle l'a fait fixer par des vis.

■ **dévisser** V. SENS 1 *Le bouchon de cette bouteille se dévisse,* on l'enlève en le tournant.
R. *Vis* se prononce [vis] comme [*je*] *visse* (de *visser*) et *vice.*

visa n.m. *Pour aller dans ce pays, il faut un visa en plus du passeport,* une autorisation spéciale.

visage n.m. *Pierre a le plus souvent un visage souriant* (= figure, face).

vis-à-vis prép. **1.** *Elle s'est assise vis-à-vis de moi,* en face de moi. **2.** *Que comptes-tu faire vis-à-vis de Paul ?,* à son égard, envers lui.

viscère n.m. *La cuisinière enlève les viscères du poulet,* les boyaux, les poumons, etc. *Le foie est un viscère.*

■ **viscéral** adj. **1.** *J'ai souffert de douleurs viscérales.* **2.** *J'ai une horreur viscérale de la chasse,* je la déteste profondément.

viscosité → *visqueux.*

viser v. **1.** *Elle a visé longuement avant de tirer,* elle a dirigé soigneusement son arme vers le but. **2.** *En disant cela, il vise à nous étonner,* c'est son intention (= chercher à).

■ **visée** n.f. SENS 1 *La ligne de visée d'un fusil part de l'œil du tireur et aboutit au but.* SENS 2 (au plur.) *Tu as des visées ambitieuses* (= intentions, ambitions).

■ **viseur** n.m. SENS 1 *Regarde dans le viseur de l'appareil photo.*

visibilité, visible, visiblement → *voir.*

visière n.f. *Pierre a abaissé la visière de sa casquette,* le bord qui protège les yeux.

vision, visionnaire, visionner, visionneuse → *voir.*

visite n.f. **1.** *La visite du musée a duré deux heures,* le parcours qu'on y a fait pour le voir. **2.** *Nous avons eu la visite de Paul,* il est venu nous voir. **3.** *Les enfants ont passé une visite médicale,* le médecin les a examinés.

■ **visiter** V. SENS 1 *Pendant les vacances, nous avons visité la Gaspésie,* nous avons parcouru ce pays pour mieux le connaître.

■ **visiteur** n. SENS 1 *Les visiteurs peuvent se renseigner au syndicat d'initiative* (= touriste). SENS 2 *Mme Durand a reconduit sa visiteuse,* la personne qui lui a rendu visite.

vison n.m. *Je veux acheter un manteau de vison,* un petit animal à la fourrure très appréciée.

289

visqueux adj. *Le goudron chaud forme une pâte* **visqueuse**, épaisse, molle et collante.
■ **viscosité** n.f. *Le degré de* **viscosité** *de l'huile est indiqué sur le bidon* (≠ fluidité).

visser → *vis*.

visuel → *voir*.

vital, vitalité → *vie*.

vitamine n.f. *Les fruits contiennent des* **vitamines**, *des substances nécessaires à la santé.*

vite adv. *Je n'arrive pas à te suivre, tu marches trop* **vite** (= rapidement ; ≠ lentement).
■ **vitesse** n.f. **1.** *Quelle est la* **vitesse** *de cet avion ?* — *800 kilomètres à l'heure* (= allure, rapidité). *Il est parti* **à toute vitesse**, *très vite.* **2.** *Cette voiture a quatre* **vitesses**, *il y a quatre positions du* **changement de vitesse**, *du mécanisme qui règle l'effort du moteur.*

viticulture n.f. *La* **viticulture**, *c'est la culture de la vigne.*
■ **viticulteur** n. *Les* **viticulteurs** *du Midi ont subi des pertes* (= vigneron).
■ **viticole** adj. *La Champagne est une région* **viticole** (= vinicole).

vitre n.f. *Qui a cassé la* **vitre** *avec le ballon ?* (= carreau).
■ **vitrage** n.m. *Un grand* **vitrage** *éclaire la pièce*, une fenêtre garnie de vitres.
■ **vitrail** n.m. *Les* **vitraux** *de la cathédrale représentent la naissance du Christ*, les grandes fenêtres aux verres colorés.
■ **vitré** adj. *On entre dans le salon par une porte* **vitrée**, garnie de vitres.
■ **vitreux** adj. **1.** *Les roches* **vitreuses** *ressemblent à du verre fondu.* **2.** *Un regard* **vitreux** *est sans éclat, terne.*
■ **vitrier** n.m. *Le* **vitrier** *est venu remplacer le carreau cassé.*

■ **vitrifier** v. *On a* **vitrifié** *le parquet,* on l'a recouvert d'un enduit transparent.
■ **vitrine** n.f. *De nouveaux livres sont exposés dans la* **vitrine** *du libraire*, dans la devanture vitrée.

221, 217

vitriol n.m. *Le* **vitriol** *est un acide très puissant qui ronge la peau.*

vitupérer v. *On* **vitupère** *souvent contre la hausse des prix*, on la critique énergiquement.
■ **vitupération** n.f. *Elle a poursuivi son chemin sans se soucier des* **vitupérations** *de ses adversaires* (= récrimination, protestation).

vivable → *vie*.

vivace adj. *Claude porte une haine* **vivace** *à son voisin* (= durable, tenace).

vivacité → *vif*.

vivant → *vie*.

vivarium n.m. *Un* **vivarium** *est un lieu où sont installées des cages vitrées dans lesquelles on peut observer des petits animaux vivants.*

435

vive interj. sert à acclamer : *Tout le monde a crié : «* **Vive** *la liberté ! ».*
■ **vivats** n.m.pl. *La reine a été accueillie par des* **vivats** (= acclamations ; ≠ huées).

vivement → *vif*.

vivier n.m. *Un* **vivier** *est un bassin dans lequel on élève des poissons pour les manger.*

vivifier v. *L'air de la montagne* **vivifie**, il donne de la vigueur, tonifie.
■ **vivifiant** adj. *Cette région a un climat* **vivifiant** (= stimulant, tonique).
■ **revivifier** v. *Cet enfant est anémié, mais l'air de la montagne va le* **revivifier** (= revigorer).

vivipare adj. *Les mammifères sont* **vivipares**, leurs petits naissent déjà formés et non dans des œufs (≠ ovipare).

vivoter, vivre, vivres, vivrier → *vie.*

vizir n.m. Chez les musulmans, un *vizir* était un ministre.

vlan ! interj. exprime un bruit de coup.

vocabulaire n.m. *Pierre lit beaucoup pour enrichir son vocabulaire,* l'ensemble des mots qu'il connaît.
■ **vocable** n.m. est un équivalent savant de *mot.*

vocal → *voix.*

vocalise n.f. *Faire des vocalises,* c'est chanter une seule syllabe en changeant de note, pour exercer sa voix.

vocation n.f. *Lise veut devenir médecin, c'est sa vocation,* la profession qu'elle veut exercer.

vociférer v. *Qu'as-tu à vociférer comme ça ?,* à crier avec colère (= hurler).

vodka n.f. La *vodka* est un alcool souvent fabriqué en Russie.

vœu n.m. 1. *Pour le nouvel an, Louise m'a envoyé ses vœux,* elle m'a souhaité du bonheur. 2. *Cette décision n'est pas conforme aux vœux de la majorité,* à ce qu'elle veut (= souhait, désir). 3. *Les moines font vœu de pauvreté,* ils promettent à Dieu de rester pauvres.
R. *Vœu* se prononce [vø] comme [*je*] *veux* et [*il*] *veut* (de *vouloir*). Noter le pluriel : des *vœux.*

vogue n.f. *Cette danse n'est plus en vogue,* appréciée du public (= à la mode).

voguer v. *Les navires de Christophe Colomb ont vogué plusieurs semaines* (= naviguer).

voici, voilà prép. servent à montrer : *Voici mon frère et voilà ma sœur.*

voie n.f. 1. *Les routes, les chemins de fer, les canaux sont des voies de communication.* 2. *La voiture s'est engagée dans une voie à sens unique,* un chemin, une rue ou une route. 3. *Nous sommes sur une route à trois voies,* qui a une largeur suffisante pour trois voitures. 4. *Empruntez le passage souterrain pour traverser la voie (ferrée),* les rails du chemin de fer. 5. *Tu es dans la bonne voie,* tu te conduis bien. 6. *Anne est en voie de réussir,* sur le point de réussir. 7. *Le bateau a coulé à cause d'une voie d'eau,* un trou dans la coque.
■ **voirie** n.f. SENS 2 La *voirie,* c'est l'entretien des rues, des routes et des chemins.
R. *Voie* se prononce [vwa] comme *voix* et [*je*] *vois* (de *voir*).

voilà → *voici.*

1. voile n.m. 1. *Dans les pays arabes, les femmes portent un voile,* un tissu sur la tête et sur le visage. 2. *La côte est cachée par un voile de brouillard,* le brouillard empêche de la voir nettement. 3. *Jetons un voile sur sa conduite malhonnête !,* cachons-la, n'en parlons pas.
■ **voilette** n.f. SENS 1 Une *voilette* est un petit voile que les femmes mettent parfois à leur chapeau pour cacher leur visage.
■ **voiler** v. 1. SENS 1 *Les femmes musulmanes se voilent le visage,* elles le cachent avec un voile. SENS 2 *Des nuages voilent le soleil* (= cacher, masquer). *Tu as dû entrouvrir ton appareil, les photos sont voilées,* les images sont effacées. 2. *La bicyclette a une roue voilée,* déformée, tordue.
■ **dévoiler** v. SENS 1 *On a dévoilé la statue,* on a enlevé le voile qui la

recouvrait. SENS 3 *Il n'a pas voulu dévoiler ses projets,* les révéler.
2. voile n.f. **1.** *Autrefois, on naviguait à la voile,* grâce à des pièces de tissu que le vent gonfle. **2.** *Louise fait du vol à voile,* elle pilote un planeur.

■ **voilier** n.m. SENS 1 *Dans le port, il y a des bateaux à moteur et des voiliers,* des bateaux à voiles.

■ **voilure** n.f. SENS 1 *Le navire a déployé sa voilure,* ses voiles.

voir v. **1.** *Pierre voit mal, il porte des lunettes,* ses yeux sont faibles, il distingue mal ce qui se présente à son regard. **2.** *J'ai vu un beau film à la télévision,* je l'ai suivi grâce à mes yeux (= regarder). **3.** *Nous sommes allés voir les Dupont,* leur rendre visite. **4.** *Il faut voir ce problème de plus près,* l'examiner, l'étudier. **5.** *Je ne vois pas de quoi il veut parler* (= savoir, imaginer, comprendre). **6.** *Elle m'a fait voir sa collection de timbres,* elle me l'a montrée.

■ **voyant** adj. SENS 1 *Cette couleur est trop voyante,* elle se remarque trop (≠ discret).

■ **voyant** n.m. SENS 1 *Quand on met l'appareil en marche, un voyant rouge s'allume,* un point lumineux.

■ **voyante** n.f. SENS 5 *Une voyante lui a prédit de beaux succès,* une femme qui prétend savoir l'avenir.

■ **visible** adj. SENS 1 ET 2 *Le bateau est trop loin, il n'est plus visible,* on ne peut plus le voir. *Elle a accepté avec un plaisir visible,* qui se voyait (= évident).

■ **visibilité** n.f. SENS 1 *Avec ce brouillard, la visibilité est très mauvaise,* on voit très mal.

■ **visiblement** adv. SENS 1 ET 2 *Pierre est visiblement en colère,* ça se voit.

■ **vision** n.f. SENS 1 ET 2 *Jean a des troubles de la vision,* il voit mal (= vue). SENS 5 *Suzy a une vision juste de la situation,* elle voit les choses comme

elles sont. *Tu es folle, tu as des visions !,* tu imagines des choses fausses (= hallucination).

■ **visionnaire** n. SENS 5 *Un visionnaire est une personne qui a des visions.*

■ **visionner** v. SENS 2 *Visionner un film,* c'est en examiner les images pour en faire le montage.

■ **visionneuse** n.f. SENS 2 *Une visionneuse est un appareil permettant d'examiner les images d'un film ou des photos diapositives.*

■ **visuel** adj. SENS 1 *Luce a une bonne mémoire visuelle,* elle se souvient des choses qu'elle voit (≠ auditif).

■ **vu** n.m. SENS 1 *Cela s'est passé au vu de tout le monde,* en public.

■ **vu** adj. *Pierre est bien vu de son directeur,* bien considéré.

■ **vu** prép. *Vu l'heure qu'il est, il faut partir* (= à cause de, étant donné).

■ **vue** n.f. **1.** SENS 1 ET 2 *Les yeux sont les organes de la vue* (= vision). *De ce sommet, on a une belle vue,* on voit loin. *Cette photo représente une vue de la plage* (= image). *Je la connais de vue,* je l'ai déjà vue. *Pierre grandit à vue d'œil,* très rapidement. SENS 5 *Il nous a présenté ses vues sur cette question,* son opinion, ses intentions. *Alice est venue en vue de nous aider,* dans cette intention (= pour).

■ **entrevoir** v. SENS 1 *Je l'ai entrevue à la réunion,* je l'ai vue peu de temps (= apercevoir). SENS 4 *On commence à entrevoir la solution du problème,* à en avoir une idée (= pressentir).

■ **invisible** adj. SENS 1 ET 2 *Les microbes sont invisibles sans un microscope,* on ne peut pas les voir.

■ **revoir** v. SENS 1 ET 2 *J'ai revu Paul il y a deux jours,* je l'ai vu de nouveau. SENS 4 *Il faut revoir tes leçons,* les étudier de nouveau.

■ **au revoir** n.m. *On dit au revoir à quelqu'un quand on le quitte.*

R. → Conj. n° 41 → **vie, voie** et **voire.**

voire adv. *Je resterai absent des se-maines, voire des mois,* ou même des mois.
R. *Voire* se prononce [vwar] comme *voir.*

voirie → *voie.*

voisin adj. **1.** *La poste est voisine de la mairie,* elle n'en est pas loin (= proche ; ≠ éloigné). **2.** *Nous avons des idées voisines,* qui se ressemblent (≠ différent, opposé).

■ **voisin** n. SENS 1 *Louise s'entend bien avec ses voisins,* les gens qui habitent près de chez elle.

■ **voisinage** n.m. SENS 1 *Tous les gens du voisinage sont au courant,* des environs.

■ **voisiner** v. SENS 1 *Chez le bro-canteur, une bassinoire voisine avec une lampe à pétrole,* elle est placée à côté.

■ **avoisinant** adj. SENS 1 *Il y a des embouteillages dans les rues avoisi-nantes* (= voisin).

voiture n.f. **1.** *Autrefois, on voyageait en voiture à cheval,* un véhicule à roues tiré par des chevaux. *M. Martin pousse devant lui une voiture d'en-fant,* un véhicule à roues. **2.** *Il y avait beaucoup de voitures sur l'autoroute* (= auto). **3.** *Nos places de train sont dans la voiture 6,* le véhicule de che-min de fer servant au transport des voyageurs.

507, 506, 512, 762

508, 582, 803

voix n.f. **1.** *M. Durand parle d'une voix forte. Esther m'a dit cela de vive voix,* en me parlant et non par écrit. **2.** *Il faut écouter la voix de son cœur,* les conseils, les avertissements. **3.** *Le can-didat a été élu à la majorité des voix,* de ceux qui votaient (= suffrage). **4.** *« Aimer » est à la voix active, « être aimé » est à la voix passive.*

■ **vocal** adj. SENS 1 *Les cordes vocales* sont des organes qui produisent la voix, la parole.

■ **à mi-voix** adv. SENS 1 *Paule repasse ses leçons à mi-voix,* ni tout à fait à voix haute, ni tout à fait à voix basse.

■ **porte-voix** n.m.inv. SENS 1 *Le came-lot hurle dans son porte-voix,* un appa-reil qui amplifie la voix.
R. → *voie.*

1. vol n.m. **1.** *L'oiseau prend son vol,* il s'élève dans l'air en battant des ailes. *Un vol d'hirondelles passe dans le ciel,* un groupe d'hirondelles en train de voler. **2.** *Il y a six heures de vol entre Paris et Montréal,* de déplacement en avion. **3.** *Jean a attrapé la balle au vol,* avant qu'elle touche la terre.

■ **volant** adj. **1.** SENS 1 *As-tu déjà vu des poissons volants ?,* qui peuvent sauter hors de l'eau et voler. **2.** *Elle m'a écrit son adresse sur une feuille volante,* détachée d'un carnet ou d'un cahier.

■ **voler** v. **1.** SENS 1 *Il y a de l'orage, les hirondelles volent bas,* elles se dépla-cent dans l'air. SENS 2 *L'avion vole à 3 000 mètres.* **2.** *Quand il a crié, nous avons volé à son secours,* nous som-mes accourus très vite.

■ **volée** n.f. **1.** SENS 3 *Elle a attrapé le ballon à la volée* (= au vol). **2.** *Elle a relancé la balle à toute volée,* avec force. **3.** Fam. *Pierre a reçu une volée,* des coups (= raclée).

■ **voleter** v. SENS 1 *Les petits oiseaux volettent dans la cage,* ils volent à petits coups d'ailes.

■ **volière** n.f. SENS 1 *Une volière est* une cage assez grande pour que les oiseaux puissent y voler.

■ **s'envoler** v. SENS 1 ET 2 *Quand je me suis approchée, les oiseaux se sont envolés,* ils sont partis en volant.

■ **envol** n.m. SENS 3 *L'avion s'est dirigé vers la piste d'envol,* d'où il doit s'envoler.

■ **envolée** n.f. *Dans une belle envo-lée, l'oratrice a glorifié sa ville* (= élan).

■ **survoler** v. **1.** SENS 3 *En allant à Londres, nous* **avons survolé** *la Manche,* l'avion est passé au-dessus. **2.** *Je n'ai fait que* **survoler** *ton compte rendu,* je l'ai regardé très vite.

■ **survol** n.m. SENS 1 *Le* **survol** *de cette zone militaire est interdit à tous les avions.*

R. *Voleter* → conj. n° 8.

2. vol n.m. *Cet individu est jugé pour le* **vol** *d'une voiture,* pour l'avoir volée.

■ **voler** v. *Quelqu'un m'a* **volé** *mon portefeuille,* me l'a pris (= dérober).

■ **voleur** n. *La police a arrêté les* **voleurs.**

■ **antivol** n.m. *Suzy a acheté un* **antivol** *pour son vélo,* un appareil de sécurité contre le vol.

volage adj. *M. Dupont est un homme* **volage,** il change facilement de sentiments (= infidèle).

volaille n.f. *Les poules, les canards, les oies, les dindons sont de la* **volaille** (ou *des* **volailles**), des oiseaux de basse-cour.

■ **volailler** n. *On achète des volailles chez le* **volailler,** le marchand de volailles.

1. volant n.m. **1.** *Caroline manœuvre le* **volant** *pour se garer,* la roue qui sert à diriger la voiture. **2.** *On joue au* **volant** *avec des raquettes et un morceau de liège muni de plumes.* **3.** *Marie a une robe à* **volant,** avec une pièce de tissu cousu en bas.

2. volant → *vol* 1.

volatil adj. *L'essence est une substance* **volatile,** qui s'évapore facilement.

■ **se volatiliser** v. *Je ne l'ai pas vu partir, il* **s'est** *comme* **volatilisé,** il a disparu soudain.

volatile n.m. *Une poule, un canard, un dindon sont des* **volatiles,** des oiseaux de basse-cour (= volaille).

volatiliser → *volatil.*

vol-au-vent n.m.inv. *Un* **vol-au-vent** *est une sorte de petit pâté qui se mange chaud.*

volcan n.m. *Le Vésuve est un* **volcan** *près de Naples,* une montagne formée par des laves.

■ **volcanique** adj. *Une éruption* **volcanique** *a fait de nombreux morts,* l'explosion d'un volcan et la sortie de laves en fusion.

■ **volcanologue** ou **vulcanologue** n. *Un célèbre* **vulcanologue** *a présenté le film d'une éruption,* un spécialiste de l'étude des volcans.

volée → *vol* 1.

voler → *vol* 1 et 2.

volet n.m. **1.** *La lumière me gêne, ferme les* **volets,** les panneaux qui protègent les fenêtres ('= persienne). **2.** *Remplissez les trois* **volets** *du questionnaire !,* les trois parties qui peuvent se détacher. **3.** *Les ailes d'avions sont munies de* **volets** *à l'arrière,* de panneaux mobiles. **4.** *Trier des gens* **sur le volet,** c'est les trier très soigneusement.

R. → *volley-ball.*

voleter → *vol* 1.

voleur → *vol* 2.

volière → *vol* 1.

volley ou **volley-ball** n.m. *Nous avons gagné la partie de* **volley,** un sport d'équipe qui consiste à se renvoyer un ballon par dessus un filet haut.

■ **volleyeur** n. *Un* **volleyeur** *est un joueur de volley-ball.*

R. *Volley* se prononce [vɔlɛ] comme *volet.* *Volley-ball* se prononce [vɔlɛbol].

volontaire, volontairement, volonté, volontiers → *vouloir.*

581

74

511

722

22,
63

22

05

05

volt n.m. *Cet appareil fonctionne en 220 volts,* le courant électrique a cette force.

■**voltage** n.m. *Vérifie le voltage avant de brancher ton rasoir,* la force du courant (= tension).

■**survolté** adj. **1.** *Un appareil survolté* est soumise a un voltage trop élevé. **2.** Fam. *La directrice est survoltée,* elle est dans un état de tension nerveuse excessive.

volte-face n.f.inv. **1.** *Quand je l'ai appelé, il a fait volte-face,* il s'est retourné. **2.** *On ne peut pas se fier à elle, elle a déjà fait plusieurs volte-face,* elle a changé radicalement d'opinion.

voltiger v. *Le vent fait voltiger les feuilles mortes,* il les soulève et les fait voler (= tournoyer).

766, 433

■**voltige** n.f. *La trapéziste a fait un numéro de voltige,* d'acrobatie aérienne.

volubile adj. *Il a été volubile pour me raconter cette histoire,* il a parlé beaucoup et vite.

■**volubilité** n.f. *Claudine parle avec volubilité.*

871, 385

volume n.m. **1.** *Quel est le volume de cette caisse ?,* la place qu'elle occupe et ce qu'elle peut contenir (= grandeur). **2.** *Le volume des importations a augmenté* (= quantité). **3.** *Où règle-t-on le volume du son sur ce téléviseur ?* (= puissance). **4.** *M. Durand a cinq cents volumes dans sa bibliothèque* (= livre).

■**volumineux** adj. SENS 1 *Ce meuble est trop volumineux,* il tient trop de place.

volupté n.f. *Leïla écoute la musique avec volupté,* un plaisir très grand.

■**voluptueux** adj. *Ces fleurs ont un parfum voluptueux* (= enivrant).

■**voluptueusement** adv. *Pierre est étendu voluptueusement au soleil.*

volute n.f. *Des volutes de fumée sortent de la cheminée,* la fumée forme une colonne en spirale.

vomir v. *Stéphane a eu mal au cœur en voiture et il a vomi,* il a rejeté par la bouche les aliments avalés (= rendre).

■**vomissement** n.m. *La malade a eu des vomissements de sang,* elle a vomi du sang.

■**vomitif** n.m. *Pour lutter contre l'empoisonnement, on lui a fait prendre un vomitif,* un produit qui fait vomir.

vorace adj. *Ce chien est vorace,* il mange beaucoup et vite.

■**voracement** adv. *Jean s'est jeté voracement sur les gâteaux* (= avidement).

■**voracité** n.f. *Jean mange avec voracité* (= goinfrerie).

vos → *votre.*

vote n.m. **1.** *À dix-huit ans, on a le droit de vote,* de prendre part aux élections. **2.** *Après l'élection, on a compté les votes* (= voix, suffrage).

■**voter** v. SENS 1 *L'Assemblée a voté une loi,* elle l'a adoptée par un vote. SENS 2 *M. Durand a voté pour la candidate sortante,* il lui a donné sa voix.

■**votant** n. *Aux élections, il y a eu 80 pour 100 de votants,* de personnes qui ont voté (≠ abstentionniste).

votre, vos adj.possessifs indiquent ce qui est à vous : *Votre maison, vos affaires.*

■**vôtre (le, la), vôtres (les)** pron.possessifs : *Voici nos bagages et voilà les vôtres,* ceux qui sont à vous.

R. → *veau.*

vouer v. **1.** *Louise voue une grande admiration à son père,* elle la lui manifeste, elle l'admire. **2.** *Cette entreprise est vouée à l'échec,* elle échouera (= destiner à).

vouloir v. 1. *Esther veut venir demain, elle en a l'intention, le désir, la volonté* (= souhaiter). *Je veux qu'on me donne une explication* (= exiger). **2.** *Je veux bien te prêter ce livre,* j'accepte de le faire (= consentir à). **3.** *Je ne sais pas ce que ce mot veut dire* (= signifier). **4.** *Depuis que nous nous sommes disputés, tu m'en veux,* tu as de la rancune à mon égard.
■ **vouloir** n.m. SENS 2 *On n'attend que son **bon vouloir** pour partir,* qu'il le veuille bien.
■ **volonté** n.f. SENS 1 *Cela ne dépend pas de ma **volonté**,* de ce que je peux vouloir. *Avant de partir, il nous a fait connaître ses **volontés**,* ce qu'il voulait (= désir, ordre, intention). *Lise a de la **volonté**,* elle est énergique, opiniâtre (= caractère). *Pierre est plein de **bonne volonté**,* il veut faire de son mieux.
■ **volontaire** adj. SENS 1 *Je ne l'ai pas fait exprès, ce n'était pas **volontaire*** (= voulu, intentionnel). *Léa est une fille **volontaire**,* elle a de la volonté (= énergique).
■ **volontaire** n. SENS 2 *Des **volontaires** se sont présentés pour combattre l'incendie,* des gens qui ont bien voulu, mais qui n'étaient pas obligés.
■ **volontairement** adv. SENS 1 *C'est **volontairement** que je n'ai pas parlé de cette question* (= exprès).
■ **volontiers** adv. SENS 2 *Peux-tu me prêter ce livre ? — **Volontiers** !,* je veux bien (= avec plaisir).
■ **involontaire** adj. SENS 1 *Elle a cassé le vase par un mouvement **involontaire**,* sans le vouloir.
■ **involontairement** adv. SENS 1 *Je suis arrivé **involontairement** en retard.*
R. → Conj. n° 37. → *vœu.*

vous pron.pers. s'emploie **1.** pour désigner plusieurs personnes à qui l'on parle : *Venez-**vous** ?* **2.** pour remplacer *tu* quand on parle à quelqu'un qu'on

ne connaît pas bien, à qui on parle avec respect : *Bonjour, madame, comment allez-**vous** ?*
■ **vouvoyer** v. SENS 2 *Les élèves **vouvoient** le professeur,* ils lui disent « vous » (≠ tutoyer).
■ **vouvoiement** n.m. SENS 2 *On emploie le **vouvoiement** par politesse.*

voûte n.f. *La **voûte** de cette église est en pierre,* le plafond arrondi.
■ **voûté** adj. **1.** *La cave est **voûtée**,* son plafond est une voûte. **2.** *Pierre a le dos **voûté*** (= courbé, rond).
■ **se voûter** v. *Avec l'âge, mon grand-père commence à **se voûter**,* à se tenir courbé.

vouvoiement, vouvoyer → *vous.*

voyage n.m. **1.** *Catherine est partie en **voyage** en Italie,* elle est allée là-bas. **2.** *Pour décharger la voiture, il a fallu faire trois **voyages**,* transporter les objets en trois fois.
■ **voyager** v. SENS 1 *Catherine a beaucoup **voyagé**,* elle a fait de nombreux voyages (= se déplacer, circuler).
■ **voyageur** SENS 1 **1.** n. *Après l'escale, les **voyageurs** sont remontés dans l'avion.* **2.** adj. *Les pigeons **voyageurs** sont dressés pour porter des messages au loin.*

508, 802, 803

voyant, voyante → *voir.*

voyelle n.f. *« A », « e », « i », « o », « u », « y » sont les **voyelles** de l'alphabet* (≠ consonne).

voyou n.m. *Des **voyous** ont cassé la porte du jardin,* des garçons mal élevés (= vaurien).

en vrac adv. *Il a posé ses paquets **en vrac** sur le plancher,* en désordre, pêle-mêle.

vrai adj. **1.** *L'histoire que je te raconte est **vraie**,* elle s'est passée dans la réalité (= exact ; ≠ faux, imaginaire, inventé). **2.** *Les perles de ce collier sont vraies* (≠ faux, imité, factice). **3.** *M. Duval est une vraie crapule,* il mérite vraiment ce nom (= véritable).

■ **vrai** n.m. SENS 1 *Il y a beaucoup de vrai dans ce qu'elle a dit* (= vérité). SENS 3 *À vrai dire, je n'avais pas pensé à cela* (= en fait).

■ **vraiment** adv. SENS 1 *Ce que je dis s'est vraiment passé* (= réellement). SENS 3 *Aujourd'hui, le ciel est vraiment nuageux* (= extrêmement, très).

■ **véracité** n.f. SENS 1 *Je te garantis la véracité de cette histoire* (= vérité, exactitude).

■ **véridique** adj. SENS 1 *Son récit est véridique* (= vrai, fidèle).

■ **vérifier** v. SENS 1 *Il faudrait vérifier tous ces calculs,* voir s'ils sont exacts.

■ **vérification** n.f. SENS 1 *Les policiers ont fait une vérification d'identité* (= contrôle).

■ **véritable** adj. SENS 1 *On ne connaît pas la véritable raison de son absence* (= vrai). SENS 3 *Pierre est pour moi un véritable ami* (= vrai).

■ **véritablement** adv. SENS 3 *Ce que tu m'as dit était véritablement étonnant* (= vraiment, très).

■ **vérité** n.f. SENS 1 *J'ai raconté ce que j'ai vu, j'ai dit la vérité,* ce qui est vrai (≠ mensonge). SENS 3 *En vérité, il faut que je parte* (= vraiment).

■ **vraisemblable** adj. SENS 1 *Il est vraisemblable qu'elle ne viendra pas,* cela semble vrai (= probable).

■ **vraisemblablement** adv. SENS 1 *D'après son accent, cette étrangère est vraisemblablement allemande* (= sans doute, probablement).

■ **vraisemblance** n.f. SENS 1 *Cette histoire n'a aucune vraisemblance,* on ne peut pas y croire, cela ne paraît pas possible.

■ **invraisemblable** adj. SENS 1 *Cette histoire est invraisemblable* (= incroyable).

■ **invraisemblance** n.f. SENS 1 *Il y a des invraisemblances dans son récit,* des choses bizarres.

R. Attention, *vraisemblable* et ses dérivés ne prennent qu'un seul *s*.

vrille n.f. **1.** *Le menuisier perce la planche avec une vrille,* un outil pointu qu'on enfonce en tournant. **2.** *L'avion est descendu en vrille,* en tournant sur lui-même. **3.** *Les vrilles de la vigne sont des pousses qui s'enroulent autour de ce qu'elles rencontrent.*

vrombir v. *Les moteurs des voitures de course se mettent à vrombir* (= ronfler, gronder). *Les abeilles vrombissent autour de la ruche* (= bourdonner).

■ **vrombissement** n.m. *L'avion s'envole dans un puissant vrombissement.*

vu, vue → *voir.*

vulcanologue → *volcan.*

vulgaire adj. **1.** *M. Duval a un langage vulgaire* (= grossier, trivial ; ≠ distingué, élégant). **2.** *Les plantes ont un nom savant et un nom vulgaire,* connu de tout le monde (= populaire).

■ **vulgairement** adv. SENS 1 *Cette personne s'exprime vulgairement* (≠ poliment).

■ **vulgariser** v. SENS 2 *Vulgariser des connaissances scientifiques,* c'est les mettre à la portée de tout le monde.

■ **vulgarisation** n.f. SENS 2 *Voilà un bon livre de vulgarisation sur l'informatique !*

■ **vulgarité** n.f. SENS 1 *La vulgarité de ton langage est choquante* (= grossièreté).

vulnérable adj. *La carapace des tortues les rend peu vulnérables,* peu faciles à blesser, à attaquer.

■ **invulnérable** adj. *Elle a eu tort de se croire invulnérable : elle a perdu son procès* (= invincible ; ≠ fragile).

28

W

wagon n.m. *Ce train ne comporte que des* **wagons** *de marchandises* (= voiture).

■ **wagonnet** n.m. *Dans les mines, le charbon est transporté dans des* **wagonnets**, *des petites voitures sur rails.*

■ **wagon-citerne** n.m. *Les* **wagons-citernes** *servent au transport des liquides.*

■ **wagon-lit** n.m. *En train, on peut voyager la nuit en couchette ou en* **wagon-lit**, *une voiture de chemin de fer avec des vrais lits.*
R. On prononce [vagɔ̃], [vagɔnɛ].

walkman n.m. *Quand il se promène, Éric écoute de la musique avec son* **walkman**, *un casque à écouteurs très léger.*
R. C'est un nom de marque. On dit aussi *baladeur*. On prononce [wokman].

water-polo n.m. *Le* **water-polo** *se joue dans l'eau avec un ballon.*
R. On prononce [watɛrpolo].

watt n.m. *Quelle est la puissance de cette ampoule électrique ? — 40* **watts**.

week-end n.m. *Les Durand passent leurs* **week-ends** *à la campagne,* le congé de fin de semaine.
R. On prononce [wikɛnd].

western n.m. *Suzy regarde un* **western** *à la télévision,* un film de cow-boys.

whisky n.m. *M. Duval est soûl, il a bu trop de* **whisky**, *une sorte d'alcool.*
R. Noter le pluriel : des *whiskies* ou des *whiskys*.

X

xénophobe adj. *M. Martin est xéno-phobe,* il n'aime pas les étrangers.
■ **xénophobie** n.f. *La xénophobie* est une hostilité à l'égard des étrangers.

xylophone n.m. Le *xylophone* est un instrument de musique constitué de plaquettes sur lesquelles on frappe avec deux baguettes.

y

y 1. adv. exprime le lieu : *J'y vais,* je vais à cet endroit. **2.** pron.pers. : *Je n'y ai pas pensé,* je n'ai pas pensé à cela.

yacht n.m. *Ils ont traversé l'Atlantique sur un yacht,* un bateau de plaisance.
■ **yachting** n.m. *Le yachting est un sport coûteux.*
R. On prononce [jɔt], [jɔtiŋ].

yaourt ou **yogourt** ou **yoghourt** n.m. *Au dessert, Pierre a mangé un yaourt,* du lait caillé présenté en petit pot.

yard n.m. Le *yard* est une mesure anglaise valant un peu moins d'un mètre.
R. On prononce [jard].

yen n.m. Le *yen* est la monnaie japonaise.

yeux → *œil.*

yoga n.m. *Pour se maintenir en forme, elle fait du yoga,* une sorte de gymnastique d'origine hindoue.

yoghourt, yogourt → *yaourt.*

yo-yo n.m.inv. *Les enfants jouent avec leur yo-yo,* un jouet fait de deux rondelles parallèles que l'on fait monter et descendre le long d'un fil.

youyou n.m. *Les enfants s'amusent dans un youyou,* un petit canot.

Z

zèbre n.m. *Pierre court comme un zèbre, un animal d'Afrique, voisin du cheval, au corps rayé.*
■ **zébrer** v. *Le ciel est zébré d'éclairs, ceux-ci y font de grandes raies* (= rayer).
■ **zébrure** n.f. *Une brûlure lui a fait une zébrure à la main* (= raie, rayure).

zébu n.m. *Le zébu est un bœuf d'Asie avec une bosse sur le dos.*

zèle n.m. *Cet employé travaille avec zèle* (= ardeur, empressement).
■ **zélé** adj. *Cette employée est zélée* (≠ négligent).

zénith n.m. *À midi, le soleil est au zénith, au point le plus haut de sa course.*

zéro n.m. **1.** *Vingt s'écrit avec un deux suivi d'un zéro (20).* **2.** *Notre équipe a gagné par deux buts à zéro, l'équipe adverse n'a marqué aucun but.* **3.** *Louise a eu un zéro en dictée, une note nulle.* **4.** *Pierre est un zéro en orthographe, il est nul.*
■ **zéro** adj. SENS 2 *J'ai fait zéro faute à ma dictée, pas une seule* (= aucun).

zeste n.m. *Pierre a mis des zestes de citron et d'orange dans le gâteau, des morceaux de peau.*

zézayer v. *Adrien zézaie, il prononce les j comme des z.*
■ **zézaiement** n.m. *Essaie de corriger ton zézaiement.*

zibeline n.f. *Mme Durand a un manteau de zibeline, fait avec la fourrure de ce petit animal.*

zigzag n.m. *Cette route de montagne fait des zigzags, des angles très aigus.*
■ **zigzaguer** v. *Il a trop bu, il marche en zigzaguant, il ne marche pas droit.*

zinc n.m. *Les baraques ont un toit en zinc, un métal léger, blanc ou gris.*
R. On prononce [zɛ̃g].

zizanie n.f. *Lise est venue mettre la zizanie entre nous, provoquer une dispute* (= mésentente, désunion).

zodiaque n.m. *Le Bélier, le Taureau, les Gémeaux sont des signes du zodiaque, un ensemble de figures utilisées en astrologie.*

zona n.m. *Ma tante souffre d'un zona, une maladie très douloureuse.*

zone n.f. **1.** *La France fait partie de la zone tempérée, d'une partie de la Terre de climat tempéré.* **2.** *Au nord de la ville, il y a une zone de cultures, un espace, un secteur réservé aux cultures.*

zoologie n.f. *La zoologie est la science des animaux.*
■ **zoologique** adj. *Dans un jardin zoologique, on peut voir des animaux rares et sauvages.*

435

■ **zoo** n.m. Un *zoo* est un jardin zoologique.
R. *Zoo* se prononce [zo] ou [zoo].

zoom n.m. *On distingue bien les détails : c'est une photo prise avec le* **zoom**, un dispositif qui grossit l'image dans un appareil photographique, une caméra, des jumelles.
R. On prononce [zum].

zouave n.m. **1.** *Vers 1860, le Québec constitua une troupe de* **zouaves**, des militaires chargés de la défense du pape à Rome. **2.** Fam. *Arrête de faire le* **zouave** *!,* l'imbécile, le malin.

zozoter v. est un équivalent de *zézayer*.

zut ! interj. marque la contrariété : *Zut, j'ai oublié ma clé !*

Le français dans le monde

Tu parles français, n'est-ce pas ?

Si tu vis au Canada depuis ta naissance dans une famille qui parle le français, le français est ta **langue maternelle.**

Il est bien sûr la langue maternelle des habitants de la France, mais aussi de quelques autres pays, par exemple la Belgique, la Suisse.

Dans un certain nombre de pays, les gens parlent le plus souvent entre eux d'autres langues, mais quand ils ont à écrire ou à s'adresser à des personnes qui ne parlent pas leur langue, ils emploient le français : le français est leur **langue officielle.** C'est le cas en particulier de plusieurs pays d'Afrique et aussi de certaines îles.

Enfin, un peu partout dans le monde, il y a des gens qui ont appris le français à l'école et qui peuvent le parler plus ou moins couramment. Au total, il y a plus de 200 millions de personnes dans le monde qui peuvent parler français. On dit que ces personnes sont **francophones.** En tournant la page, tu peux voir une carte de la francophonie.

Mais peut-être connais-tu aussi une **autre langue** : l'anglais, l'arabe, le portugais, l'espagnol, l'italien, l'allemand, etc. Tes parents ou tes grands-parents sont peut-être venus d'un autre pays et ils parlent entre eux, ou avec toi, leur langue maternelle. C'est une chance de connaître plusieurs langues.

Peut-être aussi es-tu d'une région du Canada où, en plus du français, on emploie un **parler local,** c'est à dire des mots ou des expressions qui expriment des réalités bien particulières et qu'on appelle des **régionalismes.** Quand on aime bien sa région, on a souvent plaisir à employer le parler particulier de cette région.

De toute façon, il est indispensable pour toi de **bien connaître le français,** et pour cela il te reste des progrès à faire. Ce dictionnaire peut beaucoup t'y aider.

Algérie
Belgique 
Bénin 
Cameroun 
Canada 

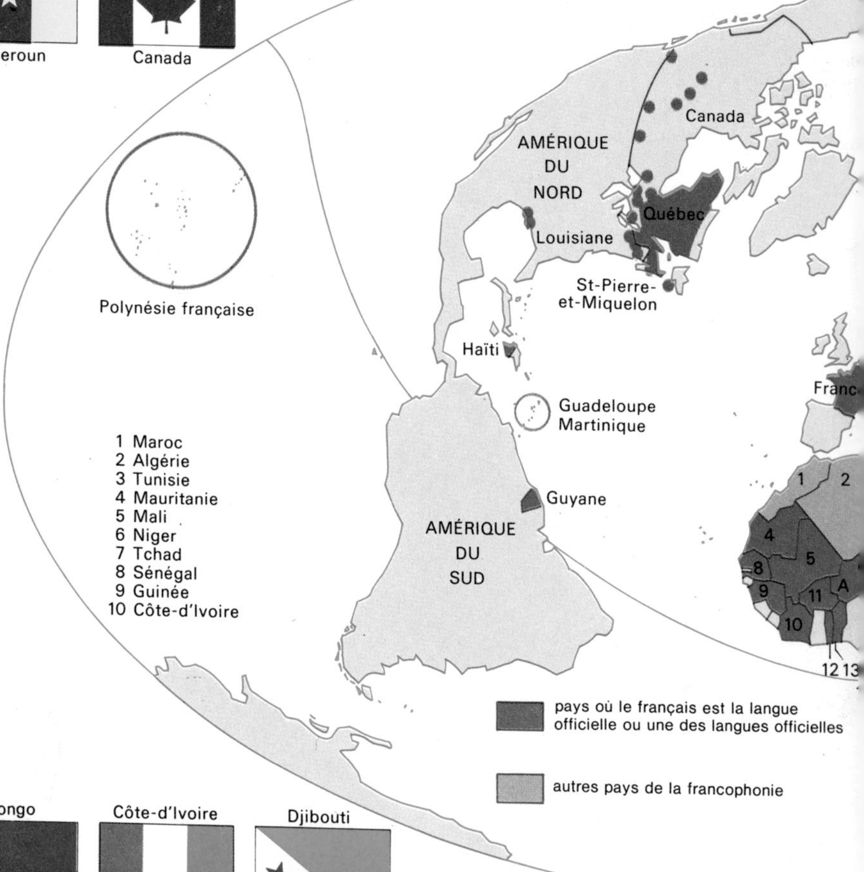

Polynésie française

1 Maroc
2 Algérie
3 Tunisie
4 Mauritanie
5 Mali
6 Niger
7 Tchad
8 Sénégal
9 Guinée
10 Côte-d'Ivoire

AMÉRIQUE DU NORD

Canada
Québec
Louisiane
St-Pierre-et-Miquelon
Haïti
Guadeloupe
Martinique
Guyane

AMÉRIQUE DU SUD

Franc

1 2
4 5
8
9 11 A
10
12 13

pays où le français est la langue officielle ou une des langues officielles

autres pays de la francophonie

Congo 
Côte-d'Ivoire 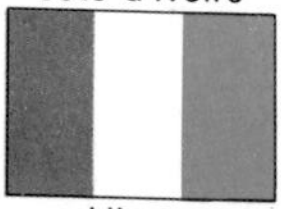
Djibouti 
Laos 
Liban 
Luxembourg 
Madagascar
Mali 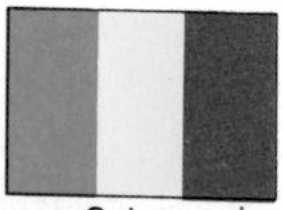
Québec 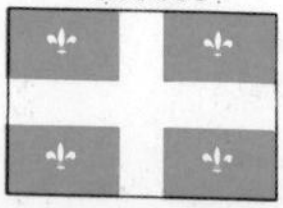
Ruanda 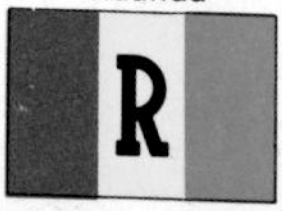
Sénégal 
Seychelles 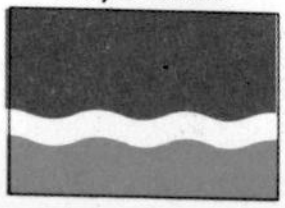
Suisse

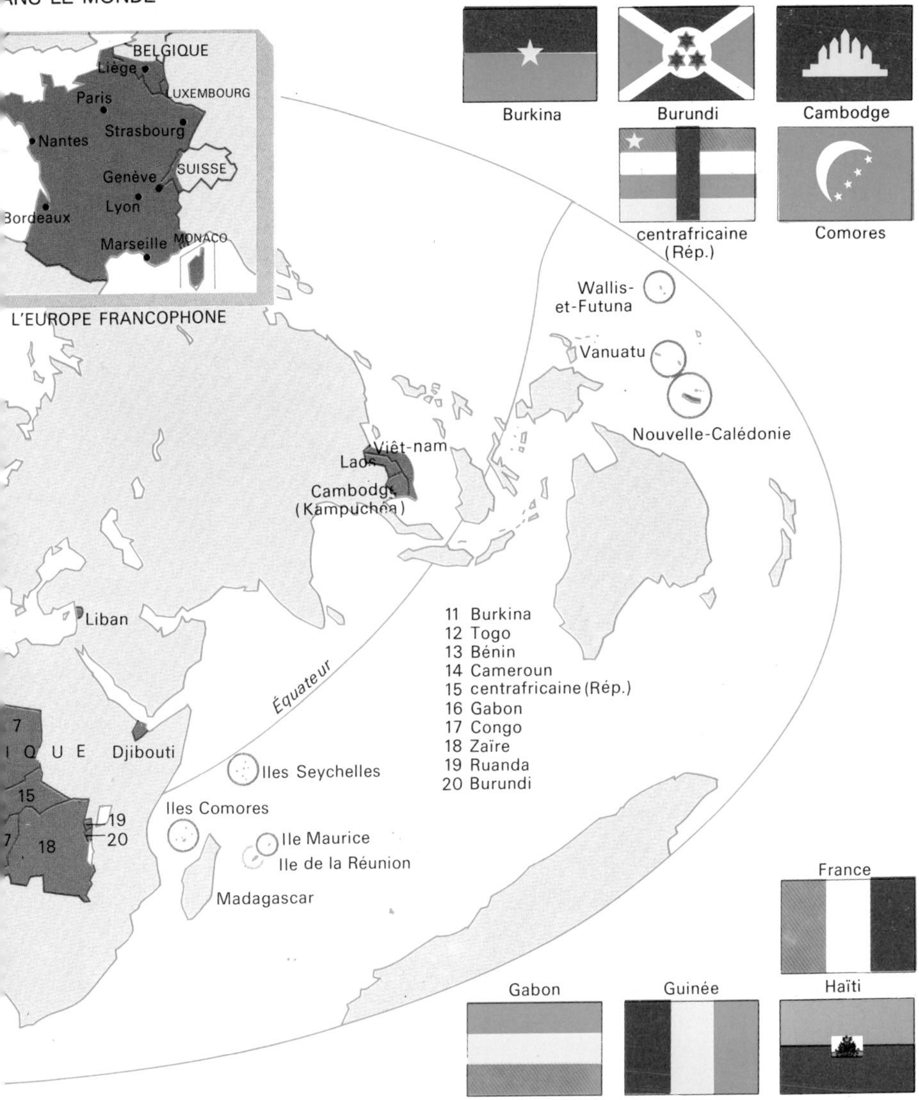

Burkina

Burundi

Cambodge

BELGIQUE
Liège
LUXEMBOURG
Paris
Nantes
Strasbourg
Genève
SUISSE
Bordeaux
Lyon
Marseille MONACO

L'EUROPE FRANCOPHONE

centrafricaine
(Rép.)

Comores

Wallis-
et-Futuna

Vanuatu

Nouvelle-Calédonie

Viêt-nam
Laos
Cambodge
(Kampuchéa)

Liban

Équateur

11 Burkina
12 Togo
13 Bénin
14 Cameroun
15 centrafricaine (Rép.)
16 Gabon
17 Congo
18 Zaïre
19 Ruanda
20 Burundi

7
I Q U E   Djibouti

Iles Seychelles

15

19
20

Iles Comores

7 18

Ile Maurice
Ile de la Réunion

Madagascar

France

Gabon

Guinée

Haïti

Niger

Maroc

Maurice

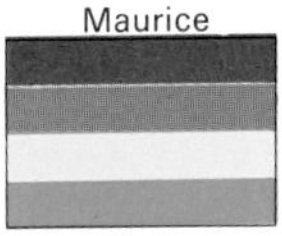

Mauritanie

Monaco

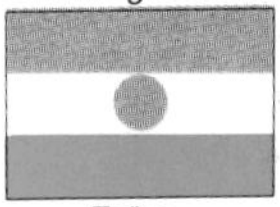

Tchad

Togo

Tunisie

Viêt-nam

Zaïre

Tu es curieux (ou curieuse) ? Est-ce que tu t'es déjà interrogé(e) sur le passé de la langue française ? En voici un aperçu.

I. Les Gaulois et la conquête romaine.

On sait peu de chose de la langue que parlaient anciennement les Gaulois. On peut seulement citer quelques dizaines de mots du français actuel ayant sûrement une origine gauloise, par exemple **bec**, **bruyère**, **char**, **mouton**, etc.

Après la conquête de la Gaule par les Romains (au milieu du 1er siècle avant notre ère), les Gaulois adoptent peu à peu la langue des Romains, c'est-à-dire le **latin**.

Mais c'est du latin populaire, influencé lui-même par le gaulois et différent sur bien des points du latin des écrivains. Par exemple, au lieu de **equus** (= cheval), les soldats romains disaient **caballus**, comme en français argotique certains disent **canasson**, ou **bourrin** ; le verbe **minare** signifiant normalement « menacer » était employé au sens de « faire avancer en menaçant », puis simplement « mener, conduire », au lieu du classique **ducere**. Les mots **caballus** et **minare**, du latin populaire, sont à l'origine des mots français **cheval** et **mener**.

II. Vers l'ancien français.

Au cours des mille ans qui suivent la conquête romaine, le latin populaire change beaucoup. La plupart des habitants de la Gaule ne savent ni lire ni écrire ; on ne sait rien de précis sur la façon dont ils parlaient pendant cette période.

C'est seulement un peu avant le 10e siècle qu'apparaissent les premiers textes qui sont un peu plus proches du français d'aujourd'hui que du latin.

« Pour l'amour de Dieu et pour le salut commun du peuple chrétien et le nôtre, de ce jour et à l'avenir, pour autant que... » (Le serment de Strasbourg [en 842], le plus ancien texte « français » connu.)

On peut donc dire que le **français est né du latin** il y a un peu plus de mille ans, mais il était encore si éloigné de notre langue actuelle qu'il faut avoir fait des études spécialisées pour bien comprendre un texte français de cette époque lointaine.

Chant d'église en l'honneur de Ste Eulalie (en 881) :
« Bonne jeune fille fut Eulalie,
Elle avait un beau corps, une plus belle âme (encore).
Les ennemis de Dieu voulurent la vaincre,
Ils voulurent lui faire servir le diable... ».

« Bien me plaît le gai temps de Pâques qui fait s'épanouir feuilles et fleurs...».

III. Le français au Moyen Âge.

Le français se transforme sans cesse, mais de façon différente selon les régions, au point de constituer des langues distinctes.

On appelle **langue d'oc** l'ensemble des parlers de la partie sud de la France et **langue d'oïl** l'ensemble des parlers de la partie nord (**oc** et **oïl**, c'était la façon de dire **oui** dans chacune de ces langues).

(langue d'oc : Bertran de Born, vers 1200).

C'est un des parlers d'oïl, le **francien**, dialecte de l'Ile-de-France (la région parisienne), qui deviendra la langue nationale au fur et à mesure que l'unité de la France se fera sous l'autorité des rois.

Il y avait des écoles, mais seulement un petit nombre d'enfants les fréquentaient. On y enseignait non pas le français, mais le latin, qui restait la langue des gens d'Église, des hommes de loi et des savants.

> Ce fu au tans qu'arbre florissent
> Fuellent boschage, pré verdissent
> Et cil oisel en lor. latin
> Doucement chantent au matin

« C'était au temps où les arbres fleurissent, où les bocages se couvrent de feuilles, où les prés verdissent,
Où les oiseaux en leur latin [= langage] Doucement chantent au matin » (langue d'oïl : Chrétien de Troyes, vers 1200).

IV. L'enrichissement du français : recours au latin et au grec.

Au cours du Moyen Âge et de la période qui a suivi (en particulier pendant la Renaissance), des traducteurs et des écrivains ont créé en grand nombre de nouveaux mots français en prenant, sans presque les changer, des mots **latins** (mais pas du latin populaire cette fois), et des mots **grecs**.

C'est ainsi qu'ont été formés, à partir du latin, des mots comme **sécurité, sculpteur, négation, fragile, sécurité, circuler, scientifique**, etc.

A partir du grec, ont été formés des mots tels que **démocratie, symétrie, enthousiasme, orchestre, omoplate, hémorragie**, etc.

Depuis cette époque, on a encore créé beaucoup de mots français en puisant dans le vocabulaire du latin et dans celui du grec, en particulier pour les besoins des sciences et des techniques (**locomotive, nucléaire, microscope, téléphone, photographie, aéronautique, kinésithérapie**, etc.).

La connaissance du latin et du grec peut aider à mieux comprendre des mots français ; cependant il y a souvent une grande différence entre le sens d'un mot latin ou grec et celui d'un mot français qui en provient. Il est surtout utile de connaître le sens général d'un certain nombre de **mots-racines** venant du latin et du grec et qui servent à former de très nombreux mots français. Tu en trouveras une liste, à la page 915.

V. Les apports des autres peuples.

Tout au long de leur histoire, les Gaulois, puis les Français ont eu des contacts avec d'autres peuples, c'est pourquoi des mots de nombreuses **autres langues** ont pénétré en français à l'occasion des invasions, des guerres, des échanges commerciaux (de la même façon d'ailleurs, bien des mots français sont passés dans d'autres langues).

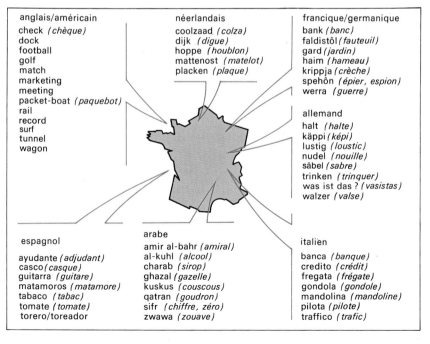

anglais/américain
check *(chèque)*
dock
football
golf
match
marketing
meeting
packet-boat *(paquebot)*
rail
record
surf
tunnel
wagon

néerlandais
coolzaad *(colza)*
dijk *(digue)*
hoppe *(houblon)*
mattenost *(matelot)*
placken *(plaque)*

francique/germanique
bank *(banc)*
faldistôl *(fauteuil)*
gard *(jardin)*
haim *(hameau)*
krippja *(crèche)*
spehôn *(épier, espion)*
werra *(guerre)*

allemand
halt *(halte)*
käppi *(képi)*
lustig *(loustic)*
nudel *(nouille)*
säbel *(sabre)*
trinken *(trinquer)*
was ist das ? *(vasistas)*
walzer *(valse)*

espagnol
ayudante *(adjudant)*
casco *(casque)*
guitarra *(guitare)*
matamoros *(matamore)*
tabaco *(tabac)*
tomate *(tomate)*
torero/toreador

arabe
amir al-bahr *(amiral)*
al-kuhl *(alcool)*
charab *(sirop)*
ghazal *(gazelle)*
kuskus *(couscous)*
qatran *(goudron)*
sifr *(chiffre, zéro)*
zwawa *(zouave)*

italien
banca *(banque)*
credito *(crédit)*
fregata *(frégate)*
gondola *(gondole)*
mandolina *(mandoline)*
pilota *(pilote)*
traffico *(trafic)*

La langue des peuples germaniques qui ont envahi la Gaule dans les premiers siècles de notre ère, nous a donné de nombreux mots tels que **hameau, jardin, crèche, banc, fauteuil, guerre, épier,** etc.

Par la suite, c'est par centaines ou par milliers qu'on peut compter les mots français venus de langues étrangères, comme l'italien (**soldat, frégate, gondole, crédit, banque, mandoline, pilote, trafic,** etc.), l'espagnol (**adjudant, casque, guitare, tomate, tabac, matamore, espadrille, toréador,** etc.), l'allemand (**sabre, képi, halte, trinquer, vasistas, valse, loustic, nouille,** etc.), le néerlandais (**digue, matelot, plaque, bouquin, colza,** etc.), l'arabe (**amiral, chiffre, zéro, alcool, sirop, couscous, gazelle, goudron, zouave,** etc.), le portugais, le turc, le persan, le russe, le suédois, le polonais, etc., et des langues d'Asie, d'Afrique, d'Amérique.

L'anglais a fourni un important stock de vocabulaire au français (**paquebot, redingote, dock, rail, wagon, tunnel, chèque, meeting, golf, record, match, football,** etc.).

C'est actuellement la langue à laquelle le français emprunte le plus de mots, à cause de la grande influence des États-Unis d'Amérique : quand une nouveauté apparaît, venant des U.S.A., la tendance naturelle est d'adopter son nom anglais au lieu de chercher un équivalent français, qui réussit pourtant parfois à s'imposer (ex. **planche à roulettes** au lieu de **skateboard**).

Les mots construits

Si on cherche **barbu** dans le dictionnaire, on trouve **barbu** → BARBE, car **barbu** est un mot dérivé construit avec BARBE et le suffixe **-u**.
Il y a plusieurs sortes de dérivés :

| **im** | + prudent | → | **im** prudent | | fleur | + **iste** | → | fleur **iste** |
| préfixe | mot de base | | dérivé | | mot de base | suffixe | | dérivé |

in + trouver + **able** → **in** trouv **able** ; simple + **ifier** + **able** → simpl **ifi able**

Les préfixes et les suffixes ont un sens :
le froid solid **ifie** l'eau = le froid **rend** l'eau solide

LES PRINCIPAUX SUFFIXES
à partir de verbes, on construit

des noms

le chant**eur**	celui qui	chante
l'élévat**eur**	l'appareil qui	élève
la vend**euse**	celle qui	vend
la calculat**rice**	la machine qui	calcule
l'arros**oir**	l'objet qui	arroser
l'écum**oire**	sert à	écumer

le stationn**ement**		stationner
le nettoy**age**	l'action de	nettoyer
l'expéd**ition**		expédier

des adjectifs

inclin**able**	qui peut	incliné
divis**ible**	être	divisé
effray**ant**		effraie
ennuy**eux**	qui	ennuie
explo**sif**		explose

des verbes diminutifs

| chant**onner** | chanter | un petit peu |
| mord**iller** | mordre | |

à partir d'adjectifs, on construit

des noms

la solid**ité**	la	solide
la minc**eur**	qualité	mince
la soupl**esse**	ou le	souple
l'exact**itude**	défaut	exact
la pati**ence**	de ce	patient
la bêt**ise**	qui est	bête
l'étourd**erie**		étourdi
la jalou**sie**		jaloux

des verbes

rou**gir**	rendre
(se) cal**mer**	ou
simpl**ifier**	deven...
insonor**iser**	

des adjectifs

aigr**elet**
pâl**ichon**
verd**âtre**

des adverbes : rapide**ment**, d'une manière rapide

à partir de noms, on c...

d'autres noms

un ou une garag**iste**	la pers...
un poisson**nier**, une poisson**nière**	qui a
un chirur**gien**, une chirur**gienne**	pour métier
un ou une disqu**aire**	ou occupation
un vigne**ron**	

extra...
archi...
ultra-c...
hyperse...
surdoué
sous-alime...

préfabriqué
rétroviseur =

| une philatéliste | une passionnée | de philatélie |
| une poissonnerie | un magasin où on vend | du poisson |

| un sucrier | contient | du sucre |
| une soupière | | de la soupe |

| une cuillerée | la quantité contenue dans | une cuiller |

| un poirier | un arbre qui produit | des poires |
| un oranger | | des oranges |

| une chênaie | un lieu planté de | chênes |

| une dizaine | environ | dix |

| le terrorisme | la doctrine | de ceux qui imposent leurs idées par la terreur |

des noms diminutifs

un chaton		chat
un oisillon	un petit	oiseau
un renardeau	ou une	renard
un jardinet	petite	jardin
une fillette		fille
une tartelette		tarte

des noms d'habitants

(amuse-toi à découvrir les suffixes dans le tableau des p. 406 et 407)

des adjectifs

une région polaire	du	pôle
le choc opératoire	de	l'opération
l'énergie atomique	de	l'atome
un air craintif	qui	exprime la crainte
un homme barbu		a une barbe
un ciel étoilé		a des étoiles
un décret ministériel		un décret du ministère
le couplet final		le couplet de la fin
un fruit véreux		un fruit avec un ver

des verbes

skier		du ski
économiser	faire	des économies
solidifier		que quelque chose devienne solide

LES PRÉFIXES

ncorrect		correct
normal	qui n'est pas	normal
n-violent		violent
heureux		heureux

fin		fin
onnu		connu
urt	extrêmement	court
nsible		sensible
		doué
nté	très mal	alimenté

hors-jeu	en dehors du jeu
intraveineux	à l'intérieur de la veine
extra-terrestre	à l'extérieur de la Terre
intercontinental	d'un continent à l'autre
transatlantique	qui traverse l'Atlantique
ex-ministre	qui n'est plus ministre
vice-présidente	qui remplace la présidente
copilote	qui est avec le pilote
antivol		le vol
contrepoison	contre	le poison
parapluie		la pluie

| = fabriqué avant |
| pour voir en arrière |

décollé, déshabillé = qui n'est plus collé, habillé
recollé, rhabillé = collé, habillé de nouveau

Quelques mots-racines grecs ou latins

On peut comprendre le sens de certains mots français inconnus, si on reconnaît dans ces mots des racines grecques ou latines qui ont servi à les former.

Si tu t'aides, par exemple, de la liste donnée ici, tu peux comprendre qu'une *cardiopathie*, en langage médical, c'est une maladie de cœur.

En te familiarisant avec ces racines, tu peux devenir vite capable de comprendre un grand nombre de mots, souvent savants.

Les éléments précédés d'un tiret (par exemple *-cide*) se trouvent seulement à la fin des mots : ce sont des **suffixes**. Tu trouveras, à leur place alphabétique dans le dictionnaire, de nombreux **préfixes**, comme *anti-*, *inter-*, etc.

élément	sens	exemple
aéro	air (puis aviation)	aéromodélisme
-algie	douleur	névralgie
anthrop	homme	philanthrope
aqu	eau	aquatique, aqueduc
arbor	arbre	arboriculteur
archie	le pouvoir	monarchie (pouvoir d'un seul)
-arque	qui a le pouvoir	monarque
bibl	livre	bibliothèque, bibliophile
cardi	cœur	cardiaque, cardiologie
carn	chair	carnivore, incarné
chrom	couleur	polychrome (de plusieurs couleurs)
chron	temps	chronomètre
-cide	meurtre ; qui tue	tyrannicide, insecticide
cosm	univers	cosmique, cosmonaute
-cratie	force, pouvoir	démocratie, bureaucratie
crypt	caché, secret	cryptographie (écriture secrète)
drom	course	hippodrome, vélodrome
dynam	force	dynamisme, aérodynamique (force de pénétration dans l'air)
-fère	qui porte, produit	mammifère, somnifère
-fique	qui produit	soporifique, maléfique
-fuge	qui fuit, ou qui chasse	transfuge, vermifuge
gastr	estomac	gastrique, gastro-intestinal
-gène	qui produit	fumigène, pathogène (qui provoque une maladie)
-gone	angle	polygone, hexagone
graph	écrire, enregistrer	graphique, photographie

élément	sens	exemple
hém(at)	sang	hémorragie, hématome
hipp	cheval	hippique
hydr	eau	hydravion
iatr	médecin, soigner	psychiatre
lith	pierre	monolithe, aérolithe (pierre qui tombe du ciel)
-logie	science	sociologie, rhumatologie
-logue	spécialiste	sociologue, rhumatologue
-mètre, métrie	mesure	thermomètre, voltmètre
neur, névr	nerf	neurologie, névrose
-oïde	qui est proche de	ellipsoïde, anthropoïde (singe proche de l'homme)
path	souffrance, émotion, maladie	pathologie, antipathie
phag	manger	anthropophage
phil	aimer, ami	philanthrope, francophile
phob	haïr, ennemi	phobie, xénophobe
phon	voix, parole, son	phonétique, francophone
photo	lumière	photographie, photo-électrique
psych	esprit	psychologie, psychiatre
scop	voir, examiner	télescope, radioscopie
-thèque	armoire, lieu de rangement	bibliothèque, discothèque
thérap	soigner	thérapeutique, chimiothérapie
therm	chaleur	thermique, thermomètre
-vore	qui mange	carnivore

La ponctuation

Quand on parle, on ne dit pas tous les mots à la file, sur le même ton. On s'arrête parfois, plus ou moins longtemps, et la voix change de hauteur. Quand on écrit, il est important de marquer ces arrêts et ces changements de ton par des signes : **les signes de ponctuation.**

. *Je partirai demain.*
   Aujourd'hui je reste ici.
   Le **point** indique la fin d'une phrase.
   Le ton de la voix s'abaisse.

? *Tu viens ?*
   Qu'est-ce que tu fais ?
   Le **point d'interrogation** s'emploie à la fin d'une phrase qui pose une question.
   Le ton de la voix monte.

! *Comme c'est bizarre !*
   J'en ai assez !
   Quelle chance !
   Le **point d'exclamation** s'emploie à la fin d'une phrase qui exprime la surprise, la colère, la joie, etc.

, *Dans dix jours,*
   c'est les vacances.
   La **virgule** indique un court arrêt.

; *Fais comme tu veux ;*
   après tout, ça ne me
   regarde pas.
   Le **point-virgule** indique une séparation entre les idées un peu plus marquée que la virgule.

: *Il faut rentrer :*
   il est tard.
   Les **deux points** annoncent un exemple ou une explication.

« » *On nous a dit :*
   « Soyez prudents. »
   Les deux points indiquent aussi qu'on va répéter ce que quelqu'un a dit. On emploie alors en même temps les **guillemets** avant et après ce qu'on répète.

( ) *Vous pouvez aussi*
   (c'est la solution la plus
   simple) aller à pied.
   Les **parenthèses** ajoutent une remarque à ce qui est dit.

— *Vous avez faim ?*
   — Pas encore.
   Le **tiret** indique, dans une conversation, que la phrase qui suit est dite par un autre.

   Vous pouvez — surtout
   si vous avez le temps
   — prendre la route
   touristique.
   Les tirets peuvent aussi servir à détacher des mots dans la phrase, à peu près comme les parenthèses.

... *Si j'avais su...*
   mais c'est trop tard.
   Cette absence me
   paraît...
   surprenante.
   Les **points de suspension** s'emploient quand une phrase n'est pas achevée, ou quand on marque un moment d'arrêt avant de prononcer quelque chose d'important.

Le pluriel des adjectifs et des noms

TERMINAISON	EXEMPLES	RÈGLE
-s	La rue est large → *Les rue**s** sont large**s***	En règle générale, on écrit un mot au pluriel en ajoutant un **s** au singulier.
-s, -x, -z	Ce prix est bas → *Ces prix sont bas*	Les mots terminés au singulier par **s, x, z** ne changent pas au pluriel.
-aux	Elle lit le journal → *Elle lit les journ**aux***	Les mots terminés par *-al* forment en général leur pluriel en *-**aux***.
-aux	Le veau est dans le pré → *Les ve**aux** sont dans le pré* L'étau est lourd → *Les ét**aux** sont lourds*	Les mots terminés par *-eau, -au* forment en général leur pluriel en *-**aux***.
-aux	Ce vitrail est vieux → *Ces vitr**aux** sont vieux*	*bail, corail, émail, soupirail, travail, vantail, vitrail* forment leur pluriel en *-**aux***.
-eux	Son neveu est là → *Ses nev**eux** sont là*	Les mots terminés par *-eu* forment en général leur pluriel en *-**eux***.
-oux	Ce caillou est lisse → *Ces caill**oux** sont lisses*	*bijou, caillou, chou, genou, hibou, joujou, pou* forment leur pluriel en *-**oux***.
-als -aus -ails -eus -ous	Le bal est bruyant → *Les bal**s** sont bruyants* Ce landau est ancien → *Ces landau**s** sont anciens* Le rail est brillant → *Les rail**s** sont brillants* Le pneu est crevé → *Les pneu**s** sont crevés* Il est fou → *Ils sont fou**s***	Certains mots en *-al, -au, -eu* et la plupart des mots en *-ail, -ou* suivent la règle générale du pluriel en *-**s***.

Le féminin des adjectifs et des noms

TERMINAISON	EXEMPLES	RÈGLE
-e	Ce clou est pointu → *Cette aiguille est pointue* Le jardin est grand → *La cour est grande* Le verre est plein → *La tasse est pleine* Mon cousin est là → *Ma cousine est là*	En règle générale, on écrit un mot au féminin en ajoutant un **-e** au masculin.
	Pierre est jeune → *Marie est jeune* Où est le concierge ? → *Où est la concierge ?*	Si le masculin se termine déjà par un *-e*, le mot ne change pas au féminin.
-ère	John est étranger → *Kristina est étrang**è**re* Le boucher est aimable → *La bouch**è**re est aimable*	Les mots terminés par *-er* forment leur féminin en **-ère**.
-tte -lle -nne	François est coquet → *Françoise est coque**tte*** Ce vin est naturel → *Cette boisson est nature**lle*** Daniel est gentil → *Danielle est genti**lle*** Le lion rugit → *La lio**nne** rugit* Le château est ancien → *La maison est ancie**nne***	Dans les mots terminés par *-et, -el, -on, -en*, on double au féminin la consonne finale.
-ète	L'accord est complet → *L'entente est compl**è**te*	*complet, discret, secret, inquiet* et quelques autres adjectifs forment leur féminin en **-ète**.
-elle -olle	Ce livre est beau → *Cette image est be**lle*** Le sol est mou → *La terre est mo**lle***	Les adjectifs terminés par *-eau, -ou,* forment leur féminin en **-elle, -olle**.
-euse -ouse	Jacques est sérieux → *Catherine est séri**euse*** André est jaloux → *Sophie est jal**ouse*** C'est un menteur → *C'est une ment**euse***	Les mots terminés par *-eux, -oux, -eur* forment leur féminin en **-euse, -ouse, -euse**.

Le féminin des adjectifs et des noms (suite)

TERMINAISON	EXEMPLES	RÈGLE
-eure	Ce plan est meilleur → *Cette solution est meilleure*	*antérieur, extérieur, inférieur, meilleur, supérieur* et quelques autres adjectifs forment leur féminin en -**eure**.
-trice	M. Dupont est directeur → *Mme Durand est directrice*	Quelques mots en -*teur* forment leur féminin en -**trice**.
-ve	Le combat a été vif → *La lutte a été vive*	Les adjectifs terminés par -*f,* forment leur féminin en -**ve**.
-sse	Ce calcul est faux → *Cette opération est fausse*	*bas, épais, faux, roux, las* forment leur féminin en -**sse**.
Féminins particuliers	blanc → *blanche* franc → *franche* frais → *fraîche* sec → *sèche* doux → *douce* long → *longue* favori → *favorite*	malin → *maligne* vieux → *vieille* pécheur → *pécheresse* maître → *maîtresse* traître → *traîtresse* grec → *grecque*

Les pronoms personnels

	SINGULIER	PLURIEL
première personne	je (j') me (m') moi	nous
deuxième personne	tu (t') te (t') toi	vous
troisième personne	il, elle le (l') lui se (s')	ils, elles les leur eux se (s')

Quelques difficultés orthographiques

Comment utiliser ce tableau ?
Exemple : pour savoir si le mot qui s'entend [A] s'écrit **a** ou **à**, tu compares la phrase que tu dois écrire avec — l'exemple n° 1 du tableau
                             — et l'exemple n° 2 du tableau.
Si ta phrase est construite de la même façon que dans l'exemple n° 1, tu écris **a**.
Si ta phrase est construite de la même façon que dans l'exemple n° 2, tu écris **à**.

[A] a à	• Jean **a** apporté son jeu. Marie **a** un pantalon neuf. **1** • Je vais **à** l'école. Je suis invité **à** manger une tarte **à** la crème. **2**
[LA] la là l'a	• J'aime **la** tarte aux pommes. **3** Puisque tu en as fait une, je **la** goûterai. **4** • Je ne connais pas ce garçon-**là**. La directrice n'est pas **là**. **5** • Où est le dessert ? Le chat **l'a** mangé. **6**
[u] ou où	• Mange une pomme **ou** une poire. Il viendra **ou** il téléphonera. **7** • **Où** passes-tu tes vacances ? **8** Le stade **où** je m'entraîne est près de chez moi. **9**
[E] et est	• Je bois du lait **et** je mange du pain **et** du chocolat. **10** • Sophie **est** étudiante. Pierre **est** à l'école. **11**
[ɔ̃] on ont on n'	• **On** frappe à la porte. **12** • Ici, **on n'**entend **pas** de bruit : **on n'**entend **que** les oiseaux. **13** • Tous les élèves **ont** vu le même film. **14**
[sɔ̃] son sont	• Nicole met **son** manteau. **15** • Mes amis **sont** partis ; ils **sont** à la campagne. **16**
[si] si s'y	• **Si** tu as peur des souris, n'approche pas de ce trou ! **17** • Tu vois ce trou ? une souris **s'y** cache (y = dans le trou). **18**
[sə] ce se	• Regarde **ce** beau chien ! **19** • Le chat **se** lèche pour faire sa toilette. **20**
[sE] ces ses c'est s'est sait	• Regarde **ces** montagnes couvertes de neige ! **21** • Julie a mis **ses** chaussures neuves. **22** • Regarde ce chien : **c'est** le caniche du voisin. **23** • Hier, mon frère **s'est** cassé la jambe. **24** • Léa **sait** nager. Philippe **sait** des poésies. **25**

[sEtE] c'était s'était	• Quelqu'un a sonné : **c'était** le facteur. 26 • Mais le facteur **s'était** trompé de porte. 27

[mA]

ma — m'a

• J'ai cassé **ma** montre. 28
• Pierre **m'a** apporté mon livre. 29

[tA]

ta — t'a

• Attache le lacet de **ta** chaussure. 30
• C'est Fabienne qui **t'a** emprunté ton livre. 31

[LE]

les — l'ai

• J'aime **les** films d'aventures. 32
• Monique cueille des framboises et elle **les** mange. 33
• Ce livre, je **l'ai** lu l'été dernier. 34

[nOtr]
et
[vOtr]

o — ô

• **Votre** classe est au rez-de-chaussée, 35
• la **nôtre** est au premier étage 36
• **Notre** classe est au premier étage, 37
• la **vôtre** est au rez-de-chaussée 38

[LŒr]

leur — leur(s)

• Luc parle à ses voisins : il **leur** raconte ses vacances. 39
• Les voisins et **leurs** enfants partent avec **leur** caravane. 40

[kEL]

quel(le) — qu'elle

• **Quel** mauvais temps ! **Quelle** belle fleur ! 41
• **Qu'elle** est belle, cette fleur ! 42
• Dis-moi **quel** jour nous sommes et **quelle** est la date. 43

[E]

é — er

• Éric **fait** manger son chien. Anne **vient** dîner chez nous. ⎫
• Éric **va** chercher du lait. Anne **entend** passer les voitures. ⎬ 44
• Il a trou**é** son pantalon. Il porte un pantalon trou**é**. 45

Accords des participes passés (le tableau de conjugaisons donne les différentes terminaisons des participes).

• Pierre **a** reçu une lettre. • Ils **ont** reçu une lettre. ⎫
• Claire **a** reçu une lettre. • Elles **ont** reçu une lettre. ⎬ 46

922

- Pierre est parti à l'école.
- Ils sont partis à l'école.

- Claire est partie à l'école.
- Elles sont parties à l'école.

47

- J'ai un crayon usé.
- J'ai des crayons usés.

- J'ai une gomme usée.
- J'ai des chaussures usées.

48

- J'ai donné un **bonbon** à Claire : elle l'a mangé.
- J'ai donné une **pomme** à Pierre : il l'a mangée.
- J'ai donné des **bonbons** à Claire : elle les a mangés.
- J'ai donné des **pommes** à Pierre : il les a mangées.

49

- Le bonbon que Claire a mangé était acidulé.

- Les bonbons que Claire a mangés étaient acidulés.

- La pomme que Pierre a mangée était sucrée.

- Les pommes que Pierre a mangées étaient sucrées.

50

Conjugaisons (auxiliaires et verbes réguliers)
Les temps simples

AVOIR

indicatif présent		subjonctif présent		ÊTRE	indicatif présent		subjonctif présent	
j'	ai	j'	aie		je	suis	je	sois
tu	as	tu	aies		tu	es	tu	sois
il	a	il	ait		il	est	il	soit
elle	a	elle	ait		elle	est	elle	soit
nous	avons	nous	ayons		nous	sommes	nous	soyons
vous	avez	vous	ayez		vous	êtes	vous	soyez
ils	ont	ils	aient		ils	sont	ils	soient
elles	ont	elles	aient		elles	sont	elles	soient
indicatif imparfait		**subjonctif imparfait**			**indicatif imparfait**		**subjonctif imparfait**	
j'	avais	j'	eusse		j'	étais	je	fusse
tu	avais	tu	eusses		tu	étais	tu	fusses
il	avait	il	eût		il	était	il	fût
elle	avait	elle	eût		elle	était	elle	fût
nous	avions	nous	eussions		nous	étions	nous	fussions
vous	aviez	vous	eussiez		vous	étiez	vous	fussiez
ils	avaient	ils	eussent		ils	étaient	ils	fussent
elles	avaient	elles	eussent		elles	étaient	elles	fussent
indicatif passé simple		**conditionnel présent**			**indicatif passé simple**		**conditionnel présent**	
j'	eus	j'	aurais		je	fus	je	serais
tu	eus	tu	aurais		tu	fus	tu	serais
il	eut	il	aurait		il	fut	il	serait
elle	eut	elle	aurait		elle	fut	elle	serait
nous	eûmes	nous	aurions		nous	fûmes	nous	serions
vous	eûtes	vous	auriez		vous	fûtes	vous	seriez
ils	eurent	ils	auraient		ils	furent	ils	seraient
elles	eurent	elles	auraient		elles	furent	elles	seraient
indicatif futur		**impératif présent**			**indicatif futur**		**impératif présent**	
j'	aurai		aie		je	serai		sois
tu	auras		ayons		tu	seras		soyons
il	aura		ayez		il	sera		soyez
elle	aura	**participe présent**			elle	sera	**participe présent**	
nous	aurons		ayant		nous	serons		étant
vous	aurez	**participe passé**			vous	serez	**participe passé**	
ils	auront		eu		ils	seront		été
elles	auront				elles	seront		

AIMER

indicatif présent		subjonctif présent		FINIR	indicatif présent		subjonctif présent	
j'	aime	j'	aime		je	finis	je	finisse
tu	aimes	tu	aimes		tu	finis	tu	finisses
il	aime	il	aime		il	finit	il	finisse
elle	aime	elle	aime		elle	finit	il	finisse
nous	aimons	nous	aimions		nous	finissons	nous	finissions
vous	aimez	vous	aimiez		vous	finissez	vous	finissiez
ils	aiment	ils	aiment		ils	finissent	ils	finissent
elles	aiment	elles	aiment		elles	finissent	elles	finissent
indicatif imparfait		**subjonctif imparfait**			**indicatif imparfait**		**subjonctif imparfait**	
j'	aimais	j'	aimasse		je	finissais	je	finisse
tu	aimais	tu	aimasses		tu	finissais	tu	finisses
il	aimait	il	aimât		il	finissait	il	finît
elle	aimait	elle	aimât		elle	finissait	elle	finît
nous	aimions	nous	aimassions		nous	finissions	nous	finissions
vous	aimiez	vous	aimassiez		vous	finissiez	vous	finissiez
ils	aimaient	ils	aimassent		ils	finissaient	ils	finissent
elles	aimaient	elles	aimassent		elles	finissaient	elles	finissent
indicatif passé simple		**conditionnel présent**			**indicatif passé simple**		**conditionnel présent**	
j'	aimai	j'	aimerais		je	finis	je	finirais
tu	aimas	tu	aimerais		tu	finis	tu	finirais
il	aima	il	aimerait		il	finit	il	finirait
elle	aima	elle	aimerait		elle	finit	elle	finirait
nous	aimâmes	nous	aimerions		nous	finîmes	nous	finirions
vous	aimâtes	vous	aimeriez		vous	finîtes	vous	finiriez
ils	aimèrent	ils	aimeraient		ils	finirent	ils	finiraient
elles	aimèrent	elles	aimeraient		elles	finirent	elles	finiraient
indicatif futur		**impératif présent**			**indicatif futur**		**impératif présent**	
j'	aimerai		aime		je	finirai		finis
tu	aimeras		aimons		tu	finiras		finissons
il	aimera		aimez		il	finira		finissez
elle	aimera	**participe présent**			elle	finira	**participe présent**	
nous	aimerons		aimant		nous	finirons		finissant
vous	aimerez	**participe passé**			vous	finirez	**participe passé**	
ils	aimeront		aimé		ils	finiront		fini
elles	aimeront				elles	finiront		

Les temps composés

AIMER

INDICATIF

passé composé
j'ai aimé
nous avons aimé

plus-que-parfait
j'avais aimé
nous avions aimé

passé antérieur
j'eus aimé
nous eûmes aimé

futur antérieur
j'aurai aimé
nous aurons aimé

SUBJONCTIF

passé
j'aie aimé
nous ayons aimé

plus-que-parfait
j'eusse aimé
nous eussions aimé

CONDITIONNEL passé
j'aurais aimé
nous aurions aimé

INFINITIF passé
avoir aimé

PARTICIPE passé
ayant aimé

PARTIR

INDICATIF

passé composé
je suis parti(e)
nous sommes parti(e)s

plus-que-parfait
j'étais parti(e)
nous étions parti(e)s

passé antérieur
je fus parti(e)
nous fûmes parti(e)s

futur antérieur
je serai parti(e)
nous serions parti(e)s

SUBJONCTIF

passé
je sois parti(e)
nous soyons parti(e)s

plus-que-parfait
je fusse parti(e)
nous fussions parti(e)s

CONDITIONNEL passé
je serais parti(e)
nous serions parti(e)s

INFINITIF passé
être parti(e)

PARTICIPE passé
étant parti(e)

Le passif

INDICATIF

présent
je suis aimé(e)

imparfait
j'étais aimé(e)

passé simple
je fus aimé(e)

futur
je serai aimé(e)

passé composé
j'ai été aimé(e)

plus-que-parfait
j'avais été aimé(e)

passé antérieur
j'eus été aimé(e)

futur antérieur
j'aurai été aimé(e)

SUBJONCTIF

présent
je sois aimé(e)

imparfait
je fusse aimé(e)

passé
j'aie été aimé(e)

plus-que-parfait
j'eusse été aimé(e)

CONDITIONNEL

présent
je serais aimé(e)

passé
j'aurais été aimé(e)

IMPÉRATIF

sois aimé(e)

INFINITIF

présent
être aimé(e)

passé
avoir été aimé(e)

PARTICIPE

présent
étant aimé(e)

passé
ayant été aimé(e)

Conjugaisons irrégulières

	1 placer	2 manger	3 nettoyer	4 payer
Ind. présent	je place	je mange	je nettoie	je paie ou paye
Ind. présent	tu places	tu manges	tu nettoies	tu paies ou payes
Ind. présent	il place	il mange	il nettoie	il paie ou paye
Ind. présent	elle place	elle mange	elle nettoie	elle paie ou paye
Ind. présent	nous plaçons	nous mangeons	nous nettoyons	nous payons
Ind. présent	ils placent	ils mangent	ils nettoient	ils paient ou payent
Ind. présent	elles placent	elles mangent	elles nettoient	elles paient ou payent
Ind. imparfait	je plaçais	je mangeais	je nettoyais	je payais
Ind. p. simple	je plaçai	je mangeai	je nettoyai	je payai
Ind. futur	je placerai	je mangerai	je nettoierai	je paierai ou payerai
Cond. présent	je placerais	je mangerais	je nettoierais	je paierais ou payerais
Subj. présent	je place	je mange	je nettoie	je paie ou paye
Subj. présent	il place	il mange	il nettoie	il paie ou paye
Subj. présent	elle place	elle mange	elle nettoie	elle paie ou paye
Subj. présent	nous placions	nous mangions	nous nettoyions	nous payions
Subj. présent	ils placent	ils mangent	ils nettoient	ils paient
Subj. présent	elles placent	elles mangent	elles nettoient	elles paient
Subj. imparfait	il plaçât	il mangeât	il nettoyât	il payât
Subj. imparfait	elle plaçât	elle mangeât	elle nettoyât	elle payât
Impératif	place	mange	nettoie	paye ou paie
	plaçons	mangeons	nettoyons	payons
Participes	plaçant, placé	mangeant, mangé	nettoyant, nettoyé	payant, payé

	5 peler	6 appeler	7 acheter	8 jeter
Ind. présent	je pèle	j'appelle	j'achète	je jette
Ind. présent	tu pèles	tu appelles	tu achètes	tu jettes
Ind. présent	il pèle	il appelle	il achète	il jette
Ind. présent	elle pèle	elle appelle	elle achète	elle jette
Ind. présent	nous pelons	nous appelons	nous achetons	nous jetons
Ind. présent	ils pèlent	ils appellent	ils achètent	ils jettent
Ind. présent	elles pèlent	elles appellent	elles achètent	elles jettent
Ind. imparfait	je pelais	j'appelais	j'achetais	je jetais
Ind. p. simple	je pelai	j'appelai	j'achetai	je jetai
Ind. futur	je pèlerai	j'appellerai	j'achèterai	je jetterai
Cond. présent	je pèlerais	j'appellerais	j'achèterais	je jetterais
Subj. présent	je pèle	j'appelle	j'achète	je jette
Subj. présent	il pèle	il appelle	il achète	il jette
Subj. présent	elle pèle	elle appelle	elle achète	elle jette
Subj. présent	nous pelions	nous appelions	nous achetions	nous jetions
Subj. présent	ils pèlent	ils appellent	ils achètent	ils jettent
Subj. présent	elles pèlent	elles appellent	elles achètent	elles jettent
Subj. imparfait	il pelât	il appelât	il achetât	il jetât
Subj. imparfait	elle pelât	elle appelât	elle achetât	elle jetât
Impératif	pèle	appelle	achète	jette
	pelons	appelons	achetons	jetons
Participes	pelant, pelé	appelant, appelé	achetant, acheté	jetant, jeté

	9 semer	10 révéler	11 envoyer	12 aller
Ind. présent	je sème	je révèle	j'envoie	je vais
Ind. présent	tu sèmes	tu révèles	tu envoies	tu vas
Ind. présent	il sème	il révèle	il envoie	il va
Ind. présent	elle sème	elle révèle	elle envoie	elle va
Ind. présent	nous semons	nous révélons	nous envoyons	nous allons
Ind. présent	ils sèment	ils révèlent	ils envoient	ils vont
Ind. présent	elles sèment	elles révèlent	elles envoient	elles vont
Ind. imparfait	je semais	je révélais	j'envoyais	j'allais
Ind. p. simple	je semai	je révélai	j'envoyai	j'allai
Ind. futur	je sèmerai	je révélerai	j'enverrai	j'irai
Cond. présent	je sèmerais	je révélerais	j'enverrais	j'irais
Subj. présent	je sème	je révèle	j'envoie	j'aille
Subj. présent	il sème	il révèle	il envoie	il aille
Subj. présent	elle sème	elle révèle	elle envoie	elle aille
Subj. présent	nous semions	nous révélions	nous envoyions	nous allions
Subj. présent	ils sèment	ils révèlent	ils envoient	ils aillent
Subj. présent	elles sèment	elles révèlent	elles envoient	elles aillent
Subj. imparfait	il semât	il révélât	il envoyât	il allât
Subj. imparfait	elle semât	elle révélât	elle envoyât	elle allât
Impératif	sème	révèle	envoie	va
	semons	révélons	envoyons	allons
Participes	semant, semé	révélant, révélé	envoyant, envoyé	allant, allé

	13 haïr	14 fleurir	15 bénir	16 ouvrir
Ind. présent	je hais		je bénis	j'ouvre
Ind. présent	tu hais		tu bénis	tu ouvres
Ind. présent	il hait		il bénit	il ouvre
Ind. présent	elle hait		elle bénit	elle ouvre
Ind. présent	nous haïssons		nous bénissons	nous ouvrons
Ind. présent	ils haïssent		ils bénissent	ils ouvrent
Ind. présent	elles haïssent	Le verbe [flœrir]	elles bénissent	elles ouvrent
Ind. imparfait	je haïssais	est régulier sur	je bénissais	j'ouvrais
Ind. p. simple	je haïs	*finir*, la forme	je bénis	j'ouvris
Ind. futur	je haïrai	[flor-] n'existe	je bénirai	j'ouvrirai
Cond. présent	je haïrais	au sens fig.	je bénirais	j'ouvrirais
Subj. présent	je haïsse	pour *florissant*,	je bénisse	j'ouvre
Subj. présent	il haïsse	il *florissait*	il bénisse	il ouvre
Subj. présent	elle haïsse		elle bénisse	elle ouvre
Subj. présent	nous haïssions		nous bénissions	nous ouvrions
Subj. présent	ils haïssent		ils bénissent	ils ouvrent
Subj. présent	elles haïssent		elles bénissent	elles ouvrent
Subj. imparfait	il haït		il bénît	il ouvrît
Subj. imparfait	elle haït		elle bénît	elle ouvrît
Impératif	hais		bénis	ouvre
	haïssons		bénissons	ouvrons
Participes	haïssant, haï		bénissant, béni	ouvrant, ouvert

	17 fuir	18 dormir	19 mentir	20 servir
Ind. présent	je fuis	je dors	je mens	je sers
Ind. présent	tu fuis	tu dors	tu mens	tu sers
Ind. présent	il fuit	il dort	il ment	il sert
Ind. présent	elle fuit	elle dort	elle ment	elle sert
Ind. présent	nous fuyons	nous dormons	nous mentons	nous servons
Ind. présent	ils fuient	ils dorment	ils mentent	ils servent
Ind. présent	elles fuient	elles dorment	elles mentent	elles servent
Ind. imparfait	je fuyais	je dormais	je mentais	je servais
Ind. p. simple	je fuis	je dormis	je mentis	je servis
Ind. futur	je fuirai	je dormirai	je mentirai	je servirai
Cond. présent	je fuirais	je dormirais	je mentirais	je servirais
Subj. présent	je fuie	je dorme	je mente	je serve
Subj. présent	il fuie	il dorme	il mente	il serve
Subj. présent	elle fuie	elle dorme	elle mente	elle serve
Subj. présent	nous fuyions	nous dormions	nous mentions	nous servions
Subj. présent	ils fuient	ils dorment	ils mentent	ils servent
Subj. présent	elles fuient	elles dorment	elles mentent	elles servent
Subj. imparfait	il fuît	il dormît	il mentît	il servît
Subj. imparfait	elle fuît	elle dormît	elle mentît	elle servît
Impératif	fuis	dors	mens	sers
	fuyons	dormons	mentons	servons
Participes	fuyant, fui	dormant, dormi	mentant, menti	servant, servi

	21 acquérir	22 tenir	23 assaillir	24 cueillir
Ind. présent	j'acquiers	je tiens	j'assaille	je cueille
Ind. présent	tu acquiers	tu tiens	tu assailles	tu cueilles
Ind. présent	il acquiert	il tient	il assaille	il cueille
Ind. présent	elle acquiert	elle tient	elle assaille	elle cueille
Ind. présent	nous acquérons	nous tenons	nous assaillons	nous cueillons
Ind. présent	ils acquièrent	ils tiennent	ils assaillent	ils cueillent
Ind. présent	elles acquièrent	elles tiennent	elles assaillent	elles cueillent
Ind. imparfait	j'acquérais	je tenais	j'assaillais	je cueillais
Ind. p. simple	j'acquis	je tins	j'assaillis	je cueillis
		nous tînmes		
Ind. futur	j'acquerrai	je tiendrai	j'assaillirai	je cueillerai
Cond. présent	j'acquerrais	je tiendrais	j'assaillirais	je cueillerais
Subj. présent	j'acquière	je tienne	j'assaille	je cueille
Subj. présent	il acquière	il tienne	il assaille	il cueille
Subj. présent	elle acquière	elle tienne	elle assaille	elle cueille
Subj. présent	nous acquérions	nous tenions	nous assaillions	nous cueillions
Subj. présent	ils acquièrent	ils tiennent	ils assaillent	ils cueillent
Subj. présent	elles acquièrent	elles tiennent	elles assaillent	elles cueillent
Subj. imparfait	il acquît	il tînt	il assaillît	il cueillît
Subj. imparfait	elle acquît	elle tînt	elle assaillît	elle cueillît
Impératif	acquiers	tiens	assaille	cueille
	acquérons	tenons	assaillons	cueillons
Participes	acquérant, acquis	tenant, tenu	assaillant, assailli	cueillant, cueilli

	25 mourir	26 partir	27 vêtir	28 sortir
Ind. présent	je meurs	je pars	je vêts	je sors
Ind. présent	tu meurs	tu pars	tu vêts	tu sors
Ind. présent	il meurt	il part	il vêt	il sort
Ind. présent	elle meurt	elle part	elle vêt	elle sort
Ind. présent	nous mourons	nous partons	nous vêtons	nous sortons
Ind. présent	ils meurent	ils partent	ils vêtent	ils sortent
Ind. présent	elles meurent	elles partent	elles vêtent	elles sortent
Ind. imparfait	je mourais	je partais	je vêtais	je sortais
Ind. p. simple	je mourus	je partis	je vêtis	je sortis
Ind. futur	je mourrai	je partirai	je vêtirai	je sortirai
Cond. présent	je mourrais	je partirais	je vêtirais	je sortirais
Subj. présent	je meure	je parte	je vête	je sorte
Subj. présent	il meure	il parte	il vête	il sorte
Subj. présent	elle meure	elle parte	elle vête	elle sorte
Subj. présent	nous mourions	nous partions	nous vêtions	nous sortions
Subj. présent	ils meurent	ils partent	ils vêtent	ils sortent
Subj. présent	elles meurent	elles partent	elles vêtent	elles sortent
Subj. imparfait	il mourût	il partît	il vêtît	il sortît
Subj. imparfait	elle mourût	elle partît	elle vêtît	elle sortît
Impératif	meurs	pars	vêts	sors
	mourons	partons	vêtons	sortons
Participes	mourant, mort	partant, parti	vêtant, vêtu	sortant, sorti

	29 courir	30 faillir	31 bouillir	32 gésir
Ind. présent	je cours	*inusité*	je bous	je gis
Ind. présent	tu cours	*inusité*	tu bous	tu gis
Ind. présent	il court	*inusité*	il bout	il gît
Ind. présent	elle court	*inusité*	elle bout	elle gît
Ind. présent	nous courons	*inusité*	nous bouillons	nous gisons
Ind. présent	ils courent	*inusité*	ils bouillent	ils gisent
Ind. présent	elles courent	*inusité*	elles bouillent	elles gisent
Ind. imparfait	je courais	*inusité*	je bouillais	je gisais
Ind. p. simple	je courus	je faillis	je bouillis	*inusité*
Ind. futur	je courrai	je faillirai	je bouillirai	*inusité*
Cond. présent	je courrais	je faillirais	je bouillirais	*inusité*
Subj. présent	je coure	*inusité*	je bouille	*inusité*
Subj. présent	il coure	*inusité*	il bouille	*inusité*
Subj. présent	elle coure	*inusité*	elle bouille	*inusité*
Subj. présent	nous courions	*inusité*	nous bouillions	*inusité*
Subj. présent	ils courent	*inusité*	ils bouillent	*inusité*
Subj. présent	elles courent	*inusité*	elles bouillent	*inusité*
Subj. imparfait	il courût	*inusité*	*inusité*	*inusité*
Subj. imparfait	elle courût	*inusité*	*inusité*	*inusité*
Impératif	cours	*inusité*	bous	*inusité*
	courons		bouillons	
Participes	courant, couru	*inusité*, failli	*inusité*, bouilli	gisant, *inusité*

	33 saillir	34 recevoir	35 devoir	36 mouvoir
Ind. présent	*inusité*	je reçois	je dois	je meus
Ind. présent	*inusité*	tu reçois	tu dois	tu meus
Ind. présent	il saille	il reçoit	il doit	il meut
Ind. présent	elle saille	elle reçoit	elle doit	elle meut
Ind. présent	*inusité*	nous recevons	nous devons	nous mouvons
Ind. présent	*inusité*	ils reçoivent	ils doivent	ils meuvent
Ind. présent	*inusité*	elles reçoivent	elles doivent	elles meuvent
Ind. imparfait	il saillait	je recevais	je devais	je mouvais
	elle saillait			
Ind. p. simple	*inusité*	je reçus	je dus	je mus
Ind. futur	il saillera	je recevrai	je devrai	je mouvrai
	elle saillera			
Cond. présent	il saillerait	je recevrais	je devrais	je mouvrais
	elle saillerait			
Subj. présent	*inusité*	je reçoive	je doive	je meuve
Subj. présent	il saille	il reçoive	il doive	il meuve
Subj. présent	elle saille	elle reçoive	elle doive	elle meuve
Subj. présent	*inusité*	nous recevions	nous devions	nous mouvions
Subj. présent	*inusité*	ils reçoivent	ils doivent	ils meuvent
Subj. présent	*inusité*	elles reçoivent	elles doivent	elles meuvent
Subj. imparfait	*inusité*	il reçût	il dût	il mût
Subj. imparfait	*inusité*	elle reçût	elle dût	elle mût
Impératif	*inusité*	reçois	dois	meus
	inusité	recevons	devons	mouvons
Participes	saillant, sailli	recevant, reçu	devant, dû, due	mouvant, mû, mue

	37	38	39	40
	vouloir	**pouvoir**	**savoir**	**valoir** *
Ind. présent	je veux	je peux	je sais	je vaux
Ind. présent	tu veux	tu peux	tu sais	tu vaux
Ind. présent	il veut	il peut	il sait	il vaut
Ind. présent	elle veut	elle peut	elle sait	elle vaut
Ind. présent	nous voulons	nous pouvons	nous savons	nous valons
Ind. présent	ils veulent	ils peuvent	ils savent	ils valent
Ind. présent	elles veulent	elles peuvent	elles savent	elles valent
Ind. imparfait	je voulais	je pouvais	je savais	je valais
Ind. p. simple	je voulus	je pus	je sus	je valus
Ind. futur	je voudrai	je pourrai	je saurai	je vaudrai
Cond. présent	je voudrais	je pourrais	je saurais	je vaudrais
Subj. présent	je veuille	je puisse	je sache	je vaille
Subj. présent	il veuille	il puisse	il sache	il vaille
Subj. présent	elle veuille	elle puisse	elle sache	elle vaille
Subj. présent	nous voulions	nous puissions	nous sachions	nous valions
Subj. présent	ils veuillent	ils puissent	ils sachent	ils vaillent
Subj. présent	elles veuillent	elles puissent	elles sachent	elles vaillent
Subj. imparfait	il voulût	il pût	il sût	il valût
Subj. imparfait	elle voulût	elle pût	elle sût	elle valût
Impératif	veuille	*inusité*	sache	*inusité*
	veuillons	*inusité*	sachons	*inusité*
Participes	voulant, voulu	pouvant, pu	sachant, su	valant, valu

* *prévaloir* fait au subj. prés. *prévale*

	41	42	43	44
	voir	**prévoir**	**pourvoir**	**asseoir**
Ind. présent	je vois	je prévois	je pourvois	j'assieds/j'assois
Ind. présent	tu vois	tu prévois	tu pourvois	tu assieds/tu assois
Ind. présent	il voit	il prévoit	il pourvoit	il assied/il assoit
Ind. présent	elle voit	elle prévoit	elle pourvoit	elle assied/elle assoit
Ind. présent	nous voyons	nous prévoyons	nous pourvoyons	nous asseyons
				nous assoyons
Ind. présent	vous voyez	vous prévoyez	vous pourvoyez	vous asseyez
				vous assoyez
Ind. présent	ils voient	ils prévoient	ils pourvoient	ils asseyent/assoient
Ind. présent	elles voient	elles prévoient	elles pourvoient	elles asseyent/assoient
Ind. imparfait	je voyais	je prévoyais	je pourvoyais	j'asseyais/j'assoyais
Ind. p. simple	je vis	je prévis	je pourvus	j'assis
Ind. futur	je verrai	je prévoirai	je pourvoirai	j'assiérai/j'assoirai
Cond. présent	je verrais	je prévoirais	je pourvoirais	j'assiérais/j'assoirais
Subj. présent	je voie	je prévoie	je pourvoie	j'asseye/j'assoie
Subj. présent	nous voyions	nous prévoyions	nous pourvoyions	nous asseyions/assoyions
Subj. présent	ils voient	ils prévoient	ils pourvoient	ils asseyent
				ils assoient
Subj. présent	elles voient	elles prévoient	elles pourvoient	elles asseyent
				elles assoient
Subj. imparfait	il vît	il prévît	il pourvût	il assît
Subj. imparfait	elle vît	elle prévît	elle pourvût	elle assît
Impératif	vois	prévois	pourvois	assieds, asseyons
	voyons	prévoyons	pourvoyons	assois, assoyons
Participes	voyant, vu	prévoyant, prévu	pourvoyant, pourvu	asseyant, assis
				assoyant, assis

	45	46	47	48
	surseoir	**seoir**	**pleuvoir**	**falloir**
Ind. présent	je sursois	*inusité*	*inusité*	*inusité*
Ind. présent	tu sursois	*inusité*	*inusité*	*inusité*
Ind. présent	il sursoit	il sied	il pleut	il faut
Ind. présent	elle sursoit	elle sied	*inusité*	*inusité*
Ind. présent	nous sursoyons	*inusité*	*inusité*	*inusité*
Ind. présent	vous sursoyez	*inusité*	*inusité*	*inusité*
Ind. présent	ils sursoient	*inusité*	*inusité*	*inusité*
Ind. présent	elles sursoient	*inusité*	*inusité*	*inusité*
Ind. imparfait	je sursoyais	il seyait	il pleuvait	il fallait
Ind. imparfait		elle seyait		*inusité*
Ind. p. simple	je sursis	*inusité*	il plut	il fallut
Ind. futur	je surseoirai	il siéra	il pleuvra	il faudra
Cond. présent	je surseoirais	il siérait	il pleuvrait	il faudrait
Subj. présent	je sursoie	*inusité*	il pleuve	il faille
Subj. présent	nous sursoyions	il siée	*inusité*	*inusité*
Subj. présent	ils sursoient	*inusité*	*inusité*	*inusité*
Subj. imparfait	il sursît	*inusité*	il plût	il fallût
Impératif	sursois	*inusité*	*inusité*	*inusité*
	sursoyons	*inusité*	*inusité*	*inusité*
Participes	sursoyant, sursis	seyant, sis	pleuvant, plu	*inusité*, fallu

	49 **déchoir**	**50** **tendre**	**51** **fondre**	**52** **mordre**
Ind. présent	je déchois	je tends	je fonds	je mords
Ind. présent	tu déchois	tu tends	tu fonds	tu mords
Ind. présent	il déchoit	il tend	il fond	il mord
Ind. présent	elle déchoit	elle tend	elle fond	elle mord
Ind. présent	nous déchoyons	nous tendons	nous fondons	nous mordons
Ind. présent	ils déchoient	ils tendent	ils fondent	ils mordent
Ind. présent	elles déchoient	elles tendent	elles fondent	elles mordent
Ind. imparfait	*inusité*	je tendais	je fondais	je mordais
Ind. p. simple	je déchus	je tendis	je fondis	je mordis
Ind. futur	je déchoirai	je tendrai	je fondrai	je mordrai
Cond. présent	je déchoirais	je tendrais	je fondrais	je mordrais
Subj. présent	je déchoie	je tende	je fonde	je morde
Subj. présent	il déchoie elle déchoie	nous tendions	nous fondions	nous mordions
Subj. présent	ils déchoient	ils tendent	ils fondent	ils mordent
Subj. présent	elles déchoient	elles tendent	elles fondent	elles mordent
Subj. imparfait	il déchût	il tendît	il fondît	il mordît
Subj. imparfait	elle déchût	elle tendît	elle fondît	elle mordît
Impératif	*inusité*	tends	fonds	mords
	inusité	tendons	fondons	mordons
Participes	*inusité*, déchu	tendant, tendu	fondant, fondu	mordant, mordu

	53 **rompre**	**54** **prendre**	**55** **craindre**	**56** **battre**
Ind. présent	je romps	je prends	je crains	je bats
Ind. présent	tu romps	tu prends	tu crains	tu bats
Ind. présent	il rompt	il prend	il craint	il bat
Ind. présent	elle rompt	elle prend	elle craint	elle bat
Ind. présent	nous rompons	nous prenons	nous craignons	nous battons
Ind. présent	vous rompez	vous prenez	vous craignez	vous battez
Ind. présent	ils rompent	ils prennent	ils craignent	ils battent
Ind. présent	elles rompent	elles prennent	elles craignent	elles battent
Ind. imparfait	je rompais	je prenais	je craignais	je battais
Ind. p. simple	je rompis	je pris	je craignis	je battis
Ind. futur	je romprai	je prendrai	je craindrai	je battrai
Cond. présent	je romprais	je prendrais	je craindrais	je battrais
Subj. présent	je rompe	je prenne	je craigne	je batte
Subj. présent	nous rompions	nous prenions	nous craignions	nous battions
Subj. présent	ils rompent	ils prennent	ils craignent	ils battent
Subj. présent	elles rompent	elles prennent	elles craignent	elles battent
Subj. imparfait	il rompît	il prît	il craignît	il battît
Subj. imparfait	elle rompît	elle prît	elle craignît	elle battît
Impératif	romps	prends	crains	bats
	rompons	prenons	craignons	battons
Participes	rompant, rompu	prenant, pris	craignant, craint	battant, battu

	57 **mettre**	**58** **moudre**	**59** **coudre**	**60** **absoudre**
Ind. présent	je mets	je mouds	je couds	j'absous
Ind. présent	tu mets	tu mouds	tu couds	tu absous
Ind. présent	il met	il moud	il coud	il absout
Ind. présent	elle met	elle moud	elle coud	elle absout
Ind. présent	nous mettons	nous moulons	nous cousons	nous absolvons
Ind. présent	ils mettent	ils moulent	ils cousent	ils absolvent
Ind. présent	elles mettent	elles moulent	elles cousent	elles absolvent
Ind. imparfait	je mettais	je moulais	je cousais	j'absolvais
Ind. p. simple	je mis	je moulus	je cousis	j'absolus
Ind. futur	je mettrai	je moudrai	je coudrai	j'absoudrai
Cond. présent	je mettrais	je moudrais	je coudrais	j'absoudrais
Subj. présent	je mette	je moule	je couse	j'absolve
Subj. présent	nous mettions	nous moulions	nous cousions	nous absolvions
Subj. présent	ils mettent	ils moulent	ils cousent	ils absolvent
Subj. présent	elles mettent	elles moulent	elles cousent	elles absolvent
Subj. imparfait	il mît	il moulût	il cousît	il absolût
Subj. imparfait	elle mît	elle moulût	elle cousît	elle absolût
Impératif	mets	mouds	couds	absous
	mettons	moulons	cousons	absolvons
Participes	mettant, mis	moulant, moulu	cousant, cousu	absolvant, absous, absoute

	61 **résoudre**	**62** **suivre**	**63** **vivre**	**64** **paraître**
Ind. présent	je résous	je suis	je vis	je parais
Ind. présent	tu résous	tu suis	tu vis	tu parais
Ind. présent	il résout	il suit	il vit	il paraît
Ind. présent	elle résout	elle suit	elle vit	elle paraît
Ind. présent	nous résolvons	nous suivons	nous vivons	nous paraissons
Ind. présent	ils résolvent	ils suivent	ils vivent	ils paraissent
Ind. présent	elles résolvent	elles suivent	elles vivent	elles paraissent
Ind. imparfait	je résolvais	je suivais	je vivais	je paraissais
Ind. p. simple	je résolus	je suivis	je vécus	je parus
Ind. futur	je résoudrai	je suivrai	je vivrai	je paraîtrai
Cond. présent	je résoudrais	je suivrais	je vivrais	je paraîtrais
Subj. présent	je résolve	je suive	je vive	je paraisse
Subj. présent	nous résolvions	nous suivions	nous vivions	nous paraissions
Subj. présent	ils résolvent	ils suivent	ils vivent	ils paraissent
Subj. présent	elles résolvent	elles suivent	elles vivent	elles paraissent
Subj. imparfait	il résolût	il suivît	il vécût	il parût
Subj. imparfait	elle résolût	elle suivît	elle vécût	elle parût
Impératif	résous	suis	vis	parais
	résolvons	suivons	vivons	paraissons
Participes	résolvant, résolu	suivant, suivi	vivant, vécu	paraissant, paru

	65 **naître**	**66** **croître**	**67** **rire**	**68** **conclure***
Ind. présent	je nais	je croîs	je ris	je conclus
Ind. présent	tu nais	tu croîs	tu ris	tu conclus
Ind. présent	il naît	il croît	il rit	il conclut
Ind. présent	elle naît	elle croît	elle rit	elle conclut
Ind. présent	nous naissons	nous croissons	nous rions	nous concluons
Ind. présent	ils naissent	ils croissent	ils rient	ils concluent
Ind. présent	elles naissent	elles croissent	elles rient	elles concluent
Ind. imparfait	je naissais	je croissais	je riais	je concluais
Ind. p. simple	je naquis	je crûs	je ris	je conclus
Ind. futur	je naîtrai	je croîtrai	je rirai	je conclurai
Cond. présent	je naîtrais	je croîtrais	je rirais	je conclurais
Subj. présent	je naisse	je croisse	je rie	je conclue
Subj. présent	nous naissions	nous croissions	nous riions	nous concluions
Subj. présent	ils naissent	ils croissent	ils rient	ils concluent
Subj. présent	elles naissent	elles croissent	elles rient	elles concluent
Subj. imparfait	il naquît	il crût	il rît	il conclût
Subj. imparfait	elle naquît	elle crût	elle rît	elle conclût
Impératif	nais	croîs	ris	conclus
	naissons	croissons	rions	concluons
Participes	naissant, né	croissant, crû, crue	riant, ri	concluant, conclu

* et *exclure, inclure,* sauf *inclus, incluse* (part. passé)

	69 **nuire**	**70** **conduire**	**71** **écrire**	**72** **suffire**
Ind. présent	je nuis	je conduis	j'écris	je suffis
Ind. présent	tu nuis	tu conduis	tu écris	tu suffis
Ind. présent	il nuit	il conduit	il écrit	il suffit
Ind. présent	elle nuit	elle conduit	elle écrit	elle suffit
Ind. présent	nous nuisons	nous conduisons	nous écrivons	nous suffisons
Ind. présent	ils nuisent	ils conduisent	ils écrivent	ils suffisent
Ind. présent	elles nuisent	elles conduisent	elles écrivent	elles suffisent
Ind. imparfait	je nuisais	je conduisais	j'écrivais	je suffisais
Ind. p. simple	je nuisis	je conduisis	j'écrivis	je suffis
Ind. futur	je nuirai	je conduirai	j'écrirai	je suffirai
Cond. présent	je nuirais	je conduirais	j'écrirais	je suffirais
Subj. présent	je nuise	je conduise	j'écrive	je suffise
Subj. présent	nous nuisions	nous conduisions	nous écrivions	nous suffisions
Subj. présent	ils nuisent	ils conduisent	ils écrivent	ils suffisent
Subj. présent	elles nuisent	elles conduisent	elles écrivent	elles suffisent
Subj. imparfait	il nuisît	il conduisît	il écrivît	il suffît
Subj. imparfait	elle nuisît	elle conduisît	elle écrivît	elle suffît
Impératif	nuis	conduis	écris	suffis
	nuisons	conduisons	écrivons	suffisons
Participes	nuisant, nui	conduisant, conduit	écrivant, écrit	suffisant, suffi

	73 **lire**	**74** **croire**	**75** **boire**	**76** **faire**
Ind. présent	je lis	je crois	je bois	je fais
Ind. présent	tu lis	tu crois	tu bois	tu fais
Ind. présent	il lit	il croit	il boit	il fait
Ind. présent	elle lit	elle croit	elle boit	elle fait
Ind. présent	nous lisons	nous croyons	nous buvons	nous faisons
Ind. présent	ils lisent	ils croient	ils boivent	ils font
Ind. présent	elles lisent	elles croient	elles boivent	elles font
Ind. imparfait	je lisais	je croyais	je buvais	je faisais
Ind. p. simple	je lus	je crus	je bus	je fis
Ind. futur	je lirai	je croirai	je boirai	je ferai
Cond. présent	je lirais	je croirais	je boirais	je ferais
Subj. présent	je lise	je croie	je boive	je fasse
Subj. présent	nous lisions	nous croyions	nous buvions	nous fassions
Subj. présent	ils lisent	ils croient	ils boivent	ils fassent
Subj. présent	elles lisent	elles croient	elles boivent	elles fassent
Subj. imparfait	il lût	il crût	il bût	il fît
Subj. imparfait	elle lût	elle crût	elle bût	elle fît
Impératif	lis	crois	bois	fais
	lisons	croyons	buvons	faisons
Participes	lisant, lu	croyant, cru	buvant, bu	faisant, fait

	77 **plaire**	**78** **taire**	**79** **extraire**	**80** **repaître**
Ind. présent	je plais	je tais	j'extrais	je repais
Ind. présent	tu plais	tu tais	tu extrais	tu repais
Ind. présent	il plaît	il tait	il extrait	il repaît
Ind. présent	elle plaît	elle tait	elle extrait	elle repaît
Ind. présent	nous plaisons	nous taisons	nous extrayons	nous repaissons
Ind. présent	ils plaisent	ils taisent	ils extraient	ils repaissent
Ind. présent	elles plaisent	elles taisent	elles extraient	elles repaissent
Ind. imparfait	je plaisais	je taisais	j'extrayais	je repaissais
Ind. p. simple	je plus	je tus	*inusité*	je repus
Ind. futur	je plairai	je tairai	j'extrairai	je repaîtrai
Cond. présent	je plairais	je tairais	j'extrairais	je repaîtrais
Subj. présent	je plaise	je taise	j'extraie	je repaisse
Subj. présent	nous plaisions	nous taisions	nous extrayions	nous repaissions
Subj. présent	ils plaisent	ils taisent	ils extraient	ils repaissent
Subj. présent	elles plaisent	elles taisent	elles extraient	elles repaissent
Subj. imparfait	il plût	il tût	*inusité*	il repût
Subj. imparfait	elle plût	elle tût	*inusité*	elle repût
Impératif	plais	tais	extrais	repais
	plaisons	taisons	extrayons	repaissons
Participes	plaisant, plu	taisant, tu	extrayant, extrait	repaissant, repu

	81 **clore**	**82** **oindre**	**83** **frire**	**84** **sourdre**	**85** **vaincre**
Ind. présent	je clos	j'oins	je fris	*inusité*	je vaincs
Ind. présent	tu clos	tu oins	tu fris	*inusité*	tu vaincs
Ind. présent	il clôt	il oint	il frit	il sourd	il vainc
Ind. présent	elle clôt	elle oint	elle frit	elle sourd	elle vainc
Ind. présent	*inusité*	nous oignons	*inusité*	*inusité*	nous vainquons
Ind. présent	*inusité*	ils oignent	*inusité*	ils sourdent	ils vainquent
Ind. présent	*inusité*	elles oignent	*inusité*	elles sourdent	elles vainquent
Ind. imparfait	*inusité*	j'oignais	*inusité*	*inusité*	je vainquais
Ind. p. simple	*inusité*	j'oignis	*inusité*	*inusité*	je vainquis
Ind. futur	je clorai	j'oindrai	je frirai	*inusité*	je vaincrai
Cond. présent	je clorais	j'oindrais	je frirais	*inusité*	je vaincrais
Subj. présent	je close	j'oigne	*inusité*	*inusité*	je vainque
Subj. présent	nous closions	nous oignions	*inusité*	*inusité*	nous vainquions
Subj. présent	ils closent	ils oignent	*inusité*	*inusité*	ils vainquent
Subj. présent	elles closent	elles oignent	*inusité*	*inusité*	elles vainquent
Subj. imparfait	*inusité*	il oignît	*inusité*	*inusité*	il vainquît
Subj. imparfait	*inusité*	elle oignît	*inusité*	*inusité*	elle vainquît
Impératif	*inusité*	oins	fris	*inusité*	vaincs
	inusité	oignez	*inusité*	*inusité*	vainquons
Participes	*inusité*, clos	oignant, oint	*inusité*, frit	*inusité*	vainquant, vaincu

Note aux enseignants

Le **Maxi-Débutants** s'adresse aux enfants du deuxième cycle du primaire. Avec ses 20 000 mots, il est une édition amplifiée, revue et corrigée du Nouveau Larousse des débutants.

Il a été conçu dans l'esprit des recherches récentes en matière de description et d'acquisition des langues.

La pédagogie d'une langue vise moins à l'accumulation de connaissances ponctuelles dispersées qu'à la prise de conscience de l'existence de systèmes organisés, notamment dans le lexique. À cet effet, de nombreux **regroupements** ont été effectués avec des indications précises sur les correspondances de sens. Leur rôle est de faire apparaître les réseaux de relations de forme et de sens qui entrent en jeu au niveau de la communication. Tous les renvois nécessaires maintiennent le principe de l'ordre alphabétique.

Soit, par exemple, l'ensemble *comprendre, compréhensible, compréhensif, compréhension, incompréhensible, incompris*. Il est précisé que *compréhensible* et *incompréhensible* correspondent au sens 1 de *comprendre* (*je n'ai pas compris ses explications* [= saisir]) ; *compréhensif* renvoie au sens 2 du verbe (*j'ai des amis qui me comprennent*, qui acceptent ce que je fais) ; quant à *compréhension*, deux acceptions sont signalées, renvoyant respectivement au sens 1 (*ce livre est d'une compréhension difficile*, il est difficile à comprendre) et au sens 2 (*mon père m'a parlé avec compréhension* [= bienveillance], il en est de même pour incompris). Aucun dérivé ne correspond au sens 3 (*ce livre comprend trois parties*). On voit qu'une telle présentation ne constitue pas seulement une description analytique d'un ensemble lexical, mais qu'elle guide le choix de l'enfant vers le dérivé approprié, en attirant sans cesse son attention à la fois sur la régularité des correspondances possibles et sur le caractère aléatoire des correspondances réelles. Ce dictionnaire est donc un auxiliaire précieux pour apprendre à l'enfant à *s'exprimer* autant que pour lui permettre de *comprendre* ce qu'il lit ou ce qu'il entend.

L'**accès au sens** d'un mot se réalise par des voies diverses et complémentaires. Les systèmes de dérivation et de composition jouent déjà un rôle capital à cet égard, mais le *contexte* est si essentiel qu'il est souvent impossible d'indiquer le sens d'un mot (par exemple *comprendre, appréhender, réfléchir, tour*) tant qu'il ne figure pas dans un contexte. C'est pourquoi on a jugé préférable, pédagogiquement, de situer le mot dans une courte phrase *avant* d'en expliquer le sens ; la phrase est en général suffisamment éclairante pour que, dès sa lecture, l'interprétation du mot soit déjà bien avancée, sinon totalement réalisée. Les précisions données ensuite apparaissent plutôt comme des explications, des commentaires en rapport avec l'emploi du mot dans l'exemple, que comme des définitions très générales qui imposeraient à l'enfant un effort d'abstraction souvent trop difficile pour son âge. Enfin, la mention des principaux **équivalents** ou **contraires** correspondant aux diverses acceptions complète l'information sur le sens, tout en favorisant l'enrichissement du vocabulaire.

Les cas d'homonymie ou de paronymie, les particularités de prononciation, de morphologie (spécialement de conjugaison), de syntaxe font l'objet de brèves **remarques** détachées en fin d'articles.

S'il est vrai que le rapport des mots et des choses peut être expliqué par le seul système linguistique, il apparaîtra encore bien plus clairement chaque fois que pourront intervenir des **tableaux** ou des **schémas** (par exemple, *calendrier, unités, parenté, géométrie*), ou des **images.** La même considération pédagogique qui a poussé à accorder une importance essentielle au contexte linguistique a fait choisir une méthode d'illustration par **ensembles** cohérents : c'est, en effet, dans des situations, réelles ou fictives, qu'un enfant est amené à interpréter ou à mobiliser un vocabulaire. Ce n'est pas la même « fraise » qu'on peut s'attendre à trouver au jardin potager, dans le cabinet du dentiste ou sur un costume Louis XIII. Une collaboration étroite entre les dessinateurs et les rédacteurs a permis de présenter des situations vraisemblables dans une illustration qui suscite l'intérêt des enfants. L'exploitation pédagogique de ces pages illustrées peut se réaliser sous diverses formes : commentaires, échanges libres, rédactions, etc., qui seront autant d'occasions de mettre en œuvre le vocabulaire. Celui-ci est proposé de la façon la plus simple : les dénominations sont placées directement sur les éléments de l'image, évitant le système fastidieux des renvois par chiffres. Des indications marginales, tout au long du texte, renvoient aux pages où apparaissent les illustrations.

La grande diversité des thèmes présentés (treize séries de cinq centres d'intérêt chacune) fait de ces 104 pages illustrées un large panorama du monde contemporain sur lequel le **Maxi-Débutants** se propose de contribuer à ouvrir l'esprit des enfants.

IMPRIMERIE MAURY, MALESHERBES.
Dépôt Légal Août 1986 – N° Série Éditeur 13561.
IMPRIMÉ EN FRANCE *(Printed in France)*. 320 007 – Août 1986.

Arrêt obligatoire

Obligation de céder
le passage

Accès interdit

Complémentaire à
accès interdit

Trajet obligatoire

Interdiction aux
véhicules lourds

Stationnement interdit

Dépassement interdit

Début d'une chaussée
séparée

Fin d'une chaussée
séparée

Contournement par la
droite ou par la gauche

Circulation dans
les deux sens

Signal avancé de
passage à niveau

Pente raide

Fin du revêtement
bitumineux

Chaussée cahoteuse

Signal avancé d'un
passage pour piétons

Signal avancé d'un
terrain de jeu

Signal avancé d'un
passage pour camions

Travaux d'entretien
mineurs

Aire de stationnement

Hôpital

Station-service

Salle à manger